जीवन और भौतिक विज्ञान

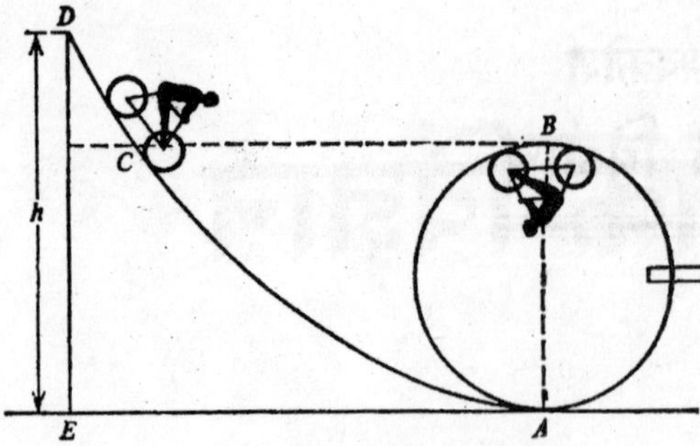
D
B
C
h
E
A
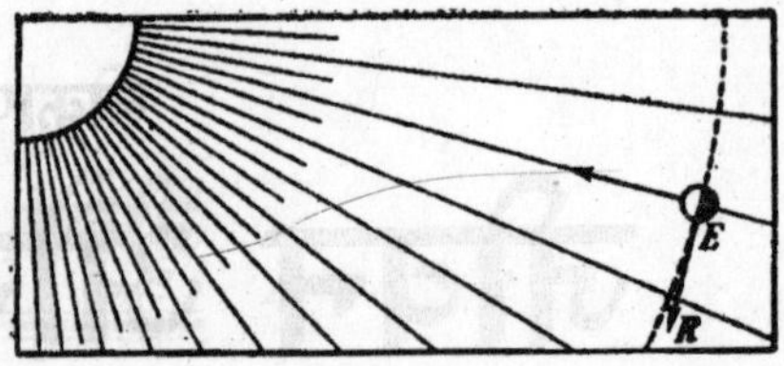
E
R
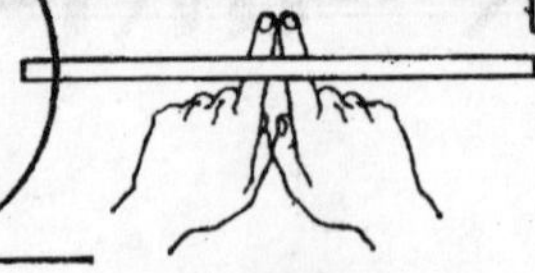

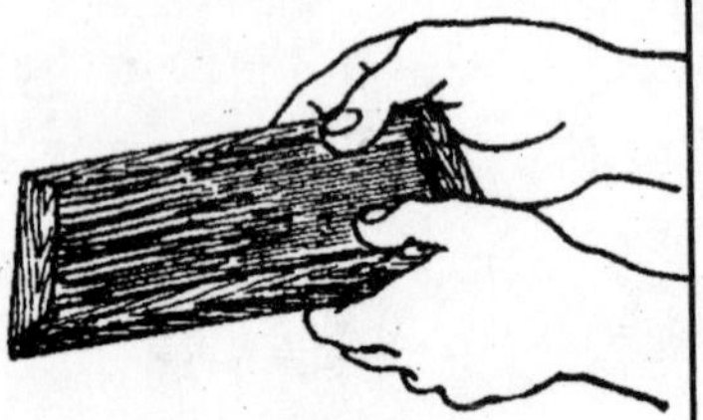

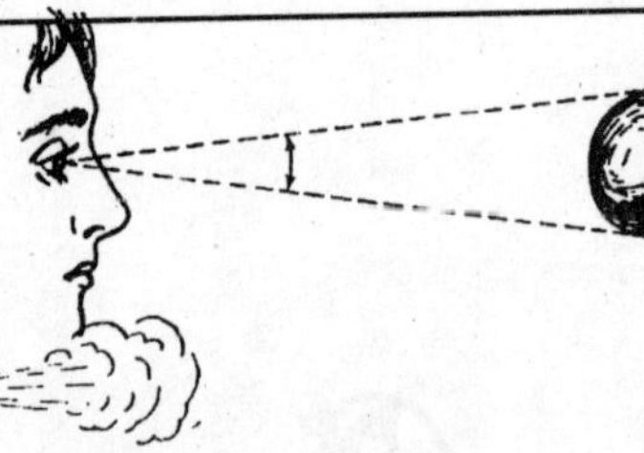

लोकापयोगी विज्ञान विश्वकोश

जीवन और भौतिक विज्ञान

परामर्श व संपादन

विश्वमित्र शर्मा

वाणी प्रकाशन

वाणी प्रकाशन
4695, 21-ए, दरियागंज, नयी दिल्ली 110 002

शाखा
अशोक राजपथ, पटना 800 004

फ़ोन : +91 11 23273167 फ़ैक्स : +91 11 23275710

www.vaniprakashan.in
vaniprakashan@gmail.com
sales@vaniprakashan.in

JEEVAN AUR BHAUTIK VIGYAN
edited by Vishwamitra Sharma

ISBN : 978-93-5229-706-1
Science

संस्करण 2010
आवृत्ति 2017

मूल्य : ₹750

रजौरिया प्रिंटर्स, दिल्ली-110 093 में मुद्रित

वाणी प्रकाशन का लोगो मक़बूल फ़िदा हुसेन की कूची से

क्या कहाँ है

भौतिक विज्ञान : सहज बोध

अध्याय 1
वेग, गतियों का योग

हमारी गति

प्रतियोगिता में एक अच्छा दौड़ाक 1.5km की दूरी लगभग 3 min 50s में तय करता है (1958 का विश्व-कीर्तिमान 3 min 36.8s है)। इसके साथ पैदल-यात्री की साधारण क्षिप्रता (1.5 m/s) की तुलना करने के लिए यदि एक छोटा-सा कलन करें, तो ज्ञात होगा कि वह एक सेकेंड में 7m दौड़ता है। वैसे इन गतियों की तुलना पूर्ण नहीं कहीं जा सकती : पैदल-यात्री एक घंटे में 5 km की दर से घंटों चलता रह सकता है, पर प्रतियोगिता में भाग लेने वाला दौड़ाक अपना अधिकतम वेग एक छोटे कालांतर में ही कायम रख सकता है। पैदल-सेना कीर्तिमान खिलाड़ी से तिगुनी धीमी—एक सेकेंड में 2m या लगभग 7 m प्रति घंटे—चलती है। सेना अपनी क्षिप्रता में बड़े उतार-चढ़ाव ला सकती है, पर दौड़-प्रतियोगिता में भाग लेने वाले ऐसा नहीं कर सकते।

धीमी चाल के लिए मुहावरों की तरह प्रयुक्त होने वाले घोंघे और कछुवे जैसे जंतुओं की गति के साथ आदमी की साधारण चाल की तुलना गनोरंजक हो सकती है। 'घोंघे की चाल' मुहावरे से जो घोंघे को ख्याति प्राप्त हुई है, शत-प्रतिशत न्यायसंगत है। वह एक सेकेंड में 1.5 mm या एक घंटे 5.4 m रेंगता है। यह मनुष्य की चाल से ठीक एक हजार गुना कम है। दूसरा क्लासिकल सुस्त जीव कछुवा घोंघे से थोड़ा ही तेज चलता है : उसकी साधारण गति है 70 m प्रति घंटे।

घोंघे और कछुवे की तुलना में आदमी काफी फुर्तीला नजर आता है, पर यदि उसकी तुलना परिवेश की अन्य प्राकृतिक गतियों से की जाए, तो वह बिल्कुल दूसरे प्रकाश में नजर आएगा। यह सच है कि वह अधिकतर मैदानी नदियों की धारा को दौड़ में हरा सकता है और मंद समीर से कुछ ही पीछे रहता है, पर एक सेकेंड में 5 m उड़ने वाली मक्खी के साथ आदमी सिर्फ स्कीइंग पर ही प्रतियोगिता कर सकता है। खरहे या शिकारी कुत्ते को आदमी सरपट दौड़ते घोड़े पर भी नहीं हरा सकता। गरूड़ के साथ आदमी सिर्फ हवाई जहाज पर ही प्रतियोगिता कर सकता है।

आदमी द्वारा आविष्कृत मशीनें उसे विश्व के क्षिप्रतम जीव में परिणत कर रही हैं।

कुछ ही समय पहले सोवियत संघ में जलगत डैनों वाला यात्री स्टीमर बनाया गया है, जो अपना वेग 60-70 km/h तक बढ़ा

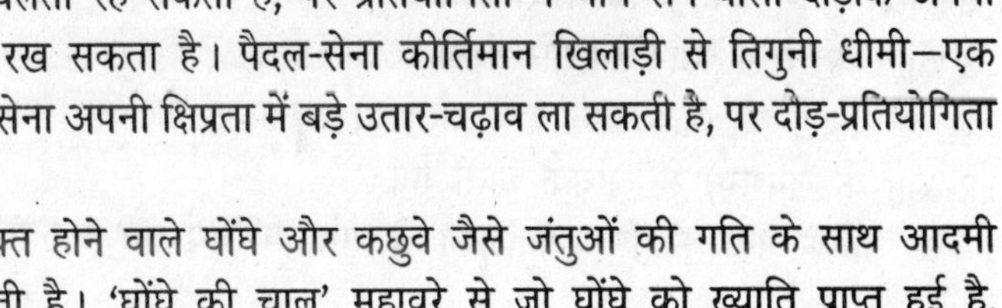

चित्र 1. मोटर-कार-जील-111

सकता है। जमीन पर आदमी पानी की अपेक्षा अधिक तेज चल सकता है। सोवियत संघ में रेलवे के कुछ भागों में गाड़ी का वेग 100 km/h तक पहुँच जाता है। हल्की-सी नई औटो-कार जील-111 (चित्र 1) अपना वेग' 170 km/h तक बढ़ा सकती है। सात लोगों के बैठने लायक कार 'चाइका' का वेग 160 km/h तक पहुँचता है।

इन गतियों को आधुनिक हवाई जहाज काफी पीछे छोड़ चुके हैं। सोवियत संघ के कई यात्री हवाई-मार्गों पर बड़े-बड़े मल्टी-सीटर जहाज तु-134 और तु-154 (चित्र 2) उड़ते हैं। उनकी उड़ान का औसत वेग 800 km/h के लगभग है। हाल तक हवाई जहाज बनाने वालों के सामने 'ध्वनि-बाधा' पार कराने की समस्या थी; वे विमानों को ध्वनि के वेग (330 km/s या 1200 km/h) से अधिक तेज उड़ाना चाहते थे। यह अब संभव हो चुका है। नन्हे, पर शक्तिशाली रिएक्टिव मोटरों वाले विमानों का वेग 2000 km/h के निकट पहुँच सकता है।

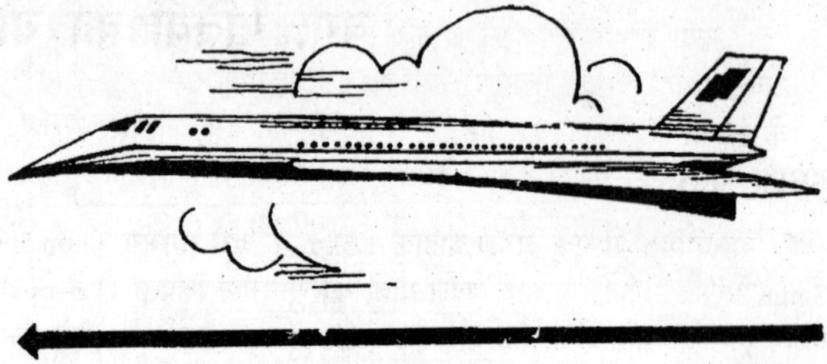

चित्र 2. यात्री प्रतिकारी विमान तु-144

मानव निर्मित उपकरण और भी अधिक वेग उपलब्ध कर सकते हैं। वातावरण की घनी परतों की सीमा के निकट उड़ने वाले पृथ्वी के कृत्रिम स्पूतनिक (सहयात्री; रूसी से) या सैटेलाइट (अंगरक्षक; रोमन से) लगभग 8 km/s वेग से गतिमान है। सौर-मंडल के अन्य ग्रहों की ओर उड़ने वाले अंतरिक्षी उपकरणों का आरंभिक वेग द्वितीय अंतरिक्षी वेग (धरातल के समीप 11.2 km के लगभग) से अधिक होता है।

पाठक वेगों की निम्न तालिका के साथ परिचय कर सकता है :

घोंघा	1.5 mm/s	5.4 km/h
कछुवा	20 mm/s	70 km/h
मछली	1 m/s	3.6 km/h
पैदल यात्री	1.4 m/s	5 km/h
घुड़सवार (दुलकी चाल)	1.4 m/s	6 km/h
घुड़सवार (सरपट चाल)	3.5 m/s	12.6 km/h
मक्खी	5 m/s	18 km/h
स्की करने वाला	5 m/s	18 km/h
घुड़सवार (छलांगी चाल)	8.5 m/s	30 km/h
जलगत डैनों वाला स्टीमर	16 m/s	58 km/h
खरहा	18 m/s	65 km/h
गरूड	24 m/s	86 km/h
शिकारी कुत्ता	25 m/s	90 km/h
रेलगाड़ी	28 m/s	100 km/h
कार जील-111	50 m/s	170 km/h

कार-रेस की मोटरगाड़ियाँ (कीर्तिमान)	174 m/s	633 km/h
तु-104	220 m/s	800 km/h
वायु में ध्वनि	330 m/s	1200 km/h
नन्हा रिएक्टिव विमान	550 m/s	2000 km/h
पृथ्वी, अपने कक्ष पर	30 000	108 000 km/h

समय के पीछे भाग-दौड़

क्या व्लादीवस्तोक से 8 बजे सुबह उड़ कर उसी दिन 8 बजे सुबह मास्को पहुँचा जा सकता है? प्रश्न बिल्कुल अर्थहीन नहीं है। यह सचमुच संभव है। इस उत्तर को समझने के लिए सिर्फ यह स्मरण करना है कि मास्को व व्लादीवस्तोक के समयों में 9 घंटे का अंतर है। यदि विमान इस कालांतर में व्लादीवस्तोक से मास्को की दूरी तय कर सकता है, तो वह मास्को उसी समय पहुँचेगा, जिस समय व्लादीवस्तोक से उड़ा था।

व्लादीवस्तोक–मास्को की दूरी लगभग 9000km है। अतः जहाज का वेग 9000:9 = 1000 km/h होना चाहिए। आधुनिक स्थितियों में ऐसा वेग बिल्कुल संभव है।

ध्रुववर्ती अक्षांशों पर सूरज (या और सही कहें, पृथ्वी) को दौड़ में पकड़ने के लिए बहुत कम वेग की आवश्यकता होगी। 77° अक्षांश (नोवाया ज़िमल्या, नवोर्वी) पर 450 km/h वेग से गतिमान जहाज दिए कालांतर में उतना दूर उड़ सकता है, जितना उसी कालांतर में धरातल का कोई बिंदु पृथ्वी के घूर्णन के कारण अक्ष के चारों ओर घूमता है। ऐसे विमान के यात्री को सूरज थमा हुआ दिखेगा; वह आकाश में अचल लटका रहेगा और अस्त होने की दिशा में नहीं बढ़ेगा (संदेह नहीं कि इसके लिए विमान की उपयुक्त दिशा होनी चाहिए)।

पृथ्वी की परिक्रमा में चंद्रमा को हराना और भी सरल है। चाँद पृथ्वी की घूर्णन गति से 29 गुना धीमे पृथ्वी की परिक्रमा करता है। (यहाँ रैखिक गतियों की नहीं, बल्कि कोणिक गतियों की तुलना की गई है)। अतः घंटे में 25-30 km चलने वाला साधारण स्टीमर मध्यवर्ती अक्षांशों पर ही 'चाँद को दौड़ में हरा सकता है'।

'गँवार गए परदेस' नामक निबंधों में मार्क ट्वेन ऐसी ही एक घटना की याद दिलाते हैं। न्यु-योर्क से आजोर द्वीपों तक जाते वक्त अटलांटिक महासागर पर ''सुंदर गर्म मौसम था। रातें दिन से भी बेहतर थीं। हमें एक विचित्र घटना देखने को मिली : चाँद हर शाम एक ही समय आकाश के एक ही बिंदु पर टंग जाया करता था। चाँद के इस मौलिक आचरण का कारण पहले तो हमारे लिए रहस्य बना रहा, पर बाद में हम समझ गए कि बात क्या है : हम देशांतर रेखा पर 20 मिनट प्रति घंटे की दर से पूर्व की ओर चल रहे थे, अर्थात् हम ऐसी चाल से चल रहे थे कि चाँद से पीछे न रहें!''

सेकेंड का सहस्रांश

हम समय को अपने मानवीय मानदंड से नापने के आदी हैं, इसीलिए सेकेंड का सहस्रांश हमारे लिए शून्य जैसा ही है। इतने लघु अंतराल हमारे व्यवहार में कुछ ही समय से प्रयुक्त हो रहे हैं। जब लोग सूरज की स्थिति या छाया की लंबाई द्वारा समय निर्धारित करते थे, उस जमाने में मिनट की परिशुद्धता भी अकल्पनीय थी (चित्र 3); लोग मिनट को कोई इतना बड़ा परिमाण मानते ही नहीं थे कि उसे नापने की आवश्यकता पड़ती। प्राचीन मनुष्य इतना शांत (बिना किसी जल्दबाजी के) जीवन जीता था कि उसकी सूर्य, जल, वायु-घड़ियों में मिनट के अंश चिह्नित भी नहीं थे (चित्र 4, 5)। सिर्फ XVIII-वीं शती के आरंभ से डायल पर मिनट की सुई को स्थान मिला। सेकेंड की सुई XIX-वीं शती

के आरंभ में प्रकट हुई।

सेकेंड के सहस्रांश में क्या कुछ घट सकता है? बहुत कुछ! यह सच है कि ट्रेन इस कालांतर में सिर्फ तीन सेंटीमीटर आगे बढ़ेगी, पर इसी कालांतर में ध्वनि 33 cm, हवाई जहाज लगभग आधा मीटर, सूर्य के परिक्रमण में पृथ्वी 30 m और प्रकाश 300 m चल चुकेगा।

हमारे परिवेश में जीने वाले नन्हे जीवों में यदि सोचने की क्षमता होती तो वे सेकेंड के सहस्रांश को शायद इतना नगण्य नहीं मानते। उदाहरण, कीड़े-पतंगे इस परिमाण (राशि) को पूर्णतया अनुभव कर सकते हैं; उनके लिये सेकेंड का सहस्रांश पूर्णतया अनुभवगत है। मच्छर एक सेकेंड की अवधि में 5-6 सौ बार पंख फड़फड़ाता है; अर्थात् सेकेंड के हजारवें अंश में वह उन्हें उठाने व गिराने में सफल हो जाता है।

चित्र 3. आकाश में सूर्य की स्थिति (बाएँ) और छाया की लंबाई (दाएँ) के आधार पर समय-निर्धारण।

आदमी अपने अंगों को इतनी तेजी से गतिमान नहीं कर सकता जितना कीड़े-पतंगे। हममें सबसे क्षिप्र गति है पलक झपकाना। 'पल', 'पल भर में', 'पलक मारते' आदि व्यंजनों का आदि स्रोत हमारा पलक झपकाना ही है। यह इतना जल्द होता है कि पलक मुंदने से हम अंधकार भी नोट नहीं करते। पर बहुत ही कम लोग जानते होंगे कि कल्पनातीत क्षिप्रता का समानार्थक 'पलक झपकाना' दरअसल काफी धीमी प्रक्रिया साबित होगी, यदि उसे सेकेंड के सहस्रांश में नापा जाए। परिशुद्ध मापों से ज्ञात होता है कि एक पूरा 'पलक' औसतन 2/5 सेकेंड अर्थात् 400 सेकेंड-सहस्रांश के बराबर होता है। पलक झपकाना निम्न चरणों में संपन्न होता है : पलक का गिरना (75-90 सेकेंड-सहस्रांश), गिरे पलक की अचल अवस्था (130-170 सहस्रांश) और उनका उठना (लगभग 170 सहस्रांश)। स्पष्ट है कि अपने शाब्दिक अर्थ में 'पलक' समय की पर्याप्त बड़ी राशि है, जिसके दरम्यान पलक थोड़ा विश्राम भी करने में सफल हो जाती है। यदि सेकेंड का सहस्रांश हमारे लिए अनुभवगत होता, तो 'एक पल' में हम पलकों की दो धीमी तैरती गतियों को देखते, जो विश्राम के अंतराल से विभक्त होती।

ऐसी स्नायु-प्रणाली के कारण दुनिया हमें इतनी बदली हुई दिखती कि उसे हम पहचान भी नहीं पाते। हमारी आँखों के समक्ष वैसे ही आश्चर्यजनक चित्र उभरते, जिनका वर्णन अंग्रेज लेखक वेल्स ने 'नवीनतम त्वरित्र' नामक कहानी में किया है। कहानी के पात्र एक

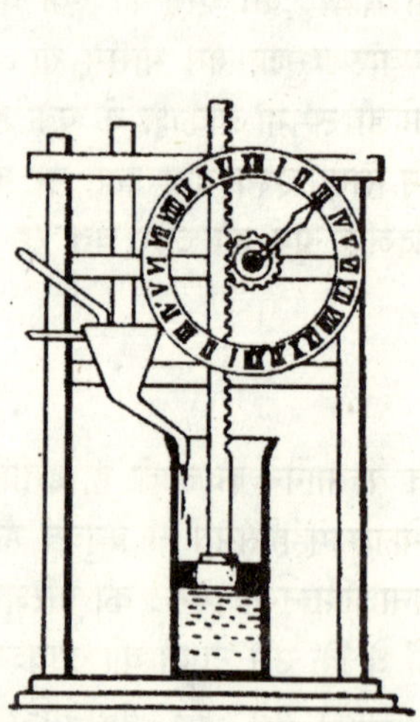

चित्र 4. प्राचीन काल में प्रयुक्त जल-घड़ी।

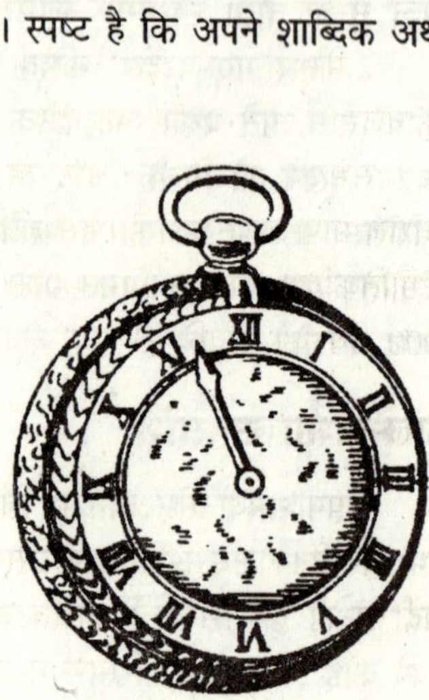

चित्र 5. पुरानी जेबी-घड़ी।

काल्पनिक मिक्सचर पी लेते हैं, जो उनकी स्नायु-प्रणाली को इस प्रकार प्रभावित करता है कि त्वरित घटनाएँ उनहें धीमी दृष्टिगोचर होती है।

ये रहे उस कहानी से कुछ उदाहरण :

"–आपने कभी देखा है कि पर्दा खिड़की से इस प्रकार चिपका हो?

मैंने पर्दे पर निगाह डाली और ध्यान दिया कि वह अपनी जगह पर थम-सा गया है; उसका कोना हवा के झोंके से मुड़ा है और फहरने की बजाय वैसे ही रुक गया है।

–कभी नहीं देखा,–मैंने कहा।–कितनी विचित्र बात है!

–और यह देखा है?–उसने पूछा और गिलास पर से उँगलियों की जकड़ ढीली कर दी।

–मेरी उम्मीद थी कि गिलास फर्श पर चूर-चूर हो जाएगा, पर वह हिला भी नहीं : वह हवा में स्थिर लटका था।

–आप अवश्य ही जानते होंगे,–जिबेर्न ने बताया,–कि स्वतंत्र गिरती हुई वस्तु प्रथम सेकेंड में 5m नीचे आती है। और हमारा गिलास अभी ये ही 5 m तय कर रहा है। लेकिन आप समझ रहे हैं कि अभी सेकेंड का सौंवा अंश भी नहीं बीता है।[1] इससे आप मेरे त्वरित्र की शक्ति का अंदाजा लगा सकते हैं।

गिलास धीरे-धीरे नीचे आ रहा था। जिबेर्न ने गिलास के गिर्द हाथ फेर कर दिखाया, उसके ऊपर, नीचे...

मैंने खिड़की से झाँक कर देखा। एक साइकिल-सवार एक ही स्थान पर जमा हुआ था। उसके पीदे धूल की गुबार लटकी थी। इस क्षण वह एक टमटम का पीछा कर रहा था, जो हमारे लिए अपने स्थान से एक इंच भी नहीं बढ़ रहा था।

...हमारा ध्यान एक बग्गी की ओर आकर्षित हुआ, जो मूरत बन कर खड़ा था। चक्के का ऊपरी हिस्सा, घोड़े के पैर, चाबुक का छोर, गाड़ीवान का निचला जबड़ा (उसने अभी-अभी कुछ चबाना शुरू किया था)–यह सब धीमे ही सही, पर चल रहे थे; बाकी सब कुछ इस सुस्त गाड़ी में बेजान था। लोग उसमें मूर्त्तियों की तरह बैठे थे।

...एक आदमी के हाथ-पैर ठीक उस क्षण थम गए थे, जब वह तेज हवा में अखबार तह करने के लिए अमानवीय प्रयत्न में रत था। पर हमारे लिए इस हवा का कोई अस्तिव नहीं था।

...मेरे अंगों में इस 'त्वरित्र' के समाने के बाद से जो कुछ भी मैने कहा है, सोचा है या किया है, अन्य लोगों की नजर में, पूरे ब्रह्मांड की दृष्टि में मात्र एक पल था।"

संभवतः पाठक के लिए यह जानना दिलचस्प हो कि आधुनिक विज्ञान के साधनों से समय का कितना छोटा अंतराल मापा जा सकता है। इस शती के आरंभ में सेकेंड का 10000-वाँ अंश मापा जा सकता था। आज की प्रयोगशालाओं में भौतिकविद सैकेंड का 100000000000-वाँ अंश नाप सकते हैं। यह अंतराल पूरे सेकेंड से उतना ही छोटा है, जितना 3000 वर्ष की अवधि से एक सेकेंड!

काल-विशालक

अपना 'नवीनतम त्वरित्र' लिखते वक्त वेल्स ने शायद ही सोचा होगा कि इस तरह की चीज सचमुच कभी न कभी बनेगी। पर उस दिन को उसके जीवन-काल में ही आना था। वह खुद अपनी आँखों से उन चित्रों को देख सका (पर्दे पर ही सही!), जिन्हें कभी उसकी कल्पनाशक्ति ने जन्म दिया था। तथाकथित 'काल-विशालक' हमें पर्दे पर उन

---

1. ध्यान में रखना चाहिए कि अपने स्वतंत्र अभिपातन के प्रथम सेकेंड के प्रथम शतांश में पिंड 5 m का शतांश नहीं, बल्कि 10 000-वाँ अंश तय करता है (सूत्र $s = gt^2/2$) के अनुसार)। यह आधा मिलिमीटर होगा। प्रथम सेकेंड-सहस्रांश में पिंड सिर्फ 1/200 mm तय करता है।

घटनाओं को धीमी गति से दिखाता है, जो अक्सर बहुत तेजी के साथ घटती हैं।

'काल-विशालक' सिनेमा का कैमरा है, जो साधारण मूवी-कैमरों की तरह एक सेकेंड में 24 ही नहीं, इससे कई गुनी अधिक तस्वीरें लेता है। इस कैमरे से तस्वीर ली गई परिघटना को यदि एक सेकेंड में 24 तस्वीरों की साधारण गति से पर्दे पर दिखाया जाए, तो दर्शक को परिघटना लमड़ी हुई लगती है, क्योंकि पर्दे पर वह दुगुनी-तिगुनी धीमी गति से घटती है। पाठकों ने अवश्य ही ऐसी अस्वाभाविक छलांगे व धीमी की गई अन्य घटनाएँ पर्दे पर देखीं होंगी। इसी प्रकार के और भी जटिल कैमरों से घटनाएँ अधिक मंद की जा सकती हैं, जो लगभग वैसी ही होंगी, जिनका वर्णन वेल्स ने किया था।

सूर्य-परिक्रमा की गति कब तेज-रात में या दिन में?

पेरिस के अखबारों में एक विज्ञापन छपा, जिसमें 25 सेंटिम में बिना किसी थकावट के यात्रा की सस्ती विधि बताने का वादा किया गया था। कई लोगों ने विश्वास कर के उक्त रकम भेज दी। जवाब में उनहें पत्र मिला, जिसका आशय इस प्रकार था :

"भाइयों, आराम से बिस्तर में बैठे रहिए। याद रखें कि हमारी पृथ्वी घूमती है। पेरिस में (49-वें अक्षांश पर) आप हर दिन 25000km से अधिक दूरी तय करते हैं। और यदि आप सुरम्य दृश्यों को पसंद करते हैं, तो खिड़की के पर्दे हटा दें और तारक-मंडित आकाश की वाह-वाही किया करें।"

बाद में इस धंधे के अपराधी पर जब ठगी का मुकदमा चलाया गया, उसने फैसला सुन कर जुर्माना अदा कर दिया और, जैसा कहते हैं, नाटकीय मुद्रा में खड़ा हो कर गौरव से गैलीली के प्रसिद्ध शब्द दुहराने लगा :

—जो भी कहें, वह घूमती है!

अभियुक्त एक तरह से सही भी था, क्योंकि हर पृथ्वीवासी पृथ्वी की धुरी के चारों ओर घूम कर ही 'यात्रा' नहीं करता। वह कहीं और अधिक वेग से पृथ्वी के साथ सूर्य की परिक्रमा भी करता है। अपने सभी वासियों के साथ हमारा ग्रह अपने अक्ष के गिर्द घूर्णन ही नहीं करता, वह हर सेकेंड 30km की दूरी व्योम में भी तय करता है।

इस संदर्भ में एक रोचक प्रश्न उठाया जा सकता है : कब हम अधिक तेजी से सूरज की परिक्रमा करते हैं—दिन में या रात में?

प्रश्न चकराने वाला है : पृथ्वी पर तो हमेशा ही एक तरफ दिन रहता है और एक तरफ रात। फिर इस प्रश्न का अर्थ क्या है? शायद कुछ भी नहीं।

पर ऐसी बात नहीं है। यह तो नहीं पूछा जा रहा है कि कब सारी

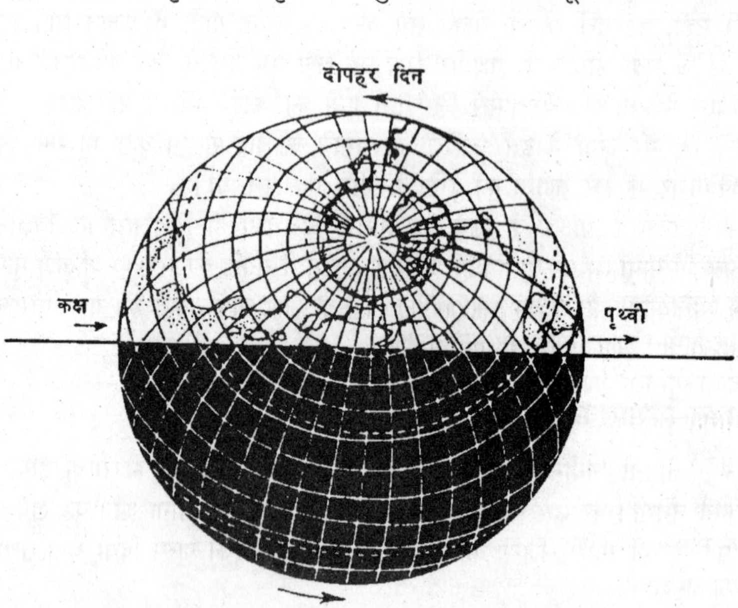

चित्र 6. पृथ्वी के रात्रि वाले अर्द्ध में लोग सूर्य की परिक्रमा अधिक तेजी से करते हैं, अपेक्षाकृत दिन वाले अर्द्ध में।

पृथ्वी तेज या धीमी चलती है। प्रश्न है कि कब हम, पृथ्वी पर जीने वाले लोग, तेजी से तारों के बीच भ्रमण करते हैं। और यह प्रश्न निरर्थक बिल्कुल नहीं कहा जा सकता। सौर-मंडल में हमारी गति द्विविध है : हम सूर्य की परिक्रमा करते हैं और साथ ही पृथ्वी की धुरी का भी चक्कर लगाते हैं। दोनों गतियों के योग का परिणाम हमेशा एक जैसा नहीं होता। यह इस बात पर निर्भर करता है कि हम पृथ्वी के किस अर्ध में हैं—रात वाले में या दिन वाले में। चित्र 6 पर एक नजर डालिए और आप समझ जाएँगे कि आधी रात को पृथ्वी की घूर्णन गति उसकी अग्रगामी गति के **साथ जुड़ जाती है।** और दोपहर दिन में इसके विपरीत उससे **घट जाती है।** अर्थात् **आधी रात को हम सौर-मंडल में दोपहर की अपेक्षा अधिक तेजी से गतिमान रहते हैं।**

चूँकि विष्वक (विषुवत रेखा) के बिंदु एक सेकेंड में लगभग आधा किलोमीटर भागते हैं, विष्वक कटि पर अर्धरात्रि और दोपहर की गतियों में पूरे एक किलोमीटर प्रति सेकेंड का अंतर है। ज्यामिति से परिचित लोग सरलतापूर्वक कलन कर सकते हैं कि लेनिनग्राद के लिए (जो 60-वें अक्षांश पर है) यह अंतर दुगुना कम है : आधी रात को लेनिनग्राद के निवासी सौर-मंडल में प्रति सेकेंड आधा किलोमीटर अधिक तय करते हैं, बनिस्बत कि दिन में।

चक्के का चमत्कार

घोड़ागाड़ी के चक्के की किनारी (या साइकिल के टायर) पर रंगीन कागज का एक टुकड़ा चिपका दें। जब गाड़ी (या साइकिल) चलने लगे, कागज के टुकड़े को ध्यान से देखते रहें। आप एक विचित्र बात गौर करेंगे : कागज जब तक चक्के के निचले भाग में है, वह आराम से स्पष्ट दिखता रहता है; ऊपरी भाग में वह इतनी तेजी से घूमता है कि आप मुश्किल से उसकी झलक ले पाते हैं।

ऐसा लगता है मानो चक्के के निचले भाग की अपेक्षा ऊपरी भाग अधिक तेजी से गतिमान है। किसी चलती बग्गी के चक्के में ऊपर और नीचे की तीलियों को देखा जाए, तो यही बात नजर आएगी। ऊपरी तीलियाँ एक-दूसरे से स्पष्टतः अलग नहीं दिखती हैं, जबकि नीचे की तीलियाँ स्पष्ट रूप से अलग-अलग दिखती हैं। इससे भी मानो यही निकर्ष निकलता है कि चक्के का ऊपरी भाग निचले की अपेक्षा अधिक तेजी से घूमता है।

इस विचित्र रहस्य की कुंजी क्या है? यही कि लुढ़कते चक्के का ऊपरी भाग **निचले की अपेक्षा सचमुच में अधिक तेज घूमता है।** पहली दृष्टि में तथ्य असंभव-सा लगता है, पर एक सरल तर्क इसमें विश्वास दिलाने के लिए काफी रहेगा। लुढ़कते चक्के का हर बिंदु दो प्रकार से गतिमान होता है : वह अक्ष की परिक्रमा करता है और अक्ष के साथ-साथ आगे बढ़ता है। पृथ्वी के गोले की तरह ही यहाँ भी दो गतियों का संयोजन होता है, जिसका परिणाम चक्के के ऊपरी ओर निचले भागों के लिए पृथक होता है। ऊपर चक्के की घूर्णन गति उसकी अग्रगामी गति के साथ **जुड़ती** है, क्योंकि दोनों गतियों की दिशाएँ समान हैं। नीचे घूर्णन गति की दिशा विपरीत है, अतः वह अग्रगामी गति में से **घट जाती है**। इसीलिए स्थिर अवलोकक के सापेक्ष चक्के का ऊपरी भाग निचले की अपेक्षा अधिक तेजी से स्थानांतरित होता है।

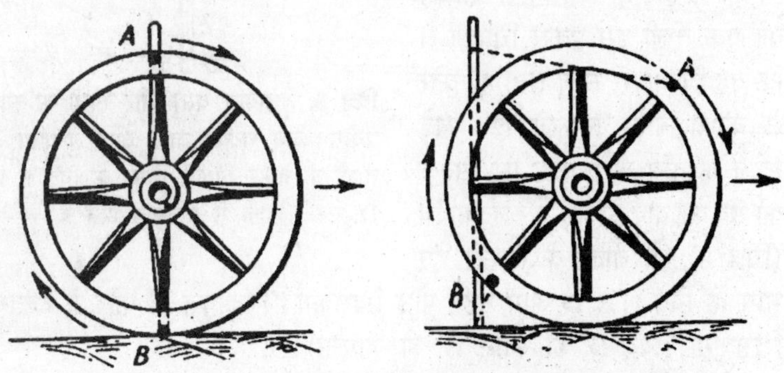

चित्र 7. कैसे देखा जाए कि चक्के के निचले भाग की अपेक्षा ऊपरी भाग अधिक तेज घूमता है। अचल खड़ी छड़ी से बिंदुओं A व B की दूरियों की तुलना करें (दाएँ आरेख में)

उपरोक्त बात की सत्यता एक

सरल प्रयोग द्वारा जाँची जा सकती है। टमटम के चक्के के पास जमीन में एक छड़ी लंब रूप से गाड़ दें। छड़ी चक्के की धुरी के ठीक सामने होनी चाहिए। चक्के की किनारी पर सबसे ऊपरी और सबसे निचले बिंदुओं पर कोयले या खल्ली से निशान लगा दें : ये निशान छड़ी के ठीक सामने होंगे। अब टमटम को दाएँ लुढ़काएँ (चित्र 7), ताकि अक्ष छड़ी से करीब 20-30 सेंटीमीटर आगे बढ़ ज़ाए। ध्यान दें कि आपके निशानों का स्थानांतरण किस प्रकार हुआ है। ऊपरी चिह्न A विशेष रूप से आगे बढ़ा होगा, जबकि निचला निशान B छड़ी के लगभग पास ही होगा।

चक्के का सबसे सुस्त हिस्सा

हमने देखा कि गाड़ी के चक्के में सभी बिंदु समान क्षिप्रता से स्थानांतरित नहीं होते। लुढ़कते चक्के का कौन-सा भाग सबसे धीमा होता है?

समझना कठिन नहीं है कि चक्के में **सबसे धीमी गति उन बिंदुओं की है, जो दिए क्षण में जमीन को स्पर्श करते हैं।** ठीक-ठीक कहा जाए, तो ये बिंदु जमीन छूते वक्त बिल्कुल अचल होते हैं।

उपरोक्त बात सिर्फ **लुढ़कते** चक्के के बारे में सही है, अचल अक्ष पर घूमते चक्कों के साथ यह बात सही नहीं उतरती। उदाहरणार्थ, ऑटोगाड़ियों में लगे गति-सामक चक्र के ऊपरी और निचले भाग समान वेग रखते हैं।

प्रश्न है, मजाक नहीं

यह प्रश्न भी कुछ कम मनोरंजक नहीं है : लेनिनग्राद से मास्को जाने वाली ट्रेन मं ऐसे बिंदु होते हैं या नहीं, जो पटरियों के सापेक्ष उल्टा मास्को से लेनिनग्राद की ओर गतिमान हों?

ज्ञात होता है कि ऐसे बिंदु हर चक्के पर हर क्षण विद्यमान होते हैं। किस जगह होते हैं ये?

आप अवश्य ही जानते होंगे कि ट्रेन के चक्कों की किनारी पर होंठ जैसा गोट निकला रहता है। इसी गोट के निचले बिंदु ऐसे होते हैं, जो ट्रेन के चलते वक्त आगे की बजाय पीछे की ओर स्थानांतरित होते हैं।

इस बात की सत्यता आप निम्न प्रयोग द्वारा सरलतापूर्वक जाँच सकते हैं। किसी वृत्ताकार वस्तु (जैसे एक सिक्के या बटन) पर मोम से माचिस की एक तीली इस प्रकार चिपका लें कि वह त्रिज्या पर से गुजरती हुई कोर से काफी बाहर निकली रहे। खड़े स्केल के कोर के बिंदु C पर सिक्के को रख कर दाएँ से बाईं ओर लुढ़काएँगे (चित्र 8), तो तीली के निकले हुए भाग के बिंदु F, E, D आगे नहीं, पीछे खिसकेंगे। बिंदु वृत्त के कोर से जितना ही दूर होगा, उतना ही अधिक वह पीछे खिसकेगा (बिंदु D का स्थान D′ हो जाएगा)।

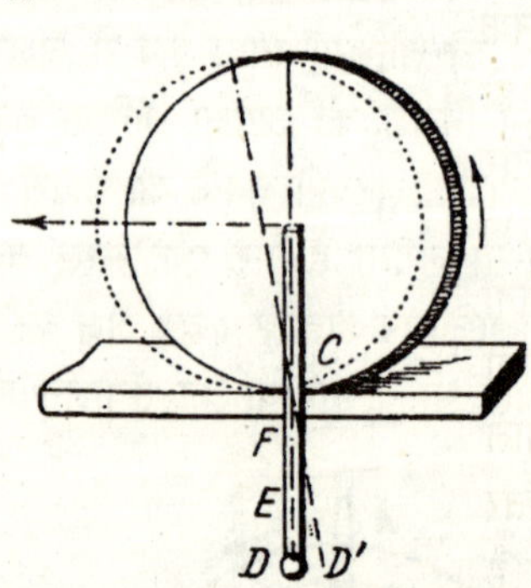

चित्र 8. वृत्ताकार वस्तु और तीली के साथ प्रयोग। जब चक्का बायीं ओर लुधड़ता है, तीली के बाहर निकले हिस्से के बिंदु F, E, D, उल्टी दिशा में गतिमान होते हैं।

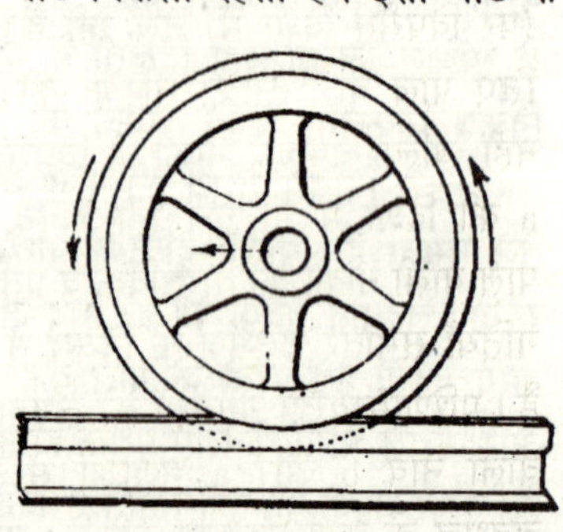

चित्र 9. जब ट्रेन के चक्के बाईं ओर घूमते हैं, उनकी बाहर निकली किनारी के निचले भाग दाईं ओर अर्थात् विपरीत दिशा में गतिमान होते हैं।

ट्रेन में चक्के की गोट की गति वैसी ही होती है, जैसी हमारे प्रयोग में तीली के निकले हुए भाग की।

अब आपको इस बात से आश्चर्य नहीं होना चाहिए कि ट्रेन में ऐसे बिंदु भी हैं, जो आगे की बजाय पीछे चलते

हैं। यह सत्य है कि ऐसी गति सिर्फ सेकेंड के क्षुद्रांश में ही सीमित रहती है। पर जो भी हो, हमारी सामान्य धारणा के बावजूद ट्रेन में उसके विरुद्ध स्थानांतरण भी होते हैं। उक्त बातें चित्र 9 व 10 द्वारा स्पष्ट की गई हैं।

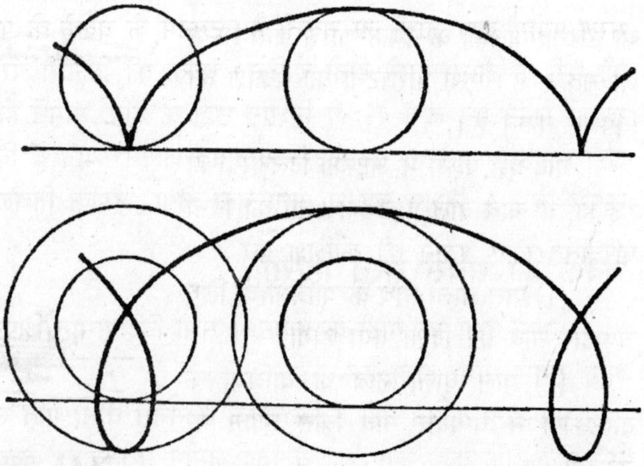

चित्र 10. ऊपर के आरेख में दिखाई गई वक्र रेखा (चक्राभ) वह पथ दिखाती है, जिस पर चक्के की किनारी का हर बिंदु भ्रमण करता है। नीचे—वक्र रेखा, जिसे ट्रेन के चक्के के निचले भाग के हर बिंदु निरूपित करते हैं।

नाव कहाँ सी चली ?

कल्पना करें कि एक चप्पूदार नाव झील में चल रही है और हमारे चित्र 11 में तीर a उसकी गति की दिशा और वेग द्योतित करता है। उसके पथ के साथ समकोण बनाती रेखा पर एक पाल वाली नाव आ रही है। तीर b उसकी दिशा और वेग दर्शाता है। यदि आप से पूछा जाए कि यह नाव कहाँ से चली थी, तो आप बेशक तट पर बिंदु M दिखा देंगे। पर यही प्रश्न यदि चप्पूदार नाव के यात्रियों को दिया जाए, तो वे बिल्कुल ही दूसरा बिंदु बताएँगे। क्यों?

कारण यह है कि यात्री दूसरी नौका को अपने पथ के लंब चलती नहीं देखते। वे अपनी गति महसूस नहीं करते : उन्हें लगता है कि वे एक ही स्थान पर खड़े हैं और चारों ओर की चीजें उनकी खुद की गति से (पर विपरीत दिशा में) चल रही हैं। अतः **उनके लिए** पाल वाली नौका तीर b की दिशा में ही नहीं, बल्कि चप्पूदार नौका के विपरीत छिन्न-तीर a की दिशा में भी चल रही है (दे. चित्र 12)। पाल वाली नौका की वास्तविक व प्रतीयमान दोनों गतियाँ समांतर चतुर्भुज के नियम से जोड़ी जाती है। परिणामस्वरूप यात्रियों को लगता है कि पाल वाली नाव b और a भुजाओं से बने समांतर चतुर्भुज के कर्ण पर चल रही है। यही कारण है कि यात्री पाल वाली नाव की रवानगी का स्थान M नहीं बता कर बिंदु N बताते हैं, जो उनकी गति की दिशा में बहुत दूर है (चित्र 12)।

चित्र 11. पाल वाली नाव का पथ चप्पूदार नाव के पथ के लंब है। तीर a व b वेग द्योत्ति करते हैं। चप्पू चलाने वालों को क्या दिखेगा।

जिस प्रकार चप्पूदार नाव के यात्री पाल वाली नाव के प्रस्थान का स्थल गलत निर्धारित करते हैं, उसी प्रकार हम भी तारों से हमारी आँखों तक आती किरणों के उद्गम का स्थान आकाश में गलत बताते हैं। कारण यही है कि हम अपनी उस गति को ध्यान में नहीं रखते, जिससे हम पृथ्वी पर बैठे उसके कक्ष पर सूरज की परिक्रमा करते हैं। इसीलिए तारे हमें पृथ्वी की गति-पथ पर थोड़ा आगे विस्थापित करते हैं। यह सही है कि पृथ्वी का वेग प्रकाश-वेग की तुलना में नगण्य है (10000 गुना कम है) और इसीलिए तारों का आभासी विस्थापन नगण्य होता है। पर फिर

भी उसे खगोलिकी के उपकरणों से ज्ञात किया जा सकता है। ऐसी परिघटना को प्रकाश का विपथन कहते हैं।

यदि ऐसे प्रश्नों में आपकी दिलचस्पी हो गई हो, तो नाव वाले प्रश्न की शर्तों को बिना परिवर्तित किए बताने की कोशिश करें :

(1) पाल वाली नाव के यात्रियों के लिए चप्पूदार नाव की दिशा क्या होगी?

(2) पाल वाली नाव के यात्रियों के दृष्टिकोण से चप्पूदार नाव किस स्थान पर पहुँचेगी?

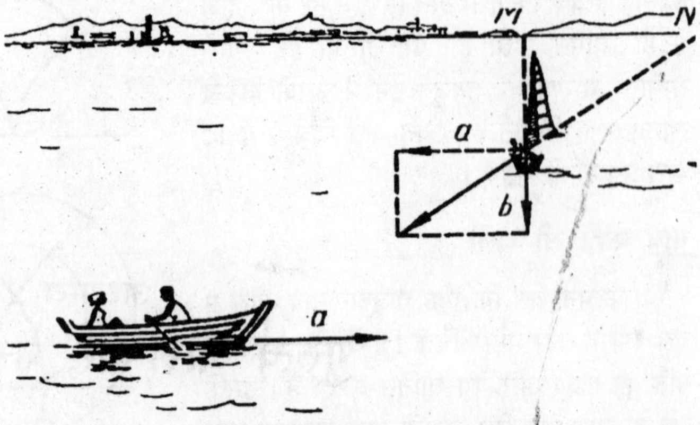

चित्र 12. चप्पू चलाने वालों को लगता है कि पाल वाली नाव बिंदु M से नहीं, N से आ रही है, अर्थात् वह उनके पथ के लंब नहीं, तिरछा चल रही है।

इन प्रश्नों का उत्तर देने के लिए आपको a रेखा पर (चित्र 12) गतियों का समांतर चतुर्भुज बनाना होगा; उसका कर्ण दिखाएगा कि पालवाली नाव के यात्रियों को चप्पूदार नाव तिरछी चलती नजर आएगी मानो वह तट पर लगने जा रही हो।

अध्याय 2

गुरुत्व और भार, उत्तोलक, दाब

उठिए

यदि मैं आप से कहूँ : ''अभी आप कुर्सी पर ऐसे बैठेंगे कि उठ नहीं सकेंगे, हालाँकि आप बंधे नहीं होंगे'', आप उसे बेशक मजाक मानेंगे।

ठीक है। आप ऐसे बैठिए जैसे चित्र 13 में आदमी बैठा है : धड़ सीधा हो और पैर कुर्सी के नीचे न मुड़े हों। अब खड़े होने की कोशिश करें; शर्त्त है कि पैरों की स्थिति न बदले और धड़ आगे न झुके।

नहीं हो रहा है? पेशियों की लाख कोशिश से भी आप खड़े नहीं हो सकते, जब तक आप पैरों को कुर्सी के नीचे नहीं मोड़ते या धड़ आगे नहीं झुकाते।

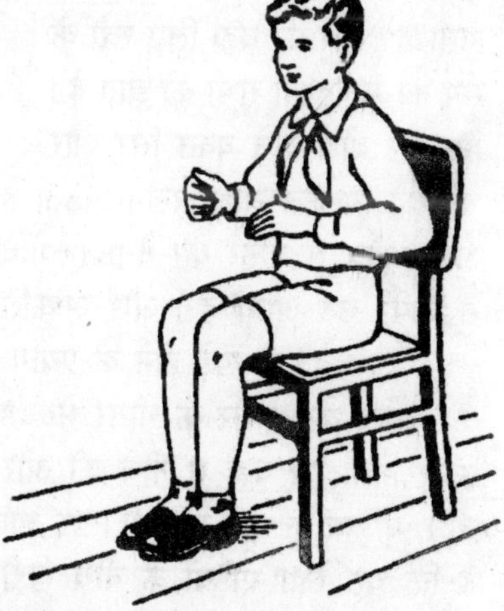

चित्र 13. इस मुद्रा में बैठे रह कर खड़ा नहीं हो सकते।

इसका कारण समझने के लिए हमें पिंडों के संतुलन पर व्यापक रूप से और आदमी के सन्तुलन पर विशेष रूप से बातें करनी होंगी। खड़ी वस्तु सिर्फ उस स्थिति में नहीं गिरती, जब उसके गुरुत्व केंद्र से खींची गई साहुल-रेखा (सीधी, लंबवत खड़ी रेखा) उसके आधार के दायरे (आलंब-क्षेत्र) में पड़ती रहती है। अतः चित्र 14 का नत बेलन अवश्य ही गिरेगा। यदि वह इतना चौड़ा होता कि उसके गुरुत्व केंद्र से खींची गई साहुल-रेखा उसके आलंब-क्षेत्र में ही पड़ती, तो बेलन नहीं गिरता। पीसा की 'झुकी मीनार' या अर्खांगेल्स्क का 'गिरता घंटाघर' इतना झुका होने पर भी नहीं गिरता, क्योंकि उनके गुरुत्व केंद्र से चली साहुल-रेखा उनके आधार के दायरे से बाहर नहीं पड़ती। (दूसरा एक गौण कारण यह भी है कि वे काफी गहरी नींव पर खड़ें हैं)।

खड़ा आदमी तभी तक नहीं गिरता, जब तक कि उसके गुरुत्व केंद्र से गुजरती साहुल-रेखा उसकी एड़ियों से घिरे क्षेत्र के भीतर गिरती है। इसीलिए एक पैर पर खड़ा होना कठिन है; तनी रस्सी पर खड़ा होना और भी मुश्किल है : आधार या आलंब-क्षेत्र बहुत ही कम है और साहुल-रेखा के लिए उसकी सीमा से बाहर निकल आना बहुत सरल है। आपने कभी ध्यान दिया है कि पुराने घाघ नाविकों की चाल कितनी बेढब होती है? उनकी सारी जिंदगी हिचकोले खाते जहाजों पर बीतती है, जहाँ उनके शरीर के गुरुत्व केंद्र से गुजरती साहुल-रेखा किसी भी क्षण उनकी एड़ियों से

घिरे क्षेत्र के बाहर चली आ सकती है। इसीलिए वे इस तरह चलने की आदत बना लेते हैं कि उनके शरीर का आधार अधिक से अधिक स्थान घेर कर रखे, अर्थात् पैर अधिक से अधिक खुले हों। इससे नाविकों को हिचकोलों के बीच आवश्यक स्थिरता प्राप्त होती है। स्वाभाविक है कि स्थिर जमीन पर चलते वक्त भी उनकी यह आदत नहीं छूटती। इसका विपरीत उदाहरण भी दिया जा सकता है, जिसमें संतुलन बनाए रखने की आवश्यकता मुद्रा की सुंदरता का आधार बन जाती है। आपने कभी ध्यान दिया है कि सर पर बोझ ढोने वालों की आकृति कितनी सुडौल होती है? सिर पर घड़ा लिए स्त्री के रूप की मनोहरता सभी को ज्ञात है। सिर पर बोझ ढोते वक्त सिर और धड़ को बिल्कुल सीधा रखना पड़ता है : हल्का-सा झुकाव भी गुरुत्व केंद्र को आलंब-क्षेत्र से बाहर कर देगा (क्योंकि इस स्थिति में गुरुत्व केंद्र विशेष रूप से ऊपर उठ आया है!) और आकृति का संतुलन बिगाड़ देगा।

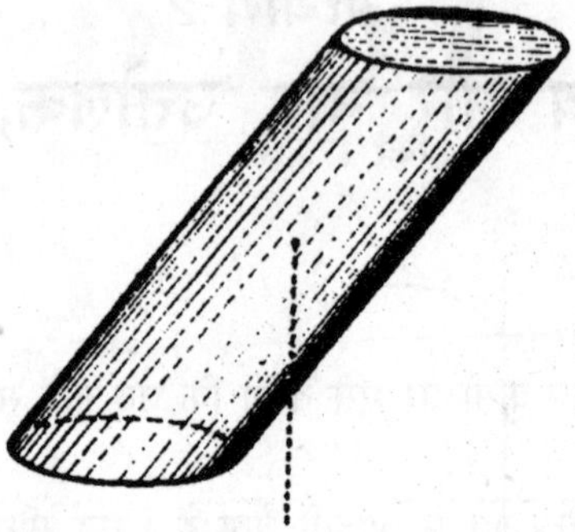

चित्र 14. यह बेलन गिर जाएगा, क्योंकि उसके गुरुत्व केंद्र से खींची गई शाहुल रेखा उसके आधार-क्षेत्र के बाहर पड़ रही है।

चित्र 15 अखांगेल्स्क का 'गिरता' घंटाघर (पुराने फोटोग्राफ से)।

अब बैठे से खड़े होने के प्रयोग की ओर लौटें। बैठे हुए आदमी के धड़ का गुरुत्व केंद्र शरीर के भीतर मेरूदंड के पास नाभि से करीब 20 सेंटीमीटर ऊपर होता है। यहाँ से नीचे की ओर साहुल-रेखा खींचे : वह ठीक कुर्सी के नीचे, एड़ियों के पीछे पहुँचेगी। पर आदमी खड़ा हो सके, इसके लिए आवश्यक है कि यह रेखा **एड़ियों के बीच** खड़ी हो।

अतः उठते वक्त हमें या तो छाती आगे की ओर झुकानी चाहिए या पैरों को पीछे कर के गुरुत्व केंद्र को टेक देनी चाहिए। कुर्सी पर से उठते वक्त हम अक्सर यही करते हैं। लेकिन यदि हमें दोनों में से कुछ भी करने की अनुमति नहीं है, तो जैसा कि आप देख चुके हैं, उठना मुश्किल है।

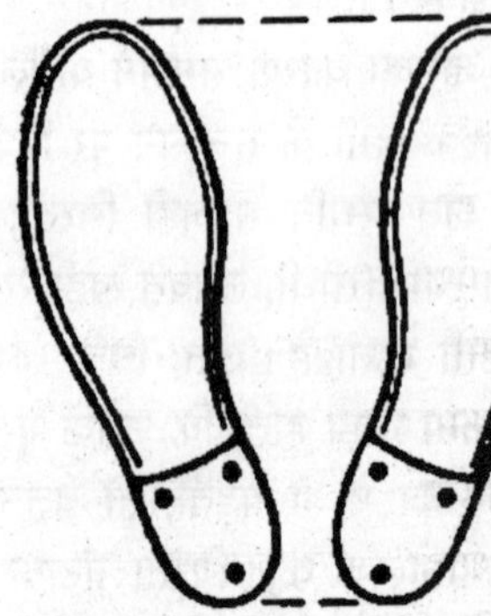

चित्र 16. खड़े आदमी के गुरुत्व केंद्र से गुजरती शाहुल रेखा दोनों तलवों से घिरे क्षेत्र में पड़ती है।

चलना और दौड़ना

दैनिक जीवन में जो चाजें हम लाखों-हजारों बार दुहराते हैं, हमें अच्छी तरह ज्ञात होनी चाहिए। सोचा यही जाता है, पर हमेशा ऐसा नहीं होता। उसके सुंदर उदाहरण हैं—चलना और दौड़ना। इनसे बढ़ कर हमारे लिए परिचित शायद ही कोई दूसरी गति हो। पर कितने ऐसे लोग मिलेंगे, जो अच्छी तरह जानते हैं कि चलने और दौड़ने में शरीर आगे

कैसे बढ़ता है और इन दो प्रकार की गतियों में क्या अंतर है? देखें कि शरीर क्रिया-विज्ञान चलने व दौड़ने के बारे में क्या कहता है।[1] मुझे विश्वास है कि अधिकतर लोगों के लिए यह वर्णन नया होगा।

"मान लें कि आदमी एक पैर पर खड़ा है, उदाहरणार्थ दाएँ पैर पर। अब कल्पना करें कि वह हल्के से पिछली एड़ी उठाता है और साथ ही धड़ को आगे झुकाता है।[2] स्पष्ट है कि इस स्थिति में गुरुत्व केंद्र आलंब-क्षेत्र से बाहर निकल आएगा और आदमी आगे की ओर गिरेगा। लेकिन जैसे ही उसका गिरना शुरू होता है, हवा में लटका उसका बायाँ पैर जल्दी से आगे बढ़ता है और गुरुत्व केंद्र से खिंचे लंब के पाद से कुछ दूर समीन पर रुकता है। इससे लंब दोनों पैरों के आलंब-बिन्दुओं से घिरे क्षेत्र में आ जाता है और आदमी का गिरना रुक जाता है। सन्तुलन पुनः कायम हो जाता है और आदमी एक कदम पूरा कर लेता है।

आदमी इस उकताने वाली स्थिति में रुका रह सकता है, पर यदि वह आगे बढ़ना चाहता है, तो वह शरीर को थोड़ा आगे झुकाता है, गुरुत्व केंद्र से खींचे लंब को टेक-क्षेत्र के बाहर ले जाता है और फिर गिरने के क्षण पैर आगे बढ़ा देता है—लेकिन इस बार बायाँ नहीं, दायाँ पैर एक

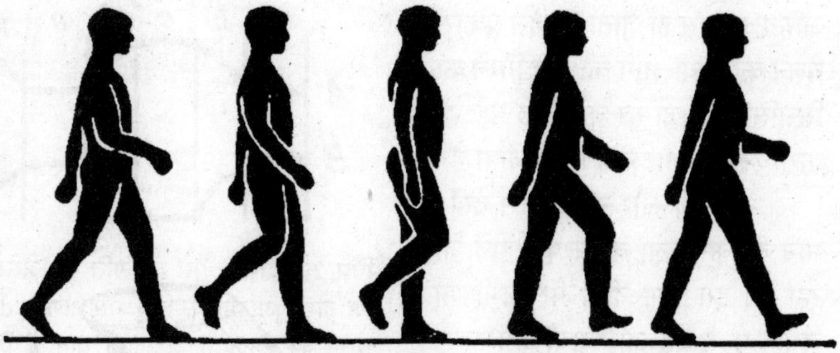

चित्र 17. आदमी का चलना। शरीर की क्रमिक मुद्रायें।

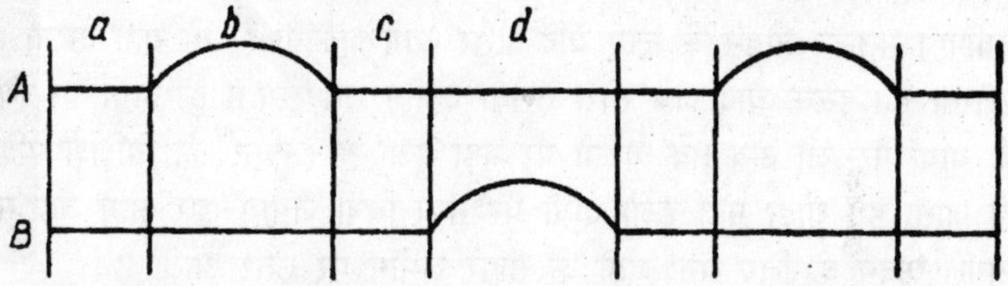

चित्र 18. चलते वक्त पैरों की गति का आरेख। ऊपरी रेखा A एक पैर की गति दिखाती है और निचली रेखा B—दूसरे पैर की। सरल रेखाएँ पैरों से जमीन टेकने के क्षणों को दिखाती है। और चाप—जब पैर बिना टेक के गतिमान रहते हैं। आरेख से स्पष्ट है कि अंतराल a के दरम्यान दोनों पैर जमीन पर टिके हैं; अंतराल b में—पैर A ऊपर उठा हुआ है, B जमीन पर टिका है; अंतराल c में—दोनों पैर पुनः जमीन पर हैं। जितनी ही तेजी से आदमी चलेगा, अंतराल a, c उतने ही छोटे होंगे (तुलना करें चित्र 20 में दौड़ के आरेख से)।

चित्र 19. आदमी का दौड़ना—क्रमिक मुद्राएँ (ऐसे भी क्षण हैं, जब दोनों पैर उठे हुए होते हैं)।

---

1. अवतरण प्रो. पोल बेर्ट के "जैविकी पर व्याख्यान" से लिए गए हैं; चित्र संकलनकर्ता की तरफ से।

1. चलने की प्रक्रिया में आधार-बिंदु को इस प्रकार धकेलते वक्त आदमी अपने भार के साथ-साथ उस पर लगभग 20 kg का अतिरिक्त दाब डालता है। इसी से यह निष्कर्ष निकलता है कि चलते वक्त आदमी जमीन को अधिक जोर से दबाता है, बनिस्बत कि जब वह खड़ा रहता है।—या. पे.

और कदम पूरा हो जाता है। इस प्रकार, चलने की क्रिया **आगे की ओर गिरने का सिलसिला** है, जो हर बार पीछे पड़े पैर द्वारा ऐन मौके पर रोक लिया जाता है।

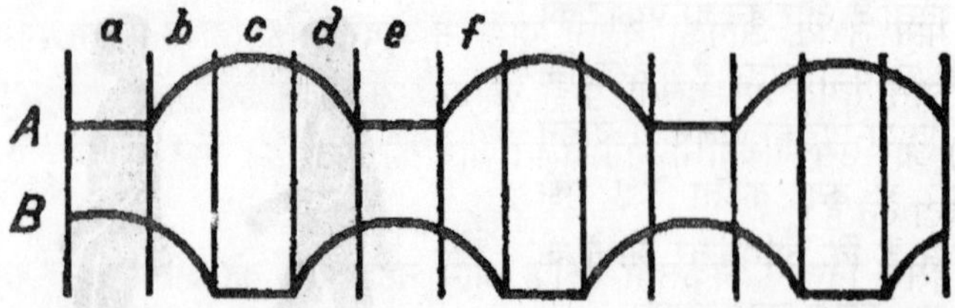

चित्र 20. दौड़ में पैरों की गति का आरेख (तुलना करें चित्र 18 से) स्पष्ट दिख रहा है कि दौड़ते आदमी के लिए ऐसे क्षण b d f होते हैं, जब दोनों पैर हवा में उठे रहते हैं। चलने की क्रिया से दौड़ इसी बात में भिन्न होती है।

बात को और नजदीक से देखें। मान लें कि पहला कदम पूरा होने जा रहा है। इस क्षण दायाँ पैर अभी भी जमीन छू रहा है और बायाँ जमीन पर आ रहा है। यदि कदम बहुत छोटा नहीं है तो दाईं एड़ी पीछे से कुछ उठी होनी चाहिए। संतुलन तोड़ने के लिए यदि शरीर आगे झुकाना है, तो यही करना होगा। बायाँ पैर एड़ी के सहारे जमीन पर उतरता है। इसके बाद जब सारा तलवा जमीन छूने लगता है, दायाँ पैर बिल्कुल हवा में उठ जाता है। इसके साथ ही बायाँ पैर, जो अब तक घुटनों पर मुड़ा हुआ था। कमर की विशिश पेशियों के सिकुड़ जाने से क्षणभर को सीधा हो जाता है। थोड़ा मुड़ा हुआ दायाँ पैर तभी बिना जमीन छुए आगे बढ़ सकता है और शरीर की गति के अनुसार अगले कदम के लिए पुनः एड़ी के सहारे जमीन पर उतर आता है।

इसके बाद गतियों का यही सिलसिला बाएँ पैर के साथ शुरू होता है, जो इस समय जमीन पर सिर्फ उँगलियों के सहारे टिका होता है और उठने की तैयारी करने लगता है।

चलने से दौड़ने में अंतर यह है कि जमीन पर खड़ा पैर पेशियों के अचानक सिकुड़ने से सीधा लमड़ता है और शरीर को इस तरह आगे फेंक देता है कि वह **क्षण भर को जमीन से बिल्कुल अलग हो जाता है**। इसके बाद वह पुनः जमीन पर दूसरे पैर के सहारे गिरता है, जो शरीर के हवा में उछलते वक्त शीघ्रता से आगे बढ़ चुका होता है। इस प्रकार, दौड़ने की क्रिया एक पैर से दूसरे पर **छलाँगों का सिलसिला है।**

जहाँ तक क्षैतिज पथ पर चलने से खर्च हुई मानव-ऊर्जा का प्रश्न है, वह शून्य के बराबर नहीं है, क्योंकि हर कदम के दौरान आदमी का गुरुत्व केन्द्र कुछ सेंटीमीटर ऊपर उठता है। हिसाब लगाया जा सकता है कि क्षैतिज पथ पर चलने से संपन्न कार्य चलने वाले के शरीर को पथ की लंबाई के पंद्रहवें भाग ऊँचा उठाने से संपन्न कार्य के बराबर होता है।[1]

चलती गाड़ी से कैसे कूदें?

किसी से यह पूछेंगे, तो आपको बेशक निम्न उत्तर मिलेगा : "जड़त्व नियम के अनुसार आगे की ओर, गाड़ी चलने की दिशा में"। अब आप इससे सविवरण समझाने का अनुरोध करें कि जड़त्व नियम से इसका क्या संबंध है। परिणाम का अंदाजा लगाया जा सकता है : आपका साथी पूरे विश्वास के साथ अपने विचारों को सिद्ध करने में लग जाएगा; पर यदि उसे टोका नहीं जाए, तो जल्द ही चक्कर में पड़ जाएगा : पता चलेगा कि जड़त्व नियम के अनुसार ठीक उल्टा–गति के विपरीत–कूदना चाहिए!

जड़त्व नियम की यहाँ सचमुच में गौण भूमिका है,–मुख्य कारण कुछ और है। यदि इस मुख्य कारण को छोड़ दें, तो निष्कर्ष सचमुच में यही निकलता है कि आगे नहीं, पीछे की ओर कूदना चाहिए।

---

1. यह कलन प्रो. गर्याछकिन की पुस्तक 'सजीव चलित्रों का कार्य' (1914) में दिया गया है।

मान लें कि आपको चलती गाड़ी से कूदना पड़ रहा है। क्या होगा इस स्थिति में?

जिस समय हम चलती गाड़ी के डब्बे से कूदते हैं, हमारा शरीर डब्बे के वेग से गतिमान रहता है (जड़त्व के कारण) और उसकी प्रवृत्ति आगे चलते जाने की होती है। आगे की ओर कूद कर हम इस वेग को नष्ट करने की बजाय और बढ़ा देते हैं।

इससे निष्कर्ष निकलता है कि आगे नहीं, **पीछे की ओर** कूदना चाहिए। क्योंकि पीछे कूदने से प्राप्त वेग उस वेग को **घटा देता है,** जिससे हमारा शरीर जड़त्व के कारण आगे चल रहा है। इसके फलस्वरूप हमारा शरीर जमीन पर कम शक्ति से गिरने की प्रवृत्ति रखेगा।

पर इसके बावजूद भी, यदि कूदना पड़ता है, तो सब आगे ही कूदते हैं। यह सचमुच ही उत्तम विधि है और इतनी खरी है कि पाठक को हम चलती गाड़ी से पीछे की ओर कूदने की असुविधाओं को जानने की कोशिश न करने की विशेष चेतावनी देते हैं।

फिर बात क्या है?

व्याख्या की त्रुटि है, उसका अधूरापन है। आगे कूदें या पीछे, गिरने का खतरा हमेशा है, क्योंकि धड़ जड़त्ववश चलता रहेगा और पैर जमीन को छूते ही रुक जाएँगे[1]। धड़ की गति इस स्थिति में कहीं अधिक होगी, बनिस्बत पीछे कूदने में। पर यहाँ महत्त्वपूर्ण बात यह है कि पीछे की अपेक्षा आगे की ओर गिरना **कम खतरनाक** है। आगे गिरते वक्त हम आदतवश पैर बढ़ा कर गिरना रोक लेते हैं (गाड़ी का वेग अधिक होने पर कुछ कदम दौड़ भी लेते हैं)। हम इस तरह की गतियों के आदी हैं, क्योंकि हर रोज चलते वक्त यही करते हैं : यांत्रिकी के दृष्टिकोण से चलना और कुछ नहीं, बल्कि **आगे की ओर गिरने और पैर बढ़ा कर इसे रोकने का सिलसिला है। पीछे की ओर गिरने से बचने के** लिए पैर कुछ भी नहीं करते (आदी नहीं हैं) और इसीलिए हमें खतरा अधिक है। अंततः, यदि हम आगे गिरते भी हैं, तो हाथ बढ़ा कर रोकने की कोशिश करते हैं और हमें वैसी चोट नहीं आती। यह बात भी कम महत्त्वपूर्ण नहीं है।

इस प्रकार, आगे कूदने में कम खतरा है। इसका कारण जड़त्व नियम में नहीं, खुद हमारे भीतर है। जाहिर है कि ये बातें **निर्जीव** वस्तुओं पर लागू नहीं होतीं : चलती गाड़ी से आगे की ओर फेंकी गई बोतल के फूटने की आशंका कहीं अधिक है; पीछे फेंकने पर उसे कम चोट आएगी। इसीलिए, यदि कभी आपको चलती ट्रेन से सामान के साथ कूदने की जरूरत पड़े, तो पहले सामान पीछे की ओर फेंकना चाहिए और तब आगे की ओर कूदना चाहिए।

ट्राम के कंडक्टर या टिकट-चेकर जैसे अनुभवी लोग अक्सर **गाड़ी की गति की ओर मुँह कर के पीछे छलाँग लगाते** हैं। इससे दो फायदे होते हैं : जड़त्व से प्राप्त हमारा वेग भी कम हो जाता है और पीठ के सहारे गिरने का खतरा भी नहीं रहता, क्योंकि कूदने वाले का मुँह उधर ही है, जिधर गिरने की संभावना है।

खाली हाथ बन्दूक की गोली पकड़ना

साम्राज्यवादी युद्ध के समय एक फ्रांसीसी पायलट के साथ असाधारण घटना घटी। दो किलोमीटर की ऊँचाई पर उसे सिर के पास कोई छोटी-सी चीज उड़ती नजर आई। फतिंगा समझ कर उसने उसे हाथ से पकड़ लिया। जब उसने मुट्ठी खोल कर देखा, उसके आश्चर्य का ठिकाना न रहा। उसके हाथ में थी...जर्मन गोली!

अखबारों में छपी खबर किस्से वाले गप्पबाज नवाब म्युनहाउजेन की याद दिलाती है, जो तोप से दागे गए गोलों

---

1. यहाँ गिरने का कारण एक और दृष्टिकोण से समझा जा सकता है (दे. 'मनोरंजक यांत्रिकी', अध्याय 3, उपशीर्षक : 'क्षैतिज रेखा कब अक्षैतिज होती है?'')

को हाथ से पकड़ लिया करते थे। पर इस खबर में कोई असंभव बात नहीं है।

बन्दूक की गोली अपनी उड़ान के पूरे समय 800-900 m प्रति सेकेंड की गति से नहीं चलती। हवा के प्रतिरोध से उसका वेग धीरे-धीरे कम होता है और अंत में उसकी गति सिर्फ 40 मीटर प्रति सेकेंड रह जाती है। हवाई जहाज भी इसी गति से उड़ते हैं। अतः यह पूरी तरह संभव है कि हवाई जहाज और गोली समान गति से चल रहे हों। इस स्थिति में पायलट के सापेक्ष गोली अचल रहेगी या बहुत ही धीरे चलेगी। यदि हाथ दस्तानों में हों, तो ऐसी गोली को पकड़ लेने से कुछ नहीं होगा (हवा के घर्षण से गोली काफी गर्म हो जाती है)।

तरबूज या बम?

यदि स्थिति-विशेष में बंदूक की गोली खतरनाक नहीं रह जाती, तो इसका उल्टा भी संभव है : किसी निश्चल पिंड को यदि नगण्य वेग से फेंका जाए, तो भी वह घातक सिद्ध हो सकता है। सन् 1924 की लेनिनग्राद तिफलिस मोटर-रेस के समय रास्ते में पड़ने वाले कावकेशस गाँवों के किसान स्वागत के लिए उन पर तरबूज, सेब आदि फेंका करते थे। इन निर्दोष हार्दिक प्रेमोपहारों का परिणाम काफी दुखद रहा : तरबूज और खरबूज गाड़ियों के कार्पस पिचका देते थे या तोड़ देते थे और सेब यात्रियों को गंभीर चोट पहुँचाते थे। इसका कारण स्पष्ट है : मोटरों का अपना वेग फेंक गए तरबूजों और सेबों के वेग से जुड़ कर उन्हें घातक तोप के गोलों में परिणत कर देता था। आसानी से कलन कर के देख सकते हैं कि 10g की गोली में उतनी ही गति की ऊर्जा है, जितनी 120 km/h के वेग से दौड़ती गाड़ी पर फेंके गए 4kg के तरबूज में।

तरबूज और गोली की अनिष्टकारी शक्तियों की तुलना नहीं की जा सकती, क्योंकि तरबूज गोली जैसा कठोर नहीं होता।

वातावरण की ऊपरी परतों (तथाकथित समतापीय मंडल) में जब क्षिप्र विमानन शुरू होगा और विमानों का वेग लगभग 3000 km/h (बंदूक की गोली के वेग के बराबर) हो जाएगा, तब पायलटों का वास्ता ऐसी घटनाओं से पड़ेगा, जो हम अभी ऊपर देख चुके हैं। ऐसे अतिक्षिप्र विमानों के रास्ते में आने वाली हर छोटी-मोटी चीज उसके लिए घातक गोली का काम करेगी। किसी दूसरे विमान द्वारा यूँ ही गिराई गई गोलियों से टकराने का परिणाम वैसा ही होगा, जैसा यदि विमान पर औटोमेटिक गन से गोलियों की चाँदमारी की जाए। गिरती गोलियाँ विमान में उसी शक्ति से छेद करेंगी, जिससे दागी गई गोली करती है। चूँकि दोनों ही स्थितियों में सापेक्षिक वेग समान है। (विमान और गोली लगभग 800 m/s के वेग से एक दूसरे के निकट आ रहे हैं), टकराने के अनिष्टकारी परिणाम दोनों ही हालतों में समान होंगे।

चित्र 21. सामने से आती मोटर-कार पर फेंका गया तरबूज तोप के गोले का काम करता है।

इसके विपरीत, यदि दागी गई गोली विमान के पीछे से आ रही है, तो, जैसा अब हम जानते हैं, वह पायलट

के लिए खतरनाक नहीं है। इस तथ्य को, कि लगभग समान वेग से एक ही दिशा में गतिमान पिंड एक-दूसरे को बिना टकराव के स्पर्श करते हैं, सन् 1935 में एक इंजनचालक बोर्शेव ने बहुत निपुणता से काम में लाया : उसने अपनी ट्रेन को 36 डिब्बों वाली ट्रेन के साथ टकराने से बचा लिया। घटना दक्षिण के येलनिकोव-ओलशान्का पथ की है। बोर्शेव की ट्रेन से कुछ आगे एक और ट्रेन चल रही थी। आगे वाली ट्रेन पर्याप्त वाष्प न मिलने के कारण रुक गई। उसका चालक इंजन और कुछ डब्बों के साथ आगे स्टेशन की ओर बढ़ गया। बाकी 36 डब्बे उसे वहीं छोड़ देने पड़े। चूँकि इन डब्बों को रोकने की व्यवस्था नहीं की गई थी, वे पीछे की ओर ढलान पर करीब 15 km/h के वेग से लुढ़क पड़े। बोर्शेव की ट्रेन के लिए खतरा पैदा हो गया। बुद्धिमान चालक स्थिति भाँपते ही अपनी ट्रेन रोक कर करीब 15 km/h की गति से बैक करने लगा। इस युक्ति से वह 36 डब्बों की टुकड़ी अपनी ट्रेन से बिना किसी नुकसान के रोक सका।

चलती ट्रेन में लिखना आसान करने वाला साधन इसी सिद्धांत पर बना है।

चलती ट्रेन में लिखना सिर्फ इसलिए कठिन होता है कि पटरियों के जोड़ों पर उत्पन्न हिचकोले कागज और निब को एक ही साथ नहीं लगते। यदि ऐसा कुछ किया जाए कि कागज और निब को एक ही साथ धक्के लगें, तो दोनों एक दूसरे के सापेक्ष गतिहीन रहेंगे और चलती ट्रेन में लिखना कठिन नहीं रह जाएगा।

यह चित्र 22 में दिखाए गए साधन द्वारा संभव है। कलम वाला हाथ तख्ते a के साथ बांध दिया जाता है, जो पटरियों b के गड्ढे में आगे-पीछे हो सकता है। पटरियाँ भी डब्बे के टेबुल पर रखे तख्ते में आगे-पीछे हो सकती हैं। स्पष्ट है कि हाथ पर्याप्त स्वतंत्र है, ताकि वह अक्षरों के बाद अक्षर और पंक्तियों के बाद पंक्तियाँ लिख सके। और साथ ही तख्ते पर पड़े कागज को लगने वाला हर धक्का उसी क्षण उसी शक्ति से हाथ को भी लगता है, जिसमें कलम है। अतएव इन परिस्थितियों में लिखना उतना ही सरल होता है, जितना खड़े डब्बे में लिखना। सिर्फ एक चीज बाधा डालती है—कागज पर नजर उछलती रहती है, क्योंकि हाथ और सर को हिचकोले एक ही साथ नहीं लगते।

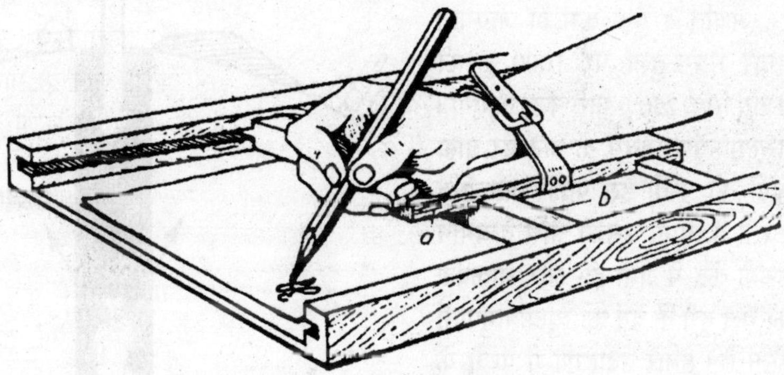

चित्र 22. चलती गाड़ी में लिखने के लिए सुविधाजनक प्रयुक्ति।

तराजू के चबूतरे पर

दशमलव प्रणाली के तराजू सिर्फ उस स्थिति में आपके शरीर का सही भार बताते हैं, जब आप उनके चबूतरे पर बिल्कुल बिना हिले-डुले खड़े रहते हैं। आप थोड़ा भी झुकेंगे कि तराजू आपके झुकने क्षण आपका वजन कम कर दिखाएगा। क्यों? क्योंकि धड़ के ऊपरी भाग को झुकाने वाली पेशियाँ उस क्षण शरीर के निचले भाग को ऊपर तानती है; जिससे टेक पर (जिस पर आप खड़े हैं) दबाव कम हो जाता है। इसके विपरीत, जब आप पेशियों की कोशिश से धड़ झुकाना रोक देते हैं, तो उनसे शरीर के ऊपरी और निचले भागों को अलग-अलग भिन्न दिशाओं में धक्के मिलते हैं। शरीर के निचले भाग द्वारा नीचे की ओर धक्के खाने से शरीर के आलंब पर दबाव बढ़ जाता है और फलतः तराजू आपका वजन भी उतना ही बढ़ा हुआ दिखा देता है।

संवेदनशील तुला के परिणामों में हाथ उठाने से भी अंतर आ जाना चाहिए। यह अंतर आपके ववन में प्रतीयमान वृद्धि के बराबर होगा। हाथ को उठाने वाली पेशियाँ कंधे पर टेक लगाती हैं, अतः उसे धड़ सहित नीचे की ओर धक्का देती हैं : चबूतरे पर दबाव बढ़ जाता है। हाथ को रोकते वक्त हम दूसरी पेशियों को कार्यशील करते हैं, जो कंधे को ऊपर की ओर खींचती हैं, ताकि वह हाथ के सिरे से करीब आ जाए। इससे टेक पर दाब घट जाता है।

हाथ नीचे गिराते वक्त हम इसके विपरीत शरीर के वजन में कमी ला देते हैं, और जब हाथ का गिरना रोकते हैं—वजन बढ़ा देते हैं। तात्पर्य यह है कि अपनी आंतरिक शक्तियों की क्रियाशीलता से हम अपना वजन घटा-बढ़ा सकते हैं (यदि वजन को टेक या आलंब पर दबाव के अर्थ में लिया जाए)

चीजें कहाँ अधिक भारी होंगी?

पिंडों को पृथ्वी जिस बल से आकर्षित करती है, वह धरातल से ऊपर उठने पर क्रमशः घटता है। यदि हम एक किलोग्राम के मुग्दर को 6400 km की ऊँचाई पर ले जाएँ, तो आकर्षण—बल 2^2, अर्थात् 4 गुना कम हो जाएगा। मुग्दर स्प्रिंग-तुला पर 1000 g की बजाय सिर्फ 250 g भारी नजर आएगा। गुरुत्वाकर्षण नियम के अनुसार बाह्य पिंडों को पृथ्वी इस प्रकार आकर्षित करती है, मानो उसका सारा द्रव्यमान उसके केंद्र में जमा हो; और आकर्षण का बल दूरी के वर्ग का व्युत्क्रमानुपाती होता है। हमारे उदाहरण में पृथ्वी के केंद्र से मुग्दर की दूरी दुगुनी बढ़ गई है, इसीलिए आकर्षण 2^2 गुना अर्थात् चौगुना कम हो गया है। धरातल से 12800 km ऊपर, अर्थात् पृथ्वी के केंद्र से तिगुनी दूरी पर गुरुत्वाकर्षण बल 3^2 या 9 गुना कम हो जाता है। अतः ऐसे बिंदु पर 1000 ग्राम भारी मुग्दर का भार मात्र 111 g रहेगा।

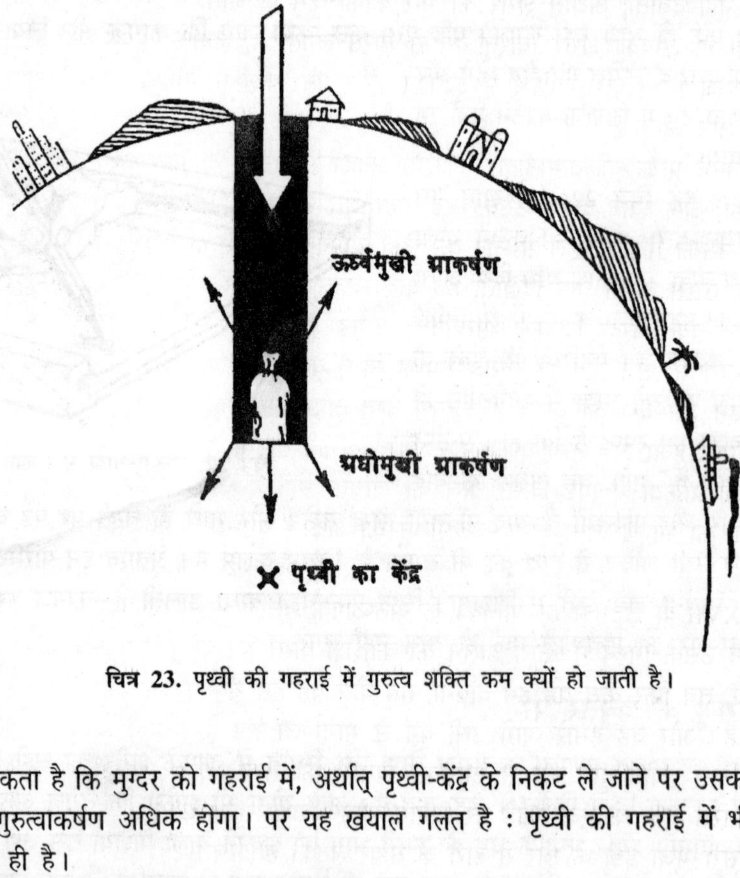

चित्र 23. पृथ्वी की गहराई में गुरुत्व शक्ति कम क्यों हो जाती है।

स्वभावतः ऐसा विचार भी उठ सकता है कि मुग्दर को गहराई में, अर्थात् पृथ्वी-केंद्र के निकट ले जाने पर उसका वजन बढ़ना चाहिए : वहाँ पृथ्वी का गुरुत्वाकर्षण अधिक होगा। पर यह खयाल गलत है : पृथ्वी की गहराई में भी पिंड का वजन नहीं बढ़ता; वह घटता ही है।

इसका कारण यह है कि इस स्थिति में मुग्दर को आकर्षित करने वाले पृथ्वी-कण मुग्दर के एक ही तरफ नहीं है, उसके चारों ओर हैं। चित्र 23 पर नजर डालिए। आप देखेंगे कि पृथ्वी में गहराई पर रखा हुआ मुग्दर नीचे के कणों द्वारा तो आकर्षित हो ही रहा है, साथ-साथ ऊपर की ओर ऊपरी कणों द्वारा भी आकर्षित हो रहा है। सिद्ध किया जा सकता है कि अंततोगत्वा सिर्फ उस गोले के आकर्षण का महत्त्व रह जाता है, जिसकी त्रिज्या पृथ्वी के केंद्र से

मुग्दर तक है। इसीलिए पिंड का भार पृथ्वी की गहराई में जाने के साथ-साथ तेजी से घटना चाहिए। पृथ्वी-केंद्र पर पहुँच कर उसका भार बिल्कुल खत्म हो जाएगा, क्योंकि उसके गिर्द के कण उसे सभी दिशाओं में समान बल से खींचेंगे।

अतः पिंड का अधिकतम भार पृथ्वी-तल पर ही होता है : तल से ऊपर या नीचे (गहराई में) जाने पर उसका भार कम हो जाता है[1]।

गिरते पिंड का वजन

आपने कभी ध्यान दिया है कि जिस क्षण लिफ्ट नीचे उतरना शुरू करती है, कितना अजीब-सा महसूस होता है? शरीर क्षण भर को असाधारण रूप से हल्का हो जाता है, मानो आप गहरी खाई में गिर रहे हैं...यह और कुछ नहीं, बल्कि **भारहीनता की अनुभूति** है। गति के प्रथम क्षण, जब पैरों तले फर्श नीचे गिरना शुरू हो जाता है, आप फर्श का वेग तुरंत प्राप्त नहीं करते; जड़त्व के कारण वहीं उसी ऊँचाई पर रुके रह जाते हैं। इसलिए आपका शरीर फर्श को लगभग नहीं दबाता, अर्थात् शरीर का भार काफी कम हो जाता है। पर पल भर बाद ही यह विचित्र अनुभव समाप्त हो जाता है; आपका शरीर त्वरित वेग से गिरने लगता है, जबकि लिफ्ट का वेग स्थिर, समरूप होता है। लिफ्ट से अधिक तेज गिरने की कोशिश में आपका शरीर पुनः फर्श पर दबाव डालने लगता है, अर्थात आपका भार पूर्णतया वापिस लौट आता है।

किसी मुग्दर को कमानीदार तुला के अंकुश से लटका दें। अब तुला को झटके से नीचे गिरने दें (उसे हाथ से छोड़े नहीं) और ध्यान दें कि उसकी सुई किस ओर जाती है (आसानी के लिए तुला की दरार में काग का टुकड़ा फँसा दें और उसकी स्थिति पहले से नोट कर लें)। आपको विश्वास हो जाएगा कि गिरते वक्त सुई मुग्दर का पूर्ण भार नहीं दिखाती, उससे काफी कम दिखाती है। यदि स्वतंत्र रूप से गिरती तुला की सुई को आप देख सकते, तो आप देखते कि गिरते वक्त मुग्दर बिल्कुल भारहीन है : सूई शून्य पर रुकी है।

भारी से भारी पिंड भी स्वतंत्र रूप से गिरते वक्त भारहीन रहता है। इसका कारण समझना आसान है। पिंड का 'भार' हम उस बल को कहते हैं, जिससे वस्तु अपने लटकन-बिंदु को खींचता है या आधार को दबाता है। तुला के साथ **गिरता हुआ** पिंड तुला की कमानी बिल्कुल नहीं तानता, क्योंकि कमानी उसके साथ-साथ नीचे आ रही होती है। गिरने की प्रक्रिया में पिंड किसी चीज़ को खींचता नहीं है, और न ही किसी चीज पर दबाव डालता है। अतः गिरते हुए पिंड का भार कितना होगा—यह पूछने का अर्थ है पूछना : पिंड कितना भारी है, जबकि वह भारहीन अवस्था में है?

XVII-वीं शती में ही यांत्रिकी के प्रतिष्ठापक गैलीली ने लिखा था[2] : हम कंधों पर बोझ तब महसूस करते हैं, जब हम उसके गिरने में बाधा डालने की कोशिश करते हैं। पर यदि हम बोझ के वेग से ही नीचे की ओर गतिमान हो जाएँ, तब फिर कैसे वह हमें दाबेगा, तब कैसे वह हमें थकाएगा? यह वही हुआ, जैसे हम किसी को भाला भोंकना चाहते है। और वह हमारे आगे उसी वेग से भागा जा रहा है, जिससे हम भाले के साथ उसकी ओर दौड़ रहे हैं।"

निम्न प्रयोग दृष्ट रूप से उपरोक्त विचारों की सत्यता सिद्ध करता है, आप इसे सरलतापूर्वक कर सकते हैं।

सरल तुला के एक पलड़े पर बादाम फोड़ने वाली सँड़सी इस प्रकार से रखें कि उसकी एक भुजा पलड़े पर हो और दूसरी भुजा डंडी के छोर से डोरी के सहारे लटकी हो (चित्र 24)। दूसरे पलड़े पर इतने बाट रखें कि तुला संतुलित

---

1. यह पूर्णतया सत्य होता, यदि पृथ्वी का घनत्व सर्वत्र एक रूप से समान होता; पर केन्द्र की ओर जाने पर पृथ्वी का घनत्व बढ़ता है। इसीलिए गुरुत्व-बल पृथ्वी की गहराई में जाने पर शुरू-शुरू में थोड़ा बढ़ता है और बाद में घटने लगता है।

2. ''नवीन विज्ञान के दो क्षेत्रों से संबद्ध गणितीय प्रमाण' नामक कृति में।

हो जाए (डंडी क्षैतिज रहे)। माचिस की तीली जला कर डोरी के पास लाएँ; डोरी जल जाएगी और सँड़सी की लटकी भुजा पलड़े पर गिरेगी।

तुला के साथ क्या होगा? भुजा गिरने के क्षण संड़सी वाला पलड़ा ऊपर उठेगा, नीचे झुकेगा या स्थिर रहेगा?

अब, जब आप जान चुके हैं कि गिरता हुआ पिंड भारहीन होता है, सही उत्तर आप स्वयं बता दे सकते हैं : पलड़ा पल भर को ऊपर उठेगा।

सच भी है : यद्यपि ऊपरी भुजा निचली से जुड़ी है, स्थिरावस्था की अपेक्षा गिरते समय वह निचली भुजा को कम शक्ति से दबाती है। सँड़सी का कुल भार पल भर को घटता है और स्वाभाविक है कि पलड़ा ऊपर उठ जाता है।

चित्र 24. गिरती वस्तु की भारहीनता दिखाने के लिए प्रयोग।

तोप से चाँद पर

सन् 1865-1870 के दरम्यान फ्रांस में जूल वेर्न का 'तोप से छूटे, चाँद पर पहुँचे' नामक विज्ञान-गल्प प्रकाशित हुआ था। इसमें एक असाधारण विचार है : एक विशाल तोप के गोले में आदमियों समेत यान भर कर चाँद पर भेजना! पुस्तक में इस योजना का इतना विज्ञान-सम्मत वर्णन है कि अधिकांश पाठकों के मन में उत्सुकता उठती है : क्या सचमुच में इस विचार को मूर्त्त रूप नहीं दिया जा सकता? ऐसे प्रश्न के बारे में बातें करना निश्चय ही दिलचस्प रहेगा।[1]

पहले यह देखें कि कम से कम सैद्धांतिक तौर पर तोप इस प्रकार दागी जा सकती है या नहीं कि उसका गोला पृथ्वी पर कभी वापस न गिरे। सिद्धांत इसकी संभाव्यता को मानता है। तोप से क्षैतिज छोड़ा गया गोला पृथ्वी पर ही क्यों गिरता है? क्योंकि पृथ्वी गोले को आकर्षित करते हुए उसके पथ को वक्रित करती है : गोला सरल रेखा पर नहीं, वक्र रेखा पर चलता है, जो निरंतर पृथ्वी की ओर मुड़ती जाती है और इसीलिए अंततोगत्वा वह जमीन पर आ गिरता है। यह सत्य है कि धरातल भी वक्र है। पर गोले का पथ उससे कहीं अधिक वक्रित होता है। यदि गोले के पथ की वक्रता इतनी कम कर दी जाए कि वह पृथ्वीतल की वक्रता के बराबर हो जाए, तो गोला कभी भी पृथ्वी पर नहीं गिरेगा! वह पृथ्वी के केंद्र को अपना केंद्र बना कर एक वक्र पर चलता रहेगा; अन्य शब्दों में, वह पृथ्वी का एक उपग्रह बन कर रह जाएगा, जैसे कोई दूसरा चंद्रमा हो।

पर क्या किया जाए कि तोप से छुटा गोला पृथ्वी-तल से कम वक्रित पथ पर चले? इसके लिए उसे सिर्फ पर्याप्त वेग देना आवश्यक है। चित्र 25 पर ध्यान दें, जिसमें पृथ्वी के गोले के एक अंश का काट दिखाया गया है। पहाड़ की चोटी (बिंदु A) पर एक तोप रखा है। पहाड़ की ऊँचाई नगण्य मान लेते हैं। क्षैतिज दिशा में तोप से प्रक्षिप्त गोला एक सेकेंड बाद बिंदु B पर होता, यदि पृथ्वी की आकर्षण शक्ति बाधक नहीं बनती। पर आकर्षण शक्ति स्थिति में परिवर्तन ला देती है। उसके प्रभाव के कारण गोला एक सेकेंड बाद बिंदु C पर होगा। पाँच मीटर—यह वही दूरी है, जो शून्य में धरातल के निकट स्वतंत्र गिरती हुई वस्तु अपनी गति के प्रथम सेकेंड में तय करती है। यदि 5 मीटर

1. पृथ्वी से कृत्रिम उपग्रहों और अंतरिक्षी राकेटों के छोड़े जा चुकने के बाद हम कह सकते हैं कि अंतरिक्ष यात्राओं के लिए राकेटों का प्रयोग होगा, तोप के गोलों का नहीं। पर उड़ने के क्षण जब राकेट के सभी इंधन-कक्ष कार्यशील हो जाते हैं, राकेट की गति उन्हीं नियमों का पालन करती है, जिनका कि तोप के गोले। इसीलिए लेखक की ये बातें अद्यातीत नहीं हैं।—संपादक

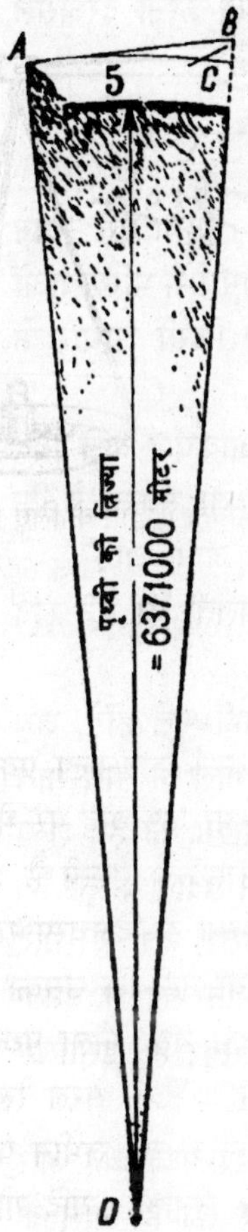

चित्र 25. तोप का गोला पृथ्वी पर कभी वापस न गिरे, इसके लिए उसके आवश्यक वेग का कलन।

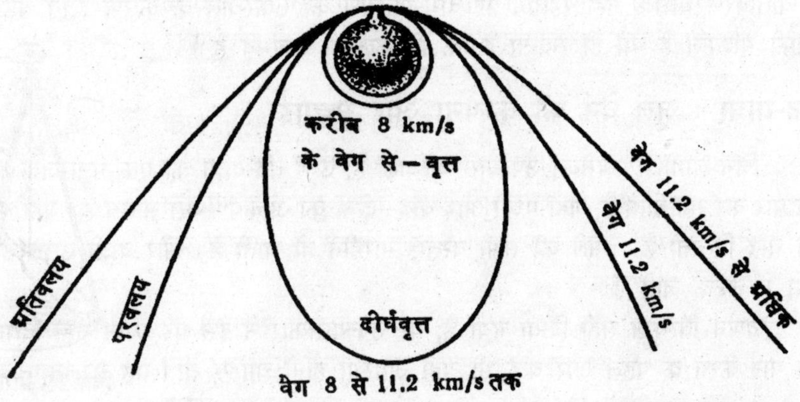

चित्र 26. 8 km/s और इससे अधिक वेग से प्रक्षिप्त गोले के पथ।

नीचे आने के बाद भी पृथ्वी से गोले की ऊँचाई वही रह जाती है, जो बिंदु A पर थी, तो इसका अर्थ है कि वह पृथ्वी की परिक्रमा कर रहा है और उसके पथ की वक्रता का केंद्र पृथ्वी का ही केंद्र है। अब रह जाता है खंड AB (चित्र 25) की लंबाई ज्ञात करना। यह उस क्षैतिज पथ की लंबाई है, जो गोला प्रथम सेकेंड में तय करता है। इससे हमें ज्ञात होगा कि तोप के गोले को किस वेग से फेंकना चाहिए। त्रिभुज AOB की सहायता से यह कलन करना बिल्कुल कठिन नहीं है। OA—पृथ्वी की त्रिज्या (करीब 6370000 m) है; OC = OA, BC = 5 m; अतः OB = 6370005m। पिथागोरस प्रमेय में इन आँकड़ों का प्रयोग करने से प्राप्त होता है :

$$AB^2 = (6370005)^2 - (6370000)^2$$

आंकित क्रियाएँ संपन्न करने पर ज्ञात होता है कि पथ AB करीब 8 km के बराबर है।

इस प्रकार, यदि हवा नहीं होती (क्षिप्र गतियों के लिए वह बहुत बड़ी बाधा है), तो 8 km/s वेग से क्षैतिज दिशा में फेंका गया गोला **पृथ्वी पर कभी वापस नहीं गिरता;** वह उपग्रह की भाँति उसका अनवरत चक्कर लगाता रहता।

पर यदि गोले को और भी अधिक वेग से फेंका जाए, तब कहाँ उड़ेगा वह? नभ-यांत्रिकी में सिद्ध किया जाता है कि 8.9 km/s (10 km/s तक) के आरंभिक वेग से चला हुआ गोला पृथ्वी के गिर्द दीर्घवृत्त निरूपित करता है। दीर्घवृत्त उतना ही दीर्घ (लमड़ा हुआ) होगा, जितना बड़ा गोले का आरंभिक वेग होगा। आरंभिक वेग 11.2 km/s होने पर गोले का पथ एक खुला, असंवृत्त वक्र (परवलय) होगा, अर्थात् गोला पृथ्वी से सदा के लिए दूर होता जाएगा (चित्र 26)।

इस प्रकार हम देखते हैं कि तोप के गोले के भीतर बैठकर चाँद तक पहुँचना सिद्धांततः संभव है : इसके लिए इतना ही आवश्यक है कि गोले को पर्याप्त वेग से फेंका जाए।[1]

(उपरोक्त 'विचारक्रम इस मान्यता पर आधारित है कि गोले की इस मान्यता पर आधारित है कि गोले की गति

1. इसमें उत्पन्न होने वाली कठिनाइयाँ बिल्कुल दूसरी तरह की है। 'मनोरंजक भौतिकी' के दूसरे भाग तथा मेरी अन्य पुस्तक 'अंतर्ग्रही यात्राएँ' में इस प्रश्न का सविस्तार अध्ययन किया गया है।

में वातावरण बाधक नहीं रहता। पर वायु-प्रतिरोध की उपस्थिति के कारण इतने बड़े वेगों को प्राप्त करना दरअसल काफी मुश्किल है, या हो सकता है कि बिल्कुल ही असंभव है।)

चंद्र-यात्रा : जूल वेर्न की कल्पना और सच्चाई

जिन लोगों ने उपरोक्त उपन्यास को पढ़ा है, उन्हें चंद्र-यात्रा का एक मनोरंजक क्षण याद होगा। गोला ऐसे स्थान को पार कर रहा होता है, जहाँ पृथ्वी और चाँद—दोनों का आकर्षण-बल समान है। यहाँ की घटनाएँ सचमुच में परिकथाओं की याद दिलाती हैं : गोले की सभी वस्तुएँ भारहीन हो जाती है। और यात्री उछल-उछल कर बिना किसी आधार के हवा में लटक जाते हैं।

वर्णन बिल्कुल सही किया गया है, पर उपन्यासकार ने इस पर ध्यान नहीं दिया कि समान आकर्षण वाले बिंदु को पार करने के पहले और बाद भी यही अवस्था होनी चाहिए थी। यह सरलतापूर्वक सिद्ध किया जा सकता है कि गोले के भीतर यात्रियों और सभी अन्य वस्तुओं को **मुक्त उड़ान के प्रथम क्षण से** ही भारहीन हो जाना था।

यह असंभव लगता है, पर मुझे विश्वास है कि आप जल्द ही आश्चर्य करेंगे : "इतनी बड़ी गलती पर मैंने खुद क्यों नहीं ध्यान दिया!"

जूल वेर्न के इसी उपन्यास से एक उदाहरण लें। आप निश्चय ही यात्रियों के आश्चर्य को नहीं भूले होंगे, जब उन्होंने मरे कुत्ते की लाश को बाहर फेंक दिया और देखा कि लाश वापस जमीन पर नहीं गिर रही है, गोले के साथ-साथ आगे चली आ रही है। उपन्यासकार ने इस परिघटना का सही वर्णन किया है और उसकी सही व्याख्या की है। शून्य में सभी वस्तुएँ सचमुच समान वेग से गिरती हैं : पृथ्वी का आकर्षण सभी वस्तुओं को समान त्वरण प्रदान करता है। हमारे उदाहरण में भी पृथ्वी का आकर्षण गोले और लाश दोनों को समान अभिपातन वेग (समान त्वरण) देता है। यदि और सही कहें तो, तोप से प्राप्त आरंभिक वेग दोनों ही के लिए समान रूप से कम होता है, समान रूप से घटता है। इससे निष्कर्ष निकलता है कि पथ के हर बिंदु पर गोले का वेग और लाश का वेग आपस में बराबर है। इसीलिए गोले से फेंकी गई लाश उनके साथ चलती रहती है, उनसे पीछे नहीं छूटती।

लेकिन उपन्यासकार ने इस पर ध्यान नहीं दिया : यदि कुत्ते की लाश गोले के **बाहर** होने पर पृथ्वी की ओर नहीं गिरती, तो गोले के **भीतर** क्यों गिरती है? आखिर एक ही तो बल बाहर और भीतर काम कर रहा है! गोले के भीतर कुत्ते के शरीर को बिना किसी आलंब के रखने पर उसे जैसे का तैसे व्योम में लटक जाना चाहिए : उसका वेग बिल्कुल गोले के वेग के बराबर है, अतः गोले के सापेक्ष वह अचल रहता है।

जो बात कुत्ते के लाश के लिए सही है, वही यात्रियों के शरीरों और गोले के भीतर अन्य सभी वस्तुओं के लिए सही है : पथ के हर बिंदु पर उन सबका वेग वही है, जो गोले का है, अतः उन्हें गिरना नहीं चाहिए, चाहे वे निरालंब ही क्यों न हों। उड़ते गोले के फर्श पर खड़ी कुर्सी के पैरों को ऊपर कर के छत पर टिका दिया जा सकता है' वह 'नीचे' नहीं गिरेगी, क्योंकि वह छत के साथ-साथ आगे चलना जारी रखेगी। यात्री इस कुर्सी पर पैर ऊपर और सिर नीचे करके बैठा रह सकता है, पर फर्श पर गिरने की कोई प्रवृत्ति उसे महसूस नहीं होगी। कौन-सा बल उसे गिरने को बाध्य कर सकता है? यदि वह गिरती ही, अर्थात फर्श के निकट आने लगती, तो उसका अर्थ होता कि गोला कहीं अधिक वेग से चल रहा है, बनिस्बत कि यात्री (अन्यथा कुर्सी फर्श के निकट नहीं आती)। पर यह संभव नहीं है : हम जानते हैं कि गोले के भीतर सभी वस्तुएँ वही त्वरण रखती हैं, जो स्वयं गोले का है।

उपन्यासकार ने इन बातों पर ध्यान नहीं दिया : उसने सोचा कि मुक्त रूप से गतिमान गोले के भीतर वस्तुएँ, जो सिर्फ आकर्षण बल के प्रभाव में हैं, अपने आलंबों पर उसी तरह दबाव डालेंगी, जैसे गोले की अचलावस्था में डाला करती थीं। जूल वेर्न भूल गया कि पिंड और उसका आलंब एक दूसरे पर दाब नहीं डाल सकते, यदि वे व्योम में गतिमान

हैं और समान त्वरण रखते हैं, जो उन्हें आकर्षण बल द्वारा मिल रहा है (अन्य बाह्य बल—वायु का संवाहक व प्रतिरोधी बल—अनुपस्थित हैं)।

निष्कर्ष निकलता है कि गोले के भीतर हवा में स्वतंत्र उड़ानें भरने के लिए यात्री उसी क्षण से भारहीन हो गए होंगे, जिस क्षण गोला गैसों के प्रभाव से बाहर निकला होगा। उन्हीं की तरह गोले के भीतर अन्य सारी वस्तुएँ भी भारहीन हो गई होंगी। भारहीनता के आधार पर यात्री सरलतापूर्वक निर्धारित कर सकते थे कि वे व्योम में उड़ रहे हैं या तोप की नली में ही स्थिर बैठे हैं। पर उपन्यासकार वर्णन करता है कि नभ-यात्रा के आरंभ में आधे घंटे तक लोग सिर खपाते रहे कि वे उड़ रहे हैं या जमीन पर ही पड़े हैं।

"—निकोल, हम उड़ भी रहे हैं या नहीं?

निकोल और अरदान ने देखा कि गोले में किसी प्रकार का कंपन नहीं है।

—सचमुच! हम उड़ रहे हैं या नहीं?—अरदान ने प्रश्न दुहराया।

—या आराम से फ्लोरीदा की धरती पर लेटे हैं?—निकोल ने पूछा।

—या मैक्सीकन खाड़ी के तल पर?—मिशेल ने जोड़ा"।

इस प्रकार के संदेह स्टीमर-यात्रियों के मन में उठ सकते हैं, पर स्वतंत्र रूप से गतिमान गोले के यात्रियों के मन में नहीं : स्टीमर के यात्री का भार बना रहता है, पर गोले में यात्री अवश्य ही ध्यान देंगे कि वे बिल्कुल भारहीन हो गए हैं।

यह गल्पित गोला-यान एक अजूबा-सा नजर आएगा। यह एक नन्हीं सी दुनिया होगी, जिसमें पिंडों के भार नहीं होते, हाथ से छूट कर वे गिरने की बजाय वहीं रुके रहते हैं, वस्तुएँ किसी भी स्थिति में संतुलन नहीं खोतीं, गिरे बोतल से पानी नहीं छलकता। ...यह सब 'चंद्र-यात्रा' के लेखक की दृष्टि से छूटा रह गया; और ये आश्चर्यजनक संभावनाएँ उपन्यासकार की कल्पना को कितना विस्तृत करने का सामर्थ्य रखती हैं।[1]

खोटे तराजू से सही तौल

सही तौल के लिए क्या अधिक महत्त्व रखता है : तराजू या बाट?

यदि आप सोचते हैं कि दोनों ही का समान महत्त्व है, तो आप गलत हैं : खोटे तराजू से भी सही तौल ज्ञात किया जा सकता है, यदि हमारे पास सही बाट हों। खोटे तराजू से सही तौल ज्ञात करने के कई तरीके हैं; इनमें से दो को हम देखेंगे।

पहली विधि महान रसायनज्ञ दिमित्री मेंदेलीव द्वारा बताई गई थी। शुरू में किसी भी एक पलड़े पर कोई भारी वस्तु रखते हैं। उसका भार तौली जाने वाली वस्तु के भार से अधिक होना चाहिए। दूसरे पलड़े पर बाटों की मदद से इस भार को संतुलित करते हैं। इसके बाद बाटों वाले पलड़े पर तौली जाने वाली वस्तु रखते हैं और इतने बाट हटा लेते हैं कि टूटा हुआ संतुलन पुनः स्थापित हो जाए। हटाए गए बाटों का भार ही इष्ट भार होगा, क्योंकि तौली जाने वाली वस्तु बिना संतुलन बिगाड़े उनका स्थान ले सकती है।

इस विधि को स्थायी भार की विधि कहते हैं। यह विशेष कर उस स्थिति में सुविधाजनक है, जब एक के बाद एक कई वस्तुओं को तौलने की जरूरत पड़ती है। आरंभिक भार अपनी जगह से नहीं हटाते; उसका उपयोग सभी तौलों

1. भारहीनता की परिस्थितियों का यथार्थ वर्णन आज अंतरिक्ष-यात्रियों की जुबानी सुना जा सकता है। राकेटों में खींचे गए चल-चित्र भी प्रदर्शित किए जाते हैं। टेलीविजन के पर्दे पर अंतरिक्ष में उड़ते यात्रियों और उनके भारहीन 'राकेटी-जीवन' को देखने का संयोग हमें अक्सर प्राप्त होता रहता है।—संपादक।

में करते हैं।

दूसरी विधि, जिसे उसका अविष्कार करने वाले वैज्ञानिक के नाम पर 'बोर्ड विधि' कहते हैं, इस प्रकार है : एक पलड़े पर तौली जाने वाली वस्तु रखते हैं और दूसरी पर रेत रखना शुरू करते हैं। तराजू संतुलित हो जाने पर वस्तु हटा लेते हैं (बालू नहीं छूते) और उसकी जगह बाट रखना शुरू करते हैं। जब संतुलन पुनः स्थापित हो जाता है, बाटों का भार तौली जाने वाली वस्तु के भार के बराबर होता है। कारण स्पष्ट है : ये बाट बिना संतुलन बिगाड़े पलड़े से वस्तु को प्रतिस्थापित कर सकते हैं। इसलिए इस विधि को 'प्रति स्थापन विधि' भी कहते हैं।

यदि आपके पास सही बाट हैं, तो आप इस विधि का उपयोग कमानीदार तुला के साथ भी कर सकते हैं, जिसमें सिर्फ एक पलड़ा होता है। इसमें बालू की आवश्यकता भी नहीं है। तौली जाने वाली वस्तु को पलड़े पर रख कर नोट कर लें कि तुला की सुई पैमाने के किस अंश (चिह्न) पर रुकी है। फिर वस्तु को हटा कर पलड़े पर इतने बाट रखते हैं कि सुई पुनः उसी चिह्न पर आ रुके। स्पष्ट है कि इन बाटों का कुल भार ही वस्तु का भार होगा।

स्वयं से भी शक्तिमान

हाथ से आप कितना बड़ा बोझ उठा सकते हैं? मान लें कि 10 kg। आप सोचते हैं कि आपके हाथों में पेशियों की शक्ति यही है? गलतफहमी है। पेशियाँ कहीं अधिक शक्तिशाली हैं। उदाहरणार्थ, आप अपने हाथ के तथाकथित द्विशिरा पेशी की क्रिया पर ध्यान दें (चित्र 27)। उसका एक सिरा केहुनी की हड्डी के पास जुड़ा है (यही हड्डी हाथ रूपी उत्तोलक की टेक भी है)। बोझ इस सजीव उत्तोलक के दूसरे सिरे पर क्रियाशील है। भार से टेक-बिंदु, अर्थात जोड़, तक की दूरी पेशी के सिरे से टेक तक की दूरी से 8 गुनी अधिक है। अर्थात यदि बोझ 10 kg है, तो पेशी उसे 8 गुने अधिक बल से उठाती है। हाथ द्वारा 8 गुना अधिक बल लगा कर पेशी 10 kg नहीं, 80 kg उठा सकती है।

हम बिना किसी अतिशयोक्ति के कह सकते हैं कि हर आदमी अपने-आप से कहीं अधिक शक्तिशाली होता है, अर्थात् हमारी पेशियाँ जो बल लगाती हैं, वह हमारी क्रियाओं में प्रकट होने वाले बल से काफी बड़ा होता है।

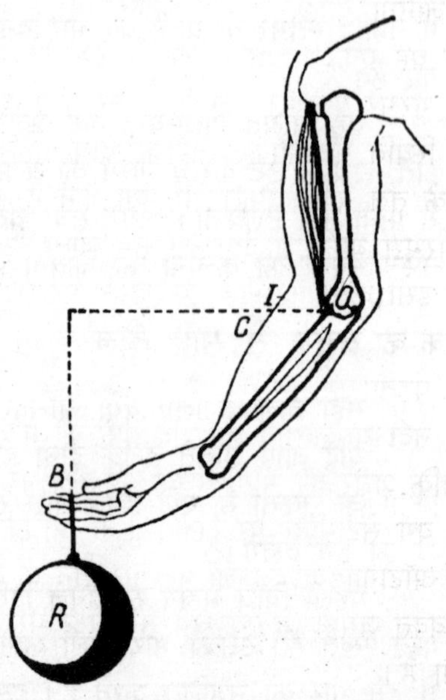

चित्र 27. आदमी की केहुनी द्वितीय श्रेणी का उत्तोलक है। बल बिंदु I पर क्रियाशील है; उत्तोलक का टेक बिंदु O पर है; प्रतिरोध (भार R) बिंदु B पर लग रहा है। I O की दूरी से BO करीब 8 गुना अधिक है। (चित्र XVII-वी शती के फ्लोरेंसवासी वैज्ञानिक बोरेल की एक रचना "जीव-जंतुओं की गतियां" से ली गई है। इस पुस्तक में पहली बार शरीर क्रिया-विज्ञान में यांत्रिकी के नियमों का उपयोग किया गया है)

क्या इस प्रकार की संरचना को मितव्ययी या विवेकसंगत कहा जा सकता है? प्रथम दृष्टि में नहीं लगता—यहाँ हम बल की बरबादी देखते हैं, जिसके बदले में कुछ भी नहीं मिलता। पर यांत्रिकी के एक पुराने 'स्वर्ण-नियम' का स्मरण करें : ताकत की बरबादी कदमों की आबादी। बल में हानी स्थानांतरण में लाभ देता है और इसीलिए वेग भी अधिक प्राप्त होता है। 8 गुना बल खर्च करने से हाथ 8 गुना जल्द हिल-डुल सकता है।

जीवों में पेशियों के जुड़ने की जो विधि हम देखते हैं, वह हाथ-पैर को फुर्तीलापन देता है। जीवनसंघर्ष में यह बात शक्ति से कहीं अधिक महत्त्व रखती है। हम काफी सुस्त जीव होते, यदि हमारे हाथ-पैर इस सिद्धांत पर नहीं बने होते।

तीक्ष्ण वस्तुएँ चुभती क्यों हैं?

आपने कभी इस प्रश्न पर सोचा है कि सुई इतनी आसानी से क्यों चीजों के आर-पार चुभ कर निकल जाती है? मोटे कपड़े या गत्ते को पतली सुई से भोंकना क्यों आसान है, बनिस्बत कि भोथी कांटी से? देखने पर लगता है कि दोनों ही स्थितियों में बल समान लगते हैं।

बल समान हैं, पर **दबाव** या दाब समान नहीं है। प्रथम स्थिति में सारा बल सुई की नोक पर संकेंद्रित हो जाता है और दूसरी स्थिति में—वही बल कहीं बड़े क्षेत्र पर वितरित होता है, क्योंकि कांटी भोथी है। अतः सुई का दाब भोथी कांटी के दाब से कहीं अधिक है, हालाँकि हाथ से हम समान बल लगाते हैं।

हर आदमी यही कहेगा कि 20 दांतों वाला हेंगा (ट्रैक्टरों में चक्केदार हेंगे होते हैं) अधिक गहराई तक जमीन ढीली कर सकता हैं, बनिस्बत की उसी भार का 60 दातों वाला हेंगा। क्यों? क्योंकि दूसरी स्थिति की अपेक्षा पहली में हर दाँत पर अधिक बोझ पड़ता है।

जब भी दाब का सवाल उठे, बल के सिवा उस क्षेत्र को भी ध्यान में रखना चाहिए, जिस पर बल कार्यशील है। जब हमें कहा जाता है कि एक आदमी का वेतन 100 रूबल है, हम नहीं जानते कि यह कम है या अधिक। इसके लिए जानना चाहिए कि यह वेतन मासिक है या वार्षिक। ठीक इसी प्रकार से बल की क्रिया इस पर निर्भर करती है कि वह एक वर्ग सेंटीमीटर पर वितरित है या वर्ग मिलिमीटर के सौवे भाग पर संकेंद्रित है।

भुरभुरे बर्फ पर स्की पहन कर आप चल सकते हैं, पर बिना स्की के आप बर्फ में धंस जाते हैं। क्यों? क्योंकि प्रथम स्थिति में आपके शरीर का दाब कहीं बड़े तल पर वितरित होता है। उदाहरणतया, यदि तलुवों के क्षेत्रफल से स्की के तल का क्षेत्रफल 20 गुना कम है, तो पैरों की अपेक्षा स्की से हम बर्फ को 20 गुनी कम शक्ति से दबाते हैं। भुरभुरा बर्फ इस दाब को सह जाता है, पर खाली पैरों से पड़ने वाले दाब को नहीं सह पाता।

इसी कारणवश दलदली जमीन पर काम करने वाले घोड़ों के खुरों पर खास 'जूते' पहनाए जाते हैं, जिससे पैरों की टेक का क्षेत्रफल बढ़ जाता है और जमीन पर दाब घट जाता है। कुछ दलदली हिस्सों में रहने वाले लोग भी ऐसे 'जूते' पहना करते हैं।

नदी या तालाब पर यदि बर्फ की परत काफी पतली हो, तो उस पर खड़े होकर नहीं, लेटकर रेंगते हुए चलते हैं, ताकि शरीर का भार अधिक बड़े क्षेत्र पर वितरित रहता हैं पट्टे पर चलने वाली 8 टन से अधिक भारी गाड़ी जमीन के 8 वर्ग सेंटीमीटर पर 6000 g से अधिक दाब नहीं डालती। इसी दृष्टिकोण से चक्कों की बजाय पट्टों पर चलने वाली ऑटोगाड़ियाँ दलदलों पर भार ढोने के काम में अधिक उपयोगी हो सकती हैं। इस तरह का ट्रक 2 टन का बोझ ढोते वक्त जमीन के एक वर्ग सेंटीमीटर पर सिर्फ 160g दाब डालता है। इसीलिए वह दलदली इलाकों में मजे से चल सकता है।

इन स्थितियों में बड़ा आलंब-क्षेत्र तकनीकी तौर पर उतना ही उपयोगी है, जितना सुई के उदाहरण में सूक्ष्म क्षेत्र।

उक्त बातों से स्पष्ट है कि वस्तुओं की नोक सिर्फ अपने नगण्य क्षेत्रफल के कारण ही चुभती है, जिस पर बल वितरित होता है। ठीक इसी कारणवश तेज छुरी अधिक अच्छी तरह काटती है, बनिस्बत कि भोथी : बल कम व्योम में संकेंद्रित होता है।

इस प्रकार, तीक्ष्ण वस्तुएँ सरलतापूर्वक चुभती और काटती हैं, क्योंकि नोक और धार पर अधिक दाब संकेंद्रित होता है।

लेविफान की तरह

साधारण स्टूल पर बैठने से वह कठोर क्यों लगता है, जबकि उसी लकड़ी की बनी कुर्सी मुलायम लगती है? कठोर रस्सी से बुनी खाट भी मुलायम लगती है, क्यों?

समझना कठिन नहीं है। साधारण स्टूल पर बैठने की जगह चौरस होती है और हमारा शरीर बहुत छोटे क्षेत्रफल वाले तल पर उसे स्पर्श करता है। धड़ का सारा बोझ इसी छोटे तल पर संकेंद्रित होता है। कुर्सी पर बैठने लायक जगह थोड़ी गहरी (नतोदर) होती है। हमारा शरीर उसके तल के साथ अधिक बड़े क्षेत्र पर सटा होता है और इसी क्षेत्र पर हमारे धड़ का भार वितरित होता है। यहाँ स्पर्श-तल के इकाई क्षेत्रफल पर कम बोझ पड़ता है। कम दाब होता है।

इस प्रकार, बात सिर्फ दाब के समरूप वितरण में है। जब हम मुलायम गद्दे पर सोते हैं, हमारे शरीर के ऊबड़-खाबड़ तलों के अनुरूप उसमें गड्ढे आदि बन जाते हैं। हमारे शरीर के निचले भाग के तल पर (जो बिस्तर के साथ स्पर्श में है) दाब का वितरण पर्याप्त समान रूप से होता है, जिसके कारण हर वर्ग सेंटीमीटर पर कुछ ग्राम के बराबर ही भार रहता है। आश्चर्य नहीं कि इन परिस्थितियों में हम बहुत आरामदेह महसूस करते हैं।

उपरोक्त अंतर को संख्याओं में भी व्यक्त किया जा सकता है। वयस्क आदमी के शरीर पर तल का क्षेत्रफल करीब $2\ m^2$ या $2000\ cm^2$ होता है। मान लें कि जब हम बिस्तर पर लेटते हैं, हमारे शरीर के पूरे तल का करीब 1/4 अंश, अर्थात $0.5\ m^2$ या $5000\ cm^2$ उसके साथ स्पर्श में आता है। हमारे शरीर का भार (औसत) 60 kg या 6000 kg है, अतः हर वर्ग सेंटीमीटर पर सिर्फ 12 ग्राम दाब पड़ता है। जब हम नग्न तख्ते पर लेटते हैं, तो हमारे शरीर के कुछ छोटे उभरे हिस्से ही आलंब-क्षेत्र बनाते हैं, जिनका कुल क्षेत्रफल कुछेक सौ वर्ग सेंटीमीटर ही होता है। अतः हर वर्ग सेंटीमीटर पर दसेक ग्राम की बजाय कोई आधा किलोग्राम का दाब पड़ता है। यह अंतर बृहत है और हम अपने शरीर द्वारा तुरंत ही उसका अनुभव कर लेते हैं और कहते हैं कि काफी 'कड़ा' है।

पर सबसे कठोर बिस्तर भी हमें अत्यंत मुलायम लग सकता है, यदि दबाव उसके बड़े हिस्से पर समान रूप से वितरित किया जा सके। कल्पना कीजिए कि आप नर्म गीली मिट्टी पर लेटते हैं। उस पर आपके शरीर की छाप उखड़ आती है। अब आप उठकर मिट्टी को सूखने दें (सूखने पर मिट्टी 5-10% 'बैठती' या 'सिकुड़ती' है, पर मान लें कि ऐसा नहीं होता)। जब वह सूख कर पत्थर की तरह कठोर हो जाए, तो आप पुनः उस पर बने अपने शरीर के सांचे में लेट जाएँ। आप अपने को मुलायम रूई के गद्दे पर महसूस करेंगे, कोई भी कठोरता नहीं लगेगी, यद्यपि आप अक्षरशः पत्थर पर ही लेटे हैं। आप किस्से के लेविफान की तरह बन जाएँगे, जिसके बारे में लोमोनोसोव ने कविता लिखी है :

पत्थरों पर सोता निर्विकार
करता कठोरता का तिरस्कार,
वज्र सा जीता शक्तिमान
चट्टानों को नर्म मिट्टी मान।

पर कठोरता के प्रति हमारी असंवेदनशीलता का कारण हमारी 'वज्र-शक्ति' नहीं है, बल्कि विस्तृत आलंब-क्षेत्र पर हमारे शरीर के भार का समरूप वितरण है।

अध्याय 3

परिवेश का प्रतिरोध

हवा में बुलेट

बुलेट की उड़ान में हवा बाधा डालती है, यह सभी जानते हैं। पर हवा की रोध-शक्ति कितनी है, इसका सही अंदाजा बहुत कम ही लोग लगा पाते हैं। अधिकांश लोग सोचते हैं कि हवा जैसा नर्म परिवेश, जिसे साधारणतया हम महसूस भी नहीं करते, बंदूक की गोली के अबाध वेग में कोई बड़ी बाधा कैसे डाल सकता है।

पर यदि चित्र 28 पर ध्यान देंगे, तो आप समझ जाएँगे कि हवा बुलेट के रास्ते में सचमुच गंभीर रुकावट है। आरेख में बड़ा चाप इस पथ को दर्शाता है, जिस पर गोली हवा की अनुपस्थिति में चलती। 45° के कोण पर करीब 620 km/s के आरंभिक वेग से प्रक्षिप्त गोली बंदूक से निकल कर बहुत बड़ा मेहराबी पथ तय करती, जिसकी ऊँचाई 10 km होती और लंबाई करीब 40km होती, पर यथार्थ परिस्थितियों में गोली अपेक्षाकृत अत्यंत छोटा चाप बनाती है और बंदूक से सिर्फ 4 km की दूरी पर गिर जाती है। इसी आरेख में दर्शित यह चाप बिल्कुल नगण्य लगता है। यह है परिणाम हवा के प्रतिरोध का! यदि हवा नहीं होती तो दुश्मन पर 40 km की दूरी से गोली चलाई जा सकती थी। उनके लिए यह 10 km की ऊँचाई से छर्रों की बौछार होती।

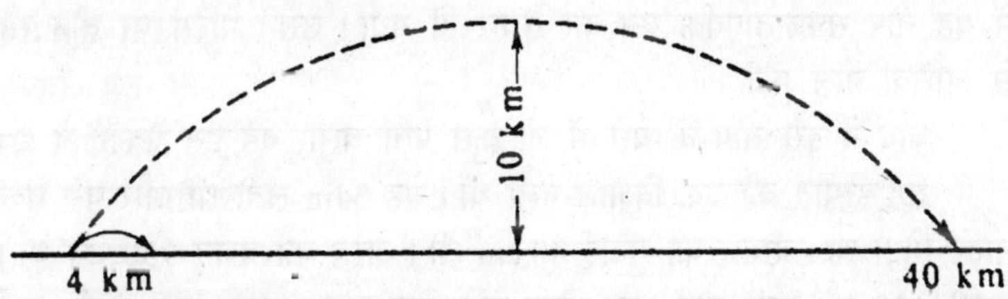

चित्र 28. हवा व निर्वात में गोली की उड़ान। बड़ा चाप उस पथ को द्योतित करता है, जिसपर गोली वातावरण की अनुपस्थिति में चलती। बाएँ छोटा चाप गोली का हवा में वास्तविक पथ द्योतित करता है।

अतिदूर की चाँदमारी

दुश्मन पर सौ से अधिक किलोमीटर की दूरी से गोली चलाना साम्राज्यवादी युद्ध के अंत (1918) में जर्मन तोपों ने शुरू किया, जब अंग्रेज और फ्रांसीसी विमानों ने जर्मनों के हवाई आक्रमण को निष्क्रिय कर दिया। जर्मन सैनिक मुख्यालय ने फ्रौंट से करीब 110 km से भी दूर फ्रांस की राजधानी पर गोले बरसाने के लिए तोपों का सहारा लिया।

यह विधि बिल्कुल नई थी, किसी ने भी इसका प्रयोग नहीं किया था। जर्मनों के हाथ यह विधि सिर्फ संयोगवश ही आई थी। अधिक कोणों पर खड़े वृहतम कैलीबरी तोपों से गोलेबारी करने पर देखा गया कि 20km की बजाए

गोले 40km की दूरी पर गिरते हैं। यह परिणाम आशातीत था। पता चला कि वृहत आरंभिक वेग से गोले को सीधा ऊपर भेजने पर वह ऊँचाई पर स्थित वातावरण के विरल परतों में प्रविष्ट हो जाता है, जहाँ हवा का प्रतिरोध काफी नगण्य होता है। ऐसे क्षीण प्रतिरोधी परिवेश में गोला अपने उड़ान पथ का बहुत बड़ा भाग तय कर लेता है और फिर सीधा नीचे जमीन की ओर गिरने लगता है। चित्र 29 दृष्ट रूप से दिखाता है कि तोप की नली का कोण बदलने पर गोलों के पथों में कितना बड़ा अंतर हो जाता है।

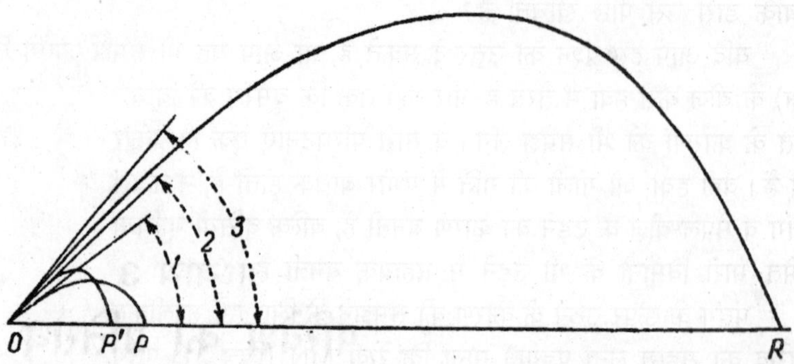

चित्र 29. अति दूर मारक तोप के झुकाव-कोणों को बदलने पर गोले की उड़ानों में अंतर; कोण 1 पर गोला p' बिंदू पर गिरता है, कोण 2 पर—p पर, कोण के 3 हो जाने पर उड़ान काफी लंबी हो जाती है, क्योंकि गोला वातावरण की विरल परतों में भ्रमण करता है।

जर्मनों द्वारा 115 km दूर स्थित पेरिस पर गोले बरसाने के लिए अति दूरमारी तोपों की परिरचना के आधार में ये ही प्रेक्षण थे। सन् 1918 की गर्मियों में यह तोप सफलतापूर्वक बन कर तैयार हो गया। उसने पेरिस पर तीन सौ से अधिक गोले फेंके।

बाद में इस तोप के बारे में जो कुछ पता चला, वह इस प्रकार से है।

यह इस्पात की एक विशाल नली थी। यह 34m लंबी थी और पूरी एक मीटर मोटी थी। दीवार की मुटाई 40 cm थी। अस्त्र का वजन 750 टन था। इसके 120 kg भारी गोले एक मीटर लंबे और 21 cm मोटे थे। इसमें 150 kg बारूद होता था। तोप दागते वक्त यह बारूद 5000 वायुमंडलीय दबाव उत्पन्न करता था, जो गोले को 2000 m/s के आरंभिक वेग से प्रक्षिप्त करता था। गोलेबारी 52º के उत्थान कोण पर की जाती थी। गोले का उड़ान-पथ एक विशाल चाप था, जिसका उच्चतम बिंदु जमीन से 40km ऊपर, अर्थात् सुदूर स्ट्रेटोस्फेयर में था। अपने स्थान से पेरिस तक की दूरी—115km वह 3.5 मिनट में तय करता था, जिसमें से 2 मिनट की उड़ान स्ट्रेटोस्फेयर में भरता था।

ऐसा था प्रथम अति दूर मारक तोप, आधुनिक अतिदूर मारक तोपों का पूर्वज।

गोली (या गोले) का आरंभिक वेग जितना ही अधिक होगा, वायु का प्रतिरोध उतना ही स्पृश्य होगा : वह वेग के अनुपात में नहीं बढ़ता, बल्कि और तेजी से, वेग के अन्य उच्च घातों के अनुपात में बढ़ता है। यह वेग के परिमाण पर निर्भर करता है।

चित्र 30. जर्मन तोप 'कोलोसल'। बाह्य रूप।

पतंग की उड़ान

आपने कभी समझने की कोशिश की है कि पतंग ऊपर पीछे उठती है,

जबकि डोरी उसे पीछे खींचती है?

यदि आप इस प्रश्न का उत्तर दे सकते हैं, तो आप यह भी समझ जाएँगे कि विमान कैसे उड़ता है, मैपल (पुतली वृक्ष) के बीज कैसे हवा में तैरते हैं और यहाँ तक कि बूमरैंग की विचित्र गति के कारणों को भी समझ लेंगे। वे सारी परिघटनाएँ एक ही प्रकार की हैं। वही हवा, जो गोली की गति में गंभीर बाधक होती है, न केवल पतंग व मैपल-बीज के उड़ने का कारण बनती है, बल्कि दसियों यात्रियों समेत भारी विमानों के भी उड़ने में सहायक बनती है।

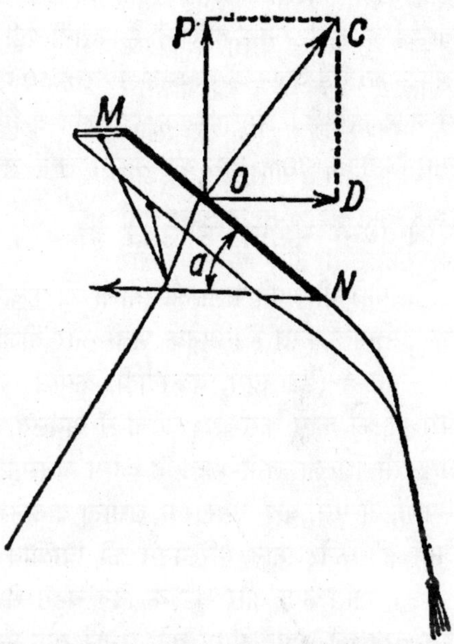

चित्र 31. पतंग पर क्रियाशील बल।

पतंग के ऊपर उठने के कारण को समझने के लिए हमें सरलीकृत आरेख का सहारा लेना पड़ेगा। माना कि रेखा MN (चित्र 31) पतंग का काट द्योतित करती है। जब हम पतंग उड़ाते हैं, हम उसे डोर के सहारे खींचते हैं। पूंछ के भार के कारण वह झुकी स्थिति में उड़ती है। माना कि यह गति दाईं से बाईं ओर की है। a द्वारा क्षितिज के साथ पतंग के झुकाव के कोण को व्यक्त करते हैं। अब देखें के इस प्रकार से गतिमान पतंग पर कौन-से बल कार्यशील हैं। हवा अवश्य ही उसकी गति में बाधा डालेगी और पतंग पर कोई दबाव डालेगी। यह दबाव चित्र 31 में तीर OC द्वारा दर्शाया गया है। चूँकि हवा समतल पर हमेशा लंबरूप से दबाव डालती है, रेखा OC लंब खींची गई है MN के। बलों का समांतर चतुर्भुज बना कर हम बल OC को दो घटकों में विघटित कर सकते हैं; बल OC की जगह पर हमें दो बल OD और OP मिलेंगे। उनमें से बल OD हमारे पतंग को पीछे खींचता है और इसीलिए उसके आरंभिक वेग को कम कर देता है। दूसरा बल OP पतंग को ऊपर उठाने में लगा है; वह पतंग के भार को कम करता है। यदि बल OP इतना बड़ा हो कि पतंग के भार पर विजय प्राप्त कर ले, तो वह पतंग को ऊपर उठा सकता है। यही कारण है कि क्यों पतंग ऊपर उठती है, जबकि हम उसे पीछे की ओर खींचते हैं।

विमान भी पतंग ही है; सिर्फ उसमें हमारे हाथों की गति-प्रेरक शक्ति की जगह पर पंखुड़ियों या प्रतिकार चलित्रों की गति गति-प्रेरक शक्ति का काम करती है, जो विमान को पीछे की गति दे कर उसे उठने को विवश करती है। यहाँ पर परिघटना को मोटा-मोटी ही रेखांकित किया गया है। दूसरी परिस्थितियाँ भी हैं, जो विमान के ऊपर उठने में सहायक होती हैं। उनके बारे में अन्यत्र बात होगी।[1]

सजीव ग्लाइडर

आप देखते हैं कि विमान पक्षियों की नकल नहीं है, जैसा कि साधारणतया लोग सोचते हैं : वह उड़न-गिलहरी या उड़न-मछली से कहीं अधिक मिलता जुलता है। वैसे, उपरोक्त जीव अपनी उड़ने वाली झिल्लियों का उपयोग ऊपर उड़ने के लिए नहीं करते, बल्कि सिर्फ लंबी छलांगों (पायलट के शब्दों में 'तैरती उड़ानों') के लिए करते हैं। उनके लिए बल OP (चित्र 31) पर्याप्त नहीं होता कि उनके शरीर के बोझ को पूर्णतया संतुलित कर सके; वह सिर्फ उनके भार को कम कर देता है, जिसकी मदद से वे बड़ी-बड़ी ऊँचाइयों से भी छलाँग लगा सकते हैं (चित्र 32)। उड़न-गिलहरियाँ

1. दे. 'मनोरंजक भौतिकी', दूसरी पुस्तक, शीर्षक 'तरंग और भंवर'।

एक पेड़ की फुनगी (20-30 मी. ऊँची) से दूसरे पेड़ की निचली शाखाओं पर छलांग लगाया करती हैं। लंका और इस्ट-इंडीज में काफी बड़ी उड़न-गिलहरियाँ होती हैं, जिन्हें तागुवान कहते हैं। वे आकार में बिल्ली के बराबर होती है। डैनों को फैलाने पर उनकी चौड़ाई आधे मीटर तक हो जाती है। इतनी बड़ी उड़ने की झिल्लियाँ अपेक्षाकृत बड़े वजन के बावजूद भी उन्हें 50 मीटर तक की उड़ान में मदद देती है। अंगुलास्थिक, जो जोंद व फिलिपाइन द्वीपों पर पाए जाते हैं, 70m तक की छलाँगे लगा सकते हैं।

चित्र 32. उड़न-गिलहरियों की उड़ान। ऊँचाई से छलांग लगा कर वे 20-30 मीटर दूर उड़ सकती हैं।

पौधे बिना मशीन के उड़ते हैं

पौधे भी अपने फलों और बीजों को फैलाने के लिए ग्लाइडरों का इस्तेमाल करते हैं। अनेक फलों और बीजों में बालों के गुच्छे लगे होते हैं (डैंडेलियम, बकरदाढ़ी, कपास आदि की टीक), जो पैराशूट का काम करते हैं। बहुतों में अवलंब देने के लिए विशेष पंख सी झिल्ली लगी होती है। ऐसे वनस्पति-ग्लाइडर शकुलों, मैपलों, अल्मस, बर्च, चमखरक, लसौटा व अनेक छत्र-पुष्पों में देखे जाते हैं। केर्नर फोन मैरिलाउन की विख्यात पुस्तक 'पादपों का जीवन' में निम्न पंक्तियाँ पढ़ सकते हैं :

''शांत हवा और धूप के दिन बहुत से बीज ऊर्ध्वमुखी वायु संवहन धाराओं के साथ काफी ऊपर उड़ आते हैं। इस तरह की उड़ानें पौधों को दूर-दूर तक फैलाने में उतना महत्त्व नहीं रखतीं, जितना पहाड़ी ऊँचाइयों, सीधी ढलानों पर बने छिद्रों, दरारों, चट्टानों आदि पर बीजों को पहुँचाने में। ऐसी जगहों पर बीज दूसरी विधियों से नहीं पहुँच सकते हैं। क्षैतिज पवन-धाराएँ बीजों को बड़ी-बड़ी दूरियों पर पहुँचा सकती हैं।

कुछ पौधों के बीज पंख और पैराशूट से सिर्फ तभी तक जुड़े रहते हैं, जब तक कि उड़ते रहते हैं। थिसल के बीज हवा में आराम से उड़ते हैं, पर जैसे ही मार्ग में कोई बाधा आती है, बीज पैराशूट से अलग होकर जमीन पर गिर जाता है। यही कारण है कि दीवारों और बाड़ों के पास थिसल इतना बहुतायत में पनपते हैं। दूसरी स्थितियों में बीज हमेशा पैराशूट से जुड़ा रहता है''।

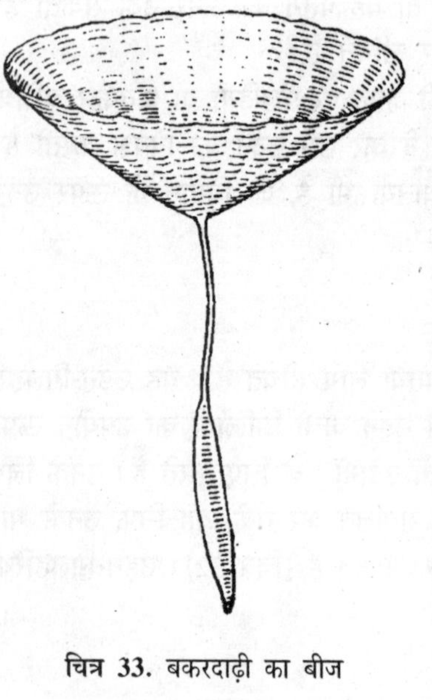

चित्र 33. बकरदाढ़ी का बीज

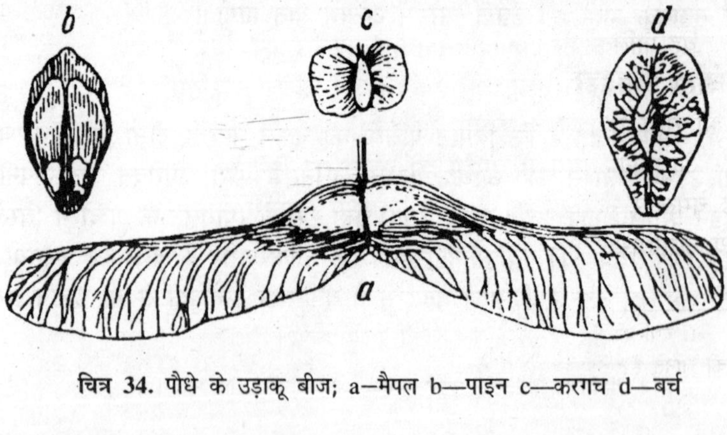

चित्र 34. पौधे के उड़ाकू बीज; a—मैपल b—पाइन c—करगच d—बर्च

चित्र 33 व 34 में चंद 'ग्लाइडर-युक्त' बीज दिखाए गए हैं।

वनस्पति ग्लाइडर कई अर्थों में मानव-निर्मित ग्लाइडरों से भी अच्छे हैं। वे अपने वजन की तुलना में कहीं बड़ा बोझ उठा लेते हैं। इसके अतिरिक्त, वनस्पति ग्लाइडर में स्वपालित स्थिरता होती है : यदि भारतीय चमेली के बीज को उलट दिया जाए, तो हवा में उसका उन्नतोदर माग स्वयं नीचे हो जाएगा। यदि उसके मार्ग में बाधा आती है, तो वह संतुलन नहीं खोता, बल्कि तैरता हुआ नीचे उतर आता है।

पैराशूटीस्ट की विलंबित छलाँग

यहाँ आप पैराशूटी-छलाँग के निपुण खिलाड़ियों की वीरतापूर्ण छलांगों को याद कर सकते हैं, जो करीब 10km की ऊँचाई से पैराशूट खोले बगैर की छलाँग लगाते हैं। अपने पथ का बहुत बड़ा हिस्सा तय करने के बाद ही वे पैराशूट के छल्ले को झटका देते हैं और सिर्फ आखिरी सौ-एक मीटर अपनी छतरियों के सहारे उड़ कर जमीन पर आते हैं।

बहुत से लोग सोचते हैं कि बिना पैराशूट के आदमी वैसे ही गिरता है, जैसे शून्य में पत्थर। पर यदि ऐसी बात होती, तो विलंबित छलांग वास्तविकता से बहुत कम समय तक जारी रह सकती और छलांग के अंतिम क्षण में वेग विशाल होता।

पर हवा का प्रतिरोध वेग बढ़ने में बाधक होता है। विलंबित छलांग में पैराशूटिस्ट का वेग सिर्फ प्रथम दस सेकेंडों में ही प्रथम सौ-एक मीटर तय करते वक्त बढ़ता है। वेग-वृद्धि के साथ-साथ हवा के प्रतिरोध में इतनी तेजी से वृद्धि होने लगती है कि शीघ्र ही वह क्षण आ जाता है, जब वेग का बढ़ना रुक जाता है। त्वरित गति समरूप गति में परिणत हो जाती है।

कलन कर के यांत्रिकी के दृष्टिकोण से विलंबित छलांग का चित्र प्राप्त किया जा सकता है। छतरीबाज का त्वरित अभिपातन उसके वजन के अनुसार प्रथम 12 या उससे कुछ कम सेकेंडों तक ही जारी रहता है। इतने समय में करीब 400-500 मीटर नीचे गिरा जा सकता है और 50m/s का वेग प्राप्त कर लिया जा सकता है। छतरी खुलने तक बाकी सारा पथ वह इसी वेग वाली समरूप गति से गिरता है।

वर्षा की बूंदे भी करीब इसी प्रकार गिरती हैं। फर्क बस इतना है कि अभिपातन का प्रथम अवकाश, जिसमें वेग बढ़ता रहता है, एक सेकेंड या इससे भी कम समय तक जारी रहता है। इसीलिए वर्षा की बूंद का अंतिम वेग इतना बड़ा नहीं होता, जितना छतरीबाज का : वह बूंद के आकार के अनुसार 2 से 7 मीटर प्रति सेकेंड तक का हो सकता है।[1]

बूमरैंग

यह मौलिक अस्त्र आदिम मानव के तकनीक की सबसे विकसित सृष्टि है। लंबे अर्से तक यह वैज्ञानिकों के आश्चर्य का कारण बना रहा। सचमुच में, विचित्र और जटिल आकृतियाँ, जो बूमरैंग का पथ हवा में बनाता है (चित्र 35), किसी को भी सोच में डाल दे सकती है।

आधुनिक समय में बूमरैंग की उड़ान का सिद्धांत विस्तारपूर्वक प्रतिपादित हो चुका है और उसकी उड़ान अब कोई चमत्कार नहीं रह गई है। इन दिलचस्प विस्तारों में हम नहीं जाएँगे। सिर्फ इतना बता दें कि बूमरैंग की उड़ान के ये असाधारण पथ निम्न तीन कारणों की आपसी क्रिया के फल हैं : (1) आरंभिक प्रक्षेप, (2) बूमरैंग का घूर्णन

1. वर्षा की बूंद के वेग के बारे में मेरी पुस्तक 'मनोरंजक यांत्रिकी' में सविस्तार बताया गया है, और विलंबित छलांग के बारे में—'क्या आप भौतिकी जानते हैं?' नामक पुस्तक में।

और (3) हवा का प्रतिरोध। आस्ट्रेलियनवासी अंतर्प्रेरणा से इन तीन घटकों को संयुक्त करता है; वह कौशलतापूर्वक बूमरैंग का नति-कोण (झुकाव का कोण) और प्रक्षेप-बल व उसकी दिशा परिवर्तित करता है, ताकि इष्ट परिणाम प्राप्त हों। वैसे, इस कला में कुछ निपुणता हर व्यक्ति हासिल कर सकता है। कमरे में अभ्यास के लिए आपको कागजी बूमरैंग से ही संतोष करना पड़ेगा, जिसे पोस्टकार्ड को चित्र 36 में दर्शित आकार में काट कर प्राप्त कर ले सकते हैं। हर शाखा की लंबाई करीब 5 cm है और चौड़ाई 1cm ये कुछ कम है। अंगूठे के नाखून में इसे फंसा कर चुटकी से इस प्रकार मारें कि चोट की दिशा आगे, थोड़ा ऊपर की ओर। बुमरैंग कोई पाँच-एक मीटर उड़ जाएगा और तैरता हुआ वक्र-पथ बनाएगा, जो कभी-कभी जटिल भी हो

चित्र 35. आस्ट्रेलियावासी छिप कर बुमरैंग से निशाना लगाते हैं। बूमरैंग का पथ (यहाँ निशाना चूक गया है।) बिंदु-रेखा द्वारा दिखाया गया है।

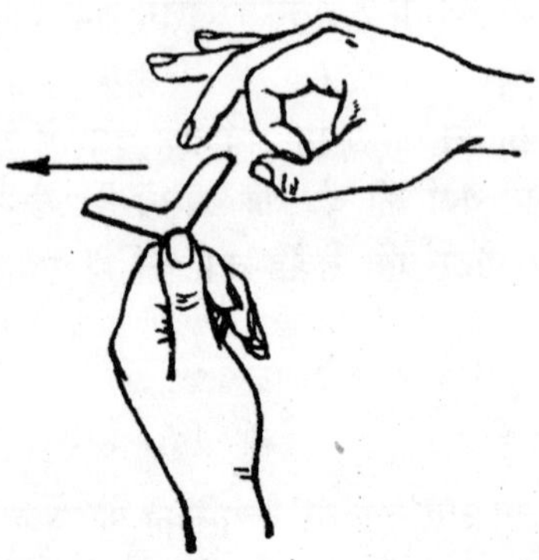

चित्र 36. कागजी बूमरैंग : उसे चलाने का तरीका।

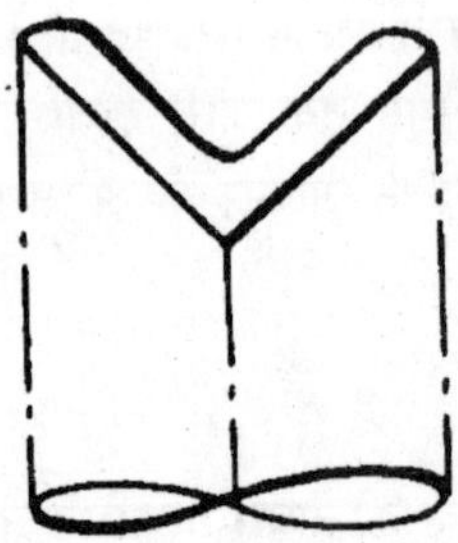

चित्र 37. कागजी बूमरैंग : का एक और रूप (अपने वास्तविक आकार में)।

चित्र 38. मिस्र के एक प्राचीन चित्र में बूमरैंग चलाता हुआ एक सैनिक।

सकता है, और यदि कमरे में किसी चीज से टकराएगा नहीं, तो आपके पैरों के पास आकर गिरेगा।

प्रयोग और सफल साबित होगा, यदि बूमरैंग को चित्र 37 की भाँति रूप और आकार दिया जाए। बूमरैंग की शाखा को एक हल्का मरोड़ देना भी लाभदायक होगा (चित्र 37, नीचे)। ऐसे बूमरैंग को आप थोड़ी निपुणता से ही

जटिल वक्रों पर चलने और फिर आपके पास वापस लौटने को विवश कर सकते हैं।

अंत में यह भी बता दें कि बूमरैंग सिर्फ आस्ट्रेलियन वासियों का ही अस्त्र नहीं रहा है, जैसा कि बहुत से लोग सोचते होंगे। वह भारत में भी कुछ स्थानों पर व्यवहृत होता है। भित्ति चित्रों के अवशेषों से लगता है कि वह कभी एसीरियन योद्धाओं के लिए आम अस्त्र था। प्राचीन मिस्र और नूबी में भी बूमरैंग ज्ञात था। आस्ट्रेलियनों के बूमरैंग में एक ही असाधारण बात है कि उसे बीच से एक हल्की ऐंठन दे दी जाती है। यही कारण है कि आस्ट्रेलियन बूमरैंग आश्चर्यजनक वक्र बनाते हैं और निशाना चूकने पर वापस फेंकने वाले के पैरों पर आ गिरते हैं।

अध्याय 4

घूर्णन, 'शाश्वत गति'

उबले और कच्चे अंडों की पहचान

यदि आवश्यकता पड़े, तो बिना छीले बता सकते हैं कि अंडा उबला हुआ है या कच्चा? यांत्रिकी का ज्ञान ऐसी छोटी-मोटी दिक्कतों से छुटकारा दिलाने में सहायक हो सकता है।

बात यह है कि उबले और कच्चे अंडे अलग-अलग प्रकार से घूर्णन करते हैं। उक्त समस्या को हल करने में इसी बात की सहायता ले सकते हैं। अंडे को थाली या प्लेट में रखते हैं और दो उँगलियों से पकड़ कर तेजी से घिरनी की तरह घुमाते हैं (चित्र 39)। उबला हुआ (खास कर अच्छी तरह से) अंडा काफी तेजी से और देर तक घूर्णन करता रहेगा। कच्चे अंडे को घूर्णन के लिए विवश करना भी कठिन है, जबकि अच्छी तरह उबला अंडा इतनी तेजी से घूमना शुरू कर देता है कि उसकी पर्याकृति घुल कर चपके दीर्घवृत्तज की तरह दिखने लगती है और वह अपने पतले सिरे पर भी खड़ा हो जाता है।

इन परिघटनाओं का कारण यह है कि अच्छी तरह से उबला हुआ अंडा एक पूरे एकाश्म पिंड की तरह घूमता है, जबकि कच्चे अंडे के भीतर का द्रव घूर्णनगति तुरंत प्राप्त नहीं करता और जड़त्व के कारण ऊपरी कठोर कोष की गति को रोकने लगता है, ब्रेक का काम करने लगता है।

उबले और कच्चे अंडे रोकने पर भी भिन्न प्रकार से प्रतिक्रिया करते हैं। घूर्णनरत उबले अंडे की उंगली से छूने पर वह रुक जाएगा, पर उँगली हटाते ही फिर थोड़ा घूमना शुरू कर देगा। इसका कारण भी जड़त्व ही है : कच्चे अंडे में भीतरी द्रव तब भी घूमना जारी रखता है, जबकि ऊपरी कठोर कोष रुक चुका होता है। अच्छी तरह उबले अंडे के भीतर जो कुछ होता है, ऊपरी कोष के रुकने के साथ ही रुक जाता है।

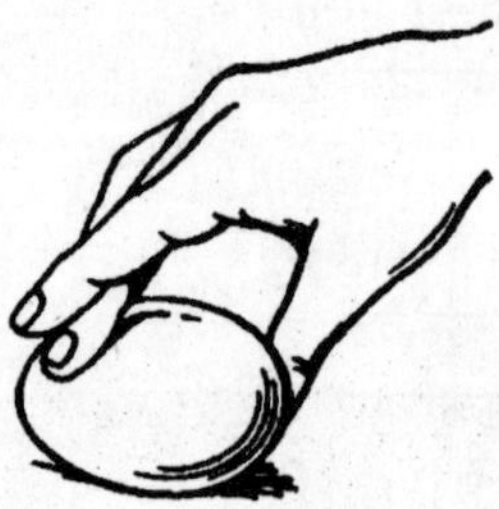

चित्र 39. अंडे को घिरनी की तरह घुमाना।

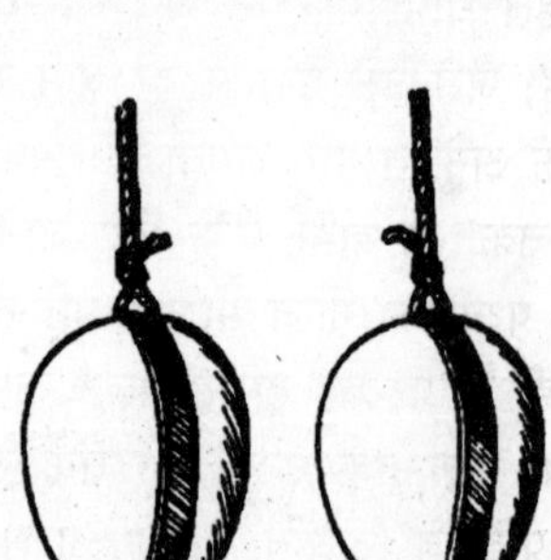

चित्र 40. लटकायी स्थिति में घूर्णन से कच्चे व उबले अंडों की पहचान।

इस तरह के परीक्षण दूसरी विधि से भी संपन्न किए जा सकते हैं। एक उबले और एक कच्चे अंडे की 'याभ्योत्तर रेखा' पर रबड़ का एक छल्ला तान कर चढ़ा दीजिए

और एक जैसी रस्सी से बाँध कर लटका दीजिए (चित्र 40)। रस्सियों को समान संख्या में ऐंठन दे कर छोड़ दें। कच्चे और उबले अंडों में अंतर तुरंत दिख जाएगा। उबला अंडा आरंभिक स्थिति में आकर रुकेगा नहीं, बल्कि रस्सी को उल्टा ऐंठता हुआ चक्कर खाने लगेगा; इसके बाद ऐंठन को खोलता हुआ घूमने लगेगा और रस्सी को पहले जैसे ऐंठने लगेगा। यह चक्कर काफी देर तक चलता रहेगा (हर बार चक्करों की संख्या कम होती जाएगी)। कच्चा अंडा पुरानी स्थिति में आकर एकाध बार इधर-उधर घूम कर रुक जाएगा; उबले अंडे के शांत होने के बहुत पहले ही। उसकी गति में बाधक भीतर का द्रव पदार्थ होता है।

हास-चक्र

छाता खोलें और फर्श पर उलट कर नोक के सहारे घुमाना शुरू करें; उसे क्षिप्र गति देना कठिन नहीं होगा। अब छतरी में मुड़ा-तुड़ा कागज या एक छोटा गेंद डालें। डाली गई वस्तु छाते के भीतर नहीं रुकेगी, वह बाहर उछल आएगी। इसे 'केंद्रापसारी बल' का नाम गलत ही दिया गया है। दरअसल यह सिर्फ जड़त्व की अभिव्यक्ति है। गेंद्र त्रिज्या की दिशा में नहीं, चक्रीय गति के पथ की स्पर्शरेखा की दिशा में भागती है।

घूर्णन गति के इसी प्रभाव पर आधारित है मनोरंजन का एक साधन 'हास-चक्र' (चित्र 41)। ये सांस्कृतिक पार्कों में देखे जा सकते हैं। इसमें आपको खुद अपने ऊपर जड़त्व के प्रभाव को झेलने का अवसर मिलता है। लोग एक गोल चबूतरे पर रहते हैं—बैठकर, लेटे या खड़े, जैसे पसंद हो। नीचे छिपा हुआ चलित्र (मोटर) चबूतरे को ऊर्ध्वमुखी अक्ष के गिर्द नचाना शुरू कर देता है—पहले धीमी गति से, फिर धीरे-धीरे त्वरित करते हुए तेज गति से। शुरू में यह गति महसूस नहीं होती, पर इसके 'यात्री'; जैसे-जैसे केंद्र से दूर बड़ी से बड़ी त्रिज्या वाली परिधियों पर पहुँचते हैं, वेग, और इसीलिए गति का जड़त्व, अधिक अनुभूत होने लगता है। अपने स्थान पर टिके रहने के लिए कोई भी कोशिश क्यों न की जाए, लोग धीरे-धीरे 'हास-चक्र' से बाहर फेंक दिए जाते हैं।

चित्र 41. 'हास-चक्र'। घूमते चक्के पर ये लोग किनारी की ओर फिसलने लगते हैं।

पृथ्वी का गोला भी सच पूछें तो 'हास-चक्र' ही है सिर्फ इसका आकार विराट है। पृथ्वी हमें अपने ऊपर से फेंकती तो नहीं है, पर वह हमारा वजन कम अवश्य कर देती है। विष्वक पर, जहाँ घूर्णन-वेग महत्तम है, **उक्त कारण से भार** 1/300 अंश तक घटता हैं इसके साथ ही एक दूसरे कारण (पृथ्वी के संकोचन) से विष्वक पर वजन में कुल कमी आधे प्रतिशत (अर्थात, 1/200 अंश) की होती है। अतः विष्वक पर वयस्क आदमी का भार 300 g कम होता है, बनिस्बत की ध्रुव पर।

स्याही का बवंडर

सफेद चिकने गत्ते को गोल काट कर उसके केंद्र में नुकीली की हुई माचिस की तीली चुभा लें। आपके हाथों में एक घिरनी होगी, जैसी चित्र 42 में बाएँ (वास्तविक माप से आधी छोटी) दिखाई गई है। तीली की तेज नोक पर घिरनी नचाने के लिए किसी खास कौशलता की जरूरत नहीं हैं; उँगलियों के बीच तीली को नचाते हुए जल्दी से किसी चिकने तल पर उसे गिरा देना काफी रहेगा।

ऐसी घिरनी के साथ बहुत ही काम के प्रयोग किए जा सकते हैं। उसे नचाने के पहले गत्ते की ऊपरी सतह पर स्याही की कुछ नन्हीं बूंदें डाल दें। उनके सूखने के पहले ही घिरनी नचाएँ। जब वह रुक जाए, तो देखें कि बूंदों के साथ क्या हुआ है : उनमें से प्रत्येक बह कर सर्पिलाकार रेखा में परिणत हो गई है और सभी सर्पिल मिल कर बवंडर का सा चित्र बनाते हैं।

चित्र 42. कागज की घिरनी पर स्याही की बूंदों का बहना।

ऐसा चित्र बन जाना कोई संयोग की बात नहीं है। घिरनी पर स्याही के ये सर्पिल क्या बताते हैं? ये बूंदों की गति के निशान हैं। बूंद उसी प्रभाव के अंतर्गत आ जाती है, जिसके अंतर्गत आदमी नाचते 'हास-चक्र' पर होता है। केंद्रापसारी प्रभाव के कारण केंद्र से दूर होने पर बूंद चकरी के उस स्थान पर पहुँच जाती है, जहाँ चक्रीय वेग बूंद के वेग से अधिक होता है। इन स्थानों पर चकरी बूंद के नीचे से खिसक जाती है, उसे पीछे छोड़ देती है। यहाँ बात इस प्रकार से है : बूंद मानों चकरी से पीछे रह जाती है, त्रिज्या से पीछे हट जाती है। इसीलिए उसका पथ वक्रित हो जाता है और हम चकरी पर वक्ररेखिल गति का निशान देखते हैं।

यह बात पवन-धाराओं के साथ घटती है, जो वातावरण के उच्च दबाव वाले स्थान से दूर भागती हैं (प्रतिचक्रवात में) या निम्न दबाव वाले स्थान की ओर दौड़ती हैं (चक्रवात में)। स्याही की सर्पिलें इन्हीं विराट बवंडरों के छोटे रूप हैं।

धोखे में पड़ा पौधा

क्षिप्र घूर्णन से केंद्रापसारी प्रभाव इतनी बड़ी मात्राएँ धारण कर सकता है कि वह गुरुत्व से भी बड़ा हो जाता है। एक दिलचस्प प्रयोग पेश है, जो दिखाता है कि साधारण चक्का भी घूमने पर कितना बड़ा फेंकने वाला बल उत्पन्न कर सकता है। हमें ज्ञात है कि नन्हा पौधा अपना डंठल गुरुत्व बल की विपरीत दिशा में बढ़ाता है, अर्थात् यदि सरल शब्दों में कहें, ऊपर की ओर पनपाता है। लेकिन क्षिप्र घूर्णित चक्के की किनारी पर बीज को पनपने दें, जैसा कि अंग्रेज वनस्पति-वैज्ञानिक नाइट ने सौ साल से भी पहले किया था। आप आश्चर्यजनक चीज देखेंगे : पौधों की जड़ें बाहर की ओर निकली होंगी और डंठल, पत्ते आदि चक्के के केंद्र की ओर त्रिज्या की दिशा में (चित्र 43)।

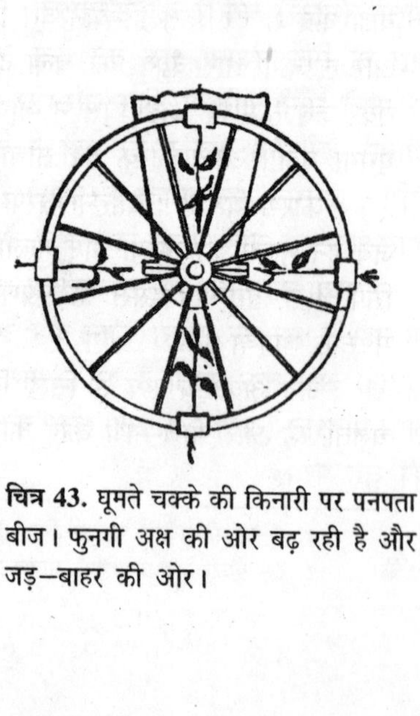

चित्र 43. घूमते चक्के की किनारी पर पनपता बीज। फुनगी अक्ष की ओर बढ़ रही है और जड़–बाहर की ओर।

हमने मानों पौधे को धोखे में डाल दिया है : उस पर गुरुत्व बल के

बदले दूसरे बल का प्रभाव डाल दिया, जिसकी क्रियाशीलता चक्के के केंद्र से बाहर की ओर निर्दिष्ट है। और चूँकि अंकुर हमेशा गुरुत्व के विपरीत दिशा में बढ़ता है, उसे इन परिस्थितियों में चक्के के भीतर किनारी से अक्ष की ओर बढ़ना पड़ा। हमारा कृत्रिम गुरुत्व प्राकृतिक गुरुत्व से अधिक शक्तिशाली निकला[1] और पौधा उसी के प्रभाव में पनपा।

'चिर-चलित्र'

'चिर-चलित्र' और 'चिर-गति' के बारे में अक्सर लोग प्रत्यक्ष या परोक्ष अर्थों में बोला करते हैं, पर शायद ही सभी समझते हों कि इन शब्दों का अर्थ क्या है। चिर-चलित्र एक ऐसा काल्पनिक यंत्र है, जो अविराम स्वयं चलता रहता है और साथ ही कोई कार्य भी संपन्न करता रहता है (जैसे भार उठाना)। ऐसा यंत्र कोई भी नहीं बना सका, हालाँकि बनाने की कोशिशें पुराने जमाने से हो रही हैं। इन प्रयत्नों की असफलता से चिर-चलित्र की असंभाव्यता में विश्वास और आधुनिक विज्ञान में ऊर्जा संरक्षण नियम की स्थापना में सहायता मिली। जहाँ तक चिर-गति (शाश्वत गति) का प्रश्न है, इसका अर्थ बिना कार्य-संपन्नता के अविराम गति है।

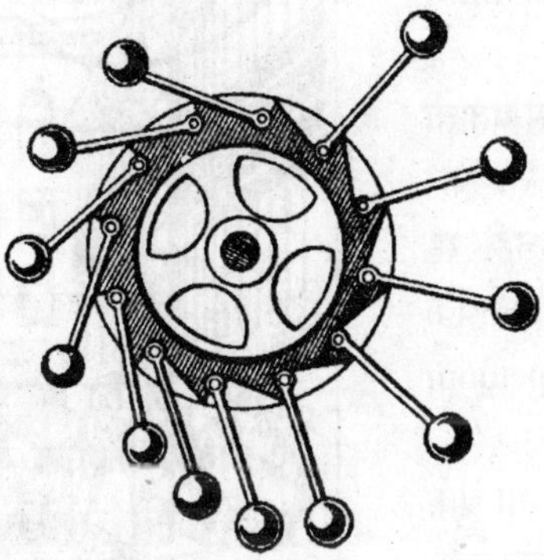

चित्र 44. मध्ययुगीन मिथ्या शाश्वत चलित्र।

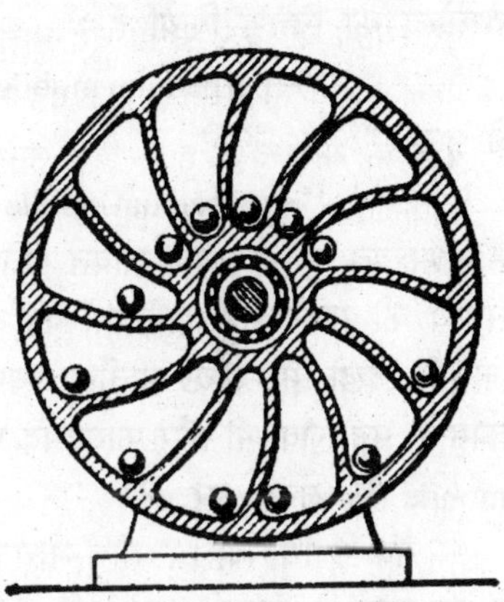

चित्र 45. लुढ़कते गोलों वाला मिथ्या शाश्वत चलित्र।

चित्र 44 में एक मिथ्या स्वचल यंत्र दिखाया गया है। यह चिर-चलित्र की प्राचीनतम प्रायोजनाओं में से एक है, जो अभी भी असफल दुराग्रहियों के कारण पुनर्जन्म को प्राप्त होता रहता है। चक्के के किनारों पर छोटे-छोटे छड़ लगे हैं, जिनके दूसरे सिरों पर बोझ जुड़े हैं। चक्का किसी भी स्थिति में हो, उसकी दाईं ओर के बोझ केंद्र से दूर रहते हैं, बनिस्बत कि बाईं ओर के। इसीलिए दाईं ओर के बोझ बाएँ बोझों को उठाते हुए नीचे की ओर लुढ़केंगे और चक्के को चला देंगे। इसका मतलब है कि चक्का चिर काल तक चलना चाहिए, कम से कम तब तक, जब तक कि अक्ष घिस न जाए। आविष्कारक ने यही सोचा होगा। फिर भी, यदि ऐसा चलित्र बनाया जाए, वह घूमेगा नहीं। आविष्कारक का सोचा हुआ कामगर नहीं रहा, क्यों?

कारण यह है : दाहिनी तरफ के गुल्ले चक्के के केंद्र से दूर जरूर है।पर कभी न कभी ऐसा क्षण आएगा ही, जब इन गुल्लों की संख्या बाएँ गुल्लों की संख्या से कम हो जाएगी। चित्र 44 पर नजर डालिए : दाएँ गुल्लों की संख्या सिर्फ 4 है, बाएँ-8। इससे सारी प्रणाली संतुलित हो जाएगी और चक्का घूमेगा नहीं; कुछेक बार झूल कर इसी स्थिति में रुक जाएगा।[2]

जब अकाट्य रूप से सिद्ध किया जा चुका है कि ऐसा यंत्र नहीं बनाया जा सकता, जो अनवरत अपने-आप चलता रहे और साथ-साथ कोई कार्य भी संपन्न किया करे। इस समस्या पर श्रम करना बिलकुल निरर्थक है। पुराने

1. गुरुत्व की प्रकृति पर आधुनिक दृष्टिकोण इन दोनों के बीच कोई सैद्धांतिक फर्क नहीं देखता।

1. इस प्रकार की प्रणालियाँ आघूर्ण-प्रमेय की सहायता से निरूपित होती हैं।

जमाने में, खासकर मध्य युग में, लोगों ने इस समस्या के लल पर बहुत ही सर खपाया और 'चिर-चलित्र' (लातीनी में पेरपेतुउम मोबीले, perpetuum mobile) के आविष्कार में बहुत ही श्रम और समय बरबाद किया। ऐसा चलित्र प्राप्त करना सस्ते धातुओं से सोना बनाने की कला से भी अधिक आकर्षक था।

पुश्किन ने अपने 'सामंतकालीन शूरवीरों के जीवन से कुछ दृश्य' में एक ऐसा ही सपना देखने वाले व्यक्ति बेरतोल्द का चित्रण किया है :

"—perpetuum mobile क्या है? —मार्तीन ने पूछा।

"—perpetuum mobile—बेर्तोल्द उसे बताता है,—शाश्वत गति है। यदि शावत गति बना सकूँ, तो फिर मनुष्य की सृजनात्मक शक्तियों की कोई सीमा नहीं रह जाएगी...देखो, मेरे अच्छे मार्तीन! स्वर्ण बनाना आकर्षक काम है, मनोरंजक भी और फायदेमंद भी, पर perpetuum mobile ढूँढ़ लेना...अरे..."।

सैंकड़ों 'चिर-चलित्र' सोच-सोच कर निकाले जा चुके हैं, पर उनमें से एक भी चला नहीं। आविष्कारक हर बार, जैसा कि हमारे उदाहरण में हुआ था, कोई न कोई छोटी सी चीज भूल जाया करता था, या ध्यान नहीं देता था, जिससे उसकी योजना भंग हो जाती थी।

चित्र 46. लोस-ऐंजेल्स शहर (कैलीफोर्निया) में विज्ञापन के लिए रचा गया मिथ्या शाश्वत चलित्र।

यह रहा चिर-चलित्र का एक और नमूना : चक्के में भारी गोलियाँ हैं जो नीचे की ओर लुढ़का करती हैं (चित्र 45)। आविष्कारक ने सोचा था कि चक्के में एक तरफ की गोलियाँ हमेशा केंद्र से दूर वाली किनारी पर रहेंगी और अपने भार से चक्के को चलने पर विवश करेंगी।

जाहिर है कि चक्का घूमेगा नहीं। कारण वही है, जो चित्र 44 में दर्शित चक्के के साथ था। पर अमेरिका के एक शहर में एक ऐसा ही चक्का बनाया गया। इसका लक्ष्य एक रेस्तरां के लिए खूबसूरत विज्ञापन देना था, ताकि ग्राहकों का ध्यान आकर्षित हो (चित्र 46)। यह 'शाश्वत चलित्र' यत्न से छिपा कर रखी गई मशीन से चला करता था, पर दर्शकों को लगता था कि चक्का दरारों में रखे भारी गोलियों के लुढ़कने से चल रहा है। एक समय था, जब लोगों को आकर्षित करने के लिए घड़ीसाज अपनी दुकानों में ऐसे नकली शाश्वत चलित्र रखा करते थे। इन चलित्रों को छुपे-रुस्तम बिजली से चलाया जाता था।

एक बार एक ऐसे ही विज्ञापन वाले 'शाश्वत चलित्र' के कारण मुझे काफी तंग होना पड़ा। मेरे कुछ मजदूर छात्र इससे इतने आश्चर्यचकित थे कि उन पर शाश्वत चलित्र की असंभाव्यता के प्रमाणों का कोई असर नहीं पड़ रहा था। कंचों का लुढ़क-लुढ़क कर चक्का चलाना और फिर इसी चक्के से ऊपर उठना—यह दृश्य मेरे तर्कों से अधिक प्रभावशाली निकला। मेरे भाग्य से उस समय छुट्टियों के दिन बिजली नहीं मिलती थी। मैंने अपने छात्रों को सलाह दी कि वे किसी

ऐसे दिन शो-केस के निकट जा कर देखें। उन्होंने मेरी बात मान ली।

—क्या हाल है चलित्र का, आपने देखा? —मैंने प्रश्न किया।

—नहीं,—निराश उत्तर दिया उन्होंने।—वह दिखा नहीं; अखबार से ढका था...

ऊर्जा संरक्षण नियम ने पुनः उनका विश्वास जीत लिया और इसके बाद फिर कभी खोया नहीं।

'अड़चन'

अनेक रूसी स्वशिक्षित आविष्कारक भी 'शाश्वत चलित्र' की मोहक समस्या को हल करने में लगे थे। ऐसे एक साइबेरियन किसान अलेक्सांदर शेग्लोव का चित्रण शेद्रिन के उपन्यास 'आधुनिक रमण-काव्य' के एक पात्र 'प्रेजेंतोव बाबू' के रूप में किया गया है। शेद्रिन इस आविष्कारक की कर्मशाला देखने गए थे, जिसका वर्णन उन्हीं के शब्दों में प्रस्तुत कर रहे हैं :

"प्रेजेंतोव बाबू की उम्र पैंतिस वर्ष थी, शरीर दुबला-पतला, चेहरा पीला, आँखें बड़ी और चिंतनशील, बाल डोरी-से गरदन तक लटके हुए। उनकी लकड़ी की झोपड़ी काफी बड़ी थी, लेकिन आधी जगह एक बहुत बड़े गति-पालक चक्के ने घेर रखा था और इसीलिए हम मुश्किल से अंट रहे थे। चक्का तीलियों वाला था। उसकी रिम तख्तों को ठोक कौर बनाई गई थी ओर काफी मोटी, बक्सों जैसी भीतर से खोखली थी। इसी खाली स्थान में आविष्कारक निर्मित यंत्र का राज छिपा था। राज कोई खास जटिल नहीं था; बस बालू की बोरियाँ थीं, जो मिलकर एक-दूसरे को संतुलित कर सकती थीं। चक्के में एक डंडा फँसा था, ताकि वह चलता रहे।

—हम लोगों ने सुना कि आप शाश्वत गति के नियम को व्यवहार में ला रहे है।? —मैंने बात शुरू की।

—क्या कहूँ, पता नहीं,—हिचकिचाते हुए उसने उत्तर दिया,—लगता है, मानों कि...

—हम देख सकते हैं?

—क्या कहते हैं? यह तो सौभाग्य है...

वह हमें चक्के के पास ले गया, फिर चारों ओर से दिखाया। पता चला कि आगे, पीछे—सब तरफ से चक्का-चक्का ही था।

—घूमता है?

—घूमना तो चाहिए। नखरे कर रहा है वैसे...

—सिटकिनी हटाई जाए?

प्रेजेंतोव ने डंडा खींच कर निकाल लिया। चक्का हिला भी नहीं।

—नखरे कर रहा है!—उसने दुहराया,—थोड़ा जोर लगाना पड़ेगा।

उसने दोनों हाथों से चक्का पकड़ लिया, कुछेक बार ऊपर-नीचे झुलाया और एक जोर की पेंग देकर छोड़ दिया। चक्का चल पड़ा। कुछ चक्कर तो उसने काफ़ी तेजी से और बिना किसी बाधा के आराम से पूरे कर लिए। पर सुनाई दे रहा था, किस प्रकार रेत की बोरियाँ चक्के की भीतरी दीवारों से घिस रही थीं और कैसे उनसे छूट-छूट कर गिर रही थीं। इसके बाद चक्के का घूमना मंद होने लगा। एक चरमराहट की आवाज आई और इसके बाद वह बिल्कुल रुक गया।

—कोई अड़चन लग रही है भीतर,—आविष्कारक ने व्यग्र स्वर में समझाया और फिर से दम लगा कर चक्के का एक जोर की पेंग दी।

पर दूसरी बार भी वही हुआ।

—घर्षण का हिसाब शायद आपने नहीं लगाया था?

–घर्षण का भी लगाया था... घर्षण है ही क्या? घर्षण के कारण नहीं; बस, यूँ ही...कभी-कभी तो मन खुश कर देता है, और इसके बाद फिर एकदम से...नखरे करने लगता है, अड़ जाता है–और बस। जरा ढंग का सामान होता ...चक्का तो इधर-उधर की टुकड़ियों से जोड़-जाड़ कर बना है।"

स्पष्ट है कि यहाँ सवाल 'अड़चन' या 'अच्छी निर्माण सामग्री का नहीं, बल्कि यंत्र के मुख्य विचार की जटिलता का है। चक्का आविष्कारक द्वारा धक्का खाने पर थोड़ा बहुत चल लेता है, लेकिन जब यह बाह्य-संप्रेषित ऊर्जा घर्षण के साथ संघर्ष में समाप्त हो जाती है, तो चक्के को रुकना ही पड़ता है।

उफिम्त्सेव का संचालक

गति के कारण को पता लगाए बगैर सिर्फ उनके बाह्य रूप और ढाँचे के आधार पर उसे 'शाश्वत' कहना गलत होगा। इस बात की सत्यता उफिम्त्सेव द्वारा आविष्कृत यांत्रिक ऊर्जा के संचायक से सिद्ध होती है। कूर्स्की शहर के अ. गि. उफिम्त्सेव ने एक नए प्रकार के पवनशक्ति-केंद्र का निर्माण किया। इसमें गतिसामक चक्र की तरह के सस्ते 'जड़त्वीय' संचायक का इस्तेमाल हुआ था। सन् 1920 में उफिम्त्सेव ने अपने संचायक का एक चक्कीनुमा प्रतिमान तैयार किया। चक्की ऊर्ध्व अक्ष पर बाल-बेयरिंग के सहारे घूमती थी। यह सब एक चमड़े की थैली में रखा था, जिसमें से पंप द्वारा हवा निकाली जा चुकी थी। चक्की को 20000 चक्कर प्रति मिनट का आरंभिक वेग दिया गया और वह 15 दिनों तक इसी तरह घूमती रही। सतही तौर पर देखने वाला व्यक्ति चक्की के अक्ष को देख कर इसे शाश्वत गति का कार्यान्वयन ही कहता, क्योंकि ऊर्जा का कोई स्पष्ट स्रोत सामने नहीं था।

चमत्कार : है भी और नहीं भी

'शाश्वत' चलित्रों के पीछे निरर्थक दौड़ ने अनेक लोगों की जिंदगी बर्बाद की है।मैं एक मजदूर को जानता हूँ, जो अपनी सारी बचत और तनख्वाह शाश्वत चलित्रों के प्रतिमान बनाने में खर्च कर दिया करता था। वह अपने असंभव विचारों का बलिदान बन गया था। उसके पास पहनने को कपड़े नहीं होते थे, भूखा रहता था, पर वह लोगों से साधन मांगता था 'अंतिम प्रतिमान' के लिए, जो 'अवश्य ही चलता रहता'। अफसोस होता था कि यह आदमी भौतिकी के आरंभिक ज्ञान न होने के कारण ही इतनी गरीबी में जी रहा था।

मजे की बात यह है कि 'शाश्वत' गति की खोज हमेशा निष्फल रही है, पर उसकी असंभाव्यता के गूढ़ ज्ञान ने अनेक लाभप्रद वैज्ञानिक निष्कर्षों को जन्म दिया है।

इसका एक सुंदर उदाहरण है नत-तलों पर बल-संतुलन के नियम की खोज। खोजकर्ता हालैंड (XVI-वीं–XVII-वीं शती) के वैज्ञानिक स्टेविन थे। उन्हें इतनी ख्याति नहीं प्राप्त हुई, जितनी होनी चाहिए थी। उन्होंने अनेक महत्त्वपूर्ण खोजें कीं, जिनका हम निरंतर प्रयोग करते हैं, जैसे दशमलव भिन्न, बीजगणित में घात का प्रयोग, जल-स्थैतिक नियम, जिसकी बाद में पास्कल ने पुनः खोज की।

नत-तल पर बल-संतुलन के नियम की खोज स्टेविन ने बल समांतर चतुर्भुज के नियम की सहायता के बिना सिर्फ एक आरेख की मदद से की (दे. चित्र 47)। त्रिफलकी प्रिज्म पर 14 मोती की एक माला लटकी है। मोती समान हैं। माला के साथ क्या होगा? नीचे लटके मोती आपस में संतुलन कर लेते हैं। पर माला के अन्य

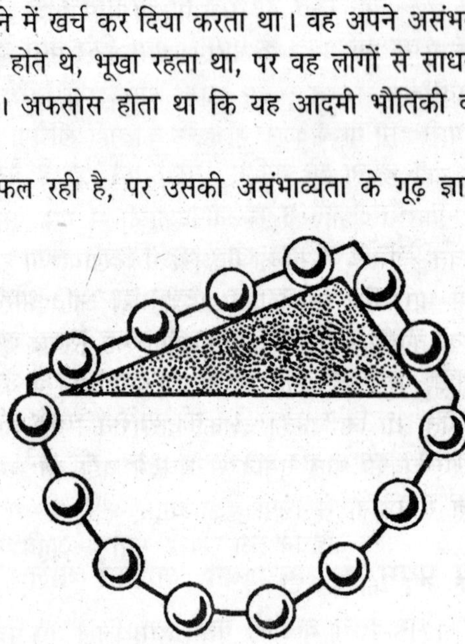

चित्र 47. "चमत्कार भी, और नहीं भी"।

दो भाग एक दूसरे को संतुलन में रखते हैं या नहीं? अन्य शब्दों में : दाईं ओर के दो मोती बाईं ओर के चार मोतियों से संतुलित होते हैं या नहीं? अवश्य होते हैं, अन्यथा माला निरंतर दाएँ से बाएँ ससरती रहती, क्योंकि आगे बढ़े मोतियों की जगह नए मोती आ जाते और संतुलन कभी भी स्थापित नहीं होता। पर हम जानते हैं कि माला उक्त स्थिति में स्थिर रहती है, खुद ब खुद घूमती नहीं रहती, इसीलिए स्पष्ट है कि दाईं ओर के दो मोती बाईं ओर के चार मोतियों को संतुलित कर लेते हैं। यह एक चमत्कार-सा लगता है : दो मोती उसी बल से खींच रहे हैं, जिससे कि चार।

स्टेविन ने इस मिथ्या चमत्कार से यांत्रिकी का एक महत्त्वपूर्ण नियम निकाला। उसने इस प्रकार सोचा। माला के ये दो भाग–लंबा और छोटा–अलग-अलग प्रकार से लटके हैं : एक भाग दूसरे से उतना ही गुना अधिक भारी है, जितना गुना प्रिज्म का लंबा फलक छोटे वाले से अधिक है। इससे निष्कर्ष निकलता है कि रस्सी से जुड़े दो बोझ नत तलों पर एक दूसरे को संतुलित कर लेते हैं, यदि उनका भार तलों की लंबाइयों के समानुपाती होता है।

स्थिति-विशेष में, यदि छोटा तल लम्बवत खड़ा हो, हमें यांत्रिकी का एक विख्यात नियम प्राप्त होता है : नत तल पर पिंड को रोक रखने के लिए इस तल की दिशा में ऐसे बल को लगाना चाहिए, जो पिंड के भार से उतना ही गुना छोटा हो, जितनी तल की ऊँचाई उसकी लंबाई से छोटी है।

इस प्रकार, शाश्वत चलित्र की असंभाव्यता के आधार पर यांत्रिकी के एक महत्त्वपूर्ण नियम की खोज हुई।

कुछ और 'शाश्वत चलित्र'

चित्र 48 में आप एक भारी चेन देखते हैं, जो चक्कों पर इस प्रकार लगा है कि हर स्थिति में उसका दायाँ भाग बाएँ से लंबा रहता है। इसीलिए,–आविष्कारक ने सोचा,–दाएँ भाग को निरंतर नीचे गिरते रहना चाहिए और इससे पूरे यंत्र को चलते रहना चाहिए। क्या यह सही है?

बेशक नहीं। हम अभी-अभी देख चुके हैं कि भारी चेन को हल्का चेन संतुलित कर लेता है, क्योंकि उन्हें खींचने वाले बल भिन्न कोणों पर कार्यशील हैं। इस यंत्र में बायाँ चेन लंबवत लटक रहा है और दायाँ तिरछे लगा हुआ है। इसीलिए दायाँ चेन भारी होने के बावजूद भी हल्के को नहीं खींचेगा। यहाँ प्रत्याशित 'शाश्वत' गति प्राप्त नहीं हो सकती।

पिछली शती की साठवीं दशाब्दी में एक अत्यंत चालाक आविष्कारक का 'शाश्वत' चलित्र पेरिस की प्रदर्शनी में दिखाया जा रहा था। चलित्र एक चक्का था जिसमें भारी गोलियाँ लुढ़कती रहती थीं। आविष्कारक का दावा था कि चक्के की गति को कोई नहीं रोक सकता। दर्शक एक के बाद एक चक्के को रोकने की कोशिश करते थे, पर हाथ हटाते ही चक्का पुनः चालू हो जाता था। किसी को यह शक नहीं होता था कि चक्का दर्शकों द्वारा रोकने की कोशिश से ही चलता था; रोकने के लिए चक्का पीछे घुमाने से यंत्र में घड़ी की तरह चाबी पड़ जाती थी–स्प्रिंग अत्यंत सावधानी से छिपा हुआ था...

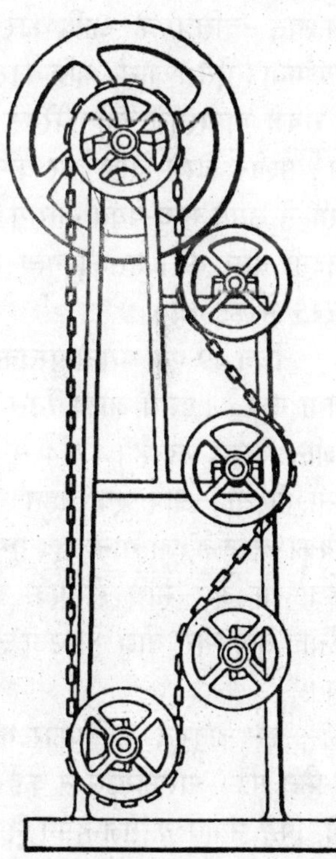

चित्र 48. क्या चलित्र शाश्वत है?

प्योत्र प्रथम के समय का 'शाश्वत चलित्र'

1715-1722 में प्योत्र प्रथम द्वारा लिखे गए पत्र और उनके उत्तर बचे हैं, जिनमें जर्मनी में आविष्कृत एक शाश्वत चलित्र के बारे में बातचीत चल रही थी। आविष्कारक कोई डॉ. ओरफीरेउस था। जर्मनी में उसके 'स्वचालित चक्के'

के कारण उसे काफी ख्याति मिल रही थी। त्सार[1] से वह काफी बड़ी कीमत ऐंठना चाहता था। विद्वान पुस्तकालयाध्यक्ष शुमाखेर, जिसे प्योत्र ने दुर्लभ वस्तुओं के संग्रह के लिए पाश्चात्य देशों में भेजा था, ओरफीरेउस की मांग के बारे में त्सार को लिखा :

''आविष्कारक अंतिम मूल्य बता रहा है : 100000 येफीमक[2] रख दीजिए और मशीन ले जाइए।''

अपनी मशीन के बारे में आविष्कारक का कहना था कि (पुस्तकालयाध्यक्ष के शब्दों में) वह 'सही है और कोई भी उसका मजाक नहीं उड़ा सकता; दुर्जनों की बात दूसरी है और दुनिया ऐसे ही लोगों से भरी है, जिनका विश्वास नहीं किया जा सकता''।

1725 की जनवरी में प्योत्र इस 'शाश्वत चलित्र' को देखने के लिए जर्मनी जाने वाले थे, पर इसी बीच उनकी मृत्यु हो गई।

यह ओरफीरेउस कौन था और उसकी मशीन कैसी थी। इन प्रश्नों पर प्रकाश डालने वाली सूचनाएँ प्राप्त करने में मुझे कुछ सफलता मिली।

ओरफीरेउस का वास्तविक नाम बेस्लेर था। उसका जन्म 1680 में जर्मनी में हुआ था। उसने ईश्वर-विज्ञान, चिकित्सा-विज्ञान, चित्रकला आदि का अध्ययन किया और अंत में वह 'शाश्वत' चलित्र के आविष्कार में लग गया। ऐसे हजारों आविष्कारकों में सबसे भाग्यशाली ओरफीरेउस ही था। मशीन दिखा-दिखा कर कमाए पैसों से उसने मृत्यु-पर्यंत आराम की जिंदगी बसर की। उसकी मृत्यु सन् 1745 में हुई थी।

चित्र 49 एक पुरानी पुस्तक से लिया गया है। इसमें ओरफीरेउस की मशीन दिखाई गई है। 1714 में वह ऐसी ही थी। आप एक बहुत बड़ा चक्का देखते हैं, जो मानों खुद घूमता रहता था और साथ ही एक बड़ी ऊँचाई तक भारी बोझ भी उठा लेता था।

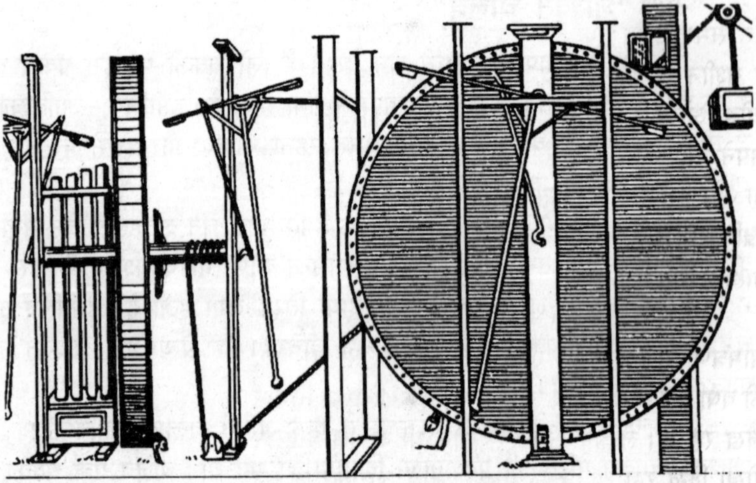

चित्र 49. ओरफीरेउस का स्वचलित चक्का, जिसे प्योत्र-I खरीदते-खरीदते रह गए। (एक पुराने चित्र से)।

इस अद्भुत आविष्कार की ख्याति, जिसे विद्वान डाक्टर पहले मेलों में दिखाया करता था, शीघ्र ही पूरे जर्मनी में फैल गई। ओरफीरेउस ने कई प्रभावशाली व्यक्तियों का वरद-हस्त प्राप्त कर लिया। पोलैंड के राजा ने उसमें दिलचस्पी ली, फिर नवाब कासेल-हेसेन ने निमंत्रण दिया। नवाब ने उसे अपने किले में स्थान दिया और हर तरह से मशीन की परीक्षा ली।

1. अंग्रेजी में 'ज़ार'।
2. येफीमक—करीब एक रूबल मूल्य की पुरानी रूसी मुद्रा-इकाई।

उदाहरणार्थ, 12 नवंबर 1717 को मशीन एक अलग कमरे में चला दी गई और कमरा ताले से बंद कर दिया गया। दरवाजे पर मुहर लगा दी गई और दो सेनाध्यक्षों के ऊपर पहरे की जिम्मेवारी डाल दी गई। 14 दिनों तक कोई भी कमरे के निकट नहीं गया। सिर्फ 26 नवंबर को सील तोड़ा गया और नवाब अपने दरबारियों के साथ कमरे में घुसे। चक्का उसी गति से चल रहा था! मशीन को अच्छी तरह से देख-सुन लेने के बाद उसे पुनः चालू किया गया और इस बार कमरे को चालिस दिनों तक सील-बंद रखा गया। सेनाध्यक्ष पहरा देते रहे। जब 4 जनवरी 1718 को दरवाजा खोला गया, विशेषज्ञों की टोली ने मशीन को चलती अवस्था में पाया!

नवाब को इससे भी संतोष नहीं हुआ। उसने अपना प्रयोग फिर से दुहराया और मशीन दो महीने तक बंद रखी गई। अवधि समाप्त होने पर मशीन चालू पाई गई!

नवाब ने खुश हो कर आविष्कारक को एक प्रमाणपत्र दिया, जिसके अनुसार उसका 'शाश्वत चलित्र' प्रति मिनट 50 बार घूमता था, 16kg भारी वस्तु को 1.5 मीटर की ऊँचाई तक उठा सकता था; उससे लुहार की भाथी और छूरी पिंजाने का चक्का चल सकता था। ओरफीरेउस उसी प्रमाणपत्र को लिए यूरोप में भ्रमण कर रहा था। पैसे उसे काफी मिल रहे थे; शायद इसीलिए वह अपनी मशीन 100000 रूबल से कम में बेचने को तैयार नहीं हो रहा था।

डॉ. ओरफीरेउस के इस आश्चर्यजनक आविष्कार की खबर अब जर्मनी के बाहर यूरोपीय देशों में फैलने लगी। वह रूस भी पहुँची। प्योत्र, जो अजीबोगरीब मशीनों का बेहद शौकीन था, इसकी ओर आकर्षित हुआ।

सन् 1715 की अपनी एक विदेश-यात्रा के दरम्यान ही प्योत्र ओरफीरेउस के चक्के के बारे में सुन चुका था। उस समय उसने एक विख्यात राजनीतिज्ञ अ. इ. ओस्तेरमान के हाथ इस मशीन के अध्ययन का कार्य सौंपा। ओस्तेरमान ने मशीन के बारे में एक सविस्तार प्रतिवेदन लिख कर भेजा, यद्यपि मशीन देखने का सुअवसर उसे नहीं प्राप्त हुआ। प्योत्र, ओरफीरेउस को एक महान आविष्कार के रूप में अपने यहाँ काम करने के लिए आमंत्रित करना चाहता था और इसके बारे में उस समय के विख्यात दर्शनशास्त्री ख्रिष्टियान वोल्फ (लोमोनोसोव के गुरु) का खयाल जानना चाहता था।

विख्यात आविष्कारक को हर तरफ से लाभप्रद आमंत्रण मिल रहे थे। ऐश्वर्यशाली लोग उस पर दया की वर्षा कर रहे थे; कवि उसकी मशीन के लिए कीर्त्तिगान लिख रहे थे। लेकिन कुछ ऐसे लोग भी थे, जिन्हें इसमें धोखा दिख रहा था। कुछ साहसी लोग ओरफीरेउस को खुले-आम ठग कह रहे थे; धोखा सिद्ध करने वाले को 1000 मार्क का इनाम ऐलान किया जा रहा था। ओरफीरेउस की ठगी का पर्दाफाश करते हुए किसी पुस्तिका ने एक चित्र छापा, जिसे हम यहाँ दे रहे हैं (चित्र 50)। इसके अनुसार रहस्य सिर्फ यही है कि अच्छी तरह से छिपा हुआ आदमी रस्सी खींचता रहता है। खंभे के भीतर चक्के के अक्ष का जो भाग है, उसी पर रस्सी लपेटी गई है, इसीलिए यह दिखती नहीं।

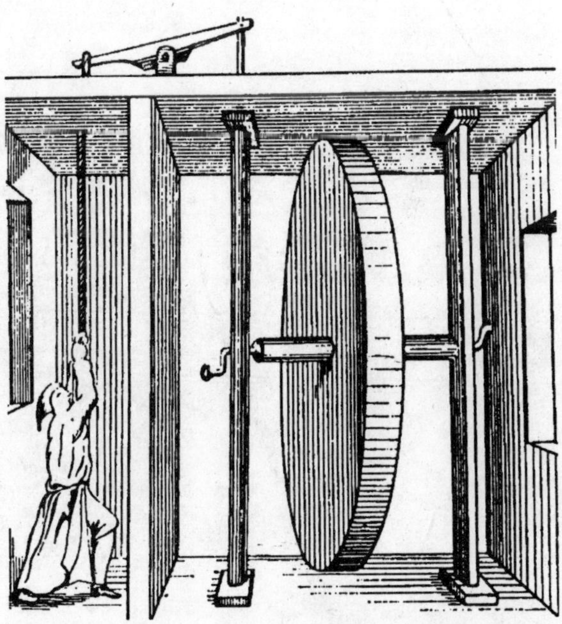

चित्र 50. ओरफीरेउस के चक्के का रहस्य। (पुराने चित्र से)

इतना बारीक धोखा सिर्फ एक संयोग के कारण ही खुल सका। विद्वान डाक्टर का उसकी पत्नी और नौकरानी

के साथ झगड़ा हो गया। उन्हें डाक्टर की मशीन का रहस्य मालूम था। यदि यह झगड़ा नहीं होता, तो शायद हम आज भी इस 'शाश्वत चलित्र' के रहस्य को नहीं समझ पाते। ज्ञात हुआ कि 'शाश्वत चलित्र' सचमुच में छिपे आदमियों के श्रम से गतिमान रहता था, जो छिपे-रुस्तम रस्सी खींचा करते थे। ये लोग थे—डाक्टर का भाई और उसकी नौकरानी।

भंडाफोड़ होने पर भी आविष्कारक ने हार नहीं मानी; वह मरने तक यही दुहराता रहा कि झगड़े के उसकी पत्नी और नौकरानी ने उस पर लांछना लगाया है। लेकिन उस पर से लोगों का विश्वास खत्म हो चुका था। प्योत्र के दूत शुमाखेर को वह यूँ ही नहीं कहा करता था कि लोग बुरे हैं और "दुनिया ऐसे ही लोगों से भरी है, जिनका विश्वास नहीं करना चाहिए"।

प्योत्र प्रथम के समय ही जर्मनी में एक और 'शाश्वत चलित्र' था। आविष्कारक का नाम था हेर्टनेर। इस मशीन के बारे में शुमाखेर ने लिखा था : श्रीमान हेर्टनेर का Perpetuum mobile जिसे मैंने ड्रेस्डेन में देखा, कपड़े का बना है। उस पर बालू रखा है। मशीन का रूप छुरी पिंजाने वाले चक्के की तरह है और अपनी जगह से आगे-पीछे घूमता रहता है। श्रीमान इन्वेन्टर (आविष्कारक) के शब्दों में, वह काफी बड़ा नहीं किया जा सकता"। इसमें कोई शक नहीं कि यह चलित्र भी लक्ष्य से बहुत दूर था। उसे अच्छा सोच-समझ कर बनाया गया था, लेकिन वह भी 'शाश्वत' चलित्र नहीं था। शुमाखेर बिल्कुल सही था, जब उसने प्योत्र को लिखा कि अंग्रेज और फ्रांसीसी विद्वान "इन सारे पेरपेतुउम मोबीले को कोई महत्त्व नहीं देते और कहते हैं कि यह गणितीय सिद्धांतों के विरुद्ध है"।

अध्याय 5

द्रव और गैस के गुण

दो केतलियों से संबंधित प्रश्न

आपके सामने समान चौड़ाई की दो केतलियाँ हैं : एक कुछ ऊँची है, दूसरी--कुछ नीची। किसमें अधिक पानी अँटेगा?

बहुत से लोग शायद बिना कुछ सोचे-समझे कह देंगे कि ऊँची केतली में अधिक अँटेगा। यदि आप ऊँची केतली में कोई द्रव ढालना शुरू करेंगे, तो देखेंगे कि टोंटी की ऊँचाई से अधिक नहीं ढाल सकते; द्रव गिरने लगेगा। चूँकि दोनों केतलियों में टोंटियों के छेद समान ऊँचाई पर स्थित है, बड़ी केतली में उतना ही द्रव अंटेगा, जितना छोटी में।

चित्र 51. किस केतली में अधिक पानी ढाला जा सकता है।

यह स्पष्ट है, क्योंकि केतली और उसकी टोंटी में द्रव का स्तर समान ऊँचाई पर होगा। जुड़े बरतनों में यही होता है। टोंटी में स्थित द्रव का भार केतली के द्रव से काफी कम होता है, फिर भी द्रव के स्तरों की ऊँचाइयाँ दोनों जगह समान होती हैं। यदि टोंटी पर्याप्त ऊँची नहीं है, तो आप केतली को द्रव से किसी भी तरह नहीं भर सकते हैं। पानी टोंटी से गिरने लगेगा। इसीलिए टोंटी अक्सर केतली की किनारी से कुछ ऊँची ही रखी जाती है, ताकि केतली को थोड़ा ही झुकाने पर पानी न गिरने लगे।

प्राचीन काल में क्या नहीं जानते थे

आधुनिक रोम के निवासी आज भी प्राचीन काल में निर्मित पन-संचारी नाले के अवशेषों का उपयोग करते हैं। रोमन गुलामों का बनाया नाला बहुत ही ठोस था।

पर गुलामों के काम का नेतृत्व करने वाले रोमन इंजिनियरों का ज्ञान इतना ठोस नहीं था; बिल्कुल साफ है कि वे भौतिकी के नियमों से अनभिज्ञ थे। म्युनिख में स्थित जर्मन संग्रहालय से लिए गए इस चित्र को

चित्र 52. प्राचीन रोम की जल-प्रदाय प्रणाली का आरंभिक रूप।

देखें (चित्र 52)। आप देखते हैं कि रोमन पन-नाला जमीन के भीतर नहीं, पत्थर के ऊँचे खंभों पर रखा जाता था। ऐसा क्यों? क्या आज की तरह जमीन में जलनली बिछाना सरल नहीं होता? बेशक, यह सरल होता, पर उस समय के रोमन इंजीनियरों को संचारी (जुड़े) बरतनों के नियम का पर्याप्त ज्ञान नहीं था। उन्हें डर था कि अत्यंत लंबे नालों से जुड़े जलाशयों में जल का स्तर समान नहीं रहेगा। यदि पाइप जमीन की प्राकृतिक ढलानों पर बिछाए जाएँ, तो कहीं-कहीं पर पानी को ऊपर की दिशा में बहना होगा। रोमनों को यही डर था कि पानी ऊपर नहीं बहेगा। इसीलिए वे पानी-नलों को उनके पूरे पथ पर समरूप झुकाव देते थे (और इसके लिए या तो नलियों को घुमा-फिरा कर ले जाना पड़ता था या फिर ऊँचे खंभों पर बिछाना पड़ता था। रोमन पाइपों में से एक, आक्वा मार्शिया, करीब 100 km लंबा है, जबकि उसके छोरों के बीच की सीधी दूरी दुगुनी कम है। पत्थर का पचास किलोमीटर लंबा पुल बनाना पड़ा, सिर्फ इसलिए कि भौतिकी के सरल नियमों का ज्ञान नहीं था।

द्रव का दबाव...ऊर्ध्वमुखी!

द्रव नीचे बरतन के तल पर और बगल में दीवारों पर दबाव डालता है—यह वे भी जानते हैं, जिन्होंने कभी भौतिकी का अध्ययन नहीं किया है। लेकिन बहुतों को शक भी नहीं होता होगा कि द्रव ऊपर की दिशा में दबाव डालते हैं। साधारण लालटेन के शीशे की मदद से यह दिखाया जा सकता है। गत्ते से एक वृत्त काट लें, जो लालटेनी शीशे का एक मुँह बंद कर सके। उससे मुँह बंद कर के चित्र 53 की भाँति शीशे को पानी में डुबाएँ (बंद मुंह नीचे होना चाहिए)। वृत्त नीचे न गिर जाए, इसलिए उसे या तो उँगली से दबा कर रखें या उसके केंद्र से बंधी डोरी द्वारा पकड़े रहें। शीशे को एक विशेष गहराई तक डुबा लेने पर आप देखेंगे कि वृत्त खुद अपनी जगह पर चिपका रह सकता है; उसे उंगली या धागे से पकड़े रहने की आवश्यकता नहीं है। पानी नीचे से ऊपर की ओर दबाता हुआ उसे अपनी जगह पर चिपका देता है।

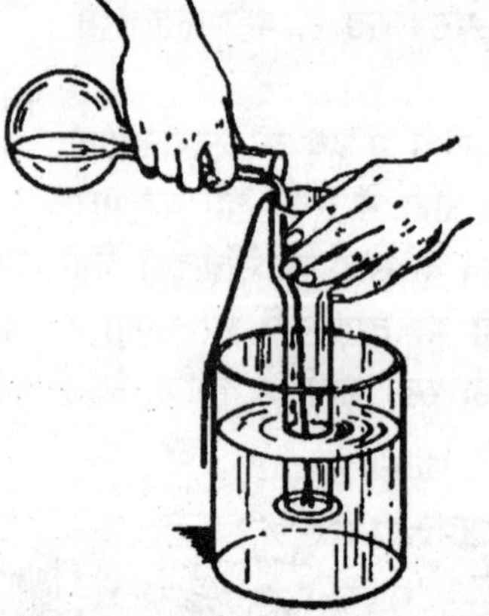

चित्र 53. द्रव नीचे से ऊपर की ओर दबाता है—यह देखने का आसान तरीका।

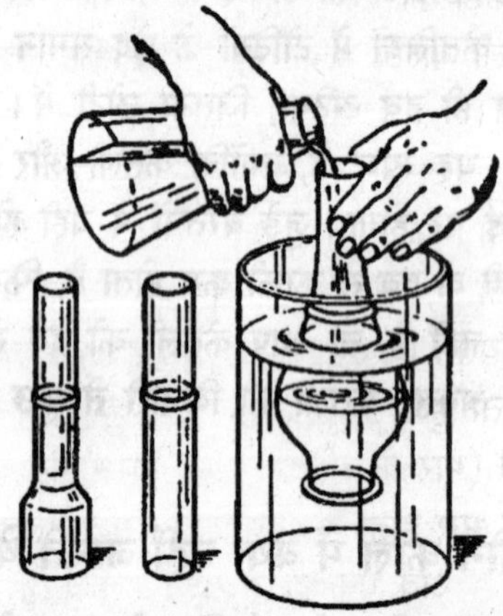

चित्र 54. पेंदे पर द्रव का दाब सिर्फ पेंदे के क्षेत्रफल और द्रव-स्तर की ऊँचाई पर निर्भर करता है। चित्र में दिखाया गया है कि इस नियम की जाँच कैसे की जाए।

आप इस ऊर्ध्वमुखी दबाव को नाप भी सकते हैं। शीशे में सावधानी से पानी ढालना शुरू करें। जैसे ही शीशे के भीतर पानी का स्तर बाहरी पानी के बराबर हो जाएगा, गत्ते का वृत्त नीचे गिर जाएगा। इसका अर्थ है कि गत्ते पर नीचे से पड़ने वाला दबाव ऊपर से पड़ने वाले शीशे में स्थित जल-स्तंभ के दबाव द्वारा संतुलित हो जाता है सजल-स्तंभ की ऊँचाई उतनी ही है, जितनी गहराई पर गत्ते का वृत्त है)। द्रव में डूबे किसी भी पिंड पर दबाव पड़ने का यही नियम है। द्रव में भार का लोप, जिसके बारे में आर्क्रमेडिस ने बताया था, इसी ऊर्ध्वमुखी दबाव के कारण होता है।

यदि आपके पास समान छेद वाले, पर भिन्न आकार के शीशे हों, तो द्रवों से संबंधित आप एक और नियम की जांच कर ले सकते हैं। नियम यह है : बरतन के पेंदे पर द्रव का दबाव सिर्फ पेंदे के क्षेत्रफल और द्रव स्तर की

ऊँचाई पर निर्भर करता है, बरतन के आकार पर नहीं। जाँच यही है कि आप लालटेन के भिन्न आकार वाले शीशों के साथ उपरोक्त प्रयोग दुहराते हैं। सिर्फ सभी शीशों को द्रव में एक ही गहराई तक डुबाना होगा (और इसके लिए आपको शीशों पर पहले से ही समान ऊँचाइयों पर कागज के पट्टे चिपका लेने होंगे)। आप देखेंगे कि हर बार गत्ता तभी गिरता है, जब शीशों में पानी की एक विशेष ऊँचाई होगी। यह ऊँचाई सभी आकार वाले शीशों के लिए समान होगी (चित्र 54)। इसका मतलब यही है कि भिन्न आकार वाले जल-स्तंभों का दबाव समान होगा, यदि उनकी ऊँचाइयाँ और उनके आधार के क्षेत्रफल समान होंगे। इस बात पर विशेष ध्यान दें कि यहाँ स्तंभों की **लंबाई नहीं, बल्कि ऊँचाई** का महत्त्व है, क्योंकि लंबा, पर तिरछा झुका हुआ स्तंभ उतना ही दबाव डालेगा, जितना उसी ऊँचाई का सीधा खड़ा छोटा स्तंभ डालता है (यदि उनके आधार बराबर हैं)।

कौन-सा पलड़ा भारी है?

तराजू के एक पलड़े पर पानी से लबालब भरी बाल्टी रखी है। दूसरे पर भी पानी से लबालब भरी वैसी ही बाल्टी है, पर उसमें लकड़ी का एक टुकड़ा तैर रहा है (चित्र 55)। कौन-सा पलड़ा अधिक भारी होगा?

मैंने यह प्रश्न कई अलग-अलग लोगों से किया और उत्तर भी अलग-अलग ही मिला। कुछ लोगों ने जवाब दिया कि लकड़ी वाली बाल्टी अधिक भारी होगी, क्योंकि उसमें "पानी के सिवा लकड़ी का टुकड़ा भी है"। दूसरों ने बताया कि लकड़ी के टुकड़े वाली बाल्टी हल्की होगी, "क्योंकि लकड़ी पानी से हल्की होती है"।

चित्र **55.** दोनों बाल्टियां समान हैं और पानी लबालब भरा है, एक में लकड़ी का टुकड़ा तैर रहा है। कौन अधिक भारी होगा।

दोनों ही उत्तर गलत हैं : दोनों बाल्टियों का **भार समान** होगा। यह सच है कि दूसरी बाल्टी में पहली की अपेक्षा कम पानी है, क्योंकि तैरता हुआ लकड़ी का टुकड़ा पानी का कुछ आयतन विस्थापित कर देता है। पर प्लवन के नियम के अनुसार **तैरता हुआ** पिंड द्रव्य में डुबे हुए अपने भाग द्वारा ठीक **उतना द्रव** (भार के दृष्टिकोण से) विस्थापित करता है, **जितना पूरे पिंड का भार होता है।** इसीलिए तराजू संतुलन की अवस्था में रहेगा।

अब एक दूसरा प्रश्न हल करें। एक पलड़े पर अगल-बगल एक बाट और एक गिलास में थोड़ा पानी रख देता हूँ। जब दूसरे पलड़े पर आवश्यक बाट रख कर तराजू संतुलित कर लेता हूँ, गिलास के बगल में रखा बाट गिलास में डाल देता हूँ। तराजू के संतुलन का क्या होगा?

आर्कमेडिस के नियमानुसार बाहर से उठा कर पानी में रखने से बाट हल्का हो जाता है। अतः उम्मीद की जा सकती है कि गिलास वाला पलड़ा ऊपर उठ जाएगा। पर ऐसा होता नहीं। कैसे आप यह समझाएँगे?

गिलास में आकर बाट पानी का कुछ भाग विस्थापित कर देता है, जिसके कारण गिलास में पानी का स्तर कुछ ऊपर उठ आता है। जल-स्तंभ की ऊँचाई में वृद्धि गिलास के पेंदे पर पड़ने वाले दबाव में वृद्धि ला देता है, जो बाट के भार में ह्रास के बराबर होता है।

द्रव का स्वाभाविक रूप

हम सोचने के आदी हो गए हैं कि द्रवों का **अपना** कोई रूप नहीं होता। यह गलत है। द्रव का स्वाभाविक रूप

है गोला। अक्सर गुरुत्व भार द्रवों को गोले का रूप नहीं धारण करने देता। द्रव या तो तल पर पतली परत के रूप में फैल जाता है, या बरतन का रूप धारण कर लेता है (यदि उसमें ढाला जाए)। यदि द्रव को उसी विशिष्ट भार वाले दूसरे द्रव में ढाला जाए, तो आर्कमेडिस के नियम के अनुसार वह अपना भार 'खो' देता है, जैसे उसका भार हो ही न। गुरुत्व उस पर कार्य नहीं करता और तब इस हालत में द्रव अपना स्वाभाविक गोलाकार रूप धारण करता है।

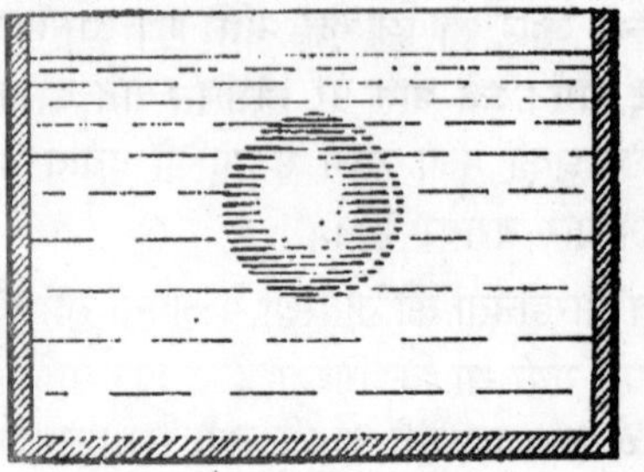

चित्र 56. पानी और स्पिरिट के मिश्रण में तेल न डूबता है, न तैरता है—वह गोले का आकार ग्रहण कर लेता है।

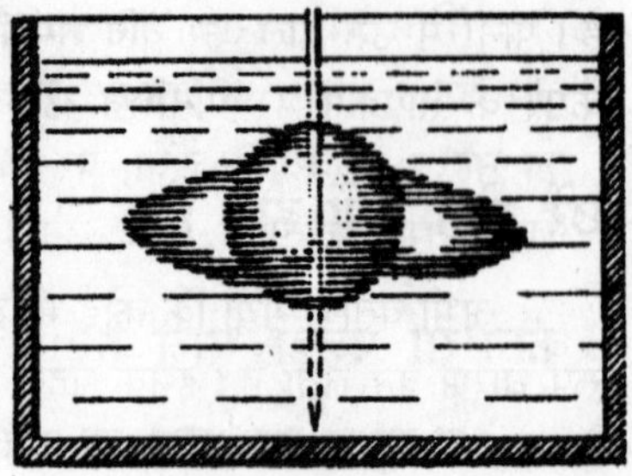

चित्र 57. यदि तैल-गोले में पतली छड़ घुसा कर उसे मिश्रण में तेजी से घुमाया जाए, तो उसमें से एक छल्ला अलग हो जाएगा।

जैतून का तेल पानी में तैरता है, पर स्पिरिट में डूब जाता है। इसलिए पानी और स्पिरिट का ऐसा मिश्रण तैयार किया जा सकता है, जिसमें जैतून का तेल न तो डूबेगा और न ही तैरेगा। ऐसे मिश्रण में सुई देने वाली पिचकारी द्वारा थोड़ा तेल डाला जाए, तो एक विचित्र बात नजर आएगी : तेल एक बड़ी गोल बूंद का रूप धारण कर लेगा, जो न डूबेगी, न तैरेगी; मिश्रण में गतिहीन लटकी रहेगी[1] (चित्र 56)

प्रयोग बहुत धीरज व सावधानी के साथ करना चाहिए, अन्यथा एक बड़ी बूंद के बदले कई नन्हीं बूंदे बन जाएँगी। वैसे, प्रयोग इस रूप में भी रोचक रहेगा।

काम यहीं खत्म नहीं हो जाता। तैलीय गोले के केंद्र से एक लकड़ी की पतली छड़ (यदि छड़ न हो, तो पतला तार) अक्ष की तरह गुजार कर उसे घिरनी-सा घुमाते हैं। तैलीय गोला भी नाचने लगता है। (प्रयोग और भी सफल होगा, यदि अक्ष पर तेल में भीगे गत्ते का वृत्त चिपका दें; वृत्त गोले के भीतर ही होना चाहिए।) घूर्णन के प्रभाव से गोला पहले थोड़ा चपटा होना शुरू कर देता है, और फिर कुछ सेकेंड बाद उससे एक छल्ला-सा अलग हो जाता है (चित्र 57)। छल्ला अनियमित रूप वाले टुकड़ों में नहीं टूटता। उससे नई छोटी-छोटी गोल बूंदे बन जाती हैं, जो बड़े वाले गोले के चारों तरफ घूमना शुरू कर देती है।

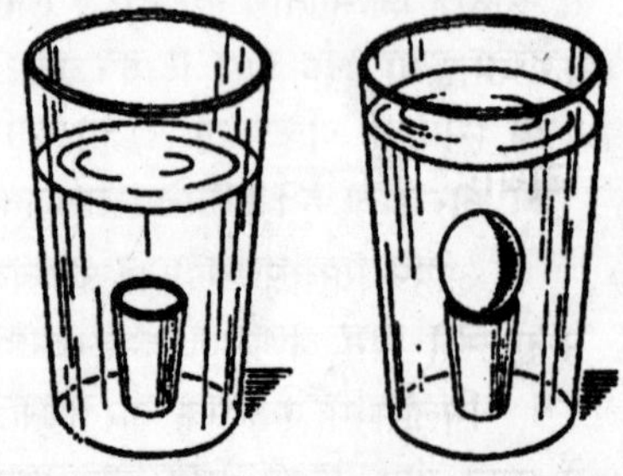

चित्र 58. प्लेटो के प्रयोग का सरलीकरण

इस शिक्षाप्रद प्रयोग को प्रथमतः बेल्जियन भौतिकविद प्लेटों ने किया था। हमने उनके प्रयोग को उसी रूप में प्रस्तुत किया है। उसका अधिक सरल और कारगर रूप निम्न है। एक नन्हा गिलास पानी से खंगाल लेते हैं और उसमें जैतून का तेल भर कर उसे एक बड़े गिलास में रख देते हैं। बड़े गिलास में सावधानीपूर्वक इतना स्पिरिट ढालते हैं कि छोटा गिलास डूब जाए। अब चम्मच से बड़े गिलास में दीवार के सहारे थोड़ा-थोड़ा कर के पानी ढालते हैं। छोटे गिलास में तेल का ऊपरी तल उन्नतोदर होने लगेगा और तेल धीरे-धीरे गोले का रूप धारण करता हुआ छोटे गिलास

1. बूंद का गोला विकृत रूप में न दिखे, इसके लिए शीशे की समतल दीवारों वाला बरतन लेना चाहिए (या बरतन किसी भी आकार का ले लीजिए, पर उसे पानी से भरे समतल दीवारों वाले बरतन के भीतर रखिए)।

से ऊपर उठ आएगा और बड़े गिलास में बने पानी और स्पिरिट के मिश्रण में लटका रहेगा (चित्र 58)।

यदि स्पिरिट न हो, तो ऐनिलिन के साथ भी प्रयोग कर सकते हैं। यह एक ऐसा द्रव है, जो साधारण तापक्रम पर पानी से भारी होता है। और 75-85°C पर उससे हल्का होता है। पानी में उसे ढाल कर यदि गर्म किया जाए, तो एक बड़े गोले का रूप धारण कर लेगा। कमरे के तापक्रम पर ऐनिलिन की बूंद नमक के घोल में संतुलित की जा सकती है।[1]

छर्रे गोल क्यों होते हैं?

अभी बताया गया कि कोई भी द्रव भारहीनता की अवस्था में अपना स्वाभाविक गोलाकार रूप धारण कर लेता है। इसके पहले कहा गया था कि गिरता हुआ पिंड अपना भार खो देता है और उसके गिरने के बिल्कुल शुरू में हवा का प्रतिरोध नगण्य होता है[2]। इन सब बातों को यदि ध्यान में रखेंगे, तो फौरन समझ जाएँगे कि स्वतंत्र गिरते हुए द्रवांश का रूप गोल होना चाहिए। वर्षा की गिरती बूंदे गोल ही होती हैं। छर्रे और कुछ नहीं, बल्कि पिघले सीसे की बूंदे हैं, जिन्हें कारखानों की विधि के अनुसार एक बड़ी ऊँचाई से ठंडे पानी के टब में गिराया जाता है। यहाँ वे बिल्कुल गोलाकार रूप धारण किए जम जाती हैं।

इस विधि द्वारा ढाला गया छर्रा 'मीनारी' कहलाता है, क्योंकि उसे छर्रे की ढलाई करने वाले मीनार से पिघली बूंदों के रूप में गिराया जाता है (चित्र 50)। कारखानों में छर्रे की ढलाई करने वाला मीनार धातु का बना होता है और 45m ऊँचा होता हैं। सबसे ऊपर ढलाई की जाती है; वहाँ कड़ाहों में सीसा पिघलाया जाता है। नीचे ठंडे पानी का टब होता है। यहाँ के बाद छर्रों की चुनाई-बिनाई होती है। पिपले सीसे की बूंदे गिरते वक्त रास्ते में ही जमकर छर्रों में बदल जाती हैं। पानी उनके गोल आकार को चोट से विकृत नहीं होने देता। (6 mm से अधिक व्यास वाले छर्रे दूसरी विधि से बनाए जाते हैं : तार को छोटे-छोटे टुकड़ों में काट कर उन्हें गोलाकर बेल दिया जाता है।

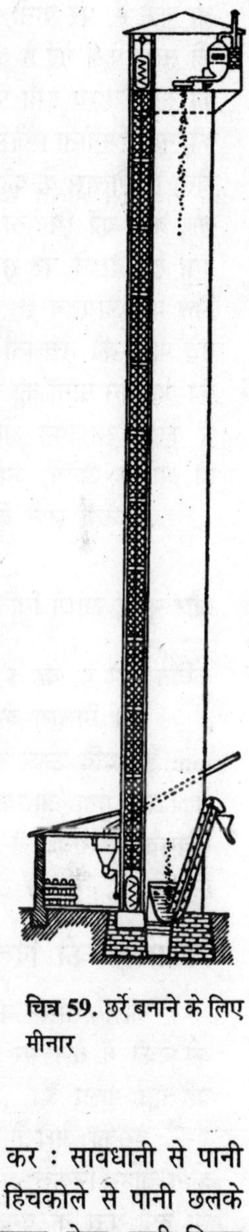

चित्र 59. छर्रे बनाने के लिए मीनार

'अथाह' गिलास

आपने गिलास पानी से लबालब भर दिया है। गिलास के पास पिन पड़े हैं। क्या गिलास में एक-दो पिन के लिए जगह बन सकती है? कोशिश कर के देखें।

गिलास में एक-एक कर पिन डालना शुरू करें और उन्हें गिनते जाएँ। डालिए देख-सुन कर : सावधानी से पानी में पहले नोक डुबायें, फिर बिना दबाव डाले या ठोकर दिए पिन को हाथ से छोड़ दें, ताकि हिचकोले से पानी छलके नहीं। एक पिन पेंदे पर गिर चुका है, दूसरा, तीसरा,...पानी की सतह ज्यों की त्यों है। दस, बारह, तेरह...पानी गिरता नहीं है। पचास, साठ, सत्तर पूरे सौ पिन पेंदे पर गिर चुके हैं, पर गिलास का पानी नहीं गिरता (चित्र 60)

पानी गिरेगा क्या, वह उठा भी नहीं है गिलास में। पिन डालना जारी रखें। दो, तीन, चार सौ पिन गिलास में

---

1. दूसरे द्रवों में सुविधाजनक आर्थोतोलाइडीन रहेगा। यह गाढ़े लाल रंग का द्रव है; 24° पर इसका घनत्व उतना ही होता है, जितना नमकीन पानी का, जिसमें इस द्रव को ढालते हैं।

2. वर्षा की बूंदे त्वरित गति से सिर्फ गिरने के आरंभ में ही चलती है; लगभग आधे सेकेंड के बाद से ही उनकी गति समरूप हो जाती है। सभी बूंदे हवा की प्रतिरोधक शक्ति द्वारा संतुलित हो जाती हैं (हवा का प्रतिरोध बूंदों की गति के बढ़ने के साथ-साथ बढ़ता है)।

आ चुके हैं, पर पानी गिरने का नाम नहीं लेता। लेकिन अब आप देख सकते हैं कि पानी की सतह फूल गई है और गिलास की कोर से काफी ऊपर उठ आई है। इस जटिल परिघटना का सारा रहस्य इसी फूलने में है। शीशे की सतह यदि थोड़ी भी तैलीय हो, तो पानी शीशे को नहीं भिगोता। जैसा कि हमारे द्वारा व्यवहार में लाए जाने वाले सभी बरतनों के साथ होता है, गिलास के कोरों पर भी उंगलियों की तैलीय छाप रह जाती है। पिनों द्वारा विस्थापित जल कोर को भिगोता नहीं और इसीलिए ऊपर उठने के साथ-साथ उन्नतोदर सतह बना देता है। देखने पर सतह अधिक फूला हुआ नहीं लगता, पर यदि आप कलन द्वारा एक पिन का आयतन ज्ञात करने का श्रम करेंगे और उसकी तुलना गिलास के कोर से ऊपर उठे पानी की उत्तलता के आयतन के साथ करेंगे, तो आपको विश्वास हो जाएगा कि पिन का आयतन पानी की उत्तलता के आयतन से सैकड़ों गुना कम है और इसीलिए 'भरे' गिलास में कुछेक सौ पिन और अँट जाएँगे। बरतन जितना ही चौड़ा होगा, उसमें पिन भी उतने ही अधिक अँटेंगे, क्योंकि फुलावट का आयतन इस स्थिति में और अधिक होगा।

चित्र 60. पानी भरे गिलास में पिनों को डालने का प्रयोग।

स्पष्टता लाने के लिए मोटा-मोटी हिसाब लगाएँ। पिन की लंबाई करीब 25 mm है और मुटाई आधा मिलिमीटर। ऐसे बेलन का आयतन ज्यामिति के जाने-पहचाने सूत्र $\left(\frac{\pi d^2 h}{4}\right)$ की मदद से ज्ञात करना कठिन नहीं है; वह 5 घन मिलीमीटर के बराबर होगा। सिर समेत पिन का आयतन 5.5 mm से अधिक नहीं होगा।

अब गिलास के कोर से ऊपर उठे पानी की परत का आयतन ज्ञात करते हैं। गिलास का व्यास 9 cm = 90 mm है। यदि ऊपर उठे पानी की परत 1mm मोटी है, तो उसका आयतन 6400 mm^3 होगा। यह पिन के आयतन से 1200 गुना अधिक है। अन्य शब्दों में, 'पूरी तरह भरे' गिलास में हजार से ज्यादा पिन डाले जा सकते हैं! और सचमुच में, सावधानी से डालते हुए आप गिलास में हजार पिन डुबा दे सकते हैं। देखने पर लगेगा कि गिलास में पिन ही पिन हैं, गिलास से अधिक भी लग सकते हैं, पर पानी की एक बूंद भी नहीं गिरेगी।

किरासिन की दिलचस्प खूबी

जो किरासिन की लालटेन व्यवहार में लाते हैं, उन्हें उसकी एक अवांछित विशेषता का पता होगा। आप लालटेन की टंकी में तेल भर देते हैं और बाहर से पोंछ-पांछ कर बिल्कुल सुखा देते हैं। एक घंटे बाद देखते हैं कि ऊपर से वह पुनः गीला है।

इसका अर्थ है कि आपने ठेपी अच्छी तरह घुमा कर बंद नहीं की होगी। किरासिन भीतरी दीवारों पर फैलता हुआ बाहर निकल आता है और बाहरी दीवारों पर फैल जाता है। यदि आपको इस तरह के 'मजाक' पसंद नहीं हैं, तो ठेपी कस के घुमा कर बंद कीजिए।[1]

किरासिन का इस तरह रिसना उन जहाजों पर अखरता है, जिनकी मशीन किरासिन (या पेट्रोल) से चलती है। यदि रिसना रोकने के लिए विशेष व्यवस्था न हो, तो ऐसे जहाजों में किरासिन या पेट्रौल के सिवा और कोई सामान नहीं ढोया जा सकता, क्योंकि ये द्रव सिर्फ पीपों और कनस्तरों के बाह्य सतह तक ही पसरना सीमित नहीं रखते। ये

1. पर ठेपी कस कर बंद करते वक्त यह न भूलें कि टंकी लबालब नहीं भरी होनी चाहिए। गर्म करने पर किरासिन का आयतन काफी बढ़ता है (100°C तापक्रम बढ़ाने पर आयतन का लगभग दसवाँ भाग)। किरासन के आयतन प्रसार के लिए जगह छोड़नी चाहिए, ताकि टंकी फटे नहीं।

हर जगह प्रविष्ट हो जाते हैं और जो भी चीज इनके संपर्क में आती है, उसी पर हावी हो जाते हैं; यात्रियों के कपड़े तक इनसे अछूते नहीं बचते। और जाहिर है कि इन सब चीजों को ये अपनी गंध भी प्रदान करते जाते हैं, जिसे नष्ट करना एक असंभव-सा काम है। इसके साथ संघर्ष अक्सर बेकार सिद्ध होता है।

अंग्रेज व्यंग्यकार जेरोम ने 'एक नाव में तीन' नामक पुस्तक में किरासिन पर कोई अतिशयोक्ति नहीं की है :

मैं नहीं जानता कि किरासिन से अधिक कोई चीज फैलने में माहिर है। हमने उसे नाव की नाक के पास रखा और वह दुम तक पहुँच गया। उसके रास्ते में जो भी चीज आई, उसने अपनी गंध में लपेट लिया। जोड़ों से रिसता हुआ वह पानी में पहुँच गया; वह हवा से लेकर आकाश तक को दूषित कर रहा था; सर्वत्र जीवन को विषाक्त कर रहा था। किरासिनी हवा बह रही थी, कभी पश्चिम से, तो कभी पूरब से; कभी-कभी उत्तरी किरासिनी हवा भी बहती थी, या शायद दक्षिणी, पर चाहे हिमाच्छादित आर्कटिक से चली हो या मरुभूमि की रेत में पैदा हुई हो, किरासिन की सुगंध से ओत-प्रोत वह हमेशा हम तक पहुँच जाती थी। शामों को यह खुशबू सूर्यास्त के सौंदर्य को नाश करने में लग जाती थी, और चंद्र-किरणें सिर्फ किरासिन बरसाया करती थीं...पुल के पास नाव बांध कर शहर के चक्कर लगाने चले, पर इस भयानक गंध ने हमारा पीछा नहीं छोड़ा। लगता था जैसे सारा शहर इसमें डूबा हो।'' (दरअसल यात्रियों के कपड़े इस गंध में डूबे हुए थे।)

टंकियों के बाह्य तल को भिगोने के गुण ने लोगों में गलतफहमी ला दी कि किरासिन धातु और शीशे के आर-पार जा सकता है।

पानी में नहीं डूबने वाला सिक्का

सिर्फ किस्सों में नहीं होता। ऐसा सिक्का सचमुच में है। कुछ सरल प्रयोगों से ही आपको यह विश्वास हो जाएगा। कुछ छोटी वस्तुओं से शुरू करते हैं। शायद आपको लगे कि इस्पात की सुई को पानी के तल पर तैराया नहीं जा सकता, पर यह बहुत आसान है। पानी के तल पर टीशू पेपर (महीन सिगरेटी कागज) का टुकड़ा रख दें और इस पर—बिल्कुल सूखी सुई। अब सावधानीपूर्वक सूई के नीचे से सिर्फ कागज हटाना रह जाता है। यह इस प्रकार करते हैं : एक दूसरी सुई या आलपीन से लैस हो कर गाज के टुकड़े को एक किनारी से पानी में डुबाना शुरू करते हैं। जब टुकड़ा पूरी तरह भीग जाएगा, वह पानी के अंदर चला जाएगा और सुई तैरती रहेगी (चित्र 61)। चुंबक निकट ला कर आप सुई को मनचाही दिशा में घुमा-फिरा सकते हैं।

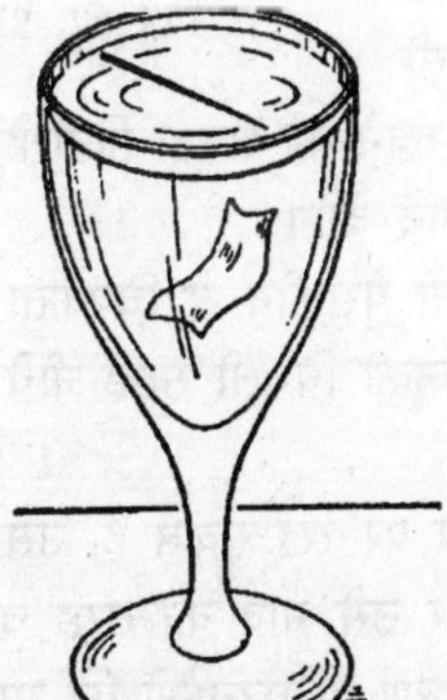

चित्र 61. पानी पर तैरती सुई। ऊपर—सुई का अनुप्रस्थकाट (2 mm चौड़ा) और सुई के कारण पानी में बने गड्ढे का सही-सही रूप (चित्र दुगुने आकार का है)। बाएँ—सुई को पानी की सतह पर तैराने की विधि।

विशेष अभ्यास के बाद कागज की भी जरूरत नहीं पड़ती : सुई को बीच से पकड़ कर क्षैतिजावस्था में पानी के तल पर गिरा दे सकते हैं; वह तैरती रहेगी।

सुई की बजाय आप पिन को तैरा सकते हैं (ये चीजें 2 mm से अधिक मोटी नहीं होनी चाहिए); या फिर हल्के-फुल्के बटन, छोटी चौरस धातुई वस्तुओं आदि के साथ भी यह प्रयोग कर सकते हैं। इन चीजों के साथ अच्छा अभ्यास हो जाने पर छोटे सिक्के को तैराने की कोशिश कीजिए।

इन धातुई वस्तुओं के नहीं डूबने का कारण यह है कि पानी हमारे हाथ में आई धातु की वस्तुओं को भिगोने में असमर्थ होता है, क्योंकि हमारे हाथों में लगे तैलीय पदार्थ उन पर महीन झिल्ली के रूप में छा जाते हैं। सुई को पानी भिगो नहीं सकता, इसीलिए सुई के गिर्द पानी के तल पर गड्ढा सा बना दिखता है (दूसरे शब्दों में, पानी तैलीय सुई से चिपक नहीं सकता, उससे थोड़ा अलग ही रहता है)। द्रव में सतह की झिल्ली सीधी होने की प्रवृत्ति रखती है और इसीलिए सुई पर नीचे से दबाव डालती है। सुई इसी दबाव के कारण तल पर टिकी रहती है। प्लवन नियम के अनुसार द्रव में ऊपर धकेलने वाला बल भी सुई को तल पर टिके रहने में मदद करता है; सुई द्वारा विस्थापित जल के भार के बराबर का बल सुई को ऊपर की ओर धकेलता है।

सुई को पानी पर तैराना और आसान होगा, यदि आप उस पर तेल मल लें। इस स्थिति में आप सुई को सीधे पानी के तल पर रख दे सकते हैं; वह डूबेगी नहीं।

चलनी में पानी

चलनी में पानी भर कर लाना भी सिर्फ किस्सों की बात नहीं है। प्राचीन काल से असंभव माने जाने वाले इस कार्य को भौतिकी के ज्ञान से सफलतापूर्वक संपन्न किया जा सकता है। इसके लिए महीन तार की बनी करीब 15cm चौड़ी चलनी लें। इसके छेद बहुत बड़े नहीं होने चाहिए—करीब 1 mm के हों, तो काम चल जाएगा। इसे गर्म पिघले पैराफीन में डुबा कर निकाल लें : तारों को पैराफीन की पतली परत ढक लेगी, पर दिखेगी नहीं (मुश्किल से दिखेगी!)। चलनी चलनी ही रहेगी, अर्थात उसके छेद बंद नहीं हो जाएँगे—यह आप सुई की मदद से जाँच कर के देख सकते हैं। अब आप इस चलनी में पानी भर सकते हैं। ऐसी चलनी में पानी की पर्याप्त मोटी परत को रोक रखने की क्षमता होती है। पानी छेदों से नहीं गिरेगा, यदि आप सावधानी से पानी ढालेंगे और चलनी में ठोकर नहीं लगने देंगे।

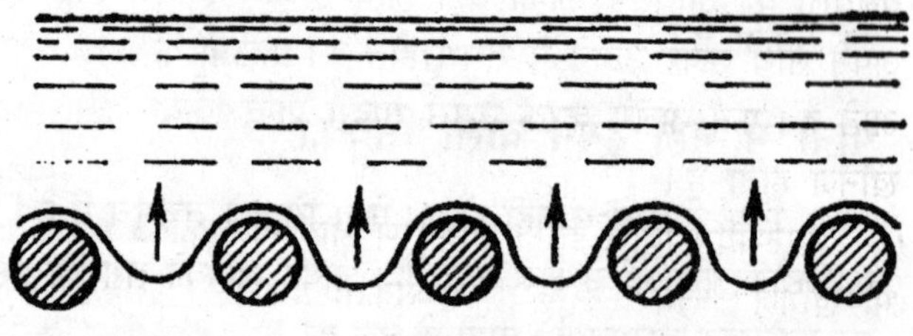

चित्र 62. पैराफीन में भीगी चलनी से पानी क्यों नहीं चूता।

पानी क्यों नहीं गिर जाता? क्योंकि पानी पैराफीन से चिपकता नहीं (उसे भिगोता नहीं) और इसीलिए चलनी के छेदों के पास महीन झिल्लियाँ बनाता है, जिनकी निचली सतहें नीचे की ओर उत्तल होती हैं। ये ही पानी को गिरने से रोकती है। (चित्र 62)

पैराफिन में डुबायी गई ऐसी चलनी पानी पर रख सकते हैं, उसमें पानी नहीं भरेगा। अतः ऐसी चलनी में सिर्फ पानी ही नहीं लाया जा सकता, उसमें बैठ कर उसे नाव की तरह चलाया भी जा सकता है।

उपरोक्त विरोधाभासी प्रयोग अनेक साधारण परिघटनाओं को समझाता है, जिनके हम इतने आदी हो गए हैं कि उनके कारणों के बारे में सोचते भी नहीं। नावों और पीपों पर कोलतार पोतना, ठेपी और कागों पर तैलीय पदार्थ लगा देना, तैलरंगों से रंगना, जल-सह बनाने के लिए वस्तुओं की सतह को तैलीय कर देना, कपड़े पर रबड़ की महीन परत जमाना—यह सब और कुछ नहीं, बल्कि उपरोक्त प्रकार की चलनी तैयार करना ही है। सार हर जगह एक ही है, सिर्फ चलनी के उदाहरण में बात असाधारण-सी लगने लगती है।

फेन से तकनीकी सेवा

इस्पात की सुई और तांबे के सिक्के को तैराने के प्रयोग से मिलती-जुलती एक और घटना है, जिसे खनिज उद्योगों

में अयस्कों के सांद्रण के लिए उपयोग करते हैं। सांद्रण का अर्थ है अयस्कों में निहित कीमती अवयवों की मात्रा अधिक करना। अयस्क-सांद्रण की कई तकनीकी विधियाँ हैं, पर जिसके बारे में हम बताने जा रहे हैं, वह सबसे कारगर विधि है; इसका उपयोग उस समय भी सफलतापूर्वक किया जा सकता है, जब अन्य विधियाँ लक्ष्य-सिद्धि के लिए पर्याप्त नहीं होतीं। उसे 'उत्प्लवन विधि' कहते हैं।

उत्प्लवन (अर्थात् तैर कर ऊपर आ जाना) विधि का सार निम्न है। बारीक पिसे अयस्क को पानी और तैलीय पदार्थों से भरे कड़ाहों में डाला जाता है। तैलीय पदार्थ ऐसे होते हैं, जो मूल्यवान खनिजों के कणों पर महीन झिल्ली के रूप में छा कर उन्हें पानी से अलग घेर देते हैं। मिश्रण को हवा के साथ तेजी से मिलाया जाता है, जो छोटे-छोटे बुलबुलों के रूप में फेन बना लेती है। तेल से चिपटे खनिज-कण इन बुलबुलों से चिपक जाते हैं और बुलबुलों के साथ ऊपर उठ जाते हैं (चित्र 63)। बुलबुले यहाँ गुब्बारे की तरह काम करते हैं। अन्य बेकार पदार्थों के कण, जिन पर तेल की झिल्ली नहीं हैं, बुलबुलों के साथ नहीं चिपकते; नीचे द्रव में ही रह जाते हैं। यहाँ यह ध्यान देने योग्य है कि बुलबुलों का आयतन काफी बड़ा होता है और इसीलिए वे खनिज-कणों को अपने साथ ऊपर उठाने में समर्थ होते हैं। प्रक्रिया के अंत में लगभग सारे खनिज-कण फेन के साथ द्रव के ऊपर उठ आते हैं। फेन अलग करके उससे सांद्रस प्राप्त किया जाता है, जिसमें आरंभिक अयस्क से दस गुना अधिक बहुमूल्य खनिज होता है।

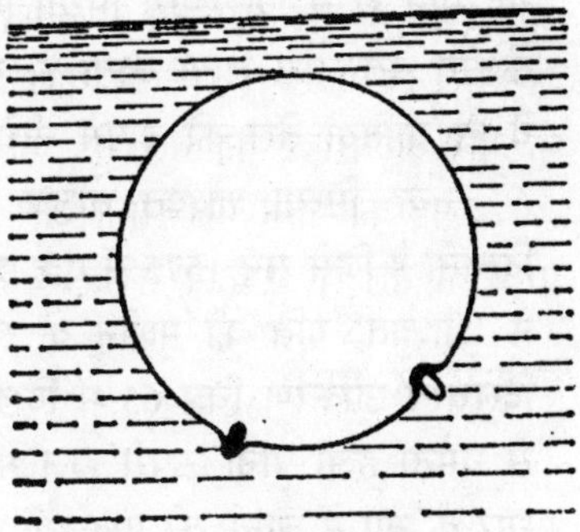

चित्र 63. उत्प्लवन का कारण।

उत्प्लवन विधि इतनी सविवरण ज्ञात हो चुकी है कि अयस्क में कितना भी बेकार पदार्थ क्यों न हो, उससे कोई भी खनिज अलग कर लिया जा सकता है। इसके लिए सिर्फ आवश्यक द्रवों का चयन करना चाहिए।

उत्प्लवन विधि को सिद्धांत नें नहीं जन्म दिया है, एक आकस्मिक तथ्य के ध्यानपूर्वक अवलोकन ने दिया है। पिछली शती के अंत में एक अमरीकी शिक्षिका (कैरी एवर्सन) तेल से गंदी बोरियों को धो रही थी, जिसमें पहले ताम्र पायराइट था। उसने ध्यान दिया कि पायराइट के कण साबुन के फेन के साथ ऊपर उठ आते हैं। इसी प्रेक्षण के आधार पर उत्प्लवन विधि का विकास हुआ।

मिथ्या 'शाश्वत चलित्र'

किताबों में एक सच्चे 'शाश्वत चलित्र' के रूप में अक्सर निम्न उपकरण का वर्णन दिया जाता है (चित्र 60) : एक बरतन से बाती के सहारे तेल (या पानी) ऊपरी बरतन में आ कर जमा होता है। इस बरतन में एक छेद होता है, जिससे तेल बहता हुआ चक्की पंखुड़ियों पर गिरता है और चक्की को घुमाने लगता है। यहाँ से बह कर गिरे तेल को पुनः बातियों द्वारा क्रमशः ऊपरी बरतनों में पहुँचाया जाता है। इस प्रकार, तेल का छेद से हो कर पंखुड़ियों पर गिरना कभी बंद नहीं होता और इसीलिए चक्की को अनंत काल तक गतिमान रखना चाहिए...

चित्र 64. असफल घिरनी।

यदि इस घिरनी का वर्णन करने वाले लेखक कभी खुद इसे बनाने का श्रम करते, तो वे मान लेते कि चक्की तो क्या घूमेगी, ऊपरी बरतन में तेल की एक बूंद भी नहीं जमा होगी।

वैसे, घिरनी बनाना शुरू किए बगैर भी यह सिद्ध किया जा सकता है। आविष्कारक आखिर यह क्यों सोचता

है कि तेल बाती के सहारे ऊपर चढ़कर उसके ऊपरी मुडे सिरे से चूना शुरू कर देगा? केशीय (कैपिलरी) आकर्षण द्रव को गुरुत्व बल के विरुद्ध ऊपर चढ़ाता है; फिर यही कारण भीगी बाती के पोरों में द्रव को कैदी बनाए रखेगा, वहाँ से चूने नहीं देगा। यदि यह मान ही लें कि हमारी मिथ्या घिरनी के ऊपरी बरतन में द्रव केशीय बल द्वारा लाया जाता है, तो यह भी मानना पड़ेगा कि वे ही बातियाँ तेल को वापस नीचे ले जाएँगी।

यह मिथ्या शाश्वत चलित्र एक दूसरे जल-यंत्र की याद दिलाता है जिसे सन् 1575 में एक इटालियन मैकेनिक स्त्राद ज्येष्ठ ने 'शाश्वत' गति की मशीन के रूप में प्रस्तुत किया था। यह दिलचस्प उपकरण चित्र 65 में दिखाया गया है। आर्कमेडिस स्क्रू से घूमता हुआ पानी ऊपरी हौज में भरता है और फिर टोंटी से धार के रूप में चक्के की पंखुडियों पर गिरता है। यह चक्का कई दंति-चक्रों की मदद से छूरी पिंजाने वाले चक्के और आर्कमेडिस स्क्रू को धुमाता है, जो पानी ऊपर के हौज तक ले जाता है। स्क्रू चक्के को घुमाता है और चक्का स्क्रू को!... यदि ऐसे उपकरण संभव होते, तो उनमें सबसे आसान होता : घिर्री पर रस्सी चढ़ा कर उसके छोरों से बोझ लटका देना। जब एक बोझ गिरता, तो वह दूसरे को ऊपर उठाता और जब दूसरा गिरता, तो वह पहले वाले को ऊपर उठाता। अच्छा-खासा 'शाश्वत' चलित्र होता यह!

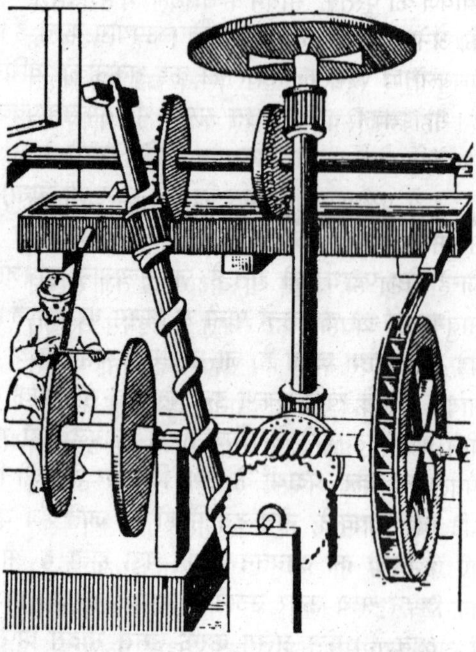

चित्र 65. छुरी पिंजाने की मशीन के लिए जल 'शाश्वत' चलित्र की पुरानी योजना।

साबुन के बुलबुले

आपको साबुन के बुलबुले उड़ाना आता है? यह इतना आसान नहीं है, जितना कि लगता है। मुझे भी लगता था कि इसके लिए किसी खास निपुणता की आवश्यकता नहीं है, पर बाद में मानना पड़ा कि सुंदर और बड़े बुलबुले छोड़ना भी अपने ढंग की एक कला है और इसमें माहिर होने के लिए अभ्यास की आवश्यकता है। लेकिन साबुन के बुलबुले बनाने जैसे निरर्थक कार्य से भी कोई फायदा है?

लोगों के बीच इस कार्य को कोई खास प्रतिष्ठा नहीं प्राप्त है; इस काम में रत लोगों को कोई अच्छी उपमा नहीं दी जाती। पर भौतिकविद् इसके बारे में कुछ और ही कहते हैं। "साबुन का बुलबुला बनाए,—महान अंग्रेज भौतिकविद् केल्विन ने लिखा है,—और उस पर गौर से देखिए; आप सारी जिंदगी उसके अध्ययन में बिता सकते हैं। आपको इससे निरंतर भौतिकी का ज्ञान मिलता रहेगा"।

साबुन की महीनतम झिल्लियों की सतह पर रंगों की मोहक क्रीड़ा सचमुच में ज्ञानवर्धन का साधन है। उसकी सहायता से भौतिकविद प्रकाशतरंगों की दीर्घता नाप सकता है। इन सुकुमार झिल्लियों की तनाव के अध्ययन से कणिकाओं के पारस्परिक बलों की क्रियाशीलता के नियम ज्ञात हो सकते हैं। ये वही संसंजक बल हैं, जिनके लुप्त होने पर दुनिया में महीन धूल के सिवा और कुछ भी नहीं बचता।

जो चंद प्रयोग नीचे दिए जा रहे हैं, उनका लक्ष्य ऐसी गंभीर समस्याओं को हल करना नहीं हैं। ये सिर्फ मनोरंजन के लिए दिए जा रहे हैं; इनसे साबुनी बुलबुले बनाने की कला का ज्ञान भर हो सकता है। अंग्रेज भौतिकविद चार्ल्स

ब्यायज की पुस्तक 'साबुन के बुलबुले' में तरह-तरह के अनेक प्रयोग दिए गए हैं। जिन्हें साबुन के बुलबुलों में रुचि हो, इस पुस्तक को पढ़ सकते हैं। यहाँ हम सिर्फ चंद सरल प्रयोगों का वर्णन कर रहे हैं।

ये प्रयोग कपड़े साफ करने वाले साधारण साबुन के घोल के साथ किए जा सकते हैं,[1] पर जिन्हें इच्छा हो, जैतून या बादाम के तेल से बने साबुन का व्यवहार कर सकते हैं। इनसे बुलबुले बड़े और सुंदर बनते हैं। साफ ठंडे पानी में ऐसे साबुन के टुकड़े को सावधानीपूर्वक घोल लेते हैं। घोल पर्याप्त गाढ़ा होना चाहिए। साबुन वर्षा या पिघले बर्फ से प्राप्त साफ पानी में घोलना चाहिए। यदि ऐसा पानी न हो, तो खौला कर ठंडा किए गए पानी से भी काम चल जाएगा। बुलबुले देर तक टिकें, इसके लिए प्लेटो सलाह देते हैं कि घोल में आयतनानुसार करीब एक तिहाई ग्लिसरीन मिलाना चाहिए। घोल की सतह पर बने फेन और बुलबुलों को चम्मच द्वारा हटा लेते हैं। मिट्टी की महीन नलिका के एक छोर को भीतर और बाहर साबुन से मल कर घोल में डुबाते हैं। यदि निलका नहीं हो, तो करीब दस सेंटीमीटर लंबा पुआल का टुकड़ा लें और इसके एक सिरे को क्रौस की तरह थोड़ा फाड़ लें। इससे भी काम चल जाएगा।

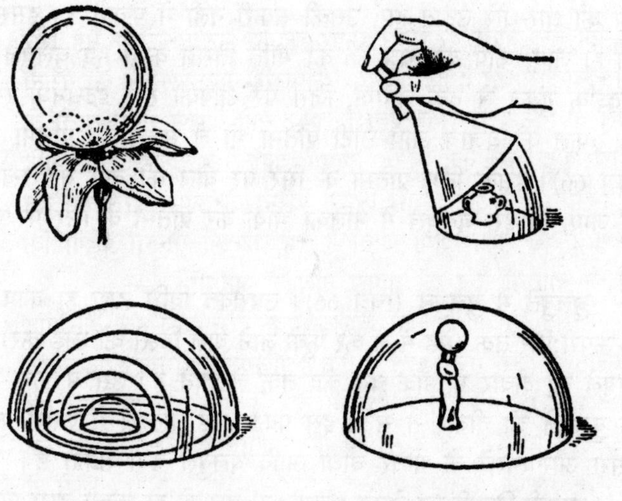

चित्र 66. साबुन के बुलबुलों के साथ प्रयोग : फूल पर बुलबुला; गमले के चारों ओर बुलबुला; बुलबुलों में बुलबुले; बुलबुले के भीतर बुलबुला धारण किए प्रतिमा।

बुलबुला बनाने की विधि इस प्रकार है : नलिका को घोल में डुबा कर निकालते हैं और उसे सीधा खड़ा पकड़े रहते हैं, ताकि उसके सिरे पर घोल की एक महीन झिल्ली बन जाए। अब नलिका में सावधानीपूर्वक फूँकते हैं। बुलबुला हमारे फेफड़ों से निकलने वाली गर्म हवा से भरा होता है, जो कमरे की हवा से हल्की होती है। इसीलिए बुलबुला तुरंत ऊपर की ओर उड़ता हैं।

यदि पहली बार में ही करीब दस सेंटीमीटर व्यास वाला बुलबुला छोड़ने में सफलता मिल जाती है, तो घोल ठीक बना है। यदि ऐसा नहीं है, तो घोल में और साबुन मिलाएँ, जब तक कि उपरोक्त आकार के बुलबुले नहीं प्राप्त होने लगें। लेकिन यह परीक्षण पर्याप्त नहीं हैं। उंगली को घोल में गीली कर उसे बुलबुले में भोंकने की कोशिश करते हैं। यदि बुलबुला फट जाता है, तो घोल में और साबुन मिलाना चाहिए और यदि बुलबुला नहीं फटता है, तो आप प्रयोग शुरू कर सकते हैं।

प्रयोग सावधानीपूर्वक धीरे-धीरे और शांत चित्त से करना चाहिए। प्रकाश काफी तेज होना चाहिए, अन्यथा बुलबुले अपनी इंद्रधनुषी आभा नहीं दिखाएँगे।

बुलबुलों के साथ चंद मनोरंजक प्रयोग निम्न हैं।

बुलबुले के भीतर फूल। थाल या ट्रे में साबुन का इतना घोल ढालते हैं कि थाल की पेंदी पर करीब 2-3 mm मोटी परत बन जाए। बीच में एक फूल या नन्ही सुराही रखते हैं और उसे कांच की कीप से ढक देते हैं। इसके बाद

1. टवायलेट सोप इन प्रयोगों के लिए खास उपयुक्त नहीं हैं।

कीप को धीरे-धीरे उठाते हुए, उसकी संकरी नली में फूँकते हैं। इससे साबुनी बुलबुला बनता है। जब बुलबुला पर्याप्त बड़ा हो जाए, कीप को चित्र 66 की भाँति तिरछा करते हुए बुलबुले से अलग कर लें। फूल एक महीन अर्द्धगोलाकार पारदर्शक गुंबज से ढक जाएगा, जिस पर आपको सारे इंद्रधनुषी रंगों की आभाएँ दिखेंगी।

फूल की बजाय आप छोटी प्रतिमा भी ले सकते हैं। प्रतिमा के सिर पर एक छोटा बुलबुला भी रख सकते हैं (चित्र 66)। इसके लिए प्रतिमा के सिर पर घोल की कुछ बूंदे रख देते हैं। जब प्रतिमा के गिर्द गुंबजनुमा बुलबुला बन जाए, तो इस बुलबुले में नलिका भोंक कर प्रतिमा के सिर पर पड़ी घोल की बूंद से एक छोटा बुलबुला बना देते हैं।

बुलबुले में बुलबुले (चित्र 66)। उपरोक्त विधि द्वारा ही कीप से एक बड़ा बुलबुला बना लेते हैं। फिर पुआल को ऊपरी सिरे तक (मुँह में ले कर फूंके जाने वाले हिस्से को छोड़ कर) घोल से गीला कर देते हैं। फिर उसे सावधानीपूर्वक बुलबुले की दीवार में भौंक कर केंद्र तक ले जाते हैं। उस में फूंक देते हुए उसे वापस खींचते हैं, पर इतना नहीं कि बड़े बुलबुले की दीवार से सटे। इस प्रकार बड़े बुलबुले में उससे कुछ छोटा बुलबुला प्राप्त होगा। इसके भीतर आप तीसरा और तीसरे के भीतर चौथा आदि बुलबुले बना सकते हैं।

साबुनी झिल्ली का बेलन (चित्र 67) तार के दो छल्लों द्वारा प्राप्त किया जा सकता है। पिछले छल्ले पर साधारण गोल बुलबुला बना कर रखते हैं और इसपर दूसरा गीला किया हुआ छल्ला रख कर ऊपर उठाते हैं। उससे बुलबुला खिंचने लगता है और बेलन के आकार का हो जाता है। मजे की बात यह है कि यदि आप छल्ले को बुलबुले की परिधि से अधिक ऊँचा उठाएँगे, तो बेलन का आधा भाग संकीर्ण होने लगेगा और दूसरा अर्द्ध मोटा होने लगेगा। और अधिक खींचने पर बुलबुला टूट कर दो बुलबुलों में विभक्त हो जाएगा।

साबुनी झिल्ली हर समय तनाव की स्थिति में होती है और बुलबुले में कैद हवा को दबाती रहती है। कीप की नली मोमबत्ती की लौ के निकट लाएँ; आपको मानना पड़ेगा कि इतनी महीन झिल्लियों में भी कोई कम शक्ति नहीं है; लौ एक ओर को झुक जाती है (चित्र 68)।

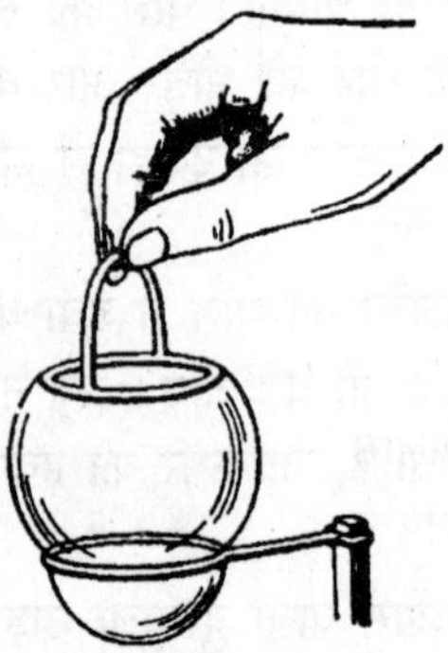

चित्र 67. बेलनाकार बुलबुला बनाना।

चित्र 68. बुलबुले की दीवार हवा को धकेलती है।

गर्म स्थान से ठंडे स्थान में लाए गए बुलबुले का प्रेक्षण भी दिलचस्प है : उसका आयतन कम होने लगता है। इसके विपरीत ठंडी से गर्म जगह में लाने पर बुलबुले का आयतन बढ़ने लगता है। इसका कारण निश्चय ही बुलबुले में कैद हवा का संकोचन या प्रसार है। यदि $-15°C$ पर बुलबुले का आयतन 1000 cm^3 है और उसे $+15°C$ तापक्रम पर स्थित कमरे में लाया जाता है, तो उसके आयतन में वृद्धि होती है :

$$1000 \times 30 \times \frac{1}{273} = \text{करीब 110 घन सेंटीमीटर।}$$

यह भी ध्यान देने योग्य है कि बुलबुलों की क्षण-भंगुरता जैसे विचार पूरी तरह सही नहीं हैं : ढंग से बर्ताव किया जाए, तो वह दसियों दिन सुरक्षित रहता है। अंग्रेज भौतिकविद डेवर ने (जो वायु के द्रवीकरण पर शोधकार्यों के लिए प्रसिद्ध हैं) बुलबुलों को महीनों तक सुरक्षित रखने में सफलता प्राप्त की। उन्होंने उसके लिए विशेष बोतलों का प्रयोग

किया, जो बुलबुलों को सूखने से तथा धूल व हिचकोलों से बचाती थी। अमेरिकावासी लौरेंस को कांच के ढक्कनों में वर्षो तक बुलबुलों को सुरक्षित रखने में सफलता मिली।

सबसे बारीक क्या है?

शायद बहुत ही कम लोगों को पता होगा कि साबुनी बुलबुले की झिल्ली का नाम खाली आँखों से दिखने वाली सूक्ष्मतम वस्तुओं में आता है। साबुनी झिल्ली की तुलना में वे वस्तुएँ भी काफी मोटी हैं, जिन्हें हम बारीकी की उपमा के रूप में व्यवहार करते हैं। 'कागज-सा पतला' या 'बाल सा महीन' आदि उपमाएँ साबुनी बुलबुले की दीवार के सामने निरर्थक हैं, क्योंकि वह बाल या सिगरेटी कागज से 5000 गुना अधिक बारीक होती है। आदमी के सर का बाल 200 गुना बड़ा करने पर करीब एक सेंटीमीटर मोटा लगेगा। साबुन की झिल्ली का परिच्छेद (काट) इतना बढ़ाने पर दिखेगा भी नहीं। यदि उसे 200 गुना और बढ़ाया जाए, तो वह एक बारीक रेखा के रूप में दिखेगा। बाल को इतना (अर्थात 40000 गुना!) बढ़ाने पर वह 2 m से अधिक मोटा लगेगा। चित्र 69 इन अनुपातों को दृश्य-सुगम बनाता है।

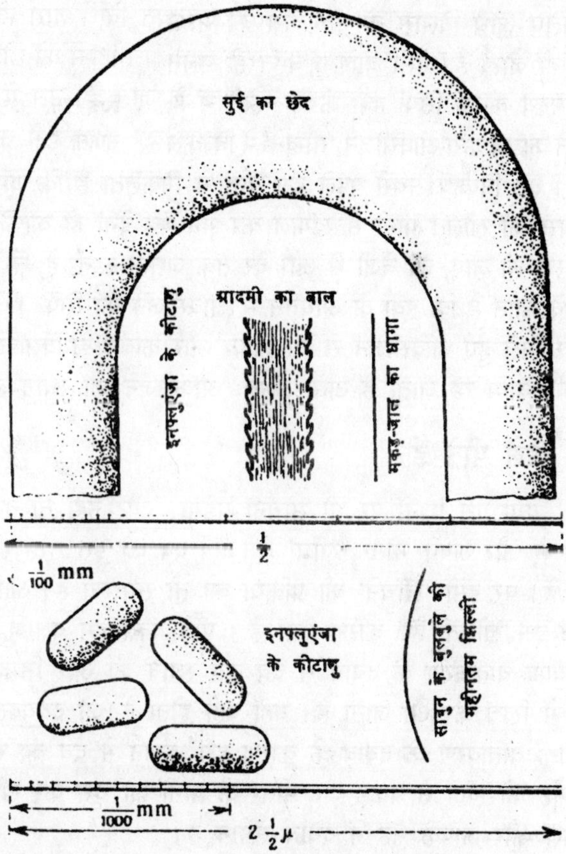

चित्र 69. ऊपर–सुई का छेद, आदमी का बाल, कीटाणु और मकड़जाले का धागा (200 गुना बड़े आकार में)। नीचे–40000 गुने बड़े आकार में कीटाणु व साबुन के बुलबुले की दीवार। $1\ \mu = 0.0001$cm.

पानी में भी सूखा

बड़ी चौरस थाल में एक सिक्का रख कर थोड़ा पानी ढालें, ताकि सिक्का डूबा रहे। मेहमानों से बिना उंगली गीला किए सिक्का उठाने को कहें।

यह काम असंभव सा लगता है, पर एक गिलास और जलते कागज की सहायता से सरलतापूर्वक संपन्न हो सकता है। कागज में आग लगा दीजिए, जलता हुआ कागज गिलास में रखिए और गिलास फुर्ती से थाल में सिक्के के निकट उलट कर रख दीजिए। कागज बुझ जाएगा, गिलास में सफेद धुआँ भर जाएगा और इसके बाद थाल का पानी खुद-ब-खुद गिलास के नीचे जमा हो जाएगा। सिक्का अपनी जगह पर ही रहेगा। एकाध मिनट बाद जब वह सूख जाए, आप बिना उँगली गीला किए उस उठा ले सकते हैं।

कौन-सा बल पानी को गिलास के नीचे समेट ले जाता है और एक नियत ऊँचाई पर उसका स्तर बनाए रखता है? वातावरण का दबाव। जलता हुआ कागज गिलास के भीतर की हवा को गर्म कर देता है, भीतर दबाव बढ़ जाता है, हवा का कुछ भाग बाहर निकल आता है। जब कागज़ का जलना बुझ जाता है, हवा पुनः ठंडी हो जाती है और भीतर दबाव काफी कम हो जाता है, तब बाहरी हवा

के दबाव से पानी सिमट कर गिलास में चला जाता है। कागज की जगह काग में चुभी माचिस की तीलियों से भी काम चलाया जा सकता है (चित्र 70)।

चित्र 70. तश्तरी का सारा पानी औंधे गिलास के नीचे जमा कैसे किया जा सकता है।

अक्सर इस पुराने प्रयोग की एक गलत व्याख्या सुनने व पढ़ने को मिलती है।[1] कहते हैं कि इसमें 'आक्सीजन जल जाता है' और इसीलिए औंधे गिलास के नीचे गैस की मात्रा कम हो जाती है। ऐसी व्याख्या बहुत ही गलत है। मुख्य कारण सिर्फ हवा के गर्म होने में है; जलते कागज द्वारा आक्सीजन 'सोखने' में बिल्कुल नहीं। यह निष्कर्ष सबसे पहले इस बात से निकलता है कि यहाँ जलते हुए कागज के बिना भी काम चल सकता है; गिलास को खौलते पानी से खंगाल कर गर्म कर देना ही काफी रहेगा। दूसरे, यदि कागज की जगह स्पिरिट में डुबाई हुई रूई ली जाए, जो तेजी से और देर तक जलती रहती है, तो गिलास में करीब आधी ऊँचाई तक पानी चढ़ आएगा, जबकि ज्ञात है कि हवा के आयतन में आक्सीजन का सिर्फ 1/5 भाग होता है। और अंत में, यह भी ध्यान देने योग्य है कि जले हुए आक्सीजन से जल-वाष्प और कार्बन डायक्साइड बनती है। कार्बन डायक्साइड तो पानी में घुल जाती है, पर वाष्प रह जाता है और अंशतः आक्सीजन का स्थान ले लेता है।

हम कैसे पीते हैं?

क्या ऐसे प्रश्नों पर भी सोचना पड़ेगा? और नहीं तो क्या! हम गिलास या चम्मच में द्रव अपने मुँह के पास लाते हैं और अपने भीतर 'खींच' लेते हैं। द्रव को इस तरह खींचना बहुत ही साधारण बात है; हम इसके आदी हो गए हैं। पर इसी 'खींचने' की प्रक्रिया को तो समझना है। आखिर क्यों द्रव मुँह में खिंचता चला आता है? कौन-सी चीज इसे खींचती है? कारण ऐसा है : पीते वक्त हम वक्ष फुलाते हैं और इससे मुँह में हवा विरल (कम) हो जाती है; बाह्य वातावरण के दबाव से द्रव उस स्थान की ओर सिमटता है, जहाँ दबाव कम है और इस प्रकार द्रव हमारे मुँह में खिंच कर आ जाता है। यहाँ वही होता है, जो द्रवयुक्त संचारी बरतनों में से एक में हवा विरल कर देने से होगा : वातावरण के दबाव के कारण इस बरतन में द्रव का स्तर ऊँचा हो जाएगा। इसके विपरीत, यदि हम बोतल के मुँह को होंठों से पकड़ कर भीतर के पानी को चूस कर खींचने का लाख प्रयत्न करें, कुछ भी नहीं होगा, क्योंकि बोतल और आपके मुँह में दबाव समान है।

अतएव यह कहना अधिक उपयुक्त होगा कि हम सिर्फ मुँह से नहीं, फेफड़ों से भी पीते हैं; फेफड़ों का फैलना ही यह कारण है, जिससे पानी मुँह की ओर खिंचने लगता है।

कीप में सुधार

जिन्हें कीप की सहायता से बोतल में द्रव ढालने का मौका मिला है, वे जानते होंगे कि समय-समय पर कीप

1. पहली बार इसका वर्णन ईसा पूर्व पहली शती में प्राचीन बाइजेंटीनी भौतिकविद् फिलो ने किया था और उन्होंने इसकी बहुत ही सही व्याख्या दी थी।

को थोड़ा ऊपर उठाना चाहिए, अन्यथा कीप में से द्रव नहीं ढलेगा। बोतल में स्थित हवा को बाहर निकलने का रास्ता नहीं मिलता, अतः वह अपने दबाव से द्रव को कीप में रोक रखती है। सिर्फ शुरू-शुरू में थोड़ा द्रव बोतल में ढलता है और इससे भीतर की हवा कुछ दब जाती है। कम आयतन में सिमटी हवा की प्रत्यास्थता (गद्दापन) इतनी बढ़ जाती है कि वह अपने आंतरिक दबाव से कीप में द्रव को संतुलित कर दे। जाहिर है कि कीप को उठा कर हम दबी हवा को बाहर निकलने का रास्ता देते हैं और तब द्रव पुनः बोतल में गिरने लगता है।

इसीलिए ऐसी कीप अधिक उपयोगी होगी, जिसके संकरे भाग की बाहरी दीवार पर अनुतीर नाले बने हों। इससे कीप बोतल का मुँह अच्छी तरह नहीं बंद कर सकेगी और हवा बिना रोक-टोक के बोतल से बाहर निकल सकेगी।

एक टन लकड़ी और एक टन लोहा

इस मजाकिया प्रश्न से सभी परिचित होंगे : क्या अधिक भारी है—एक टन लकड़ी या एक टन लोहा? अक्सर लोग बिना सोचे-समझे उत्तर देते हैं कि एक टन लोहा अधिक भारी होगा। सुनने वाले प्यार से हँसते हैं।

शरारतियों को और जोर की हँसी आएगी, यदि उन्हें कहा जाए कि एक टन लकड़ी एक टन लोहे से अधिक भारी होगी। यह जवाब और भी बेढ़ब है, पर यदि सच पूछें, तो यह अधिक सही है।

आर्कमेडिस का नियम सिर्फ द्रवों पर ही नहीं, गैसों पर भी लागू होता है। हवा में हर वस्तु उतना भार 'खोती' है, जितना उसके द्वारा विस्थापित हवा का भार होता है।

लकड़ी और लोहा भी हवा में अपने भार का कुछ अंश खोते हैं; उनके भार में कमी आ जाती है। इनका वास्तविक भार ज्ञात करने के लिए इस कमी की पूर्ति करनी होगी। अतः हमारे प्रश्न में लकड़ी का यथार्थ भार बराबर होगा एक टन+लकड़ी के आयतन के तुल्य हवा का भार; लोहे का : एक टन+लोहे के आयतन के तुल्य हवा का भार।

पर एक टन लकड़ी कहीं अधिक व्योम छेंकती है, बनिस्बत कि एक टन लोहे के (करीब 15 गुना अधिक)। इसलिए एक टन लकड़ी का यथार्थ भार एक टन लोहे के यथार्थ भार से अधिक होगा। यदि और सही अभिव्यक्ति ढूँढी जाए, तो हमें कहना चाहिए : हवा में एक टन भार वाली लकड़ी का यथार्थ भार हवा में एक टन भार वाले लोहे के यथार्थ भार से अधिक होता है।

चूँकि एक टन लोहे का आयतन $1/8m^3$ होता है और लकड़ी का क़रीब $2m^3$, तो उनके द्वारा विस्थापित हवा के भारों में अंतर करीब 2.5kg होगा। एक टन लकड़ी वास्तविकता में एक टन लोहे से इतनी ही अधिक भारी होती है।

भारहीन आदमी

बहुतों को बचपन से ऐसी कल्पना लुभावनी लगती होगी कि वे रुई के फाहे क्या, हवा से भी हल्के हो गए हैं[1] और गुरुत्व की भारी जंजीरों को तोड़ कर आकाश में जहाँ चाहें, उन्मुक्त उड़ सकते हैं। पर वे अक्सर एक बात भूल जाते हैं : लोग पृथ्वी पर स्वतंत्र रूप से चल सकते हैं सिर्फ इसलिए कि वे हवा से भारी हैं। दरअसल "हम वातावरण रूपी सागर के तल पर रहते हैं"—टोरीसेली ने कहा था। यदि हम अचानक हवा से भी हलके हो जाएँ, तो इस हवाई सागर की सतह पर उपलाने लगेंगे। हमारे साथ वही होता, जो पुश्किन रचित कविता के घुड़सवार सैनिक के साथ हुआ था : "पूरी बोतल पी गया; और विश्वास नहीं होता तुम्हें, अचानक रुई के फाहे की तरह ऊपर उड़ गया"। हम कुछेक किलोमीटर उड़ आते, जहाँ विरल हवा का घनत्व हमारे शरीर के घनत्व के बराबर होता। पहाड़ियों और घाटियों पर

---

1. प्रचलित विचार के विपरीत, फाहा हवा से हल्की नहीं होती बल्कि उससे सैकड़ों गुनी भारी होती है। हवा में वह इसलिए उठती है कि उसकी कुल सतह काफी बड़ी होती है; इतनी बड़ी की हवा द्वारा उसकी गति में प्रतिरोध उसके भार से अधिक हो जाता है।

उन्मुक्त मंडराने का सपना राख की तरह हवा में बिखर जाता, क्योंकि गुरुत्व के बंधन से निकल कर हम दूसरे बल—वातावरण की संवहन धाराओं—की कैद में आ जाते।

लेखक वेल्स ने ऐसी ही असाधारण स्थिति को अपनी एक विज्ञान-गल्प का कथानक बनाया है। एक काफी मोटा व्यक्ति अपनी मुटाई कुछ कम करना चाहता था। कथाकार के पास एक आश्चर्यजनक हवा होती है, जिससे स्थूलकाय लोग अपना भार कुछ कम कर सकते हैं। वह दवा मांग कर ले जाता है। जब कथाकार अपने परिचित मोटे से मिलने पहुँचता है और उसका दरवाजा खटखटाता है, उसे आश्चर्यजनक चीजें देखने को मिलती हैं :

"दरवाजा देर तक कोई खोल नहीं रहा था। मैंने सुना कि किसी ने ताली घुमाई और पीक्राफ्ट (यह मोटे का नाम था) के स्वर ने कहा :

अंदर आ जाइए।

मैंने हैंडिल घुमाया और दरवाजा खोला। स्वाभाविक था कि मैं पीक्राफ्ट को देखने की उम्मीद कर रहा था।

आप जानते हैं,—वह नहीं था। कमरा अस्त-व्यस्त था : किताबों, कलम-दवात आदि के बीच जूठी प्लेटें पड़ी थीं। कुछेक कुर्सियाँ उल्टी हुई थीं। पीक्राफ्ट नहीं था...

—भई, मैं यहाँ हूँ। दरवाजा बंद कर लीजिए,—उसने कहा। तब मुझे वह नजर आया।

वह दरवाजे के निकट कोने में ठीक कार्निस से लटका हुआ था, मानों उसे किसी ने छत से चिपका रखा हो। उसका चेहरा गुस्से से भरा था और उस पर भय की छाप थी।

—यदि कुछ फिसला, तो पीक्राफ्ट, आप गिर जाएँगे और अपनी गरदन तोड़ लेंगे,—मैंने कहा।

—बहुत खुशी होगी मुझे,—उसने बताया।

—आपकी उम्र में ऐसी कसरतें नहीं करनी चाहिए... लेकिन, आप लटके किस चीज के सहारे हैं?—मैंने पूछा।

तब मुझे दिखा कि वह लटक नहीं रहा है, बल्कि ऊपर तैर रहा है, जैसे गैस से भरा बैलून हो।

उसने थोड़े हाथ-पैर मारे, ताकि छत से अलग हो कर दीवार के सहारे मेरी ओर रेंग सके। उसने नक्काशी की किनारी पकड़ी, पर वह टूट गई और वह पुनः छत की ओर उड़ गया। जब वह छत से टकराया, तब मेरी समझ में आया कि उसके शरीर के उभरे हुए भागों पर चूना क्यों लगा है। वह पुनः काफी सावधानी के साथ चिमनी के सहारे उतरने की कोशिश करने लगा।

—यह दवा,—हाँफते हुए उसने बताया,—कुछ ज्यादा ही असरदार निकली। भार का लोप लगभग पूर्ण है।

अब मैं सब समझ गया।

—पीक्राफ्ट!—मैंने कहा। —आपको मुटापा करने की दवा चाहिए थी और आप हमेशा कहते थे कि भार कम करना है...रुकिए, मैं आपकी मदद करता हूँ,—बेचारे का हाथ पकड़ कर नीचे खींचते हुए मैंने कहा।

वह किसी चीज पर दृढ़ता से खड़े होने की कोशिश में नाचने लगा। दृश्य मजेदार था! जैसे मैं तेज हवा में पाल वाली नाव रोक कर रखने की कोशिश कर रहा हूँ।

चित्र 71. मैं यहां हूँ, दोस्त!—पीक्राफ्ट ने कहा।

—यह टेबुल काफी मजबूत और भारी है।—बेचारे पीक्राफ्ट ने नाच से थक कर कहा। —यदि आप किसी तरह मुझे उसके नीचे घुसा सकें...

मैंने यही किया, पर टेबुल के नीचे भी वह इस तरह हिल-डुल रहा था, जैसे हवाई बैलून बंधा हुआ हो। एक मिनट के लिए भी स्थिर नहीं था।

—सिर्फ एक बात साफ है, जो आपको किसी भी हालत में नहीं करनी चाहिए।—मैंने उससे कहा।—यदि कहीं आप घर से बाहर निकल गए, तो ऊपर की ओर उड़ते चले जाएँगे, रुकेंगे नहीं...

मैंने सलाह दी कि अपने को इस नई स्थिति के अनुकूल बनाने की कोशिश करनी चाहिए। मैंने इशारा किया कि छत पर हाथों के सहारे चलना सीखने में उसे कठिनाई नहीं होगी।

—मैं सो नहीं सकता,—उसने शिकायत के स्वर में कहा।

उसके लिए कमरे में सीढ़ी रखी गई और खाना किताब की अलमारी पर लगाया जाने लगा। हमने एक सुंदर हल सोच निकाला, जिसकी सहायता से पीक्राफ्ट जब चाहे फर्श पर उतर आ सकता था : हल यही था कि 'ब्रिटेन विश्वकोश' खुली आलमारी के ऊपरी खंदे में रखा था। मोटू ने झट उसके दो खंड उठाए और हाथ में पकड़े हुए फर्श पर उतर आया।

मैंने उसके फ्लैट में पूरे दो दिन बिताए। हाथ में हथौड़ा और बरमा ले कर उसके लिए सभी संभव जुगतियाँ फिट करता रहा : तार लगाया, ताकि वह घंटी बजा सके, आदि आदि।

उस दिन मैं अंगीठी के पास बैठा था और वह अपने प्रिय कोने में लटका छत में तुर्की कालीन ठोक रहा था, जब मेरे दिमाग में यह विचार आया :

—ऐ, पीक्राफ्ट!—मैंने लगभग चीखते हुए कहा। —इन सब चीजों की बिल्कुल आवश्यकता नहीं है। कपड़ों के नीचे शीशे का अस्तर चाहिए, और कुछ नहीं।

पीक्राफ्ट खुशी से रो पड़ा।

—सीसे की चदरे,—मैंने कहा,—खरीद लीजिए और कपड़ों के नीचे फिट कर लीजिए। जूतों में सीसे के तल्ले लगवा लीजिए और हाथ में सीसे का सूटकेस पकड़े रहिए, और बात खत्म। आप यहाँ कैद में नहीं रहेंगे; विदेश जा सकते हैं, यात्रा कर सकते हैं। आपके लिए जहाज डूबने से भी कोई खतरा नहीं है : अपने कपड़ों में से कुछ या सारा उतार लेंगे और हवा में उड़ने लगेंगे''।

ऊपरी तौर पर देखने से यहाँ सब कुछ भौतिकीय नियमों के अनुसार ही लगता है। पर कहानी की कुछ बातों से सहमत होना असंभव है। सबसे गंभीर आपत्ति यह है कि मोटूराम अपने शरीर का भार खो कर भी छत तक नहीं उड़ सकते थे।

आर्कमेडिस के नियम से पीक्राफ्ट सिर्फ उसी हालत में छल की ओर उपलाता, जब उसके कपड़ों, जेबी सामग्रियों आदि का कुल भार उसके स्थूल काय द्वारा विस्थापित हवा के भार से कम होता। हिसाब लगाना कठिन नहीं होगा, यदि आप स्मरण करें कि आपके शरीर का भार लगभग उसी आयतन वाले पानी के भार के बराबर होता है। हमारा भार 60 किलोग्राम है, हमारे शरीर के बराबर आयतन वाले पानी का भार लगभग इतना ही होगा। साधारण घनत्व वाली हवा समान आयतन वाले पानी से 770 गुनी हल्की होती है। इससे निष्कर्ष निकलता है कि हमारे शरीर के आयतन के बराबर आयतन वाली हवा का भार होगा 80g। मिस्टर पीक्राफ्ट कितने भी मोटे क्यों न रहे हों उनका वजन 100kg से अधिक शायद ही रहा होगा और इसीलिए 130g से अधिक हवा विस्थापित नहीं कर सके होंगे। पीक्राफ्ट के शरीर पर कपड़े, जूते, मनी-बैग आदि जो सामान थे, क्या उनका कुल भार 130g से भी कम था ? यह असंभव है; इतने सारे सामान का कुल भार कहीं अधिक होगा। और यदि ऐसी बात है, तो पीक्राफ्ट को फर्श पर ही रहना चाहिए था।

यह सच है कि उनकी स्थिति काफी अस्थिर होती, पर 'डोरी से बंधे बैलून' की तरह छत की ओर नहीं उड़ते। सिर्फ अपने शरीर से सारा कुछ उतार कर ही वे हवा में उपला सकते थे। कपड़ों में उनकी हालत वैसी ही होती, जैसे छलांगबाजी के बैलून से बंधे आदमी की होती है; पेशियों की हल्की कोशिश से भी वे काफी ऊँची छलाँग लगाते और शांत हवा में मंद तैरते हुए जमीन पर उतरते[1]।

'शाश्वत' घड़ी

इस पुस्तक में हम कई मिथ्या 'शाश्वत चलित्रों' को देख चुके हैं और यह स्पष्ट कर लिया है कि उनका आविष्कार असंभव है। अब हम निःशुल्क चलित्रों के बारे में बातें करते हैं। ये ऐसे चलित्र हैं, जो हमारी ओर से बिना किसी देखभाल के अनिश्चित चिर काल तक कार्यशील रह सकते हैं, क्योंकि वे अपने परिवेश के अक्षय ऊर्जा-भंडारों से आवश्यक ऊर्जा प्राप्त करते रहते हैं। पारे या धातु का बना बैरोमीटर सबने देखा होगा। प्रथम प्रकार के बैरोमीटर में पारद-स्तंभ का स्तर वातावरण के दाब में परिवर्तन के अनुसार ऊपर-नीचे होता रहता है। धात्विक बैरोमीटर में इन्हीं कारणों से सुई इधर-उधर घूमती रहती है। अठारहवीं शती के एक आविष्कारक ने बैरोमीटर की इन गतियों का उपयोग घड़ी जैसी मशीन में चाबी भरने के लिए किया। इस प्रकार उसने एक घड़ी बनाई, जो बिना रुके चलती रहती थी और जिसमें चाबी देने की आवश्यकता नहीं पड़ती थी। विख्यात अंग्रेज यंत्रकार व ज्योतिर्विद फेर्ग्युसन ने इस दिलचस्प आविष्कार को देखा और उसके बारे में निम्न पंक्तियाँ लिखीं (1774 ई. में) :

"मैंने ऊपर वर्णित घड़ी देखी है, जो एक अनूठे बैरोमीटर में पारे के उठने व गिरने के कारण अविराम चलती रहती है। यह सोचना निराधार है कि यह घड़ी कभी रुक जाएगी, क्योंकि उसमें संचित होने वाला गतिकारी बल इतना काफी होता है कि बैरोमीटर हटा देने पर भी घड़ी साल भर तक चलती रह सकती है। इस घड़ी को विस्तारपूर्वक जान लेने के बाद मैं खुले दिल से कहता हूँ कि अब तक जितने यंत्र मैंने देखे हैं, उनमें यह सबसे अधिक प्रतिभाशाली है; उसके मूल विचार और उसके कार्यान्वयन—दोनों ही के अनुसार।"

खेद की बात है कि यह घड़ी सुरक्षित नहीं रही; वह चोरी हो गई थी और अब कहाँ है, किसी को पता नहीं। वैसे, उक्त ज्योतिर्विद द्वारा बनाया गया उसका आरेख अभी भी है, इसलिए उसका पुनर्निमाण किया जा सकता है।

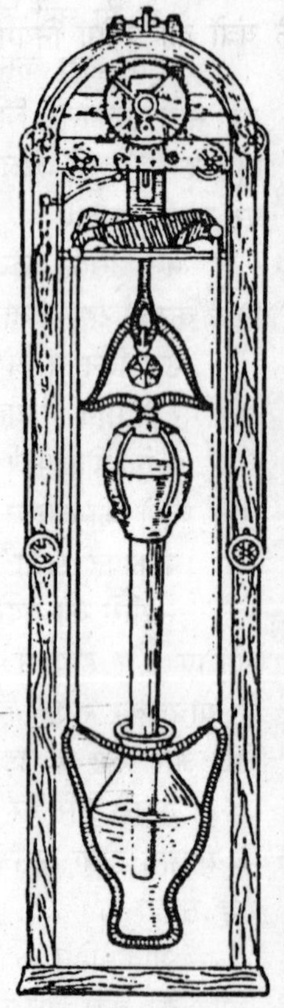

चित्र 72. XVIII-वीं शती का निःशुल्क चलित्र।

इस घड़ी की बनावट में एक बहुत बड़ा पारद-बैरोमीटर आता है। फ्रेम द्वारा लटके कांच के घड़े और उसमें खड़े लंबे कीप में करीब 150kg पारा है। दोनों ही बरतन एक दूसरे के सापेक्ष गतिमान हो सकते हैं। उत्तोलकों की सुंदर प्रणाली की सहायता से वात-दाब बढ़ने पर कीप नीचे उतरता है और घड़ा ऊपर उठता है, दाब घटने पर इसका उल्टा होता है। दोनों ही गतियाँ एक दंति-चक्र को हमेशा एक ही दिशा में घुमाती हैं। चक्र सिर्फ तभी स्थिर रहता है। जब वातावरण का दाब बिल्कुल स्थिर रहता है। चक्र के रुके रहने पर घड़ी मुग्दरों की पहले से संचित अभिपातन ऊर्जा से चलती है। यह कोई आसान काम नहीं है कि मुग्दर साथ-साथ ऊपर उठें और गिरते वक्त घड़ी चलाएँ। पर पुराने घड़ीसाज इस समस्या को हल करने के लिए पर्याप्त प्रतिभाशाली थे। उन्होंने कुछ इस प्रकार यंत्र बनाया कि

1. छलाँगबाजी के बैलूनों के बारे में मेरी पुस्तक 'मनोरंजक यांत्रिकी' का अध्याय 4 देखें।

वात-दाब में उतार-चढ़ाव की ऊर्जा आवश्यकता से अधिक सिद्ध होती थी, अर्थात् मुग्दर अधिक तेजी से उठते थे, पर गिरते थे धीरे-धीरे। इसके लिए ऐसी विशेष युक्ति लगानी पड़ी कि जब मुग्दर उच्चतम बिंदु पर पहुँच जाते थे, तो कुछ समय के लिए वहीं रुके रहते थे।

इस जैसे 'निःशुल्क' चलित्रों और 'शाश्वत चलित्रों के बीच यह महत्त्वपूर्ण सैद्धांतिक अंतर स्पष्ट है। निःशुल्क चलित्रों में ऊर्जा शून्य से नहीं मिलती, जिसका सपना शाश्वत चलित्रों के आविष्कारक देखते थे; वह यंत्र के बाहर से आती है। हमारे उदाहरण में यंत्र को ऊर्जा बाह्य वातावरण से मिलती है, जहाँ वह सौर-किरणों द्वारा संचित होती है। व्यवहारतः निःशुल्क चलित्रों के साथ आपका परिचय कराएँगे और उदाहरण समेत दिखाएँगे कि उद्योग में इस प्रकार के यंत्रों का प्रयोग नियमतः बिल्कुल लाभहीन क्यों होता है।

अध्याय 6
तापीय संवृत्तियाँ

अक्टूबर रेल-पथ[1] कब अधिक लंबा है–गर्मियों में या जाड़े में?

'अक्टूबर रेल-पथ कितना लंबा है'–प्रश्न का उत्तर किसी ने इस प्रकार दिया :

–औसतन छह सौ चालीस किलोमीटर; जाड़ों की अपेक्षा गर्मियों में करीब तीन सौ मीटर अधिक।

यह आशातीत उत्तर इतना निरर्थक नहीं है, जितना कि लगता है। यदि संतत एकाश्म रेल-पथ के बारे में पूछा जाए, तो सचमुच इसकी लंबाई गर्मियों में अधिक होनी चाहिए, बनिस्बत कि जाड़ों में। पर यह न भूलें कि गर्म होने पर पटरियों की लंबाई बढ़ती है–हर सेंटीग्रेड तापक्रम की वृद्धि से उसकी लंबाई में 100000 वें अंश की वृद्धि होती है। अच्छी-खासी गर्मी के दिन पटरियों का तापक्रम 30-40° से भी अधिक हो जाता है; कभी-कभी धूप में पटरियाँ इतनी गर्म हो जाती हैं कि छूने से हाथ जलता है। जाड़ों में वे–25° से भी कम तापक्रम पर होती हैं। यदि जाड़े और गर्मियो के तापक्रमों में अंतर औसतन 55° ही मान लें, तो पथ की कुल लंबाई 640 km में 0.00001 और 55 से गुणा करने पर करीब 1/3 km प्राप्त होगा। ज्ञात होता है कि मास्को और लेनिनग्राद को मिलाने वाला रेल-पथ सचमुच ही जाड़ो की अपेक्षा गर्मियों में तिहाई किलोमीटर अर्थात् करीब 300 मीटर अधिक लंबा होता है।

बेशक, यहाँ पथ की लंबाई नहीं बढ़ती। बढ़ती है सिर्फ सभी पटरियों की कुल लंबाई। ये दोनों बातें एक नहीं हैं और इसीलिए पटरियों को कभी भी एक दूसरे से बिल्कुल सटा कर नहीं रखा जाता : उनके बीच कुछ खाली जगह छोड़ दी जाती है, ताकि गर्म होने पर पटरियाँ स्वतंत्र रूप से प्रसारित हो सकें[2]। हमारा कलन दिखाता है कि सभी पटरियों की कुल लंबाई में वृद्धि उनके बीच के रिक्त स्थानों की कुल लंबाई में ही सिमटी होती है; भयंकर शीत में पटरियों की कुल लंबाई की अपेक्षा गर्मियों में उनकी कुल लंबाई में करीब 300m की वृद्धि होती है। इस प्रकार, अक्टूबर रेल-पथ का लौह भाग गर्मियों में सचमुच 300 मीटर अधिक लंबा है, बनिस्बत की जाड़ों में।

---

1. मास्को-लेनिनग्राद रेल-पथ का नाम।–अनु.

2. यदि पटरियों की लंबाई 8 m हो, तो जोड़ों पर 6 mm लंबा स्थान (0° पर) छोड़ना चाहिए। इस खाली स्थान के पूर्ण रूप से बंद हो के लिए पटरियों का तापक्रम 65°C होना चाहिए। तकनीकी कारणों से ट्राम की पटरियों के बीच जगह नहीं छोड़नी चाहिए। इससे अक्सर पटरियाँ टे नहीं होतीं, क्योंकि जमीन में गड़ी होने के कारण उनमें तापक्रम का उतार-चढ़ाव नगण्य होता है। उन्हें जोड़ने की विधि भी बगल से टेढ़ी होने में बा डालती है। पर बहुत गर्मी पड़ने पर ट्राम की पटरियाँ कुछ टेढ़ी हो ही जाती है। फोटोग्राफी के आधार पर निर्मित चित्र 73 में यह स्पष्टता के साथ दिखा गया है।

रेलगाड़ी की पटरियों के साथ भी कभी-कभी ऐसा हो जाता हैं बात यह है कि ढालू स्थानों पर चलती गाड़ियाँ अपने साथ-साथ पटरियों को (कभी-कभी आधार समेत) घसीट ले जाती हैं; फलस्वरूप ऐसे स्थानों पर पटरियों के सिरे एक दूसरे से बिल्कुल सट जाते हैं।

चोरी की सजा नहीं

लेनिनग्राद-मास्को लाइन पर हर जाड़े में कुछेक सौ मीटर टेलीफोन और टेलीग्राफ के तार गायब हो जाते हैं, पर कोई इसकी चिंता नहीं करता, यद्यपि तार महंगा होता है और चोर का नाम सब जानते हैं। यह काम ठंड का है। जो कुछ रेलों के बारे में कहा जा चुका है, तार पर भी लागू होता है। फर्क सिर्फ इतना है कि गर्मी से तांबे का तार लोहे की अपेक्षा 1.5 गुना अधिक लंबा हो जाता है। लेकिन तारों के टुकड़ों के बीच खाली जगह नहीं होती, अतः बिना किसी हिचकिचाहट के कह सकते हैं कि लेनिनग्राद-मास्को टेलीफोन लाइन गर्मियों की अपेक्षा जाड़ों में करीब 500 m छोटा होता है। ठंड हर जाड़े में लगभग आधा किलोमीटर तार चोरी कर लेती है और उसे कोई सजा नहीं मिलती। वैसे, इस चोरी से टेलिफोन या टेलिग्राफ के कार्य पर कोई असर नहीं पड़ता और, इसके अतिरिक्त, गर्मियों में चोरी का माल पूरी तरह वापस भी तो हो जाता है!

चित्र 73. अत्यधिक गर्मी के कारण ट्राम की लाइनों का टेढ़ा हो जाना।

लेकिन इस तरह का संकुचन जब तारों में नहीं पुलों में होने लगता है तो परिणाम बुरे हो सकते हैं। 1927 की दिसंबर में इस तरह की एक खबर अखबारों में आई थी :

"फ्रांस में लगातार कई दिनों तक अनदेखी ठंड रही, जिसके कारण पेरिस में सेन नदी पर स्थित पुल को गंभीर नुकसान पहुँचा है। पुल में लोहे की पटरियाँ सिकुड़ गईं और इससे उसमें लगे पत्थर पहले ऊपर उभर आए और बाद में चूर हो कर रास्तों पर बिखर गए। पुल कुछ काल के लिए बंद कर दिया गया है"।

पेरिस की मीनार कितनी ऊँची?

अब यदि आपसे पूछा जाए कि पेरिस की मीनार कितनी ऊँची है, तो उत्तर में '300मीटर' कहने के पहले आप प्रश्न करेंगे :

—किस मौसम में—गर्म या ठंडे?

लोहे की बनी इतनी बड़ी चीज की ऊँचाई हर तापक्रम पर समान नहीं रह सकती। हमें ज्ञात है कि 300 m लंबे लोहे के छड़ का तापक्रम एक डिग्री अधिक होने पर उसकी लंबाई में 3mm की वृद्धि होती है। वातावरण के तापक्रम में एक डिग्री की वृद्धि से पेरिस की मीनार में भी करीब इतनी ही वृद्धि होनी चाहिए। पेरिस की जलवायु के अनुसार अच्छे-खासे धूप उगे मौसम में मीनार +40° तक गर्म हो सकती है पर ठंडे बरसाती मौसम में उसका तापक्रम +10° तक नीचे आता है। जाड़ों में उसका तापक्रम 0° से -10° तक हो सकता है (पेरिस में इससे अधिक ठंड अक्सर नहीं पड़ती) । अतः तापक्रम में परिवर्तन $3 \times 40 = 120$mm या 12 cm तक (इस पंक्ति की लंबाई से अधिक) हो सकता है।

प्रत्यक्ष मापों से यह भी ज्ञात हुआ कि पेरिस की मीनान तापक्रम में परिवर्तन के प्रति हवा से कहीं अधिक संवेदनशील

है। वह अपेक्षाकृत जल्द ठंडा या गर्म होता है और बदरी के दिन अचानक सूरज उगने पर पहले प्रभावित होता है। पेरिस की मीनार की ऊँचाई में परिवर्तन करीब 40° तक संभव है और इसीलिए पेरिस की मीनार की ऊँचाई में परिवर्तनों की माप विशेष प्रकार के निकेल-इस्पात के तार की सहायता से ज्ञात की गयी थी। तापक्रम परिवर्तन के कारण निकेल-इस्पात के तार की लंबाई में परिवर्तन नहीं के बराबर होता है। इस अनूठे मिश्रधातु का नाम 'इनवार' (लातीनी invar=अनित्य) है।

निष्कर्ष यह है कि ठंडे मौसम की अपेक्षा गर्म मौसम में पेरिस की मीनार की लंबाई में इस पंक्ति के बराबर लंबाई वाले लोहे के टुकड़े द्वारा वृद्धि हो जाती है। वैसे, लोहे के इतने लंबे टुकड़े की कीमत एक सेंटिम भी नहीं होती।

चाय का गिलास और जल-स्तर नापने की नली

अनुभवी गृहस्थिन कांच के गिलास में गर्म-चाय ढालने के पहले उसमें चम्मच डालना नहीं भूलती, विशेषकर यदि चम्मच चांदी का बना हो। घरेलू अनुभव के आधार पर बना यह नियम बिलकुल सही है। आइए, इसकी जाँच करें।

सबसे पहले यह स्पष्ट कर लें कि गर्म पानी से गिलास चटकता क्यों है।

गिलास टूटने का कारण है कांच का असमान प्रसारण। गिलास में ढाला गया पानी उसकी दीवारों को एकदम से गर्म नहीं कर देता; पहले दीवारों की भीतरी परत गर्म होती है और बाहरी परतें ठंडी ही रहती हैं। गर्म होते ही भीतरी परत प्रसारित हो जाती है। बाहरी परत अपरिवर्तित रहती है, उस पर भीतरी प्रसाररत परतों का दबाव पड़ता है। दोनों परतें एक दूसरे से अलग होती हैं और कांच चटख जाता है।

यह मत सोचिए कि मोटी दीवारों वाले गिलास खरीद कर आप उनके टूटने वाली मुसीबत से छुट्टी पा जाएँगे। ऐसी स्थितियों में मोटी दीवारों वाले गिलास और भी कमजोर सिद्ध होंगे। यह स्पष्ट भी है : पतली दीवारें जल्द गर्म हो जाती हैं, उनमें तापक्रम समरूपता के साथ जल्द वितरित होता है और इसीलिए उनके विभिन्न अंशों का प्रसारण भी समान रूप से होता है; ऐसे नहीं जैसे कि धीरे-धीरे गर्म होने वाली कांच की मोटी परतों में होता है।

पतली दीवारों वाले कांच के बरतन खरीदते वक्त एक चीज नहीं भूलनी चाहिए : सिर्फ दीवारें ही पतली न हों; पैंदे को भी पतला होना चाहिए। गर्म पानी ढालने से मुख्यतः पेंदा ही गर्म होता है। यदि वह मोटा होगा, तो गिलास अवश्य टूटेगा चाहे कितनी भी पतली उसकी दीवारें क्यों न हों। ऐसे गिलास और चीनी-मिट्टी के कप भी आसानी से टूटते हैं, जिनके पेंदे से नीचे की ओर स्तंभ के रूप में गोल छल्ला लगा होता है।

कांच का बरतन जितना ही पतला हो, उतना ही निर्भय होकर आप उसे गर्म कर सकते हैं। रसायनज्ञ अत्यंत पतली दीवारों वाले कांच के बरतन व्यवहार में लाते हैं; वे उन्हें सीधा ज्वालक पर रख देते हैं, बरतन टूटने का कोई डर नहीं रहता।

इसमें कोई शक नहीं कि आदर्श बरतन वह होता, जो गर्म करने से बिल्कुल ही प्रसारित नहीं होता। बहुत ही कम प्रसारण करने वाला पदार्थ है स्फटिक या क्वार्टस में कहीं अधिक है।

इसमें कांच की अपेक्षा 15-20 गुना कम प्रसारण होता है। पारदर्शक स्फटिक का मोटा बरतन भी जितना चाहें, गर्म कर सकते हैं; वह नहीं टूटेगा। लाल-तप्त क्वार्टस के बरतन को आप एकदम से ठंडे पानी में फेंक सकते हैं, टूटने का कोई खतरा नहीं है।[1] इसका संबंध अंशतः इसी से है कि ताप-संवहनता शीशे की अपेक्षा क्वार्टस गिलास सिर्फ शीघ्र तपन से ही नहीं टूटते। शीघ्र ठंडा करने से भी टूट जाते हैं। इसका कारण है असमान **संकोचन** : बाहरी परत

1. प्रयोगशालाओं के लिए स्फटिक के बरतन इसलिए भी सुविधाजनक है। कि वे आसानी से नहीं पिघलते : क्वार्टस 1700° पर सिर्फ मुलायम होना शुरू करता है।

ठंडा हो कर संकोचन की दिशा में खिंचने लगती है और भीतरी परत पर दबाव डालती है। इसीलिए गर्म मुरब्बे को ठंडा करने के लिए कांच के मर्तबान को ठंडक या ठंडे पानी में कभी न रखें।

'चाय के गिलास में चम्मच' की समस्या पर लौटें। चम्मच कांच को टूटने से कैसे बचाता है?

दीवारों की बाहरी व भीतरी परतों के तापक्रमों में बहुत ही बड़ा अंतर सिर्फ तभी होता है, जब आप गिलास में एकदम से खूब गर्म पानी ढालते हैं। साधारण गर्म पानी से दोनों परतों के तापक्रमों में इतना बड़ा अंतर नहीं होता और इसीलिए उनके आंतरिक तनावों में भी गंभीर फर्क नहीं आता। साधारण गर्म पानी से बरतन नहीं टूटता। यदि गिलास में चम्मच पड़ा हो, तो क्या होता है? पेंदे पर आकर गर्म द्रव कांच को (जो ताप का बुरा चालक है) पूरी तरह से गर्म कर सकने के पहले अपनी गर्मी का अच्छा-खासा भाग ताप के सुचालक चम्मच को दे देता है; द्रव का तापक्रम कम हो जाता है; बहुत गर्म से वह साधारण गर्म द्रव में परिणत हो जाता है और इसीलिए उससे कोई खतरा नहीं रह जाता। द्रव अब और आगे ढालने से भी कोई डर नहीं रह जाता, क्योंकि गिलास थोड़ा गर्म हो चुका है।

कहने का मतलब यह है कि चम्मच (विशेषकर यदि वह बड़ा व मोटा है) गिलास के गर्म होने की क्रिया को समरूप कर देता है और कांच को चटकने से बचाता है।

लेकिन यदि चम्मच चांदी का हो, तो यह और अच्छा क्यों है? क्योंकि चांदी ताप का बहुत अच्छा संवाहक है; चांदी का चम्मच पानी की गर्मी तांबे की अपेक्षा जल्द आत्मसात करता है। स्मरण करें कि गर्म चाय में पड़ा चाँदी का चम्मच छूने से कितना गर्म लगता है; हाथ जलने लगता है। इस गुण के आधार पर आप आँखें बंद करके बिल्कुल सही-सही बता सकते हैं कि चम्मच तांबे का है या चाँदी का। गर्म पानी में डाल कर निकालने पर तांबे के चम्मच से हाथ नहीं जलेगा।

काँच की दीवारों का असम रूप से गर्म होना सिर्फ चाय के गिलास के लिए ही खतरनाक नहीं है। वाष्प कवथित्र (स्टीम ब्वायलर) के महत्त्वपूर्ण भाग जलमापी नलियों,–जिनसे क्वथित्र में जल का स्तर नापा जाता है,–के लिए भी यह बुरा सिद्ध होता है। वाष्प व गर्म पानी के कारण कांच की इन नलियों में भीतरी परतों का प्रसारण बाहरी परतों की अपेक्षा अधिक होता है। उत्पन्न आंतरिक तनाव के अतिरिक्त नली में वाष्प व गर्म पानी का ऊँचा दबाव भी रहता है। इन सबके सम्मिलित प्रभाव से नली और आसानी से टूट सकती है। बचाव के लिए दो भिन्न प्रकार की कांच की परतों से नलियों को बनाया जाता है। भीतरी परत का प्रसार संगुणक कम होता है और बाहरी का अधिक।

हमाम में जूते

"जाड़ों में दिन छोटे व रातें बड़ी क्यों होती हैं और गर्मी में इसका उल्टा क्यों होता है? सभी दृश्य और अदृश्य पदार्थों की तरह जाड़े का दिन भी ठंड से सिकुड़ जाता है। रात लालटेनों आदि से गर्म होती रहती है, इसीलिए फैल जाती है।"

चेखव की कहानी के पेंसनयाफ्ता कज्जाक सर्जेंट की टुकड़ी में चलने वाले ये तर्क होंठों पर बरबस मुसकुराहट ला देते हैं। पर इस तरह से 'विद्वत' तर्क सुन कर हँसने वाले लोग स्वयं ही कभी-कभी ऐसे बेढंगे सिद्धांत बना दिया करते हैं।

हमाम में जूतों के बारे में सभी ने सुना होगा और पढ़ा होगा। कहते हैं कि गर्म वाष्प और पानी में स्नान करने के बाद जूते पहनना मुश्किल होता है, क्योंकि 'गर्म होकर पैरों का आयतन बढ़ जाता है'। यह विख्यात उदाहरण क्लासिकल बन गया है, पर इसका कारण बिल्कुल गलत बताया जाता है।

सर्वप्रथम, हमाम[1] में मानव-शरीर का तापक्रम लगभग नहीं बढ़ता; शरीर के तापक्रम में 1-2°C से अधिक की वृद्धि

1. जहाँ 60-80°C पर गर्म वाष्प में स्नान करते हैं।–अनु.

नहीं होती। मानव-शरीर परिवेश के तापीय प्रभावों के साथ सफलतापूर्वक संघर्ष करता है और अपना तापक्रम एक निश्चित बिंदु पर स्थिर रखता है।

1-2°C तापक्रम अधिक हो जाने से शरीर के आयतन में इतनी नगण्य वृद्धि होती है कि जूते पहनते वक्त आपको इसका पता नहीं लग सकता। मानव-शरीर के कठोर व मुलायम अवयवों का आयतन प्रसार गुणांक दस हजारवें भागों से अधिक नहीं होता। अतः पैर की चौड़ाई में वृद्धि सेंटीमीटर के सौंवे भाग से अधिक नहीं हो सकती। आप सोचते हैं कि जूते 0.01cm तक की शुद्धि से सिलते हैं?

चित्र 74. मिस्री पुजारियों के चमत्मकार की पोल : मंदिर के द्वार होमोग्नि के प्रभाव से खुले हैं।

पर तथ्य शंकातीत है : हम्माम के बाद जूते पहनना मुश्किल होता है। इसका कारण शरीर का तापीय प्रसारण नहीं है। पैर फूलते हैं, इसलिए कि परिवेश की आर्द्रता ऊँची होती है; इसका असर चमड़ी पर पड़ता है। रक्त पैरों की ओर बहने लगता है, जिससे रक्तधर घटिकाएँ फूल जाती है, आदि आदि।

चमत्कार

अलेक्जेंडर हिरोन नामक प्रसिद्ध फव्वारे के बारे में आपने सुना होगा, जो आज भी अपने आविष्कारक का नाम अमर कर रहा है। हिरोन प्राचीन ग्रीक के यंत्रकार थे। उनके कागजातों में धूर्त्तता से भरी दो विधियों का वर्णन मिलता है, जिनकी सहायता से मिस्र के पुजारी लोगों को धोखा दिया करते थे, ताकि जनसाधारण में चमत्कारों पर विश्वास बना रहे।

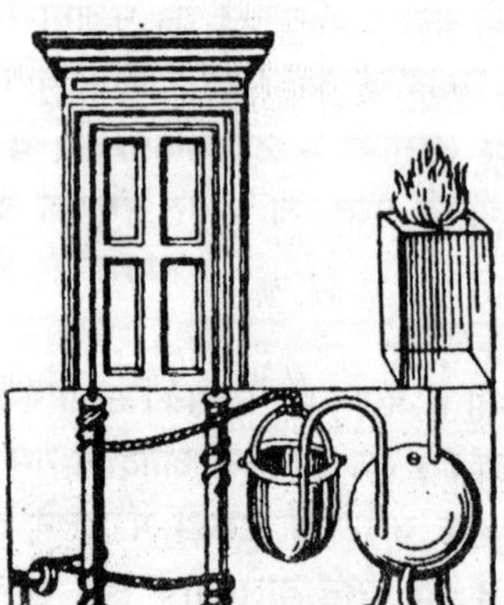

चित्र 75. वेदी में आग जलने पर स्वयं खुलने वाले द्वारों की बनावट का आरेख (चित्र 74 से तुलना करें)।

चित्र 76. एक और प्राचीन चमत्कार : होमाग्नि में अपने आप घी का ढलना।

चित्र 74 में आप होम के लिये धातु के बने एक खोखले अग्नि-कुंड को देखते हैं। इसके नीचे मंदिर के दरवाजे खोलने के लिए विशेष उपकरण छिपा है। अग्नि-कुंड मंदिर के बाहर होता था। जब आग जलाई जाती थी, कुंड के भीतर की हवा गर्म होकर बरतन में स्थित पानी पर दबाव डालती थी। पानी नली द्वारा बरतन से निकल कर बाल्टी में गिरता था; और बाल्टी पानी के भार से नीचे जाने लगती थी और सा ही रस्सी द्वारा दरवाजे खींच कर खोल देती थी (चित्र 75)। इस धूर्त्तता से अनभिज्ञ आश्चर्यचकित दर्शक समझते

कि उनके सामने चमत्कार हो रहा है : आग की ज्वालाएँ उठती हैं और 'पुजारी की प्रार्थना से' द्वार स्वयं खुल जाते हैं...

पुजारियों द्वारा प्रयुक्त एक और मिथ्या चमत्कार चित्र 76 में दिखाया गया है। जब कुंड में आग लहकने लगती है, नीचे के हौज में स्थित घी गर्म हवा के दबाव से नलियों में उठ कर कुंड में गिरने लगता है; नलियाँ पुजारियों की प्रतिमा में छिपी हैं। जब मुख्य पुजारी हौज के बीच में लगी ठेपी निकाल लेता था, तो घी कुंड में नहीं गिरता था (क्योंकि हौज की हवा फैल कर इस छेद से निकल जाया करती थी)। यह चमत्कार कभी-कभी दिखाया जाता है; जब लोग बहुत कम पूजा चढ़ाने लगते थे।

बिना चाबी की घड़ी

बिना चाबी की एक घड़ी का वर्णन हम कर चुके हैं (पृ. 99)। यह कहना गलत होगा कि उसमें चाबी की जरूरत नहीं थी; उसमें चाबी आदमी द्वारा नहीं, वातावरण के दबाव में परिवर्तनों से पड़ती रहती थी। इसी तरह की एक और खुद चाबी भरी जाने वाली घड़ी का वर्णन करते हैं, जिसका आधार तापीय प्रसारण है।

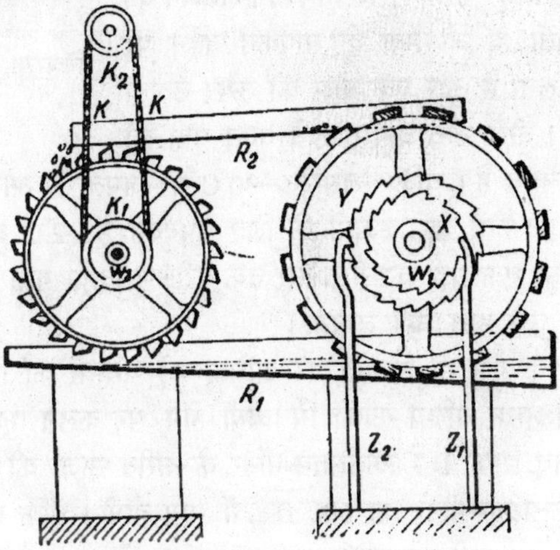

चित्र 77. स्वयं चाबी भरने वाली घड़ी।

इस घड़ी का यंत्र चित्र 77 में दिखाया गया है। इसके मुख्य पुर्जे हैं—छड़ Z_1 व Z_2, जो एक विशेष प्रकार के अत्यधिक बड़े प्रसार गुणांक वाले धातु-मिश्र से बने हैं। छड़ Z_1 चक्के X से इस प्रकार टिका है कि गर्मी से होने वाले इस छड़ के रैखिक प्रसार के कारण दंति-चक्र थोड़ा घूम जाया करता है। छड़ Z_2 को दंतिचक्र Y के दांत के इस प्रकार फँसाते हैं कि ठंड से छड़ Z_2 में होने वाले रैखिक संकोचन के कारण चक्का Y उसी दिशा में थोड़ा सा घूम जाता है। दोनों दंति-चक्र एक ही अक्ष W_1 पर लगे हैं, जिसके घूमने से बड़ा चक्का घूमने लगता है। बड़े चक्के में लगी कलछियाँ नीचे के बरतन से पारा उठा कर ऊपर एक नालिका में ढाल देती हैं, जहाँ से बह कर पारा बाँए चक्के की कलछियों में ढलता है। इस क्रिया के कारण बायाँ चक्का भी घूमने लगता है और चेन KK के सहारे चक्के K_1 (जो उसी के अक्ष पर लगा है) और चक्के K_2 को घुमाने लगता है; आखिरी चक्का K_2 ही स्प्रिंग को मरोड़ता है और चाबी पड़ती रहती है।

पारा बाएँ चक्के की कलछियों में गिरने के बाद कहाँ जाता है? वह ढालू रखे बरतन R_1 में बहता हुआ पुनः दाएँ चक्के के पास आ जाता है, ताकि फिर से अपनी यात्रा आरंभ कर सके। स्पष्ट है कि ऐसा यंत्र तब तक चलता रहेगा, जबतक छड़ Z_1 व Z_2 छोटे-बड़े होते रहेंगे। और इसके लिए आवश्यक है कि हवा का तापक्रम बढ़ता-घटता रहे। पर यही तो हमारे प्रयत्न के बिना खुद-ब-खुद होता रहता है : परिवेश की हवा के तापक्रम में कोई भी परिवर्तन हो, छड़ छोटे या बड़े होते रहेंगे और घड़ी की स्प्रिंग धीमे-धीमे ही सही, पर निरंतर ऐंठनखाती रहेगी।

इस घड़ी को हम 'शाश्वत' चलित्र कह सकते हैं? बेशक नहीं। घड़ी अनिश्चित लंबे काल तक चलती रहेगी, जब तक कि उसके पुर्जे घिसपिट नहीं जाएँगे। पर इसकी ऊर्जा का स्रोत परिवेशी हवा का ताप है। यह घड़ी नन्हें अंशों में तापीय प्रसारण से प्राप्त कार्य संचय करती रहती है, ताकि उसे घड़ी की सुइयों को निरंतर घुमाते रहने में खर्च कर सके। यह 'निःशुल्क' चलित्र है, क्योंकि इसे अपना कार्य संपन्न करने के लिए हमारी देख-भाल और हमारी ओर से

ऊर्जा खर्च करने की आवश्यकता नहीं पड़ती। पर वह "कुछ नहीं" से ऊर्जा नहीं प्राप्त करता : उसकी ऊर्जा का स्रोत अंततः सूरज का ताप है, जिससे पृथ्वी गर्म होती है।

इसी तरह की बनावट वाली घड़ी का एक और नमूना चित्र 78 व 79 में दिखाया गया है। इसमें भी चाबी खुद-ब-खुद पड़ती रहती है। इसमें मुख्य भूमिका ग्लिसरिन की होती है, जो हवा के तापक्रम बढ़ने पर फैलता है और एक बोझ को ऊपर उठाता है। बोझ नीचे वापस आते वक्त घड़ी को चलाता है। चूँकि ग्लिसरिन –30°C पर जमता है और +290°C पर खोलना शुरू करता है, इस प्रकार के यंत्र चौराहों आदि जैसे खुले स्थानों के लिए उपयुक्त हैं। 2°C का तापक्रम परिवर्तन भी इस घड़ी के चलने के लिए पर्याप्त है। ऐसी एक घड़ी का साल भर तक परीक्षण किया गया था। घड़ी ठीक-ठीक चलती रही, हालाँकि पूरे साल भर तक किसी ने उसे हाथ नहीं लगाया।

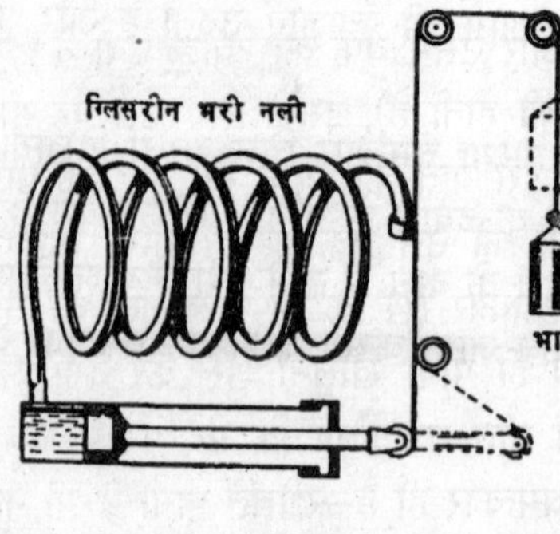

चित्र 78. एक और स्वकुंच्यक घड़ी का आरेख

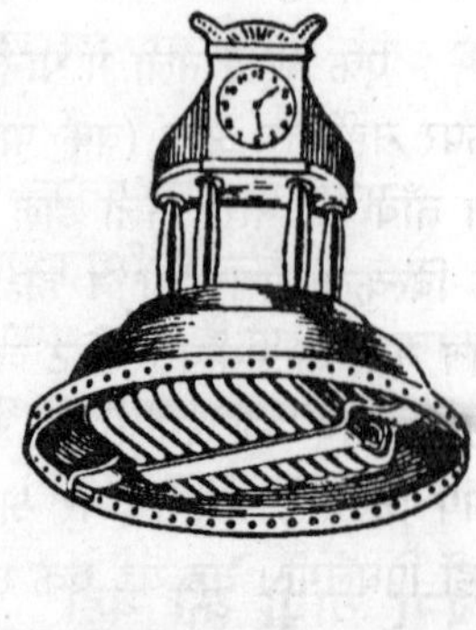

चित्र 79. स्वकुंच्यक घड़ी; स्तंभ के भीतर ग्लिसरिन की नली छिपी है।

ऐसे ही सिद्धांत पर अधिक बड़े चत्रित्रों का निर्माण लाभप्रद होगा या नहीं? पहली नजर में लगता है कि ऐसे निःशुल्क चलित्र काफी मितव्ययी होंगे, पर कलन कुछ और ही बताते हैं। साधारण घड़ी को 24 घंटों तक चलाने के लिए सिर्फ 1/7 किलोग्राम-मीटर के करीब ऊर्जा की आवश्यकता पड़ती है। एक सेकेंड में व्यय होने वाली ऊर्जा एक किलोग्राम-मीटर का 600 000वाँ भाग होगी। चूँकि एक अश्व-शक्ति 75 किलोग्राम-मीटर प्रति सेकेंड के बराबर होती है, एक घड़ी की शक्ति एक अश्वशक्ति के 45000 000-वें भाग के बराबर होती है। अतः यदि पहली प्रकार की घड़ियों में फैलने वाले छड़ों या दूसरी प्रकार की घड़ियों में व्यवहृत युक्ति की कीमत सिर्फ एक कोपेक ही आँकी जाए, तो एक अश्वशक्ति वाले ऐसे चलित्र की कीमत होगी।

1 कोपेक × 45000 000=450 000 रूबल।

एक अश्व-शक्ति के लिए लगभग पाँच लाख रूबल—"निःशुल्क" चलित्र के लिए कुछ ज्यादा ही महँगा है...

शिक्षादायक सिगरेट

डिब्बी पर जलती सिगरेट रखी है (चित्र 80)। उसके दोनों सिरों से धुआं निकल रहा है। पर जलते सिरे से निकलता धुआं ऊपर की ओर प्रवृत्त हो रहा है और पिछले सिरे से निकलने वाला धुआं नीचे बैठ रहा है। क्यों? आखिर दोनों सिरों से एक ही प्रकार का धुआं निकल रहा है।

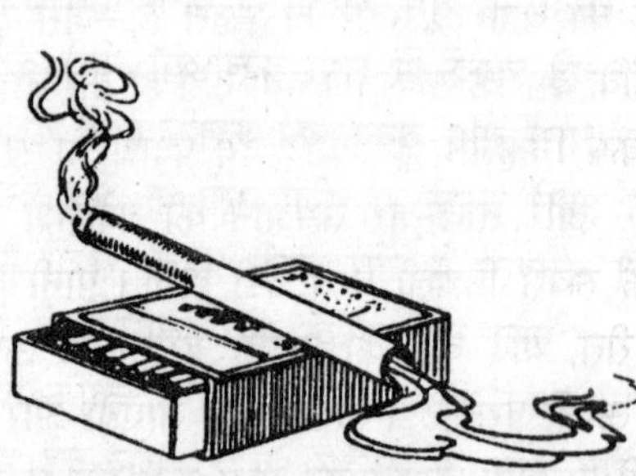

चित्र 80. धुआँ सिगरेट के एक सिरे से निकल कर ऊपर उठता है और दूसरे से निकल कर नीचे बैठता है, क्यों?

हाँ, धुआं दोनों जगह एक ही है, पर जलते सिरे के ऊपर हवा की ऊर्ध्वमुखी संवहन धाराएँ हैं, जो धुएँ के कणों को अपने साथ ऊपर ले जाती हैं। पिछले सिरे से धुएँ के साथ निकलने वाली हवा ठंडी हो जाती है और ऊपर की ओर प्रवृत्त नहीं होती, धुएँ के कणों को ऊपर नहीं ले जाती। और चूँकि धुआँ हवा से भारी होता है, नीचे बैठने लगता है।

बर्फ का टुकड़ा, जो खोलते पानी में भी नहीं पिघलता

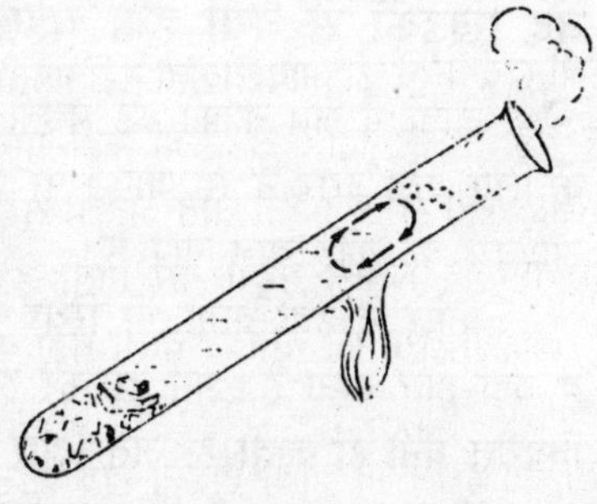

चित्र **81.** ऊपरी भाग में पानी खोल रहा है, पर नीचे बर्फ नहीं गलती।

एक परख नली में पानी भर लें और उसमें बर्फ का टुकड़ा डुबा दें। वह ऊपर नहीं तैर आए (बर्फ पानी से हल्की होती है), इसके लिए उस पर सीसे या ताँबे की भारी गोली डाल दें। सिर्फ इस बात का ध्यान रखें कि बर्फ पानी से बिल्कुल अलग ही न हो जाएँ; पानी को उस तक पहुँचते रहना चाहिए। अब नली के समीप स्पिरिट ज्वालक इस प्रकार रखें कि लौ परख नली के सिर्फ ऊपरी भाग को लगे (चित्र 81)। शीघ्र ही पानी खौलना शुरू कर देगा और भाप निकलने लगेगी। पर आश्चर्य की बात यह होगी कि पेंदे पर पड़ी बर्फ नहीं पिघलेगी। यह यह एक छोटा सा चमत्कार ही है–खौलते पानी में भी नहीं पिघलने वाली बर्फ...

रहस्य यह है कि परख नली के पेंदे पर पानी नहीं खौलता, वह **ठंडा ही** रहता है। पानी सिर्फ ऊपर खौलता है। बर्फ ''खौलते पानी में'' नहीं है, बर्फ ''खौलते पानी के नीचे'' है। गर्मी से फैल कर पानी हल्का हो जाता है और वह पेंदे की ओर नहीं जाता, परख नली के ऊपरी भाग में ही रह जाता है। गर्म पानी की संवहन धाराएँ परख नली के ऊपरी भाग तक ही सीमित रहेंगी, पानी की परतों का स्थानांतरण भी ऊपरी भाग तक सीमित रहेगा और नीचे की अधिक घनी परतों को स्पर्श नहीं करेगा। नीचे के भाग में पानी सिर्फ ताप-सुचालकता के कारण गर्म हो सकता है, पर पानी की तापचालकता अत्यंत कम है।

बर्फ पर या बर्फ के नीचे?

पानी गर्म करने के लिए पानी के भरे बरतन को हम लौ के ऊपर रखते हैं, उसके बगल में नहीं। और बिल्कुल सही करते हैं, क्योंकि आग की लपटों द्वारा गर्म होकर हवा हल्की हो जाती है और सब तरफ से ऊपर **की ओर** उठती हुई बर्तन को घेर लेती है।

अतः गर्म किए जाने वाले पिंड को आग के ऊपर रखकर हम स्रोत की ऊर्जा का अधिकतम उपयोग करते हैं।

लेकिन यदि किसी पिंड को बर्फ की सहायता से **ठंडा** करना हो, तो पिंड कहाँ रखना चाहिए? बहुत से लोग आदतवश पिंड को बर्फ के ऊपर ही रखते हैं,–जैसे दूध का घड़ा बर्फ की सिल्ली पर। यह विधि उत्तम नहीं कही जा सकती, क्योंकि बर्फ के ऊपर की हवा ठंडी हो कर नीचे बैठ जाती है और उसका स्थान पुनः गर्म हवा ले लेती है। इससे व्यावहारिक निष्कर्ष निकलता है : यदि पेय पदार्थ या खाना ठंडा करना चाहते हैं, तो उसे **बर्फ के ऊपर नहीं, बर्फ के नीचे रखिए।**

और सविस्तार समझाने की कोशिश करते हैं। यदि पानी से भरा बरतन बर्फ पर रख दिया जाए, तो द्रव की सिर्फ सबसे निचली परत ठंडी होगी। पानी का बाकी भाग उसी हवा से घिरा रहेगा, जो अभी ठंडी नहीं हुई है। इसके विपरीत, यदि बर्फ का टुकड़ा बरतन **के ऊपर** ढक्कन पर रख दिया जाए, तो भीतर की वस्तु शीघ्र ठंडी होगी। द्रव की ऊपरी परतें ठंडी होकर नीचे जाएँगी और नीचे की परतें ठंडी होने के लिए ऊपर उठेंगी। यह प्रक्रिया तब तक चलती रहेगी जबतक बरतन का सारा द्रव ठंडा न हो जाए।[1] इसके अतिरिक्त बर्फ के इर्द-गिर्द की हवा भी ठंडी होकर नीचे बैठ जाएगी और बरतन को सब ओर से घेर लेगी।

---

1. शुद्ध जल इस तरह $0^{o}C$ तक नहीं, सिर्फ $+4^{o}C$ तक ठंडा होगा, क्योंकि इस तापक्रम पर उसका घनत्व अधिकतम होता है। पर व्यवहार में पेय पदार्थों को शून्य तापक्रम तक ठंडा करने की आवश्यकता भी नहीं पड़ती।

बंद खिड़की से क्यों हवा बहती है?

जाड़ों में जब काफी ठंड पड़ती है, खिड़कियों को अच्छी तरह से बंद करना पड़ता है, ताकि ठंडी हवा के घुसने के लिए कोई दरार न रह जाए। पर अक्सर ऐसी खिड़कियों से भी हवा बहती है। यह विचित्र सा लगता है, पर इसमें आश्चर्य की कोई बात नहीं है।

कमरे में हवा कभी भी स्थिर नहीं रहती;उसमें अदृश्य धाराएँ बहती रहती हैं और इसका कारण हवा का गर्म व ठंडा होते रहना है। गर्म हो कर हवा विरल हो जाती है और इसीलिए हल्की हो जाती है; ठंडी होने पर वह इसके विपरीत घनी हो जाती है, अतः और भारी हो जाती है। कमरे में स्थित ताप-दायक उपकरणों के कारण गर्म व हल्की हवा ठंडी हवा द्वारा छत की ओर विस्थापित होती रहती है। खिड़की व दीवारों से ठंडी होने वाली हवा नीचे फर्श पर बैठती जाती है।

कमरे में ये पवन-धाराएँ गैस वाली बैलून की मदद से दिख सकती हैं, यदि बैलून के साथ कोई थोड़ी भारी वस्तु बाँध दी जाए, ताकि वह ऊपर छत से नहीं अड़े; स्वतंत्र रूप से कमरे में उड़ता रहे। ताप के स्रोत के पास छोड़ने पर बैलून कमरे में हवा की अदृश्य धाराओं के साथ खिंचता हुआ यात्रा करता रहेगा : चूल्हे से खिड़की की ओर छत के सहारे और वहाँ से फर्श की ओर और फिर चूल्हे की ओर, ताकि अपनी यात्रा पुनः शुरू कर सके।

इसी कारणवश जाड़ों में हमें लगता है कि खिड़की से हवा बह रही है, यद्यपि खिड़की के दरवाजे अच्छी तरह बंद हैं और बाहर से हवा दरारों से होकर भी भीतर नहीं आ सकती।

रहस्यमयी घिरनी

महीन हल्के कागज को काट कर एक आयत बना लीजिए। इसे मध्य-रेखाओं पर मोड़ने से आपको पता चल जाएगा कि इसका गुरूत्व केंद्र (मध्य-रेखाओं का कटान बिंदु) कहाँ है। खड़ी सुई की नोक पर इस आकृति को इस प्रकार रखें कि सुई ठीक इसी बिंदु पर टेक लगाए।

कागज का टुकड़ा संतुलन में रहेगा, क्योंकि वह गुरूत्व केंद्र के सहारे टिका हुआ है। पर हवा के हल्के झोंके से भी वह चक्कर खाना शुरू कर देगा।

यहाँ तक इस उपकरण में कुछ भी रहस्यमय नहीं लगता। लेकिन आप चित्र 82 की भांति अपना हाथ इसके निकट लाएँ; धीरे-धीरे, सावधानी से, ताकि हवा के झोंके से कागज उड़ न जाए। आप एक विचित्र चीज देखेंगे : कागज घिरनी की तरह घूमने लगता है—पहले धीमे और बाद में तेजी से। हाथ हटा लीजिए—घूमना बंद हो जाएगा। हाथ निकट लाइए—फिर घूमने लगेगा।

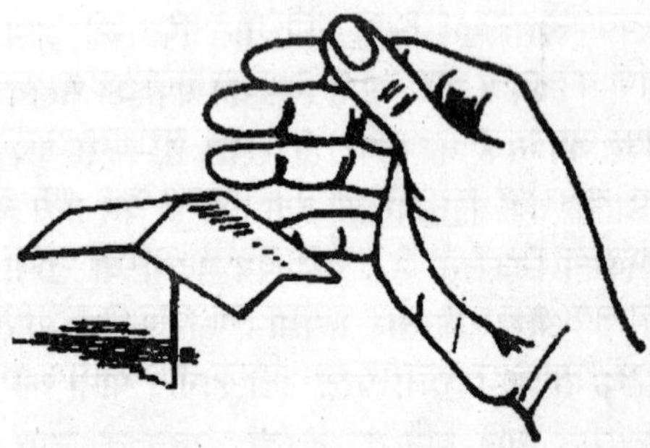

चित्र 82. कागज का टुकड़ा घिरनी की तरह क्यों घूमने लगता है?

पिछली शती के सत्तरवें वर्ष के आस-पास कई लोग सोचते थे कि इस विचित्र घूर्णन का कारण हमारे शरीर का कोई अलौकिक गुण है। आध्यात्मवाद के प्रेमियों को इस प्रयोग में अपने ढीले-ढाले अस्पष्ट सिद्धांतों की पुष्टि नजर आती थी; उन्हें लगता था कि मानव-शरीर से सचमुच कोई रहस्यमयी शक्ति निकलती है। पर कागज के घूमने का कारण बहुत ही सरल एवं पूरी तरह से लौकिक है : आपके हाथ से गर्म होकर नीचे की हवा ऊपर उठती है और कागज से टकराते हुए उसे घूमने पर विवश कर देती है। यह वैसा ही कुछ है, जैसी लैंप की गर्मी से घूमने वाली कागज की ऐंठन भरी

पट्टियाँ होती हैं, क्योंकि आपने भी कागज को उसकी मध्य रेखाओं पर मोड़कर उसके भिन्न हिस्सों को हल्का झुकाव दे रखा है।

ध्यान से देखने वाले को पता चलेगा कि ऊपर वर्णित घिरनी एकमात्र कलाई से उंगलियों की दिशा में घूमती है। इसका कारण यह है कि हथेली की तुलना में उँगलियों के सिर अधिक ठंडे होते हैं। इसीलिए हथेली के समीप हवा की अधिक सशक्त ऊर्ध्वमुखी संवहन धाराएँ बनती हैं और उँगलियों के ताप से उत्पन्न धाराओं की अपेक्षा कागज पर अधिक शक्ति से चोट करती है।[1]

क्या फर-कोट गर्म करता है?

आप उस आदमी को क्या कहेंगे, जो आपको विश्वास दिलाना चाहता है कि फर-कोट गर्म नहीं करता? आप शायद सोचेंगे कि वह मजाक कर रहा है। और यदि वह अपनी बात प्रयोगों के आधार पर सिद्ध करने लगे तो? उदाहरणार्थ एक ऐसा प्रयोग करें। थर्मामीटर में देख लें कि वह कितना तापक्रम बता रहा है और उसे फर-कोट में लपेट कर रख दें। कुछेक घंटे बाद उसे निकाल कर देखें। आपको विश्वास हो जाएगा कि वह चौथाई डिग्री तक भी नहीं गर्म हुआ है : पारा जहाँ का तहाँ रूका है; थर्मामीटर जितना तापक्रम पहले बता रहा था उतना ही अब भी बता रहा है। यही प्रमाण है कि फर-कोट गर्म नहीं करता। यह भी शंका की जा सकती है कि फर-कोट ठंडा करते हैं। दो शीशियों में थोड़ा-थोड़ा बर्फ लें। एक को कमरे में खुला छोड़ दें और दूसरी को फर-कोट में लपेट दें। जब खुली शीशी में बर्फ पिघल जाए, फर-कोट से दूसरी शीशी निकालें : आप देखेंगे कि इसमें बर्फ ने पिघलना शुरू भी नहीं किया है। इसका अर्थ है कि फरकोट गर्म तो क्या करेगा, उल्टा ठंडा करता है, जिससे बर्फ का पिघलना मंद हो जाता है।

क्या आपत्ति कर सकते हैं आप? इन तर्कों को कैसे काटा जा सकता है?किसी भी तरह नहीं। फर-कोट सचमुच में गर्म नहीं करता, यदि "गर्म करने" का अर्थ **ताप देना** माना जाए। बल्ब गर्म करता है, चूल्हा गर्म करता है, मानव-शरीर भी गर्म करता है, क्योंकि ये वस्तुएँ ताप के स्रोत हैं। पर इस अर्थ में फर-कोट बिल्कुल गर्म नहीं करता। **वह अपनी ओर से ताप नहीं देता, वह हमारे शरीर से ताप के निकलने में बाधा भर डालता है।** इसीलिए उष्णरक्ती जीव, जिनका शरीर स्वयं ही ताप का स्रोत होता है, फर-कोट में अधिक गर्म महसूस करेंगे, बनिसबत कि उसके बगैर। पर थर्मामीअर खुद ताप को जन्म नहीं देता और इसीलिए उसे फरकोट में लपेटने पर उसका ताप नहीं बढ़ता। फर-कोट में लपेटा गया बर्फ अपना कम तापक्रम देर तक सुरक्षित रख सकता है, क्योंकि फर-कोट ताप का बहुत ही बुरा चालक है और इसीलिए कमरे में स्थित हवा के तापक्रम को बर्फ तक आसानी से नहीं पहुँचने देता है।

फर-कोट की तरह बर्फ भी इसी अर्थ में पृथ्वी को गर्म करती है; सभी भुरभुरी वस्तुओं की तरह बर्फ भी ताप का कुचालक होती है और जमीन को ढक कर उसके अंदर की गर्मी निकलने से रोकती है। बर्फ की परत से ढकी जमीन में थर्मामीटर अक्सर दस डिग्री तक अधिक तापक्रम दिखाता है, बनिस्बत कि ऐसी जमीन में जो बर्फ से ढकी न हो।

अतः यदि पूछा जाए कि फर-कोट गर्म करता है या नहीं, उत्तर देना चाहिए कि फर-कोट हमें अपने आपको खुद गर्म रखनें में सहायक होता है। और भी सही होगा, यदि कहेंगे कि हम फर-कोट को गर्म करते हैं, न कि वह हमें।

---

1. आप यह भी देख सकते हैं कि ज्वर में या अधिक ताप की स्थिति में घिरनीऔर तेजी से घूमती है। कई लोगों को चक्कर में डालने वाले इस ज्ञानदायक प्रयोग पर एक छोटा-मोटा शोध-कार्य भी लिखा गया था, जो 1876 में मास्को की चिकित्सा समाज के समक्ष पढ़ा गया (नि.प. नेचायेव, हाथ की गर्मी के कारण हल्के पिंडों में घूर्णन)।

पैरों तले कौन सी ऋतु?

जब पृथ्वी की सतह पर ग्रीष्म ऋतु हो, तीन मीटर की गहराई पर कौन सी ऋतु होगी?

आप सोचते हैं कि वहाँ भी ग्रीष्म होगी? गलत हैं आप। पृथ्वी के तल पर और जमीन के अंदर गहराई में समान ऋतु नहीं होती। जमीन ताप का बहुत ही बुरा चालक है। लेनिनग्राद में जब सब कुछ जमा देने वाली कड़ी सर्दी पड़ती है, तब भी वहाँ दो मीटर की गहराई में तल पर होने वाले तापक्रम-परिवर्तन जमीन में बहुत धीरे-धीरे प्रसारित होते हैं और भिन्न गहराइयों तक पहुँचने में भिन्न समय लगाते हैं। उदाहरण के लिए, लेनिनग्राद क्षेत्र के एक स्थान स्लूत्स्का में ली गई प्रत्यक्ष मापों से ज्ञात हुआ कि वहाँ जमीन में तीन मीटर की गहराई पर वर्ष का सबसे गर्म क्षण 76 दिन देर से पहुँचता है और सबसे ठंडा क्षण-108 दिन देर से। इसका अर्थ यह हुआ कि यदि पृथ्वी पर सबसे गर्म दिन 25 जुलाई को था, तो तीन मीटर की गहराई में सबसे गर्म दिन 9 अक्टूबर का होगा। यदि 15 जनवरी को सबसे ठंडा दिन था, तो उक्त गहराई पर यह दिन मई में आएगा। अधिक गहराई पर जाने से ये कालांतर और भी बड़े होंगे।

गहराई में तापक्रम परिवर्तन सिर्फ देर से ही नहीं पहुँचते, अपनी प्रचंडता भी खो बैठते हैं। कुछ विशेष गहराइयों पर इन परिवर्तनों का पता ही नहीं लगता; वे बिल्कुल लुप्त हो जाते हैं। ऐसी जगहों पर शताब्दियों तक एक स्थिर तापक्रम बना रहता है, जो दिए हुए स्थान के लिए वार्षिक औसत होता है। पेरिस की वेधशाला के नीचे 28m की गहराई पर डेढ सौ साल से एक थर्मामीटर रखा हुआ है, जिसमें पारा इतने अर्सों में अपने स्थान से हिला भी नहीं है और सदा एक ही तापक्रम (+11.7°C) दर्शाता है। इस थार्मामीटर को वहाँ लेवुजिए ने रखा था।

इस प्रकार जमीन के भीतर, जिस पर हम खड़े हैं, वह ऋतु कभी नहीं होती, जो उसकी सतह पर होती है। जब जमीन के ऊपर जाड़े का मौसम होता है, तीन मीटर की गहराई पर पतझड़ ही रहता है। बेशक यह वैसा पतझड़ नहीं है, जैसा जमीन के ऊपर था। इसमें तापक्रम थोड़ा और नीचे होता है। जब जमीन के ऊपर ग्रीष्म होती है, गहराई में कड़क जाड़े के क्षीण होते स्वर पहुँच रहे होते हैं।

इस बात को ध्यान में रखना आवश्यक होता है, जब जमीन के अंदर रहने वाले जंतुओं और पौधों के भूतगत अवयवों के जीवन की परिस्थितियों के बारे में बात चलती है। उदाहरणता, हमें इस बात पर आश्चर्य नहीं होना चाहिए कि हमारे यहाँ के वृक्षों में जड़ों की कोशिकाओं का प्रजनन वर्ष के शीतार्द्ध में ही होता है और तथाकथित कैंबियल रेशों की सक्रियता पूरी गर्मियों के लिए समाप्त हो जाती है। जमीन के ऊपर तने में ठीक इसका उल्टा होता है।

कागज की पतीली

चित्र 83 पर नजर डालिए : कागज के दोने में अंडा उबल रहा है। आप कहेंगे,—"कागज जल जाएगा और पानी लालटेन को बुझा देगा"।

आप खुद ऐसा प्रयोग करके देखें। इसके लिए चिमड़े कागज के एक टुकड़े से दोना बना लें और तार के गोल घेरे में ठीक से रख लें, ताकि गिरे नहीं। आप देखेंगे कि कागज को आग से कोई क्षति नहीं होती। इसका कारण यह है कि खुले

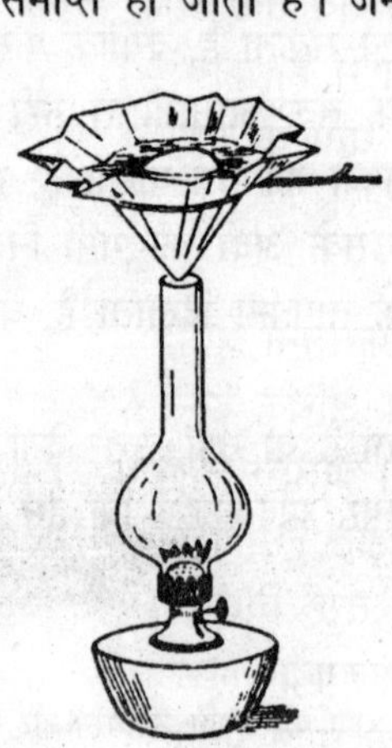

चित्र 83. कागजी पतीले में अंडे का उबलना।

चित्र 84. पानी खौलाने के लिए कागज का डिब्बा।

बरतन में पानी 100°C से अधिक तापक्रम तक गर्म नहीं किया जा सकता। सौ डिग्री पानी का क्वथनांक है। इसीलिए कागज में खौलाया जाने वाला पानी, जिसकी तापग्राहिता बहुत ही अधिक है, आग से कागज को मिले अतिरिक्त ताप को अपने में सोखता रहता है और कागज को 100°C से अधिक गर्म नहीं होने देता; और यह तापक्रम इतना काफी नहीं है कि कागज जलने लगे। (चित्र 84 में दर्शित कागज को डब्बे की आकृति देकर काम में लाना अधिक सुविधाजनक होगा)। कागज उस हालत में भी नहीं जलेगा, जब वह सीधे आग की लपटों में रखा होगा।

इसी तरह की परिघटना से संबंधित एक और प्रयोग है, जिसे अन्यमनस्क लोग अनजान में किया करते हैं और जिसका परिणाम नुकसानदेह होता है : बिना पानी रखे समोवार या केटली को गर्म करने से उनके झलैया द्वारा जुड़े भाग अलग हो जाते हैं। कारण स्पष्ट है। जिस धातु से झलैया की जाती है, वह आसानी से पिघलने वाला होता है, पर पानी उसके तापक्रम को खतरे के निशान से आगे नहीं बढ़ने देता। झलैया किए हुए पतीले को भी बिना पानी के गर्म नहीं करना चाहिए। पुराने मशीन-गन "मक्सिम" में पानी खुद गर्म होकर हथियार को पिघलने से बचाता था।

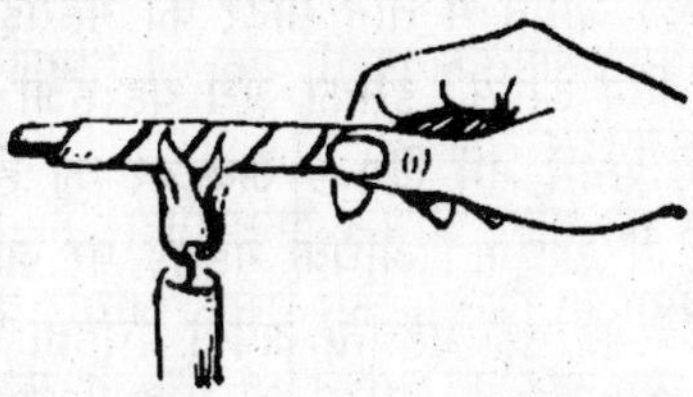

चित्र 85. अग्नि-सह कागज।

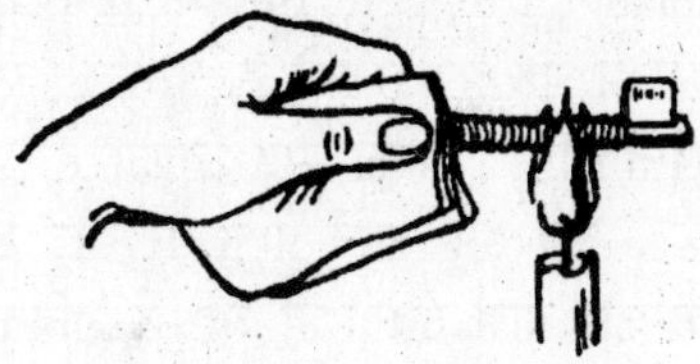

चित्र 86. अग्नि-सह धागा।

आप सीसे के टुकड़े को ताश के पत्तों से बनी डिब्बी में पिघला सकते हैं। इसके लिए शर्त्त यही है कि आग की लौ कागज के उसी स्थान पर लगनी चाहिए, जहाँ कागज सीसे को स्पर्श करता है। धातु ताप का अपेक्षाकृत अच्छा संवाहक होता है, अतः वह तुरंत कागज से गर्मी ले लेता है और उसे अपने गलनांक अर्थात् 335° से अधिक गर्म नहीं होने देता। यह तापक्रम कागज के जलने के लिए पर्याप्त नहीं है।

निम्न प्रयोग भी आसानी से किया जा सकता है (चित्र 85) : मोटी सी कील या लोहे की (बेहतर है-ताँबे की) छड़ पर कागज का पतला फीता पेंच की तरह कस कर लपेट लें। इसके बाद छड़ को लौ पर रखें। आग कागज को लपेट लेगी, कालिख से काला कर देगी, पर उसे तब तक नहीं जला सकेगी, जबतक कि छड़ गर्म होकर लाल न हो जाए। इसका रहस्य धातु की तापीय सुचालकता में है; काँच की छड़ी के साथ ऐसा प्रयोग संभव नहीं है। चित्र 86 में चाबी पर कस कर लपेटे गए "अग्नि सह" धागे के साथ प्रयोग दिखाया गया है।

बर्फ फिसलनदार क्यों है?

साधारण फर्श की अपेक्षा चिकने फर्श पर फिसलना आसान है। इस हिसाब से ठोस बर्फ पर भी यही होना चाहिए : खुर्दरी बर्फ की अपेक्षा समतल चिकनी बर्फ को अधिक फिसलनदार होनी चाहिए।

पर यदि आपको बर्फ पर फिसलकर चलने वाली छोटी स्लेज गाड़ी पर सामान रख कर खुदरे बर्फ की सतह पर खींचने का अवसर मिलता, तो आप जान गए होते कि आशा के बावजूद गाड़ी चिकनी बर्फ की अपेक्षा रूखड़ी बर्फ पर अधिक आसानी से फिसलती है। दर्पण की तरह चिकनी चौरस बर्फ की अपेक्षा रूखड़ी बर्फ अधिक फिसलनदार होती है। इसका कारण यह है कि बर्फ का फिसलनदार होना उसके चिकनेपन पर नहीं बल्कि बिल्कुल ही दूसरी बात पर निर्भर करता है। रहस्य यह है कि दबाव के बढ़ने पर बर्फ का गलनांक कम हो जाता है।

पहले देखा जाए कि जब हम स्लेज पर या स्केटिंग के जूते पहन कर फिसलते हैं, तो क्या होता है। स्केटिंग

के जूते बर्फ से ढकी जमीन को कुछेक वर्ग मिलिमीटर क्षेत्र पर ही स्पर्श करते हैं। हमारे शरीर का सारा भार इसी छोटे-से क्षेत्र को दबाता है। यदि आपको अध्याय 2 की बातें याद हों, तो आप फौरन समझ जाएँगे कि स्केटिंग-सवार आदमी बर्फ को काफी बड़े बल से दबाता है। अधिक बड़े दबाव के कारण बर्फ कम तापक्रम पर ही पिघल जाती है। उदाहरण के लिए, यदि बर्फ का तापक्रम-5° है और स्केटिंग के जूते के कारण बर्फ पर पड़ने वाला दबाव उसके गलनांक को पाँच डिग्री से भी अधिक नीचे कर देता है, तो स्केट के नीचे बर्फ पिघल जाएगी।[1] इससे क्या होता है? स्केट और बर्फ के बीच पानी की पतली सी परत बन जाती है और स्केट 'सवार फिसलने लगता है। उसके पैर जहाँ-जहाँ पड़ेंगे, यही होगा। हर जगह स्केट के नीचे की बर्फ पानी की पतली परत में परिणत हो जाएगी। सभी ज्ञात पिंडों में एकमात्र बर्फ ही यह गुण रखती है, इसीलिए एक सोवियत भौतिकविद् ने बर्फ को ''प्रकृति में एकमात्र फिसलनदार वस्तु'' की उपमा दी है। बाकी पिंड चिकने हैं, पर फिसलनदार नहीं हैं।

अब हम अपने प्रश्न पर लौट सकते हैं कि कौन अधिक फिसलनदार है–चिकनी बर्फ या रूखड़ी। हमें ज्ञात है कि कोई बोझ उतनी ही अधिक शक्ति से दबाता है, जितना कम उसके आधार का क्षेत्र होता है। आदमी किस स्थिति में आधार पर अधिक दबाव डालता है : जब वह बर्फ की आइने सी चिकनी सतह पर खड़ा होता है या रूखड़ी सतह पर? स्पष्ट है कि दूसरी स्थिति में, क्योंकि इसमें आदमी रूखड़ी सतह के चंद उभरे स्थलों पर ही टिका है। इन स्थलों का कुल क्षेत्रफल काफी कम होगा, अतः इन पर दबाव काफी अधिक होगा। बर्फ पर जितना ही अधिक दबाव पड़ेगा, उतना ही अधिक द्रवण होगा और इसीलिए बर्फ उतनी ही फिसलनदार होगी (यह उस स्थिति के लिए सत्य है, जब स्केट का जमीन को स्पर्श करने वाला तल पर्याप्त चौड़ा होता है; काफी संकीर्ण स्पर्श-तल होने की वजह से बर्फ के उभरे भाग फंसने लगते हैं और अधिकांश शक्ति इनको काटने में खर्च होने लगती है)।

अधिक दबाव के कारण बर्फ का गलानंक कम हो जाता है–इस तथ्य से दैनिक जीवन की अनेक घटनाओं को समझाया जा सकता है। इसी खूबी के कारण बर्फ के टुकड़ों को आपस में जोर से दबाने पर वे जुड़ कर एक हो जाते हैं। बच्चे जब मुट्ठी भर भुरभुरे बर्फ को हाथ में रख कर दबाते हैं, तो वे अनजाने में इसी गुण का उपयोग करते हैं : दबाव बढ़ा कर हिम-कणों के बीच के स्थान में द्रवण क्रिया आरंभ कर देते हैं। इससे प्राप्त द्रव दबाव दूर होने पर सभी हिम-कणों को एक-साथ जोड़ता हुआ पुनः जम जाता है और भुरभुरे बर्फ की जगह बर्फ का एकाश्म गोला प्राप्त होता है। बर्फ की प्रतिमा बनाने के लिए जब हिम-रेणुका पर बर्फ का लांदा लुढ़काना शुरू करते हैं, तो हम यहाँ भी इसी गुण का उपयोग करते हैं : लोंदे के भार से उसके नीचे पड़ी हिम-रेणुका की सतह पर द्रवण-क्रिया शुरू हो जाती है। प्राप्त द्रव लोंदे के साथ चिपकता हुआ जम जाता है (दबाव समाप्त होने पर) और लोंदे को बड़ा करता जाता है। अब आप समझते होंगे कि बहुत कड़क सर्दी में बर्फ की प्रतिमा गढ़ना क्यों मुश्किल होता है। बर्फ के धूल-कण आपस में चिपकते नहीं; इसके लिए बहुत अधिक दबाव की आवश्यकता पड़ती है। सड़कपर गिरे मुलायम बर्फ के फाहे चलने वालों के भार से दब-दब कर पत्थर की तरह कड़ी परत बना देते हैं–यह भी इसी कारण से।

---

1. सैद्धांतिक कलन किया जा सकता है कि बर्फ का गलनांक 1°C कम करने के लिए उस पर $130 kg/cm^2$ का दबाव डालना चाहिए। स्लेज या स्केट बर्फ पर इतना बड़ा दबाव डाल सकते हैं? यदि स्केट-सवार के पूरे भार को स्केट व जमीन के पस्पर्श-क्षेत्र पर समान रूप से वितरित किया जाए, तो काफी कम दबाव प्राप्त होगा। यह सिद्ध करता है कि स्केट का तल समान रूप से जमीन पर नहीं सटा रहता; उसका एक छोटा भाग ही जमीन से सटा होता है और बर्फ पर दबाव डालता है।

(सैद्धांतिक कलन इस मान्यता पर किया गया है कि बर्फ और उसके पिघलने से प्राप्त पानी एक ही दबाव में हैं। पर लेखक द्वारा वर्णित उदाहरण में बर्फ के गलने से बिना पानी साधारण वात-दाब में ही है। ऐसी स्थिति में बर्फ का गलनांक शून्य से नीचे करने के लिए अपेक्षाकृत कम दाब की आवश्यकता पड़ती है।–संपादक)

बर्फ की चुटिया[1]

बर्फ की चुटिया कैसे बनती होगी? किस प्रकार के मौसम में वह बन सकती है : जब तापक्रम शून्य से थोड़ा ऊपर होता है या जब वह शून्य से नीचे होता है? यदि तापक्रम शून्य से अधिक हो, तो पानी जम कर बर्फ में परिणत नहीं हो सकता। यदि तापक्रम शून्य से कम था, तो फिर छप्पर पर से चूने के लिए पानी कहाँ से आया? और अंत में, यह भी संभव नहीं है कि पहले गर्मी थी और छप्पर पर से ठीक पानी चूने के क्षण हठात कड़क सर्दी पड़ने लगी और चूने को तैयार पानी क्षण भर में जम कर बर्फ की चुटिया में परिणत हो गया।

बर्फ की चुटिया बनने के लिए आवश्यक है कि एक साथ ही दो भिन्न तापक्रम विद्यमान हों—प्रथमतः शून्य से अधिक, ताकि बर्फ गल सके और दूसरे, शून्य से कम, ताकि पानी जम कर बर्फ में परिणत हो सके।

वास्तविकता में यही होता भी है : छप्पर के नत-तल पर सूर्य-किरणें बर्फ को शून्य से अधिक तापक्रम तक गर्म करती हैं, जिससे वह पानी की नन्हीं बूँदों में परिणत होने लगती है। बूँदें जब वहाँ से बह कर छप्पर की किनारी से चूने की तैयारी करने लगती हैं, जमने लगती हैं, क्योंकि यहाँ तापक्रम शून्य से कम है। बूँद के बाद बूँद आ-आ कर जमती जाती हैं और प्राप्त होती है शीशे सी पारदर्शक बर्फ की लंबी चुटिया।

चित्र 87. सूर्य-किरणें क्षैतिज धरातल की अपेक्षा नत छप्परों को अधिक गर्म करती हैं (संख्याएँ कोणों की माप बता रही हैं)।

निम्न स्थिति की कल्पना करें। आकाश साफ है। वातावरण का तापक्रम-1 या -2 डिग्री है। सूर्यकिरणों की वर्षा हो रही है। पर सूर्य की तिरछी किरणें धरती को इतना गर्म नहीं करतीं कि बर्फ पिघल सके। सूरज की ओर वाले नत छप्पर पर किरणें इतनी तिरछी नहीं पड़तीं, जितनी तिरछी जमीन पर पड़ती है। नत छप्पर पर किरणें लंब की ओर अधिक झुकी होती हैं (चित्र 87)। हमें ज्ञात है कि जिस तल पर किरणें गिरती हैं, उस तल के साथ किरणें जितना ही बड़ा कोण बनाएँगी, तल को इतना ही अधिक प्रकाश व ताप प्राप्त होगा। (किरणों का प्रभाव इस कोण के ज्या का समानुपाती होता है; चित्र 87 में दिखाई स्थिति में क्षैतिज तल की अपेक्षा छप्पर के नत-तल को 2.5 गुनी अधिक गर्मी प्राप्त होती है, क्योंकि 20° कोण की ज्या की तुलना में 60° कोण की ज्या 2.5 गुनी अधिक बड़ी है।) यही कारण है कि छप्पर की ढलान अधिक गर्म होती है और उस पर की बर्फ पिघल सकती है। पिघला हुआ पानी दलान पर बहता है और बूँदों के रूप में चूने की तैयारी करता हुआ किनारी से नीचे की ओर लटकता है। पर यहाँ छप्पर के नीचे तापक्रम शून्य से कम है, अतः बूँद जम जाती है (उसे ठंडा करने में वाष्पीकरण का भी हाथ होता है)। जमी बूंद पर दूसरी बूंद लुढ़क आती है और वह भी इसी प्रकार जम जाती है। इसी प्रकार धीरे-धीरे बर्फ का एक उभार सा बन जाता है। अगली बार जब ऐसा ही मौसम आता है, तो ये उभार कुछ और लंबे हो जाते हैं और अंत में चुटिया

1. आपने बरसात में छप्पर की ओरी से गिरते हुए पानी की धार देखी होगी। आप कल्पना करें कि धार जैसी ही गिरना शुरू करती है, जम कर बर्फ में परिणत हो जाती है और छप्पर की ओरी से शीशे की पारदर्शक चुटिया की तरह ज्यों-कि-त्यों लटकी रह जाती है। इसे बर्फ की चुटिया कह सकते हैं। ठंडी जलवायु के देशों में जाड़े के दिनों छप्परों के चारों ओर बर्फ की अनेक चुटियाँ लटकी रहती हैं।—अनु.

का रूप धारण कर लेते हैं। इस विधि से उन घरों के छप्परों पर बर्फ की चुटियां बनती हैं, जिनमें कोई तापदायक प्रणाली नहीं लगी होती।

यही कारण[1] हमारी आँखों के समक्ष कहीं अधिक बड़ी संवृत्तियों को जन्म देता है : जलवायवीय कटिबंधों व ऋतुओं में जो भिन्नता होती है, इसका कारण मुख्यतः सूर्य-किरणों के आपतन कोणों का परिवर्तन ही है। सूरज हमसे जाड़ों में लगभग उतनी ही दूरी पर होता है, जितनी गर्मियों में; ध्रुवों और विष्वक रेखा से भी उसकी दूरियाँ समान ही हैं (इन दूरियों में अंतर इतना कम है कि उसकी उपेक्षा कर सकते हैं)। पर सूर्य-किरणों के झुकाव का कोण विष्वक के पास कहीं अधिक बड़ा है, बनिस्बत कि ध्रुवों के पास; गर्मियों में एक कोण बड़ा होता है, बनिस्बत की जाड़ों में। इसी कारण से दैनिक तापक्रमों में काफी अंतर रहता है और इसीलिए प्रकृति के पूरे जीवन में भी भिन्नता आ जाती है।

1. यह एक मुख्य कारण है, पर सर्वेसर्वा नहीं है। दिन की लंबाई, अर्थात वह अंतराल, जिसके दरम्यान सूर्य पृथ्वी को गर्म करता है—यह भी एक कम महत्त्वपूर्ण कारण नहीं है। पर दोनों ही कारण एक खगोलीय तथ्य से उत्पन्न होते हैं। यह तथ्य है : पृथ्वी द्वारा सूर्य के गिर्द परिक्रमण के तल के साथ पृथ्वी की धुरी का झुकाव।

अध्याय-7
प्रकाश की किरणें

कैद छाया

आह, छाया, काली छाया,
किसे तुम नहीं दौड़ाती?
किसे तुम नहीं हराती?
सिर्फ तुम्हें है, काली छाया,
मुश्किल पकड़ना, भरना अंक!

निक्रासव

हमारे पूर्वज छाया को पकड़ना नहीं जानते थे, पर उससे फायदा निकालना जानते थे : वे उसकी सहायता से आदमी का "सिलुएट" या छायाकृति प्राप्त किया करते थे।

फोटोग्राफी के कारण आज हर व्यक्ति अपना या अपने प्रियजनों का चित्र प्राप्त कर सकता है। पर XVIII-वीं शती के लोग इतने भाग्यशाली नहीं थे : चित्रकार चित्र बनाने के लिए काफी बड़ी धन-राशियाँ वसूला करते थे और अधिक पैसे खर्च करना हरेक के वश की बात नहीं थी। सिलुएट के लोकप्रिय होने का कारण यही था। वे कुछ हद तक आधुनिक फोटाग्राफी का काम करते थे। सिलुएट छाया को कैद करके जड़ देने से प्राप्त होता है। उसे यंत्रतव प्राप्त किया जाता था और इसीलिए वे अपनी प्रतिकूल प्रक्रिया प्रकाश-लेखन (फोटोग्राफी) की याद दिलाते हैं। चित्र बनाने के लिए हम **प्रकाश** का उपयोग करते हैं और हमारे पूर्वज उसकी अनुपस्थिति-**छाया**-का उपयोग करते थे।

चित्र 88. सिलुएटी चित्र प्राप्त करने की पुरानी विधि।

सिलुएट कैसे बनाया जाता था, यह चित्र 88 से स्पष्ट है। सिर को इस प्रकार घुमा कर रखते थे कि छाया पार्श्व-आकृति

देती थी। आकृति की परिरेखा पर पेंसिल घुमा कर चित्र बना लेते थे और उसे काली स्याही से रंग देते थे; सिलुएट तैयार हो जाता था। आवश्यकता होने पर एक विशेष यंत्र-पैंटोग्राफ (चित्र 89)–की सहायता से उसे छोटा भी कर सकते थे।

आप यह न सोचें कि सीधा-सादा काला पुता हुआ चित्र व्यक्ति की विशेषताओं को नहीं व्यक्त कर सकता। इसके विपरित, अच्छा सिलुएट आदमी को बहुत सही तरह दिखा सकता है।

चित्र 89. सिलुएटी चित्र को छोटा करना।

चित्र 90. शिल्लेर का सिलुएट

सरल परिरेखाओं द्वारा मूल से मिलता-जुलता चित्र देने की क्षमता के कारण कई चित्रकार छाया-चित्रण की ओर आकर्षित हुए और पूरे के पूरे प्राकृतिक दृश्यों आदि को भी इसी रूप में चित्रित करने लगे। सिलुएटी चित्रण धीरे-धीरे एक विशेष शैली में परिणत हो गया, जिसे अनेक चित्रकारों ने अपनाया।

''सिलुएट'' शब्द का उद्‌भव बहुत ही मजेदार है : XVIII-वीं शती के मध्य में फ्रांस के वित्त मंत्री एथेन दे सिलुएट थे, जो अपने समकालीनों को मितव्ययता का उपदेश दिया करते थे। उन्हें उच्चवर्गीय लोगों से विशेष शिकायत थी कि वे चित्रों के पीछे बहुत धन बरबाद करते थे। छाया-चित्र के सस्तेपन के कारण कुछ मजाकिया लोग उसे "a la Silhouette" (''सिलुएट का'') चित्र कहने लगे।

अंडे में चूजा

अपने मित्रों को एक मनोरंजक खेल दिखाने के लिए आप छाया के गुणों का उपयोग कर सकते हैं। तिलचट कागज का एक पर्दा बना लीजिए। एक बड़े गत्ते में आयताकार छेद करके इसमें तिलचट कागज लगा देने से काम चल जाएगा। पर्दे के पीछे दो लैंप रख दीजिए। दर्शक पर्दे की दूसरी ओर बैठेंगे। एक लैंप (उदाहरणार्थ बायाँ) जलाए।

जलते लैंप और पर्दे के बीच एक अंडाकार गत्ता तार से लटका दें या स्तंभ पर खड़ा कर दें। दूसरी ओर बैठे दर्शकों को पर्दे पर अंडा दिखेगा। (दायाँ लैंप अभी जला नहीं है।) अब आप मित्रों से कहें कि आप ''एक्सरे की मशीन'' चालू करने जा रहे हैं, जिससे अंडे में बैठे चूजे को देखा जा सकेगा। और सचमुच में क्षण भर बाद दर्शक देखते हैं कि अंडे का सिलुएट किनारियों पर थोड़ा प्रकाशमान हो रहा है और उसके बीचो-बीच चूजे का स्पष्ट सिलुएट दिख रहा है (चित्र 91)।

चित्र 91. मिथ्या एक्सरे-चित्र

जादू का रहस्य क्या हैं? आप दायाँ लैंप जलाते हैं। उसकी किरणों के पथ पर गत्ते की बनी चूजे की पर्याकृति रखी हुई, जो पर्दे पर चूजें का सिलुएट देता है। अंडाकार छाया का कुछ भाग दाएँ लैंप के कारण प्रकाशमान हो जाता है, पर पर्दे के जिस स्थान पर चूजे का सिलुएट है, वहाँ न बाएँ

लैंप का प्रकाश पड़ता है, न दाएँ का। इसीलिए अंडा अपनी किनारी पर प्रकाशमान हो उठता है और चूजे का सिलुएट अधिक स्पष्ट (काला) दिखता है। पर्दे की दूसरी ओर बैठे दर्शक, जो आपके कारनामों से अनभिज्ञ हैं, यदि भौतिकी और शरीरक्रिया-विज्ञान का ज्ञान नहीं रखते, तो सोचेंगे कि आप सचमुच अंडे का एक्सरे कर रहे हैं।

कार्टूनी फोटोग्राफी

बहुत कम ही लोग जानते होंगे कि फोटो-कैमरा बिना विशालक शीशे (लेंस) का भी होता है। लेंस की जगह सिर्फ छोटे से गोल छेद से भी काम चल जाएगा। इसमें चित्र कुछ कम स्पष्ट मिलते हैं। बिना लेंस वाले कैमरों का एक मनोरंजक रूप है ''झिरीदार'' कैमरा। इसमें गोल छेद की बजाय एक दूसरे को काटने वाली दो महीन दरारें होती हैं। कैमरे के अग्रभाग में दोहरी दीवार होती हैः एक पर झिरी क्षैतिज होती है और दूसरी पर इसके अभिलंब। जब दोनों दीवारें एक-दूसरी से सटी होती हैं, तो चित्र वैसा ही प्राप्त होता है, जैसा गोल छेद वाले कैमरे से। लेकिन यदि दीवारों के बीच कुछ दूरी हो (उन्हें इस तरह बनाया जाता है कि खिसकायी जा सकें), तो कुछ और ही नजर आता है। चित्र हास्यजनक रूप से विकृत हो उठता है (चित्र 92 व 93); फोटोग्राफ नहीं, कार्टून प्राप्त हो जाता है।

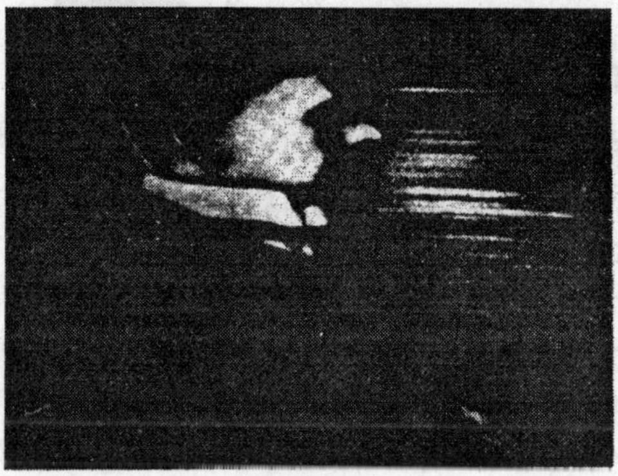

चित्र 92. झिरीदार कैमरे से प्राप्त कार्टूनी फोटो-ग्राफ। चित्र क्षैतिज लमड़ा हुआ है।

चित्र 93. उदग्र लमड़ा हुआ कार्टूनी फोटोग्राफ (झिरीदार कैमरे से प्राप्त)।

इस विकृति का क्या कारण है?

चित्र 94 की स्थिति पर गौर करें : क्षैतिज झिरी उदग्र झिरी के आगे है। आकृति *D* (क्रौस) की उदग्र रेखा से चलती किरणें प्रथम झिरी *C* को उसी तरह से पार करेंगी, जैसे साधारण छेद को; पीछे की उदग्र झिरी इन किरणों के पथ पर कोई प्रभाव नहीं डालेगी। अतः दूधिए शीशे *A* पर उदग्र रेखा के बिंब का पैमाना दूधिए शीशे *A* और दीवार *C* के बीच की दूरी के अनुरूप होगा।

शीशे पर **क्षैतिज** रेखा (यदि झिरियों की स्थितियाँ नहीं बदली हैं) कुछ और तरह की होगी। पहली (क्षैतिज) झिरी से किरणें बिना एक दूसरे को काटे निर्बाध पार हो जाएगी। **उदग्र** झिरी *B* को वे उसी तरह पार करेंगी, जैसे छोटे छिद्र को। इससे दूधिए शीशे पर उस पैमाने का बिंब मिलेगा, जो *A* से दीवार *B* तक की दूरी के अनुरूप होगा।

यदि संक्षेप में कहें, तो उदग्र रेखाओं के लिए मानों सिर्फ **अगली** (क्षैतिज) झिरी रहती है और क्षैतिज रेखाओं के लिए—सिर्फ **पिछली** (उदग्र)। और चूंकी अगली झिरी पिछली की अपेक्षा दूधिए शीशे से कहीं दूर है, इसलिए दूधिए शीशे *A* पर सभी उदग्र लंबाइयाँ क्षैतिज लंबाइयों की तुलना में कहीं बड़ी होंगी : बिंब खड़ी या उदग्र दिशा में लमड़ी हुई लगेगी।

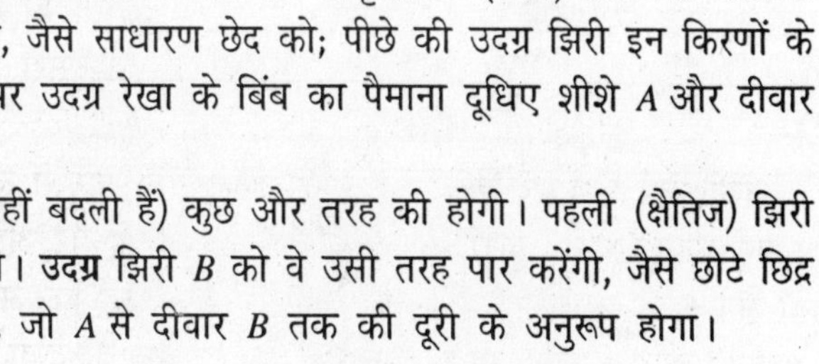

चित्र 94. झिरीदार कैमरा विकृत आकृति क्यों देता है?

इसके विपरीत, यदि उदग्र झिरी आगे हो और क्षैतिज पीछे, तो बिंब क्षैतिज दिशा में लमड़ा हुआ मिलेगा (तुलना करें चित्र 92 व 93)।

स्पष्ट है कि यदि झिरियाँ एक दूसरे के सापेक्ष तिरछी हों, तो विकृति कुछ और ही प्रकार की प्राप्त होगी।

ऐसे कैमरों का उपयोग सिर्फ कार्टूनी फोटोग्राफ के लिए ही नहीं किया जाता। उसे दूसरे आवश्यक व व्यावहारिक कार्यों में भी काम में लाया जा सकता है। उदाहरण के लिए, भवनों, कालीनों आदि को सजाने के लिए बेल-बूटों की लंबाई-चौड़ाई बदलने के लिए भी इसका उपयोग किया जा सकता है, ताकि बेल-बूटे किसी खास दिशा में लमड़े या सिकुड़े हुए दिखें।

सूर्योदय से संबंधित प्रश्न

माना कि आप 5 बजे सुबह सूर्योदय का अवलोकन कर रहे हैं। ज्ञात है कि प्रकाश का गमन क्षणिक क्रिया नहीं है; स्रोत से प्रेक्षक की आँखों तक आने में वह कुछ समय लगाता है। अतः ऐसा प्रश्न पूछा जा सकता है : यदि प्रकाश का प्रसर क्षणिक होता, तो वही सूर्योदय आप कितने बजे देख सकते?

सूर्य से पृथ्वी तक आने में प्रकाश को कोई 8 मिनट लगते हैं। यदि प्रकाश का प्रसर क्षणिक हो, तो इस हिसाब से सूर्योदय हमें 8 मिनट पहले, अर्थात 4 बज कर 52 मिनट पर दिखना चाहिए।

बहुतों को शायद विश्वास नहीं होगा कि उत्तर बिल्कुल गलत है। सूरज के "उदय होने" का कारण यह है कि पृथ्वी अपनी सतह के नए-नए बिंदुओं को पहले से **प्रकाशमान व्योम** की ओर लाती रहती है। अतः प्रकाश के क्षणिक प्रसर के बावजूद भी सूर्योदय आपको उसी क्षण दिखेगा, जिस क्षण अभी, अर्थात प्रकाश के क्रमिक प्रसर की स्थिति में दिखता है। अन्य शब्दों में, सूर्योदय आपको ठीक 5 बजे ही दिखेगा।[1]

यदि आप टेलिस्कोप द्वारा सूर्य की किनारी पर किसी धब्बे या प्रावर्ध के प्रादुर्भाव का प्रेक्षण कर रहे हैं, तो बात दूसरी है : यदि प्रकाश का प्रसर क्षणिक होता, तो ऐसी घटना का अवलोकन आप 8 मिनट पहले करते।

---

1. यदि तथाकथित "वातवरणीय अपवर्तन" को ध्यान में रखा जाए, तो परिणाम और भी आशातीत होगा। अपवर्तन हवा में प्रकाश के पथ को मोड़ देता है और इसीलिए हम सूरज को उसके ज्यामितीय रूप से क्षितिज के ऊपर उठने के **थोड़ा पहले** ही देख लेते हैं। पर क्षणिक प्रसर की स्थिति में अपवर्तन संभव नहीं है। अपवर्तन तभी हो सकता है, जब भिन्न माध्यमों में प्रकाश का वेग भी भिन्न हो। अपवर्तन की अनुपस्थिति के कारण प्रेक्षक को प्रकाश के क्षणिक प्रसर की स्थिति में सूर्य **कुछ देर से** ही दिखेगा, बनिस्बत कि उस स्थिति में, जब प्रकाश का प्रसर क्रमिक होता है। समय का अंतर प्रेक्षण-स्थान के अक्षांश, वातावरण के तापक्रम तथा अन्य परिस्थितियों पर निर्भर करता और उसका मान दो मिनट से लेकर कुछ दिनों तक (ध्रुववर्ती आक्षांशों पर इससे भी अधिक) होता। आप यहाँ एक दिलचस्प विरोधाभास देख सकते हैं : प्रकाश के क्षणिक (अर्थात् अनंत क्षिप्र) प्रसर से सूर्योदय कुछ देर से दिखता, बनिस्बत कि उसके क्रमिक प्रसर से! इस प्रश्न के बारे में और नई बातें जानने के लिए देखें मेरी पुस्तक "क्या आप भौतिकी जानते हैं?"

अध्याय 8

प्रकाश का परावर्तन एवं अपवर्तन

दीवार के पार देखना

पिछली शती की नवीं दशाब्दी में एक मनोरंजक उपकरण बिका करता था, जिसका नाम था : ''एक्सरे उपकरण''। उस समय मैं स्कूल में पढ़ता था और मुझे याद है कि इस धूर्त उपकरण ने किस तरह मुझे चक्कर में डाल दिया था। इसमें एक नली थी, जिसकी सहायता से बिल्कुल अपारदर्शक वस्तुओं के पार भी देखा जा सकता था। इस नली से मैं सिर्फ मोटे कागज ही नहीं, छूरी की मोटी पत्ती के पार भी वस्तुएँ साफ-साफ देख सकता था। ऐसी पत्ती को एक्स-किरणें भी बेधने में असमर्थ हैं। इस खिलौने की सरल बनावट का रहस्य आपके लिए स्पष्ट हो जाएगा, यदि आप चित्र 95 पर एक निगाह डालेंगे। चित्र में उक्त नली का प्रतिरूप दिखाया गया है। 45º के कोण पर झुके चार दर्पण किरणों को इस प्रकार परावर्तितत करते है, कि किरणों का पथ अपारदर्शक वस्तु के नीचे हो जाता है और फिर अपारदर्शक वस्तु के पार स्थित वस्तु तक पहुँच जाता है।

चित्र 95. मिथ्या एक्सरे का उपकरण

युद्ध में ऐसे उपकरणों का उपयोग काफी प्रचलित है। ''पेरिस्कोप'' (चित्र 96) नामक उपकरण की सहायता से आप खाई में बैठे-बैठे शत्रु की गति-विधि देख सकते हैं;. इसके लिए आपको अपना सर बाहर निकालने और दुश्मन की गोली खाने का खतरा मोल नहीं लेना होगा।

पेरिस्कोप में प्रकाश के प्रविष्ट होने की जगह से प्रेक्षक की आँख तक की दूरी जितनी लंबी होगी, उपकरण द्वारा दिखने वाला क्षेत्र उतना ही सीमित होगा। दृश्य-क्षेत्र को विस्तृत करने के लिए औप्टिक (प्रकाशीय) शीशों के तंत्र का उपयोग करते हैं। पर शीशे पेरिस्कोप में प्रविष्ट होने वाले प्रकाश के कुछ भाग को अवशोषित कर लेते हैं और उसके कारण दृश्य की स्पष्टता बुरी हो जाती है। ये बातें पेरिस्कोप की ऊँचाई को सीमित कर देती हैं। 20 मीटर से अधिक ऊँचे पेरिस्कोप में दृश्य-क्षेत्र अत्यंत संकुचित हो जाता है और दृश्य बिल्कुल अस्पष्ट सा हो जाता है। बदरी के दिन में अस्पष्टता और भी बढ़ जाती है।

पनडुब्बी के कैप्टेन भी आक्रमक जहाजों को पेरिस्कोप की मदद से ही देखते हैं। यह एक लंबी नली होती है, जिसका एक सिरा पानी के ऊपर होता है। ये पेरिस्कोप थल पर प्रयुक्त पेरिस्कोपों से कहीं अधिक जटिल होते हैं, पर सिद्धांततः दोनों में कोई फर्क नहीं होताः किरणें दर्पण (या प्रिज्म) से परावर्तित होकर नली के भीतर भ्रमण करती हैं ओर निचले भाग में पुनः परावर्तित होकर प्रेक्षक की आँखों तक पहुँचती हैं। (चित्र 97)।

चित्र 96. पेरिस्कोप

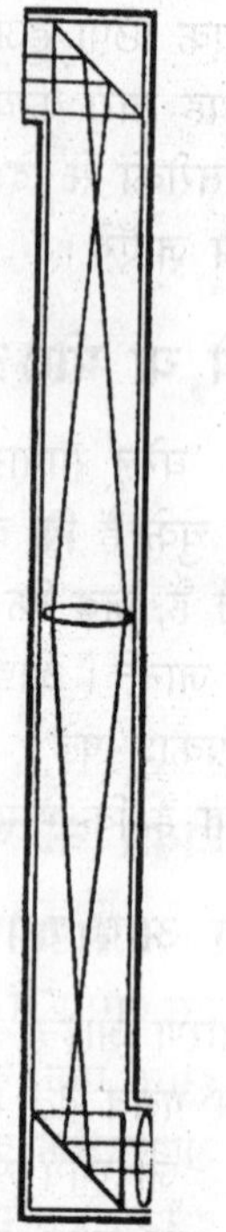

चित्र 97. पनडुब्बी के पेरिस्कोप का आरेख

''कटा हुआ'' सर कैसे बोलता है

यह चमत्कार अक्सर मीनाबाजारों आदि में दिखाते हैं। रहस्य से अनभिज्ञ व्यक्ति को यह निश्चय ही आश्चर्यचकित कर देता है : आप अपने समक्ष एक छोटा टेबुल देखते हैं जिस पर एक थाल रखा होता है। थाल में होता है...आदमी का जीता-जागता सर, जो पलकें झपकाता है, बोलता है, खाता है। देखने पर लगता है कि टेबुल के नीचे धड़ छिपाने की कोई जगह नहीं है। आपको टेबुल के काफी निकट नहीं आने दिया जाता, टेबुल और आपके बीच रस्सियों का एक घेरा होता है, फिर भी आप स्पष्ट देख सकते हैं कि टेबुल के नीचे कुछ भी नहीं है।

यदि आपको यह चमत्कार देखने का फिर मौका मिले, तो कागज के एक मुड़े-चुड़े टुकड़े को टेबुल के नीचे खाली स्थान में फेंक दीजिएगा। रहस्य तुरंत खुल जाएगा : कागज टकरा कर गिर जाएगा...आइने से। यदि कागज का टुकड़ा टेबुल तक नहीं भी पहुँचे, तो भी आइने के लिए छिपना मुश्किल हो जाएगा, क्योंकि उसमें कागज का प्रतिबिंब दिख जाएगा। (चित्र 98)।

टेबुल के पैरों के बीच दर्पण की दीवार लगा देना पर्याप्त रहेगा, ताकि उसके नीचे का व्योम दूर से खाली दिखे। जाहिर है कि कमरे का दृश्य या दर्शक दर्पण में प्रतिबिंबित नहीं होने चाहिए, दीवारें और फर्श एक जैसे रंगे होने चाहिए, उन पर कोई नक्काशी या बेल-बूटे नहीं होने चाहिए और दर्शकों को पर्याप्त दूरी पर रखना चाहिए।

रहस्य इतना सरल है कि हँसी आती है, पर जब तक उसका पता न चल जाए, आदमी आश्चर्य में डूबा रहता है।

कभी-कभी जादू और असरदार तरीके से दिखाया जाता है। जादूगर पहले खाली टेबुल दिखाता है : उसके ऊपर और नीचे कुछ भी नहीं होता। इसके बाद पर्दे के पीछे से बंद डब्बा लाया जाता है, जिसमें (जादूगर के अनुसार) ''बिना धड़ के जिंदा सर'' रखा होता है। पर दरअसल डब्बे में कुछ भी नहीं होता। जादूगर इस डब्बे को टेबूल पर रखता है, उसके सामने की दीवार हटा देता है और...आश्चर्यचकित दर्शकों के सामने बोलता सर प्रकट हो जाता है। पाठक शायद समझ गए होंगे कि टेबुल के ऊपरी तख्ते

चित्र 98. ''कटे'' सर का रहस्य

पर एक छिपा हुआ ढक्कन सा होता है, जिसे नीचे बैठा आदमी खिसका कर छेद से अपना सर ऊपर निकाल लेता है। यह सारा कार्य आसानी के साथ संपन्न किया जा सकता है, क्योंकि डब्बे में नीचे से पेंदा नहीं होता। जादू और कई तरीकों से दिखाया जा सकता है, पर उन सभी का वर्णन हम नहीं करेंगे; उन्हें देखकर पाठक उनका रहस्य स्वयं समझ जाएँगे।

आगे या पीछे?

घरेलू सामानों में कई ऐसी चीजें हैं, जिनका व्यवहार अनेक लोग उपयुक्त ढंग से नहीं करते। इसके पहले हम बता चुके हैं कि कई लोग ठंडा करने के लिए बर्फ का उपायोग सही तरीके से नहीं करते : वे पेय को बर्फ के **ऊपर** रखते हैं, जब कि उसे बर्फ के नीचे रखना चाहिए। ज्ञात होता है कि कई लोग साधारण दर्पण को व्यवहार में लाना नहीं जानते। आईने में अच्छी तरह से दिखने के लिए लोग अक्सर ही लैंप अपने **पीछे** रख देते हैं ताकि ''प्रतिबिंब पर प्रकाश पड़े'', जबकि उन्हें खुद पर प्रकाश डालना चाहिए। बहुत सी औरतें इसी प्रकार दर्पण का प्रयोग करती हैं। आशा है कि हमारी पाठिकाएँ निश्चय ही लैंप अपने **आगे** रखा करेंगी।

क्या आप दर्पण को देख सकते हैं?

साधारण आइने को भी अच्छी तरह नहीं जानने का एक और प्रमाण : अधिकांश लोग शीर्षक में दिए गए प्रश्न का उत्तर गलत देते हैं, यद्यपि आइने में हर दिन देखा करते हैं।

जो लोग सोचते हैं कि दर्पण का देखा जा सकता है, वे गलत हैं। अच्छा और साथ-सुथरा दर्पण अदृश्य होता है। आप दर्पण का फ्रेम देख सकते हैं, उसकी किनारी देख सकते हैं, उसमें प्रतिबिंबित वस्तुओं को देख सकते हैं, पर यदि गंदा नहीं है, तो उसे आप नहीं देख सकते। कोई भी परावर्तक सतह अपने आप में अदृश्य होती है। उसमें और प्रकीर्णक सतहों में यही फर्क है (प्रकीर्णक ऐसी सतह को कहते हैं, जो प्रकाश-किरणों को हर संभव दिशा में फेंकती रहती है। बोल-चाल की भाषा में परावर्तक सतह को हम चिकनी, चमकीली या पौलिश की हुई सतह कहते हैं और प्रकीर्णक को-रूखड़ी, चमकहीन आदि)।

दर्पण का उपयोग करने वाली हाथ की सफाइयाँ, जादू आदि इसी तथ्य पर आधारित हैं कि दर्पण खुद अदृश्य रहता है, दृश्य होती हैं सिर्फ उसमें प्रतिबिंबित वस्तुएँ। बिना धड़ के सर वाला जादू भी इसी तथ्य पर आधारित है।

दर्पण में हम किसे देखते हैं?

''जाहिर है कि खुद अपने को!—बहुत से लोग उत्तर देंगे। दर्पण में हमारा बिंब हमारी खुद की नकल है, हमारा खुद का चित्र है और हर तरह से हमसे मिलता-जुलता होता है''।

क्या आप इस सादृश्य को जाँचना चाहेंगे? आपके दाएँ गाल पर एक तिल है। आपकी प्रतिमूर्ति के दाएँ गाल पर कोई निशान नहीं हैं, पर उसके बाएँ गाल पर एक काला धब्बा है, जो आपके बाएँ गाल पर नहीं हैं। आप कंधी **दाईं** ओर करते हैं, आपका हम शक्ल—**बाईं** ओर। आपकी दाहिनी भौं बाईं की तुलना में कुछ ऊँची और घनी है। उसकी यह भौं कुछ नीची और कम घनी है। आप बंडी की दाईं जेब में घड़ी रखते हैं और बाईं में डायरी रखते हैं। आपके हमशक्ल की आदतें ठीक उल्टी हैं : वह घड़ी बाईं जेब में रखता है और डायरी दाईं जेब में। उसकी घड़ी के डायल पर नजर डालिए। आपके

चित्र 99. ऐसी ही घड़ी आपके हमशक्ल के पास है, जिसे आप आईने में देखते हैं।

पास ऐसी घड़ी कभी नहीं थी : उसमें अंकों की स्थितियाँ और लिखावट बिल्कुल असाधारण सी हैं; उदाहरणार्थ, अंक आठ दुनियाँ में कहीं भी इस प्रकार नहीं लिखा जाता—IIX, और वह लिखा भी गया है बारह की जगह पर। बारह उसमें है ही नहीं, छः के बाद पाँच आता है, आदि आदि। इन सब बातों के अतिरिक्त, आपके हमशक्ल की घड़ी में सुइयाँ उल्टी घूमती हैं।

और अंत में, आपके दर्पणी हमशक्ल में एक शारीरिक ऐब है, जो, मैं सोचता हूँ, आपमें नहीं है : वह वाम-हत्था है; वह लिखने, खाने आदि का कार्य बाएँ हाथ से करता है, और यदि आप उससे हाथ मिलाना चाहेंगे, तो वह अपना बायाँ हाथ बढ़ाएगा।

यह तय करना बिल्कुल कठिन है कि आपका हमशक्ल पढ़ा-लिखा भी है या नहीं। उसके हाथ में पड़ी पुस्तक से आप एक पंक्ति भी शायद नहीं पढ़ सकेंगे और जो कुछ वह बाएँ हाथ से लिखता है, उससे आप एक शब्द भी नहीं समझ सकेंगे।

आपके साथ पूर्ण सादृश्य का दावा रखने वाले आदमी का यही चित्रण है। और आप उसके आधार पर खुद के बारे में अपने खयाल बनाते हैं...

मजाक बंद किया जाए : यदि आप सोचते हैं कि आइने में झाँकते वक्त आप खुद को देखते हैं, तो यह आपकी गलतफहमी है। अधिकतर लोगों के मुख, धड़, कपड़े आदि पूर्णतया सममित (सिमेट्रिकल) नहीं होते (और इस पर हमारा ध्यान भी नहीं जाता) शरीर का वामार्ध दक्षिणार्ध के साथ पूर्णतया सादृश्य नहीं रखता। हमारे शरीर के दाएं अर्ध के गुण दर्पण में वामार्ध के गुणों में परिणत हो जाते हैं और इसके विपरीत वामार्ध के गुण दाएँ अर्ध में चले जाते हैं। इसी कारण दर्पण में हम नहीं, कोई दूसरा ही होता है, जिसके साथ हमारा बहुत कम मेल बैठता है।

दर्पण के समक्ष चित्र बनाना

मूल वस्तु और दर्पण में उसके प्रतिबिंब की असादृश्यता निम्न प्रयोग द्वारा और अच्छी तरह देखी जा सकती है।

टेबुल पर अपने सामने उदग्र रूप से एक दर्पण खड़ा करें। उसके समीप एक सादा कागज रखकर कोई त्रिभुज या समांतर चतुर्भज का चित्र बनाए। शर्त्त यही है कि आप कागज व अपना हाथ सीधे न देखें, दर्पण में उनके प्रतिबिंब को देखते हुए काम करें।

जल्द ही आप मान लेंगे कि काम सिर्फ देखने में आसान है, करने में नहीं। वर्षों की लंबी अवधि के दौरान हमारी दृश्यानुभूतियों व गत्यात्मक संवेदनाओं के बीच एक विशेष प्रकार का मेल बैठ जाता है। दर्पण इस मेल को तोड़ देता है, क्योंकि वह हमारे हाथ की गति हमारी आँखों को सही नहीं, विकृत रूप में दिखाता है। अर्सों से बनी आदत आपकी हर गति का विरोध करेगी : आप दाईं और रेखा खींचना चाहेंगे और हाथ बाईं ओर खींचेगा, आदि आदि।

चित्र 100. दर्पण में देखकर चित्र बनाना।

आपको और भी आशातीत विचित्रताएँ देखने को मिलेंगी, यदि आप सरल आकृतियों की बजाए अधिक जटिल चित्र बनाने का प्रयास करेंगे। आईने में देखते हुए कुछ लिखने का प्रयास करना और भी हास्यजनक परिणाम देगा।

स्याही से कुछ लिखकर उसे सोख्ते से दबाएँ। सोख्ते पर प्राप्त छाप भी दर्पणी सममिति का चित्र होता है। आप उस पर उगी लिखावट को पढ़ने की कोशिश करें। यदि वह बिल्कुल स्पष्ट होगी,

तो भी आपके पल्ले शायद ही कुछ पड़ेगा : अक्षरों का झुकाव असाधारण होगा वे बाईं ओर को झुके होंगे) और सबसे मुख्य बात यह होगी कि उन लकीरों का क्रम वैसा नहीं होगा, जिसके हम आदी हो चुके हैं। लेकिन सोखते के पास लंबे रूप से दर्पण लाने पर अक्षरों के ऐसे प्रतिबिंब प्राप्त होंगे, जिनके हम आदी हैं। इसमें दर्पण उस चीज का सममित बिंब देता है, जो खुद अपने-आप में साधारण लिखावट का सममित चित्र है।

नपी-तुली जल्दीबाजी

हमें ज्ञात है कि समरूप माध्यम में प्रकाश सरल रेखा, अर्थात् लघुतम मार्ग पर भ्रमण करता है। पर प्रकाश उस स्थिति में भी लघुतम मार्ग चुनता है, जब उसे एक बिंदु तक सीधे नहीं, किसी दर्पण से परावर्तित होने के बाद उस तक पहुँचना होता है।

आइए, उसके मार्ग का अनुसरण करें। माना कि चित्र 101 में A प्रकाश-स्रोत को द्योतित करता है, रेखा M N-दर्पण को। भंजित रेखा ABC मोमबत्ती से आँख C तक पहुँचने के लिए किरण का मार्ग है। सरल रेखा KB लंब है MN पर।

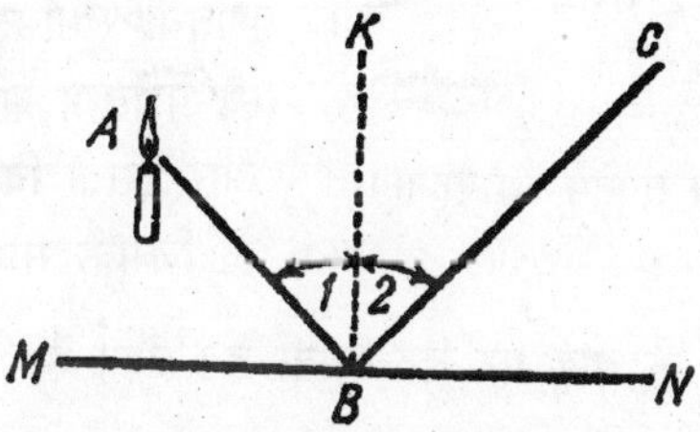

चित्र 101. परावर्तन कोण बराबर है आपतन कोण के।

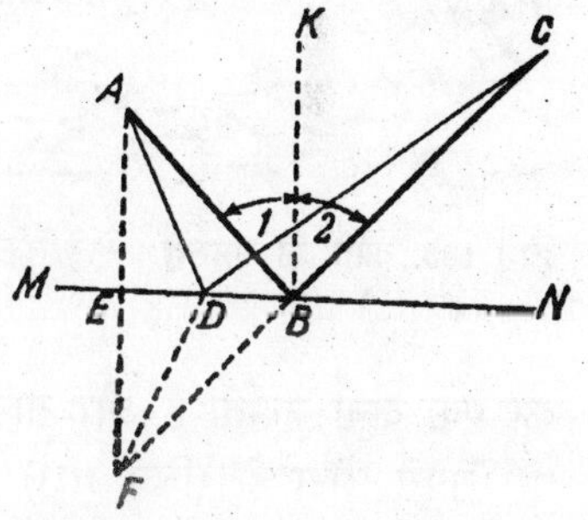

चित्र 102. परावर्तन करते हुए प्रकाश लघुतम पथ चुनता है।

प्रकाशिकी के नियम से परावर्तन कोण 2 बराबर है आपतन कोण 1 के। इसे जानने के बाद सरलतापूर्वक सिद्ध किया जा सकता है कि A से दर्पण को छूकर C तक पहुँचने के लिए जितने भी संभव पथ हैं, उनमें ABC सबसे छोटा (लघुतम) है। इसके लिए किरण-पथ ABC की तुलना किसी दूसरे पथ ADC के साथ करते हैं (चित्र 102)। MN पर बिंदु A से लंब डालें और उसे बिंदु F तक बढ़ाए, जहाँ वह किरण BC के मार्ग को काटता है। F व D बिंदुओं को मिला लें। अब आगे कुछ करने के पहले त्रिभुजों ABE व EBF की तुल्यता सिद्ध करें। दोनों ही त्रिभुज समकोण हैं और आधार EB उभयनिष्ठ है। इसके अतिरिक्त, कोण EFB तथा EAB आपस में बराबर हैं, क्योंकि वे क्रमशः कोण 2 व 1 के बराबर हैं। अतः AE=EF । इसी से समकोण त्रिभुजों AED व EDF की तुल्यता सिद्ध की जा सकती है (AE=EF, ED- उभयनिष्ठ है, <AED=<DEF=90º), जिससे ज्ञात होता है AD=DF।

उपरोक्त निष्कर्षों के आधार पर कहा जा सकता है कि पथ ABC व पथ CBF बराबर है (क्योंकि AB=FB)। पर इसी तरह से पथ ADC व पथ CDF भी आपस में बराबर हैं। अब यदि CBF लंबाई की तुलना CDF की लंबाई से करें, तो जाहिर है कि CBF छोटा है CDF से (CBF सरल रेखा है)। अतः पथ ABC छोटा है पथ ADC से—और यही सिद्ध करना था।

यदि परावर्तन कोण आपतन कोण के बराबर हो, पथ ABC पथ ADC से हमेशा छोटा होगा, चाहे बिंदु D कहीं भी क्यों न चुना जाए। इसका अर्थ यह है कि स्रोत, दर्पण और आँख के बीच सभी संभव पथों में से प्रकार उसी को चुनता है, जो सबसे छोटा हो और जिसपर सबसे शीघ्र पहुँचा जा सके। इस तथ्य की ओर अलेक्जेंडर हिरोन ने भी ध्यान दिलाया था। वे दूसरी शती के विख्यात ग्रीक यंत्रकार थे।

कौवे की उड़ान

उपरोक्त स्थिति में जिस प्रकार लघुतम पथ ढूंढा गया था, इसका ज्ञान अनेक पहेलियों को हल करने में सहायक हो सकता है। उदाहरण के लिए एक पहेलीनुमा प्रश्न पेश है :

पेड़ की डाल पर एक कौवा बैठा है। नीचे जमीन पर दाने बिखरे हैं। कौवा जमीन की ओर उड़ता है, अनाज का एक दाना उठाता है और सामने के बाड़े पर बैठ जाता है। प्रश्न है : कि जगह वह दाना उठाए, ताकि उसका पथ सबसे छोटा हो (चित्र 103)

चित्र 103. कौवे की समस्या : बाड़े तक का लघुतम पथ ढूँढ़ना।

चित्र 104. कौवे की समस्या का हल।

प्रश्न ठीक वैसा ही है, जैसा हम अभी-अभी देख चुके हैं। इसीलिए सही उत्तर देना कठिन नहीं है : कौवे को प्रकाश की किरण का अनुसरण करना चाहिए, अर्थात् इस प्रकार उड़ना चाहिए कि कोण 1 बराबर हो कोण 2 के (चित्र 104)। हम देख चुके हैं कि इस तरह से पथ लघुतम होगा।

सुबिंबदर्शी : कल और आज

सुबिंबदर्शी (केलाइडो-स्कोप) नामक खिलौने को सभी जानते होंगे : चंद रंगीन काँच के टुकड़े दो या तीन समतल दर्पण में प्रतिबिंबित होते रहते हैं और सुबिंबदर्शी (या सुबिंबक) के हिलने-डुलने के साथ बदलते रहने वाली नई-नई अनूठी खूबसूरत आकृतियाँ बनाते रहते हैं। सुबिंबक को सभी जानते हैं, पर किसी को यह संदेह नहीं होता होगा कि उसकी मदद से कितनी बड़ी संख्या में विभिन्न आकृतियाँ प्राप्त की जा सकती हैं। माना कि आपके सुबिंबक में काँच के 20 टुकड़े हैं और नई-नई आकृतियाँ प्राप्त करने के लिए आप उसे हर मिनट दस बार घुमाते हैं। सारी संभव आकृतियों को देखने में आप कितना समय लगाएँगे?

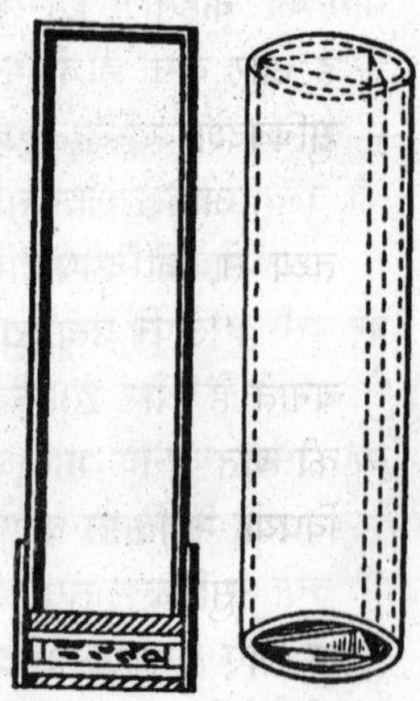

चित्र 103. कौवे की समस्या : बाड़े तक का लघुतम पथ ढूँढ़ना।

प्रचंड से प्रचंड कल्पनाशक्ति भी इसका सही उत्तर नहीं दे सकती। सागर सूख जाएँगे और पर्वत घिस जाएँगे, पर सुबिंबक आपको नए-नए बेल-बूटे दिखाता रहेगा। आपके नन्हें से खिलौने के भीतर बेल-बूटों की संख्या इतनी विशाल है कि सबको बनाने में कम से

कम पाँच खरब वर्ष लग जाएँगे। सभी बेल-बूटों को देखने के लिए आपको पाँच खरब से अधिक वर्ष तक सुबिंबक को घुमाना पड़ेगा।

सुबिंबक की अनंत नयी-नवेली आकृतियों के साथ सज्जाकारों की दिलचस्पी सदा से रही है, क्योंकि इस उपकरण की सृजनशीलता के साथ उनकी कल्पना-शक्ति होड़ नहीं लगा सकती। सुबिंबक इतने मोहक बेल-बूटे रचता है कि सजावट में उनका उपयोग हमेशा इष्ट है।

पर आम आदमी में सुबिंबक वैसी रुचि आजकल नहीं उत्पन्न करता, जैसी सौ साल पहले करता था। उस समय वह नया-नया निकला था और उसका यशगान गद्य और पद्य दोनों ही में हुआ करता था।

सुबिंबक का आविष्कार इंगलैंड में 1816 ई. में हुआ था। एक-डेढ़ साल बाद ही वह रूस में पहुँचा, जहाँ प्रशंसा के साथ इसका स्वागत हुआ।

नीति-कथा के लेखक अ. इज्माइलव ने सुबिंबक के बारे में ''वफादार'' नामक पत्रिका (जुलाई, 1818) में लिखा :

''सुबिंबदर्शी के बारे में विज्ञापन पढ़ने के बाद मैंने इस अनूठे उपरण को मँगाया—

देखा,—और क्या झिलमिलाया आँखों में?
नानाकृतियों और नैन-सितारों में
नीलम, लाल, पुखराज,
पन्ना औ मुक्ताराज,
और जंबुक, और जवाहरात,
मूगे-मोती-दिखे हठात!
हिला दूँ बस अपना हाथ—
और नया रूप मेरे साथ!

सुबिंबदर्शी के दृश्यों का वर्णन पद्य क्या, गद्य में भी नहीं किया जा सकता है। हाथ के थोड़ा भी हिलने से आकृतियाँ बदल जाती हैं और उनमें से कोई भी एक दूसरे से मिलती-जुलती नहीं होती। और कितने खूबसूरत बेल-बूटे बनते हैं! काश कि उन्हें कपड़ों पर बनाया जा सकता। पर इतने चमकीले धागे कहाँ से आएँगे। बोरियत से बचने के लिए कहीं अच्छा काम सुबिंबदर्शी के चित्रों को देखना है।

कहते है कि सुबिंबदर्शी XVII-वीं शती में ही ज्ञात था। कुछ ही समय पहले इंगलैंड में उसका पुनर्निमाण हुआ है और वहाँ से दो महीने पहले उसे फ्रांस में लाया गया। वहाँ का एक धनवान व्यक्ति 20 000 फ्रांक के मूल्य का सुबिंबदर्शी बनवा रहा है। उसने काँच की जगह हीरे-जवाहरात उपयोग करने की आज्ञा दी है।''

आगे लेखक सुबिंबक के बारे में एक दिलचस्प चुटकुला सुनाता है और निबंध का अंत करता है एक विषादपूर्ण तथ्य से, जो कृषि-दासता और पिछड़ेपन के युग के लिए सामान्य बात थी :

''अपने उत्कृष्ट प्रकाशिकीय उपकरणों के लिए विख्यात दरबारी भौतिकविद् व यंत्रकार रोसपीनी आजकल सुबिंबदर्शी बनाते हैं और 20 रूबल में बेचते हैं। इसमें कोई संदेह नहीं कि खरीदने वाले बहुत मिल जाएँगे। दुख और आश्चर्य की बात है कि भौतिकी और रसायन पर व्याख्यान देने से कर्तव्यनिष्ठ रोसपीनी महाशय को कोई लाभ नहीं हुआ; इन विषयों में किसी को कोई दिलचस्पी नहीं है।''

सुबिंबक लंबी अवधि तक मात्र एक मनोरंजक खिलौना ही बना रहा। सिर्फ आधुनिक समय में बेल-बूटे बनाने के लिए उसका लाभदायक उपयोग हो रहा है। एक उपकरण बनाया गया है, जिसकी मदद से सुबिंबक के बेल-बूटों की फोटोग्राफी की जा सकती है और इस प्रकार सजावट के लिए सभी संभव आकृतियाँ यंत्रवत ज्ञात की जा सकती हैं।

माया-महल और मरीचिकाएँ

यदि आप को कांच के टुकड़े जैसा छोटा बना कर सुबिंबक में डाल दिया जाए, तो आपको कैसा लगेगा? ऐसा प्रयोग सचमुच में किया जा सकता है। सन 1900 ई. संगठित पेरिस की विश्व प्रदर्शनी में आए लोगों को इसका सुअवसर मिला था। वहाँ एक तथा कथित ''माया-महल'' था, जो काफी लोकप्रिय हुआ। यह और कुछ नहीं, एक विशाल व अचल सुबिंबक था। आप एक षटकोण कक्ष की कल्पना करें, जिनकी दीवारें आदर्श पौलिश वाले बड़े-बड़े दर्पणों से बनी हैं। इस दर्पण-कक्ष के कोणों पर खंभों आदि के रूप में वास्तु सज्जा लगे हैं, जो छत में बनी नक्काशी से मेल खाते होते हैं। ऐसे कक्ष में दर्शक अनंत कक्षों, स्तभों व अपने हमशक्लों की भीड़ के बीच अपने को पाकर हतप्रभ सा हो जाता है। वे उसे चारों ओर से घेर लेते हैं, जहाँ तक वह देख सकते है, सिर्फ कक्ष, स्तंभ और हमशक्ल ही नजर आते हैं।

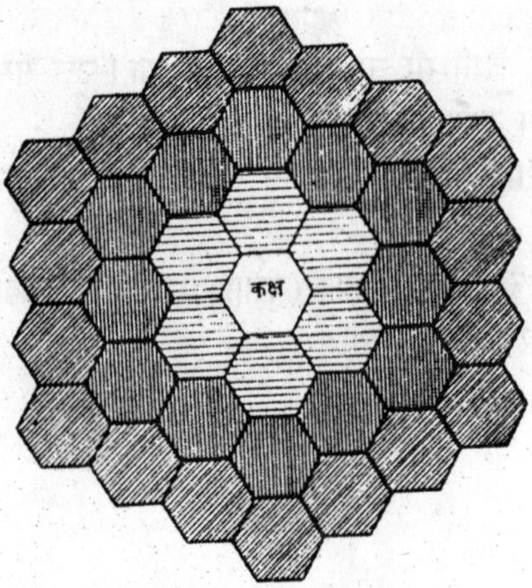

चित्र 106. केंद्रीय कक्ष की दीवारों के तीन बार परावर्तित होने से 36 कक्ष मिलते हैं।

चित्र 106 में क्षैतिज लकीरों से भरे कक्ष एक बार परावर्तन से प्राप्त होते हैं; दुबारा परावर्तित होने पर खड़े रेखाओं से भरे 12 कक्ष प्राप्त होते हैं। आड़ी रेखाओं से भरे 18 कक्ष तीसरे परावर्तन के परिणाम हैं। कक्षों की संख्या हर नए परावर्तन के साथ बढ़ती जाती है और कितने परावर्तन संभव हैं, यह दर्पणों के पालिश और उनकी समांतरता की कोटि पर निर्भर करता है। व्यवहारतः वहाँ बारहवें परावर्तन से प्राप्त प्रतिबिंब दिख रहे थे, अर्थात नजरों के सामने 468 कक्ष थे।

इस चमत्कार का रहस्य कोई भी समझ सकता है, यदि वह प्रकाश-परावर्तन के नियमों को जानता है। यहाँ तीन जोड़े समांतर दर्पण हैं और दस जोड़े दर्पण कोने में लगे हैं, फिर इतने अधिक प्रतिबिंब क्यों न मिलें पेरिस-प्रदर्शनी के तथाकथित ''माया-महल'' में एक और रोचक प्रकाशिकीय प्रभाव था। इस महल के निर्माताओं ने असंख्य छवियों के साथ-साथ पूरे दृश्य के क्षणिक परिवर्तन का कमाल भी दिखाने की कोशिश की थी। ऐसा लगता था, जैसे वे दर्शकों को एक विशाल सुबिंबक में खड़ा कर भीतर से ही नए-नए दृश्य दिखा रहे हैं।

''माया-महल'' में दृश्य- परिवर्तन का इंतजाम इस प्रकार किया गया था : दीवार कोनों से कुछ दूर पर ऊँचाई के सहारे कटे हुए थे। ऐसा कहा जा सकता है कि दीवार कुछ छोटे

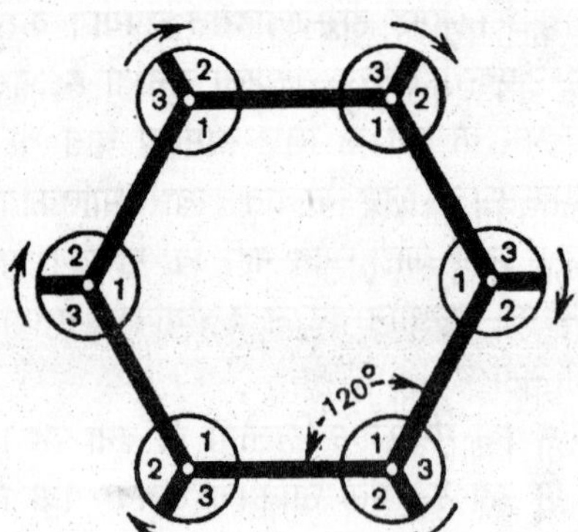

चित्र 107

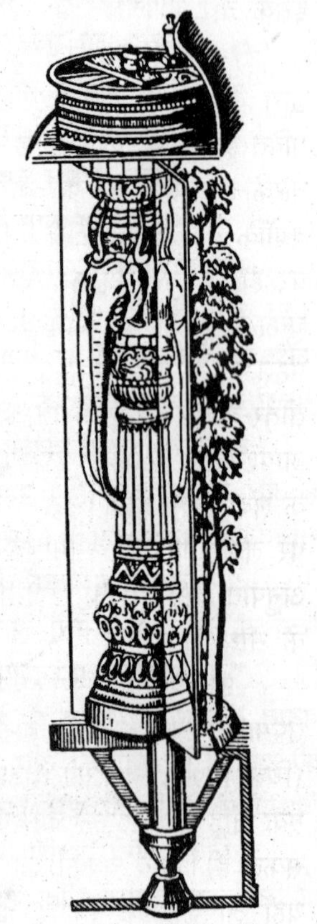

चित्र 108. ''माया-महल'' का रहस्य

थे और कोने उनसे मिलकर पुरा कक्ष बनाते थे। ये कोने अपनी धुरी पर घूम सकते थे; उनके घूमने से दूसरी तरफ से छिपा कोना कक्ष के भीतर आ जाता था। चित्र 107 से स्पष्ट है कि कोना *1*,*2* व *3* के अनुरूप तीन दृश्य दिखाए जा सकते थे। अब मान लीजिए कि *1* से इंगित सभी कोने उष्णकटिबंध के जंगलों का दृश्य दिखाते हैं, *2* द्वारा इंगित कोने अरबी सज्जा और *3* द्वारा इंगित कोने भारतीय मंदिर के दृश्य दिखाते हैं। छिपी युक्ति द्वारा सभी कोने एकबारगी से घूमते हैं और जंगल का दृश्य अरबी सज्जा या मंदिर के दृश्य में परिणत हो जाता है। पूरे ''जादू''का रहस्य प्रकाश-किरणों के परावर्तन जैसी सरल भौतिक संवृत्ति पर आधारित है।

प्रकाश का अपवर्तन क्यों और कैसे होता है?

एक माध्यम से दूसरे में प्रविष्ट होते क्षण प्रकाश के पथ की दिशा बदल जाती है। इस अपवर्तन को कई लोग प्रकृति का नखरा मानते हैं। यह समझ में नहीं आता कि नए माध्यम में प्रकाश अपनी पुरानी दिशा क्यों नहीं बनाए रख सकता, वह नई दिशा में क्यों चल पड़ता है। जो ऐसा सोचते हैं, उन्हें जानना चाहिए कि प्रकाश-किरण के साथ वही होता है, जो कंधे-से-कंधा मिला कर बढ़ते हुए सैनिकों की पंक्ति के साथ होता है, जब वे किसी सुगम स्थल से निकल कर दुर्गम स्थल की सीमा में प्रविष्ट होते हैं। पिछली शती के विख्यात खगोलशास्त्री व भौतिकविद जोन गेरशेल इसके बारे में लिखते हैं :

''मान लें कि एक टुकड़ी के सैनिक कंधे से कंधा मिलाकर एक पंक्ति में चल रहे हैं। स्थान एक सरल रेखा द्वारा विभक्त है, जिसके एक ओर जमीन ऊबड़-खाबड़ है; उस पर चलना उतना सरल नहीं है। यह भी मान लें कि पंक्ति इस विभाजक रेखा के साथ कोई कोण बनाते हुए चल रही है। अतः सभी सैनिक एक साथ नहीं, बल्कि एक-एक करके इस सीमा को पार करेंगे। इस स्थिति में हर सैनिक सीमा-रेखा को पार करने के बाद अपनी गति धीमी करेगा, क्योंकि यहाँ जमीन पहले जैसी सुगम नहीं है। वह उन सैनिकों की बराबरी में नहीं चल पाएगा, जो अभी अच्छी जमीन पर ही चल रहे हैं। हर सैनिक इस कठिनाई को महसूस करेगा। अतः पंक्ति का वह भाग, जो दुर्गम जमीन पर आ चुका है, बाकी बचे भाग के साथ उस बिंदु पर अधिक कोण बनाएगा, जिस पर यह सीमा को काटती है (यदि सैनिक पहले की तरह ही कंधे से कंधा मिलाए पंक्तिबद्ध बढ़ रहे हैं, तीतर-बीतर नहीं हो जाते)। कंधे के कंधा मिलाए रहने की आवश्यकता के कारण हर सैनिक को नई जमीन पर नई पंक्ति के लंब चलना होगा। इस तरह, सीमा पार का पथ नयी पंक्ति पर लंब होगा और सीमा के पहले वाले पथ के साथ उसका अनुपात वैसा ही होगा, जैसा उनके नये वेग का पुराना वेग के साथ होगा।''

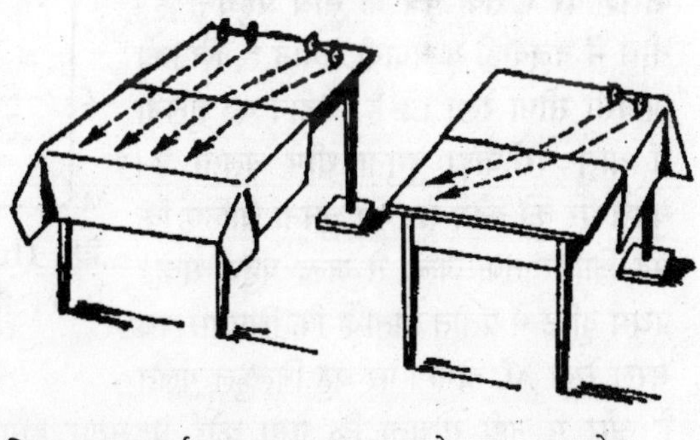

चित्र 109. अपवर्तन का कारण सम समझाने वाला एक प्रयोग।

छोटे पैमाने पर आप प्रकाश-अपवर्तन की इस दृश्य-सुगम उपमा को टेबुल के आधे हिस्से पर कोई मोटी दरी बिछा दीजिए (चित्र 109)। टेबुल को थोड़ा झुकाव देकर उस पर चक्कों के एक जोड़े को लुढकने दीजिए, जो एक ही अक्ष के साथ जड़े हुए हैं (यह आप किसी टूटे खिलौने, जैसे इंजन से ले सकते हैं)। यदि चक्कों की गति की दिशा दरी की किनारी के लंब है, तो चक्कों के पथ का अपवर्तन नहीं होगा। यहाँ आपको एक प्रकाशिकीय नियम का उदाहरण मिलता है : माध्यमों के विभाजक तल के लंब चलती हुई किरण अपवर्तित नहीं होती।

यदि चक्कों की गति की दिशा दरी की किनारी के साथ कोई झुका कोण बनाती है, तो इस किनारी पर, अर्थात

भिन्न वेग प्रदान करने वाले दो माध्यमों की विभाजन रेखा पर चक्कों का पथ मुड़ जाएगा।

आसानी से देख सकते हैं कि अधिक वेग वाले भाग (खाली टेबुल) से कम वेग वाले भाग (दरी बिछे स्थान) में प्रविष्ट होने पर पथ ("किरण") आपतन बिंदु से विभाजक रेखा पर खींचे गए लंब की ओर झुकता है। विपरीत स्थिति में वह इस लंब से दूर हो जाता है।

इससे एक और महत्त्वपूर्ण बात ज्ञात होती है : अपवर्तन का कारण दोनों माध्यमों में वेगों की भिन्नता है। अपवर्तन की सारी संवृत्तियों के मूल में यही तथ्य है। वेगों में अंतर जितना ही अधिक होगा, अपवर्तन भी उतना ही अधिक होगा। तथाकथित "अपवर्तन गुणांक" और कुछ नहीं, इन वेगों का अनुपात भर है। जब आप पढ़ते हैं कि हवा से पानी में संक्रमण के लिए अपवर्तन गुणांक 4/3 है, तो इसके साथ ही आप यह भी जान लेते हैं कि प्रकाश पानी की अपेक्षा हवा में 1.3 गुना अधिक तेज चलता है। इन बातों से प्रकाश-प्रसरण की एक और ज्ञातव्य विशेषता संबंधित है। यदि परावर्तन की स्थिति में प्रकाश **लघुतम** पथ चुनता है, तो अपवर्तन की स्थिति में वह **क्षिप्रतम** पथ चुनता है : "लक्ष्य" तक किरण को कोई भी दूसरी दिशा उतनी शीघ्रता (क्षिप्रता) से नहीं पहुँचा सकती, जितनी शीघ्रता से उसे यह टूटा (मुड़ा) हुआ पथ पहुँचा सकता है।

छोटे पथ की अपेक्षा बड़ा पथ कब जल्द पार होता है?

क्या टेढ़ा पथ सचमुच में सीधे पथ की अपेक्षा जल्द लक्ष्य तक पहुँचा सकता है? हाँ, यदि पथ के भिन्न टुकड़ों पर क्षिप्रता भिन्न हो। स्मरण करें कि यदि गाँव दो रेलवे स्टेशनों के बीच में कहीं स्थित हो, तो वहाँ के निवासी क्या करते हैं। दूर वाले स्टेशन तक जाने के लिए पहले घोड़े पर नजदीक वाले स्टेशन की ओर जाते हैं और फिर ट्रेन में बैठ कर लक्ष्य तक पहुँचते हैं। लघुतम पथ तो यही होता, यदि वे घोड़े पर बैठ कर सीधे दूर वाले स्टेशन की ओर चल देते। पर वे पसंद करते हैं घोड़े और ट्रेन वाला पथ, क्योंकि इस पर वे जल्द पहुँचते हैं।

एक और उदाहरण की ओर थोड़ा ध्यान दें। घुड़सवार को बिंदु A से सेनापति के शिविर C तक पत्र के साथ पहुँचना है। बीच में बलुवाही व मैदानी जमीन हैं, जिनकी आपसी सीमा रेखा EF है। मैदान की तुलना में बालु पर घोड़ा दुगुना धीमे चलता है। घुड़सवार को कौन सा पथ चुनना चाहिए कि वह शिविर तक जल्द से जल्द पहुँच सके? प्रथम दृष्टि में प्रतीत होता है कि क्षिप्रतम पथ सरल रेखा AC होगी। पर यह बिल्कुल गलत है और मैं नहीं सोचता कि ऐसा कोई घुड़सवार होगा, जो इस पथ को चुनेगा। बालू पर की धीमी गति उसके मन में सही विचार उत्पन्न करेगा कि बुलवाही भूभाग को वह कम झुके पथ द्वारा पार करे। बेशक, इसके कारण मैदानी भूभाग पर उसका पथ अधिक लंबा हो जाएगा, पर यहाँ घोड़ा दुगुनी तेज चाल से चलता है। अतः यहाँ कुल मिला कर घुड़सवार फायदे में ही रहेगा। दूसरे शब्दों में कह सकते हैं कि घुड़सवार का पथ दोनों प्रकार के भूभागों की सीमा पर **अपवर्तित** हो जाना चाहिए। इसके अतिरिक्त, अपवर्तन ऐसा होना चाहिए कि उसका मैदानी पथ विभाजक रेखा EF के लंब के साथ अधिक बड़ा कोण बनाए बनिस्बत कि बलुवाही पथ के।

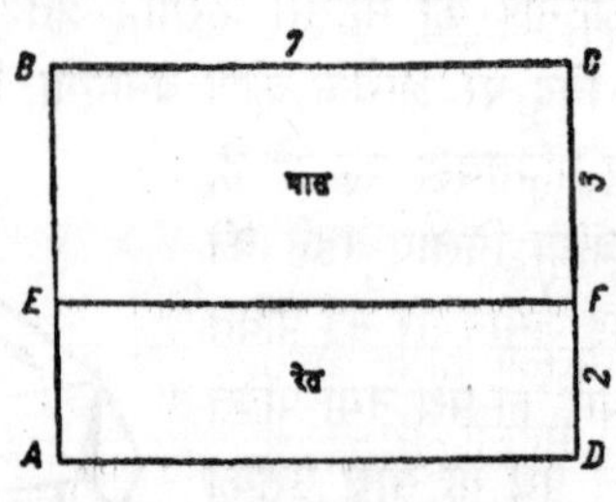

चित्र 110. घुड़सवार की समस्या : A से C तक का क्षिप्रतम पथ ढूँढ़ना।

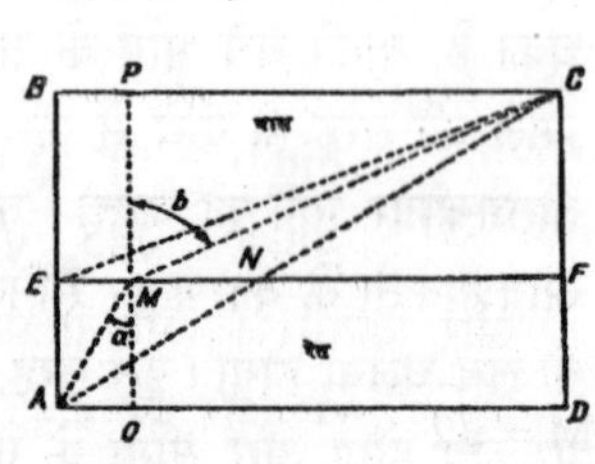

चित्र 111. घुड़सवार की समस्या का हल। क्षिप्रतम पथ AMC है।

ज्यामिति और विशेषकर पिथागोरस-प्रमेय से परिचित पाठक देख सकते हैं कि ऋजु पथ AC क्षिप्रतम नहीं है;

दी गई परिस्थितियों में लक्ष्य तक पहुँचने के लिए एक क्षिप्र पथ भंजित रेखा AEC है (चित्र 111)।

चित्र 110 में दिखाया गया है कि बलुवाही जमीन की चौड़ाई 2 km है, मैदानी स्थल की—3km तथा दूरी BC=7km है। अतः पिथागोरस साध्य के अनुसार चौड़ाई AC (चित्र 111) बराबर है $\sqrt{5^2+7^2}=\sqrt{74}=8.60$ km। बालू पर इस रेखाखंड का भाग AN पूरी लंबाई AC का 2/5 अंश अर्थात् 3.44km है। चूँकि मैदान की अपेक्षा बालू पर घोड़ा दुगुना धीरे चलता है, इसलिए बालू पर 3.44km की दूरी समय के लिहाज से 6.88km लंबे मैदानी पथ के बराबर होगी। अतः 8.60km लंबा मिलाजुला पथ AC समय के दृष्टिकाण से समतुल्य है 12.04km लंबे मैदानी पथ के।

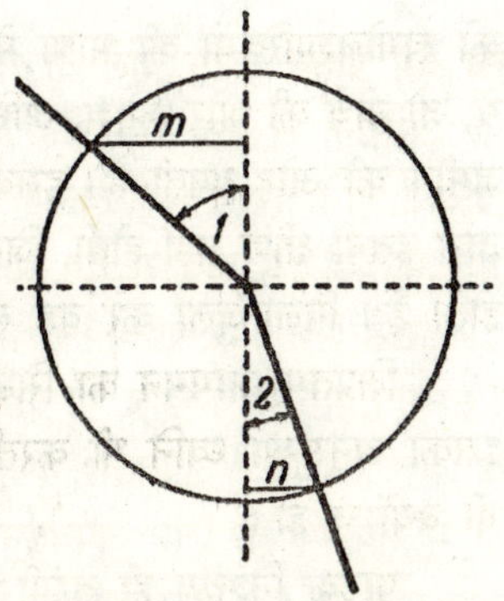

चित्र 112. ज्या क्या है? m और त्रिज्या का अनुपात कोण 1 की ज्या है, n और त्रिज्या का अनुपात-कोण 2 की ज्या है।

इसी विधि से भंजित पथ AEC को भी मैदानी पथ में व्यक्त करें। खंड AE=2km है और वह 4km मैदानी पथ के समतुल्य होगा। खंड EC= $\sqrt{3^2+7^2}=\sqrt{58}=7.61$ km है। अतः भंजित पथ AEC समतुल्य है 4+7.61=11.61 km के।

इस प्रकार, ''छोटा'' व सीधा पथ मैदानी जमीन पर 12.04 km चलने के बराबर है। ''अधिक लंबा'' पथ, जैसा कि आप देखते हैं, 12.04-11.61=0.43 या लगभग आधे किलोमीटर की छूट देता है।

पर अभी तक हमने क्षिप्रतम पथ नहीं दिखाया। नियमानुसार क्षिप्रतम पथ वह होगा, जिसमें (यहाँ हमें त्रिकोणमिति की सहायता लेनी पड़ेगी) कोण *b* की ज्या व कोण *a* की ज्या का अनुपात बराबर होगा मैदान व बालू पर की क्षिप्रताओं के अनुपात अर्थात् 2:1 के। दूसरे शब्दों में, दिशा इस प्रकार चुननी चाहिए कि sin *a* से sin *b* दुगुना हो। इसके भूपट्टियों की विभाजक रेखा को ऐसे बिन्दु M पर पार करनी चाहिए, जो E से एक किलोमीटर दूर स्थित हो, ताकि

$$\text{Sin b}=\frac{6}{\sqrt{3^2+6^2}},\quad \text{Sin a}=\frac{1}{\sqrt{1+2^2}}$$

अनुपात $\frac{\text{Sin b}}{\text{Sin a}}=\frac{6}{\sqrt{45}}:\frac{1}{\sqrt{5}}=\frac{6}{3\sqrt{5}}:\frac{1}{\sqrt{5}}=2$ दोनों क्षिप्रताओं का अनुपात है।

और कितने लंबे मैदानी पथ के समतुल्य होगा यह पथ? कलन करें, $AM=\sqrt{2^2+1^2}$ और यह 4.47 km लंबे मैदानी पथ के समतुल्य होगा $MC=\sqrt{45}=6.71$ km। पूरे पथ की दूरी 4.47+6.71=11.18, अर्थात् ऋजु पथ से 860m कम होगा (हमें ज्ञात है कि AC 12.04 km के समतुल्य है)।

आप देख रहे हैं कि दी हुई स्थितियों में घुमावदार पथ चुनने से कितना लाभ है। प्रकाश किरणें इसी प्रकार से क्षिप्रतम पथ चुनती हैं, क्योंकि प्रकाश के अपवर्तन का नियम समस्या के गणितीय हल की शर्तों को ठीक-ठीक पूरा करता है : अपवर्तन कोण की ज्या व आपतन कोण की ज्या का अनुपात बराबर होता है नए व पुराने माध्यमों में प्रकाश-वेगों के अनुपात के। माध्यमों का अपवर्तन सूचकांक (अपवर्तनांक) भी इसी अनुपात के बराबर होता है।

परावर्तन व अपवर्तन दोनों के गुणों को एक नियम में बाँधने के लिए हम कह सकते हैं कि प्रकाश हर स्थिति में **क्षिप्रतम** पथ पर गमन करता है, अर्थात् वह उस नियम का पालन करता है, जिसे भौतिकविद् ''क्षिप्रतम आगमन का नियम'' (फेर्ता नियम) नाम से पुकारते हैं। यदि माध्यम सर्वत्र समरूप नहीं है और उसका अपवर्तक गुण एक बिंदु से दूसरे बिंदु की ओर धीरे-धीरे बदलता है (जिसे पृथ्वी के वातावरण में), तो क्षिप्रतम आगमन का नियम इस स्थिति में भी पालित होता है। पृथ्वी के वातावरण में प्रविष्ट होकर प्रकाश की किरणें हल्की सी वक्रित हो जाती हैं। इस घटना

को खगोलशास्त्रियों की भाषा में ''वातावरणीय अपवर्तन'' कहते हैं और इसका कारण भी उक्त नियम है। वातावरण में, जो नीचे की ओर क्रमशः अधिक घना होता जाता है, प्रकाश-किरण इस प्रकार नमती (झुकती) है कि उसकी अवतलता जमीन की ओर बनती है। इसके कारण किरण ऊपरी परतों में देर तक चलती रहती है। वहाँ उसकी गति वातावरण द्वारा इतनी क्षीण नहीं होती, जितनी नीचे। निचली परतों में वह कम समय तक चलती है, क्योंकि उसमें चलना कठिन होता है। मिला-जुला कर वह लक्ष्य तक शीघ्र ही पहुँचती है, बनिस्बत कि यदि वह सरल रेखा पर चलती।

क्षिप्रतम आगमन का सिद्धांत (फेर्मा का नियम) सिर्फ प्रकाशीय संवृत्तियों (घटनाओं) के लिए ही सत्य नहीं है : इसका अनुसरण ध्वनि भी करती है। यह नियम सभी तरंगी गतियों के लिए सामान्य है, चाहे तरंगों की प्रकृति कुछ भी क्यों न हो।

पाठक निश्चय ही तरंगी गतियों के इस गुण का कारण जानना चाहते होंगे। इस प्रश्न पर विख्यात आधुनिक भौतिकविद् श्रेडिंगर के शब्द प्रकाश डाल सकते हैं।[1] मान लें,—वे लिखते हैं, —पंक्ति को बिल्कुल सीधी बनाए रखने के लिए सैनिकों को एक लंबा डंडा दिया गया है। सभी सैनिक उसे हाथों से पकड़े हुए कंधे से कंधा मिलाए चल रहे हैं। हुक्म मिलता है : यथाशक्ति तेज दौड़ो! यदि जमीन की विशेषताएँ धीरे-धीरे बदलती हैं, तो पहले दाएँ भाग के (उदाहरणार्थ) और फिर बाईं ओर के सैनिक अधिक तेजी से भागने लगेंगे और पंक्ति की गतिदिशा स्वयं मुड़ जाएगी। यहाँ हम पाएँगे कि तय किया गया पथ सीधा नहीं, बल्कि वक्र है। कारण आसानी से समझा जा सकता है : दी गई विशेषताओं वाले भूभाग पर यह पथ लक्ष्य तक पहुँचने के लिए समय के लिहाज से लघुतम (अर्थात् क्षिप्रतम) होगा।''

नए रोबिंसन

आप बेशक जानते होंगे कि जूल वेर्न के उपन्यास ''रहस्यमय द्वीप'' के पात्रों ने निर्जन स्थल में कैसे बिना माचिस या चकमक के आग प्राप्त की थी। रौबिंसन की सहायता आकाश से गिरी बिजली ने की थी, जिससे एक वृक्ष जलने लगा था। जूल वेर्न के नए रौबिंसनों को विद्वान् इंजिनियर के प्रत्युत्पन्नमतित्त्व व भौतिकीय नियमों के ठोस ज्ञान ने मदद की। आपको याद होगा कि भोले-भाले नाविक पेनक्रोफ ने जब शिकार से लौट कर इंजिनियर व जर्नलिस्ट को लहकते अलाव के पास बैठे देखा, तो कितना आश्चर्यचकित हुआ।

''—किसने आग जलाई?—नाविक ने पूछा।

—सूरज ने,—स्पिलेट ने जवाब दिया।

जर्नलिस्ट मजाक नहीं कर रहा था। आग सचमुच में सूरज ने दी थी, जिससे नाविक इतना खुश हो रहा था। उसे अपनी आँखों पर विश्वास नहीं हो रहा था और वह आश्चर्य में इतना डूबा हुआ था कि इंजिनियर से कुछ पूछ भी न सका।

—मतलब कि आपके पास जलाने वाला काँच था?—हरबर्ट ने इंजिनियर से पूछा।

—नहीं, पर मैंने उसे बना लिया।

और उसने दिखाया कि कैसे लेंस बनाया जा सकता है। उसके पास दो साधारण शीशे थे, जिसे उसने अपनी और स्पिलेट की घड़ी से निकाल रखा था। उसने उनकी किनारी सटा कर उसमें पानी भर लिया और किनारी गीली मिट्टी से चिपका दी। यह आग जलाने वाले असली लेंस की बराबरी कर सकता था। इसी की सहायता से इंजिनियर ने सूर्य-किरणों को सूखी घास पर संकेंद्रित करके आग चलाई थी।''

शायद पाठक के मन में यह प्रश्न उठे कि घड़ी के शीशों के बीच पानी भरने की क्या आवश्यकता थी। क्या

1. नोबेल प्राइज प्राप्त करते वक्त (1933 ई. में) यह उन्होंने अपने प्रतिवेदन में पढ़ा था।

हवा से भरा दो पार्श्वों से उत्तल बरतन किरणों को संकेंद्रित नहीं कर सकता?

घड़ी का काँच बाहरी व भीतरी दो समांतर (समकेंद्रीय) वक्र तलों द्वारा घिरा होता है। भौतिकी के अनुसार ऐसे तलों द्वारा घिरे माध्यम में प्रविष्ट होते वक्त किरणें अपनी दिशा नहीं बदलतीं। दूसरा शीशा भी ऐसा ही है और उसे पार करते वक्त भी वे अपनी दिशा में परिवर्तन नहीं लातीं। यही कारण है कि वे नाभि पर इकत्रित नहीं होतीं। एक बिंदु पर किरणों को संकेंद्रित करने के लिए शीशों के बीच के स्थान में कोई ऐसा पारदर्शक द्रव्य होना चाहिए, जो किरणों को हवा की तुलना में अधिक अपवर्तित कर सके। जूल वेर्न के उपन्यास का इंजिनियर यही करता है।

आग जलाने वाले लेंस का काम शीशे की साधारण सुराही भी कर सकती है, यदि उसका आकार गोल हो। इस बात को लोग प्राचीनकाल से ही जानते हैं। उन्होंने इस बात पर भी ध्यान दिया था कि इससे सुराही का पानी गर्म नहीं होता, ठंडा ही रहता है। कभी-कभी ऐसा होता था कि खुली खिड़की पर रखी पानी की ऐसी सुराही पर्दे में आग लगा देती थी, मेज की सतह को झुलसा देती थी, आदि। प्राचीन दवाफरोश अपनी दुकान सजाने के लिए गोल बोतलों में रंगीन पानी रखा करते थे और यह परंपरा कभी-कभी बड़ी-बड़ी दुर्घटनाओं का कारण बन जाया करती थी; विशेषकर उस स्थिति में, जब सुराही के निकट कोई ज्वलनशील वस्तु रखी होती थी।

पानी भरे गोल फ्लास्क की सहायता से घड़ी की काँच में रखा पानी खौलाया जा सकता है। इसके लिए 12 cm व्यास वाला छोटा प्लास्क भी काफी रहेगा। यदि फ्लास्क का व्यास 15 cm हो, तो नाभि (फोकस) पर तापक्रम 120ºC तक उठ सकता है। फ्लास्क की सहायता से सिगरेट सुलगाना उतना ही सरल है, जितना काँच के लेंस से, जिसके बारे में लोमोनोसोव ने ''काँच के लाभ'' नामक कविता में लिखा था :

प्रमथ्यु से क्या कम हैं हम,
काँच से सूर्य की अग्नी
धरती पर लाते हैं।
गपोड़-शंखों को गाली दे हम,
निष्पाप स्वर्गानल से
बीड़ी सुलगाते हैं।

यहाँ यह बता देना आवश्यक होगा कि पानी वाले लेंस काँच के लेंसों की तुलना में काफी क्षीण होते हैं, क्योंकि, प्रथमतः पानी में काफी कम अपवर्तन होता है और, दूसरे, पानी गर्मी देने वाली अवरक्त किरणों को बहुत बड़ी मात्रा में सोख लेता है।

आश्चर्य की बात है कि शीशे के लेंस का अग्निदायक गुण प्राचीन यूनानवासियों को चश्मों व दूरबीनों की खोज के हजारों साल पहले से ही ज्ञात था। उदारणार्थ, लेंस का नाम अरिस्तोफान के विख्यात हास्यक (कामेडी) ''बादल'' में आता है। सुकरात पूछता है स्त्रेप्तियाद से :

''यदि कोई तुम पर पाँच तालांतोन के कर्ज का दावा करे और तुम्हारे खिलाफ अर्जी लिखे, तो उसे कैसे नष्ट करोगे?

स्त्रेप्तियाद–हाँ, मिल गया अर्जी नष्ट करने का तरीका; और वह भी ऐसा कि तुम प्रशंसा किए बगैर नहीं रहोगे! दवाफरोशों के यहाँ तुमने एक सुंदर पारदर्शक पत्थर तो देखा ही होगा; उससे आग जलाते हैं।

सुकरात–आग जलाने वाला शीशा?

स्त्रेप्तियाद–बिल्कुल।

सुकरात—फिर?

स्त्रेप्तियाद—जबतक वकील लिखेगा, मैं उसके पीछे से अर्जी पर सूरज की किरणें भेज कर अक्षरों को पिघला दूँगा...''

स्पष्टता के लिए याद दिला दूँ कि अरिस्तोफान के समय यूनानवासी मोम की परत चढ़े तख्तों पर लिखा करते थे। लिखावट धूप में सचमुच पिघल कर लुप्त हो सकती थी।

बर्फ से अलाव सुलगाना

दोनों पार्श्वों से उत्तल वीक्ष (लेंस) बर्फ से भी बनाया जा सकता है और इसीलिए आप बर्फ से भी आग सुलगा सकते हैं; शर्त्त यही है कि वह पर्याप्त पारदर्शक हो। बर्फ धूप में पिघलेगी नहीं, क्योंकि किरणों को अपवर्तित करने से वह गर्म नहीं होती। पानी और बर्फ के अपवर्तन गुणांकों में अधिक का अंतर नहीं है। इसीलिए यदि पानी से आग जलाई जा सकती है, तो यही काम बर्फ से भी किया जा सकता है।

बर्फ का लेंस अच्छा काम आया था जूल वेर्न लिखित ''कैप्टेन हेटरास की यात्रा'' में। चमक पत्थर खो चुका था और –48ºC की भयानक ठंड में कहीं से आग मिलने की गुंजाइश नहीं थी। सोच में पड़े यात्रियों को इस स्थिति से मुक्ति दिलाई डा. क्लाबोनी ने :

''—यह दुर्भाग्य की बात है,—हेटरास ने कहा।

—हाँ,—डाक्टर ने छोटा सा उत्तर दिया।

—हमारे पास दूरबीन भी नहीं है कि उसका लेंस निकाल कर आग जलाए।

—जानता हूँ, डाक्टर ने कहा,—और बहुत ही अफसोस की बात है। यहाँ सूरज कितना तेज चमक रहा है; सूखी घास बहुत जल्द सुलग जाती।

—अब करना क्या है, भालू के कच्चे माँस से भूख मिटानी होगी,—हेटरास ने कहा।

—हाँ,—डाक्टर कुछ सोचते हुए बड़बड़ाया,—जब कोई उपाय नहीं रहेगा। पर क्यों न...

—आपने कुछ सोच निकाला क्या?—हेटरास ने जिज्ञासा की

—मेरे मन में एक विचार आया है...

—विचार?—कर्णधार ने खुश होते हुए कहा।—यदि आपके दिमाग में विचार आया है, तो चिंता की कोई बात नहीं रह जाती; हम बच गए।

—लेकिन यह कहाँ तक संभव है, कुछ कहा नहीं जा सकता,—डाक्टर ने हिचकिचाते हुए कहा।

—क्या सोचा है आपने?—हेटरास ने पूछा।

—हम लेंस बना सकते हैं।

—कैसे?—कर्णधार ने उत्सुकता दिखाई।

—बर्फ के टुकड़े से।

—क्या आप सचमुच सोच रहे हैं कि...

चित्र 113. (डाक्टर ने सूखी घास पर सूर्य-किरणों को संकेंद्रित किया।''

—और नहीं तो क्या! आखिर सूर्य-किरणों को एक बिंदु पर जमा ही तो करना है; और इसके लिए बर्फ अच्छे से अच्छे शीशे की बराबरी कर सकता है। लेकिन मैं मीठे पानी से जमे बर्फ को अधिक पसंद करूँगा, क्योंकि वह अधिक कड़ा व पारदर्शक होता है।

—वहाँ देखिए! यदि मैं गलत नहीं हूँ, तो हमें इसी की जरूरत है। बर्फ के उस टीले का रंग देखिए; वह मीठे पानी से जमा है।

—आपका कहना सही है। कुल्हाड़ी लें और चलें।

तीनों मिल कर उक्त टीले की ओर चल पड़े। बर्फ सचमुच मीठे पानी का था।

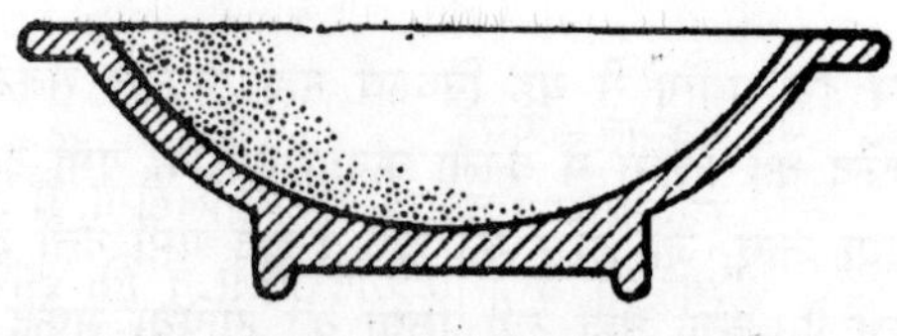

चित्र 114. बर्फ का लेंस बनाने के लिए कटोरी।

डाक्टर ने करीब एक फीट व्यास वाले बर्फ के टुकड़े को काटने के लिए कहा। इसके बाद उसने कुल्हाड़ी से उसे समतल सा किया; फिर चाकू से काट-छाँट की, लेंस के आकार में तराशा और हथेली से रगड़-रगड़ कर उसे चिकना कर लिया। लेंस तैयार था और अच्छे से अच्छे काँच के लेंस से टक्कर ले सकता था। सूरज पर्याप्त तेजी से चमक रहा था। डाक्टर ने लेंस को किरणों के पथ पर रखा और सूखी घास पर उन्हें संकेंद्रित किया। घास कुछ ही क्षणों में जल उठी।"

जूल वेर्न का किस्सा इतना काल्पनिक नहीं है : बर्फ के लेंस से आग जलाने का प्रयोग पहली बार इंगलैंड में किया गया था। 1763 ई. में वहाँ बर्फ के काफी बड़े लेंस से एक पेड़ में आग लगाई गई थी, तब से यह प्रयोग कई बार सफलतापूर्वक दुहराया जा चुका है। यह बात दूसरी है कि बर्फ का पारदर्शक लेंस कुल्हाड़ी, चाकू और खाली हाथ (–48°C की भयानक ठंड में!) जैसे औजारों से बनाना कठिन है। पर बर्फ का लेंस बनाने के लिए सरल विधि भी है : अनुरूप कटोरी में पानी ढाल कर फ्रीज में जमा लीजिए और फिर बरतन को हल्का सा गर्म करके तैयार लेंस निकाल लीजिए।

सूर्य-किरणों से सहायता

ऐसे लेंस का उपयोग करते वक्त यह न भूलें कि खिड़की के शीशे से आने वाली धूप में आप कुछ भी जला नहीं पाएँगे। शीशा सूर्य-किरणों की ऊर्जा को काफी बड़ी मात्रा में अवशोषित कर लेता है और बची-खुची ऊर्जा इतनी पर्याप्त नहीं होती कि किसी चीज को जलाने लायक गर्मी दे सके। बेहतर है खुले स्थान पर किसी ऐसे दिन प्रयोग करें, जब वातावरण का तापक्रम शून्य से नीचे हो।

एक और प्रयोग करें, जो सर्दियों में सरलतापूर्वक संपन्न हो सकता है। धूप के दिन बाहर पड़ी बर्फ पर एक नाप के दो कपड़े के टुकड़े—एक काला और एक सफेद—रख दें। एक घंटे बाद आप देखेंगे कि काला कपड़ा बर्फ में कुछ नीचे धँस गया है, पर सफेद उसी ऊँचाई पर है। कारण ढूँढ़ना कठिन नहीं है : काले कपड़े के नीचे बर्फ जल्द पिघलता है, क्योंकि काले धागे सूर्य-किरणों के बड़े भाग को सोख लेते हैं। सफेद कपड़ा उल्टा उन्हें प्रकीर्णित कर देता है और इसीलिए काले कपड़े की तुलना में बहुत कम गर्म होता है।

यह शिक्षाप्रद प्रयोग पहली बार संयुक्त राज्य के स्वतंत्रता सेनानी बेंजामीन फ्रैंकलिन ने किया था। उनका नाम तड़ित-चालक के आविष्कार के लिए अमर है। अपने प्रयोग का वर्णन वे इस प्रकार करते हैं : "एक बार मैं दर्जी की दुकान से कपड़ों के कई टुकड़े ले आया। हर टुकड़े का रंग अलग-अलग था : काला, गाढ़ा नीला, हल्का नीला, हरा, गुलाबी, सफेद। और भी कई दूसरे रंग थे; उनके आभ भी अलग-अलग थे। एक दिन, जब काफी अच्छी धूप उगी हुई थी, मैंने इन टुकड़ों को बाहर बर्फ पर बिछा दिया। काला कपड़ा कुछ ही घंटों बाद इतना गर्म हो गया कि बिल्कुल ही बर्फ में धँस गया। सूर्य की किरणें अब उस तक नहीं पहुँच रही थीं। गाढ़ा नीला कपड़ा भी उतना ही धँसा हुआ था, जितना काला। हल्का नीला काफी कम धँसा था; अन्य रंग के कपड़े उतना ही कम धँसे थे, जितना हल्का उनका आभ था। सफेद टुकड़ा बिल्कुल नहीं धँसा था।"

"सिद्धांत बेकार होता, यदि उससे कोई व्यावहारिक निष्कर्ष नहीं निकाला जा सकता।—आगे वे कहते हैं।—क्या

हम इस प्रयोग से यह निष्कर्ष नहीं निकाल सकते कि गर्म जलवायु वाले देश में, जहाँ सूरज काफी तेज चमकता है, सफेद की तुलना में काला कपड़ा अधिक गर्मी देता है, अतः कम फायदेमंद है? यदि शरीर की उन गतियों पर ध्यान दिया जाए, जो शरीर को खुद-ब-खुद गर्मी देती हैं, तो काला कपड़ा और भी बेकार है; वह शरीर को अतिरिक्त गर्मी देता है। क्या वहाँ स्त्री-पुरुषों की टोपियाँ सफेद नहीं होनी चाहिए, जो लू लगाने वाली गर्मी से बचाव करती हैं?... क्या काले रंग से पुती दीवारें दिन भर में इतनी गर्मी अवशोशित नहीं कर सकतीं कि रात को भी कुछ हद तक गर्म बनी रहें और फल आदि को जमने से बचा सकें? क्या ध्यान से प्रेक्षण करने वाला व्यक्ति अनेक दूसरी छोटी-बड़ी बातों से दूसरे प्रकार के लाभ नहीं प्राप्त कर सकता?''

ये निष्कर्ष कैसे हैं और कहाँ तक उनका व्यावहारिक उपयोग संभव है—यह जर्मनी के जहाज ''हौंस्त'' से पता चलता है, जो 1903 में दक्षिणी ध्रुव के अभियान पर निकला था। जहाज जमे बर्फ के बीच फँस गया था और उसे मुक्त करने के सारे तरीके नाकामयाब साबित हो रहे थे। बारूद ले लेकर आरी तक का उपयोग किया जा चुका था, कुछेक सौ घन मीटर बर्फ तोड़ी जा चुकी थी, पर जहाज जहाँ का तहाँ फँसा रहा। अंत में सूर्य-किरणों का उपयोग करने का निश्चय किया गया। साजे और कोयले को बर्फ पर फैला कर एक पट्टी बनाई गई, जो करीब 2 km लंबी और दसेक मीटर चौड़ी थी। वह जहाज को निकटतम सुरक्षित स्थान तक ले जाने वाली थी। ध्रुव पर उस समय गर्मी का मौसम था। दिन लंबे और साफ थे और सूर्य-किरणें वह करने में सफल हो गईं, जो डिनामाइट भी नहीं कर सका था। पट्टी के नीचे बर्फ पिघल कर चूर हो गई और जहाज उसके शिकंजे से निकल गया।

मरीचिकाओं के बारे में नई-पुरानी बातें

साधारण मरीचिका का भौतिक कारण सबको पता होगा। मरूभूमि के तप्त बलुवाही-तल में दर्पणी गुण इसलिए आ जाते हैं, क्योंकि उसके निकट स्थित हवा की परत का घनत्व कम होता है। दूरस्थ वस्तु से नत प्रकाश-किरणें हवा की इस परत तक आने के बाद अपना पथ इस प्रकार वक्रित कर देती हैं कि आगे चलकर वे प्रेक्षक की आँखों तक पहुँच जाती हैं। लगता है जैसे वे बहुत बड़ा आपतन कोण बनाती हुई बालू से परवर्तित हो रही हों। इसीलिए प्रेक्षक को भ्रम होता है कि मरूभूमि में सब तरफ पानी ही पानी है, जो तटवर्ती वस्तुओं को अपनी सतह पर प्रतिबिंबित करता है (चित्र 115)।

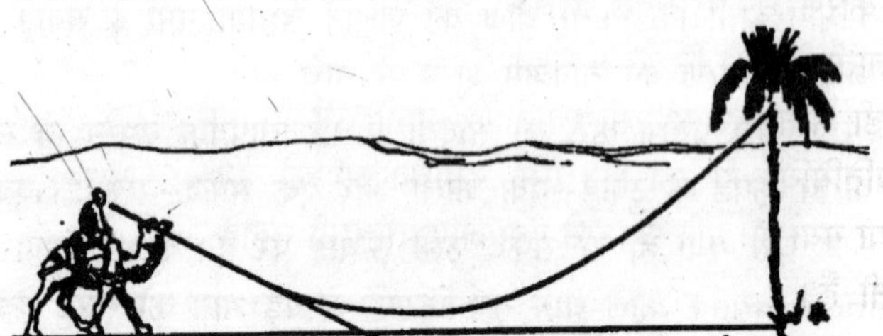

चित्र 115. मरुभूमि में मरीचिका की उत्पत्ति। पाठ्य-पुस्तकों में अक्सर इस चित्र को दिखाया जाता है। इसमें प्रकाश-किरणों के पथ को अतिशयोक्ति के साथ झुका कर दिखाया गया है।

अधिक सही होगा यह कहना कि हवा की तप्त परत किरणों को दर्पण की तरह नहीं, जलीय तल की तरह परावर्तित करती है, यदि जलीय तल को गहराई में से देखा जाए। यहाँ साधारण परावर्तन नहीं होता; यहाँ वह होता है, जिसे भौतिकवद्, ''आंतरिक परावर्तन'' कहते हैं। इसके लिए आवश्यक है कि प्रकाश की किरण हवा की परत को अत्यंत न्यून झुकाव पर बेधे। यह झुकाव इससे कहीं कम होना चाहिए, जितना सरलीकृत चित्र 115 में दिखाया गया है। यदि ऐसा नहीं होगा, तो

किरणों का आपतन ''चरम कोण'' को पार नहीं कर सकेगा और इसके बिना आतंरिक परावर्तन नहीं हो सकता।

चलते-चलते इस सिद्धांत के एक और पक्ष पर गौर कर लें। उपरोक्त व्याख्या के अनुसार अधिक घनत्व वाली परतों को ऊपर होनी चाहिए और कम घनत्व वाली को-नीचे। पर हम जानते हैं कि घनी व भारी हवा नीचे की ओर प्रवृत्त होती है और वहाँ से हल्की गैसों को ऊपर विस्थापित कर देती है। फिर मरीचिका के लिए आवश्यक स्थिति—कि घनी हवा की परतें ऊपर रहें और विरल हवा की नीचे-कैसे प्राप्त हो सकती है?

बात इतनी सी है कि परतों की आवश्यक स्थिति निश्चल हवा में नहीं, बल्कि निरंतर गतिमान हवा में प्राप्त होती है। जमीन द्वारा तप्त हवा जमीन पर ही नहीं पड़ी रहती; वह निरंतर उठती है और उसका स्थान दूसरी कम गर्म हवा ले लेतीर रहती है। इस निरंतर विस्थापन के कारण तप्त रेत के ऊपर विरल हवा की एक परत सदा विद्यमान रहती है। यह सही है कि यह परत नयी-नयी हवा से बनती रहती है, पर किरणों के प्रसरण पर इससे कोई फर्क नहीं पड़ता।

जिस मरीचिका के बारे में हम बात कर रहे हैं, वह प्राचीन काल से ही ज्ञात है। आधुनिक मौसम विज्ञान में इसे ''निम्न'' मरीचिका कहते हैं (''उच्च'' मरीचिका तब उत्पन्न होती है, जब प्रकाश किरणें वातावरण के ऊपरी भागों में स्थित विरल वायु-परतों से परावर्तित होती हैं)। अधिकांश लोगों का विश्वास है कि मरीचिका का यह क्लासिकल रूप सिर्फ दक्षिणी देशों की मरूभूमियों में ही दृष्टिगोचर होता है। पर यह गलत है। ''निम्न'' मरीचिका हमारे अक्षांशों पर भी दिखती है। हमारे यहाँ ये संवृत्तियाँ गर्मियों में विशेषकर कोलतार की सड़कों पर दिखती हैं, जो काली होने के कारण धूप में बहुत अधिक गर्म हो जाती हैं। इस स्थिति में सड़क की रूखड़ी सतह दूर से ऐसी लगती है, मानों उस पर पानी फैला हो और उसमें दूरस्थ वस्तुएँ प्रतिबिंबित हो रही हों। ऐसी मरीचिकाओं को बनाने वाला किरण-पथ चित्र 116 में दिखाया गया है। यदि ध्यान से ढूँढ़ा जाए, तो ऐसी संवृत्तियाँ कहीं अधिक बार अवलोकित हो सकती हैं।

चित्र 116. कोलतार वाली सड़क पर मरीचिका।

एक दूसरे प्रकार की मरीचिका है—**पार्श्विक** मरीचिका, जिसकी विद्यमानता का शायद बहुतों को आभास भी नहीं है। यह गर्म उदग्र दीवार से परावर्तन है। इस प्रकार के दृश्य का वर्णन एक फ्रांसीसी लेखक ने किया है। किले के नजदीक आने पर उसने देखा कि कंक्रीट की दीवार हठात दर्पण की तरह चमकदार हो गई और उसमें परिवेश का कुछ भाग प्रतिबिंबित होने लगा। ऐसा प्रतीत होता था, मानों किसी ने रूखड़ी गंदी सतह को अचानक पालिश कर के चमका दिया हो। उनके दर्पणी गुण का रहस्य यही था कि दीवारें गर्म धूप में काफी तप्त हो गई थीं। चित्र 117 में किले की दीवारों की स्थितियाँ (F व F') तथा प्रेक्षण-स्थल (A व A') दिखाए गए हैं। पता चला कि मरीचिका हर बार दिखती थी, जब दीवारें सूर्य-किरणों से पर्याप्त गर्म हो जाती थीं। इस संवृत्ति का फोटो भी खींचा जा चुका है।

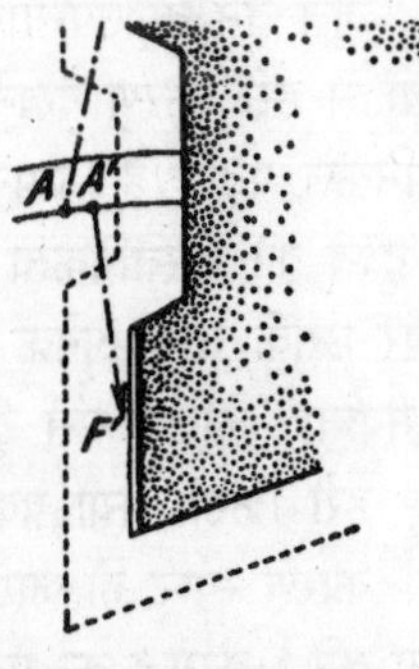

चित्र 117. किले का आरेख, जिसमें मरीचिका दृष्टिगोचर होती है। बिंदु A से देखने पर दीवार F दर्पण की तरह दिखती है और बिंदु A' से दीवार F'।

चित्र 118 में किले की दीवार F दिखाई गई है, जो पहले रूखड़ी व चमकहीन थी (बाएँ) और बाद में दर्पण सी चमकदार हो गई (दाएँ)। ये चित्र बिंदु A' से लिए गए हैं। बाएँ चित्र में साधारण चमकहीन कंक्रीट की दीवार है, जिसमें पास खड़े दो सैनिकों की आकृतियाँ प्रतिबिंबित नहीं हो रही हैं। दाएँ वही दीवार है, जिसमें दर्पण का काफी कुछ गुण आ चुका है और उसमें निकटवर्ती सैनिक का **सममित** प्रतिबिंब दिख रहा है। स्पष्ट है कि यहाँ प्रतिबिंब दीवार की सतह द्वारा नहीं बन रहा है, वह दीवार के सहारे खड़ी गर्म हवा की परत द्वारा बन रहा है।

प्रचंड गर्मी के दिनों में बड़े विशाल भवनों की सूर्य से तप्त दीवारों पर ध्यान देना चाहिए; हो सकता है कि मरीचिका दिख जाए। यदि ध्यानपूर्वक खोज व प्रेक्षण किया जाए, तो मरीचिका के बनने वाली स्थितियों की संख्या बढ़ सकती है।

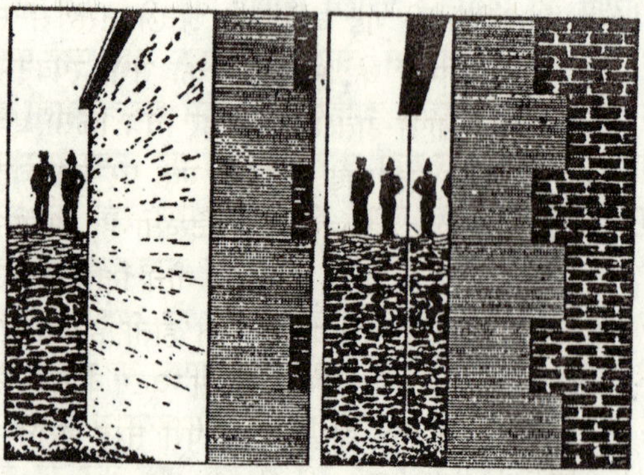

चित्र 118. गंदी सी रुखड़ी दीवार (बाएँ) हठात दर्पण की तरह पालिश की हुई चमकदार दिखने लगती है (दाएँ)।

"हरी किरण"

"आपने सागर पार क्षितिज पर अस्त होते हुए सूर्य का कभी अवलोकन किया है? कभी आपने उस क्षण तक रूक कर देखने की कोशिश की है, जब सूर्य के गोले की ऊपरी किनारी क्षितिज को स्पर्श करने लगती है और फिर लुप्त हो जाती है? शायद हाँ। पर क्या आपने इस घटना का अवलोकन किया है, जब देदीप्यमान प्रकाश-स्रोत अपनी अंतिम किरण छोड़ता है और उस समय आकाश बिल्कुल साफ व पारदर्शक होता है? शायद नहीं। कभी ऐसा अवसर मिले; तो छोड़ें नहीं : आपकी आँखों पर लाल किरणों का प्रहार नहीं होगा; आप हरा रंग देखेंगे, दीव्य हरा रंग, जैसा दुनिया में एक भी चित्रकार अपनी कूची से नहीं रच सकता; स्वयं प्रकृति भी इसे पुनर्जन्म नहीं दे सकती, न तो बहुआभ वनस्पति जगत में, न स्वच्छतम सागर जल के रंगों में।"

जूल वेर्न के उपन्यास "हरी किरण" की नायिका किसी अँग्रेजी समाचार-पत्र में ऐसा एक निबंध पढ़कर अपनी आँखों से हरी किरण देखने को लालायित हो उठती है और इसी एकमात्र अभिलाषा से प्रेरित हो कर लंबी समुद्रयात्रा पर निकल पड़ती है। उपन्यासकार के अनुसार यह स्कौटलैंडबाला इस प्राकृतिक दृश्य को ढूँढ़ने में असफल रही, पर इस दृश्य की वास्तविकता व विद्यमानता पर कोई शक नहीं किया जा सकता। हरी किरण कोई किस्से की बात नहीं है, पर उसके साथ अनेक किस्से जुड़े हैं। यह ऐसा दृश्य है, जिसे देखकर कोई भी प्रकृति-प्रेमी मोहित हुए बिना नहीं रह सकता। लेकिन उसे ढूँढ़ने और देख सकने के लिए काफी धीरज चाहिए।

हरी किरण क्यों प्रकट होती है।

कारण स्पष्ट हो जाएगा, यदि आप स्मरण करें कि काँच के प्रिज्म से देखने पर वस्तुएँ कैसी नजर आती हैं। एक प्रयोग करें : कागज का पन्ना दीवार पर लटका कर उसे प्रिज्म से देखें; प्रिज्म का चौड़ा पार्श्व (आधार) नीचे व क्षैतिज होना चाहिए। पहली बात आप देखेंगे कि कागज अपनी वास्तविक स्थिति से कुछ ऊपर उठ आया है और, दूसरे, ऊपर बैंगनी-नीली पट्टी दिखेगी और नीचे पीली-लाल। कागज का ऊपर उठना प्रकाश के अपवर्तन पर निर्भर करता है और वर्ण-पट्टियों का बनना शीशे के प्रकीर्णक गुण, अर्थात् भिन्न रंगों की किरणों को भिन्न प्रकार से अपवर्तित करने के गुण पर निर्भर करता है। बैंगनी और नीला वर्ण सबसे अधिक अपवर्तित होते हैं, इसीलिए बैंगनी-नीली पट्टी ऊपर नजर आती है; सबसे कम अपवर्तन होता है लाल वर्ण का, अतः लाल पट्टी सबसे नीचे बनती है।

आगे कही गई बातों को अच्छी तरह से समझने के लिए वर्ण-पट्टियों की उत्पत्ति का कारण जानना आवश्यक है। प्रिज्म कागज के श्वेत वर्ण को सभी स्पेक्ट्रमी वर्गों में विघटित कर देता है। इसके कारण कागज के एक नहीं, अनेक चित्र प्राप्त होते हैं, और हर चित्र किसी एक वर्ण का होता है। पर ये चित्र वर्णो की अपवर्तनशीलता के अनुसार एक के ऊपर एक चढ़े होते हैं। एक पर एक चढ़े रंगीन चित्रों के सम्मिलित प्रभाव के कारण वे सफेद दिखते हैं। पर ऊपर और नीचे इंद्रधनुषी पट्टी दिखती है, क्योंकि कागज के विभिन्न चित्र पूरी तरह से एक पर एक नहीं चढ़े होते। हर चित्र दूसरे से थोड़ा ऊपर या नीचे खिसका हुआ होता है और इसीलिए हर चित्र की ऊपरी व निचली किनारी दूसरे चित्रों के रंगों के प्रभाव से मुक्त होती है। यह प्रयोग विख्यात जर्मन कवि गेटे ने भी किया था, पर वे इसका अर्थ नहीं समझ सके। फलस्वरूप उन्होंने न्यूटन के वर्ण-सिद्धांत को गलत करार कर दिया और वे अपना एक अलग ''वर्णसिद्धांत'' बनाने में लग गए, जो लगभग पूरी तरह गलत-सलत धारणाओं पर आधारित था। आशा है कि हमारे पाठक महान कवि की भूल नहीं दुहराएँगे और प्रिज्म से सभी वस्तुओं को पूरी तरह से दूसरे रंगों में रंगने की माँग नहीं करेंगे।

पृथ्वी का वातावरण हमारी आँखों के लिए एक विराट प्रिज्म ही है, जिसका आधार नीचे की ओर है। क्षितिज पर स्थित सूर्य को हम गैस के बने प्रिज्म से देखते हैं। सूर्य की ऊपरी किनारी पर नीली व हरी पट्टी होती है और निचली किनारी पर–लाल-पीली। लेकिन उदय व अस्त होने के क्षण, जब सूर्य लगभग पूरी तरह क्षितिज के नीचे छिपा होता है, ऊपरी किनारी पर नीली पट्टी दिख सकती है। वह द्विवर्णी होती है–नीचे से नीले व हरे वर्णों के मिलने के कारण आसमानी और ऊपर से सिर्फ नीली होती है। जब क्षितिज के निकट हवा बिल्कुल शुद्ध व पारदर्शक होती है, हम नीली पट्टी (''नीला रंग'') देखते हैं। पर अक्सर नीला रंग वातावरण द्वारा प्रकीर्णित हो जाता है और सिर्फ हरी पट्टी बच जाती है। यही ''हरी किरण'' का अवतरण कहलाता है। यदि हवा साफ व पारदर्शक नहीं हो, तो हरे व नीले दोनों ही वर्णों के किरणों का प्रकीर्णन हो जाता है और कोई भी पट्टी नहीं दिखती; सूरज अरूणाभ गोले के रूप में अस्त हो जाता है।

पुल्कोव्स्की के खगोलशास्त्री गे. आ. तीखोव ने ''हरी किरण पर जो विशेष अन्वेषण किया है, उसके आधार पर हरी किरण दिखेगी या नहीं, इसके लक्षण बताए जा सकते हैं। ''यदि अस्त होते समय सूर्य का रंग लाल है और उसे नंगी आँखों से सरलतापूर्वक देखा जा सकता है, तो विश्वासपूर्वक कहा जा सकता है कि हरी किरण नहीं दिखेगी।'' कारण स्पष्ट है : सूर्य का लाल रंग वातावरण द्वारा नीली व हरी किरणों, अर्थात् ऊपरी पट्टियों के तीव्र प्रकीर्णन का द्योतक है। ''इसके विपरीत,–खगोलशास्त्री लिखता है,–यदि सूरज का साधारण श्वेताभी पीला रंग लगभग ज्यों का त्यों रह जाता है और अस्त होते वक्त भी उसकी रोशनी काफी तेज रहती है (अर्थात् वातावरण उसके प्रकाश को बहुत कम मात्रा में अवशोषित करता है–या.पे.), तो हरी किरण के दिखने की कहीं अधिक संभावना है। पर यहाँ महत्त्वपूर्ण बात यह भी है कि क्षितिज रेखा स्पष्ट हो; जंगल, मकान आदि के कारण कटी-छंटी न हो। ऐसा उत्तम स्थान सिर्फ सागर-तल पर ही हो सकता है। यही कारण है कि नाविक लोग हरी किरण की संवृत्ति से अधिक परिचित होते हैं।''

उपरोक्त बातों से स्पष्ट है कि ''हरी किरण'' देखने के लिए सूर्य का अवलोकन उस समय करना चाहिए, जब वह उदय या अस्त हो रहा है। दक्षिणी देशों में क्षितिज के पास आकाश अधिक साफ व पारदर्शक होता है। इसीलिए वहाँ ''हरी किरणों के दिखने की संभावना अधिक होती है। पर हमारे यहाँ भी इसकी कम संभावना नहीं है। जो लोग सोचते हैं कि हमारे यहाँ ऐसी संवृतियों का दर्शन अत्यंत विरल है, वे शायद जूल वेर्न के उपन्यास से काफी प्रभावित हुए हैं। यदि धैर्यपूर्वक प्रयत्न करेंगे, तो यह सुंदर दृश्य कभी न कभी दिख ही जाएगा। कभी-कभी दूरबीन द्वारा हरी किरण दिख जाया करती है। एजेशिया के दो खगोलशास्त्री इस दृश्य का निम्न वर्णन देते हैं :

''...सूर्यास्त के ठीक एक मिनट पहले जब गोले का पर्याप्त बड़ा भाग दिखता रहता है, उसकी स्पष्ट, पर लहराती आगे-पीछे फिसलती गोल सीमारेखा एक हरी पट्टी द्वारा घिरी होती है। यह पट्टी नंगी आँखों से तबतक नहीं दिखती,

जबतक कि सूर्य पूरी तरह छिप नहीं जाता। सूरज के पूर्णतया छिपने पर ही वह दिखती है। यह यदि बहुत शक्तिशाली दूरबीन से देखा जाए (जो दूरस्थ वस्तुओं को सौ गुनी बड़ी दिखा सकती हो), तो पूरी घटना को सविस्तार देखा जा सकता है : हरी पट्टी 10 मिनट पहले से दिखनी शुरू हो जा सकती है। वह सूरज की ऊपरी सीमा से शुरू होती है। सूर्य-मंडल की निचली किनारी के पास लाल पट्टी होती है। हरी पट्टी की चौड़ाई आरंभ में काफी कम होती है (आँखों पर मात्र कुछेक सेकेंड का कोण बनाती है।), पर सूरज के डूबने के साथ-साथ बढ़ती जाती है। कभी-कभी उसकी चौड़ाई आँख पर आधे मिनट तक का कोण बना लेती है।

हरी पट्टी की ऊपरी किनारी पर हरे रंग के उभरे हुए भाग भी होते हैं, जो सूर्य के अस्त होने के साथ-साथ स्वयं भी नीचे फिसलते रहते हैं। चमकते रहते हैं; फिर लुप्त हो जाते हैं" (चित्र 119)।

चित्र 119. लंबे समय तक "हरी किरणों" का अवलोकन; पहाड़ी के पार हरी किरणें पांच मिनट तक दिखायी देती रहीं। ऊपर दायें—टेलीस्कोप से दृष्टिगोचर "हरी किरणें"। सूर्य के गोले का कंटूर अनियमित है। स्थिति 1 में सूर्य की चमक से आंखें चकाचौंध हो जाती हैं, इसीलिए नंगी आंखों से सूर्य का हरा कोर नहीं दिखता। स्थिति 2 में सूर्य लगभग छिप जाता है और "हरी किरण" नंगी आंखों से दिखने लगती है।

पर बहुधा यह दृश्य एक-दो सेकेंड तक ही दिखता है। कुछ विशेष स्थितियों में यह अवधि काफी लंबी हो जा सकती है। एक बार तो "हरी किरण" पाँच मिनट तक दिखती रही थी! सूरज सुदूर पर्वत के पार डूब रहा था। तेज चलते पथिक को लग रहा था कि सूरज अपने हरे तेज में पहाड़ की ढलान पर फिसल रहा है (चित्र 119)

सूर्योदय के समय भी, जब उसकी ऊपरी किनारी थोड़ी-थोड़ी दिखने लगती है, "हरी किरण" का दृश्य कम रोचक नहीं होता। यह इस धारणा का खंडन करता है कि हरी किरण मात्र प्रकाशिकीय भ्रम है, जो डूबते सूर्य की चमक से थकी आँखों को दिख जाती है।

सूर्य कोई एकमात्र नक्षत्र नहीं है, जो "हरी किरणें" भेजता है। अस्त होते शूक्र ग्रह से भी उत्पन्न "हरी किरणें" अवलोकित हुई हैं।

अध्याय 9

दृष्टि-शक्तिः एक आँख की और दो आँखों की

जब फोटोग्राफी नहीं थी

फोटोग्राफी हमारे दैनिक जीवन में बिल्कुल घूल-मिल गया है। हम कल्पना भी नहीं कर सकते कि हमारे हाल के पूर्वज कैसे इसके बिना काम चलाते थे। सौ साल पहले इंगलैंड के सरकारी विभागों में लोगों का चित्र कैसे लिया जाता था, इसका एक रोचक वर्णन डिकेंस के ''पिकविक क्लब की डायरी'' में मिलता है। दृश्य कर्ज नहीं चुका सकने वाले लोगों के लिए बने जेल का है, जहाँ पिकविक को लाते हैं।

पिकविक से बैठने के लिए कहा जाता है, ताकि उसका चित्र उतारा जा सके।

''–मेरा चित्र उतारेंगे!–खुश होकर मि. पिकविक ने कहा।

–आपका रूप और रंग, सर,–मोटे जेलर ने कहा।–आपको मालूम होना चाहिए कि हम लोग चित्र उतारने में उस्ताद हैं। पलक मारने की देर नहीं लगेगी कि आपका चित्र तैयार हो जाएगा। आराम से बैठिए, सर; अपना ही घर समझिए।

आमंत्रण मान कर मि. पिकविक बैठ गए। सैमुएल (उनके नौकर) ने उनके कान में फुसफुसा कर कहा कि यहाँ ''चित्र उतारने'' का मतलब कुछ और ही है :

–इसका मतलब है, सर, कि जेलर कुछ समय तक गौर से आपकी शक्ल देखेंगे, ताकि मिलने आए लोगों में आपकी पहचान हो सके।

''चित्र उतारने'' का कार्य शुरू हो गया। एक तरफ मोटा जेलर बेशर्मी से आँखें फाड़े मि. पिकविक को देख रहा था और दूसरी तरफ उसका साथी एक नए कैदी पर टकटकी लगाए बैठा था। एक तीसरे सज्जन ठीक मि. पिकविक की नाक के पास तैनात होकर उनकी शक्ल के उतार-चढ़ाव व दूसरी विशेषताओं का अध्ययन करने लगे।

अंत में चित्र उतर गया और मि. पिकविक को कैदखाने में बंद कर दिया गया।''

यह यादाश्त में चित्र उतारने की विधि थी। इसके और पहले लोग सिर्फ हुलिया याद रखते थे। पुश्किन के ''बरिस गदुनोव'' में ग्रिगोरी अतरेपेव की हुलिया सरकारी कागजातों में इस प्रकार बयान थी : ''कद का छोटा, छाती चौड़ी, एक हाथ दूसरे से कुछ छोटा, आँखें नीली, बाल-भूरे-लाल, गाल व ललाट पर मस्से''। आज के जमाने में एक फोटोचित्र से ही काम चल जाता है।

बहुतों को नहीं आता

फोटोग्राफी हमरि यहाँ पिछली शती की चौथी दशाब्दी में आई। उस समय इसे डागेरोटाइप कहते थे।[1] उसे कागज पर नहीं धातुई पत्तरों पर उतारा जाता था। इस प्रकाश-लेखन में एक असुविधा थी—फोटो खिंचाने वाले को दसियों मिनटों तक बैठकर पोज देना पड़ता था।

"मेरे दादा,—लेनिनग्राद के एक भौतिकविद् प्रो. वेइनवेर्ग याद करते हैं,—सिर्फ एक फोटो प्राप्त करने के लिए, जिसकी दूसरी प्रति भी नहीं बन सकती थी, कैमरे के सामने 40 मिनट तक बैठे रहे!"

फिर भी, बिना चित्रकार के चित्र प्राप्त करने का विचार इतना नया था कि लोग इसके आदी नहीं हो पा रहे थे। 1845 ई. की एक रूसी पत्रिका में इससे संबंधित एक रोचक घटना छपी थी।

"बहुत से लोग अभी भी विश्वास करना नहीं चाहते कि डागेरोटाइप स्वयं तस्वीर उतारता है। एक बड़े आदमी अपनी चित्र बनवाने आए। मालिक (अर्थात् फोटोग्राफर।—या. पे.) ने उसे बैठा दिया, लेंस ठीक किया, पीछे से तख्ता फिट कर दिया, घड़ी देखी और बाहर निकल गया। जब तक मालिक कमरे में था, ये बड़े आदमी बिना हिलेडुले अपनी जगह पर बैठे रहे; पर जैसे ही वह कमरे से निकला, तस्वीर खिंचाने वाले साहब ने बैठे रहने की कोई जरूरत नहीं समझी। वे खड़े हो गए, तंबाकू सूंघी, और कैमरे के चारों ओर घूम-घूम कर उसका निरीक्षण करने लगे; शीशे में झाँकने के बाद बड़बड़ाए—अजीब चीज है; और फिर कमरे में चहलकदमी करने लगे।

मालिक जब लौटा, आश्चर्यचकित रह गया। उसने पूछाः

—आप क्या कर रहे हैं? मैंने जो आपसे कहा था कि बिना हिले-डुले बैठे रहिए!

—बैठा तो था ही; पर आप चले गए, फिर मैं बैठ कर क्या करता?

—मेरे जाने के बाद ही तो बैठना था।

—पर ये तो बेकार का बैठना होता!"

पाठकों को शायद लगता हो कि अब हम फोटोग्राफी से संबंधित ऐसी गलतफहमियों से बहुत दूर हो चुके हैं। पर हमारे समय में भी अधिकांश लोग फोटोग्राफी से इतना परिचित नहीं हैं और बहुत कम ही लोग ऐसे हैं, जिन्हें फोटो-चित्र देखना आता हो। आप सोचते होंगे कि इसमें आने न आने का क्या सवाल है : हाथ में तस्वीर ली और देख ली। पर काम इतना सीधा नहीं है। प्रकाश-लेखन से प्राप्त चित्र ऐसी चीज है, जो हमारे दैनिक जीवन में बिल्कुल घुल-मिल गई है, फिर भी हम इसे अच्छी तरह नहीं जानते। अधिकतर फोटोग्राफर भी (शौकिए और पेशेवर) फोटो-चित्रों को वैसे **बिल्कुल नहीं देखते, जैसे देखना चाहिए।** फोटोग्राफी की कला के जन्मे करीब सौ साल हो गए हैं, फिर भी बहुत से लोग नहीं जानते कि इसके चित्रों को कैसे देखना चाहिए।

फोटो-चित्र देखने की कला

बनावट के अनुसार फोटो-कैमरा एक बहुत बड़ी आँख के समान है : दूधिए शीशे पर बनने वाला चित्र लेंस और वस्तु के बीच की दूरी पर निर्भर करता है। फोटो-कैमरा कागज पर उस परिप्रेक्षी दृश्य को जड़ देता है, जो हमारी आँख को (ध्यान दें—सिर्फ एक आँख को!) दिखता, यदि उसे लेंस की जगह रख देते। इससे यह निष्कर्ष निकलता है कि यदि हम चित्र से वैसी ही अनुभूति प्राप्त करना चाहते हैं, जैसी वास्तविकता से मिलती है, तो हमें चाहिए—

(1) चित्र को सिर्फ एक आँख से देखना और

1. इस विधि के आविष्कारक डागेर थे।

(2) चित्र को आँख से आवश्यक दूरी पर रखना।

समझना कठिन नहीं है कि दोनों आँखों से देखने पर हमें सिर्फ समतली चित्र मिलेगा, जिसमें कोई परिप्रेक्षी (व्यौम) गहराई नहीं होती। यह हमारी दृष्टि के गुणों को आवश्यक परिणाम है। जब हम कोई ठोस वस्तु को देखते हैं, हमारे दृष्टि-पटलों पर दो असमान चित्र बनते हैं: बाईं आँख को बिल्कुल वही नहीं दिखता, जो दाईं आँख को दिखता है (चित्र 120)। चित्रों की यह असमानता ही वह मुख्य कारण है, जिसके चलते हमें वस्तुएँ ठोस लगती हैं, चौरस नहीं : हमारी चेतना दोनों ही संवेदनाओं को एक व्यौमधर्मी चित्र में मिला लेती है (व्यौमदर्शी की बनावट इसी पर आधारित है)। यदि हमारे सामने कोई चौरस समतली वस्तु (जैसे दीवार) होती है, तो दूसरी बात होती। दोनों आँखों को बिल्कुल समान संवेदनाएँ मिलतीं; इस समानता के कारण ही हमारी चेतना वस्तु को चौरस रूप में देखती है।

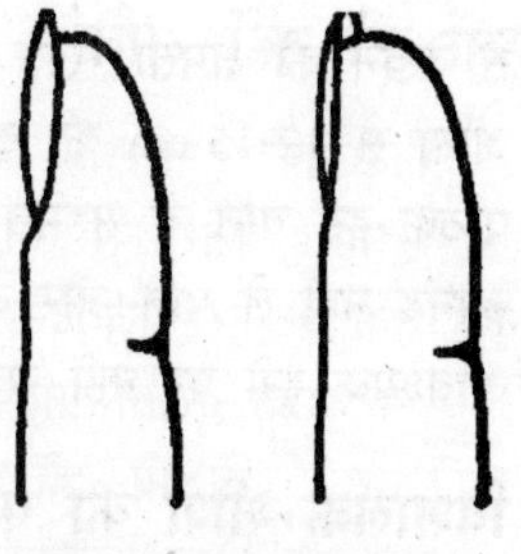

चित्र 120. चेहरे से कुछ दूरी पर उंगली बाईं व दाईं आँखों से कैसी दिखती है।

अब स्पष्ट हो गया कि दोनों आँखों से फोटो-चित्र देखने पर हम कैसी गलती करते हैं; दोनों आँखों से देखकर हम चेतना को दो समान संवेदना-चित्र भेजते हैं, जिससे उसे विश्वास हो जाता है कि उसके सामने समतली दृश्य है, व्यौम दृश्य नहीं। जो चित्र **एक** आँख के लिए बनाया गया है, उसे **दोनों** आँखों से देखने के कारण हमें वह नहीं मिलता, जो फोटोग्राफी दे सकती है। फोटोग्राफी द्वारा इतना अच्छा बनाया गया भ्रम हमारी छोटी सी गलती के कारण नष्ट हो जाता है।

फोटो किस दूरी से देखना चाहिए?

दूसरा नियम-कि चित्र को आँख से एक विशेष दूरी पर रखना चाहिए—भी इतना ही महत्त्वपूर्ण है। इसकी अवहेलना करने पर सही परिप्रेक्ष्य नहीं प्राप्त हो सकता।

कितनी दूरी से देखना चाहिए?

दूरी इतनी होनी चाहिए कि चित्र आँख पर उतना ही बड़ा कोण बनाए, जितना बड़ा वस्तु लैंस पर बना रही थी (जब फोटो खींचा जा रहा था), या दूधिए शीशे पर का बिंब लेंस पर बना रहा था (चित्र 121)।

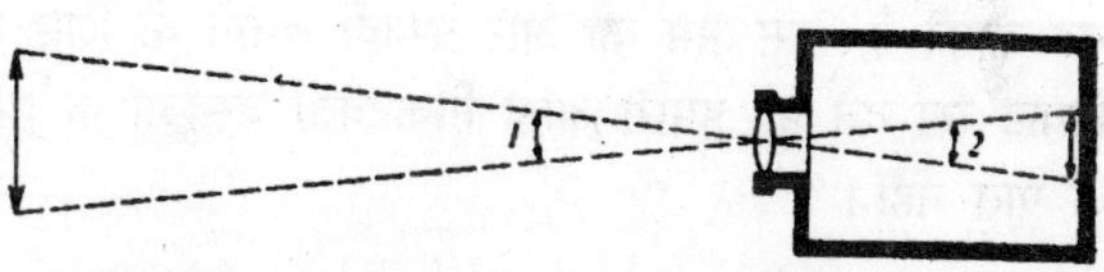

चित्र 121. फोटो-कैमरे में कोण 1 बराबर है कोण 2 के।

इससे ज्ञात होता है कि चित्र को आँख से उस दूरी पर रखना चाहिए, जो लेंस से वस्तु की दूरी से उतनी ही गुनी कम है, जितनी गुनी वास्तविक वस्तु चित्र से बड़ी है। संक्षेप में, चित्र को आँख से उस दूरी पर रखना चाहिए, जो लगभग लेंस की नाभिकीय दूरी के बराबर है।

यदि आप यह ध्यान में रखें कि अधिकतर शौकिया फोटोग्राफी के कैमरों में नाभिकीय दूरी 12-15 cm है[1], तो समझ जाएँगे कि हम कभी भी चित्रों को सही दूरी से नहीं देखते : साधारण दृष्टि वाले लोग 25 cm से कम की दूरी पर नहीं देख पाते। दीवार पर लटका हुआ फोटो-चित्र और भी चौरस लगता है, क्योंकि वह और भी दूर से देखा जाता है।

सिर्फ निकट दृष्टि वाले लोग, जो कम दूरी पर भी अच्छी तरह से देख सकते हैं (और बच्चे भी, जो काफी निकट

1. पुस्तक में उन्हीं कैमरों की बात चल रही है, जो इसकी रचना-काल में प्रचलित थे।—संपादक।

से देखने की क्षमता रखते हैं), उस प्रभाव का रसास्वादन कर सकते हैं, जो एक साधारण फोटो-चित्र दे सकता है। आँख से 12-15 cm की दूरी पर फोटो-चित्र रखकर वे चौरस दृश्य नहीं देखते, बल्कि व्यौम दृश्य आशा है कि अब पाठक इस बात से सहमत हो जाएँगे कि अधिकांशतः हम सिर्फ अपनी अज्ञानता के कारण ही फोटो-चित्रों का पूरा आनंद नहीं ले पाते और बेकार ही उन्हें निर्जान की संज्ञा देते हैं। बात सिर्फ इतनी है कि हम फोटो को आँखों से आवश्यक दूरी पर नहीं रखते और एक आँख के लिए बने चित्र को दो आँखों से देखते हैं।

विशालक शीशे का एक विचित्र गुण

हम समझा चुके हैं कि निकट दृष्टि के लोग साधारण फोटो-चित्रों को आराम से व्यौम चित्रों के रूप में देख सकते हैं। पर साधारण दृष्टि वाले लोगों को क्या करना चाहिए? वे चित्र को आँखों के बहुत निकट नहीं ला सकते, पर उनकी मदद विशालक शीशा कर सकता है। दुगुनी परिवर्धक शक्ति वाले विशालक की सहायता से वे बिना आँखों पर जोर डाले निकट दृष्टि वाले आदमी की तरह देख सकते हैं कि कैसे फोटो-चित्र में उभार व गहराइयाँ उत्पन्न हो जाती हैं। इन तथ्यों से स्पष्ट हो जाता है कि एक आँख से देखने पर साधारण फोटो-चित्र में व्यौम गुणों का दर्शन हो सकता है।

यह तथ्य सर्वविदित है, पर इसका कारण, जो हमारे लिए स्पष्ट हो चुका है, बहुत कम लोग जानते हैं।

''मनोरंजक भौतिकी'' के एक समीक्षक ने मुझे लिखा था :

''पुस्तक के अगले प्रकाशन में निम्न प्रश्न पर ध्यान दें : साधारण विशालक में देखने पर फोटो-चित्र उभारयुक्त क्यों लगता है? मेरा खयाल है कि व्योमदर्शी की जटिल व्याख्याएँ आलोचना के सामने नहीं टिकतीं। व्योमदर्शी में एक आँख से देखने की कोशिश करें : सिद्धांतों के बावजूद भी व्यौम दृश्य नष्ट नहीं होता।''

पाठकों को तो स्पष्ट हो गया होगा कि व्योमदर्शी का सिद्धांत इस तथ्य से गलत सिद्ध नहीं होता।

खिलौनों की दुकानों में बिकने वाले ''पैनोरमा'' इसी रोचक प्रभाव पर आधारित हैं। इस नन्हें उपकरणों में लोगों के ग्रुप या किसी भूदृश्य का चित्र विशालक शीशे द्वारा एक आँख से देखा जाता है। व्यौम दृश्य की प्राप्ति के लिए यह काफी है। इस भ्रम को और प्रभावी बनाने के लिए चित्र में से निकट की वस्तुओं को काट कर आँख के कुछ निकट रख देते हैं। हमारी आँखे निकटवर्ती वस्तुओं के व्यौम संबंधों के प्रति बहुत संवेदनशील है, पर दूरस्थ वस्तुओं के प्रति नहीं।

फोटो-चित्र का परिवर्धन

क्या ऐसा फोटो-चित्र नहीं बनाया जा सकता है कि उसे **साधारण** आँख भी बिना किसी विशालक के सही-सही देख सके? यह पूरी तरह से संभव है; इसके लिए कैमरों में अधिक नाभिक दूरियों वाले लेंसों का उपयोग करना चाहिए। पहले कही गई बातों के आधार पर यह समझा जा सकता है कि 25-30 cm लंबी नाभिक दूरी वाले लेंस से प्राप्त फोटोचित्र को एक आँख द्वारा साधारण दूरी से देखा जा सकता है; वह उभारयुक्त नजर आएगा।

ऐसी तस्वीर भी बनाई जा सकती हैं, जिन्हें दोनों आँखों व बड़ी दूरियों से देखा जा सकता है। हम कह चुके हैं कि जब दोनों आँखें किसी वस्तु की दो बिल्कुल समान तस्वीरें देती हैं, तो हमारी चेतना उन्हें मिला कर समतली चित्र में परिणत कर देती है। पर दूरी बढ़ने पर चेतना की यह प्रवृत्ति क्षीण होती है। 70 cm लंबी नाभिक दूरी वाले लेंस से खींचे गए चित्र को व्यावहारिकतः दोनों आँखों से देखा जा सकता है; परिप्रेक्ष्य खराब नहीं होगा।

पर अधिक नाभिक दूरी वाले कैमरे-लेंसों का प्रयोग असुविधाजनक है, अतः एक दूसरी विधि बताई जा सकती है : साधारण लेंस वाले कैमरे से तस्वीर खींच कर उसे डेवेलपर द्वारा **परिवर्धित** कर देते हैं। इससे वे दूरियाँ भी बढ़

जाती हैं, जिनसे चित्र को देखना चाहिए। यदि 15 cm नाभिक दूरी वाले लेंस से खींचे गए फोटो को 4 या 5 गुना बड़ा कर लिया जाए, तो इष्ट प्रभाव प्राप्त करने के लिए यह काफी रहेगा : इस चित्र को 60-75 cm की दूरी से दोनों आँखों द्वारा देखा जा सकता है। चित्र में थोड़ी अस्पष्टता रहेगी, पर यह व्योमानुभूति में बाधक नहीं बनेगी। उभार व परिप्रेक्ष्य के दृष्टिकोण से चित्र बेशक फायदे में रहेगा।

सिनेमा-हौल में उत्तम स्थान

सिनेमा के प्रेमियों ने ध्यान दिया होगा कि कुछ चित्रों में वस्तुओं की उभार व गहराई असाधारण रूप से स्पष्ट होती हैं। पृष्ठभूमि की तुलना में आगे की आकृतियाँ इतनी उत्तल होती हैं कि आप भूल जाते हैं कि पर्दे पर देख रहे हैं या वास्तविकता में।

चित्र के व्यौम गुण फिल्म की कोटि पर ही निर्भर नहीं करते, जैसा कि अक्सर सोचा जाता है। यह इस बात पर भी निर्भर करता है कि आप हौल में कहाँ बैठे हैं। चल-चित्र अत्यंत लघु नाभिक-दूरी वाले कैमरों द्वारा लिए जाते और पर्दे पर अत्यधिक परिवर्धित रूप में दिखाए जाते हैं—करीब 100 गुना अधिक। अतः उन्हें दोनों आँखों व बड़ी दूरियों (10 cm×100=10m) से देखा जा सकता है। चित्र के व्यौम गुण अधिकतम स्पष्ट होते हैं, जब वह आँखों से इतना दूर होता है कि उसके द्वारा हमारी आँख पर बनाया गया कोण चित्र खींचते वक्त लेंस पर वस्तु द्वारा बनाए गए कोण के बराबर होता है। सिर्फ इस स्थिति में चित्र वास्तविक परिप्रेक्ष्य का भान कराता है।

लेकिन किस स्थान से चित्र हमारी आँखों पर ऐसा कोण बना सकेगा? प्रथमतः, स्थान ऐसा होना चाहिए कि आप वहाँ से सीधा चित्र के बीच में देख सकें और, दूसरे, पर्दे से आपकी दूरी और चित्र की चौड़ाई का अनुपात लेंस की नाभिक दूरी व फिल्म-रील की चौड़ाई के अनुपात के बराबर हो।

चल-चित्रों के लिए उपयुक्त लेंसों की नाभिक दूरियाँ आवश्यकतानुसार 35 mm, 50 mm, 75 mm, 100 mm तक की होती हैं। फिल्म की मानक चौड़ाई 24mm होती है। 75mm की नाभिक-दूरी के लिए (उदाहरणतः) हमें अनुपात मिलता है :

$$\frac{\text{इष्ट दूरी}}{\text{चित्र की चौड़ाई}} = \frac{\text{फिल्म की चौड़ाई}}{\text{नाभिक दूरी}} = \frac{75}{24} \approx 3.$$

अतः इस स्थिति में पर्दे पर चित्र की चौड़ाई से लगभग तिगुनी दूरी पर बैठना चाहिए। यदि पर्दे पर चित्र की चौड़ाई 6 डेग है, तो ऐसे चित्रों को देखने के लिए उत्तम स्थान पर्दे से 18 कदम की दूरी पर होगा।

चल-चित्रों को व्यौम-गुण प्रदान करने के लिए आविष्कृत विधियों की जाँच करते वक्त उपरोक्त बातों को अवश्य ही ध्यान में रखना चाहिए : ऐसा भी हो सकता है कि चित्र के व्योमदर्शीय गुणों का कारण अभी-अभी बताई गई बातें हों, जब अविष्कारक इसे अपनी विधि की देन मानता हो।

पत्रिकाओं में चित्र देखना

पुस्तकों व पत्रिकाओं में छपे फोटो-चित्रों में वे ही गुण होते हैं, जो मूल फोटो-चित्रों में : विशेष दूरी से एक आँख द्वारा देखने पर वे भी व्यौमधर्मी प्रतीत होते हैं। पर पत्रिकाओं के सारे चित्र एक ही लेंस द्वारा नहीं खींच गए होते हैं, अतः आवश्यक दूरी टटोल-टटोल कर ज्ञात करना पड़ता है। इसके लिए एक आँख बंद कर के चित्र को हाथ में

इस प्रकार रखें कि चित्र आँख से यथासंभव महत्तम दूरी पर हो और उसका मध्य आँख की सीध में हो। अब चित्र को धीरे-धीरे आँखों के समीप लाए और साथ-साथ उसे देखते भी रहें। आप आसानी से जान लेंगे कि किस दूरी पर चित्र के व्यौमगुण अपनी पराकाष्ठा पर होते हैं।

बहुत से चित्र, जो साधारणतः अस्पष्ट तथा समतली लगते हैं, उपरोक्त विधि से देखने पर स्पष्ट व व्यौमधर्मी दिखने लगते हैं। इस प्रकार से देखने पर पानी की चमक स्पष्ट दृष्टिगोचर होते हैं तथा इससे दूसरे व्योमदर्शीय प्रभाव भी नजर आने लगते हैं।

आश्चर्य होता है कि इतने साधारण तथ्यों को भी बहुत कम लोग जानते हैं, जबकि यहाँ जो कुछ कहा गया है, कोई पचास एक साल पहले ही सरल व लोकप्रिय पुस्तकों में लिखा जा चुका है। ''बुद्धि की कर्तृती के आधार'' में उसके लेखक वी. कार्पेटर फोटो-चित्र देखने की विधि के बारे में लिखते हैं :

''ध्यान देने योग्य है कि फोटो-चित्र देखने की इस विधि से (जो ऊपर बताई जा चुकी है) वस्तु की सिर्फ व्यौम विशेषताएँ ही स्पष्ट नहीं हो जातीं; दूसरी विशेषताएँ भी सजीव हो उठती हैं और वास्तविकता का भ्रम बढ़ जाता है। फोटो-चित्रों का सबसे कमजोर पक्ष है स्थिर पानी दिखा सकना। यदि पानी का चित्र **दोनों** आँखों से देखा जाए, तो उसकी सतह मोम से घिसी हुई लगती है। पर यदि उसे एक आँख से देखा जाए, तो उसमें आश्चर्यजनक पारदर्शिता व गहराई नजर आने लगती है। यही बात अन्य परावर्तक सतहों के साथ भी है। दोनों आँखों से देखने पर आप भिन्न सतहों में फर्क नहीं ज्ञात कर सकते, पर एक आँख से देख कर आप काँसे और हाथी-दाँत की सतहें पहचान सकते हैं। तात्पर्य यह है कि वस्तु किस द्रव्य की बनी है, इसका निर्णय आप चित्र के आधार पर तभी कर सकते हैं, जब उसे एक आँख से देखें, न कि दोनों आँखों से।''

एक और परिस्थिति पर ध्यान दें। यदि फोटो-चित्रों को परिवर्धित करने पर वे सजीव हो उठते हैं, तो उन्हें छोटा करने पर उनकी निर्जीवता बढ़ जाती है। यह बात दूसरी है कि फोटो-चित्र छोटा बनाने पर वह अधिक स्पष्ट होता है। पर साथ ही वह अधिक समतली दिखने लगता है और उसमें वस्तुओं के व्यौम गुण नजर नहीं आते। इसका कारण उपरोक्त बातों से स्पष्ट है : फोटोचित्रों को छोटा करने से उसमें ''परिप्रेक्षी दूरियाँ'' (वस्तुओं के व्यौम गुणों को दर्शाने वाली दुरियाँ), जो वैसे ही छोटी हैं, और भी छोटी हो जाती हैं।

चित्र देखना

जो कुछ फोटो-चित्रों के बारे में कहा गया है, वह कुछ हद तक चित्रकार के हाथ से बनाए चित्रों के लिए भी सही है : उन्हें भी एक विशेष दूरी से देखना चाहिए, तभी आप परिप्रेक्ष्य (चित्र में वस्तु के व्यौम गुणों की अभिव्यक्ति, अर्थात् वस्तु की लंबाई व चौड़ाई, उसकी गहराई और उभार, आगे व पीछे के बिंदुओं में अंतर, आदि) को अनुभव कर सकेंगे। सिर्फ इसी स्थिति में चित्र आपको सपाट नहीं लगेगा; उसमें आप वास्तविक दृश्य का दर्शन कर सकेंगे। इन चित्रों को भी एक आँख से देखना अधिक लाभप्रद रहेगा, विशेषकर यदि उनका आकार काफी बड़ा नहीं है।

''बहुत पहले से ही ज्ञात है,—उसी पुस्तक में इस प्रश्न के बारे में अंग्रेज मनोवैज्ञानिक कारपेंटर लिखते हैं,—कि यदि चित्र में परिप्रेक्षी गुण, वस्तुओं के प्रकाशमान व छाएदार भागों और उनके स्थान-क्रम आदि वास्तविकता के अनुरूप हैं, तो उसे भी एक **आँख से देखना चाहिए, दोनों से नहीं**। एक आँख से देखने पर चित्र और भी सजीव हो उठता है। सजीवता का प्रभाव और बढ़ाया जा सकता है, यदि हम उसे किसी नलिका द्वारा देखें, जिससे चित्र के सिवा और कुछ नहीं दिखे। इस तथ्य को पहले बिल्कुल गलत तरीके से समझाया जाता था : 'हम दो आँखों की बजाए एक आँख से अधिक अच्छा देखते हैं,—बेकन का कहना है, —क्योंकि इससे जीवन-शक्ति एक स्थान पर जमा हो जाती है और अधिक प्रभावशाली हो उठती है।'

पर वास्तविकता में यहाँ बात कुछ और ही है। जब हम साधारण दूरी से चित्र को दोनों आँखों से देखते हैं, तो उसमें अंकित दृश्य को सपाट मानने पर विवश हो जाते हैं। पर जब हम उसे एक आँख से देखते हैं, हमारी बुद्धि परिप्रेक्ष्य, प्रकाश व छाया आदि के भ्रमों में अधिक आसानी से विश्वास कर लेती है। अतः जब हम काफी देर तक गौर से चित्र देखते हैं, वह जल्द ही मूर्त्त हो उठता है, उसमें वस्तुओं के वास्तविक व्यौम गुण प्रकट हो जाते हैं। भ्रम का प्रभावशाली होना इस बात पर निर्भर करता है कि चित्रकार ने कितनी सच्चाई से वास्तविकता को समतल कागज पर प्रक्षिप्त किया है। एक आँख से देखने पर यह लाभ होता है कि हमारी बुद्धि चित्र की मनचाही व्याख्या करने को स्वतंत्र होती है; चित्र में अंकित दृश्य को सपाट (समतली) मानने के लिए उसे कोई विवश नहीं करता।"

बड़े-बड़े चित्रों की फोटोग्राफी से प्राप्त छोटे चित्रों में वस्तुओं के व्यौम गुण और अधिक उभर आते हैं। यह समझने में कठिनाई नहीं होगी, यदि आप स्मरण करेंगे कि चित्रों को छोटा करने पर अक्सर वह दूरी भी कम हो जाती है, जिस पर से उसे देखना चाहिए, और इसीलिए चित्र कम दूरी से ही व्यौम दृश्य का भ्रम उत्पन्न कर सकती है।

व्योमदर्शी क्या है?

समतली (सपाट) चित्रों के बाद अब ठोस वस्तुओं पर आए और निम्न प्रश्न पर गौर करें : वस्तुएँ आखिर ठोस (या त्रिविम) क्यों लगती हैं, सपाट क्यों नहीं दिखतीं? आँख की रेटीना पर बनने वाले चित्र तो सपाट ही होते हैं। फिर वस्तुएँ हमें समतली क्यों नहीं लगतीं; त्रिविम (लंबाई, चौड़ाई और मुटाई युक्त) क्यों नजर आती हैं?

इसके कई कारण हैं। प्रथमतः, वस्तु के विभिन्न भागों की अलग-अलग प्रकाश–मानता के आधार पर हम वस्तु के वास्तविक रूप का अंदाजा लगा सकते हैं। दूसरे, इसमें उस तनाव की भी महत्त्वपूर्ण भूमिका है, जो हम वस्तु के भिन्न दूरियों पर स्थित भागों को समान स्पष्टता से देखने की कोशिश करते वक्त अनुभव करते हैं : सपाट चित्र के सभी भाग हमारी आँखों से समान दूरी पर स्थित होते हैं, पर ठोस पिंड के भिन्न भाग हमारी आँखों से भिन्न दूरियों पर होते हैं और उन्हें देखने के लिए आँख को अलग-अलग दूरियों पर फोकस करना होता है। पर सबसे महत्त्वपूर्ण कारण यह है कि हमारी दोनों आँखें एक ही वस्तु के अलग-अलग चित्र प्राप्त करती हैं। बाईं आँख व दाईं आँख किसी भी वस्तु का बिल्कुल समान चित्र नहीं प्राप्त करतीं। यह आप आसानी से मान लेंगे, यदि किसी समीपस्थ वस्तु को बारी-बारी से एक-एक आँख बंद कर के देखेंगे। हर आँख वस्तु का कुछ भिन्न चित्र देती है और मस्तिष्क इसी भिन्नता की व्याख्या के आधार पर त्रिविम वस्तु की संवेदना प्राप्त करता है (चित्र 120 व 122)।

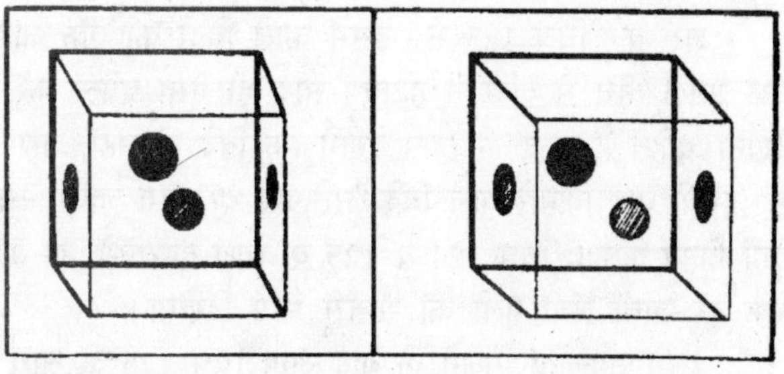

चित्र 122. धब्बेदार काँच का घन, बायाँ व दाईं आँखों से देखने पर।

अब आप कल्पना करें कि किसी एक वस्तु के दो चित्र हैं : एक चित्र में वस्तु इस तरह से अंकित है, जैसे बाईं आँख उसे देखती है और दूसरे चित्र में–जैसे दाईं आँख। यदि इन चित्रों का अवलोकन इस प्रकार से किया जाए कि हर आँख सिर्फ "अपना" चित्र ही देख सके, तो दो समतली चित्रों की जगह हमें एक उत्तल व्योम-गुणी वस्तु दिखेगी; वस्तु अधिक व्यौम प्रतीत होगी, बनिस्बत की यदि हम एक आँख से वास्तविक ठोस पिंड ही देखें। इस तरह के युग्म-चित्र विशेष उपकरण द्वारा देखे जाते हैं, जिन्हें व्योमदर्शी कहा जाता है। पुराने व्योमदर्शियों में चित्रों का संगम दर्पण की मदद से कराया जाता था, पर आधुनिक व्योमदर्शियों में हम शीशे के उत्तल प्रिज्मों की सहायता लेते हैं : वे किरणों के पथों को इस प्रकार से विचलित करते हैं कि उन्हें मन ही मन पीछे बढ़ाने पर दोनों

चित्र एक-दूसरे के ऊपर आ जाते हैं। प्रिज्मों की उत्तलता के कारण चित्र कुछ परिवर्धित भी हो जाते हैं। जैसा कि आप देखते हैं, व्योमदर्शी का सिद्धांत अत्यंत सरल है। पर सरल साधनों से भी कितना शक्तिशाली प्रभाव उत्पन्न किया जा सकता है।

अधिकांश पाठकों को निस्संदेह विभिन्न दृश्यों की व्योमदर्शीय फोटोग्राफी देखने का अवसर मिला होगा। कइयों ने व्योमदर्शी में आकृतियों का आरेख भी देखा होगा, जो व्यौम ज्यामिति का पठन-पाठन सरल करने के लिए बनाए जाते हैं। आगे हम व्योमदर्शी के इन प्रचलित उपयोगों के बारे में बातें नहीं करेंगे। ऐसे उपयोगों के बारे में बताना अधिक लाभदायक होगा, जिसे बहुत कम लोग जानते हैं।

हमारा नैसर्गिक व्योमदर्शी

व्योमदर्शीय चित्रों को आप बिना किसी विशेष उपकरण के भी देख सकते हैं। इसके लिए सिर्फ आँखों को अनुकूल दिशाओं में निर्दिष्ट करने का अभ्यास करना होगा। परिणाम वही मिलेगा, जो व्योमदर्शी से देखने पर मिलता है; सिर्फ चित्रों का आकार बड़ा नहीं दिखेगा। व्योमदर्शी के आविष्कारक विटसन ने शुरू-शुरू इसी विधि का उपयोग किया था।

यहाँ कुछ व्योमदर्शीय चित्र दिए जा रहे हैं, जो जटिलता के क्रम में हैं। आपको सलाह है कि इन्हें बिना व्योमदर्शी

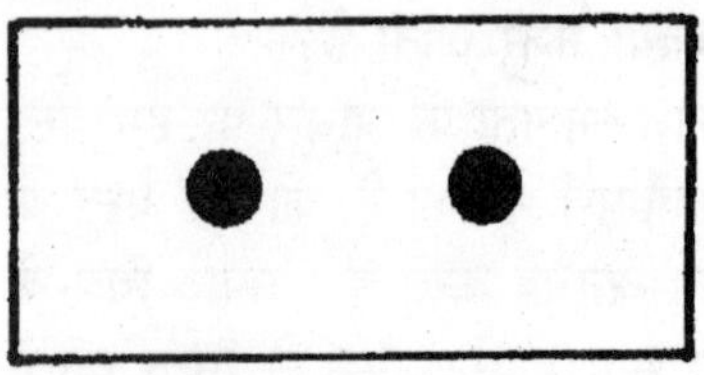

चित्र 123. धब्बों के मध्य में कुछ देर तक गौर से देखते रहें—दोनों धब्बे एक में मिल जाएँगे।

चित्र 124. इसके साथ भी यही करें। दोनों के एक में मिलने के बाद अगला अभ्यास आरंभ करें।

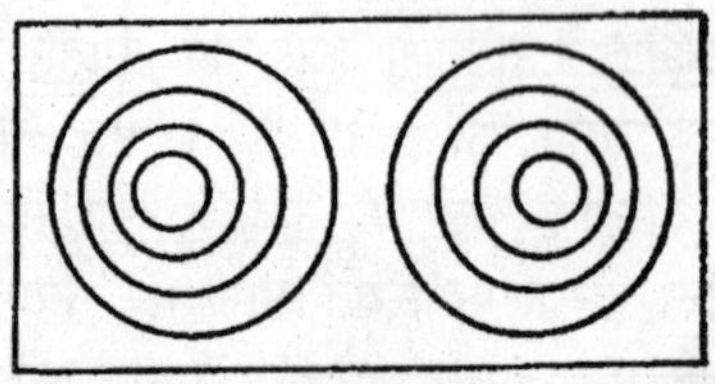

चित्र 125. जब ये आकृतियाँ एक में मिल जाएँगी, आपको लगेगा, जैसे आप एक लंबी नली के भीतरी भाग को देख रहे हैं।

के देखने का प्रयत्न करें। सफलता कुछ अभ्यास के बाद ही मिलेगी।[1]

शुरू करें चित्र 123 से। इसमें काले बिंदों का एक जोड़ा है। आप उन्हें आँखों के सामने रखें और कुछ सेकेंड तक उनके बीच से दृष्टि न हटाए। साथ ही ऐसा प्रयत्न करें, मानों आप इन चित्रों के पीछे दूर रखी किसी वस्तु को देखना चाहते हैं जल्द ही आप देखेंगे कि बिंदे दो नहीं, चार हैं। हर बिंदे दो नहीं, चार हैं। हर बिंदे के दो हो जाते हैं। इसके बाद किनारे वाले बिंदे तैरते हुए दूर भाग जाएँगे और भीतर के दो बिंदे मिलकर एक हो जाएँगे। यदि आप यही क्रिया क्रमशः चित्र 124 व 125 के साथ दुहराएँगे, तो अंतिम स्थिति में चित्रों के संगम के परिणामस्वरूप आपको एक दूर जाती लंबी नली का भीतरी भाग दिखेगा।

इसमें सफलता मिलने के बाद आप चित्र 126 के साथ अभ्यास शुरू कर दे सकते हैं। यहाँ संगम के क्षण हवा में लटकी ठोस ज्यामितीय आकृतियों को देखेंगे। चित्र 127 आपको एक लंबा गलियारा दिखाएगा। चित्र 128 पारदर्शक शीशे के डिबबे में तैरती मछली से आपका मन मोह लगा। और अंत में, चित्र 129 आपके समक्ष एक पूरा समुद्री दृश्य

1. यहां एक बात बता दूं : व्योमदर्शी में भी व्योम का दर्शन सबके वश की बात नहीं है। कुछ लोग (जैसे तिर्यक दृष्टि वाले या जो एक आँख से काम करने के आदी हैं) यह काम बिल्कुल नहीं कर सकते। कुछ लोगों को लंबे अभ्यास के बाद ही इसमें सफलता मिलती है। तीसरे प्रकार के लोग, जो अधिकांशतः युवा-वर्ग से होते हैं, करीब पंद्रह मिनट के अभ्यास से ही सीख लेते हैं।

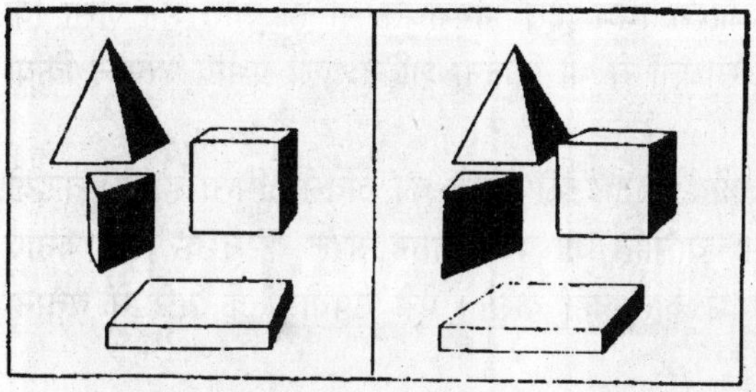

चित्र 126. इन दो आकृतियों के एक में मिलने पर चारों ज्यामितीय पिंड हवा में तैरते से लगेंगे।

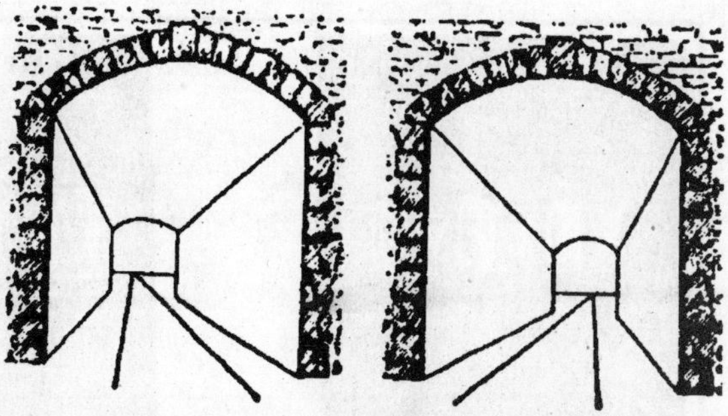

चित्र 127. लंबा, दूर तक जाता हुआ गलियारा

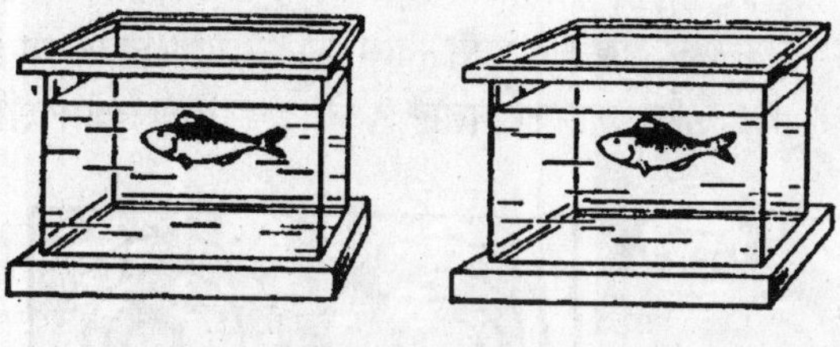

चित्र 128. काँच के बरतन में मछली।

चित्र 129. सागर का व्योमदर्शी दृश्य।

प्रस्तुत करेगा।

ऐसे युग्म चित्रों को बिना किसी उपकरण के देखना अपेक्षाकृत सरलता से सीखा जा सकता है। मेरे कई मित्र कुछ बार ही कोशिश करके इस कला में निपुण हो गए। निकट व दूर दृष्टि वाले लोगों को इन्हें देखने के लिए चश्मा उतारने की भी जरूरत नहीं है। देखना सीखते वक्त चित्र को आँख के सामने आगे-पीछे कर के आवश्यक दूरी ढूँढ़ने का भी प्रयत्न करना चाहिए। अभ्यास के वक्त प्रकाश अच्छा होना चाहिए; इससे जल्द सफलता मिलेगी।

बिना व्योमदर्शी के इन चित्रों को देखने का अच्छा अभ्यास कर लेने के बाद आप कोई भी व्योमदर्शीय फोटोग्राफी नंगी आँखों से देख सकेंगे; आपको विशेष उपकरण की आवश्यकता नहीं पड़ेगी। आगे (पृ. 170 व 176 पर) जो व्योमदर्शीय फोटो-चित्र दिए गए हैं, उन्हें भी खाली आँख देखने का प्रयत्न कर सकते हैं। पर इस बात का ध्यान अवश्य रखें कि आँखें थकें नहीं।

यदि आपको उपरोक्त अभ्यास में कठिनाई हो, तो किसी दूर-दृष्टि वाले के चश्मे से काम चला सकते हैं। गत्ते पर दो छेद करके उसपर शीशों को चिपका दें। चित्रों के बीच कागज या गत्ते की दीवार बना दें। अब शीशों से देखें—यह अच्छे व्योमदर्शी का काम करेगा।

एक आँख से, दो आँखों से

चित्र 130 में बाईं ओर के दो फोटो-चित्रों में दवा पीने के तीन गिलास हैं, जो एक ही नाप के लगते हैं। आप कितना भी गौर से क्यों न देखें, गिलासों के आकार में कोई अंतर नहीं मिलेगा। लेकिन अंतर है और काफी बड़ा अंतर है। गिलास समान लगते हैं, क्योंकि वे आँखों या कैमरों से समान दूरी पर नहीं हैं : बड़ी बोतल दो छोटी बोतलों से कुछ पीछे रखी है। पर कौन सी बोतल पीछे है? चित्रों के साधारण अवलोकन से आप यह निर्धारित नहीं कर सकते।

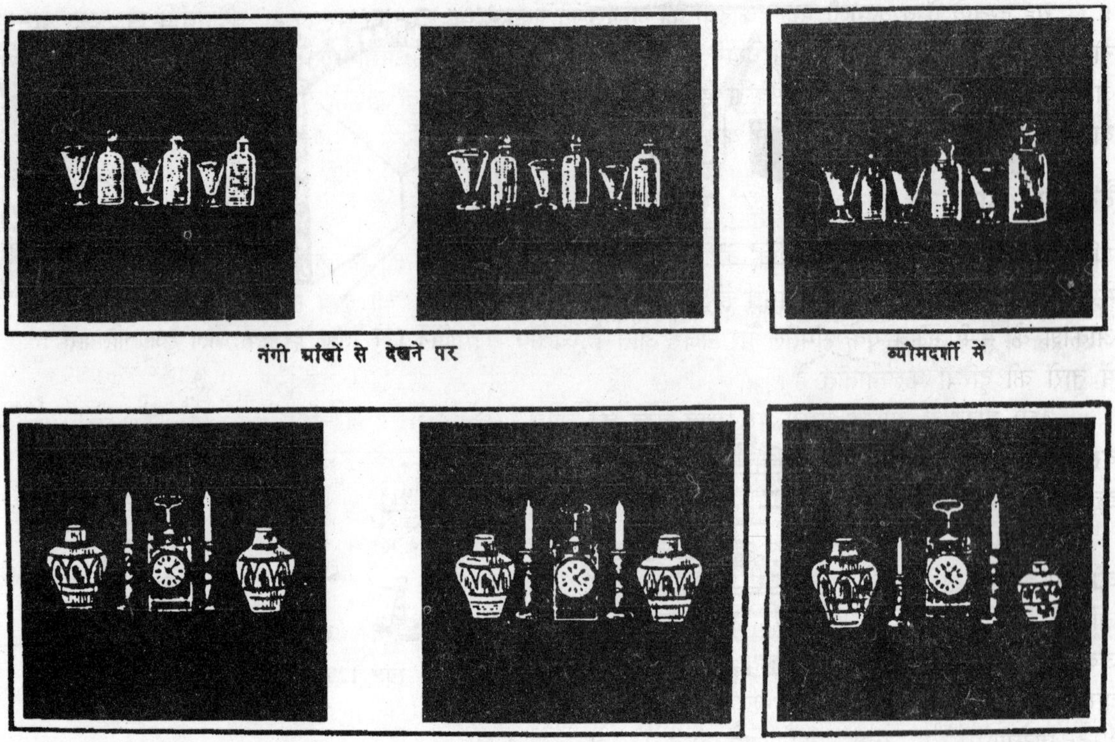

चित्र 130.

पर यदि आप व्योमदर्शी का सहारा लें या उपरोक्त व्योमदर्शक दृष्टि से देखें, तो प्रश्न का उत्तर देना सरल हो जाता है। आप देखेंगे कि बाईं ओर का गिलास बीच वाले से पीछे है और बीच वाला-दाएँ गिलास से। गिलासों के आकारों का वास्तविक अनुपात दाएँ चित्र में दिखाया गया है।

चित्र 130 में ही (नीचे) एक इससे भी आश्चर्यजनक स्थिति दिखाई गई है। आप सुराहियों, घड़ी व मोमबत्तियों को देख रहे हैं। दोनों सुराहियाँ व दोनों मोमबत्तियाँ समान आकारों की दिखती हैं, पर उनके वास्तविक आकार काफी भिन्न हैं; बाईं सुराही दाईं से दुगुनी ऊँची है और बाईं मोमबत्ती दाईं की अपेक्षा काफी नीची है। व्योमदर्शीय अवलोकन से इस भ्रम का कारण फौरन पता चल जाता है : वस्तुएँ एक पंक्ति में नहीं हैं; बड़ी वस्तुएँ कुछ दूर रखी हैं और छोटी--कुछ निकट।

''दो आँखों की दृष्टि'' व्योम का बोध कराती है और इसीलिए ''एक आँख की दृष्टि'' से अधिक लाभप्रद है।

जालसाजी पकड़ने का आसान तरीका

मान लें कि दो बिल्कुल समान चित्र हैं, जैसे तुल्य आकार के दो काले वर्ग। व्योमदर्शी में देखने पर दोनों में कोई अंतर नहीं दिखेगा। यदि दोनों वर्गों के केंद्रों में एक-एक श्वेत बिंदु हो, तो व्योमदर्शी में देखने पर वे वर्गों के भीतर ही दृष्टिगोचर होंगे। पर यदि बिंदु केंद्र से थोड़ा भी इधर-उधर होगा, तो व्योमदर्शी में वह वर्ग से थोड़ा **आगे या पीछे** नजर आएगा। व्योमदर्शी की सहायता से चित्रों में व्यौम गुण देखने के लिए उनमें थोड़ा अंतर होना आवश्यक है; यह अंतर क्षुद्र से क्षुद्र भी हो, तो काफी रहेगा।

यह दस्तावेजों व कागजी मुद्रा-इकाइयों की जालसाजी पकड़ने का सरलतम तरीका है। संदेहाधीन नोट और असली नोट को साथ रख कर व्योमदर्शी में देखने पर हल्का से हल्का अंतर भी आसानी से दिखने लगेगा। यह अंतर किसी अक्षर के लिखने के तरीके में हो सकता है, या किसी छोटी सी लकीर के खींचने में। पर इसी के कारण यह अक्षर या रेखा बाकी चीजों की पृष्ठभूमि से कुछ आगे या पीछे नजर आने लगेगी।[1]

दैत्य की दृष्टि में

यदि वस्तु हमसे 450 मीटर से अधिक की दूरी पर है, तो हमारी दोनों आँखों के बीच की दूरी उनसे प्राप्त संवेदनाओं में अंतर उत्पन्न कर सकने में असमर्थ हो जाती है। इसीलिए दूरस्थ वस्तु या दृश्य सपाट दिखते हैं। इसी कारण से आकाश के सभी नक्षत्र एक समतल पर नजर आते हैं, यद्यपि चंद्रमा अन्य ग्रहों से नजदीक है और ग्रहों की तुलना में तारों की दूरियाँ कल्पनातीत हैं।

450 मीटर से अधिक दूसरी पर स्थित वस्तु का व्यौम गुण देख सकने में हम असमर्थ होते हैं। इतनी दूरी से वस्तु दाईं व बाईं आँखों को एक जैसी दिखती है, क्योंकि आँखों के बीच की दूरी 450m की तुलना में नगण्य है। यदि इतनी दूर स्थित वस्तु की व्योमदर्शीय फोटोग्राफी भी की जाए, तो वह व्योम-धर्मी नहीं लगेगी।

लेकिन एक काम किया जा सकता है। वस्तु के फोटो-चित्र दो ऐसे बिंदुओं से लिए जा सकते है, जिनके बीच की दूरी हमारी आँखों के बीच की दूरी से काफी अधिक हो। ऐसे चित्रों को व्योमदर्शी में देखने पर ऐसा लगेगा, जैसे आपकी आँखों के बीच की दूरी काफी बढ़ गई हो। वृहत भूभागों का व्योमदर्शीय चित्र इसी विधि से लिया जाता है। अक्सर इन्हें उत्तल पार्श्वों वाले विशालक प्रिज्मों की सहायता से देखा जाता है, इसीलिए ऐसे चित्र हगें दृश्यों को लगभग वास्तविक आकार में दिखाते हैं। प्रभाव अनूठा होता है।

पाठक शायद समझ गए होंगे कि दो दूरबीनों को इस प्रकार जोड़ा जा सकता है कि उससे किसी भूभाग के व्यौम गुणों का बिना फोटोचित्रों के ही सीधा अवलोकन किया जा सके। ऐसे उपकरण को व्योमदूरबीन कहते हैं। इसमें दोनों नलियों की दूरी आँखों के बीच की दूरी से अधिक होती है और दोनों बिंब परावर्तक प्रिज्मों की सहायता से आँखों तक पहुँचाए जाते हैं (चित्र 131)। ये उपकरण इतने अजीब हैं कि उनमें देखने से जाते हैं प्राप्त अनुभव का वर्णन करना मुश्किल हो जाता है। इसमें प्रकृति का एक दूसरा ही रूप देखने को मिलता है। सुदूर स्थित पर्वत, चट्टानें, घर आदि-सभी कुछ व्यौम व उत्तल लगता है; कुछ भी सपाट समतल पर्दे सा नहीं दिखता। अक्सर दूरस्थ जहाज अचल लगता है, पर इस उपकरण में आप उसकी गति का निरीक्षण कर सकते हैं। यदि पृथ्वी पर सचमुच में दैत्य होते, तो उन्हें ऐसा ही कुछ दिखता।

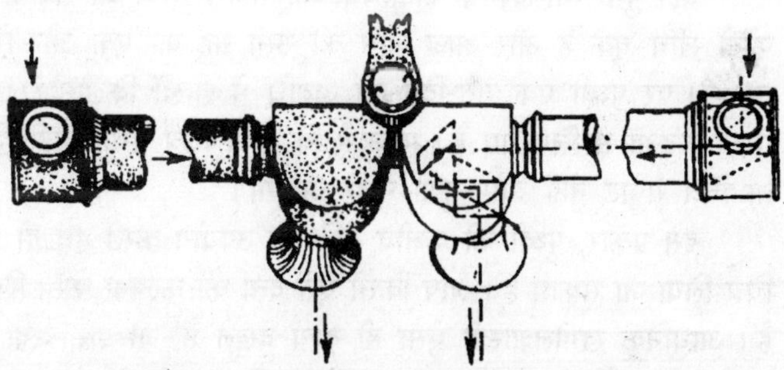

चित्र 131. व्यौम दूरदर्शी

यदि दुनाली दूरबीन दस गुना बड़े बिंब दे सकता है और उसमें नलियों के बीच की दूरी आँखों के बीच की दूरी

1. यह विचार XIX-वीं शती में डोव ने प्रस्तुत किया था, पर आज की कागजी मुद्रा-इकाइयों के लिए यह विधि सफलतापूर्वक प्रयुक्त नहीं हो सकती। इन्हें कुछ इस तरह से छापा जाता है कि दो असली नोट भी व्योमदर्शी से देखने पर व्यौम चित्र दे सकते हैं। पर डोव की विधि से दो किताबों का मुद्रण तीसरे से अलग किया जा सकता है, यदि तीसरे को छापते वक्त उसके अक्षर बदले गए थे।

से छः गुनी अधिक है (अर्थात् 6.5×6=39 cm है), तो उससे अनुभूत दृश्य की व्योम-धर्मिता 6×10=60 गुनी अधिक प्रतीत होगी, बनिस्बत कि नंगी आँखों से प्राप्त दृश्य से। इसका मतलब है कि 25 km की दूरी पर स्थित वस्तु भी व्योम-धर्मी प्रतीत होती।

भू-सर्वेक्षकों, नाविकों, तोपचियों, यात्रियों आदि के लिए ऐसे दूरबीन काफी महत्त्व रखते हैं, विशेषकर यदि उनमें दूरियाँ नापने के लिए विशेष प्रयुक्ति लगी हो।

जाइस की प्रिज्मयुक्त दुनाली दूरबीन से भी यही प्रभाव प्राप्त होता है, क्योंकि इसमें नलियों के बीच की दूरी आँखों के बीच की दूरी से कुछ अधिक है (चित्र 132)। नाटक वगैरह देखने के लिए प्रयुक्त दूरबीनों में नलियों के बीच की दूरी कम होती है (ताकि पर्दे दूर-दूर खड़ी दीवारों की तरह न दिखने लगें)।

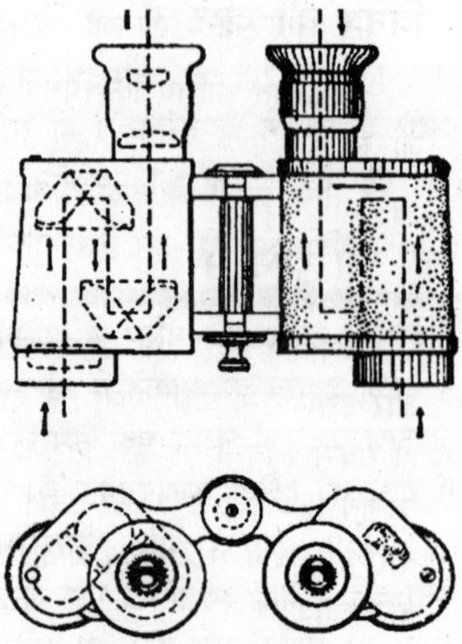

चित्र 132. प्रिज्मयुक्त दूरबीन

व्योमदर्शी में ब्रह्मांड

यदि व्योमदूरबीन से चाँद या कोई अन्य आकाशीय पिंड देखेंगे, तो उसका व्यौम गुण नजर नहीं आएगा। इसमें आश्चर्य की कोई बात नहीं है, क्योंकि अंतरिक्षी दूरियाँ इन दूरबीनों के लिए विराट हैं। पृथ्वी से किसी ग्रह की दूरी के सामने नलियों के बीच की 30-50 cm की दूरी का क्या महत्त्व हो सकता है! यदि ऐसा उपकरण बनाया जा सकता, जिसमें नलियों के बीच की दूरी दसियों या सैकड़ों किलोमीटर लंबी होती है, तब भी ग्रहों के अवलोकन से कोई फायदा नहीं होता। वे हमसे करोड़ों किलोमीटर की दूरी पर हैं।

यहाँ पुनः व्योमदर्शीय फोटोचित्रों का सहारा लिया जा सकता है। माना कि हम पिछली शाम को किसी ग्रह का फोटो खींच चुके हैं और आज शाम को उसी ग्रह का एक और चित्र लेते हैं। चित्र पृथ्वी के एक ही स्थल से लिए गए हैं। पर पृथ्वी एक रात-दिन की अवधि में लाखों किलोमीटर तय कर चुकती है, अतः दोनों चित्र सौर-मंडल के भिन्न बिंदुओं से लिए गए हैं। स्पष्ट है कि दोनों चित्र समान नहीं होंगे और यदि उन्हें पास रखकर व्योमदर्शी से देखेंगे, तो चित्र सपाट नहीं व्योम-गुणी नजर आएगा।

इस प्रकार, पृथ्वी की कक्षीय गति का उपयोग करते हुए दो बहुत बड़ी दूरियों पर स्थित बिंदुओं से आकाश का चित्र लिया जा सकता है। आप किसी ऐसे दैत्य की कल्पना करें। जिसकी आँखों के बीच की दूरी कई करोड़ किलोमीटर है। आधुनिक खगोलशास्त्री ऐसा ही दृश्य देखते हैं, जो इस दैत्य को दिखेगा।

व्योमदर्शी का आजकल नए ग्रहों (अधिक सही होगा कहना : ग्रह-खंडों या आस्टेरायडों) की खोज में उपयोग होता है। मंगल और वृहस्पति के कक्षों के बीच ये बहुत बड़ी संख्या में विद्यमान हैं। अब तक इनकी खोज सिर्फ संयोग की बात मानी जाती थी। अब सिर्फ आकाश के इस क्षेत्र के दो फोटो-चित्रों की व्योमदर्शीय तुलना करना पर्याप्त है। चित्र सिर्फ अलग-अलग समय में लिए जाने चाहिए। इन चित्रों में यदि कोई ग्रह-खंड होगा, तो वह बिल्कुल अलग दिखेगा। चित्र की पृष्ठभूमि से वह आगे या पीछे प्रतीत होगा।

व्योमदर्शीय से भिन्न बिंदुओं की स्थितियों में अंतर का ही पता नहीं चलता, बल्कि उनकी चमक में जो अंतर है, वह भी दिख जाता है। खगोलशास्त्री इस विधि का सफलतापूर्वक उपयोग तथाकथित प्रत्यावर्ती तारों को ढूँढ़ने में भी करते हैं, जिनकी चमक एक नियत अवधि में बदल जाया करती है। यदि आकाश के दो चित्रों में किसी तारे की चमक भिन्न है, तो व्योमदर्शी से फौरन इसकी सूचना मिल जाएगी कि इस तारे ने अपनी चमक बदली है।

त्रिनेत्र की दृष्टि में

यह मत सोचिए कि त्रिनेत्र शब्द यहाँ गलती से आ गया है। हम सचमुच में तीन आँखों से देखने की बात करने जा रहे हैं।

तीन आँखों से देखना? क्या हमें तीन आँखें प्राप्त हो सकती है?

विश्वास करें, हम ऐसी दृष्टि के बारे में बात करने जा रहे हैं। विज्ञान आदमी को तीसरी आँख नहीं दे सकता, पर यह दिखा सकता है कि तीन आँखों वाले जीव को दुनिया कैसी दिखती।

लेकिन पहले एक चीज पर ध्यान दें। व्योमदर्शीय चित्र एक आँख वाले व्यक्ति को भी दिखाया जा सकता है और इससे उसे व्योम गुणों की दृश्यानुभूति कराई जा सकती है। साधारण स्थितियों में बेशक उसे ऐसी अनुभूति नहीं हो सकती। विधि यह है : बाईं व दाईं आँखों के लिए अलग-अलग तस्वीरें एक ही पर्दे पर बारी-बारी से पर जल्दी-जल्दी बदलते हुए दिखाते हैं। दो आँखों वाला व्यक्ति जिन दो तस्वीरों को एक साथ देखता है, एक आँख वाला व्यक्ति उन्हें बारी-बारी क्रम से देखेगा। यदि चित्रों के बदलने की आवृत्ति बहुत तेज होगी, तो उसे वैसा ही दिखेगा, जैसा दो आँखों वाले व्यक्ति देखते हैं। कारण स्पष्ट है : अलग-अलग चित्रों की दृश्यानुभूतियाँ घुल-मिल कर सिनेमा की तरह एक सतत चित्र बना देती हैं और भ्रम होता है कि चित्र बारी-बारी से नहीं एक साथ देखे जा रहे हैं।[1]

पर यदि यह संभव है, तो दो आँखों वाले व्यक्ति की एक आँख को तेजी से बदलते दो चित्र दिखाए जा सकते हैं और दूसरी आँख को तीसरा चित्र दिखाया जा सकता है। तीनों चित्र यदि एक ही वस्तु के हैं, पर तीन भिन्न बिंदुओं से खींचे गए हैं, तो वे मिल-जुल कर चेतना को एक नये प्रकार के दृश्य की अनुभूति कराएँगे।

अन्य शब्दों में, एक वस्तु के तीन संभव आँखों के अनुकूल तीन बिंदुओं से तीन चित्र लिए जाते हैं। इनमें से दो तेजी के साथ बदल-बदल कर एक आँख को दिखाए जाते हैं। उन्हें तेजी से बदलने के कारण वे घुल-मिल कर एक जटिल **व्योम चित्र** बनाने लगते हैं। इसी बीच दूसरी आँख को तीसरे चित्र की अनुभूति होती रहती है।

इन परिस्थितियों में यद्यपि हम दो आँखों से ही देखते हैं, पर अनुभूति ठीक वैसी ही प्राप्त होती है, जैसी तीन आँखों से देखने पर होती। इससे चित्र में अंकित दृश्यों की व्योम-धर्मिता काफी बढ़ जाती है।

चमक क्या है?

चित्र 133 में एक बहुफलक की व्योम फोटोग्राफी है : एक काले पृष्ठ पर सफेद रेखाओं से बनाया गया है और दूसरा सफेद पृष्ठ पर काली रेखाओं से। व्योमदर्शी में यह चित्र कैसा दिखेगा? कहना मुश्किल है। देखिए कि हेल्महोल्ट्स क्या कहते हैं :

"जब किसी व्योमदर्शीय चित्र-युग्म से में एक श्वेत रंग का है और दूसरा काले रंग का, तो दोनों मिल कर चमकदार फलक का चित्र देते हैं। यहाँ कागज व चित्रों के मलिन होने से भी यही परिणाम मिलेगा। मणिभों (क्रिस्टलों) के इस विधि से बनाए गए व्योमदर्शीय आरेख चमकदार ग्रैफाइट से बने मणिभों की अनुभूति देते हैं। इस विधि से पानी, पत्तियों आदि कि चमक का और भी बढ़िया व्योम चित्र लिया जा सकता है।"

हमारे महान शरीरक्रिया वैज्ञानिक सिचेनव की पुरानी, पर अनद्यातीत पुस्तक "ज्ञानेंद्रियों का शरीरक्रिया-विज्ञान, दृष्टि" (1867 ई.) में इस संवृत्ति की अनूठी व्याख्या दी गई है :

---

1. सिनेमा के चित्र कभी-कभी अनूठे तौर पर व्योम-धर्मी नजर आते हैं। इसका कारण शायद अंशतः यह भी हो सकता है कि चित्र लेते वक्त कैमरा तेजी से दाएँ-बाएँ कंपन कर रहा था। यह ऐसे कैमरे में फिल्म को आगे बढ़ाने वाली प्रयुक्ति के कारण होता है। इस कंपन के कारण चित्र असमान हो जाते हैं और पर्दे पर तेजी से एक-दूसरे का स्थान लेते हुए आपस में घुलमिल कर व्योम-धर्मी दृश्यों की अनुभूति कराते हैं।

"विभिन्न प्रकार से प्रकाशित या बहुरंगी तलों के कृत्रिम व्योमदर्शीय समन्वय के प्रयोगों में चमकदार पिंडों की वास्तविक परिस्थितियाँ उत्पन्न की जाती हैं। मलिन सतह और चमकदार (पौलिश की हुई) सतह में क्या फर्क है? मलिन सतह प्रकाश को सभी दिशाओं में छींटती हुई परावर्तित करती है, इसलिए उसे किसी भी तरफ से क्यों न देखा जाए, वह समान रूप से प्रकाशित लगती है। पौलिश की हुई सतह प्रकाश को सिर्फ एक दिशा में परावर्तित करती है। इसीलिए ऐसी स्थिति भी संभव है, जब एक आँख पर उससे परावर्तित होने वाली बहुत सी किरणें पड़ने लगती हैं और दूसरी आँख पर लगभग बिल्कुल नहीं (यह स्थिति हम काली व श्वेत सतहों के व्योमदर्शीय समन्वय में देखते हैं)। स्पष्ट है पौलिश की हुई सतह को देखने पर दोनों आँखों के बीच परावर्तित प्रकाश का असमान वितरण (अर्थात एक आँख में कम व दूसरी में अधिक प्रकाश पड़ने की स्थिति) अवश्यंभावी है।

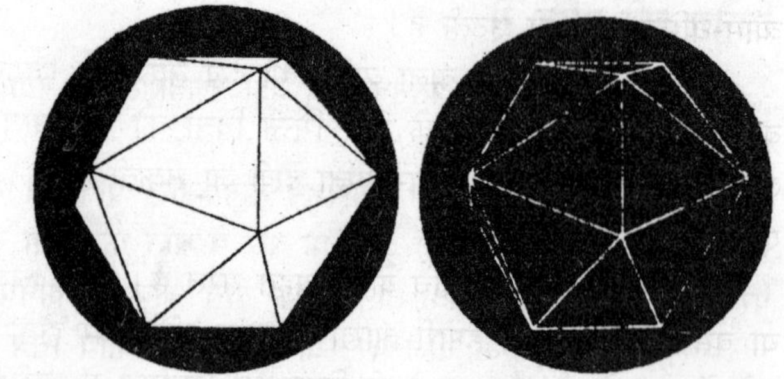

चित्र 133. व्यौम चमक। व्योमदर्शी में देखने पर ये आकृतियाँ एक में मिलकर काले परिप्रेक्ष्य में चमकदार क्रिस्टल का चित्र देते हैं।

इस प्रकार पाठक देख सकते हैं कि व्योमदर्शीय चमक इस विचार की सत्यता सिद्ध करता है कि बिंबों के व्यौम समन्वय की क्रिया में प्राथमिक भूमिका अनुभव की होती है। दृष्टि-क्षेत्रों के बीच की खींचा-तानी उसी क्षण दृढ़ धारणा में परिणत हो जाती है, जब अनुभव की गोद में पले दृष्टि-उपकरणों को किसी वास्तविक दृश्य के साथ उनके अंतर की तुलना करने का अवसर दिया जाता है।"

अतः **चमक** दिखने का कारण (कम से कम एक कारण) यह है कि बाईं व दाईं आँखों के सामने अलग-अलग तरह से चित्र प्रस्तुत किए जाते हैं। बिना व्योमदर्शी के इस कारण का हमें कभी पता न चलता।

क्षिप्र गति की स्थिति में दृष्टि

इसके पहले हम बता चुके हैं कि एक ही वस्तु के भिन्न चित्र यदि तेजी के साथ बदलते हुए बारी-बारी से दिखाए जाए तो व्योम-धर्मिता की अनुभूति होती है।

प्रश्न उठता है : क्या यही प्रभाव उस स्थिति में नहीं उत्पन्न हो सकता, जब अचल चित्र गतिमान आँखों से देखे जा रहे हों? दूसरे शब्दों में, क्या वस्तुओं की वैसी ही व्यौम-धर्मिता तब नहीं दिखेगी, जब वस्तु अचल रहे और आँख तेजी के साथ गतिमान हो?

जैसी आशा की गई थी, इस स्थिति में भी व्योमदर्शीय प्रभाव पाया जाता है। कई पाठकों ने ध्यान दिया होगा कि तेज चलती गाड़ी से खींचे गए सिनेमा-चित्र में भी व्योमदर्शीय चित्रों से कुछ कम व्योम-धर्मिता नहीं होती। यह हम खुद भी देख सकते हैं, यदि रेलगाड़ी या मोटरगाड़ी से दिखने वाले दृश्यों पर ध्यान दें : भूदृश्यों में आगे व पीछे की वस्तुएँ स्पष्टतः अलग-अलग दिखेगी, जिससे व्योम-धर्मिता का भान होता है। **गहराई** की अनुभूति तीव्र हो जाती है और 450 m से अधिक दूरी पर भी आगे व पीछे की वस्तुओं में अंतर दिखने लगता है। स्मरण दिला दूँ कि 450 m स्थिर आँखों की व्योमदर्शिता की सीमा है।

तेज गाड़ी से दिखने वाले भू-दृश्यों की मोहकता का कारण कहीं इसी में तो नहीं छिपा है? दूरस्थ वस्तुएँ पीछे छूटती जाती हैं और हम परिवेशी प्रकृति की विराटता का दर्शन करने लगते हैं। जब हम मोटरगाड़ी में बैठे जंगल के बीच से निकलते हैं, पेड़ स्पष्टतः एक दूसरे से दूर दिखते हैं। अचलावस्था में हमारी आँखों उन्हें अलग नहीं कर पातीं।

पहाड़ी स्थलों पर सरपट दौड़ते घुडसवार के लिए जमीन की उभारें स्पष्ट हो जाती हैं; पहाड़ियों व घाटियों की

व्यौम-धर्मिता मूर्त्त हो उठती है।

यह सब एक आँख वाला व्यक्ति भी देख सकता है, जिसके लिए उपरोक्त अनुभूतियाँ बिल्कुल नई होती हैं। हम बता चुके हैं कि व्यौमदृष्टि के लिए भिन्न चित्रों को एक साथ दोनों आँखों से देखने की आवश्यकता नहीं है। एक आँख से भी वस्तुओं की व्यौम-धर्मिता देखी जा सकती है, यदि तीव्र ग्रति से एक-दूसरे का स्थान लेते हुए भिन्न चित्र एकाकार हो जाए।[1]

उपरोक्त बातों की जाँच करना बहुत सरल है। इसके लिया थोड़ा सा इस बात पर ध्यान देना होगा कि रेलगाड़ी या बस में चलते वक्त हमारी आँखों को क्या दृष्टिगोचर होता है। आपको एक दूसरी ही बात नजर आएगी, जिसके बारे में डोव ने सौ साल पहले ही लिखा था (सचमुच में भूली-बिसरी बातें भी नई होती हैं!) : खिड़की से दृष्टिगोचर पीछे भागती हुई वस्तुएँ छोटी प्रतीत होती हैं। इस तथ्य का व्योमदर्शीय दृष्टि के साथ कोई संबंध नहीं है। इसका कारण यह है कि इतनी तेजी से गतिमान वस्तु को देखकर हम उसके छोटे होने का गलत निष्कर्ष निकालते हैं : यदि वस्तु हमसे निकट है,–जाने-अनजाने हम सोचना शुरू करते हैं,–तो वास्तविकता में साधारणतया उसे निकट होना चाहिए, क्योंकि सिर्फ इसी स्थिति में वह हमेशा की तरह इस आकार का प्रतीत होगा। यह व्याख्या हेल्महोल्ट्स की है।

रंगीन चश्मों से

यदि आप **सफेद तख्ते पर लाल** रंग से लिखे अक्षरों को लाल ऐनक से देखेंगे, तो आपको सिर्फ लाल पृष्ठभूमि दिखेगी। लिखावट का नामो-निशान नहीं रह जाएगा, क्योंकि लाल अक्षर लाल पृष्ठभूमि में विलीन हो जाते हैं। इसी चश्में से यदि **सफेद पर नीले** अक्षरों को पढ़ने की कोशिश करेंगे, तो आपको लाल पृष्ठ पर स्पष्ट काले अक्षर दिखेंगे। समझा जा सकता है : लाल शीशे को नीली किरणें नहीं पार कर सकतीं। (शीशा इसीलिए तो लाल है कि वह सिर्फ लाल किरणों को पार करता है)। फलस्वरूप नीले अक्षरों के स्थान पर आप रंग की अनुपस्थिति, अर्थात काली रेखाएँ देखेंगे।

तथाकथित ''उभरे प्रिंटों'' (**ऐनाग्लीफ**) का प्रभाव रंगीन शीशों के इसी गुण पर आधारित है। ऐनाग्लीफ में अक्षर इस प्रकार से छापे जाते हैं कि वे व्यौम-गुणी प्रतीत होने लगते हैं, जैसे आप व्योमदर्शी में देख रहे हों। इसके लिए अक्षरों के बाईं व दाईं आँखों से दिखने वाले चित्रों को **एक पर एक** छापा जाता है, सिर्फ उनके रंग अलग-अलग होते हैं–एक का नीला और दूसरे का काला।

दो रंगीन साधारण चित्रों की जगह एक व्योम-धर्मी चित्र देखने के लिए रंगीन शीशों से देखना काफी रहेगा। दाईं आँख को **लाल शीशे** से सिर्फ **नीली** छाप दिखेगी, जो इस आँख के अनुकूल है (और अक्षर काला दिखेगा)। बाईं आँख को **नीले शीशे** से उसके अनुकूल सिर्फ **लाल** छाप दिखेगी। हर आँख सिर्फ उसी चित्र को देखती है, जो उसके लिए है। यहाँ वे ही स्थितियाँ हैं, जो व्योमदर्शी में होती हैं, अतः परिणाम भी वही होता है : व्यौम-धर्मिता का भ्रम।

''जादुई परछाइयाँ''

उपरोक्त नियम पर ही जादुई परछाइयाँ आधारित हैं, जो कभी-कभी सिनेमा में दिखाई जाती हैं।

''जादुई परछाइयाँ तब बनती हैं, जब पर्दे पर दिखाई जाने वाली आकृतियाँ व्यौम-धर्मी लगने लगती हैं, अर्थात् जब पर्दे पर वे उभरी हुई व उत्तल दिखने लगती हैं। ऐसी परछाइयाँ देखने के लिए दर्शकों को दुरंगा चश्मा पहनना

1. ट्रेनों से खींचे गए चल-चित्रों की सर्वविदित व्यौम-धर्मिता का कारण यही है, जो और भी स्पष्ट हो जाती है, यदि ट्रेन वक्र पथ पर चल रही हो और वस्तुएँ-त्रिज्या की दिशा में हों। इसे ''रेलगाड़ी का प्रभाव'' कहते हैं और यह फिल्म आपरेटर अच्छी तरह से जानते हैं।

पड़ता है, क्योंकि इस भ्रम का कारण दुरंगा व्योमदर्शी है। जिस वस्तु की परछाई दिखानी हो, उसे पर्दे और साथ रखे लाल व हरे प्रकाश-स्रोतों के बीच में रखते हैं। पर्दे पर दो (लाल व हरी) परछाइयाँ मिलेगी। दोनों ही एक-दूसरे को अंशतः ढक लेती हैं। दर्शक उन्हें नंगी आँखों से नहीं देखते हैं। उनकी आँखों पर लाल व हरे रंग के चौरस शीशों का चश्मा होता है।

अभी-अभी समझाया गया था कि इन परिस्थितियों में व्यौम आकृतियों का भ्रम पैदा होता है, जिसके कारण वे पर्दे के तल से आगे की ओर उभरी हुई लगती हैं। ''जादुई परछाइयाँ'' का भ्रम काफी रोचक होता है : कभी लगता है कि फेंकी गई वस्तु ठीक दर्शकों के सिर पर गिरने वाली है; कभी कोई विशाल मकड़ा हवा में दर्शकों के सिर पर रेंगना शुरू कर देता है, जिससे बचने के लिए वे बरबस अपना सिर इधर-उधर घुमाने लगते हैं या डर के मारे चीख पड़ते हैं। इसका उपकरण काफी सरल है; उसे चित्र 134 की सहायता से समझा जा सकता है। ह. व ला. का अर्थ है हरा व लाल बल्ब (बाएँ); P और Q पर्दे व बल्बों के बीच रखी वस्तुएँ हैं; ह. व ला. अक्षरों के साथ p व q पर्दे पर इन वस्तुओं की लाल व हरी परछाइयाँ द्योतित करते हैं; P_1 व Q_1 उन स्थानों को इंगित करते हैं, जहाँ हरे (ह) व लाल (ला) रंग के शीशे से देखने पर दर्शकों को वस्तुएँ P तथा Q नजर आएँगी। जब विशाल मकड़ा Q से P की ओर भागता है, तो दर्शकों को लगता है कि वह Q_1 से P_1 की ओर भागता है।

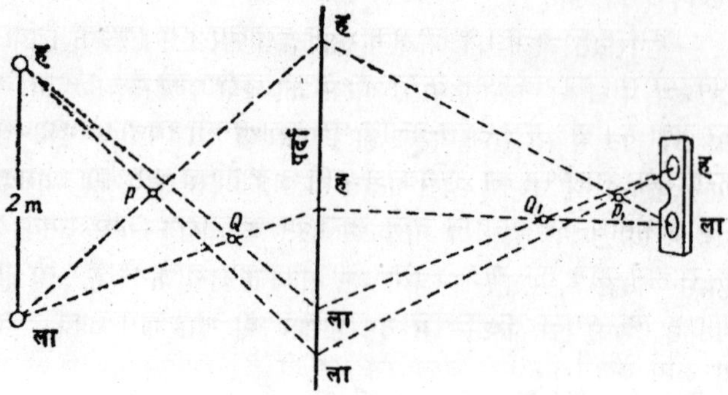

चित्र 134. ''छाया-चमत्कार'' का रहस्य

वैसे, पर्दे के पार जब कोई वस्तु प्रकाश-स्रोतों के निकट आती है, जिसके कारण उसकी छाया का आकार बढ़ने लगता है, तो भ्रम होता है कि वस्तु पर्दे से दर्शकों की ओर आ रही है। हर उड़ती चीज, जो दर्शकों को पर्दे से अपनी ओर आती दिखती है, दरअसल उल्टी दिशा में–पर्दे से प्रकाशस्रोतों की ओर-गतिमान होती है।

रंग का रूपांतरण

यहाँ एक प्रयोग के बारे में कुछ बताना चाहिए, जो लेनिनग्राद की ''मनोरंजक विज्ञान प्रदर्शनी'' के दर्शकों को बहुत पसंद आया था। एक कोना अतिथि-कक्ष की भाँति सजा हुआ है। इसमें गद्दों के खोल गाढ़े नारंगी रंग के हैं; टेबुल हरे रंग का है और उस पर शीशे की सुराही में क्रेनबेरी का रस और भिन्न रंगों के फूल रखे हैं। आलमारियों के खानों पर किताबें हैं, जिनकी जिल्दों पर रंग-बिरंगे अक्षर दिख रहे है।। शुरू-शुरू यह सब साधारण श्वेत प्रकाश में दिखाया जा रहा है। अब स्विच थोड़ा घुमाया जाता है और श्वेत प्रकाश लाल प्रकाश में परिवर्तित हो जाता है। इससे कमरे का पूरा रूप-रंग बदल जाता है : गद्दों के खोल गुलाबी हो जाते हैं, हरा टेबुल-क्लौथ गाढ़ा नीलारुण हो जाता है; रस पानी की तरह वर्णहीन हो जाता है; फूल अपना रंग बदल कर बिल्कुल दूसरी तरह के दिखने लगते हैं; जिल्दों पर की रंगबिरंगी खिलावट में से कुछ का नामो-निशान नहीं रह जाता।

स्विच थोड़ा और घुमाने पर कमरा हरे रंग से प्रकाशित हो जाता है और अतिथि-कक्ष का रंग-रूप पुनः बदल जाता है।

ये रोचक रूपांतरण पिंडों के रंग संबंधी न्यूटनी सिद्धांत के दृष्टांत हैं। सिद्धांत कहता है कि पिंड की सतह उस रंग की नहीं दिखती, जिसे वह सोख लेती है, बल्कि उस रंग की, जिसे वह प्रकीर्णित करती है; प्रेक्षक की आँखों में

फेंकती है। इंगलैंड के ही एक अन्य भौतिकविद् टिंडल इस बात को निम्न शब्दों में व्यक्त करते हैं :

"जब हम वस्तुओं को श्वेत वर्ण के प्रकाश से प्रकाशित करते हैं, तो लाल रंग हरी किरणों के अवशोषण से बनता है और हरा रंग-लाल किरणों के अवशोषण से। बाकी रंग दोनों ही स्थितियों में प्रकट होते हैं। मतलब है कि पिंड नकारात्मक रूप से रंग ग्रहण करते हैं : रंगीन दिखना किरणों के आत्मसातन का परिणाम नहीं, वहिष्करण का परिणाम है।"

हरा टेबुल-क्लौथ श्वेत प्रकाश में इसलिए हरा दिखता है, क्योंकि वह अधिकांशतः हरे रंग और उसके निकटवर्ती स्पेक्ट्रमी रंगों को प्रकीर्णित करता है; अन्य किरणों को वह कम प्रकीर्णित करता है या उनके अधिकांश भाग को अवशोषित कर लेता है। यदि ऐसे टेबुल-क्लौथ पर लाल-बैंगनी रंग का प्रकाश डाला जाए, तो वह अधिकांशतः बैंगनी रंग को प्रकीर्णित करेगा और लाल रंग का अधिकांश भाग अवशोषित कर लेगा। इसके कारण आँखों को गाढ़े अरूणाभ की संवेदना मिलेगी।

अतिथि-कक्ष में होने वाले सारे वर्ण-रूपांतरणों का कारण लगभग यही है। रहस्यमय लगती है सिर्फ क्रेनबेरी रस के रंगहीन होने की बात : लाल वर्ण का द्रव लाल प्रकाश में पानी की तरह रंगहीन क्यों हो जाता है? इसका राज यही है कि सुराही सफेद कागज पर रखी है और कागज हरे टेबुल-क्लौथ पर बिछा है। यदि कागज हटा लिया जाए, तो आप देखेंगे कि रस लाल रंग का ही है। रंगहीन वह सिर्फ सफेद कागज के साथ लगता है, जो लाल प्रकाश में स्वयं लाल हो जाता है। पर टेबुल-क्लौथ के गाढ़े रंग के विरूद्ध हम कागज को आदतवश सफेद ही मानते हैं। और चूँकि द्रव का रंग कागज के मिथ्या श्वेत रंग से मिलता-जुलता है, इसलिए द्रव को भी हम सफेद मानने लगते हैं; हमारी आँखों के लिए वह क्रेनबेरी रस से वर्णहीन जल में परिणत हो जाता है।

ऐसा प्रयोग सरलीकृत रूप में आप भी कर सकते हैं। इसके लिए भिन्न रंगों के काँच जमा कीजिए और परिवेशी वस्तुओं को देखिए; परिणाम यही होगा। (ऐसे प्रभावों का वर्णन मेरी पुस्तक "क्या आप भौतिकी जानते हैं?" में किया गया है।)

किताब की ऊँचाई

अपने मेहमान या मित्र के हाथ में कोई पुस्तक देकर उससे पूछें कि पुस्तक को दीवार के सहारे खड़ी कर देने पर वह किस ऊँचाई तक पहुँचेगी। जब वह बता दे (दूर से ही अंदाज से, बिना खुद झुक कर किताब को खड़ा किए), तो आप किताब उससे लेकर फर्श पर दीवार के सहारे खड़ी कर दें : पता चलेगा कि बताई गई ऊँचाई से आधी दूरी तक ही वह पहुँचती है।

प्रयोग अधिक सफल होगा, यदि वह खुद झुककर अपनी उंगलियों से ऊँचाई नहीं बताए, बल्कि शब्दों के सहारे आपको समझा दे। जाहिर है कि प्रयोग सिर्फ किताब के साथ ही नहीं, लैंप, टोपी आदि किसी भी चीज के साथ किया जा सकता है। वस्तु सिर्फ ऐसी होनी चाहिए, जिसे हम आँखों के निकट से देखने के आदी हों।

इस गलत अंदाजे का कारण यह है कि जब किसी वस्तु को उसके अनुतीर (लंबाई की दिशा में) देखते हैं, तो उसकी लंबाई कुछ छोटी लगने लगती है।

घंटाघर की घड़ी का आकार

आपके मेहमान ने जो गलती की है, वह हमलोग हर बार दुहराते हैं, जब हम ऊँचाई पर रखी किसी वस्तु को देखते हैं। यह गलती विशेषकर उस समय होती है, जब हम घंटाघर की घड़ी का आकार अंदाज से निर्धारित करने की कोशिश करते हैं। हम सभी जानते हैं कि वह काफी बड़ी होती है। पर इसके बावजूद भी उसका वास्तविक आकार हमारी धारणा से काफी बड़ा होता है। (चित्र 135 में वेस्टमिंस्टर अब्बाट (लंडन) के घंटाघर की प्रसिद्ध घड़ी का डायल

दिखाया गया है, जब वह नीचे सड़क पर उतारा गया था। उसकी तुलना में लोग-बाग कीड़ों की तरह लगते हैं। घंटाघर के छेद को नीचे से देखकर विश्वास नहीं होता कि उसमें इतना बड़ा डायल अँट सकता है, पर डायल और छेद बराबर हैं।

चित्र 135. वेस्टमिंस्टर अब्बाट के घंटाघर की घड़ी के आकार

सफेद और काला

चित्र 136 को दूर से देखकर बताएँ : निचले बिंदे और ऊपर के किसी एक बिंदे के बीच की खाली जगह में ऐसे ही कितने बिंदे अँट सकते हैं—चार या पाँच? उम्मीद यही है कि आप कहेंगे : चार आराम से अँट जाएँगे, पाँचवे के लिए जगह थोड़ी कम पड़ेगी।

जब आपसे कहा जाएगा कि इस स्थान में ठीक तीन बिंदे अँटेंगे, इससे एक भी ज्यादा नहीं,—तो आपको विश्वास नहीं होगा। कागज और परकाल का प्रयोग कर के खुद देख सकते हैं कि आप गलत हैं।

इस विचित्र भ्रम को—कि समान आकार के काले व सफेद स्थलों में से काला स्थल छोटा लगता है—''कांति'' (इर्रेडियेशन) कहते हैं। यह भ्रम हमारी आँखों की बनावट के अपूर्ण होने के कारण उत्पन्न होता है। हमारी आँखें भी प्रकाशिकीय उपकरण हैं, पर वे प्रकाशिकी का पूर्णतया पालन नहीं करतीं। उसका अपवर्तक माध्यम दृष्टि-पटल पर इतनी स्पष्ट आकृति नहीं बनाता, जितनी स्पष्ट आकृति अच्छी तरह फोकस किए गए कैमरे के दूधिए शीशे पर बनती है। तथाकथित **गोलाकार विपथन** के कारण हल्के रंगों की हर आकृति एक कांतिमान छल्ले से घिरी होती है, जो उसका आकार बड़ा कर देती है। परिणामस्वरूप हल्के रंग के स्थल समान आकार वाले काले स्थलों की तुलना में बड़े लगते हैं।

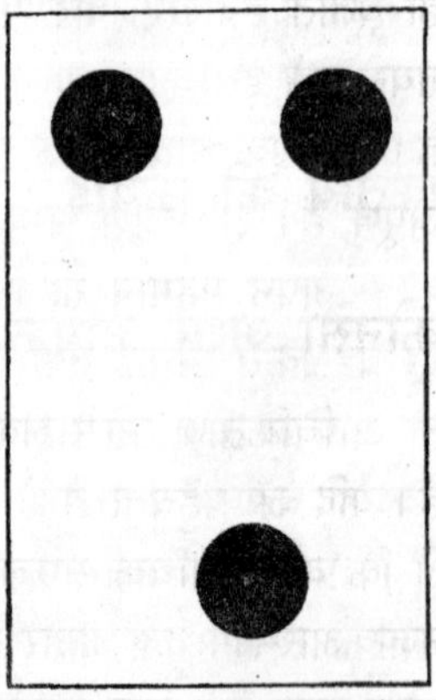

चित्र 136. नीचे वाले गोले और ऊपर वालों में से प्रत्येक गोल के बीच की दूरी ऊपरी गोलों के बाह्य कोरों की दूरी से अधिक लगती है, पर दरहकीमत सारी दूरियाँ बराबर हैं।

महान कवि गेटे अपने ''प्रकृति-सिद्धांत'' में (जिसमें वे प्रकृति में पटु प्रेक्षक के रूप में आते हैं, पर भौतिकी के सिद्धांतवेत्ता के रूप में नहीं) इस भ्रम के बारे में लिखते हैं :

''कृष्णाभ वस्तु समान आकार वाली गौर (हल्के रंगों की) वस्तुओं से छोटी लगती है। यदि काली पृष्ठभूमि पर श्वेत वृत्त और श्वेत पृष्ठभूमि पर उसी व्यास का काला वृत्त एक साथ देखा जाए, तो काला वृत्त सफेद से 1/5 अंश छोटा लगेगा। यदि काला वृत्त इसी हिसाब से कुछ बड़ा कर दिया जाए, तो दोनों बराबर लगेंगे। चंद्र-हसिया को देखने पर लगता है कि वह बड़े व्यास वाले वृत्त से काट कर बनाया गया है और चाँद का अंधकारमय भाग, जो थोड़ा-थोड़ा दिखता रहता है (चाँद का ''भभूती वर्ण''—या.पे.), अपेक्षाकृत कम व्यास वाले वृत्त से काटा हुआ लगता है। किसी चीज की किनारी से प्रकाश-स्रोत देखने पर लगता है कि किनारी कुछ कटी-छँटी है। रेखनी के ऊपर से यदि मोमबत्ती की लौ झाँकती हो, तो रेखनी के उस स्थान पर कटाव सा दिखता है। उदय व अस्त होते वक्त सूर्य क्षितिज में मानों गड्ढ़ा सा कर देता है।''

इन अवलोकनों में सब कुछ सही है। गलत सिर्फ एक बात है कि श्वेत वृत्त उसी व्यास वाले काले वृत्त से हमेशा एक निश्चित अंश द्वारा ही बड़ा दिखता है। वास्तविकता तो यह है कि श्वेत वृत्त काले से कितना अंश बड़ा दिखेगा, यह उस दूरी पर निर्भर करता है, जिससे वृत्तों को देखा जा रहा है। ऐसा क्यों होता है, इसका कारण अभी समझ में

आ जाएगा।

चित्र 136 को आँखों से कुछ दूर कर दीजिए—भ्रम और भी शक्तिशाली हो जाएगा। इसका कारण है कि गौर स्थल को घेरने वाली प्रकाश-छल्ले की चौड़ाई घटती-बढ़ती नहीं है; हमेशा एक रहती है। इसीलिए यदि नजदीक से देखने पर वह किसी गौर स्थल की चौड़ाई 10% बढ़ा देती है, तो दूर से देखने पर (जब स्थल की आकृति स्वयं छोटी हो जाती है) वही पट्टी उसकी चौड़ाई 30% से 50% तक बढ़ा सकती है। आँखों की इसी विशेषता द्वारा अक्सर चित्र 137 के विचित्र गुण को समझाया जाता है। नजदीक से अवलोकन करने पर आप काली पृष्ठभूमि पर अनेक सारे श्वेत गोल बिंदे देखेंगे। पर चित्र को दो-तीन कदम दूर से देखें। यदि आपकी दृष्टि बहुत अच्छी है, तो पाँच-छः कदम की दूरी से भी देख सकते हैं। आकृति बदल जाएगी; आपको श्वेत गोल बिंदों के स्थान पर श्वेत षटकोण दिखने लगेंगे, जैसे मधुमक्खी के छत्ते में घर होते हैं।

चित्र 137. कुछ दूरी से देखने पर वृत षटकोण लगते हैं।

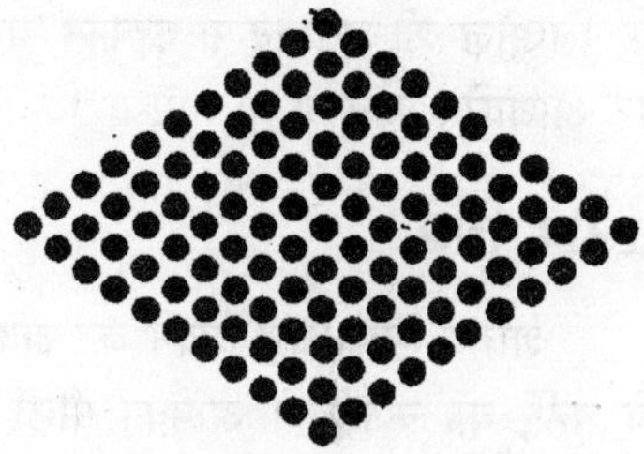

चित्र 138. काले गोले दूर से षटकोण लगते हैं।

इस भ्रम का भी कारण कांति ही बताते हैं, पर जबसे मैंने श्वेत पृष्ठ-भूमि पर दूर से षटकोण प्रतीत होने वाले **काले** बिंदों को देखा (चित्र 138), तबसे मुझे इस कांति वाली व्याख्या से संतोष नहीं होता, यद्यपि कांतिमान पट्टी यहाँ बिंदों का आकार बढ़ाती नहीं, घटाती है। वैसे एक बात है कि दृष्टि-भ्रमों की ज्ञात व्याख्याओं में से किसी को भी संतोषप्रद नहीं कहा जा सकता। वे सभी अपूर्ण हैं। अधिकांश भ्रमों की तो कोई व्याख्या ही नहीं है।[1]

कौनसा अक्षर अधिक काला है?

चित्र 139 की सहायता से हम अपनी आँखों के एक और दोष-निर्बिंदुत्व (ऐस्टिग्मैटिज्म)—से परिचित हो सकते हैं। यदि आप इसे सरसरी निगाह से देखेंगे, तो शायद चारों अक्षर समान रूप से काले नहीं लगेंगे। आप यह याद कर लें कि कौन सा अक्षर सबसे अधिक काला लग रहा है। अब चित्र को घुमा कर पार्श्व से देखें। आपको एक परिवर्तन नजर आएगा : जो अक्षर सबसे अधिक काला था, अब थोड़ा हल्का पड़ गया है और एक बिल्कुल दूसरा ही अक्षर सबसे अधिका काला है।

चित्र 139. एक आँख बंद कर इस लिखावट को देखें। इनमें से एक अक्षर अन्यों की अपेक्षा अधिक काला लगेगा।

यथार्थतः सभी अक्षर समान रूप से काले हैं। सिर्फ उन्हें बनाने वाली रेखाओं की दिशाएँ भिन्न हैं। यदि हमारी आँखें शीशों के बने महंगे लेंसों की तरह पूर्ण होतीं, तो रेखाओं की दिशाएँ अक्षरों के कालेपन पर असर नहीं डालतीं। पर आँख प्रकाश को हर दिशा में समान रूप से

1. इसके बारे में सविस्तार देखें : मेरी पुस्तक "दृष्टि-भ्रम"—प्रकाशिकीय भ्रमों का एक चित्र-संग्रह है।

अपवर्तित नहीं करती और इसीलिए हम उदग्र, क्षैतिज व आड़ी रेखाओं को समान स्पष्टता से नहीं देख पाते।

शायद ही किसी की आँखें इस दोष से मुक्त हों। कुछ लोगों में निर्बिंदुत्व इतना बढ़ा हुआ होता है कि वह देखने में बिल्कुल बाधक बन जाता है; दृष्टि की तीक्ष्णता काफी कम हो जाती है। ऐसे लोगों को विशेष प्रकार का चश्मा लगाना पड़ता है।

आँखों में अन्य आंतरिक दोष भी हैं, जिनसे कृत्रिम प्रकाशिकीय उपकरणों को मुक्त किया जा सकता है। हेल्महोल्ट्स ने आँख के इन दोषों को ही मद्दे-नजर रखते हुए कहा था : ''यदि कोई चश्माफरोश मुझे ऐसे दोषों से युक्त कोई प्रकाशिकीय उपकरण बेचने की कोशिश करता, तो मैं कहता कि उसे कुछ आता नहीं है और विरोध के साथ उपकरण उसे वापस कर देता।''

आँख की बनावट से उत्पन्न होने वाले इन भ्रमों के अतिरिक्त और भी कई दूसरे भ्रम हैं, जो बिल्कुल दूसरे कारणों पर आधारित होते हैं।

सजीव चित्र

शायद ऐसा चित्र देखने का अवसर सबों को मिला होगा, जिसमें कोई व्यक्ति आपकी ओर देख रहा है और इतना ही नहीं, वह नजरों से आपका पीछा भी करता रहता है; जिधर आप जाते है, उसकी निगाह भी उधर ही घूम जाती है। ऐसी तस्वीरों की रोचक विशेषताओं को लोग काफी समय से जानते हैं; बहुतों को वे रहस्यमयी भी लगती हैं। गोगल की कहानी ''तस्वीर'' में इसी तरह की एक स्थिति का एक सुंदर वर्णन मिलता है :

''आँखें उस पर टिक गई और लगता था कि उसके अतिरिक्त और कुछ भी देखना नहीं चाहतीं तस्वीर सब कुछ को छोड़ कर सिर्फ उसे देख रही थी; मानों तस्वीर की दृष्टि उसमें चुभ कर फँस गई थी...''

चित्र 140. रहस्यमय चित्र

तस्वीरों में आँखों की इस रहस्यमी विशेषता के साथ अंधविश्वास की कई कथाएँ जुड़ी हैं (''तस्वीर'' कहानी को ही लें), पर राज यही है कि यह मात्र दृष्टि-भ्रम है।

कारण इतना सा है कि इन तस्वीरों में आँख की पुतली **आँख के ठीक बीच में** बनी होती है। जब कोई व्यक्ति सीधा हमारी ओर देखता है, तो पुतली की स्थिति यही होती है। जब वह इधर-उधर देखता है, तो पुतली आँख के किनारे हो जाती है। जब हम तस्वीर बगल से देखते हैं, पुतलियाँ जाहिर है कि अपना स्थान नहीं बदलतीं; वे तस्वीर वाले व्यक्ति की आँखों के बीच ही में रहती हैं। इसके अतिरिक्त उस व्यक्ति की शक्ल भी हमारे सापेक्ष पहले की तरह ही रह जाती है। इसीलिए हमें लगता है कि चित्र वाला व्यक्ति हमें मुड़-मुड़ कर देख रहा है।

कुछ तस्वीरों की चकरा देने वाली अन्य विशेषताओं का भी यही कारण होता है। जैसे, चित्र का घोड़ा ठीक आप पर छलांग लगाता सा दिखता है, आदमी आप पर उंगली उठाए होता है, आदि आदि। इस तरह की एक तस्वीर चित्र 140 में दिखाई गई है। ऐसे चित्र विज्ञापन, प्रचार आदि में अक्सर प्रयुक्त होते रहते हैं।

यदि ऐसे भ्रमों के कारणों पर मनन किया जाए, तो स्पष्ट हो जाता है कि इनमें कोई आश्चर्य या चमत्कार की बात नहीं है। उल्टा, आश्चर्य तब होता, जब ऐसी तस्वीरों में ये विशेषताएँ नहीं होतीं।

गड़ी रेखाएँ और अन्य दृष्टि-भ्रम

चित्र 141 के पिनों में कोई विशेषता नजर नहीं आती। अब किताब उठा कर आँखों के सामने रखें, और एक आँख बंद करके इन रेखाओं को इस प्रकार से देखें, जैसे दृष्टि उनकी दिशा में फिसल रही हो। (दृष्टि को उस बिंदु पर टिकाना है जहाँ इन रेखाओं को बढ़ाने पर उनका कटान बिंदु मिले।) इस विधि से देखने पर लगता है कि पिन कागज पर बने (या पड़े) हुए नहीं हैं; वे कागज में उदग्र गड़े हुए प्रतीत होतं हैं। यदि आप अपना सिर थोड़ा बगल ले जाएँगे, तो देखेंगे कि पिन भी उसी ओर थोड़ा झुक गए हैं।

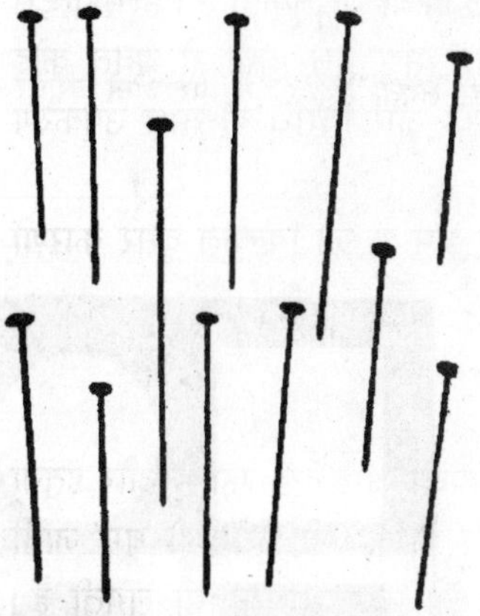

चित्र 141. एक आँख से (दूसरी बंद करके) उस बिंदु के करीब गौर से देखें, जहाँ ये रेखाएँ बढ़ाने पर मिलेगी। आपको कागज पर अनेक गड़े हुए पिन दिखेंगे। चित्र को हल्के से इधर-उधर हिलाने पर लगेगा कि पिन हिल-डुल रहे हैं।

चित्र 142. अक्षर सीधे हैं।

इस भ्रम को परिप्रेक्ष्य (व्यौम-धर्मिता) के नियम से समझाया जा सकता है : चित्र में रेखाएँ इस प्रकार से खींची गई हैं, जैसे कागज पर उदग्र गड़े पिन प्रक्षिप्त (चित्रित) किए जाते हैं।

चित्र 143. वक्र रेखाएँ सर्पिलाकार लगती है, पर ये वृत्ताकार हैं। सुई की नोक किसी रेखा पर घुमा कर देख ले सकते हैं।

भ्रम दिखना सिर्फ दृष्टि-दोष

ही नहीं है। इससे कई लाभ भी हैं, जिसके बारे में लोग अक्सर भूल जाते हैं। यदि आँखें इस तरह के भ्रमों में नहीं पड़तीं, तो चित्रकारी संभव नहीं होती और हम चित्रकला का पूर्णरूप से रसास्वादन नहीं कर पाते। चित्रकार अक्सर इन दृष्टि-दोषों का उपयोग करते हैं।

''इसी धोखे पर सारी चित्र-कला आधारित है,—अपने प्रसिद्ध ''विभिन्न भौतिक घटनाओं के बारे में पत्र'' में XVIII-वीं शती के प्रतिभावान वैज्ञानिक एइलर लिखते हैं।—यदि हम सिर्फ सच्चाई ही देखते, तो यह कला (अर्थात् चित्र-कला) होती ही नहीं, या होती भी तो हम उसके लिए अंधे होते। चित्रकार रंगों को मिलाने में सारी निपुणता खर्च कर देता और हम कहते : इस तख्ते पर लाल धब्बा है; यह नीला धब्बा है, यहाँ काला है और वहाँ कुछेक सफेद रेखाएँ हैं;सब एक समतल पर स्थित है और आगे-पीछे की दूरियों में कोई अंतर नहीं दिख रहा है। इस तरह, एक भी वस्तु का चित्र बनना संभव नहीं होता। हर चीज का चित्र कागज पर सपाट लिखावट सा होता...यदि हमारी दृष्टि पूर्ण (दोष-रहित) होती, तो क्या हम दया के पात्र नहीं होते कि हम इतनी लाभदायक व सुखकर कला का कोई रसास्वादन नहीं कर सकते?''

प्रकाशिकीय भ्रम बहुत सारे हैं और उनसे पूरी किताब भरी जा सकती है।[1] इनमें से कई तो सर्वविदित हैं और कइयों को लोग बिल्कुल नहीं जानते। यहाँ प्रकाशिकीय भ्रमों के ऐसे ही नमूने प्रस्तुत किए जा रहे हैं, जिनका लोगों को बहुत कम ज्ञान है। जालीदार पृष्ठभूमि पर रेखाओं से संबंधित दृष्टि-भ्रम (चित्र 142 व 143) काफी प्रभावशाली हैं। आँखों को बिल्कुल विश्वास नहीं होता कि चित्र 143 में सारे अक्षर सीधे हैं। चित्र 143 में और भी कठिनाई से विश्वास होता है कि हमारे सामने सर्पिल नहीं, इककेंद्री (एक सामूहिक केंद्र वाले) वृत्त हैं। सिर्फ प्रत्यक्ष परीक्षण द्वारा आप यह देख सकते हैं। मिथ्या सर्पिल की किसी भी शाखा पर पेंसिल की नोक रख कर घुमाएँ। शीघ्र ही स्पष्ट हो जाएगा

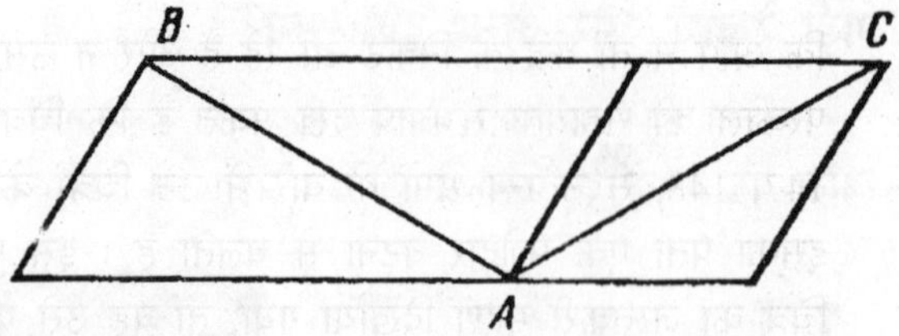

चित्र 144. दूरी AB बड़ी लगती है AC से, पर दोनों बराबर हैं।

चित्र 145. पट्टियों को काटने वाली आड़ी रेखा टूटी-टूटी सी लगती है।

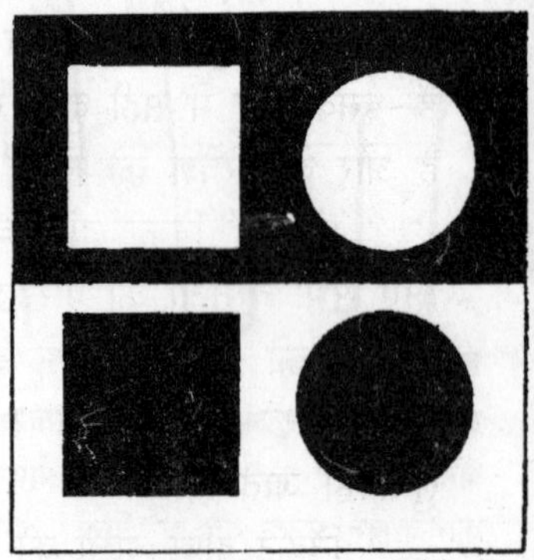

चित्र 146. काले और सफेद वर्ग बराबर हैं। वृत्त भी बराबर हैं।

चित्र 147. इस आकृति में सफेद पट्टियों के कटान-स्थलों पर भूरे व वर्गाकार धब्बे लुक-छिप कर प्रकट होते रहते हैं। पर असलियत में सफेद पट्टियाँ पूरी तरह से सफेद हैं। यदि विश्वास न हो, तो कागज से किसी पट्टी के अगल-बगल के काले वर्गों को ढक कर देख लें। भूरे धब्बे वर्ण-वैषम्य के परिणाम हैं।

चित्र 148. काली पट्टियों के कटान-स्थलों पर भूरे-से धब्बे दिखते हैं।

1. मेरी उपरोक्त पुस्तक ''दृष्टि-भ्रम'' में 60 से अधिक प्रकाशकीय भ्रम संग्रहित हैं।

कि आप न तो केंद्र के निकट आ रहे हैं और न उससे दूर जा रहे हैं; आप वृत्त की परिधि पर घूम रहे हैं। इसी तरह परकाल की सहायता से आप देख सकते हैं कि चित्र 144 में रेखा AC रेखा AB से छोटी नहीं है। चित्र 145, 146, 147, 148, से उत्पन्न भ्रमों के बारे में उन चित्रों के नीचे पढ़ सकते हैं। चित्र 147 का भ्रम कितना प्रभावशाली है, इसका पता एक मजेदार घटना से चलता है : इस पुस्तक के पिछले प्रकाशनों में से एक के प्रकाशक को जब इस चित्र का जस्तकरी मुद्रण दिखाया गया, तो वह उसे पुनः छापेखाने में भेजने लगा, ताकि सफेद पट्टियों के कटान-स्थलों पर दिखने वाले गंदे भूरे धब्बो को साफ कर दिया जाए। अच्छा हुआ कि मैं संयोगवश इसी समय वहाँ पहुँच गया और प्रकाशक महोदय को समझा कर रोकने में सफल हो गया।

निकट दृष्टि की दृष्टि में

निकट दृष्टि वाले लोग बिना चश्मे के ठीक से नहीं देख पाते; पर वे क्या देखते हैं, वस्तुएँ उन्हें कैसी दिखती हैं—इसके बारे में सही दृष्टि वाले लोग बहुत कम ही कुछ जानते हैं। पर निकट दृष्टि वालों की संख्या बहुत अधिक है और वे परिवेश को किस रूप में देखते हैं, यह जानना लाभदायक होगा।

प्रथमतः, निकट दृष्टि वाला व्यक्ति (जाहिर है कि बिना चश्मे के) कभी भी स्पष्ट आकृतियाँ नहीं देखता; उसके लिए सभी वस्तुओं की परिरेखाएँ अस्पष्ट व धुली हुई होती हैं। अच्छी दृष्टि वाला व्यक्ति जब पेड़ को देखता है, तो पत्ते-पत्ते को अलग व स्पष्ट देखता है। निकट दृष्टि वाला व्यक्ति सिर्फ एक बेतरतीब हरा पिंड देखता है, जिसमें उसे अजीबोगरीब आकृतियाँ नजर आ सकती हैं; उसके लिए छोटी वस्तुएँ और छोटी वस्तुएँ और छोटे विवरण एकदम ही लुप्त हो जाते हैं।

निकट दृष्टि वालों को दूसरों की शक्लें कुछ कम उम्र की तथा अधिक आकर्षक लगती हैं; अच्छी दृष्टि वालों की तरह वे महीन झुर्रिया और कई अन्य दोष नहीं देख पाते; चमड़े का भोंडा लाल रंग (प्राकृतिक या कृत्रिम) उन्हें कोमल अरूणाभ लगता है। हम अपने कुछ परिचितों के भोलेपन पर आश्चर्य करते हैं कि वे लोगों की उम्र का अंदाजा लगाने गें बीरा-बीस साल तक की गलती कर जाते हैं; जिसे हम सुंदर नहीं कहते, उसे वे सुंदर कह देते हैं। कभी-कभी वे बेशर्मी से हमारी ओर देखने लगते हैं, जैसे कोई रहस्य जान लेना चाहते हों। पर इन सबका कारण यही है कि वे निकट दृष्टि वाले हैं।

''लाइसियम (पुराने जमाने के अध्ययन केंद्र) में मुझे चश्मा लगाने की मनाही थी,—पुश्किन के मित्र कवि देलविग अपने संस्मरण में लिखते हैं,—पर इससे स्त्रियाँ कितनी मनोहर प्रतीत होती थीं और पढ़ाई खत्म करने के बाद मुझे कितनी निराशा हुई थी!'' जब निकट दृष्टि वाला व्यक्ति (बिना चश्मा लगाए) आपसे बात करता है, तो वह आपकी शक्ल नहीं देखता; देखता भी है, तो वह चीज नहीं, जो आप सोचते होंगे : उसके सामने अस्पष्ट आकृति होती है। हो सकता है कि एक घंटे बाद वह आपको सड़क पर देखे और पहचान न पाए। निकट दृष्टि वाला व्यक्ति लोगों को उनके रूप-रंग से उतना नहीं पहचानता जितना उनकी आवाज के आधार पर। आप कह सकते हैं कि विकसित श्रवण-शक्ति दृष्टिदोष का पूरक बन जाती है।

निकट दृष्टि वालों को रात की दुनिया कैसी लगती है, यह भी कम रोचक नहीं है। रात में सभी प्रकाशमान वस्तुएँ—लैंप, प्रकाशित खिड़कियाँ आदि उन्हें काफी बड़े आकारों में दिखती हैं। दुनिया उनके लिए चमकीले धब्बों, काले व धुंधले सिलुएटों आदि से भरे बेतरतीब चित्र में परिणत हो जाती है। सड़क पर खंभों की रोशनी को वे दो-तीन बड़े-बड़े प्रकाश-धब्बों के रूप में देखते हैं, जो उनकी दृष्टि में सड़क का बाकी सारा भाग ढक लेते हैं। सामने से आती मोटर-कार की जगह वे दो चमकीले गोल घेरे देखते हैं, जिनके पीछे एक काला पिंड दौड़ता होता है।

निकट-दृष्टि वालों को रात में आकाश भी कुछ और ही नजर आता है। वे सिर्फ बड़े तारों को ही देख पाते हैं,

अतः उन्हें कुछेक हजार की जगह कुछेक सौ तारे ही नजर आते हैं, और वे भी प्रकाश के बड़े-बड़े लोंदों जैसे नजर आते हैं। चाँद उन्हें काफी बड़ा व निकट दिखता है। अर्द्ध चंद्र उनके लिए बिल्कुल विचित्र रूप-रंग का होता है।

आकारों के प्रतीयमान परिवर्धन व इन विकृतियों का कारण निकट दृष्टि वाले की आँख की विशेष बनावट में छिपा होता है। ऐसे आदमी की आँख काफी गहरी होती है; इतनी गहरी कि अपवर्तन के बाद प्रकाश किरणें रेटीना (दृष्टिपटल) पर नहीं उससे कुछ पहले ही इकत्रित हो जाती हैं। रेटीना तक सिर्फ अपसृत किरण-पुंज पहुँचती हैं, जिसके कारण वस्तुओं का बिंब अस्पष्ट बनता है।

अध्याय 10
ध्वनि और श्रवण-शक्ति

प्रतिध्वनि की खोज

किसी ने देखा नहीं, पर सुना उसे सबने है; अंग नहीं, पर जीती है, जीभ नहीं और चीखती है।

निक्रासव

अमरीकी व्यंग्यकार मार्क ट्वेन की कहानियों में से एक में एक आदमी प्रतिध्वनियों का संग्रह करता होता है। वह हर उस स्थान को खरीद लेता था, जहाँ की प्रतिध्वनि में कोई विशेषता थी, या वह कई बार दुहाराई जाती थी।

"पहले उसने जार्जिया प्रांत में एक प्रतिध्वनि खरीदी, जो चार बार शब्दों को दुहराती थी। इसके बाद मेरीलैंड में छः बार स्वरों को दुहराने वाली प्रतिध्वनि और मेने में 13-बार वाली खरीदी। अगली खरीदारी में कंजास की 9-बार वाली प्रतिध्वनि आई। इसके बाद टेनेसी की 12 बार वाली, जो सस्ते में मिल गई थी, खरीदी गई। सस्ते में, क्योंकि उसमें काफी कुछ मरम्मत करनी थी : इसमें मुख्य चट्टान अपनी जगह से धँस गई थी। उसने सोचा कि इसपर कोई दीवार बना कर प्रतिध्वनि को वापस लौटाया जा सकता है, पर इंजिनियर का कभी प्रतिध्वनियों से पाला नहीं पड़ा था, अतः उसने स्थान को और भी बिगाड़ दिया। मरम्मत के बाद जगह इसी लायक रह गई थी कि वहाँ सिर्फ बहरे-गूंगे शरण ले सकें..."

यह तो मजाक है, पर कई बार दुहराई जाने वाली प्रतिध्वनियाँ सचमुच में होती हैं। उनमें से अधिकांश पहाड़ी जगहों पर होती हैं। कई तो विश्व भर में विख्यात हैं।

कुछ प्रसिद्ध प्रतिध्वनियों का वर्णन करते हैं। इंगलैंड में वुडस्टौक किले में प्रतिध्वनि 17 अक्षरों को दुहरा सकती है। हाल्बेरश्टाट के पास डेरेनबुर्ग किले के अवशेषों में 27 अक्षरों को दुहराने वाली प्रतिध्वनि थी, पर बम से एक दीवार के ध्वंस हो जाने के कारण वह सदा के लिए चुप हो गई। चेकोस्लोवाकिया में आदेर्सबाख के पास गोलाकार चट्टानें एक स्थान-विशेष से 7 अक्षरों की प्रतिध्वनि दुहरा सकती हैं। लेकिन यहाँ से चंद कदम हट जाने पर बंदूक की आवाज भी प्रतिध्वनित नहीं होती। मिलान के निकट एक किले में (जो अब नहीं है) प्रतिध्वनियों की संख्या बहुत बड़ी थी : उसके एक भाग में गोली चलाने पर धमाके की आवाज. 40-50 बार सुनाई देती थी और चिल्ला कर कहा गया शब्द-30 बार।

ऐसे स्थानों को ढूँढना कोई आसान काम नहीं है, जहाँ साफ-साफ एक बार भी प्रतिध्वनि सुनाई पड़ती हो। पर सोवियत संघ में ऐसे स्थान खोज निकालना अपेक्षाकृत सरल है। यहाँ जंगलों से घिरे अनेक मैदान व घाटियाँ हैं। किसी भी ऐसे मैदान में जोर से कुछ बोलने पर जंगल के पेड़ों की दीवार से टकरा कर स्पष्ट ध्वनि सुनाई दे सकती है।

पहाड़ियों में तरह-तरह की प्रतिध्वनियाँ मिलती हैं, पर उनकी संख्या बहुत कम है। पहाड़ी-स्थलों पर प्रतिध्वनि सुनना अधिक कठिन है, बनिस्बत कि जंगल से घिरे समतल पर।

आप अभी समझ जाएँगे कि ऐसा क्यों होता है। प्रतिध्वनि और कुछ नहीं, सिर्फ ध्वनि तरंग है, जो किसी बाधा से टकरा कर परावर्तित हो जाती है। प्रकाश के परावर्तन की तरह इसमें भी "ध्वनि-किरणों" के आपतन व परावर्तन कोण बराबर होते है (ध्वनि-किरण उस दिशा को कहते है, जिधर-तरंगे गतिमान होती हैं)।

अब कल्पना करें कि आप पहाड़ के नीचे खड़े हैं (चित्र 149) और ध्वनि को परावर्तित करने वाली बाधा AB आप से कुछ ऊपर ऊँचाई पर है। आसानी से देख सकते हैं कि Ca, Cb, Cc रेखाओं पर भ्रमण करने वाली ध्वनि-तरंगे परावर्तन के बाद आपके कान तक नहीं, बल्कि aa, bb, cc, दिशाओं में चली जाती हैं। दूसरी बात होती यदि आप उसी ऊँचाई पर उठ आते जिसे पर बाधा है (चित्र 150) या थोड़ा ऊपर भी उठ आ सकते हैं। ध्वनि Ca, Cb, दिशाओं में जाकर पुनः आपके पास भंजित रेखाओं CaaC , या CbbC, पर लौट आएगी। इसके लिए ध्वनि को एक या दो बार जमीन से भी परावर्तित होना पड़ सकता है। दोनों स्थानों के बीच यदि जमीन गहरी हो, तो और भी अच्छा है; वह नतोदर दर्पण की तरह काम करती है। पर यदि C और B स्थानों के बीच का स्थान उत्तल होगा, तो प्रतिध्वनि काफी क्षीण होगी और हो सकता है कि वह आपके कानों तक पहुँचे ही नहीं; ऐसी सतह उत्तल दर्पण का काम करती है।

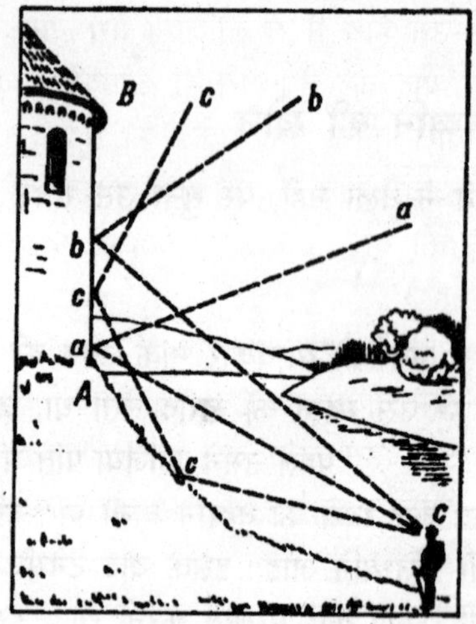

चित्र 149. प्रतिध्वनि नहीं सुनाई देगी।

ऊबड़-खाबड़ पहाड़ी स्थल पर प्रतिध्वनि को खोजने के लिए कुछ कौशलता की आवश्यकता पड़ती है। उपयुक्त स्थान के चयन हो जाने के बाद भी वहाँ प्रतिध्वनि उत्पन्न करना कोई आसान काम नहीं है। प्रथमतः, बाधा के बहुत निकट नहीं खड़ा होना चाहिए : ध्वनि का पथ काफी लंबा होना चाहिए, ताकि उसे जाकर लौटने में कुछ समय लगे, अन्यथा प्रतिध्वनि के साथ लीन ही जाएगी। ध्वनि 340m प्रति सेकेंड की क्षिप्रता से चलती है, अतः बाधा से 85m की दूरी पर खड़े रहने से प्रतिध्वनि आधे सेकेंड के बाद सुनाई देगी।

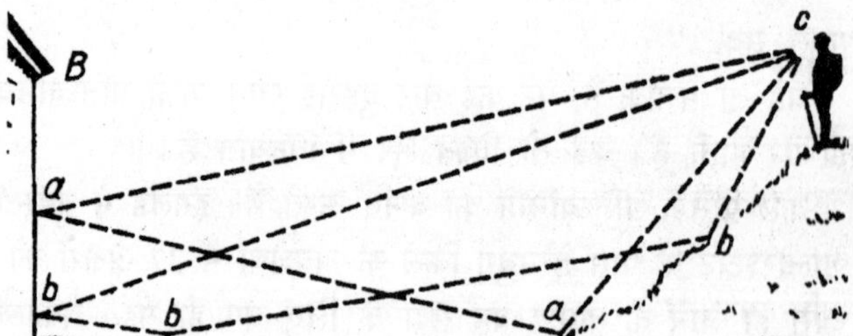

चित्र 150. स्पष्ट प्रतिध्वनि।

यद्यपि किसी भी प्रकार की ध्वनि की प्रतिध्वनि उत्पन्न हो सकती है, उसकी स्पष्टता एक जैसी नहीं होती। घनघोर जंगल में कोई पशु गर्ज रहा है या तुरंगनाद हो रहा है, बिजली कड़क रही है या पहाड़ी पार कोई बाला गीत गा रही है—इन सबकी प्रतिध्वनियाँ समान नहीं होंगी। ध्वनि जितनी तीखी होगी, प्रतिध्वनि उतनी ही स्पष्ट होगी। सबसे अच्छी प्रतिध्वनि ताली बजाने की होती है। आदमी का स्वर इतना अच्छा काम नहीं आता, जितना स्त्रियों व बच्चों का। उच्च स्वर अधिक स्पष्ट प्रतिध्वनि देता है।

नापने के फीते की जगह ध्वनि

हवा में ध्वनि-प्रसरण का वेग ज्ञात होने से दुर्गम स्थल पर स्थित वस्तुओं की दूरी नापी जा सकती है। जूल वेर्न

के उपन्यास ''पृथ्वी-केंद्र की यात्रा'' में ऐसी एक घटना का वर्णन आता है। भूगत यात्रा के वक्त दो यात्री-प्रोफेसर और उनका भतीजा-एक दूसरे को खो देते हैं। ढूँढ़ते-ढूँढ़ते आखिर जब वे एक दूसरे की आवाज सुनने लगे, तो उनके बीच इस प्रकार की बातचीत हुई :

—''चाचा जी!—मैंने चिल्ला कर कहा (कहानी भतीजे की ओर से कही जा रही है)।

—क्या है, बेटा?—कुछ क्षण बाद मैंने उत्तर सुना।

—कितनी दूर हैं हम लोग एक दूसरे से?

—यह जानना कठिन नहीं है।

—आपका क्रोनोमीटर ठीक-ठाक है?

—हाँ।

—उसे हाथ में ले लीजिए। मेरा नाम जोर से पुकारें और बोलना शुरू करने के क्षण सेकेंड की सुई ठीक-ठीक देख कर याद कर लें। जैसे ही आपकी आवाज मुझ तक आएगी, मैं भी जोर से अपना नाम दुहराऊँगा। जब आप मेरी आवाज सुनेंगे, पुनः सेकेंड की सुई देख लेंगे।

—अच्छी बात है। तब मेरे पुकारने और तुम्हारा उत्तर सुनाई देने में जो समय लगा है, उसका आधा समय लगता है ध्वनि को यहाँ से तुम तक पहुँचने में। तुम तैयार हो न?

—हाँ।

—रेडी! तुम्हारा नाम पुकार रहा हूँ।

—मैंने दीवार से कान लगा लिया। जैसे ही शब्द ''आक्सेल'' (कहानी कहने वाले का नाम) सुनाई दिया, मैंने झट रो उसे दुहरा दिया और इंतजार करने लगा।

—चालिस सेकेंड,—चाचा ने कहा, —अतः तुम्हारी आवाज मुझ तक 20 सेकेंड में पहुँची है। और चूँकि ध्वनि एक सेकेंड में तिहाई किलोमीटर तय करती है, हम लोग एक दूसरे से लगभग सात किलोमीटर की दूरी पर है।''

यदि इस अवतरण की बातें आप अच्छी तरह से समझ गए हैं, तो आग एक ऐसा प्रश्न को स्वयं हल करने की कोशिश करें : दूरे खड़े इंजन से सीटी देने वाले सफेद वाष्प को मैंने जिस क्षण देखा, उसके ठीक डेढ सेकेंड बाद मुझ आवाज सुनाई दी। इंजन से मैं कितनी दूर था?

ध्वनि-दर्पण

जंगल की दीवार, ऊँची चहारदीवारी, मकान, पर्वत आदि जैसी बाधाएँ, जो ध्वनि को परावर्तित कर सकती हैं, उसके लिए दर्पण का काम करती हैं। वे ध्वनि को उसी प्रकार परावर्तित करती हैं, जैसे चौरस दर्पण प्रकाश को परावर्तित करता है।

ध्वनि-दर्पण सिर्फ समतल ही नहीं, वक्र भी होते हैं। नत ध्वनि-दर्पण रिफ्लेक्टर (परावर्तक) की तरह ध्वनि-किरणों को अपनी नाभि पर इकत्रित करता है।

इससे संबंधित एक रोचक प्रयोग आप दो गहरी प्लेटों से कर सकते हैं। एक प्लेट को टेबुल पर रख लें और उसकी पेंदी से कुछ सेंटीमीटर ऊपर जेब-घड़ी पकड़े रहें। दूसरी प्लेट चित्र 151 की भाँति कान के पास रखें। यदि घड़ी, कान और प्लेटों की आपसी स्थितियाँ सही चुनी गई हैं (इन वस्तुओं को कई बार इधर-उधर खिसका कर सही स्थान ''टटोलते'' हैं), तो आपको टिकटिक की आवाज उस प्लेट से आती सुनाई देगी, जिसे आप कान से पास पकड़े हैं। यदि आँखें बंद कर ली जाए, तो भ्रम और भी स्पष्ट हो जाएगा। इस स्थिति में कहना मुश्किल हो जाएगा कि किस हाथ में घड़ी है और किस में प्लेट।

चित्र 151. ध्वनि के लिए नतोदर दर्पण।

चित्र 152. प्राचीन किले में ध्वनि-चमत्कार—बोलती मूर्त्तियां (अफानासी कीरखेर, 1560 की पुस्तक से)।

मध्य-युगीन किलों के निर्माता ध्वनि के गुणों के आधार पर तरह-तरह के अजूबे बनाया करते थे। नत ध्वनि-दर्पण की नाभि या दीवार में छिपी ध्वनि-वाहक नली के एक सिरे पर कोई प्रतिमा रख दी जाती थी। चित्र 152 में XVI-वीं शती की एक पुरानी किताब से लिया गया एक आरेख दिखाया गया है, जो ऐसी ही एक युक्ति का रहस्य बताता है। बाहर सड़क पर से आवाजें दीवार में छिपी ध्वनि-वाहक नली द्वारा भीतर आती हैं और वहाँ से गुंबज पर परावर्तित होते हुए प्रतीमा की होंठ तक पहुँच जाती हैं। दीवारों में जगह-जगह छिपी बड़ी-बड़ी ध्वनि-वाहक नलियाँ बाहर की आवाजें भीतर रखी प्रतिमाओं के होठों तक लाती हैं। इन युक्तियों के कारण किले के भीतर स्थित लोगों का लगता है कि मूर्त्तियाँ रो रही हैं, बातें कर रही हैं, आदि।

थियेटर कक्षों में ध्वनि

जो लोग संगीत-कार्यक्रम, नाटक आदि देखने के लिए अक्सर थियेटरों में जाया करते हैं, वे जानते हैं कि कुछ कक्षों में ध्वनि-संचरण अच्छा होता है और कुछ में बुरा। किसी कक्ष में कलाकारों की आवाज किसी भी दूरी से सुनाई देती है, तो किसी में नजदीक से भी अस्पष्ट सुनाई देती है। इन बातों का कारण अमरीकी भौतिकविद् वुड की पुस्तक ''ध्वनि-तरंगे और उनका उपयोग'' में बहुत अच्छी तरह समझाया गया है।

''ध्वनि-स्रोत के चुप हो जाने पर भी भवन के भीतर देर तक उसकी आवाज सुनाई देती रहती है। परावर्तनों के कारण वह भवन के भीतर ही भीतर चक्कर काटती रहती है। इस बीच यदि ध्वनि-स्रोत चुप नहीं रहता, अर्थात् उससे और भी नई-नई ध्वनियाँ निकलती रहती हैं, तो सुनने वाले उन्हें सही क्रम में ग्रहण नहीं कर पाते और इसलिए उनकी समझ में कुछ भी नहीं आता। उदाहरणार्थ, यदि ध्वनि तीन सेकेंडों तक भ्रमणशील रहती है और वक्ता एक सेकेंड में तीन अक्षरों की गति से बोल रहा है, तो 9 अक्षरों वाली ध्वनि-तरंगें कक्ष में एक साथ घूमना शुरू कर देंगी और वहाँ इतना बेतरतीब शोर होगा कि स्रोता कुछ समझ नहीं सकेंगे।

इन परिस्थितियों में वक्ता अक्सर जोर से बोलने की कोशिश करते हैं और शोर उल्टा बढ़ जाता है। यहाँ अधिक

उपयुक्त होगा कि वे धीरे-धीरे, स्पष्ट व कुछ धीमे स्वर में बोलें।

अच्छे ध्वनि-संचरण वाले हौल का निर्माण अभी हाल तक सिर्फ संयोग की बात मानी जाती थी, पर आज के जमाने में अनुनादन (रिवबरिशन) के कारण ध्वनि की अवांछनीय लंबाई से संघर्ष की उत्तम विधियाँ ज्ञात हैं और स्पष्ट श्रवण कोई समस्या नहीं रह गई है। इस पुस्तक में इन्हें सविस्तार देखने की कोई आवश्यकता नहीं है, क्योंकि यह सिर्फ वास्तुइंजिनियरों के काम आएगी। इतना बता देते हैं कि बुरे ध्वनि संचरण के साथ संघर्ष करने के लिए ध्वनि-शोषक सतहों का निर्माण करना पड़ता है। सबसे अच्छा ध्वनि-शोषक खुली खिड़की है (जैसे प्रकाश-शोषक का कार्य कोई भी छेद करता है)। खुली खिड़की का एक वर्ग मीटर जितनी ध्वनि शोषित करती है, उसे ध्वनि-शोषण की इकाई मानते हैं। थियेटर के दर्शक भी खुद बहुत अच्छे ध्वनि-शोषक होते हैं, पर खुली खिड़की की तुलना में सिर्फ आधी ध्वनि ही सोख पाते हैं। इसका मतलब है कि हर आदमी आधे वर्ग मीटर खुली खिड़की की बराबरी करता है और यदि एक भौतिकविद् का कहना बिल्कुल सही है कि "स्रोता वक्ता के भाषण को बिल्कुल सीधे अर्थों में सोखते है," तो यह भी गलत नहीं है कि वक्ता के लिए खाली हौल बिल्कुल सीधे अर्थों में कष्टकर है।

यदि ध्वनि-शोषक बहुत अधिक है, तो इससे भी सुनने में कठिनाई होती है। प्रथमतः, अत्यधिक अवशोषण ध्वनि को क्षीण कर देता है और, दूसरे, अनुनादन को इतना कम कर देता है कि स्वर का तारतम्य छिन्न हो जाता है और वह सूखा-सूखा सा लगता है। इसीलिए यदि बहुत लंबा अनुनादन बुरा है, तो बहुत लघु अनुनादन भी वांछनीय नहीं है। अनुनादन की इष्टतम दीर्घता हौल के आकार पर निर्भर करती है, अतः उसे बनाते वक्त ही इसका खयाल रखना चाहिए।

थियेटर में भौतिकी के दृष्टिकाण से एक और रोचक चीज होती है, जिसे अनुप्रेरक कक्षिका कहते हैं। आपने ध्यान दिया होगा कि उसका रूप व आकार सभी थियेटरों में एक सा होता है। इसका कारण यह है कि कक्षिका अपने आप में एक भौतिकीय उपकरण है। उसका गुंबज ध्वनि के लिए नतोदर दर्पण का काम करता है। इसके दो कार्य हैं : अनुप्रेरक जब फुसफुसाता हुआ कलाकरों को उनके संभाषण की याद दिलाता है, तो उसकी आवाज को यह गुंबज दर्शकों की ओर जाने से रोकता है और उसे रंगमंच की ओर भेजता है।

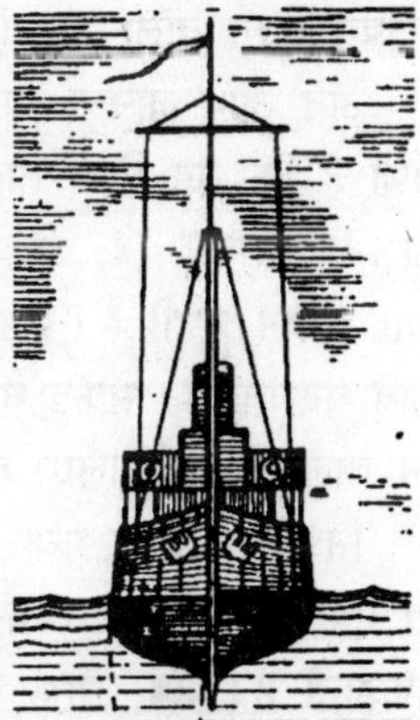

चित्र 153. ध्वनि की सहायता से गहराई मापना।

सागर-तल से प्रतिध्वनि

दीर्घकाल तक आदमी को प्रतिध्वनि से कोई लाभ नहीं, लेकिन अब उसका उपयोग सागरों की गहराई नापने में होने लगा है। यह विधि संयोगवश आविष्कृत हुई थी। 1912 ई. में "टिटानिक" नामक एक समुद्री जहाज अपने सारे यात्रियों समेत डूब गया। दुर्घटना का कारण था एक विशाल हिमखंड, जिससे जहाज की टक्कर हो गई थी। रात को या कुहासे के समय कहीं फिर ऐसी दुर्घटना न हो जाए, इसके लिए प्रतिध्वनि का उपयोग किया गया, इसी चक्कर में प्रतिध्वनि से समुद्र की गहराई नापने का विचार उत्पन्न हुआ।

चित्र 153 में ऐसी युक्ति का आरेख दिखाया गया है। जहाज के पार्श्व में पेंदे के पास से बारूद की गोली दागी जाती है, जिससे काफी तीक्ष्ण ध्वनि उत्पन्न होती है। ध्वनि पानी से होता हुआ सागर-तल तक पहुँचता है और उससे परावर्तित होकर पुनः जहाज तक आता है। पेंदे में लगा एक अत्यंत संवेदनशील अभिग्राहक प्रतिध्वनि को ग्रहण करता है। ध्वनि भेजने और प्रतिध्वनि ग्रहण करने के बीच के अंतराल को उच्च कोटि की घड़ी द्वारा नापा जाता है। पानी में ध्वनि का वेग ज्ञात है, अतः कलन द्वारा ध्वनि परावर्तित करने वाली बाधा की दूरी

(अर्थात् सागर-तल की गहराई) ज्ञात कर लेना कठिन नहीं है।

इस विधि को प्रतिध्वनण (एस्कोसाउंडिंग) का नाम दिया गया और इसने सागर की गहराई नापने की विधि में क्रांति पैदा कर दी। पुरानी विधियों का उपयोग करने के लिए जहाज को एक ही जगह पर काफी देर तक रोककर रखना पड़ता था। चक्के पर लपेटी रस्सी से लंगर बाँध कर नीचे गिराना पड़ता था (150 m प्रति मिनट की दर से)। रस्सी नीचे लटकाने व उसे पुनः वापस लपेटने में काफी समय लगता था। 3km की गहराई नापने में करीब पौन घंटे लग जाते थे। प्रतिध्वनि की सहायता से गहराई चंद सेकेंडों में ज्ञात हो जाती है और जहाज को रोकना भी नहीं पड़ता। परिणाम काफी सही और विश्वस्त होते हैं। मापन-त्रुटि चौथाई मीटर से अधिक की नहीं होती (इसी के लिए तो समय के अंतराल को सेकेंड के 3000-वें अंश की शुद्धता से नापा जाता है)।

आधुनिक प्रतिध्वनण में साधारण ध्वनि नहीं, श्रवयातीत प्रचंड पराध्वनि का उपयोग किया जाता है, जिसकी कंपनावृत्ति प्रति सेकेंड कुछेक मिलियन तक की होती है। ऐसी ध्वनि उच्च प्रत्यावर्ती विद्युत-क्षेत्र में रखे स्फटिकपत्र द्वारा प्राप्त की जाती है।

भनभाहट

उड़ने वाले कीट-पतंगे अक्सर भनभनाहट की ध्वनि क्यों उत्पन्न करते हैं? उनके पास अधिकांशतः इसके लिए कोई विशेष अंग भी नहीं होता। भनभनाहट का कारण इतना ही है कि उड़ते वक्त उनके पंखों की फड़फड़ाहट कुछेक सौ तक पहुँच जाती है। उनका पंख इस स्थिति में कंपनरत पत्र माना जा सकता है और हम जानते हैं कि पर्याप्त आवृत्ति से कंपन करने वाला यंत्र (अक्सर एक सेकेंड में 16 बार), एक विशेष तारता की ध्वनि देता है।

अब आप जानना चाहेंगे कि पतंगों के पंखों की आवृत्ति कैसे ज्ञात की जाती है। इसके लिए कानों से सुनना पर्याप्त है कि वह किस तारता का स्वर उत्पन्न कर रहा है। हर तारता के लिए एक निश्चित कंपनावृत्ति होती है। ''काल-विशालक'' (दे. अध्याय 1) से पता चला है कि किसी भी पतंगे के पंखों की फड़फड़ाहट की आवृत्ति लगभग हमेशा समान रहती है। उड़ान नियंत्रित करते वक्त पतंगा सिर्फ फड़फड़ाहट का ''आयाम'' बदलता है या पंखों का झुकाव बदलता है। सेकेंड में फड़फड़ाहट की संख्या सिर्फ ठंड के कारण बढ़ती है। इसीलिए भनभनाहट की तारता (हर उड़ने वाले कीड़े के लिए) हमेशा एक सी रहती है।

निर्धारित किया गया है कि F तारता से उड़ते वक्त घरेलू मक्खी एक सेकेंड में 352 बार पंख फड़फड़ाती है। भौंरा एक सेकेंड में 220 बार फड़फड़ाता है। A तारता देते हुए उन्मुक्त उड़ती मधुमक्खी 440 बार एक सकेंड में पंख फड़फड़ाती है। जब उसके साथ बोझ (शहद) होता है, तब वह सेकेंड में सिर्फ 330 बार पंख फड़फड़ाती है। इससे B तारता की ध्वनि प्राप्त होती है। मोंगरे बहुत ही सुस्ती से उड़ते हैं। मच्छड़ के पंखों में प्रति सेकेंड 500-600 बार कंपन होता है। तुलना के लिए बता दूँ कि हवाई जहाज का प्रोपेलर एक सेकेंड में सिर्फ 25 बार घूमता है।

श्रवण-भ्रम

यदि किसी कारणवश हम यह मान बैठें कि किसी हल्के शोर का स्रोत हमसे काफी दूर है, तो उसकी आवाज हमें काफी तेज लगेगी। इस तरह के श्रवण-भ्रम अक्सर अनुभूत होते रहते हैं, पर अक्सर हम उस पर ध्यान नहीं देते।

इस तरह की एक रोचक घटना का वर्णन अमरीकी वैज्ञानिक विलियम जेम्स अपने ''मनोविज्ञान'' में करते हैं :

''एक बार काफी रात को मैं बैठा पढ़ रहा था; अचानक ऊपर के तल्ले से जोरों का एक शोर सुनाई दिया। शोर तुरत बंद हो गया और एक मिनट बाद फिर से शुरू हो गया। मैं बाहर हौल में निकल आया और ध्यान से सुनने लगा, पर कुछ सुनाई नहीं दिया। पर जैसे ही किताब खोली, शोर फिर से शुरू हो गया। शोर काफी जोरों का और

भयावना था, जैसे कोई आँधी चलने वाली हो। वह हर तरफ से आ रहा था। मैं काफी घबड़ा गया और फिर से हौल में निकल आया। शोर फिर गायब हो गया।

अपने कमरे में दूसरी बार लौटने पर मैंने अचानक देखा कि शोर फर्श पर सोए छोटे से कुत्ते की खर्राहट के कारण हो रहा है!...

दिलचस्प बात तो यह है कि शोर का वास्तविक कारण जान लेने के बाद मैं लाख कोशिश करके भी उस पुराने भ्रम को दुबारा नहीं प्राप्त कर सका।"

शायद पाठकों को भी अपने जीवन की कोई ऐसी घटना याद आ जाए। मुझे ऐसे भ्रमों का बहुत बार अनुभव हुआ है।

टिड्डा कहाँ है?

ध्वनि-स्रोत की दूरी तो नहीं, पर दिशा बताने में हम अक्सर गलती कर जाते हैं।

हमारे कान सही-सही बता सकते हैं कि गोली बाएँ दागी गई थी या दाएँ (चित्र 154)। लेकिन यदि ध्वनि-स्रोत ठीक हमारे आगे या पीछे है, तो हम अक्सर उसकी स्थिति बताने में असमर्थ रहते हैं : आगे से छोड़ी गई गोली की आवाज अक्सर पीछे से आती प्रतीत होती है।

इस स्थिति में हम सिर्फ यह बता सकते हैं कि गोली कहीं नजदीक से दागी गई है या दूर से।

एक प्रयोग है, जिससे हमें बहुत सारी जानकारी मिल जाएगी। किसी की आँखों पर पट्टी बाँध कर कमरे के बीच में बैठा दें और उससे कहें कि वह सिर्फ इधर-उधर न घुमाए। हाथों में दो सिक्के लेकर आप एक से दूसरे पर चोट करें। यदि आप हमेशा उस उदग्र समतल पर हैं, जो आपके मित्र के सिर को आँखों के बीच से दो बराबर भागों में बाँटती है, तो आपका मित्र कभी नहीं बता सकेगा कि किस जगह से झन्नाहट की आवाज आई है : आवाज कमरे के एक कोने में होगी और आपका मित्र दूसरे कोने की ओर दिखाएगा।

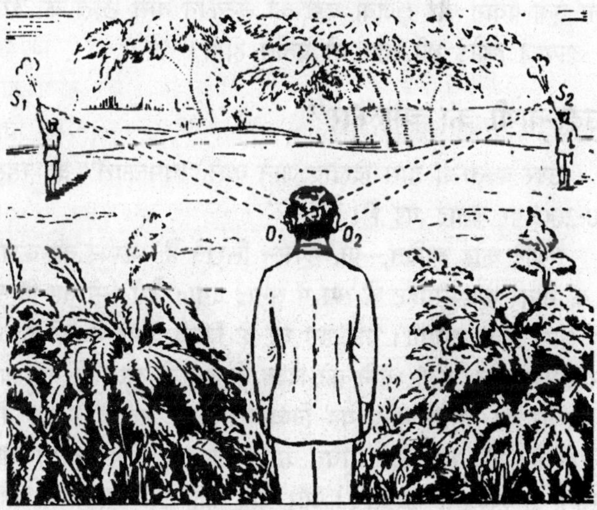

चित्र **154.** किधर गोली छुटी : बाएँ या दाएँ?

यदि आप सममिति के इस समतल से इधर-उधर हो जाएँगे, तब इतनी बड़ी गलतियाँ वह नहीं करेगा। कारण स्पष्ट है : अब ध्वनि आपके मित्र के निकटतम कान तक कुछ पहले और अधिक जोर से पहुँचेगी।

इस प्रयोग से समझ में आ जाता है कि घास में छिप कर चरचराते टिड्डे को देख पाना इतना कठिन क्यों है। उसका तीखा स्वर आप से पथ के दाएँ दो कदम की दूरी पर सुनाई देता है। आप उधर मुड़ते हैं, पर कुछ दिखता नहीं है; आवाज बाएँ से आ रही है। आप उधर मुड़ते हैं, पर आवाज किसी तीसरी जगह से आती प्रतीत होती है। जितना ही आप अपना सर इधर-उधर चरचराहट की दिशा में घुमाएँगे, यह अदृश्य "संगीतकार" उतनी ही तेजी से छलाँगे लगाएगा। पर वास्तविकता यह है कि टिड्डा एक ही स्थान पर बैठा रहता है। उसकी छलाँगे आपकी कल्पना शक्ति या श्रवण-भ्रम के परिणाम हैं। आपकी गलती यह है कि आप सिर इस तरह घुमाते हैं कि टिड्डा आपके सिर के सममिति-समतल पर आ जाता है और हम जानते हैं कि इस स्थिति में ध्वनि के आने की दिशा बताने में गलती

की अधिक संभावना है : टिड्डे की चरचराहट आगे से आती है और आप उसे पीछे आती हुई मान लेते हैं।

यहाँ से एक व्यावहारिक निष्कर्ष निकाला जा सकता है : यदि आप निर्धारित करना चाहते हैं कि टिड्डे की चरचराहट या कोयल की कू-कू जैसी दूर की आवाजें कहाँ से आ रही हैं, तो आपको सिर ठीक आवाज की ओर नहीं घुमानी चाहिए। वैसे, हम करते भी यही हैं, जब हम ''सतर्क''या ''सजग'' हो उठते हैं।

आवाज की शरारतें

जब हम सूखी डबल रोटी चबाते हैं, तो हमें काफी जोर का शोर सुनाई देता है। पास बैठा व्यक्ति भी वही चीज खा रहा होता है, पर उससे कोई खास शोर नहीं सुनाई देता। ऐसा क्यों होता है?

बात यह है कि यह शोर सिर्फ हमारे कानों में होता है और पड़ोस में बैठे व्यक्तियों को परेशान नहीं करता। खोपड़ी की हड्डी या कोई भी ठोस सुनम्य पिंड ध्वनि का बहुत अच्छा चालक होता है और ऐसे घने माध्यम में ध्वनि अत्यधिक तेज लगती है। **हवा के माध्यम** से कान तक पहुँचने वाली ध्वनि हल्के शोर सी प्रतीत होती है, पर वही ध्वनि जब खोपड़ी के ठोस रेशों से होकर हमारी श्रवण-संवेदनाओं की वाहक शिराओं तक पहुँचती है, तो वह तेज शोर में परिणत हो जाती है। इसी बात को सिद्ध करने वाला एक प्रयोग करें : जेबी घड़ी को लटकाने वाले छल्ले को दाँतों से पकड़ लें; आपको टिक-टिक की आवाज हथौड़े की चोट सी प्रतीत होगी।

''उदर-वाणी का चमत्कार''

उदर वक्ताओं द्वारा दिखाए जाने वाले ''चमत्कारों'' का रहस्य उन्हीं बातों से खुलता है जो पृ. 200-200 पर बताई गई हैं।

''यदि कोई व्यक्ति,–प्रो. हैंपसन लिखते हैं,–छप्पर की कलगी पर घूम रहा है, तो उसका स्वर घर के भीतर फुसफुसाहट के रूप में सुनाई देगा। जैसे-जैसे वह किनारी की ओर बढ़ेगा, उसकी आवाज और क्षीण होती जाएगी। यदि हम घर के किसी कमरे में बैठे हैं, तो हमारे कान उस व्यक्ति की दूरी और उससे आने वाली ध्वनि की दिशा के बारे में कुछ भी नहीं बता सकते। लेकिन स्वर में बदलाव के आधार पर हमारी बुद्धि यह निष्कर्ष निकाल सकती है कि बोलने वाला व्यक्ति हमसे दूर होता जा रहा है। यदि स्वर खुद सूचित कर दे कि उसे बोलने वाला व्यक्ति छप्पर पर घूम रहा है, तो हम आसानी से विश्वास कर लेंगे। और यदि कोई उस व्यक्ति के साथ बातें करने लग जाए, जो मानों की बाहर खड़ा है, और ढंग का उत्तर भी प्राप्त करे, तो भ्रम और भी प्रभावशाली हो जाता है।

ये ही वे परिस्थितियाँ हैं, जिनमें उदर-वक्ता काम करता है। जब छप्पर पर खड़े आदमी के बोलने की बारी आती है, उदर-वक्ता फुसफुसाना शुरू कर देता है; जब उसकी खुद की बारी आती है, वह अपने स्पष्ट व पूरे स्वर में बोलने लगता है, ताकि दोनों आवाजों में अंतर दिख सके। उसकी बातों का सार किसी अतिरिक्त साथी की उपस्थिति का भ्रम और भी बढ़ा देता है। यदि इसमें कोई पकड़ी जाने वाली बात है, तो यह कि मिथ्या साथी की आवाज छप्पर से नहीं, रंगमंच से आती सुनाई दे सकती है।''

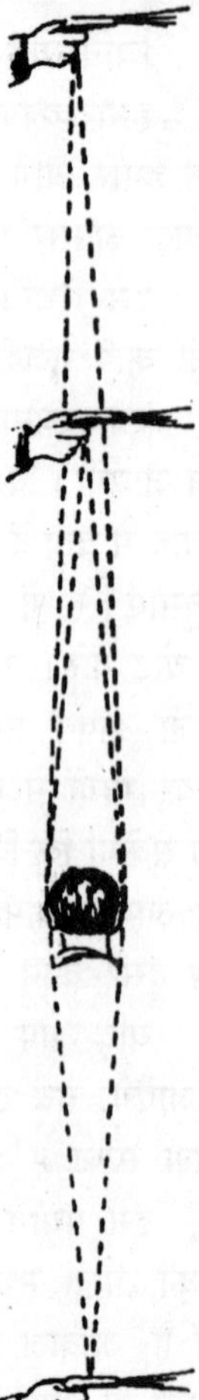

चित्र 155. किस स्थान पर गोली दागी गई?

यहाँ यह बता देना आवश्यक है कि उदर-वाणी शब्द यहाँ ठीक नहीं बैठता। उदर-वक्ता को यह तथ्य छिपाना पड़ता है कि जब उसके मिथ्या साथी के बोलने की बारी आती है, तो वह स्वयं बोलता है। इसके लिए उसे नाना तिकड़म रचने पड़ते हैं। विभिन्न भाव-भंगिमाओं से वह दर्शक का

ध्यान अपनी ओर से हटाने की कोशिश करता है। एक तरफ झुक कर और हाथ कान के पास रखकर सुनने का नकल करते हुए वह अपने होठ छिपाने की कोशिश करता है। जब वह अपनी शक्ल नहीं छिपा सकता, तो होठों की गति-विधि न्यूनतम कर देता है। इसमें उसे इस बात से सहायता मिलती है कि उसे अपने ''साथी'' की ओर से फड़फड़ाहट में बोलना पड़ता है। होठों की गति इतनी अच्छी तरह से छिपायी जाती है कि कुछ लोग सोचते हैं कि कलाकार के शरीर की गहराइयों में से आवाज आ रही है। इसीलिए उसका नाम उदरवक्ता पड़ा।

इस प्रकार उदरवाणी का मिथ्या चमत्कार पूर्णतः इस बात पर आधारित है कि हम ध्वनि के आने की दिशा और उसका स्रोत सही-सही नहीं बता सकते। साधारण परिस्थितियों में हम सिर्फ खींच-तीर कर काम चला लेते हैं। लेकिन यदि परिस्थिति साधारण न हो, तो हम ध्वनि-स्रोत के निर्धारण में बड़ी-बड़ी गलतियाँ कर बैठते है। उदरवक्ता को रंगमंच पर देखते समय मैं भी इस भ्रम को दूर नहीं कर पाया, यद्यपि मुझे मालूम है कि बात क्या है।

●●●

भौतिक विज्ञान : सहज पाठ

अध्याय 1

यांत्रिकी के मूल नियम

यात्रा का सबसे सस्ता उपाय

XVII-वीं शती के कुशाग्रबुद्धि फ्रांसीसी लेखक सिरोनो दे बेर्जेराक अपनी व्यंग्यात्मक कृति "चंद्रमा के राज्य का इतिहास" (1652 ई.) में एक आश्चर्यजनक घटना का वर्णन करते हैं, जो मानो उनके साथ घटी थी। भौतिकी का कोई प्रयोग करते वक्त एक बार वे अचानक अपने उपकरणों समेत हवा में काफी ऊपर उठ आए। कुछ घंटों बाद जब वे पुनः धरती पर उतरने में सफल हुए, तो उनके आश्चर्य का ठिकाना न रहा : वे अपने सगे फ्रांस तो क्या, यूरोप में भी नहीं थे; वे उत्तरी अमेरिका महाद्वीप के कैनाडा में थे। ऐटलांटिक महासागर के पार इस आशातीत उड़ान को फ्रांसीसी लेखक ने बिल्कुल स्वाभाविक माना। उन्होंने समझाया कि जब तक वे धरातल से अलग थे, हमारे ग्रह ने पहले की तरह ही अपनी धुरी पर पूरब की दिशा में अपना घूर्णन जारी रखा। इसीलिए जब वे पृथ्वी पर उतरे, उनके पैरों के नीचे फ्रांस की बजाय अमेरिका महाद्वीप आ गया।

लगता है कि यात्रा करने का कितना आसान व सस्ता उपाय है। जमीन से ऊपर उठ आए, कुछ मिनट हवा में रुके रहे और दूर पश्चिम में बिल्कुल नए स्थान पर उतर आए। महाद्वीप व महासागरों की यात्रा से थकने की बजाय पृथ्वी से ऊपर उठ कर इंतजार करना चाहिए कि कब वह स्वयं घूमती हुई आपकी मंजिल आपके पैरों तले पहुँचा दे।

पर अफसोस कि यह अनूठी विधि कोरी कल्पना के सिवा कुछ भी नहीं है। प्रथमतः, हवा में ऊपर उठ कर हम पृथ्वी के गोले से अलग नहीं हो जाते : हम उसके गैसीय आवरण के सहारे उससे जुड़े रहते हैं, उसके वातावरण में लटके रहते हैं, जो स्वयं भी पृथ्वी के अक्षीय घूर्णन में साथ देता रहता है। हवा (या और सही कहें, तो हवा की निचली अधिक घनी परत) पृथ्वी के साथ घूमती रहती है और जो कुछ भी उसमें होता है,—बादल, विमान, उड़ते पक्षी, कीड़े-पतंगे आदि,—सबों को अपने साथ पृथ्वी की धुरी के गिर्द घुमाती रहती है। यदि हवा पृथ्वी के साथ नहीं घूमती होती, तो हम हमेशा हवा का तेज बहाव अनुभव करते; इतना तेज कि उसके सामने बड़ी से बड़ी आँधी भी समीर के हल्के झोंके सी लगती।[1] क्योंकि इससे कोई फर्क नहीं पड़ता कि हम एक स्थान पर रुके हैं और हवा हमारे पास से गुजर रही है या हवा अचल है और हम उसमें गतिमान हैं। दोनों ही हालतों में हम हवा के तेज बहाव को महसूस करेंगे। मोटरसाइकिल पर 10 km\h के वेग से गतिमान व्यक्ति शांत मौसम में भी अत्यंत तेज हवा महसूस करता है।

---

1. भंयकर आँधी, प्रभंजक (हरीकेन), का वेग है 40 m प्रति सेकेंड या 144 km प्रति घंटे। पृथ्वी हमें लेनिनग्राद के अक्षांश पर (उदाहरणार्थ) हवा के बीच 230 m प्रति सेकेंड या 828 km प्रति घंटे के वेग से घुमाती।

यह तो पहली बात हुई। दूसरी बात : यदि हम वातावरण की ऊपरी परतों तक उठ आते या यदि वातावरण होता ही नहीं, तो भी हम यात्रा के इस सस्ते उपाय को काम में नहीं ला सकते, जिससे फ्रांसीसी लेखक ने कल्पना की है। घूर्णनरत पृथ्वी के तल से अलग हो कर भी हम जड़त्व के कारण पुराने वेग से गतिमान रहते हैं। पुराने वेग से तात्पर्य है उस वेग से, जिससे हमारे पैरों तले पृथ्वी घूमती रहती है। जब हम पुनः नीचे उतरते हैं, हम अपने को उसी स्थान पर पाते हैं, जहाँ से ऊपर उठे थे। यह वैसी ही बात हुई, जैसे ट्रेन के डिब्बे में उछलने पर डिब्बे के सापेक्ष हम उसी पुराने स्थान पर गिरते हैं। यह सत्य है कि जड़त्व के कारण हम सरल रेखा पर (स्पर्श रेखा की दिशा में) गतिमान रहते हैं, जबकि हमारे नीचे पृथ्वी गोल परिधि पर गतिमान रहती है, पर समय के छोटे अंतरालों में इसका कोई प्रभाव नहीं पड़ेगा।

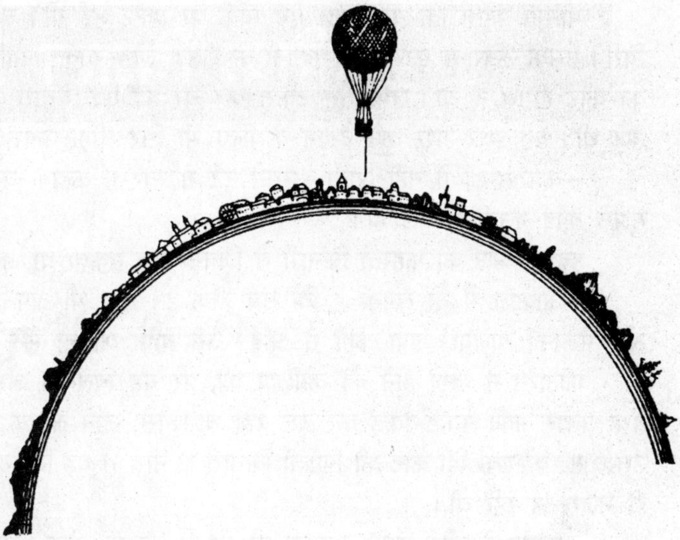

चित्र 1. क्या ऐरोस्टैट से पृथ्वी का घूर्णन दिख सकता है? (चित्र में सही पैमाने पर ध्यान नहीं दिया गया है।)

"थम जा, पृथ्वी!"

विख्यात अंग्रेज लेखक हरबर्ट वेल्स का एक विज्ञानगल्प है, जो एक चमत्कारी क्लर्क के बारे में लिखा गया है। युवक कोई ज्यादा अक्लमंद नहीं था, पर भाग्यवश एक अनूठा वरदान उसके हाथ लग गया : जो कुछ भी वह चाहता था, उसके बोलते ही पूरा हो जाता था। पर कहानी से पता चलता है कि इतना शक्तिशाली वरदान भी उसे या अन्य लोगों को दुख के सिवा और कुछ नहीं दे सका। हम इस कहानी के अंत से कुछ शिक्षा ग्रहण कर सकते हैं।

एक जगह रात भर पीने के बाद सुबह उजाले में घर लौटने के डर से चमत्कारी क्लर्क ने सोचा कि क्यों न रात और लंबी कर दी जाए। पर यह कैसे किया जाए? आकाश के सारे तारों को आज्ञा देनी पड़ती कि वे अपना चलना बंद कर दें। इतना बड़ा काम करने में वह डर रहा था और जब उसके साथी ने चाँद को रोक लेने की सलाह दी, तो उसने गौर से आकाश में देखा और सोच में डूबे हुए स्वर में कहा :

"–मुझे लगता है कि इस काम के लिए वह कुछ ज्यादा ही दूर है...आप क्या सोचते हैं...?

–कोशिश तो करें।–मेडिग (यह साथी का काम था–या.पे.) जिद कर रहा था।–वह तो निश्चय ही नहीं रुकेगा; आप सिर्फ पृथ्वी का घूमना बंद कर दें। उम्मीद है कि इससे किसी को नुकसान नहीं होगा।

–हूँ,–फोटेरिंग (क्लर्क– –या.पे.) ने कहा।–ठीक है, देखता हूँ।...

वह आज्ञा देने की मुद्रा में खड़ा हो गया और हाथ उठा कर घोषित किया :

–थम जा, पृथ्वी! बंद कर घूमना!

उसका कहना खत्म भी नहीं हुआ था कि उसके मित्र प्रति मिनट कुछेक दर्जन मील की गति से उड़ चले। उसके बावजूद भी उसने सोचना जारी रखा। एक सेकेंड भी नहीं बीता कि उसने सोच कर मन-ही-मन कह दिया :

–फल जो भी हो, मेरा बाल बाँका न हो; मैं जीवित रहूँ।

मानना पड़ेगा कि यह इच्छा ऐन मौके पर प्रकट हुई थी। चंद सेकेंड बाद ही वह एक ताजे खुदे गड्ढे में जा गिरा। उसके ऊपर से ईंट-पत्थर, मकानों के टुकड़े, लोहे-लक्कड़ आदि उड़-उड़ कर गुजर रहे थे, पर गड्ढे में उसे चोट का कोई खतरा न था। जमीन से टकरा कर चूर हुई एक बेचारी गाय उड़ रही थी। हवा की गति भयानक रूप से तेज थी। वह इधर-उधर कुछ देखने के लिए भी सिर थोड़ा ऊपर नहीं उठा सकता था।

—कुछ समझ में नहीं आता,—उसने टूटे से स्वर में कहा।—क्या हो गया? आँधी तो नहीं है? हो सकता है कि मुझसे कोई गलती हो गई हो।

हवा में कोट की फहरती किनारी से जितना देख सकता था, इर्द-गिर्द देख लेने के बाद उसने कहना जारी किया :

—आकाश में तो लगता है कि सब ठीक है। चाँद भी अपनी जगह पर है। पर बाकी सब...शहर कहाँ गया? और मकान? गलियाँ? हवा कहाँ से आई? उसे बहने को तो मैंने नहीं कहा था!

फोटेरिंग ने खड़ा होने की कोशिश की, पर यह बिलकुल असंभव लग रहा था, और इसीलिए वह चौपाए की तरह पत्थर आदि पकड़-पकड़ कर चल रहा था। वैसे, जाने लायक कोई जगह भी नहीं थी, क्योंकि हवा से उड़ कर उसके सर को ढक रही कोट की पिछली किनारी के नीचे से वह जितना देख सकता था, सब ओर बरबादी और तोड़-फोड़ ही नजर आ रही थी।

—ब्रह्मांड में कोई गंभीर गड़बड़ी हो गई है,—उसने सोचा,—पर कैसी गड़बड़ी—पता नहीं।

गड़बड़ी सचमुच में थी। घर-बार, पेड़-पौधे, जीव-जंतु, आदि कुछ भी नजर नहीं आ रहे थे। चारों ओर बेतरतीबी से भग्नावशेष बिखरे थे और वे भी धूल की आँधी में मुश्किल से दिख रहे थे।

बात क्या थी—यह कसूरवार की समझ में नहीं आया। पर कारण बिल्कुल सरल था। पृथ्वी को एकबार रोकते वक्त फोटेरिंग ने जड़त्व के बारे में नहीं सोचा। जड़त्व ऐसी चीज है, जो गति के एकाएक रुकने में पृथ्वीतल पर स्थित सभी वस्तुओं को फेंक ही देती। इसीलिए जो कुछ भी पृथ्वी के मुख्य द्रव्यमान के साथ अटूट रूप से नहीं जुड़ा था, उसकी सतह की स्पर्श रेखा की दिशा में बंदूक की गोली के वेग से उड़ चला। इसके बाद वस्तुएँ पुनः पृथ्वी पर गिरती थीं और चूर-चूर हो जाती थीं।

फोटेरिंग समझ गया कि जो चमत्कार उसने दिखाया है, कुछ सही नहीं था। इसीलिए उसका मन चमत्कारों के प्रति घृणा से भर गया और उसने भविष्य में कोई भी अलौकिक कार्य न करने की प्रतिज्ञा की। लेकिन पहले तो भूल सुधारनी थी। बर्बादी कम नहीं हुई थी। तूफान गर्ज रहा था, धूल का बादल चाँद को ढके हुए था और दूर से पानी के आने का शोर सुनाई दे रहा था। बिजली की चमक में फोटेरिंग ने देखा कि उसकी ओर भयानक गति से पानी की पूरी दीवार बढ़ी जा रही है। उसकी हिचकिचाहट खत्म हो गई और उसने अडिग निर्णय लिया :

—रुक जा!—पानी से उसने कहा।—एक कदम आगे नहीं!

इसके बाद उसने यही आज्ञा चमकती बिजली और तेज बहती हवा के लिए भी दुहराई। सब शांत हो गया। वह बैठ गया और सोचने लगा।

—कहीं फिर कोई गलती न हो जाए,—उसने सोचा और कहा : —पहली बात, अभी मैं जो आज्ञा दूँगा, उसके पूर्ण होने के बाद मैं चमत्कार रचने की शक्ति खो दूँ और वैसा ही हो जाऊँ, जैसे सभी साधारण लोग हैं। अलौकिक शक्ति नहीं चाहिए। बड़ा खतरनाक खिलौना है यह। और दूसरे, सब कुछ जैसा था, वैसा ही हो जाए—शहर, लोग, घर और मैं—सब कुछ वैसा हो जाए, जैसा पहले था।''

हवाई जहाज से चिट्ठी

कल्पना करें कि आप हवाई जहाज में बैठे हैं, जो पृथ्वी के ऊपर तेजी से उड़ रहा है। नीचे जानी-पहचानी जगहें

हैं। अभी कुछ देर में आप उस घर के ऊपर से गुजरेंगे, जिसमें आप का मित्र रहता है। ''उसे कम-से-कम नमस्कार तो भेज ही दें''—आपके दिमाग में विचार आता है। आप डायरी के पन्ने पर जल्दी-जल्दी कुछेक शब्द लिख मारते हैं और पर्ची को किसी भारी चीज के साथ बाँध कर रख लेते हैं (ऐसी चीज को आगे हम 'बोझ' के नाम से पुकारेंगे)। जब आपके मित्र का घर आपके जहाज के नीचे आता है, आप बोझ हाथ से गिरा देते हैं।

आपको पूरा विश्वास है कि बोझ बेशक घर के समीप बाग में कहीं पर गिरेगा। लेकिन वह वहाँ नहीं गिर रहा है, यद्यपि घर और बाग दोनों ही ठीक आपके नीचे हैं।

यदि जहाज से उसके अभिपातन को आप ध्यान से देखेंगे, तो एक विचित्र तथ्य सामने आएगा : बोझ नीचे तो गिर ही रहा है, पर साथ ही साथ वह **हवाई जहाज का पीछा भी नहीं छोड़ रहा है;** जहाज के ठीक नीचे उसके साथ चला आ रहा है, मानों उसे अदृश्य धागे से बाँध कर नीचे लटकाया जा रहा हो। और जब बोझ जमीन तक पहुँचेगा, वह इष्ट स्थान से बहुत ही दूर होगा।

इसमें भी उसी जड़त्व नियम की भूमिका है, जो बेर्जेराक द्वारा बताई गई मोहक विधि से यात्रा करने में बाधक बनता है। जब तक बोझ विमान में था, वह विमान के साथ चल रहा था। आपने उसे गिरा दिया। पर जहाज से अलग हो कर नीचे गिरते वक्त वह अपना प्रारंभिक वेग खो नहीं देता। वह नीचे भी गिरता है और साथ-साथ पुरानी दिशा में भी गतिमान रहता है। अधोमुखी और क्षैतिज दोनों ही गतियाँ जुड़ जाती हैं और इसके परिणाम-स्वरूप बोझ नीचे की ओर वक्र रेखा पर चलना शुरू करता है; वह विमान के नीचे-नीचे क्षैतिज चलते हुए गिरता है (यदि विमान के उड़ने की दिशा या क्षिप्रता नहीं बदलती)। बोझ की गति ठीक वैसी ही होती है, जैसी क्षैतिज दिशा में प्रक्षिप्त पिंड की गति होती है। उदाहरण के तौर पर क्षैतिज दिशा में छोड़ी गई बंदूक की गोली का पथ देखें : वह एक वक्र पथ पर चलती है, जो अंततोगत्वा जमीन पर समाप्त हो जाती है।

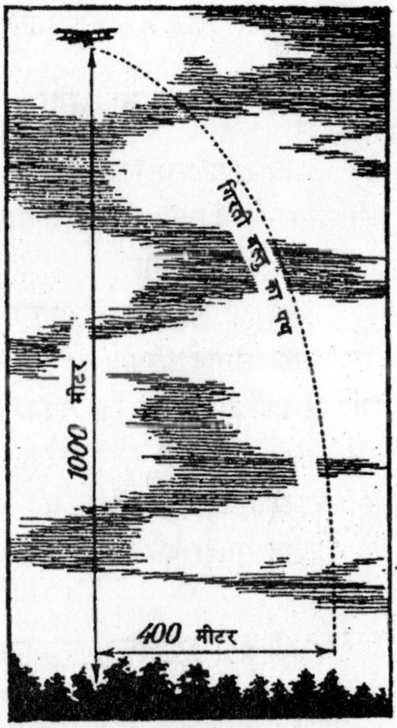

चित्र 2. उड़ते विमान से फेंका गया सामान उदग्र नहीं, वक्र पथ पर गिरता है।

एक बात बतानी रह जाती है : उपरोक्त सारी बातें पूर्णरूप से सही होतीं, यदि हवा का प्रतिरोध न होता। वास्तविकता में यह प्रतिरोध क्षैतिज और उदग्र—दोनों ही गतियों का ह्रास करता है, जिसके कारण बोझ पूरे काल तक विमान के नीचे नहीं रहता; कुछ पीछे छूटता जाता है।

यदि विमान बड़ी ऊँचाई और बड़े वेग से उड़ रहा हो, तो उदग्र रेखा से बोझ बहुत दूर चला जा सकता है। यदि हवा शांत हो, तो 1000 m की ऊँचाई पर 100 km प्रति घंटे के वेग से उड़ते विमान से गिराया गया बोझ उदग्र रेखा से कोई 400 मीटर दूर गिरेगा (चित्र 2)।

कलन (यदि वायु-प्रतिरोध को नगण्य माना जाए) जटिल नहीं है। समरूप त्वरण से गतिमान पिंड के पथ की लंबाई व्यक्त करने वाले सूत्र $S = gt^2/2$ से प्राप्त होता है : $t = \sqrt{2S/g}$ । इसका मतलब है कि 1000 m की ऊँचाई से गिरने वाला पत्थर $\sqrt{\frac{2 \times 100}{9.8}}$, अर्थात् 14 सेकेंड में जमीन पर पहुँचेगा। इस अंतराल में वह $\frac{100000}{3600} \times 14 = 390$ m की क्षैतिज दूरी तय कर चुका होगा।

बमबारी

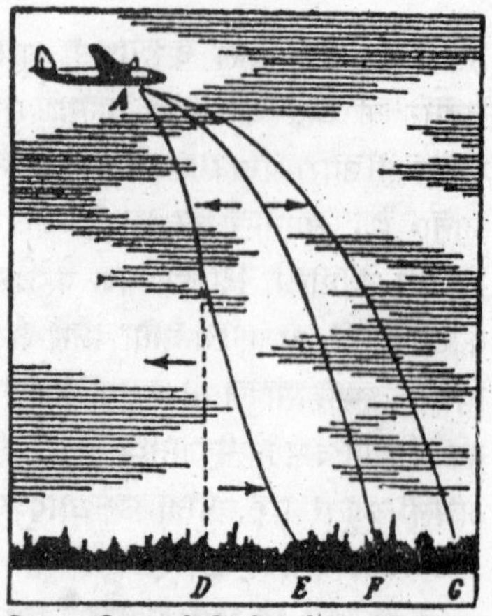

चित्र 3. विमान से गिरने वाले बम का पथ : AF—शांत हवा में; AG—विमान की दिशा में हवा बहने पर; AD—विमान के विपरीत हवा चलने पर; AE—जब ऊपर हवा विपरीत हो और नीचे अनुकूल।

उपरोक्त बातों से स्पष्ट हो जाता है कि सैनिक विमान के चालक का काम कितना कठिन होता है, जब उसे किसी स्थान-विशेष पर बम गिराने की आज्ञा मिलती है। उसे हिसाब लगाते वक्त विमान के वेग और गिरने वाले पिंड पर वायु-प्रतिरोध के प्रभाव के अतिरिक्त हवा की गति को भी ध्यान में रखना पड़ता है। चित्र 3 में भिन्न परिस्थितियों में फेंके गए बम के भिन्न पथों के आरेख दिखाए गए हैं। यदि हवा शांत है, तो बम वक्र AF पर चलता हुआ गिरता है। यदि हवा विमान के उड़ने की दिशा में बह रही है, बम का पथ वक्र AG हो जाता है। साधारण शक्ति की प्रतिकूल हवा के कारण बम वक्र AD के सहारे गिरता है। ये पथ सिर्फ उस परिस्थिति में बनते हैं, जब ऊँचाई पर और नीचे हवा का वेग समान होता है। पर अक्सर ऊपर और नीचे हवा की दिशाएँ विपरीत होती हैं (जैसे ऊँचाई पर प्रतिकूल और नीचे—अनुकूल)। ऐसी परिस्थिति में वक्र का रूप बदल कर AE की भाँति हो जाता है।

रेलगाड़ी, जो रुकती नहीं

जब आप अचल प्लेटफार्म पर खड़े रहते हैं और सामने से 'एक्सप्रेस' गुजरती है, तो डिब्बे में छलांग लगाना समझदारी की बात नहीं होगी। लेकिन कल्पना करें कि प्लेटफार्म भी गाड़ी की दिशा में उसी वेग से गतिमान है। तब क्या डिब्बे में चढ़ना कठिन होगा?

जरा भी नहीं। आप आराम से डिब्बे में प्रवेश कर सकते हैं। यह रुकी ट्रेन में चढ़ने जैसा ही होगा। यदि आप और गाड़ी समान क्षिप्रता से समान दिशा में गतिमान हैं, तो आपके सापेक्ष गाड़ी अचल है। उसके चक्के घूमते रहेंगे लेकिन आपको लगेगा कि चक्के अपनी जगह पर ही नाच रहे हैं, आगे नहीं बढ़ते। सच पूछें, तो सभी वस्तुएँ, जिन्हें हम अचल मानते हैं (जैसे स्टेशन पर खड़ी गाड़ी), हमारे साथ-साथ पृथ्वी की धुरी व सूर्य का चक्कर लगाती रहती हैं। व्यावहारिकतः इस गति की उपेक्षा की जा सकती है, क्योंकि इससे हमें कोई असुविधा नहीं होती।

अतः गाड़ी को बिना रोके यात्रियों को बैठाने व उतारने की व्यवस्था की जा सकती है। यह कोई कोरी कल्पना नहीं होगी।

बड़ी-बड़ी प्रदर्शनियों में अक्सर ऐसी प्रयुक्तियाँ लगाई जाती हैं, ताकि दर्शक को देखने में सुविधा हो और उसका समय जाया न हो। प्रदर्शनी-क्षेत्र के छोर अंतहीन फीते जैसी रेलवे-लाइन से मिले रहते हैं; यात्री जहाँ चाहें, चलती गाड़ी में घुस सकते हैं और उसमें से निकल सकते हैं।

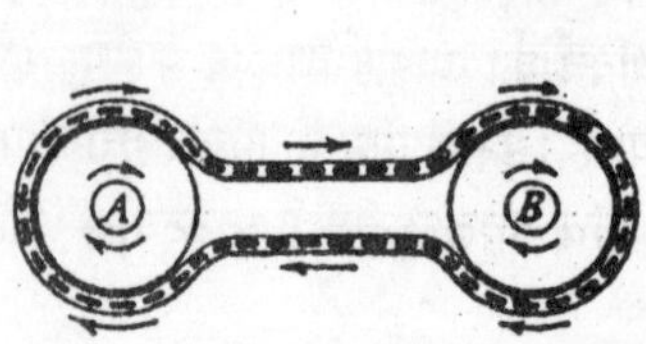

चित्र 4. स्टेशनों A व B के बीच अविराम रेलपथ की बनावट का आरेख। स्टेशन की बनावट अगले। चित्र में दिखाई गई है।

इस दिलचस्प प्रयुक्ति को चित्रों में दिखाया गया है। चित्र 4 में A व B अक्षरों द्वारा प्रदर्शनी के छोरों पर स्थित स्टेशन दिखाए गए हैं। हर स्टेशन पर एक अचल गोल चबूतरा होता है, जिसके चारों ओर ग्रामोफोन के रिकार्ड सा एक बहुत बड़ा क्षैतिज चक्का घूमता रहता है। इन चक्कों के चारों ओर लोहे की रस्सियों से जुड़े रेलगाड़ी के डिब्बे घूमते रहते हैं। डिब्बों की क्षिप्रता उतनी ही होती है, जितनी तेजी से चबूतरों की बाह्य किनारी घूमती है; अतः यात्री बिना किसी खतरे के चबूतरे से गाड़ी में प्रवेश कर सकते हैं और गाड़ी से चबूतरे पर उतर सकते

हैं। डिब्बें से निकल कर यात्री घूमते चबूतरे के केंद्र की ओर चलना शुरू करता है और अचल चबूतरे पर पहुँच जाता है। घूमते चबूतरे की बाहरी किनारी से भीतरी किनारी तक पहुँचना कठिन नहीं होता, क्योंकि जैसे-जैसे त्रिज्या कम होती जाती है, परिधि पर की गति भी कम होती जाती है।[1] भीतरी अचल चबूतरे पर पहुँच कर यात्री पुल के सहारे जमीन पर उतर आता है। (चित्र 5)

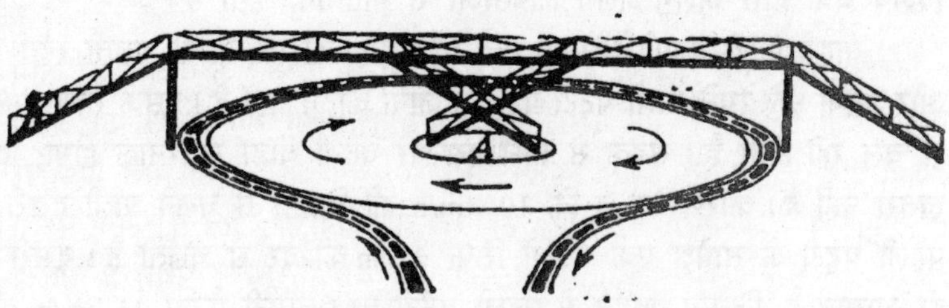

चित्र 5. सदा गतिमान रेलपथ का स्टेशन।

कम स्टेशनों के होने से समय और ऊर्जा की काफी बड़ी बचत होती है। शहरों में ट्राम के रुक-रुक कर चलने के बाद दो-तिहाई ऊर्जा और समय का बहुत बड़ा भाग उसे रोकने व पुनः चालू करने में ही खर्च हो जाता है।[2]

रेलगाड़ी के स्टेशनों पर गतिमान प्लेटफार्मों के बिना भी काम चल सकता है। मान लीजिए कि कोई साधारण सा अचल स्टेशन है, जहाँ से एक्सप्रेस गाड़ी गुजरती है। हम चाहते हैं कि उसे बिना रोके यात्रियों को उसमें बैठाया जाए। यात्रियों को पहले किसी बड़ी गाड़ी में जमा कर लेना चाहिए। जब यह गाड़ी एक्सप्रेस के समांतर चलती हुई एक्सप्रेस जितनी ही गति बढ़ा लेगी और उसकी बराबरी पर आ जाएगी, दोनों गाड़ियाँ **एक दूसरे के सापेक्ष** अचल हो जाएँगी। अब तख्ते का पुल खिसका कर दोनों गाड़ियों को जोड़ा जा सकता है। यात्री आराम से एक्सप्रेस गाड़ी में बैठ जाएँगे; एक्सप्रेस को रोकने की कोई आवश्यकता नहीं होगी।

चलते फुटपाथ

गति सापेक्षिकता नियम के आधार पर बनी एक और प्रयुक्ति है—"चलते फुटपाथ"। इनका व्यवहार अब तक प्रदर्शनियों तक ही सीमित था। पहली बार वे शिकागो प्रदर्शनी (1893 ई.) के लिए बनाए गए थे; बाद में उनका प्रयोग 1900 ई. की पेरिस विश्व प्रदर्शनी में हुआ था। इस प्रयुक्ति का आरेख चित्र 6 में दिखाया गया है। इसमें एक के भीतर एक कर के पाँच संवृत फुटपाथी पट्टियाँ हैं, जो

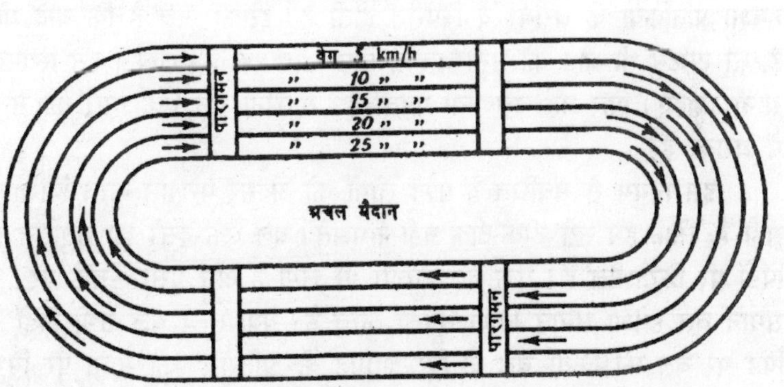

चित्र 6. चलते फुटपाथ।

---

1. समझना सरल है कि भीतरी किनारी के बिंदु कहीं अधिक मंद गति से घूमते हैं, क्योंकि समान अंतराल में बाह्य किनारी के बिंदुओं की अपेक्षा कम लंबाई का गोल पथ तय करते हैं।

2. ब्रेक लगाने में खर्च हुई ऊर्जा की बचत हो सकती है, यदि ट्राम के विद्युत-चलित ब्रेक, लगाते वक्त, डाइनेमो (जनित्र) की तरह काम करने लगते और थोड़ा विद्युत वापस लौटा देते। शार्लोटेन (बर्लिन के पास) में इस विधि से 30% विद्युत की बचत की गई। (यही विधि बड़े पैमाने पर व्लादीवस्तोक-मास्को विद्युत-ट्रेनों में उपयोग की जा रही है—संपादक)

विशेष यंत्रों द्वारा अलग-अलग क्षिप्रताओं से गतिमान रहती हैं।

बाहरी पट्टी काफी धीरे–5 km प्रति घंटे–की क्षिप्रता से चलती रहती है। यह पैदलयात्री की साधारण गति है और इतनी धीरे रेंगने वाली पट्टी पर चढ़ जाना कठिन नहीं है। इसके साथ वाली भीतर की पट्टी 10 km/h की क्षिप्रता से चल रही होती है। सड़क से सीधे इस पर चढ़ना थोड़ा खतरनाक होगा, पर पहली पट्टी से इस पर आने में कुछ खतरा नहीं है। कारण यह है कि 10 km/h की क्षिप्रता से चलने वाली दूसरी पट्टी 5 km/h की क्षिप्रता से गतिमान पहली पट्टी के सापेक्ष एक घंटे में सिर्फ 5 km की दर से चलती है। दूसरी पट्टी पर पहली पट्टी से आना उतना ही आसान है, जितना जमीन से पहली पट्टी पर। तीसरी पट्टी 15 km/h की दर से चलती है, लेकिन दूसरी पट्टी से उस पर आना बिल्कुल कठिन नहीं है। तीसरी से चौथी पर आना भी उतना ही आसान है : चौथी की चाल 20 km/h है। और अंत में दर्शक चौथी से 25 km/h की दर से दौड़ती पाँचवी पट्टी पर खड़ा हो कर आवश्यक स्थान पर पहुँचता है और एक-एक कर पट्टियों पर चलता हुआ जमीन पर उतर आता है।

कठिन नियम

यांत्रिकी के तीन मुख्य नियमों में से शायद कोई भी इतना कठिन नहीं है, जितना "न्यूटन का तीसरा नियम"। यह **क्रिया और प्रतिक्रिया** से संबंधित नियम है। इसे सभी जानते हैं और कुछ स्थितियों में इसका सही-सही प्रयोग भी कर सकते हैं। पर बहुत कम ही लोग होंगे, जो इसे सही-सही समझते होंगे। हो सकता है कि आप, पाठकगण, खुशकिस्मत हों और इसे तुरत समझ गए हों। लेकिन मैं स्वीकार करता हूँ कि इस नियम के साथ प्रथम परिचय होने के दो साल बाद ही इसे समझ सका।

अलग-अलग कई लोगों से बातें करके मैंने देखा कि अधिकांश लोग इस नियम की सत्यता को मानने के लिए तैयार हैं, यदि इसमें कुछ महत्त्वपूर्ण सुधार कर दिया जाए। वे सहर्ष मान लेते हैं कि नियम अचल पिंडों के लिए सत्य है। पर गतिमान पिंडों की आपसी क्रिया में इसे कैसे लागू किया जाए, वे नहीं समझ पाते। नियम कहता है : क्रिया हमेशा प्रतिक्रिया के बराबर व विपरीत होती है। इसका अर्थ है कि यदि घोड़ा टमटम को आगे की ओर खींच रहा है, तो टमटम भी घोड़े को उसी बल से पीछे खींच रहा है। लेकिन इस स्थिति में टमटम को अपने स्थान पर ही टिका रहना चाहिए। फिर वह चल क्यों पड़ता है? ये दोनों बल एक दूसरे को संतुलित क्यों नहीं कर लेते, यदि वे आपस में बराबर हैं?

इस नियम से संबंधित ये प्रश्न लोगों को अक्सर परेशान करते हैं। तो क्या नियम गलत है? नहीं, वह बिल्कुल सही है; सिर्फ हम उसे ठीक-ठीक नहीं समझते। बल एक दूसरे को संतुलित नहीं करते–इसका कारण है कि वे भिन्न पिंडों पर क्रियाशील हैं। एक बल टमटम पर लगा है और दूसरा–घोड़े पर। यह सही है कि बल बराबर हैं। पर क्या समान बल हमेशा समान क्रिया संपन्न करते हैं? क्या तुल्य बल सभी पिंडों को समान त्वरण संप्रेषित करते हैं? क्या पिंड पर बल की क्रिया बल के विरुद्ध पिंड के 'प्रतिरोध' की मात्रा पर निर्भर नहीं करती?

यदि इन प्रश्नों पर मनन करें, तो स्पष्ट हो जाएगा कि क्यों घोड़ा टमटम को आगे खींच ले जाता है, जब कि टमटम भी उसी बल से घोड़े को पीछे खींच रहा है। टमटम पर क्रियाशील बल और घोड़े पर क्रियाशील बल हर क्षण बराबर हैं; पर चूँकि टमटम चक्कों पर स्वतंत्रतापूर्वक गति कर सकता है और घोड़ा जमीन पर पैर से टेक कर अड़ जाता है, इसलिए स्पष्ट है कि टमटम घोड़े की ओर लुढ़क पड़ता है। जरा सोचिए तो सही; यदि टमटम घोड़े की गतिदायक शक्ति का प्रतिरोध नहीं करता, तो...घोड़े के बिना भी काम चल जाता; क्षीण से क्षीण बल लगाने पर भी टमटम गतिमान हो जाता। घोड़ा इसीलिए तो चाहिए कि वह टमटम के प्रतिरोध को तोड़ सके।

नियम को आत्मसात् करने में आसानी होती और किसी तरह की गलतफहमी भी नहीं उत्पन्न होती, यदि नियम

को ऐसे संक्षित रूप में नहीं लिखा जाता : ''क्रिया और प्रतिक्रिया बराबर होती है''। नियम को (उदाहरणार्थ) इस प्रकार भी लिखा जा सकता है : ''प्रतिक्रियाशील बल बराबर होता है क्रियाशील बल के''। क्योंकि बराबर सिर्फ बल होते हैं,–और उनकी क्रियाएँ (यदि 'बल की क्रिया' को साधारण अर्थ 'पिंड के स्थानांतरण' में लिया जाए) साधारणतया भिन्न होती हैं, क्योंकि बल भिन्न पिंडों पर लगे होते हैं।

जब ध्रुववर्ती बर्फ के चट्टान जहाज 'चेल्युस्किन' को दाब रहे थे, जहाज की बाह्य दीवारें भी बर्फ को दबा रही थीं। दुर्घटना तो इसलिए हो गई कि शक्तिशाली बर्फ जहाज के प्रतिरोध को सहन कर गया और जहाज लोहे का होने के बावजूद भी, चूँकि खोखला था, इस बल के आगे झुक गया और पिचक कर टूट गया। ('चेल्युस्किन' को नष्ट करने वाले भौतिकीय कारणों के बारे में सविस्तार पढ़ें पृ. 54 पर)।

यहाँ तक कि पिंडों का अभिपातन (गिरना) भी प्रतिक्रिया के इस नियम का ठीक-ठीक पालन करता है। सेब के जमीन पर गिरने का कारण यह है कि पृथ्वी सेब को अपनी ओर आकर्षित करती है; पर **ठीक उसी बल से सेब भी हमारी पृथ्वी को अपनी ओर खींचता** है। यदि सच कहा जाए, तो सेब और पृथ्वी दोनों ही एक दूसरे पर गिरते होते हैं, पर अभिपातन का वेग सेब और पृथ्वी के लिए अलग-अलग है। पारस्परिक आकर्षण का बल सेब को 10 m/s^2 का त्वरण संप्रेषित करता है, और वही बल पृथ्वी को–उससे उतना गुना कम, जितना गुना सेब से पृथ्वी का द्रव्यमान अधिक है। पर सेब के द्रव्यमान से पृथ्वी का द्रव्यमान इतना गुना अधिक है कि उसकी कल्पना भी नहीं कर सकते; अतः पृथ्वी का स्थानांतरण इतना नगण्य होता है कि उसे शून्य मान सकते हैं। इसीलिए ''सेब और पृथ्वी एक दूसरे पर गिर रहे हैं'' कहने की बजाय हम कहते हैं : सेब पृथ्वी पर गिर रहा है।[1]

श्वेतगिरि-विक्रमबली की मृत्यु

आपने श्वेतगिरि-विक्रमबली[2] के बारे में लोकगाथा सुनी होगी, जो पृथ्वी को हाथों से उठा लेना चाहता है। यदि जनश्रुति का विश्वास किया जाए, तो आर्कमेडिरा भी ऐसा पराक्रम दिखाने के लिए तैयार थे; उन्हें सिर्फ उत्तोलक के लिए आलंब-बिंदु की आवश्यकता थी। पर श्वेतगिरि को उत्तोलक की भी आवश्यकता नहीं थी। उसे सिर्फ खोज थी कि क्या पकड़ कर पृथ्वी को उठाया जाए और अपना पराक्रम दिखाया जाए। ''पकड़ने को कुछ मिल जाए, तो पृथ्वी उठा लूँ''। अवसर मिल गया : विक्रमबली को रास्ते में ''कंधे के आर-पार लटकाने वाली बोरी'' दिखी, जो ''न फटने वाली थी, न हिलने वाली, न उठने वाली''।

उत्तम घोड़े से श्वेतगिरि उतरा
बाहों से दोनों बोरी पकड़ा,
उठा लिया बोरी घुटनों तक–
कि धंस गया श्वेतगिरि घुटनों तक
और गालों पर अब आँसू नहीं,
बहता है रक्त।
श्वेतगिरी जहाँ धँस गया,
वहीं का वहीं वह रह गया
और वहीं हो गया उसका अंत।

---

1. प्रतिक्रिया के बारे में और देखें : 'मनोरंजक यांत्रिकी', मेरी, अध्याय 1।
2. रूसी लोक-गाथाओं के एक नायक–स्यातोगोर-बगातीर।

यदि श्वेतगिरी को क्रिया-प्रतिक्रिया का नियम ज्ञात होता, तो वह समझ जाता कि जमीन पर लगाया गया उसका विक्रमी बल अपने तुल्य, अर्थात् उतना ही विक्रमी प्रतिक्रियाशील बल उत्पन्न करेगा, जो उल्टा उसे ही पृथ्वी में धँसा सकता है।

जो भी हो, गाथा से स्पष्ट है कि लोग उस समय भी पृथ्वी की प्रतिक्रिया से अनभिज्ञ नहीं थे; वे जानते थे कि जब पृथ्वी पर टेक लगाया जाता है, तो पृथ्वी प्रतिक्रिया करती है। न्यूटन द्वारा उसकी अमर पुस्तक 'प्रकृति-दर्शन के गणितीय आधार' में (प्रकृतिदर्शन उस समय भौतिकी को कहा जाता था) प्रतिक्रिया के नियम की प्रथम घोषणा के हजारों साल पहले से ही लोग अनजाने में इसका उपयोग करते आ रहे हैं।

क्या बिना आलंब के चल सकते हैं?

पैदल चलते वक्त हम पैरों द्वारा जमीन या फर्श पर अड़ कर अपने को आगे की ओर धकेलते हैं; बहुत चिकने फर्श या बर्फ पर पैर हमें आगे धकेलने में असमर्थ होते हैं, इसीलिए वहाँ चलना असंभव होता है। इंजन चलते वक्त अपने 'वाहक' चक्कों द्वारा पटरियों को पीछे धक्के देता है और खुद आगे की ओर धक्के खाता है। यदि पटरियों पर तेल फैला दिया जाए, तो इंजन आगे नहीं बढ़ सकेगा। कभी-कभी (जब जाड़ों में बर्फ की परत हर जगह फिसलनदार हो जाती है) रेलगाड़ी आगे बढ़ाते रहने के लिए एक विशेष प्रयुक्ति द्वारा पटरियों पर बालू छिड़कते जाते हैं। शुरू-शुरू में रेलगाड़ी का जब आविष्कार हुआ था, उसके चक्कों में दाँत लगे होते थे। लोग सोचते थे कि इसके बिना चक्के पटरियो पर गाड़ी को आगे नहीं धकेल सकेंगे। स्टीमर चक्के की पंखुड़ियों द्वारा अपने को पानी से आगे धकेलता है। हवाई जहाज भी अपने को हवा से आगे धकेलता है इसमें उसका सहायक होता है प्रोपेलर (नोदक)। तात्पर्य यह है कि वस्तु चाहे किसी भी माध्यम में गतिमान हो, वह उस माध्यम पर टेक लगा कर अपने को आगे धकेलती है। पर क्या पिंड अपने बाहर किसी चीज पर टेक लगाए बिना अपने को आगे धकेल सकता है? क्या वह **बिना आलंब के** आगे बढ़ेगा?

प्रतीत होता है कि ऐसी गति प्राप्त करने का अर्थ है अपने को अपनी चुटिया पकड़ कर उठाने का प्रयत्न करना और हमें ज्ञात है कि इसमें अभी तक सिर्फ गपोड़ नबाब म्युखाउजेन ही सफल हो सके हैं। लेकिन ऐसी असीम गति भी संभव है; हम अक्सर उसे देखते हैं। यह सही है कि सिर्फ आंतरिक शक्तियों की सहायता से पिंड अपने को **पूर्णरूप से** गतिमान नहीं कर सकता, पर वह अपने द्रव्य के कुछ भाग को एक दिशा में गतिमान कर के स्वयं को विपरीत दिशा में गतिमान कर सकता है। आपने कितनी बार उड़ते हुए राकेट को देखा होगा, पर कभी आपने सोचा है कि वह कैसे उड़ाया है? राकेट इसी प्रकार की गति का दृश्यमान उदाहरण है, जिसकी चर्चा हम करने जा रहे हैं।

राकेट क्यों उड़ता है?

भौतिकी का ज्ञान रखने वाले लोग भी अक्सर राकेट की उड़ान का कारण गलत बताते हैं : राकेट उड़ता है, क्योंकि उसके भीतर बारूद के जलने से बनी गैस उसको **हवा से आगे धकेलती रहती** है। पुराने जमाने में यही सोचते थे (राकेट का आविष्कार बहुत पुराना है)। पर यदि राकेट वातहीन व्योम में छोड़ा जाए, तो उसकी उड़ान और अच्छी ही होगी, बुरी नहीं होगी। राकेट की गति का यथार्थ कारण बिल्कुल दूसरा है। क्रांतिकारी किबाल्चिच की डायरी में इस कारण को बड़े ही स्पष्ट व सरल शब्दों में समझाया गया है, जिसे उन्होंने मृत्यु के पहले अपने द्वारा आविष्कृत उड़ने वाली एक मशीन का वर्णन करते हुए लिखा था। युद्ध-राकेटों की बनावट समझाते हुए वे लिखते हैं :

"टिन के खोखले बेलन में, जो एक तरफ से खुला हो और दूसरी तरफ से बंद हो, एक दूसरा बेलन कस कर भर देते हैं। दूसरे बेलन में बारूद दबी हुई होती है, जिसके बीचोबीच अक्ष के अनुलंब नाली छुटी रहती है। इस नाली की भीतरी सतहों से बारूद का जलना शुरू होता है और पूरी बारूद के जलने में थोड़ा समय लगता है। दहन से उत्पन्न

गैस हर दिशा में दबाव डालती है, पर पार्श्वीय दबाव एक दूसरे को संतुलित कर देते हैं। सिर्फ पेंदे पर गैस का दबाव विपरीत दबाव द्वारा संतुलित नहीं होता (क्योंकि इस दिशा में गैस के निकलने का रास्ता खुला होता है)। राकेट को यही दबाव आगे धकेलता है।''

तोप से जब गोला छोड़ते हैं, तो यही होता है : गोला आगे भागता है और तोप धक्का खा कर पीछे हटता है। बंदूक या किसी भी दूसरे आग्नेय अस्त्र के साथ यही होता है। यदि तोप हवा में लटका होता और कोई चीज रोकती नहीं, तो गोला छोड़ते ही वह पीछे की ओर चल पड़ता। उसका वेग गोले के वेग से उतना ही गुना कम होता, जितना गुना गोला उससे हल्का होता। जूल वेर्न के उपन्यास 'उलट-पलट' में अमेरिकन लोग ''पृथ्वी के अक्ष को सीधा करने के लिए'' एक विराट तोप के प्रतिनोदन (पीछे की ओर झटका) को ही काम में लाना चाहते थे।

राकेट भी तोप है; अंतर सिर्फ इतना है कि तोप गोले छोड़ता है और राकेट—बारूदी गैस। आतिशबाजी में फुलझड़ियों की घिरनी आपने अवश्य देखी होगी; यह भी इसी कारण से घूमती है : चक्के से लगी नलियों में बारूद के जलने से गैस एक दिशा में निकलती है और नलियों समेत चक्का दूसरी दिशा में घूमने लगता है। दरअसल यह विख्यात भौतिकीय उपकरण सिग्नेट-चक्र का ही बदला हुआ रूप है।

यहाँ एक दिलचस्प बात बताई जा सकती है कि स्टीमर के आविष्कार के पहले एक यांत्रिक जहाज की प्रायोजना दी गई थी, जो इन्हीं बातों पर आधारित थी। प्रायोजना के अनुसार जहाज में पहले से जमा किए गए पानी को पंप द्वारा तेजी से पीछे की ओर निकालने पर जहाज आगे की ओर बढ़ता। स्कूलों में भौतिकी की प्रयोगशाला में इस सिद्धांत को सिद्ध करने के लिए प्रयुक्त तैरने वाले टिन के डिब्बों की तरह ही यह जहाज चलता। रेम्सी की यह प्रायोजना कार्यान्वित नहीं हो सकी, पर स्टीमर के आविष्कार में इसकी भी भूमिका रही; फ्यूल्टन के विचारों को इसी ने प्रेरित किया था।

चित्र 7. प्राचीनतम वाष्प-इंजन (टर्बाइन), जिसके अविष्कारक अलेक्जेंड्रिया के हिरोन (II शती ईसा पूर्व) माने जाते हैं।

यह भी ज्ञात है कि प्राचीनतम वाष्प-इंजन ईसा पूर्व दूसरी शती में अलेक्जेंड्रिया के हिरोन द्वारा बनाया गया था और यह भी इसी सिद्धांत पर आधारित था : वाष्प एक नली द्वारा कड़ाह से निकलकर (चित्र 7) गोल बरतन में आता है और वहाँ से घुटने की तरह मुड़ी नलियों से बाहर निकलते हुए उन्हें पीछे धकेलने लगता है, जिससे गोल बरतन घूर्णन करने लगता है। खेद की बात है कि हिरोन का वाष्प-टर्बाइन उस जमाने में सिर्फ एक कौतूहलपूर्ण खिलौना बना रहा। गुलामों के सस्ते श्रम के कारण मशीनों के व्यावहारिक उपयोग का विचार किसी के दिमाग में नहीं आता था। पर तकनीकी विकास ने इसके सिद्धांत की अवहेलना नहीं की : इसका उपयोग आज प्रतिकारी टबाईनों को बनाने में हो रहा है।

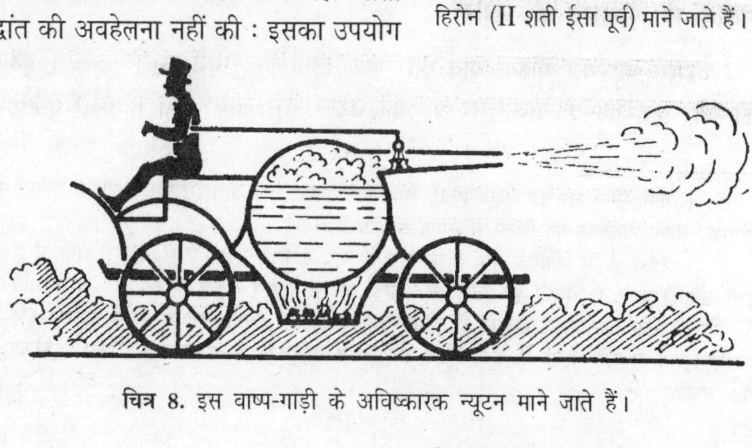

चित्र 8. इस वाष्प-गाड़ी के अविष्कारक न्यूटन माने जाते हैं।

वाष्प-इंजन की प्रथम परियोजनाओं में से एक के रचेता न्यूटन भी माने जाते हैं। इसका भी यही सिद्धांत है : चक्कों वाली गाड़ी पर रखे बरतन में से वाष्प एक दिशा में निकलता है और गाड़ी प्रतिनोदन शक्ति से दूसरी (विपरीत) दिशा में

चल पड़ती है (चित्र 8)।

1928 ई. के पत्र-पत्रिकाओं में राकेटी औटो-गाड़ियों की बड़ी जोर-शोर से खबरें छप रही थीं; उन पर नाना प्रयोग किए जा रहे थे। ये गाड़ियाँ न्यूटन की बग्गी का ही आधुनिक रूप थीं।

चित्र 9. कागज़ व अंडे के खोल के बना खिलौना स्टीमर। अंगुश्ताने में ढाला गया स्पिरिट ईंधन का काम करता है। वाष्पित्र (छेद किए हुए अंडे के खोल) से निकलने वाला वाष्प स्टीमर को विपरीत दिशा में गति मान करता है।

घर बैठे कुछ बनाने में दिलचस्पी रखने वालों के लिए चित्र 9 में इसी नियम पर चलने वाले कागजी जहाज का आरेख दिया जा रहा है : स्प्रि में भीगी रुई धातु के अंगुश्ताने में रख कर दीये की तरह जला लेते हैं। इसकी लौ से अंडे के खोल में रखे पानी को गर्म करते हैं। वाष्प फुहारे के रूप में एक छेद से निकलने लगता है और प्रतिनोदन के कारण जहाज दूसरी (विपरीत) दिशा में चल पड़ता है। पर इस खिलौने के बनाने के लिए निपुण हाथों की आवश्यकता है।

मसिधर कैसे तैरता है?

''अपना बाल पकड़कर स्वयं को उठाना'' हमारे लिए गलत हो सकता है, पर कई जीवों के लिए चलने का यही साधन है।

मसिधर जैसे अधिकतर शीर्षपादी मृदुपीन पानी में निम्न विधि से चलते हैं :[1] वे पार्श्व की दरार और एक विशेष शंकु से पानी अपने भीतर खींचते हैं और फिर उसी शंकु से पानी तेज धार के रूप में बाहर निकालते हैं। प्रतिक्रिया के नियम के अनुसार इस से इन्हें विपरीत दिशा में धक्का लगता है, जो पीछे की दिशा में तेजी से तैरने के लिए पर्याप्त शक्तिशाली होता है। मसिधर शंकु की नली को किसी भी दिशा में घुमा सकता है और इसीलिए तेजी से पानी छोड़ते हुए किसी भी दिशा में भाग सकता है।

जेली-फिश (मिडूसा) भी इसी नियम के अनुसार चलती है : छाते-से अपने शरीर के नीचे एकत्रित पानी वे अपनी पेशियों का संकोचन कर के निकालती हैं, जिससे उन्हें विपरीत दिशा में धक्का मिलता है। व्याध पतंग आदि के डिंबक (लार्वा) और कई अन्य लवासी जीव इसी युक्ति से तैरते हैं। और हमें संदेह हो रहा था कि इस प्रकार भी चला जा सकता है!

राकेट में सितारों की ओर[2]

इससे बढ़ कर मोहक बात और क्या होगी कि पृथ्वी से दूर असीम ब्रह्मांड की यात्रा की जाए; पृथ्वी से चाँद की ओर एक ग्रह के बाद दूसरे ग्रह की उड़ान भरी जाए? इस विषय पर कितने काल्पनिक उपन्यास लिखे जा चुके

---

1. घोंघे, सीप, अष्टभुज (औक्टोपस), आदि जैसे कोमल मांस वाले (मृदुपीन) जीवों में से कुछ के पैर सिर पर होते हैं (शीर्षपादी); इनमें से एक, मसिधर, अपने आक्रामक की आँखों में स्याही झोंकता है।—अनु.

1. 1957 ई. में अंतरिक्षी युग के आगमन के बाद से जिन युवा पाठकों ने होश सम्हाला है (या जिनका जन्म हुआ है), उन्हें या.इ. पेरेलमान द्वारा अंतर्ग्रही यात्रा के विचारों का प्रचार आज थोड़ा बालसुलभ लग सकता है, क्योंकि अब स्वचालित अंतरिक्ष-यान निकटवर्ती ग्रहों की उड़ान भर रहे हैं, चाँद की मिट्टी जमीन पर भेज रहे हैं, लगभग हर दिन कृत्रिम उपग्रह भेजे जा रहे हैं, आदमी चाँद पर उतर चुका है, आदि आदि। पर हम इस भाग को पुस्तक में ही रहने दे रहे हैं, क्योंकि यह इतिहास के दृष्टिकोण से दिलचस्प है : या. इ. पेरेलमान अंतरिक्षी उड़ान के अथक प्रचारकों में से एक थे।—संपादक.

हैं। नक्षत्रों की काल्पनिक यात्रा से किसने हमारा मन मोहने की कोशिश नहीं की! वोल्टेर ने अपने 'माइक्रोमेगास' में, जूल वेर्न ने 'चंद्र-यात्रा' व 'हेक्टर सेर्वादाक' में, वेल्स ने 'चाँद पर प्रथम लोग' और उनकी देखा-देखी करने वाले अनेक अन्य लेखकों ने कल्पना में ही सही, कर कितनी रोचक यात्राएँ की हैं नभ में ज्योतिर्बिंदुओं की।

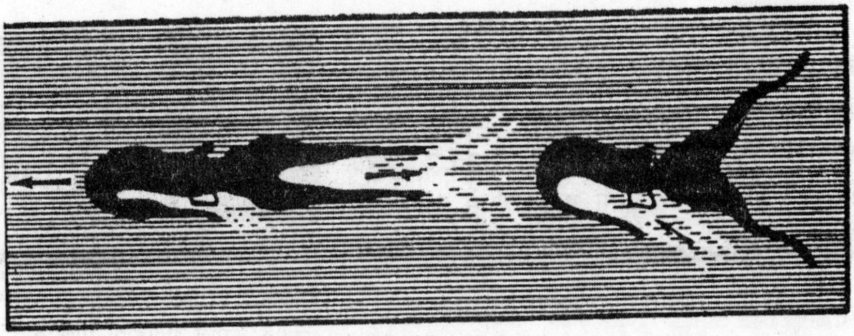

चित्र 10. शीर्षपाद जाति की कटल नामक मछली का तैरना

क्या आदिकाल से चले आ रहे सपनों को सच करने की कोई संभावना नहीं है? उपन्यासों में इतनी मोहक सत्यता से वर्णित एक से एक बुद्धिमान परियोजनाएँ क्या सचमुच में पूरी नहीं होने वाली हैं? आगे चल कर हम अंतर्ग्रही यात्राओं की काल्पनिक परियोजनाओं पर और भी चर्चा करेंगे, पर अभी आपका परिचय कराते है। ऐसी यात्राओं की एक यथार्थ परियोजना से, जो रूसी वैज्ञानिक त्सियलकोव्स्की द्वारा प्रस्तुत की गई है।

क्या हवाई जहाज पर चाँद तक उड़ा जा सकता है? बिल्कुल नहीं : हवाई जहाज और नियंत्रणीय गुब्बारे आदि से उड़ने का कारण हवा की मौजूदगी है; वे हवा में टिके रहते हैं, उससे धक्के खा कर आगे बढ़ते हैं। पर पृथ्वी और चाँद के बीच हवा नहीं है। अंतरिक्ष में माध्यम इतना घना नहीं है, जिस पर 'अंतर्ग्रही गुब्बारे' टिक सके। इसका मतलब है कि हमें कोई ऐसा उपकरण सोच निकालना चाहिए, जो बिना किसी आलंबी माध्यम के ही गतिमान व नियंत्रित हो सके।

खिलौने के रूप में ऐसे उपकरण से हम परिचित हो चुके हैं। इसका नाम है राकेट। एक इतना बड़ा राकेट क्यों न बना लिया जाए, जिसमें लोगों के रहने के लिए अलग जगह हो, खाद्य-सामग्रियों का भंडार हो, जिसमें हवा भरे बैलून और अन्य सभी आवश्यक वस्तुएँ रखी जा सकें? कल्पना कीजिए कि लोग ऐसे एक राकेट में ईंधन का बहुत बड़ा भंडार साथ रखते हैं और बारूदी गैस के निकलने की दिशा इच्छानुसार बदल सकते हैं। आपके पास एक वास्तविक नियंत्रणीय अंतरिक्ष यान होगा, जिसमें आप अथाह ब्रह्मांड में भ्रमण कर सकेंगे; चाँद, ग्रहों...आदि की सैर कर सकेंगे। यात्री विस्फोट क्रिया को नियंत्रित कर सकेंगे और इस प्रकार से अंतर्ग्रही यान का वेग आवश्यकतानुसार धीरे-धीरे बढ़ा-घटा सकेंगे, ताकि उनके स्वास्थ्य पर असर न पड़े। मर्जी होने पर वे यान की दिशा मोड़ते हुए उसे धीमा कर के किसी भी ग्रह पर उतर सकेंगे। और अंत में, इसी विधि द्वारा वे वापस पृथ्वी पर लौट सकेंगे।

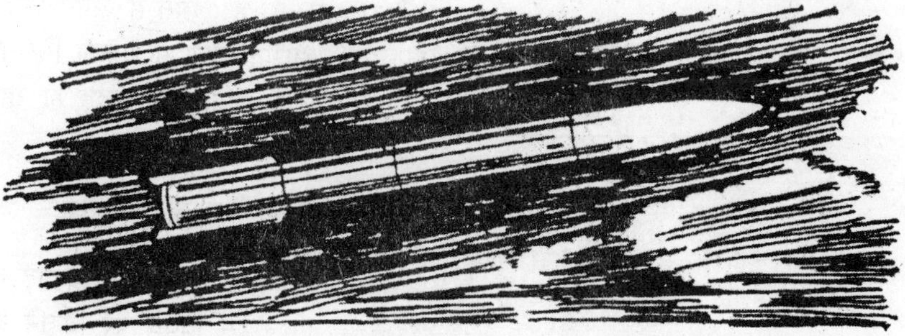

चित्र 11. राकेटनुमा अंतर्ग्रही विमान : एक योजना।

स्मरण करें कि अभी हाल ही में जन्मा विमानन किस प्रकार शिशु की भाँति चलना सीख रहा था। आज हवाई जहाज ऊँचे हवा में मँडराते हैं, पहाड़ों, मरुभूमियों, महाद्वीपों और महासागरों को भी लाँघने में समर्थ हैं। शायद सितारों की यात्रा का भी ऐसा ही उज्ज्वल भविष्य हो? शायद भावी 20-30 वर्षों में ही अंतरिक्ष-यात्रा का विकास ऐसी सफलता प्राप्त कर ले? तब इतने दिनों तक मानव को उनके सगे ग्रह के साथ बाँध कर रखने वाले अदृश्य बंधन टूट जाएँगे और वह ब्रह्मांड की असीम गहराइयों में कूद पड़ेगा।

अध्याय 2

बल, कार्य, घर्षण

हंस, झींगा और रोहू

यह कहानी सभी जानते होंगे कि कैसे, हंस, झींगा (चिंगट) और रोहू मिल कर सामान से लदी गाड़ी खींच रहे थे। पर यांत्रिकी के दृष्टिकोण से शायद ही किसी ने इस आख्यायिका पर ध्यान दिया होगा। नीति-कथाकार क्रिलोव ने जो निष्कर्ष दिया था, यांत्रिकी उससे बिल्कुल भिन्न निष्कर्ष देती है।

हमारे सामने किन्हीं कोणों पर परस्पर झुके तीन बलों को जोड़ने की समस्या है, जिसे अक्सर यांत्रिकी में हल करना पड़ता है। कथा में बलों की दिशाएँ निम्न शब्दों में बताई गई हैं :

...हंस उड़ता बादलों को,
चिंगट खिसक रहा है पीछे,
और मछली रही तान पानी में।

इसका अर्थ है कि (चित्र 12) कि एक बल (हंस की खींच) ऊपर की ओर क्रियाशील है; दूसरा, मछली का बल *(OB)*, बगल की ओर लग रहा है; तीसरा, चिंगट का *(OC)*,–पीछे की ओर। यह नहीं भूलें कि एक चौथा बल भी लग रहा है–गाड़ी का भार, जो उदग्र अधोमुखी है। कथा के अनुसार ''गाड़ी अब भी वहीं है,'' अर्थात् गाड़ी पर क्रियाशील सभी बलों का परिणामी बल शून्य के बराबर है।

क्या यह सत्य है? बादलों की ओर उन्मुख हंस चिंगट व मछली के कार्य में बाधक नहीं है, वह उनकी सहायता ही कर रहा है : उसका बल गुरुत्व बल की विपरीत दिशा में लगा है, अतः वह जमीन और अक्ष के साथ चक्कों के घर्षण के बल को कम कर रहा है; वह गाड़ी के भार को कम कर रहा है, या हो सकता है कि उसे पूरी तरह से संतुलित कर रहा है, क्योंकि गाड़ी का बोझ कुछ ज्यादा नहीं है (कथा के अनुसार ''बोझ उनके लिए काफी हल्का होता'')। यदि सरलता के लिए मान लें कि आखिरी स्थिति ही सत्य है (हंस का खिंचावबल और गाड़ी का भार एक दूसरे को संतुलित कर रहे हैं), तो हम देखते हैं कि सिर्फ दो बल बच जाते हैं–मछली और चिंगट के। इन बलों के बारे में कथाकार लिखता है कि ''चिंगट खिसक रहा पीछे, और मछली रही तान पानी में''। जाहिर है कि पानी गाड़ी के सामने नहीं, कहीं बगल में था (क्रिलोव के ये परिश्रमी जीव गाड़ी को पानी में डुबाने के लिए ही थोड़े जमा हुए थे!)। इसका मतलब है कि मछली और चिंगट के बलों की दिशा परस्पर कोई कोण बना रहे थे। यदि बल एक सरल रेखा पर क्रियाशील

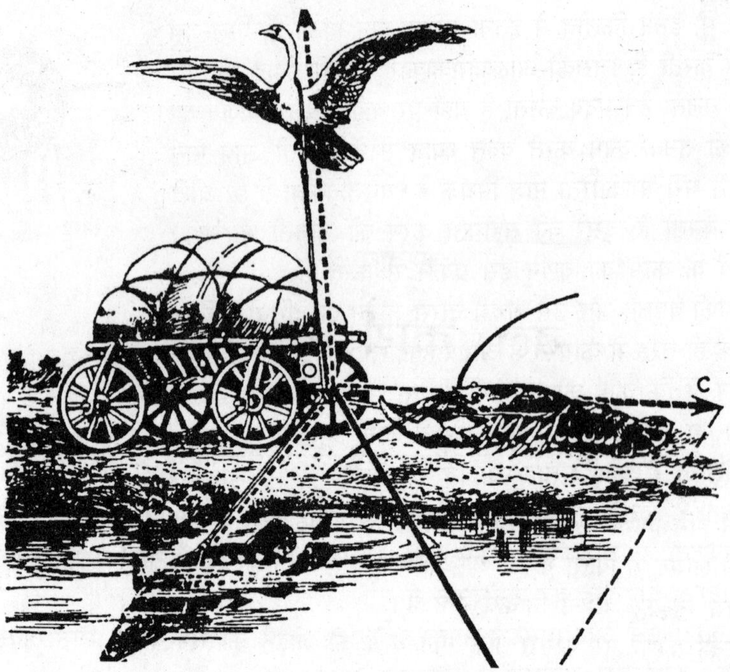

चित्र 12. झींगे, मछली और हंस के प्रश्न का यांत्रिकी हल। परिणामी बल *(OD)* गाड़ी को नदी में खींच ले जाएगा।

नहीं हैं, तो उनका परिणामी बल कभी भी शून्य के बराबर नहीं हो सकता।

यांत्रिकी के नियम के अनुसार दोनों बलों *OB* तथा *OC* पर एक समांतर चतुर्भुज बनाएँ। उसका कर्ण *OD* परिणामी बल की दिशा व मात्रा द्योतित करेगा। स्पष्ट है कि यह परिणामी बल गाड़ी को जरूर खींच ले जाएगा; विशेषकर उस स्थिति में, जब हंस उसके भार को अंशतः या पूर्णतः संतुलित कर रहा है। यह प्रश्न और है : किधर खींच ले जाएगा—आगे, पीछे या बगल की ओर? यह इन दो बलों के अनुपात और उनके बीच के कोण की मात्रा पर निर्भर करता है।

जिन पाठकों को बलों के संघटन व विघटन का थोड़ा-बहुत अभ्यास है, वे आसानी से देख सकते हैं कि यदि हंस का बल गाड़ी के भार को संतुलित नहीं भी करता है, तो भी गाड़ी अपने स्थान पर अचल नहीं खड़ी रह सकती। सिर्फ एक स्थिति है, जिसमें इन तीन बलों की क्रिया से भी गाड़ी रुकी रहेगी : यदि चक्कों का अक्ष व सड़क के साथ घर्षण काफी बड़ा हो, इतना बड़ा कि सभी तीन बलों के परिणामी से अधिक हो। पर यह बात कहानी के तथ्य के विरुद्ध है। कहानी में कहा गया है कि ''बोझ उनके लिए कहीं हल्का होता''।

हर हालत में क्रिलोव विश्वास के साथ नहीं कह सकते थे कि ''गाड़ी अभी भी नहीं चली'', ''गाड़ी अब भी वहीं है'', आदि। वैसे, इन बातों से आख्यायिका से मिलने वाली शिक्षा पर कोई असर नहीं पड़ता।

क्रिलोव के विपरीत

हमने अभी-अभी देखा कि क्रिलोव की शिक्षा—''जब मित्रों में मेल नहीं, काम बेढंगा होगा''—यांत्रिकी में सदा खरी नहीं उतरती। बल एक दिशा में नहीं भी लग सकते हैं, पर इसके बावजूद भी कोई-न-कोई फल दे सकते हैं।

बहुत कम लोग जानते होंगे कि हृदय से परिश्रम करने वाली चींटिया, जिनका, आदर्श श्रमिकों के रूप में, इन्हीं क्रिलोव ने इतना महिमा-गान किया है, मिल-जुल कर इसी विधि से काम करती हैं, जिसकी आख्यायिकाकार ने हँसी उड़ाई थी। पर उनका काम ढंग से ही चलता है। मदद करता है यहाँ पर वही : बल-संयोजन का नियम। यदि चींटियों को उनके काम करते वक्त ध्यान से देखेंगे, तो आप मान लेंगे कि उनकी समझदारी भरी सहकारिता मात्र मिथक है। वास्तविकता में हर चींटी सिर्फ अपने लिए काम करती है; दूसरे की सहायता करने को सोचती भी नहीं। एक जीवशास्त्री चींटियों के काम का वर्णन इस प्रकार से करते हैं :[1]

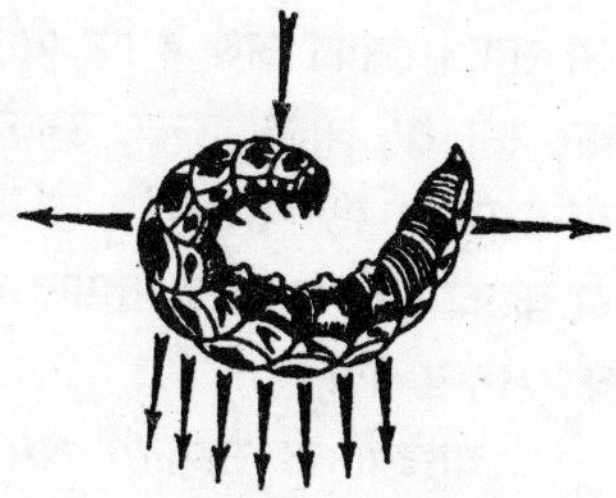

चित्र 13. कीड़े को चींटियाँ किस प्रकार घसीटती हैं।

''यदि शिकारी काफी बड़ा है और उसे अच्छी चौरस जमीन पर दसियों चींटियाँ खींच रही हैं, तो सब एक ही तरह से कार्यरत हैं और सहकारिता का आभास मिलता है। लेकिन शिकार—मान लें कि कोई कीड़ा—मार्ग में घास में घास या कंकड़ जैसी किसी चीज से फँस जाता है। अब सीधा आगे नहीं घसीटा जा सकता है, उसे घुमा कर ले जाना चाहिए। यहाँ पर बिल्कुल स्पष्टता के साथ दिख जाता है कि हर चींटी अपने साथी से कोई सलाह-मशविरा किए बगैर समस्या हल करने के लिए खुद खींच-तान शुरू कर देती है। एक बाएँ खींचती है, दूसरी दाएँ; एक आगे, तो दूसरी पीछे। बार-बार जगह बदलती हैं, एक जगह छोड़ कर दूसरी जगह कीड़े को पकड़ती हैं, और हरेक अपनी मर्जी के अनुसार उसे खींचती या धकेलती रहती है। इसी चक्कर में कभी ऐसा भी हो जाता है कि कीड़े को एक तरफ से (उदाहरणार्थ) चार चींटियाँ खींचने लगती हैं और दूसरी ओर से छः, तो अंततोगत्वा कीड़ा उस ओर घिसटने लगता है, जिधर छः चींटियाँ लगी हैं।''

एक और उदाहरण (किसी दूसरे अन्वेषक से लिया गया) प्रस्तुत करते हैं, जिससे चींटियों की यह मिथ्या सहकारिता और भी स्पष्ट हो जाती है। चित्र 15 में पनीर का एक आयताकार टुकड़ा दिखाया गया है, जिसे 25 चींटियाँ पकड़ कर खींच रही हैं। पनीर मंद गति से तीर *A* की दिशा में बढ़ रहा है। आप सोच सकते हैं कि आगे की चींटियाँ पनीर को अपनी और खींच रही हैं, पीछे की—उसे आगे धकेल रही हैं और बगल की चींटियाँ दोनों की ही मदद कर रही हैं। पर आसानी से देखा जा सकता है कि बात ऐसी नहीं है : एक चाकू लीजिए और पनीर की पिछली किनारी (लंबाई क्रे अनुतीर) काट कर अलग कर दीजिए। आगे वाला टुकड़ा और जल्दी से आगे बढ़ने लगेगा और कटी किनारी पीछे की ओर खिंचने लगेगी। स्पष्ट है कि पीछे से लगी 11 चींटियाँ पनीर को पीछे ही खींच रही थीं, आगे नहीं धकेल रही थीं। हरेक चींटी की कोशिश यही थी कि पनीर को इस प्रकार से घुमा लिया जाए कि उसे खींच कर पीछे चलते हुए माँद तक पहुँचा

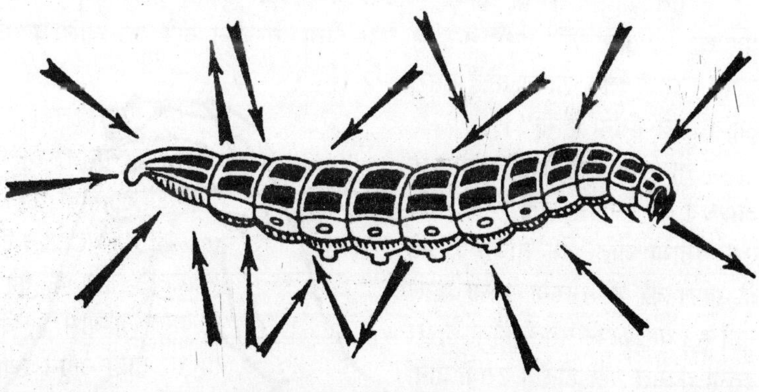

चित्र 14. चींटियाँ अपने शिकार को किस प्रकार खींचती हैं। तीरों द्वारा अलग-अलग चींटियों का प्रयत्न द्योतित किया गया है।

1. ये. येलाच, 'अंतर्वृत्ति'।

जा सके। इसका अर्थ है कि पीछे की चींटियाँ आगे वाली चींटियों की मदद नहीं कर रही थीं, बल्कि उल्टा, उनके प्रत्यनों को नष्ट करते हुए दम लगा कर उन्हें बाधा पहुँचा रही थीं। पनीर के इस टुकड़े को खींच ले जाने के लिए चार चींटियाँ ही काफी थीं, पर बिना सहमति के काम करने का फल यह हुआ कि 25 चींटियों को लगना पड़ा।

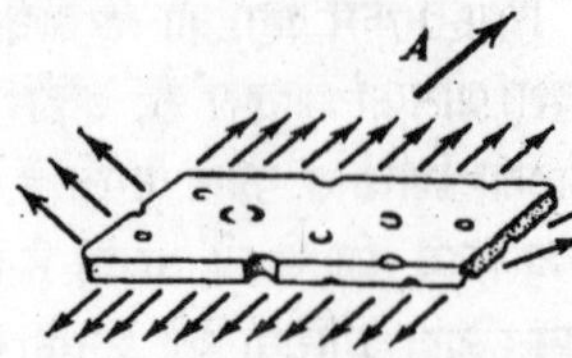

चित्र 15. तीन A की दिशा में स्थित मांद तक पनीर के टुकड़े को घसीटने के लिए चींटियों का प्रयत्न।

चींटियों के सहकारी श्रम की इस विशेषता पर बहुत पहले मार्क ट्वेन ने भी ध्यान दिया था। वे दो चींटियों के मिलने की एक घटना का वर्णन करते हैं (एक चींटी के पास टिड्डे की एक टाँग थी) : "दोनों ही टाँग के दोनों सिरों को पकड़ लेती हैं और सारी शक्ति से अपनी-अपनी और विपरीत दिशाओं में खींचने लगती हैं। दोनों को ही महसूस हो जाता है कि काम में कोई गड़बड़ी है, पर क्या–यह उनकी समझ में नहीं आता। दोनों में तू-तू मैं-मैं शुरू हो जाती है; बहस मार-पीट में परिणत हो जाती है...फिर मेल हो जाता है, और फिर से वही अर्थहीन सम्मिलित श्रम शुरू हो जाता है। मार-पीट में घायल चींटी दूसरी शक्ति से शिकार घसीटती चल पड़ती है और साथ-साथ घायल चींटी को भी घसीट ले जाती है। घायल चींटी काम छोड़ देने की बजाय शिकार से लटकी रहती है।" ट्वेन मजाक ही मजाक में बिल्कुल सही बात कहते हैं कि "चींटियाँ सिर्फ तभी अच्छी तरह से काम करती हैं, जब कोई अनाड़ी प्रकृति-वैज्ञानिक उनके काम का अवलोकन करता है और इन अवलोकनों से गलत-गलत निष्कर्ष निकालता है।"

क्या अंडे के खोल को तोड़ना सरल है?

'मृत कृषि-दास' के कीफा मकीयेविच अपनी कुशाग्र बुद्धि जिन दार्शनिक प्रश्नों पर खर्च करते थे, उनमें एक यह था : "और यदि हाथी अंडे से पैदा होता, तो ऐसे अंडे का खोल काफी मोटा होता–तोप के गोले से भी नहीं टूटता; उसके लिए शायद कोई दूसरा आग्नेयास्त्र ढूँढ़ना होगा"।

गोगल के इस दार्शनिक पात्र के आश्चर्य का ठिकाना नहीं रहता, यदि उसे बताया जाता कि साधारण अंडे के खोल को भी तोड़ना इतना सरल नहीं है। यह काफी पतला होता है, पर इतना कोमल नहीं होता। उसके दोनों सिरों को हथेलियों से अड़ा कर उसे दबाने के लिए, कि वह टूट जाए, कुछ कम बल की आवश्यकता नहीं पड़ती है।[1] अंडे के खोल की यह असाधारण मजबूती सिर्फ उसके उत्तल रूप पर निर्भर करती है। मकानों में मेहराब बनावटों की मजबूती का यही कारण है।

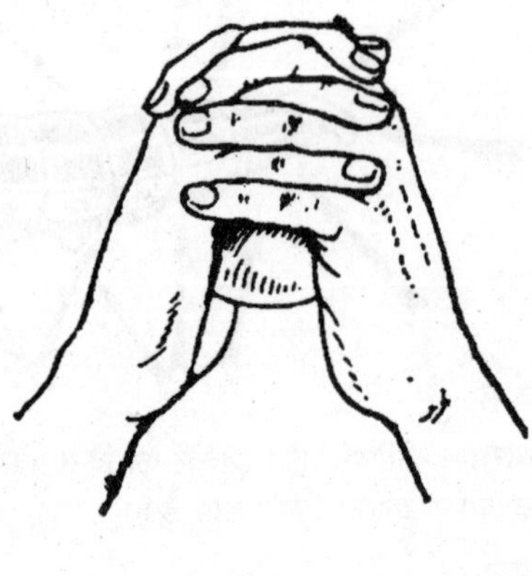

चित्र 16. इस विधि से अंडे को तोड़ने के लिए काफी बल की आवश्यकता है।

चित्र 17. मेहराब की मजबूती का कारण

1. इस प्रयोग में एक खतरा है, जिसने बचने का उपाय कर लेना चाहिए–खोल के नुकीले टुकड़े हथेली में चुभ सकते हैं।

चित्र 17 में खिड़की पर एक छोटा सा मेहराबी दिख रहा है। बोझ S (अर्थात् ऊपरी ईंटों का भार) मेहराब के मध्य में स्थित शंक्वाकार ईंट को तीर A द्वारा द्योतित बल से नीचे दबाता है। पर यह ईंट नीचे नहीं गिर सकती, क्योंकि उसका आकार शंकु जैसा है। वह फिर अगल-बगल के ईंटों पर दबाव डालती है। समांतर चतुर्भुज के नियम से बल A दो बलों में विघटित होता है, जिसे चित्र में तीर C व B द्वारा द्योतित किया गया है। ये बल पड़ोसी ईंटों के प्रतिरोध द्वारा संतुलित हो जाते हैं। ये पड़ोसी ईंट भी बगल के ईंटों द्वारा दबी रहती हैं। अतः मेहराब पर ऊपर से क्रियाशील बल उसे तोड़ नहीं सकता। पर उसे बहुत आसानी से तोड़ा जा सकता है, यदि उस पर नीचे (भीतर) से आक्रमण किया जाए। कारण स्पष्ट है : ईंटों का शंक्वाकार उन्हें नीचे नहीं गिरने देता, पर उनके ऊपर उठने में कोई बाधा नहीं डालता।

अंडे का खोल भी ऐसा ही मेहराब है। फर्क इतना है कि वह व्योम मेहराब है। **बाहर से** दबाव डालने पर वह इतनी आसानी से नहीं टूटता, जितनी लोग ऐसी कमजोर वस्तु से आशा करते हैं। चार कच्चे अंडों पर काफी भारी टेबल को रखा जा सकता है, यदि अंडों के सिरों को पेरिस-प्लास्टर लगा कर थोड़ा चौड़ा कर दिया जाए (कठोर चूने के बने खोल के साथ प्लास्टर सरलतापूर्वक चिपक जाता है)। इससे टेबल को स्थिरता प्रदान की जा सकती है।

अब आप समझते होंगे कि मुर्गी जब सोने के लिए बैठती है, उसके भार से अंडे के टूटने का डर बिल्कुल नहीं रहता। और दूसरी ओर से, चूजे को अब अपनी प्राकृतिक कैद से निकलने की इच्छा होती है, तो भीतर से सरलतापूर्वक अंडे के कवच को तोड़ कर निकल आता है।

चम्मच की किनारी से ठोक कर अंडा फोड़ना बहुत आसान लगता है, इसीलिए हमें संदेह नहीं होता कि नैसर्गिक परिस्थितियों में अंडे पर पड़ने वाले दबावों के लिए उसका खोल कितना मजबूत होता है और उसके भीतर पलने वाले जीव के लिए प्रकृति ने कितना विश्वस्त कवच बनाया है।

विद्युत्-बल्ब कमजोर लगते हैं, पर उनकी मजबूती का राज वही है, जो अंडे के खोल की मजबूती का। उनकी मजबूती पर आप और भी आश्चर्य करेंगे, यदि आप को याद दिला दूँ कि बहुत सारे प्रकार के बल्ब बिल्कुल खाली होते हैं (बात निर्वात बल्बों की चल रही है, गैसीय की नहीं) और बाह्य वातावरण के दबाव का प्रतिकार करने के लिए भीतर कुछ भी नहीं होता। बल्ब पर हवा का कोई कम दबाव नहीं पड़ता। 10 cm की चौड़ाई वाले बल्ब पर दोनों ओर से 75 kg का (आदमी के भार से अधिक) बल लगता है। प्रयोग द्वारा सिद्ध होता है कि निर्वात बल्ब इससे 2.5 गुना अधिक दबाव सह सकते हैं।

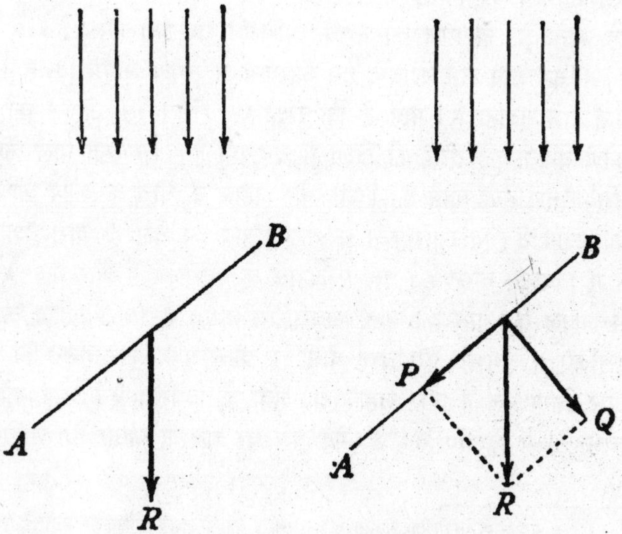

चित्र 18. हवा पाल को हमेशा उसकी सतह के अभिलंब धकेलती है।

हवा के विरुद्ध पाल

पाल वाला जहाज हवा के विरुद्ध कैसे चलता है, इसकी कल्पना करना कठिन है। वैसे नाविक कहते हैं कि हवा के ठीक विपरीत नहीं चला जा सकता। पाल-जहाज को हवा के बहाव के साथ न्यून कोण बनाते हुए चलना पड़ता है। पर यह कोण अत्यंत छोटा है (समकोण के एक चौथाई अंश के बराबर), अतः समस्या ज्यों की त्यों बनी रहती है : हवा के बहाव के साथ 22^0 का कोण बनाते हुए भी उसके विपरीत चलना

संभव नहीं लगता।

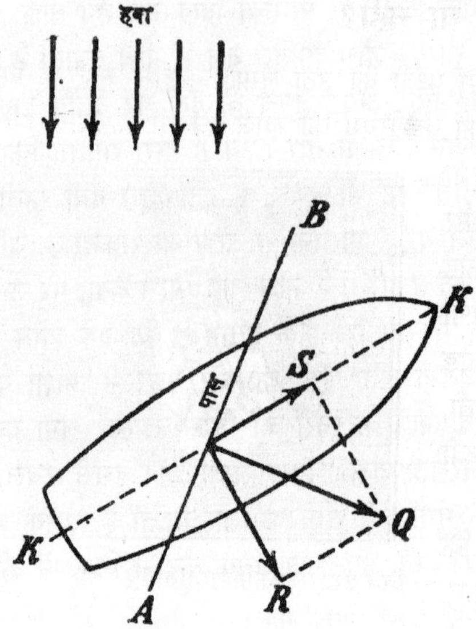

चित्र 19. पाल से हवा के विपरीत जाना।

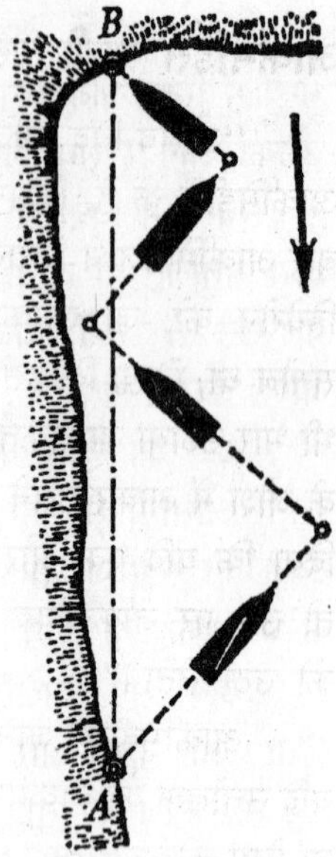

चित्र 20. पाल वाले जहाज की चाल

यह कोण कम लगता है, पर व्यवहारतः यह नगण्य नहीं है और इसकी उपेक्षा नहीं की जा सकती। यदि हवा के विरुद्ध चलने में उसी की शक्ति का उपयोग करना हो, तो उसके बहाव की दिशा के साथ इतना कम कोण बनाते हुए चलना ही श्रेष्ठ है। यहाँ हम इसी बात को दिखाने की कोशिश करेंगे। पहले यह देखें कि हवा पाल को प्रभावित किस प्रकार करती है, अर्थात् जब पाल को हवा के झोंके लगते हैं, तो किस दिशा में वह धक्के खाता है। आप शायद सोचते होंगे कि हवा जिस दिशा में बहती है, पाल को उसी दिशा में धक्के देती है। पर बात ऐसी नहीं है : हवा किसी दिशा में क्यों न बह रही हो, वह पाल को उसके तल के अभिलंब धकेलती है। मान लें कि हवा चित्र 18 में दर्शित तीनों ही दिशाओं में बह रही है। *AB* रेखा पाल को द्योतित कर रही है। पाल के पूरे तल पर हवा का दबाव समरूप होता है, अतः इस दबाव को बल *R* द्वारा प्रतिस्थापित किया जा सकता है, जो पाल के मध्य में क्रियाशील है। इस बल को दो बलों *P* और *Q* में विघटित करते हैं। *Q* पाल के अभिलंब है और *P* पाल के अनुतीर क्रियाशील है (चित्र 18, दाएँ)। अंतिम बल *P* पाल को किसी भी दिशा में नहीं धकेलता, क्योंकि कपड़े और हवा के बीच घर्षण नगण्य है। सिर्फ बल *Q* रह जाता है, जो पाल को उसके अभिलंब धकेलता होता है।

यह जान लेने के बाद हम आसानी से समझ जाएँगे कि हवा के साथ न्यून कोण बनाते हुए पाल-जहाज विपरीत कैसे चल सकता है। मान लें कि रेखा *KK* (चित्र 19) जहाज की लंबाई के अनुतीर है। हवा इस रेखा के साथ न्यून कोण बनाती हुई तीरों की दिशा में बह रही है। *AB* रेखा पाल को द्योतित करती है। उसकी स्थिति ऐसी होती है कि उसका तल हवा बहने की दिशा और जहाज के बीच के कोण को समविभाजित करता है। चित्र 19 में बल के विघटन का ध्यान दें। पाल पर हवा के कुल दबाव को बल *Q* द्वारा दर्शाते हैं, जो पाल के अभिलंब है। इसे दो बलों *R* व *S* में विघटित करते है। बल *R* जहाज के अभिलंब है और बल *S* जहाज के अनुतीर क्रियाशील है। चूँकि *R* की दिशा में जहाज की गति को पानी अवरोधित करता है (पाल-जहाज का निचला भाग पानी में काफी नीचे डूबा रहता है), इसलिए *R* लगभग पूरी तरह पानी के प्रतिरोध द्वारा संतुलित हो जाता है। सिर्फ बल *S* बच जाता है, जो आगे की ओर क्रियाशील है और जहाज को हवा के विपरीत एक छोटे कोण पर धकेलता रहता है।[1] साधारणतया जहाज को चित्र 20 में दिखाए गए टेढ़े-मेढ़े पथ पर चलाया जाता है। नाविकों की बोल-चाल में इसे 'पैंतरेबाजी' कहते हैं।

---

1. यह सिद्ध किया जा सकता है कि बल *S* का मान तब अधिकतम होता है, जब पाल का तल जहाज और हवा के बीच के कोण को समद्विभाजित करता है।

आर्कमेडिस पृथ्वी उठा लेता या नहीं?

''आलंब-बिंदु दीजिए और मैं पृथ्वी को उठा लूँगा!''—लोग कहते हैं कि ये शब्द प्राचीन काल के महान् यंत्रवेत्ता आर्कमिडीज़ के हैं, जिसने उत्तोलकों के नियम की खोज की थी। प्लुटार्क की एक रचना में आप पढ़ सकते हैं—''एक बार आर्कमिडीज़ ने सिराकुज के राजा हियेरोन को, जो उसका मित्र और सगोत्र था, लिखा कि इस बल से कोई भी भार उठाया जा सकता है। प्रमाणों के जोश में आकर उसने यह भी जोड़ दिया कि यदि एक और पृथ्वी होती, तो उस पर जाकर वह हमारी पृथ्वी को उठा लेता।''

चित्र 21. ''आर्कमेडिस उत्तोलकों से पृथ्वी उठा रहे हैं'' वैरीनियन (1787) द्वारा लिखित यांत्रिकी की पुस्तक से।

आर्कमिडीज़ जानता था कि यदि उत्तोलक का व्यवहार किया जाए, तो ऐसा कोई बोझ नहीं है, जिसे क्षीण से क्षीण बल द्वारा भी नहीं उठाया जा सकता। इस बल को उत्तोलकों के लंबे भाग पर लगाते ही उसका छोटा भाग बोझ पर प्रभाव डालने लगेगा। इसीलिए वह सोचता था कि यदि उत्तोलकों के अत्यंत बड़े भाग पर जोर लगाया जाए, तो हाथ की शक्ति से ऐसा बोझ उठाया जा सकता है, जिसका द्रव्यमान पृथ्वी के द्रव्यमान के बराबर हो।[1]

लेकिन यदि प्राचीन युग के महान् यंत्रवेत्ता को मालूम होता कि पृथ्वी का द्रव्यमान कितना बड़ा है, तो शायद वह ऐसा वादा नहीं करता। क्षण भर को मान लें कि आर्कमिडीज़ को 'दूसरी पृथ्वी' (अर्थात् आलंब-बिंदु), जिसे वह ढूँढ़ रहा था, मिल गई है। यह भी मान लें कि उसने आवश्यक लंबाई का उत्तोलक भी तैयार कर लिया है। आप जानते हैं कि पृथ्वी के बराबर द्रव्यमान वाले बोझ को सिर्फ एक सेंटीमीटर उठाने में आर्कमिडीज़ को कितना समय लगेगा? ज्यादा नहीं, सिर्फ दस खरब वर्ष!

विश्वास करें। खगोलशास्त्रियों को पृथ्वी का द्रव्यमान ज्ञात है;[2] पृथ्वी पर इतने द्रव्यमान वाले पिंड का भार होता लगभग :

6 000 000 000 000 000 000 000 टन।

यदि कोई आदमी हाथों में सिर्फ 60 kg उठा सकता है, तो इतने बड़े पिंड को उठाने के लिए उसे ऐसे उत्तोलक का सहारा लेना पड़ता, जिसका बड़ा भाग छोटे से अधिक होता

100 000 000 000 000 000 000 000 गुना!

साधारण कलन से यह दिखाया जा सकता है कि उत्तोलक के छोटे भाग के सिरे को 1 cm उठाने के लिए दूसरे सिरे को ब्रह्मांड में एक विशाल चाप पर चलाना होगा, जिसकी लंबाई होगी

1 000 000 000 000 000 000 km.

पृथ्वी को सिर्फ 1 cm 'उठाने' के लिए उत्तोलक पर जोर लगाने वाले हाथ को इतनी बड़ी कल्पनातीत दूरी तय

1. समस्या को सही रूप देने के लिए 'पृथ्वी को उठाना' शब्दों को कुछ दूसरे अर्थ में लेना चाहिए : पृथ्वी-तल पर हमारे ग्रह के द्रव्यमान के बराबर द्रव्यमान वाले बोझ को उठाना।

2. यह कैसे ज्ञात किया जाता है, इसके बारे में दे. ''मनोरंजक खगोलशास्त्र''।

करनी पड़ेगी! कितना समय लगेगा इसमें? यदि मान लें कि आर्कमेडिस 60 kg का बोझ एक सेकेंड में 1 cm उठा सकता था (यह पूरी एक अश्व-शक्ति की कार्य क्षमता है), तो पृथ्वी को 1 cm 'उठाने' के लिए उसे लगते :

1 000 000 000 000 000 000 000 सेकेंड,

या तीन सौ खरब वर्ष! अपने लंबे जीवन-काल में आर्कमिडीज़ पृथ्वी को महीन से महीन बाल की मोटाई जितना ऊँचा भी नहीं उठा सकता...

यह प्रतिभावान् आविष्कारक इस अवधि को किसी भी उपाय से पर्याप्त रूप से कम नहीं कर पाता। यांत्रिकी के 'स्वर्ण नियम' के अनुसार किसी भी मशीन में बल-लाभ के साथ-साथ स्थानांतरण-दीर्घता के कारण समय का नुकसान अश्यंभावी है। यदि आर्कमिडीज़ सबसे बड़ी क्षिप्रता, जो प्रकृति में संभव—प्रकाश के वेग 300 000 km प्रति सेकेंड—से भी हाथ घुमाता, तो इस कल्पनातीत क्षिप्रता में भी पृथ्वी को 1 cm 'उठाने' में उसे सौ लाख से भी अधिक वर्षों तक काम करना पड़ता।

जूल वेर्न का भीम और ऐलर का सूत्र

आप को जूल वेर्न के हट्टे-कट्टे भीमकाय मैटिफ की याद है? विशाल कद के अनुपात में उसका सिर भी काफी बड़ा था; छाती लुहार की भाँथी जैसी थी; पैर शहतीरों की तरह थे; हाथ भार उठाने वाले क्रेन की तरह और मुट्ठियाँ हथौड़े जैसी थीं...'उपन्यास मैटियस सैंडोर्फ' में उसकी जिन बीर-गाथाओं का वर्णन किया गया है, उनमें से आपको एक किस्सा अवश्य याद होगा, जब वह निर्माण स्थल से पानी की ओर फिसलते जहाज 'त्राबाकोलो' को अपने बाहुबल से खींच कर रोक लेता है। जहाज बिल्कुल नया था और उसे पहली बार पानी से छोड़ा जा रहा था।

उपन्यासकार इस कारनामे का वर्णन यूँ करता है :

"जहाज पार्श्वीय शिकंजों से छूट चुका था और नत चबूतरे पर फिसलता हुआ समुद्र में छूटने को तैयार था। सिर्फ रस्सा हटाने की देर थी कि जहाज फिसल पड़ता। करीब आध दर्जन मिस्त्री जहाज की पेंदी के पास लगे हुए कुछ तैयारी कर रहे थे। दर्शकों की भीड़ उत्सुकतापूर्वक खड़ी देख रही थी। इसी बीच घाट के बगल से निकल कर एक विहार-नौका सामने आ गई। बंदरगाह तक पहुँचने के लिए उसे त्राबाकोलो के छूटने की जगह के समाने से गुजरना था। जैसे ही उसने अपने आने की सीटी बजाई, दुर्घटना के डर से जहाज के उद्घाटन को कुछ देर के लिए स्थगित कर दिया गया। यदि नौका के पार्श्व में इतने बड़े जहाज का इतने वेग से धक्का लगता, तो नौका को खत्म ही हो जाना था। सभी इंतजार करने लगे कि नौका कब नहर में प्रवेश कर जाती है।

मिस्त्रियों ने ठोक-पीट बंद कर दी। सभी की आँखें इस भव्य पोत पर लगी हुई थीं। उसका सफेद पाल सूर्य की तिरछी किरणों से सुनहला हो रहा था। शीघ्र ही विहार-नौका पोत के निर्माण-स्थल के ठीक सामने से गुजरने लगी, जहाँ उत्सुक दर्शकों की भीड़ प्रतीक्षा कर रही थी। अचानक भय-मिश्रित चीखें सुनाई देने लगीं : 'त्राबाकोलो' ने एक हिचकोला लिया और समुद्र की ओर सरकने लगा। विहार-नौका का पार्श्व ठीक सामने था। दोनों ही जहाज—एक छोटा और एक बड़ा—टकराने के लिए तैयार हो चुके थे। उन्हें रोकने के लिए न तो समय था, न कोई उपाय ही। 'त्राबाकोलो' नत तल पर तेजी के साथ फिसल रहा था...घर्षण से उत्पन्न सफेद धुँआ उसके नाक के सामने नाच उठा और उसकी दुम या दुंबाल पानी में पहुँच चुकी थी (जहाज दुम की तरफ से पानी में उतर रहा था—या.पे.)।

उसी समय एक आदमी सामने आता है। वह 'त्राबाकोलो' के पीछे से लटकते रस्से को पकड़ लेता है और जमीन की ओर झुक कर खींचते हुए उसे रोकने की कोशिश करता है। एक मिनट में वह जमीन में धँसे लोहे के पाइप पर रस्से से चंद लपेटें डाल लेता है और दस सेकेंड तक अमानवीय शक्ति से रस्से को खींच कर रोके रखता है। अंत में रस्सा टूट जाता है। पर ये दस सेकेंड काफी थे : 'त्राबाकोलो' पानी में उतर आया और नौका को हल्के से छूता

हुआ आगे बढ़ गया।

नौका बच गई थी। और जिस आदमी ने उसकी रक्षा की थी, वह था मैटिफ।''

उपन्यासकार को कितना आश्चर्य होता, यदि उससे कहा जाता कि ऐसे कारनामे के लिए मैटिफ की तरह भीमसेन बनने की कोई जरूरत नहीं थी। चलते दिमाग का कोई भी आदमी यह कर लेता।

यांत्रिकी कहती है कि शहतीर या स्तंभ पर लिपटा रस्सा जब खिसकता है, तो दोनों के बीच का घर्षण-बल अत्यंत बड़ा होता है। रस्सा जितनी ही बार लपेटा जाएगा, घर्षण उतना ही अधिक होगा। घर्षण के बढ़ने का नियम इस प्रकार है कि यदि लपेटनों की संख्या समनांतर श्रेणी के रूप में बढ़े, तो घर्षण गुणोत्तर श्रेणी की तरह बढ़ेगा। इसीलिए कमजोर बच्चा भी स्थिर बेलन पर तीन-चार बार लपेटे रस्से के छोर को पकड़े हुए काफी बड़े बल को संतुलित कर सकता है।

कच्ची उम्र के लड़के इसी विधि द्वारा सैकड़ों यांत्रिकों समेत जहाजों को नदी के घाट पर रोक कर रखते हैं। यह उनके बाहु-बल का कमाल नहीं है, खूँटे के साथ रस्से के घर्षण का कमाल है।

XVII-वीं शती के विख्यात गतिणज्ञ ऐलर ने खूँटे के गिर्द रस्से को लपेटने की संख्या पर घर्षण-बल की निर्भरता का निर्धारण किया था। जिन्हें बीजगणित की संक्षिप्त भाषा से डर नहीं लगता, उनके लिए हम ऐलर का सूत्र दे रहे हैं :

$$F=fe^{ka}$$

यहाँ F का बल है, जिसके विरुद्ध हम अपनी शक्ति f लगा रहे हैं। वर्ण e नैसर्गिक लघुगणक के आधार (संख्या 2.718...) को द्योतित करता है। k—रस्से के साथ खूँटे का घर्षण-गुणांक है। वर्ण a द्वारा 'लपेटन कोण', अर्थात्, रस्से द्वारा बनाए गए चाप की लंबाई और इस चाप की त्रिज्या का अनुपात व्यक्त किया गया है।

सूत्र को उस स्थिति के लिए लागू करें, जिसका वर्णन जूल वेर्न ने किया है। परिणाम आश्चर्यजनक रहेगा। इस स्थिति में बल F डेक पर फिसलते जहाज का तनाव-बल होगा। जहाज का भार उपन्यास से ज्ञात है : 50 टन। निर्माण-चबूतरे का नतन यदि 1/10 था, तो रस्से को जहाज अपने पूरे भार से नहीं, उसके 1/10 अंश, अर्थात् 5 टन या 5000 kg से खींच रहा था।

राशि k—खूँटे के साथ रस्से के घर्षण-गुणांक—को 1/3 मान लेते हैं। a का मान सरलतापूर्वक निर्धारित हो सकता है, यदि मान लें कि मैटिफ ने खूँटे पर रस्से के तीन लपेटन डाले। इस स्थिति में

$$\alpha=\frac{3\times 2\pi r}{r}=6\pi$$

इन मूल्यों को उपरोक्त सूत्र में बैठाने पर निम्न समीकरण प्राप्त होगा :

$$5000=f.2.72^{6\pi.\frac{1}{3}}=f.2.72^{2\pi}$$

अज्ञात राशि f (अर्थात् जहाज को रोकने वाली शक्ति) इस समीकरण द्वारा ज्ञात हो सकती है, यदि लघुगणकों की सहायता ली जाए :

$$\lg 5000=\lg f+2\pi \lg 2.72, \quad \text{इससे} \quad f=9.3\ \text{kg}$$

इस प्रकार, वीरता का कार्य संपन्न करने के लिए 'भीमसेन' को रस्सा सिर्फ 10 kg के बल से खींचना था।

यह मत सोचिए कि 10 kg सिर्फ सैद्धांतिक परिणाम है और वास्तविकता में इससे कहीं अधिक बल की आवश्यकता होगी। इसके विपरीत, हमारा परिणाम कुछ बढ़ा-चढ़ा कर निकाला गया है। यदि रस्सा सन का होता और खूँटा लकड़ी का, तो घर्षण-गुणांक k और भी अधिक होता; अतः जहाज को रोकने के लिए और भी कम शक्ति लगानी पड़ती।

यदि रस्सा इतना मजबूत हो कि तनाव से टूट न जाए, तो उसे 3-4 बार लपेट कर एक बच्चा भी जूल वेर्न के भीम की बराबरी ही नहीं कर लेता, उससे कहीं अधिक बढ़ जाता।

गाँठ की मजबूती

हमें संदेह भी नहीं होता कि दिनचर्या में हम जाने-अनजाने उसी गुण का उपयोग करते हैं, जिसके बारे में ऐलर का सूत्र बताता है। गाँठ और कुछ नहीं खूँटे पर लपेटी गई रस्सी ही है। सिर्फ यहाँ खूँटे का काम उसी रस्सी का दूसरा भाग करता है। किसी भी गाँठ की मजबूती सिर्फ घर्षण पर ही निर्भर करती है, जो सिर्फ इसलिए कई गुना बढ़ जाता है कि रस्सी अपने चारों ओर लपेटी जाती है। यदि आप गाँठ में रस्सी के मोड़ों पर ध्यान देंगे, तो इस बात की सत्यता में कोई संदेह नहीं रह जाएगा। जितने ही अधिक मोड़ होंगे, रस्सी उतनी ही अधिक बार अपने गिर्द लिपटी होगी, अर्थात् उतना ही अधिक 'लपेटन कोण' होगा और इसीलिए गाँठ उतना ही अधिक मजबूत होगा।

दर्जी जब बटन सीता है, वह भी अनजाने में इसी बात का उपयोग करता है। सिलाई के स्थान को वह धागे से कई बार लपेट लेता है और तब जाकर उसे तोड़ता है। यदि धागा खुद कमजोर नहीं है, तो बटन अलग नहीं होगा। यहाँ हमारा परिचित नियम ही व्यवहृत हुआ है; धागे की लपेटन-संख्या जब समनांतर श्रेणी के रूप में बढ़ती है, तो सिलाई की मजबूती गुणोत्तर श्रेणी सी बढ़ती है।

यदि घर्षण नहीं होता, तो हम बटन का उपयोग नहीं कर सकते : उसके भार से धागा खुद खुल जाता और बटन गिर जाता।

यदि घर्षण नहीं होता

आप देखते हैं कि कितने भिन्न और कभी-कभी आशातीत रूपों में घर्षण प्रकट होता है। घर्षण की भूमिका उन घटनाओं में भी काफी गंभीर होती है, जहाँ हमें संदेह भी नहीं होता। यदि घर्षण दुनिया से अचानक गायब हो जाए, तो बहुत सारी साधारण परिघटनाएँ भी असाधारण रूप से घटने लगेंगी।

फ्रांसीसी भौतिकविद् गिलियोम घर्षण की भूमिका का अत्यंत रोचक वर्णन करते हैं :

"फिसलन भरी बर्फ़ पर चलने का अवसर सबों को मिला होगा : गिरने से बचने के लिए वहाँ कितना प्रयत्न करना पड़ता है, खड़े रहने के लिए वहाँ कितनी हास्यजनक गतियाँ करनी पड़ती हैं! यह हमें मानने पर विवश कर देता है कि जमीन में, जिस पर हम चलते हैं, बहुमूल्य गुण है, जिसके कारण हम बिना किसी विशेष प्रयत्न के अपना संतुलन बनाए रखते हैं। हमारे मन में यही विचार उस समय भी उत्पन्न होता है, जब हम फिसलन भरे रास्ते पर साइकिल चलाते हैं, या जब आसफाल्ट पर घोड़ा फिसल कर गिरता है। इस तरह की संवृत्तियों को देख कर हम उन परिणामों से अवगत होते हैं, जो घर्षण के कारण होते हैं। इंजिनियर मशीनों में उसे कम करने की कोशिश करते हैं; और ठीक ही करते हैं। व्यावहारिक यांत्रिकी में घर्षण को बिल्कुल ही अवांछित बात मानते हैं। यह भी अच्छी बात है, लेकिन सिर्फ संकीर्ण व विशेष क्षेत्र में। हर दूसरी स्थिति में हमें घर्षण के प्रति कृतज्ञ होना चाहिए : उसी के कारण हम उठते-बैठते और चलते हैं, काम कर सकते हैं और है में इस बात का कोई भय नहीं होता कि किताब और दवात फर्श पर गिर जाएँगी, टेबल तब तक फिसलता रहेगा, जब तक दीवार से नहीं अड़ जाएगा, कलम उँगलियों से फिसल कर गिर जाएगी।

घर्षण इतनी सामान्य संवृत्ति है कि कुछ विशेष स्थितियों को छोड़ कर हमें उसे सहायता के लिए निमंत्रण नहीं देना पड़ता : वह खुद आ जाता है।

घर्षण वस्तुओं को स्थिरता प्रदान करना है। फर्श ऐसा है कि टेबल-कुर्सी वहीं पड़े रहते हैं, जहाँ उन्हें रखा जाता है। तश्तरी, गिलास आदि टेबल पर स्थिर पड़े रहते हैं और इसके लिए हमें कोई विशेष प्रयत्न नहीं करना पड़ता (हिचकोले

खाते जहाज पर बात दूसरी होती है)।

मान लें कि घर्षण बिल्कुल खत्म कर दिया जा सकता है। तब कोई भी पिंड, चाहे वे चट्टान हों या रेत-कण, एक दूसरे पर स्थिर नहीं रह सकेंगे; वे लुढ़कते व फिसलते रहेंगे, जब तक कि सभी एक स्तर पर नहीं आ जाएँगे। यदि घर्षण नहीं होता, तो पृथ्वी का गोला द्रव के गोले की तरह बिल्कुल चिकना होता।''

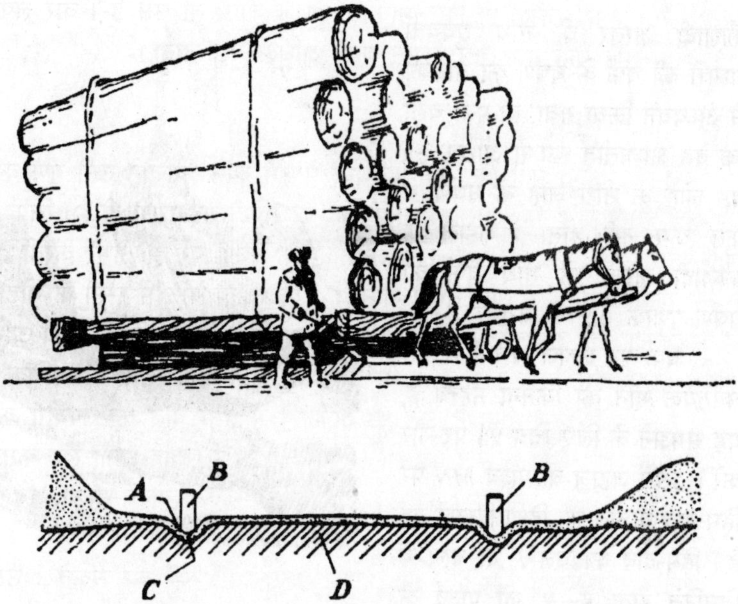

चित्र 22 ऊपर—बर्फीले पथ पर स्लेज-गाड़ी; दो घोड़े मिल कर 70 टन का भार खींच रहे हैं। नीचे—बर्फीला पथ; A—लीक; B—गाड़ी का बर्फ पर फिसलने वाला भाग; C—दबाव से घनित बर्फ; D—जमीन, जिस पर बर्फीला पथ है।

उपरोक्त कथन में और भी जोड़ा जा सकता है कि घर्षण की अनुपस्थिति में पेंच व कीलें दीवार में से फिसल कर बाहर आ जातीं, हाथ में किसी भी वस्तु को पकड़कर रखना संभव नहीं होता, कोई भी आँधी कभी खत्म नहीं होती, कोई भी ध्वनि कभी चुप नहीं होती, वह बिना क्षीण हुए परावर्तित होती रहती (जैसे, कमरे की दीवारों से) और हम उसकी अनंत प्रतिध्वनियाँ सुनते रहते।

घर्षण कितना अधिक महत्त्व रखता है, इसका मूर्त ज्ञान हमें रास्ते की फिसलन भरी बर्फ देती है। यदि हमें ऐसे रास्ते से जाना पड़ता है तो हम हर क्षण अपने को असहाय महसूस करते हैं और हर क्षण हमारे गिरने का खतरा रहता है। अखबारों में छपी चंद खबरें देखें ('दिसंबर 1927) :

''लंदन, 21। पिच्छट बर्फ के कारण लंदन में सड़कों का आवागमन कठिन हो गया है। हाथ-पैर आदि टूटने के कारण 1400 व्यक्ति अस्पतालों में दाखिल हुए हैं।''

''हाइड-पार्क में निकट दो ट्रामों के साथ टकराने के कारण तीन मोटर-कारों के पेट्रौल में विस्फोट हो गया। कारें पूर्णतया नष्ट हो गईं...।''

''पेरिस, 21। पेरिस और उसके आस-पास पिच्छट बर्फ के कारण कई दुर्घटनाएँ हुई हैं...।''

लेकिन बर्फ के नगण्य घर्षण का उपयोग तकनीकी तौर पर सफलतापूर्वक किया जा सकता है। साधारण स्लेज गाड़ी का ही उदाहरण ले सकते हैं। और अच्छा उदाहरण है हिम-पथ। जाड़ों में जंगल से रेलवे स्टेशन तक शहतीरें ढोने के लिए इन पथों का निर्माण किया जाता है। इसमें बर्फ की चिकनी 'पटरियाँ' होती हैं (चित्र 22), जिस पर दो घोड़े 70 टन शहतीरें ढो सकते हैं।

'चेल्यूस्किन' की दुर्घटना के भौतिक कारण

उपरोक्त बातों से यह निष्कर्ष निकालने की जल्दबाजी न करें कि बर्फ के साथ घर्षण हर स्थिति में नगण्य होता है। कभी-कभी वह काफी अधिक होता है, चाहे तापक्रम शून्य के निकट ही क्यों न हो। जब हिमभंजन जहाजों के

फौलादी अस्तर के साथ ध्रुववर्ती सागरों की बर्फ के घर्षण का बारीकी से अध्ययन किया गया, तो पता चला कि वह आशातीत रूप से अधिक है। वह लोहे के साथ लोहे के घर्षण से कुछ कम नहीं होता : जहाज के फौलादी अस्तर के साथ बर्फ का घर्षण-गुणांक 0.2 के बराबर है।

बर्फ पर जहाज चलाने में इस सांख्यिक मान का कितना महत्त्व है, यह समझने के लिए चित्र 23 पर गौर करें। उसमें जहाज के पार्श्व MN पर हिम-दाब के बल की दिशा दिखाई गई है। हिम-दाब का बल P दो बलों में विघटित होता है—R, जो पार्श्व के अभिलंब है और F, जो पार्श्व की स्पर्शरेखीय दिशा में क्रियाशील है। P और R के बीच का कोण उदग्र रेखा के साथ पार्श्व MN के झुकाव का कोण है। बर्फ के साथ पार्श्व के घर्षण का बल Q घर्षण गुणांक से गुणित बल R के बराबर है, अर्थात् $Q=0.2R$।

चित्र 23. हिम चट्टानों से दबा हुआ 'चेल्यूस्किन'। नीचे : जहाज के पार्श्व MN पर बर्फ के दबाव से उत्पन्न बलों की क्रिया।

यदि F घर्षण-बल Q से अधिक है, तो वह हिम-शैलों को पानी के नीचे घसीट ले जाता है। हिम-शैल पार्श्व के सहारे फिसलते रहते हैं और जहाज को नुकसान नहीं पहुँचाते। पर यदि बल Q बड़ा है F से, तो घर्षण बर्फ के पिघलने में बाधक होता है। हिम का यह दबाव यदि दीर्घकाल तक बना रहे, तो जहाज का पार्श्व पिचक सकता है।

$Q<F$ कब होगा? सरलतापूर्वक देख सकते हैं कि $F=R\,tg\,a$; अतः $Q<R tga$; पर $Q=0.2R$, अतः $Q<F$। दूसरी असमिका देती है :

$0.2R<R tga$, या $tga>0.2$

सारणी में ऐसा कोण ढूँढ़ते हैं, जिसकी स्पर्शज्या 0.2 के बराबर होती है। ऐसा कोण 11^0 के बराबर होता है। अर्थात् $Q<F$ है तब, जब $a>11^0$। इसमें ज्ञात होता है कि उदग्र रेखा के साथ पार्श्व का झुकाव कितना होना चाहिए, ताकि जहाज बिना खतरे के बर्फ पर चल सके। यह झुकाव 11^0 से कम नहीं होना चाहिए।

अब 'चेल्यूस्किन' की दुर्घटना की ओर लौटते हैं। वह हिम-भंजक नहीं, स्टीमर जहाज था। वह पूरे उत्तरी सागर-पथ को पार कर गया, लेकिन बेरिंग जलडमरूमध्य में हिम-शैलों के बीच फँस गया।

हिम-शैलों के साथ 'चेल्यूस्किन' सुदूर उत्तर की ओर बह चला (फरवरी, 1934) और अंत में उनके दबाव से पिचक गया। दो महीने लंबा यात्रियों का साहसपूर्ण जीवन और वीर विमान-चालकों द्वारा उनकी रक्षा की घटना बहुतों को याद होगी। दुर्घटना का एक वर्णन देखें :

''जहाज का फौलादी कोरपुस जल्द आत्म-समर्पण करने वाला नहीं था,–अभियान के नेता ओ.यू. शिमत ने रेडियो पर खबर दी।–साफ महसूस हो रहा था कि बर्फ जहाज को कैसे दोनों तरफ से दबा रही है और उसका फौलादी अस्तर उसे वापस धकेलता हुआ चरमरा रहा है। बर्फ का आक्रमण धीमी गति से जारी रहा, पर उसका कोई निवारण नहीं था। अस्तर के जोड़ टूट रहे थे। कीलों के उखड़ने की चटचटाहट सुनाई दे रही थी। क्षण भर बाद ही वाम पार्श्व पूरी तरह उखड़ चुका था...।''

जो कुछ यहाँ कहा गया है, इससे पाठक दुर्घटना का भौतिक कारण समझ गए होंगे। व्यावहारिक निष्कर्ष यह है कि हिम-सागर पर चलने वाले जहाजों के पार्श्व का उदग्र रेखा के साथ झुकाव 11 डिग्री से कम नहीं होना चाहिए।

संतुलित डंडा

तर्जनियों पर चित्र 24 की भाँति एक चिकना डंडा रख लें और उँगलियों को एक दूसरे की ओर खिसकाएँ। जब वे आपस में सट जाएँगी, वह विचित्र बात देखने को मिलेगी–उँगलियों की इस अंतिम स्थिति में डंडा गिरता नहीं है, अपना संतुलन कायम रखता है। आप इस प्रयोग को कई बार दुहरा सकते हैं; उँगलियों की आरंभिक स्थिति जो भी रही हो, अंतिम परिणाम हमेशा यही होगा : डंडा संतुलित हो जाया करेगा। डंडे की जगह आप कोई भी छड़ी जैसी चीज ले सकते हैं, आपको यही विशेषता नजर आएगी।

चित्र 24. गज के साथ प्रयोग, नीचे–प्रयोग का अंत।

इसका रहस्य क्या है?

एक बात स्पष्ट है : यदि सटी उँगलियों पर डंडा संतुलित हो जाता है, तो इसका मतलब है कि उँगलियाँ डंडे के गुरुत्व-केंद्र के नीचे हैं (पिंड संतुलन की अवस्था में तभी रहता है, जब उसके गुरुत्व-केंद्र से गुजरने वाली शाहुल रेखा आलंब क्षेत्र के भीतर गिरती है)।

जब उँगलियाँ परस्पर दूर होती हैं, तो अधिक बोझ उस उँगली पर पड़ेगा, जो डंडे के गुरुत्व केंद्र के निकट होगी। दाब के साथ-साथ घर्षण भी बढ़ता है। गुरुत्व-केंद्र के निकट वाली उँगली अपेक्षाकृत अधिक घर्षण महसूस करती है और इसीलिए डंडे के नीचे आसानी से नहीं फिसलती; जो उँगली गुरुत्व-केंद्र से दूर होती है, वही खिसकती है। पर ज्यों ही वह दूसरी की अपेक्षा गुरुत्व-केंद्र के अधिक निकट हो जाती है, उँगलियों की भूमिकाएँ बदल जाती हैं : अब दूसरी उँगली खिसकने लगती है और पहली स्थिर रहती है। भूमिकाओं की अदला-बदली तब तक होती रहती है, जब तक कि दोनों आपस में सट नहीं जातीं। और चूँकि हर बार सिर्फ वह उँगली खिसकती है, जो गुरुत्व-केंद्र से दूर होती है, स्वाभाविक है कि दोनों उँगलियाँ अंततोगत्वा गुरुत्व-केंद्र के ठीक नीचे आकर सटती हैं।

अंत में यह प्रयोग फर्श साफ करने वाले ब्रश के साथ दुहराएँ (चित्र 25, ऊपर) और निम्न प्रश्न का उत्तर सोचें : यदि ब्रश को ठीक उस स्थान से काट दिया जाए, जहाँ से वह उँगलियों पर संतुलित हो जाता है और दोनों टुकड़ों को तराजू के अलग-अगल पलड़ों पर रखा जाए (चित्र 25, नीचे), तो कौन सा पलड़ा भारी होगा–डंडे वाला या ब्रश वाला?

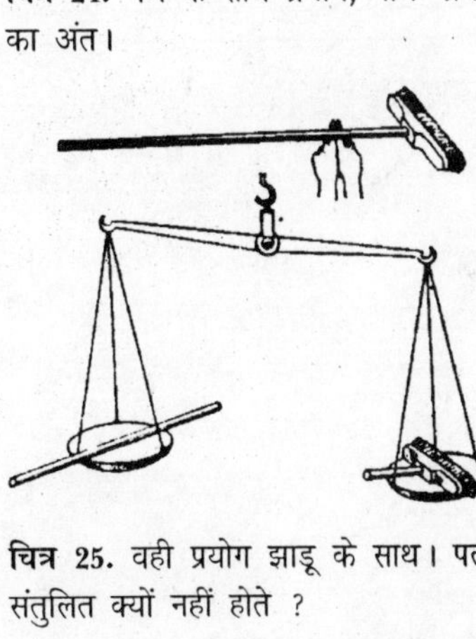

चित्र 25. वही प्रयोग झाड़ू के साथ। पलड़े संतुलित क्यों नहीं होते ?

लगता है कि यदि ब्रश के दोनों टुकड़े एक दूसरे को संतुलित कर सकते हैं, तो तराजू के पलड़ों पर भी वे एक दूसरे को संतुलित रखेंगे। पर वास्तविकता में ब्रश वाला पलड़ा भारी निकलेगा। कारण समझना कठिन नहीं, यदि इस बात को ध्यान में रखें कि पहले दोनों टुकड़ों के भार-बल टेक (उँगलियों) से भिन्न दूरियों पर क्रियाशील थे। पलड़ों पर इन टुकड़ों को रखने से ये ही बल टेक-बिंदु से समान दूरियों पर क्रियाशील होते हैं।

लेनिनग्राद सांस्कृतिक उधान की 'मनोरंजक विज्ञान प्रदर्शनी' में मैंने कई डंडे रखवाए, जिनमें गुरुत्व-केंद्रों की स्थितियाँ भिन्न थीं। हर डंडा ठीक उस स्थान से दो टुकड़ों में विभक्त हो सकता था, जहाँ उसका गुरुत्व-केंद्र था। दर्शक इन टुकड़ों को तराजू के पलड़ों पर रख कर आश्चर्यचकित हो जाते थे कि छोटा भाग बड़े वाले से अधिक भारी है।

अध्याय 3

चक्रगति

नाचता लट्टू नहीं गिरता

इसका सही कारण बहुत कम लोग बता सकते हैं, यद्यपि बचपन में लट्टू या घिरनी सभी ने नचाया होगा। नाचते लट्टू को सीधा भी रख सकते हैं, और तिरछा भी; वह गिरता नहीं है। कौन सी शक्ति उसे गिरने से रोकती है? क्या गुरुत्व उस पर अपना प्रभाव नहीं डालता? यहाँ बलों की आपसी क्रिया अत्यंत रोचक है, पर लट्टू का सिद्धांत सरल नहीं है और उसकी गहराइयों में हम नहीं जाएँगे। हम सिर्फ यह देख लें कि नाचते लट्टू (या घिरनी) नहीं गिरने का मुख्य कारण क्या है।

चित्र 26 में एक घिरनी दिखाई गई है, जो तीर की दिशा में नाच रही है। उसकी किनारी पर आमने-सामने के भागों *A* व *B* पर गौर करें। भाग *A* **आप से** दूर भाग रहा है और भाग *B* **आपकी ओर** आ रहा है। अब आप घिरनी को हल्की ठोकर देकर उसके अक्ष को थोड़ा **अपनी ओर** झुका दें और देखें कि इन भागों की गतियों पर क्या प्रभाव पड़ता है। इस ठोकर के कारण भाग *A* ऊर्ध्वगति प्राप्त करता है और भाग *B* नीचे की ओर गतिमान हो जाता है। धक्का दोनों ही भागों को उनकी अपनी गतियों के लंब की दिशा में प्राप्त होता है। यदि घिरनी काफी तेजी से नाच रही है, तो इन भागों का घूर्णन वेग काफी अधिक होगा। बिंदुओं के इस बड़े वेग के साथ जब आपकी ठोकर से प्राप्त क्षुद्र वेग जुड़ता है, तो आरंभिक बड़े वेग पर बहुत कम असर पड़ता है और मिलने वाला परिणामी वेग इसके निकट होता है। इससे स्पष्ट हो जाता है कि घिरनी ठोकर का प्रतिरोध करती सी क्यों प्रतीत होती है। घिरनी जितनी ही भारी होगी और उसका घूर्णन जितना ही तेज होगा, वह धक्के का उतना ही अधिक प्रतिरोध करेगी।

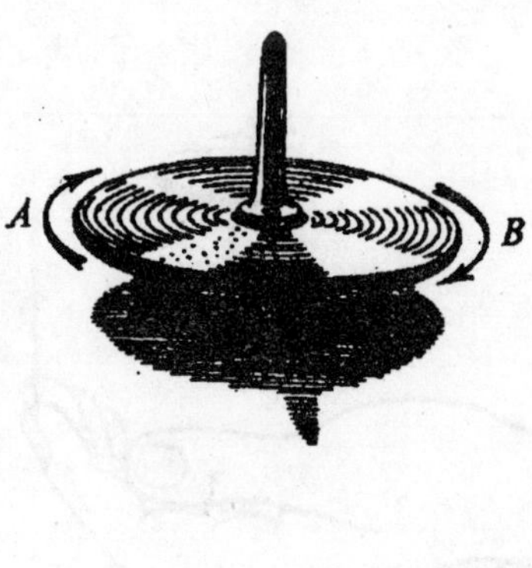

चित्र 26. घिरनी गिरती क्यों नहीं?

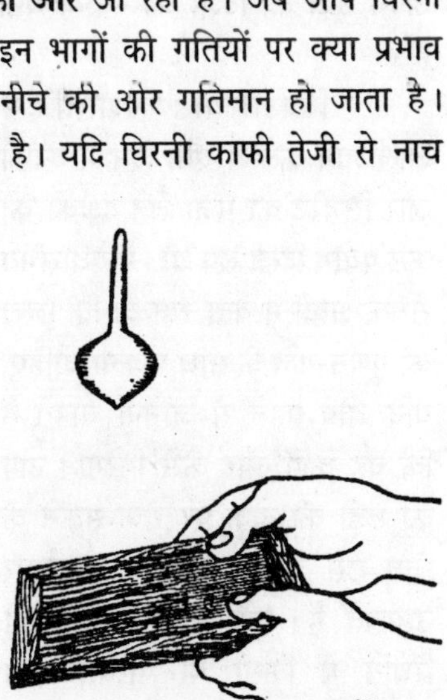

चित्र 27. नाचती घिरनी को उछालने पर वह अपने अक्ष की आरंभिक स्थिति अपरिवर्तित रखती है।

सारतः यह व्योम जड़त्व से संबद्ध है। घिरनी के सभी कण वृत्ताकार पथ पर घूमते हैं और यह पथ अक्ष के अभिलंब समतलों पर है। जड़त्व नियम के अनुसार कण हर क्षण वृत्ताकार पथ को छोड़ कर वृत्त की स्पर्श रेखा की दिशा में सरल रेखा पर भागने को प्रवृत्त रहता है। चूँकि किसी भी वृत्त की सभी स्पर्शरेखाएँ उसी समतल पर होती हैं, जिस पर स्वयं वृत्त होता है, इसलिए हर कण अपने वृत्ताकार पथ वाले समतल पर ही बने रहने की कोशिश करता है। हमें ज्ञात है कि यह समतल घिरनी के अक्ष पर लंब है। इससे निष्कर्ष निकलता है कि घिरनी में अक्ष के अभिलंब सभी समतलों की प्रवृत्ति व्योम में अपनी स्थिति स्थायी बनाए रखने की होती है और इसीलिए उनका सामूहिक लंब, अर्थात् अक्ष, भी अपनी स्थिति स्थायी रखने की प्रवृत्ति रखता है।

हम घिरनी पर बाह्य बलों के प्रभाव से उत्पन्न होने वाले सभी बलों को नहीं देखेंगे, क्योंकि व्याख्या काफी बड़ी व नीरस हो जाएगी। मैं सिर्फ इतना समझाना चाहता था कि हर घूर्णनरत पिंड घूर्णन के अक्ष की दिशा को स्थायी रखने की चेष्टा करता है।

आधुनिक तकनीकों में इस गुण का काफी विस्तृत उपयोग है। जहाजों व विमानों में कंपास, स्थावक (स्टैबिलाइज़र) आदि जैसे वलयदर्शी उपकरण लगाए जाते हैं और इनका आधार भी लट्टू का ही गुण है।

लट्टू, घिरनी जैसे साधारण खिलौनों के भी कितने लाभप्रद उपयोग हैं! घूर्णन तोप के गोलों को उनकी उड़ान के समय स्थिरता देता है। घूर्णन का उपयोग अंतरिक्षीय तोप-गोलों—स्पूतनिकों व राकेटों—को भी स्थिरता प्रदान करने के लिए किया जा सकता है।

बाजीगरी

बाजीगरी के कमाल दिखाने में भी अधिकतर उसी गुण का उपयोग किया जाता है, जिसके कारण घूर्णनरत पिंड अपने अक्ष की दिशा को स्थायी बनाए रखता है। अंग्रेज भौतिकविद् जोन पेरी अपनी पुस्तक 'लट्टू का नाच' में लिखते हैं :

''विक्टोरिया रंगशाला में आलीशान कक्ष में एक दिन मैं कॉफी और सिगरेट का मजा लेते दर्शकों को कुछ प्रयोग दिखा रहा था। मैं यथासंभव रोचक शब्दों में बता रहा था कि छल्ले को घूर्णन-गति के साथ फेंकना चाहिए, यदि आप पहले से जानना चाहते हैं कि वह कहाँ और कैसे गिरेगा। टोप को छड़ी की नोक पर रोक सकने के लिए उसे चक्कर देते हुए ही ऊपर उछालते हैं। घूर्णनरत पिंड अक्ष की स्थिति में किसी भी परिवर्तन का प्रतिरोध करता है—इस गुण का सदा ही भरोसा किया जा सकता है; आप धोखा नहीं खाएँगे। इसके बाद मैंने समझाया कि भीतर से बिल्कुल चिकनी

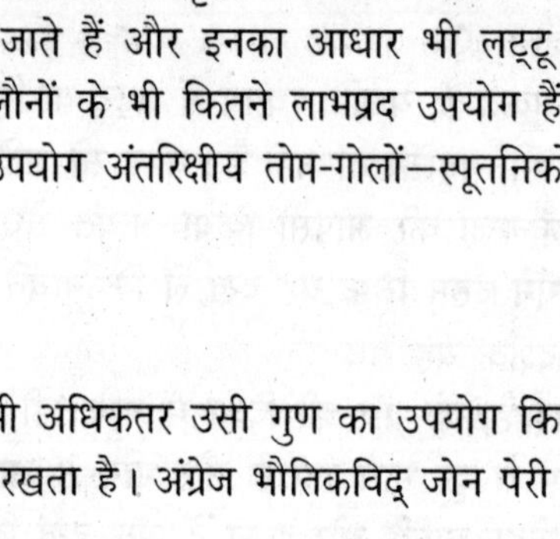

चित्र 28. घूर्णन के साथ उछालने पर सिक्के की उड़ान।

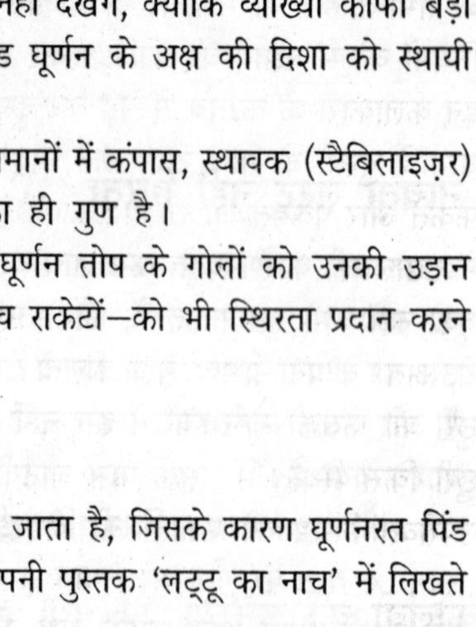

चित्र 29. बिना घूर्णन दिए उछालने पर सिक्का किसी भी स्थिति में गिर सकता है; यह सिर्फ संयोग की बात होगी।

नली वाले तोप से सही निशाना नहीं लगाया जा सकता। अक्सर नली की भीतरी दीवार पर पेंचदार कटाव बने होते हैं, जिसमें गोले की निकली हुई किनारी फँसी रहती है। तोप दागने पर बारूद की विस्फोट-शक्ति जब गोले को निकालने के लिए धक्का देती है, गोला सीधा नहीं, पेंच के सहारे चक्कर खाता हुआ निकलता है। निकलते वक्त उसकी एक विशेष घूर्णन गति होती है।

अपने व्याख्यान में मैं इससे अधिक कुछ नहीं कर सकता था, क्योंकि मुझे बाजीगरों की तरह टोप और तशतरियाँ उछालना नहीं आता। पर मेरे व्याख्यान के समाप्त होते ही मंच पर दो बाजीगर आ गए। कहना नहीं होगा कि जिन नियमों को मैं मझाने की कोशिश कर रहा था, उन्हें दृश्य-सुगम बनाने के लिए इन कलाकारों के करतब से बढ़ कर दूसरा कोई प्रयोग नहीं दिखाया जा सकता था। वे चुस्ती के साथ टोप, छाते, मुद्गर, तश्तरियाँ आदि एक दूसरे की ओर फेंकते और पकड़ते जा रहे थे...। एक बाजीगर एक के बाद एक कई छुरे हवा में उछाल कर उन्हें पकड़े जा रहा था और पुनः वापस फेंके जा रहा था। कोई चूक नहीं हो रही थी। दर्शक अभी-अभी इन संवृत्तियों की व्याख्या सुन चुके थे, अतः वे प्रसन्न हो रहे थे कि वे इन खेलों का रहस्य जानते हैं। बाजीगर छुरी को फेंकते वक्त किस प्रकार उन्हें घूर्णन देता है, ताकि उसे पता रहे कि छुरी किस स्थिति में उसके पास लौटेगी—दर्शक यह सब देख रहे थे। स्वयं मैं दंग था कि वहाँ बाजीगरों के सारे खेल उपरोक्त नियम की सत्यता को ही दर्शा रहे थे।"

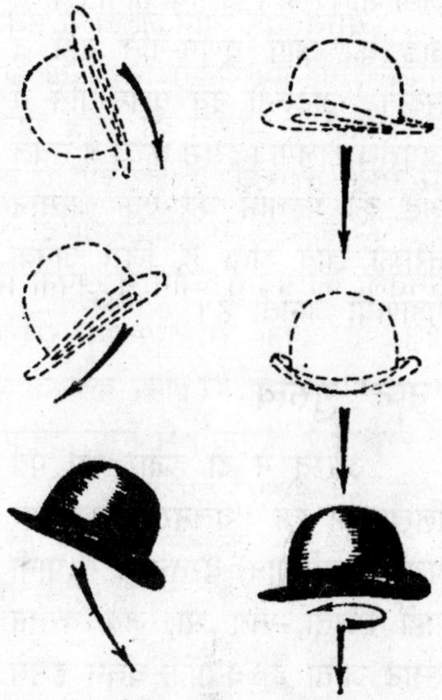

चित्र 30. टोप को लोकना आसान है, यदि उसे अक्ष के गिर्द घूर्णन दे कर उछाला जाए।

कोलंबो की समस्या का नया हल

अंडे को कैसे खड़ा किया जाए—इस विख्यात समस्या का हल कोलंबो ने कुछ ज्यादा ही सरलता से किया था : उसने अंडे के खोल को थोड़ा दबा कर तोड़ दिया और उसे टेबल पर खड़ा कर दिया।[1]

सच पूछें, तो समस्या का यह हल सही नहीं : अंडे का खोल तोड़ कर कोलंबो ने उसका **रूप** बदल दिया और इसका अर्थ है कि उसने अंडे को नहीं, बिल्कुल दूसरे पिंड को खड़ा किया था। समस्या का सार तो अंडे के रूप में ही था। रूप बदल जाने से अंडा अंडा नहीं रह गया, वह दूसरे पिंड में परिणत हो गया। कोलंबो ने उस पिंड के लिए हल नहीं दिया, जिसके लिए ढूँढा जा रहा था।

समस्या का हल अंडे का रूप बदले बगैर भी संभव है। आपको बस लट्टू के गुण का उपयोग करना पड़ेगा। अंडे को उसके लंबे अक्ष के गिर्द घूर्णन गति देने से अंडा अपने पतले या चौड़े सिरे पर खड़ा नाचता रहेगा; वह गिरेगा नहीं। चित्र में दिखाया गया है कि अंडे को घूर्णन गति उँगलियों के सहारे दी जाती है। हाथ हटा लेने के बाद आप देखेंगे कि अंडा कुछ समय तक नाचता रहता है। हल यही है।

प्रयोग के लिए उबला अंडा ही लेना चाहिए। यह रोक कोलंबो के प्रश्न की शर्तों का विरोध नहीं करती। कोलंबो ने अपना प्रश्न सुना कर वहीं खाने की मेज से एक अंडा उठाया और उसे खड़ा कर दिया। खाने की मेज पर कच्चा

---

1. वैसे, इस किस्से का कोई ऐतिहासिक आधार नहीं है। प्रसिद्ध नाविक कोलंबो ने ऐसा किया था—यह अफवाह ही है। यह किया था बिलकुल दूसरे व्यक्ति ने और बिलकुल दूसरी परस्थितियों में। इतालियन वास्तुकार ब्रुनेल्स्की (1377-1446) कोलंबो से बहुत पहले हुए थे। फ्लोरेंस के गिरजे का विशाल गुंबज बना कर उन्होंने कहा : "मेरा गुंबज इतना टिकाऊ है, जितना यह अंडा अपनी नोक पर!" (और उन्होंने नोक तोड़ कर अंडे को टेबल पर खड़ा कर दिया)।

अंडा शायद ही रखा गया होगा। कच्चे अंडे को आप घूर्णन-गति नहीं दे सकते : अंदरूनी द्रव घूर्णन-गति में अवरोध डालेगा। इससे कच्चे व उबले अंडे की पहचान का एक आसान तरीका ज्ञात होता है, जिसे अनेक गृहणियाँ जानती हैं।

चित्र 31. कोलंबो की समस्या का हल : अंडा घूर्णन करता हुआ अपने सिरे पर खड़ा है।

'नष्ट' गुरुत्व

अरस्तू ने दो हजार वर्ष पूर्व लिखा था कि "वलनरत (वृत्ताकार पथ पर गतिमान) बरतन में से पानी नहीं गिरता,—तब भी, जब बरतन उलट जाता है, क्योंकि वलन इसमें बाधक होता है।" यह प्रभावशाली प्रयोग, जिसे निस्संदेह बहुत से लोग जानते होंगे, चित्र 32 में दिखाया गया है : पानी से भरी बाल्टी को चित्र की भाँति तेजी से घुमाने पर उसमें से पानी नहीं गिरता; पथ से उस भाग में भी नहीं, जब बाल्टी औंधी हो जाती है।

बोल-चाल में इस संवृत्ति को 'केंद्रापसारी बल' द्वारा समझाया जाता है। यह एक काल्पनिक बल है और माना जाता है कि यह पिंड पर क्रियाशील हो कर उसे वलन-केंद्र से दूर भागने को प्रवृत्त करता है। पर ऐसा कोई बल है नहीं। केंद्र से दूर भागने की प्रवृत्ति और कुछ नहीं, **जड़त्व** की अभिव्यक्ति है और जड़त्व से प्रेरित गति के पीछे कोई बल नहीं होता। भौतिकी में केंद्रापसारी बल उस यथार्थ बल को कहते हैं, जिससे वलनरत पिंड उसे बाँधने वाली रस्सी को खींचता है या जिससे वह अपने वक्र पथ को दबाता है। यह बल गतिमान पिंड पर नहीं, बल्कि उस **बाधा** पर क्रियाशील होता है, जो उसे सरल रेखीय पथ पर चलने से रोकती है। इस तरह की बाधा का काम धागा, वक्र-पथ पर रेल की पटरी आदि कर सकते हैं।

आइए, वलनरत बाल्टी के अध्ययन से इस संवृत्ति का कारण समझने की कोशिश की जाए, ताकि 'केंद्रापसारी बल' जैसे द्वयर्थी शब्द का इस्तेमाल न करना पड़े। पहले इस प्रश्न पर गौर करें : यदि बाल्टी की दीवार में एक छेद बना दिया जाए, तो पानी की धार किस दिशा में बहेगी? गुरुत्व-बल की अनुपस्थिति में धार जड़त्ववश वृत्त *AB* की स्पर्श रेखा *AK* की दिशा में बहती (चित्र 32)। पर गुरुत्व पानी की धार को क्रमशः नीचे उतरने को बाध्य करता है, अर्थात् धार का पथ वक्र हो जाता है (वलय *AP*)। यदि वलन का वेग पर्याप्त अधिक होगा, तो वक्र *AP* वृत्त *AB* के बाहर रहेगा। यदि पानी बाल्टी की पकड़ (अर्थात् उसकी दीवारों के दबाव) से मुक्त होता, तो वह उसी पथ *AP* पर गतिमान होता। इससे स्पष्ट हो जाता है कि बाल्टी के वलन से पानी में नीचे गिरने की कोई प्रवृत्ति नहीं रह जाती और इसीलिए वह नीचे नहीं गिरता। पानी गिरे, इसके

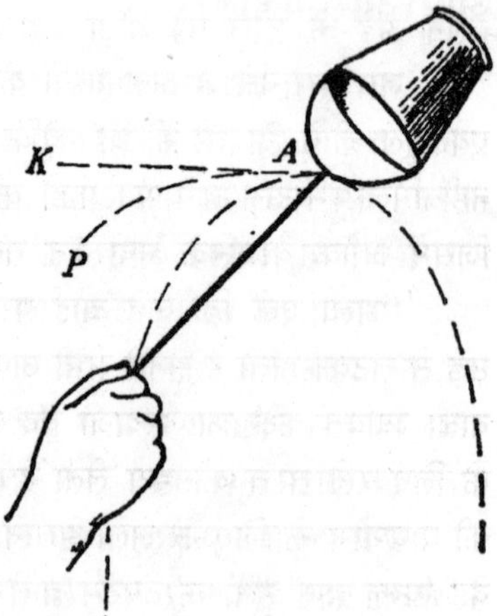

चित्र 32. चक्कर खाती बाल्टी से पानी क्यों नहीं गिरता?

लिए आवश्यक है कि बाल्टी का मुँह वलन की दिशा में हो।

अब कलन करें कि इस प्रयोग में बाल्टी को किस वेग से घुमाना चाहिए कि उसमें से पानी नीचे नहीं गिरे। वह वेग ऐसा होना चाहिए कि वलनरत बाल्टी का केंद्रोन्मुखी त्वरण गुरुत्व बल के त्वरण से कम हो : इस स्थिति में पानी का संभव पथ बाल्टी द्वारा निरूपित वृत्त के बाहर रहेगा और पानी बाल्टी से कहीं भी पीछे नहीं छूटेगा। केंद्रोन्मुखी त्वरण W ज्ञात करने के लिए सूत्र है :

$$W=v^2/R$$

जहाँ v—वलन वेग और R—वृत्ताकार पथ की त्रिज्या है। पृथ्वी-तल पर गुरुत्व का त्वरण $g=9.8\ m/S^2$ है, अतः हमें असमिका $v^2 / R \geq 9.8$ प्राप्त होती है। यदि $R=70$ cm लिया जाये, तो

$$\frac{v^2}{0.7} \geq 9.8 \text{ तथा } v \geq \sqrt{0,7\ .\ 9.8}; \quad v \geq 2.6\ m/s$$

सरलता से ज्ञात कर सकते हैं कि ऐसा वलनवेग प्राप्त करने के लिए आपके हाथ को प्रति सेकेंड करीब डेढ़ चक्कर लगाना पड़ेगा। इतना तेज वलन आसानी से प्राप्त किया जा सकता है और प्रयोग करने में कोई कठिनाई नहीं होती।

जब द्रव बरतन में अपने क्षैतिज अक्ष के गिर्द घूर्णन करता है, तो वह बरतन की दीवार को दबाता हुआ उसके निकट होने की प्रवृत्ति रखता है। द्रव का यह गुण तकनीकी में यथाकथित 'केंद्रापसारी ढलैया' के लिए प्रयुक्त होता है। यदि द्रव एकरूप नहीं होता, तो विशिष्ट भारों के अनुसार उसके अवयवों की परतें बन जाती हैं : अधिक भारी अवयव अक्ष से अधिक दूर होते हैं और हल्के अवयव अक्ष के निकट परतें बनाते हैं। फलस्वरूप पिघली धातु गें उपस्थित गैसें, जिनके बुलबुले ढलैया में 'गुफाएँ' बना देते हैं, धातु से अलग हो कर ढलैया के अंदरूनी खोखले भाग में एकत्रित हो जाती हैं। ऐसी ढलैया से बनी वस्तुएँ 'गुफाओं' से मुक्त होती हैं। केंद्रापसारी ढलैया साधारण दबावी (प्रेस) ढलैया से सस्ता पड़ता है और इसका उपकरण अधिक जटिल नहीं होता।

आप और गैलीली

जो सनसनीखेज अनुभूतियों के प्रेमी हैं, उनका मनोरंजन तथाकथित 'शैतानी झूले' से किया जा सकता है। ऐसा एक झूला लेनिनग्राद में भी था। चूँकि मुझे उस पर झूलने का सुअवसर नहीं मिला, मैं उसका वर्णन फेडो की पुस्तक से उद्धृत कर रहा हूँ, जिसमें अनेक वैज्ञानिक मनोरंजन संकलित हैं :

"झूला एक विशेष ऊँचाई पर कमरे से आर-पार लगे क्षैतिज छड़ से लटका होता है। जब सभी अपने स्थान पर बैठ जाते हैं, झुलाने वाला व्यक्ति कक्ष का दरवाजा बंद कर देता है और झूले पर चढ़ने के लिए रखे तख्त को हटा लेता है। वह एक छोटी सी हवाई यात्रा की घोषणा करता है और झूला झुलाना शुरू कर देता है। झुलाते-झुलाते वह उछल कर झूले पर टमटम वाले की तरह नीचे बैठ जाता है या थोड़ा झुला कर कक्ष से बाहर निकल जाता है।

झूले का झूलना क्रमशः तेज होने लगता है, पेंगे लंबी होने लगती हैं, झूला छड़ की ऊँचाई तक पहुँचने लगता है, धीरे-धीरे छड़ को पार

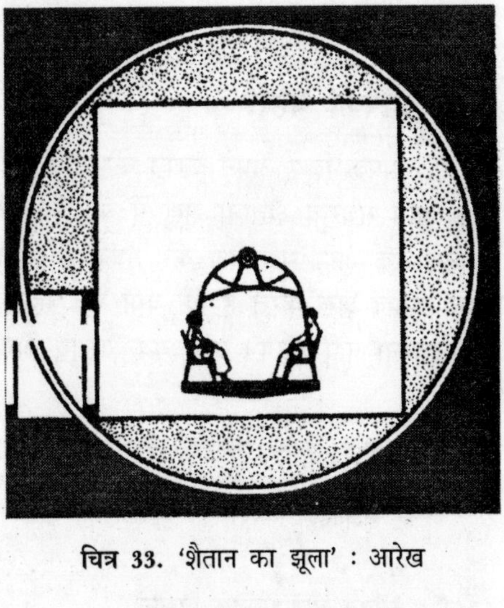

चित्र 33. 'शैतान का झूला' : आरेख

करने लगता है और अंततोगत्वा गोल चक्कर काटने लगता है। गति क्षिप्र होती जाती है। यद्यपि लोग पहले से सावधान कर दिए जाते हैं; तेज गति और झूलन की अनुभूति से उनका सर चकराने लगता है, उन्हें लगता है कि वे सिर के बल नीचे किसी गहरी खाई में गिरते जा रहे हैं और इसीलिए डर के मारे कुर्सियों के हत्थे पकड़ लेते हैं।

झूलना धीरे-धीरे कम होने लगता है, अब वह छड़ से अधिक ऊँचा नहीं उठता...कुछ क्षण और बीतते हैं और वह पूरी तरह रुक जाता है।

पर वास्तविकता में झूला **पूरे काल तक स्थिर** था। झूल रहा था कमरा। जटिल यंत्रों की सहायता से कमरा अपने क्षैतिज अक्ष के गिर्द घुमाया जाता है। कमरे में सभी टेबल, कुर्सी आदि फर्श से जड़े रहते हैं। टेबल पर रखा लैंप भी टेबल के साथ जड़ा रहता है। झुलाने वाला व्यक्ति सचमुच में नहीं झुलाता, वह कमरे की गति की लय में झुलाने की नकल करता है। सारी स्थिति ऐसी होती है कि धोखा पूर्णतया सफल रहता है।''

भ्रम का रहस्य इतना सरल है कि आपको हँसी आती होगी, पर इसका ज्ञान हो जाने पर भी यदि आपको झूले पर बैठा दिया जाए, तो आप धोखे में आने से बचेंगे नहीं। इतना शक्तिशाली है यह भ्रम!

> गति नहीं है,—यति[1] बोला;
> दूसरा[2] लगा टहलने चुपचाप।
> बढ़ कर इससे क्या तर्क देते आप
> और यश पाया उसने पीट ढिंढोला।
> पर, श्रीमान्, यह किस्सा मजेदार
> याद दिलाता एक और तकरार!
> हर दिन सूरज घूमता नभ के आर-पार,
> पर सच कहता गैलीली जिद्दीदार।

झूले में इस रहस्य से अनभिज्ञ लोगों के बीच आप की स्थिति गैलीली की तरह होगी। गैलीली सिद्ध कर रहा था कि सूरज और तारे अचल हैं, और हम (पृथ्वी के साथ) घूमते हैं। आप सिद्ध करेंगे कि कमरा आपके गिर्द घूम रहा है और आप (झूले के साथ) अचल हैं। संभवतः आप को गैलीली की तरह ही इसके दुखद परिणाम भी भोगने पड़ेंगे : आप ऐसे आदमी समझे जाने लगेंगे, जो बिल्कुल साफ दिखने वाली बात का विरोध करता है...।

मेरी आपकी बहस

आपके लिए अपने कथन की सत्यता सिद्ध करना इतना सरल नहीं होगा, जितना आप सोचते हैं। कल्पना करें कि आप सचमुच शैतानी झूले में बैठे हैं और अपने पड़ोसियों को समझाने की कोशिश कर रहे हैं कि वे गलत हैं। अपने तर्क आप मुझे पेश कर सकते हैं। आइए, हम दोनों इस झूले में बैठते हैं। झूला चक्कर खाने लगता है और हम विवाद शुरू करते हैं कि क्या घूम रहा है। सिर्फ एक बात को ध्यान में रखें : बहस के दरम्यान आप को झूले से उतरना नहीं होगा। आवश्यक वस्तुएँ आप अपने साथ पहले से रख लें।

---

1. प्राचीन यूनानी दार्शनिक क्सेनोन एलियन (ई.पू. V-शती), जिसके अनुसार विश्व में सब कुछ अचल है और गति की प्रतीति का कारण भ्रम है

2. डायागेन

आप–इसमें शक की कोई बात ही नहीं है कि हम स्थिर हैं और कमरा घूम रहा है। यदि हमारा झूला इस तरह चक्कर लगाता, तो ऊपर जा कर यह उल्टा हो जाता और हम जमीन पर गिर जाते; सिर नीचे और पैर ऊपर किए हुए हम लटके नहीं रहते। चूँकि हम गिरते नहीं हैं, इसलिए झूला स्थिर है और कमरा चक्कर खा रहा है।

मैं–आप पानी भरी बाल्टी को घुमाने का प्रयोग याद करें : इसमें बाल्टी के उलटने पर भी पानी नहीं गिरता (पृ. 65)। 'शैतानी फंदे; को देखें; साइकिल सवार इसमें बिल्कुल उल्टा होकर साइकिल चलाता है, पर गिरता नहीं है (दे. आगे पृ. 77)

आप–यदि ऐसा है, तो आइए, अभिकेंद्री त्वरण ज्ञात करते हैं। देखें कि वह हमें गिरने से रोकने के लिए पर्याप्त है या नहीं। घूर्णन अक्ष से हमारी दूरी और प्रति सेकेंड की घूर्णन संख्या मालूम करना सहज है और अभिकेंद्र त्वरण ज्ञात करने का सूत्र है...

मैं–तकलीफ मत कीजिए। झूला बनाने वाले मुझे बता चुके हैं कि घूर्णन-संख्या मेरे पक्ष में निर्णय देगी। अतः आपके कथन से बहस का अंत होने वाला नहीं है।

आप–लेकिन मैंने उम्मीद नहीं छोड़ी है। देखिए, गिलास से पानी नहीं गिर रहा है...। अरे नहीं, यह तर्क नहीं चलेगा; आप फिर बाल्टी घुमाने वाला प्रयोग सुनाने लगेंगे। दूसरा तर्क सुनें : मेरे हाथ में शाहुल है वह नीचे की ओर हमारे पैरों के पास लटक रहा है। यदि कमरा अचल होता और हम घूमते होते, तो शाहुल कभी हमारे सर के पास आ जाता, तो कभी बगल की ओर खिंचने लगता।

मैं–आप गलत हैं। यदि हमारी गति पर्याप्त है, तो शाहुल हर वक्त घूर्णन की त्रिज्या की दिशा में भागने की कोशिश करेगा, अर्थात् वह हमारे पैरों के पास लटकता रहेगा, जैसा कि हम देख रहे हैं।

बहस का अंत

यदि आप बहस में जीतना ही चाहते हैं, तो मेरी सलाह सुनिए। झूले पर अपने साथ एक कमानीदार तुला रख लीजिए। जब झूला झूलने की बजाय चक्कर खाने की अनुभूति होने लगे, उससे कोई वजन (जैसे 1 kg का) लटका दीजिए और उसकी सूई की गति को देखिए। यदि झूला स्थिर लटक रहा है, तो सूई हमेशा एक ही वजन–1 kg–दिखाएगी।

यदि हम तुला के साथ-साथ अक्ष के गिर्द घूमते होते, तो वजन पर गुरुत्व बल की क्रिया के अतिरिक्त केंद्रापसारी प्रभाव भी देखने को मिलता। इस प्रभाव के कारण पथ के निचले बिंदुओं पर वजन 1kg **से अधिक** नजर आता और ऊपरी बिंदुओं पर 1 kg **से कम**। हमारे अवलोकन में तुला से लटकाई गई वस्तु का भार कभी अधिक होता, तो कभी कम। यदि ऐसा नहीं है, तो कमरा चक्कर लगा रहा है; हम नहीं।

'तिलस्मी' गोले में

अमेरिका के एक उद्योगपति ने कमाने के लिए एक मजेदार घुरनी (चक्रदोला) बनवाई उसका आकार गोलाकार कमरे की तरह था, जो अपनी धुरी पर घूम सकती थी। भीतर बैठे लोगों को ऐसी अनुभूतियाँ होती थीं, जैसी सिर्फ सपने या परीकथाओं में होती हैं।

पहले यह देखें कि गोल घूर्णनरत चबूतरे पर आदमी क्या अनुभव करता है।

चक्रगति आदमी को दूर फेंकने की कोशिश करती है। केंद्र से भाग जितना ही दूर होंगे, आपको फेंकने की कोशिश करने वाला बल उतना ही अधिक होगा। आँखें बंद करने पर आपको लगेगा कि आप क्षैतिज चबूतरे पर नहीं, किसी ढालू तल पर खड़े हैं, जहाँ संतुलन कायम रखना बहुत कठिन है। यह समझने के लिए हमें शरीर पर क्रियाशील सभी बलों का अध्ययन करना होगा (चित्र 34)। घूर्णन-गति हमारे शरीर को चबूतरे से बाहर फेंकने की कोशिश करती है

और भार हमें नीचे की ओर खींचता है। बाहर की ओर फेंकने और नीचे की ओर खिंचने की गतियाँ समनांतर चतुर्भुज के नियम से जुड़ती हैं। इस तरह से प्राप्त परिणामी गति की दिशा **नीचे की ओर झुकी होती** है। घूर्णन गति जितनी ही अधिक होगी, उदग्र रेखा के साथ परिणामी बल का कोण और बड़ा होता जाएगा।

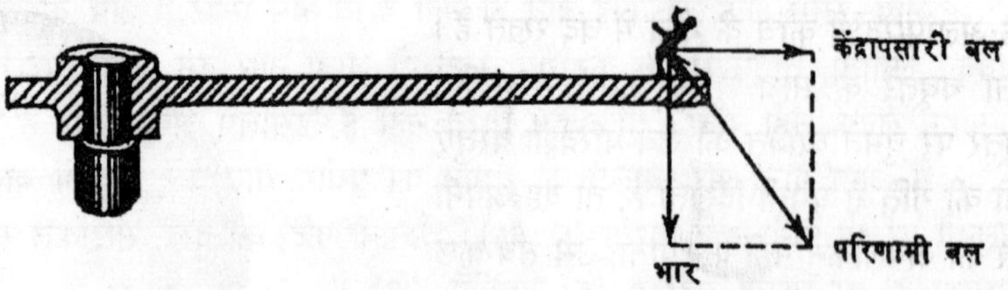

चित्र 34. घूर्णन चबूतरे पर आदमी का अनुभव करता है।

अब कल्पना करें कि चबूतरे की किनारी थाली जैसी मुड़ी हुई है और आप इसी ढालू भाग पर खड़े हैं (चित्र 35)। यदि चबूतरा अचल है, तो आप सरकते हुए नीचे आ जाएँगे या हो सकता है कि गिर जाएँगे। पर यदि चबूतरा घूर्णनरत है, तो दूसरी बात है। घूर्णन के एक विशेष वेग पर ढालू तल आपके लिए क्षैतिज सा हो जाएगा, क्योंकि आपको खींचने वाली दोनों गतियों से प्राप्त परिणामी गति की दिशा बाहर की ओर ढलान के लंब होगी।[1]

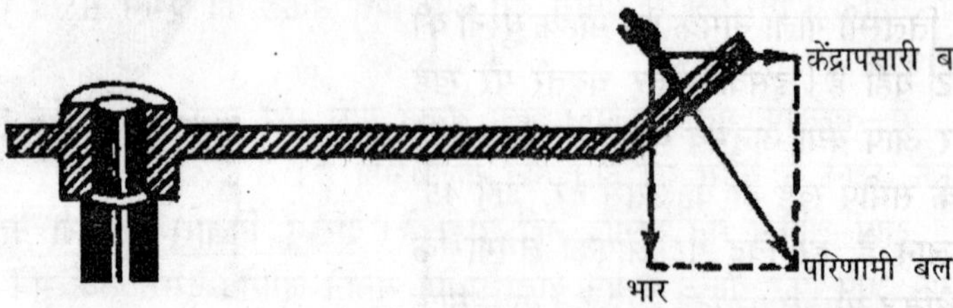

चित्र 35. आदमी घूर्णनरत चबूतरे की ढालू किनारी पर स्थिर खड़ा है।

यदि विशेष वेग से घूर्णनरत चबूतरे के तल को ऐसी वक्रता प्रदान की जाए कि उसके हर बिंदु पर प्राप्त परिणामी गति की दिशा उसके अभिलंब हो, तो उसके किसी भी बिंदु पर आप नहीं महसूस करेंगे कि आप ढलान पर खड़े हैं; आपको लगेगा कि आप क्षैतिज तल पर खड़े हैं। गणितीय कलनों से ज्ञात है कि इस तरह के वक्रतल का एक विशेष ज्यामितीय रूप होता है—**परवलयी**। यदि गिलास को पानी से आधा भर कर उदग्र अक्ष के गिर्द नचाया जाये, तो पानी का क्षैतिज तल परवलयी तल में परिणत हो जाएगा : किनारी पर पानी ऊपर उठ आएगा और बीच में गहरा गड्ढा सा बन जाएगा।

यदि हम पानी की जगह पिघला हुआ मोम लें और गिलास को मोम के जम जाने तक घूर्णित रखें, तो हमें परवलयी तल प्राप्त हो जाएगा। वेग-विशेष पर ऐसा तल भारी पिंडों के लिए क्षैतिज तल का काम करता है। उदाहरणार्थ, उसके किसी बिंदु पर रखी गई गोली नीचे नहीं लुढ़केगी, उसी ऊँचाई पर स्थित रहेगी (चित्र 36)।

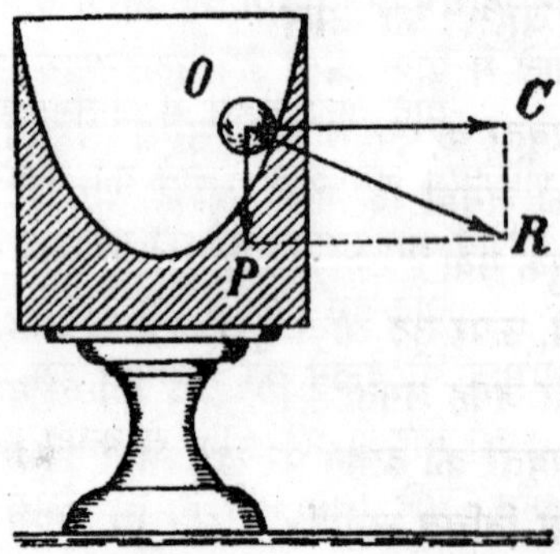

चित्र 36. यदि गिलास को पर्याप्त वेग से घूर्णित रखा जाए तो गोली पेंदी की ओर नहीं लुढ़केगी।

अब आप 'तिलस्मी' गोले की बनावट समझ सकते हैं।

यह परवलयी तल वाला एक बहुत बड़ा चबूतरा होता है (चित्र 37)। इसकी घूर्णन-गति शांत व बिना किसी झटके की होती है, फिर भी उस पर खड़े लोगों के सर में चक्कर आना शुरू हो जाता है। इससे बचने के लिए चबूतरे को

---

1. इन्हीं तथ्यों से कुछ अन्य बातें भी समझी जा सकती हैं। रेल-पथ के मोड़ पर बाहरी पटरी भीतर से कुछ ऊँची होती है। साइकिल व मोटरसाइकिल रेस के पथ मोड़ों पर वक्रता-केंद्र की ओर झुके होते हैं। पेशेवर मोटरसाइक्लिस्ट खड़ी ढलान वाले पथों पर भी बिना किसी डर के मोरटसाइकिल चला सकते हैं।

एक अल्पपारदर्शी काँच के गोले में बंद रखते हैं। गोला चबूतरे के साथ घूर्णन करता रहता है। चबूतरे पर घूमते व्यक्ति को जब परिवेशी वस्तुएँ उसी की गति से घूमती दिखती हैं, तो वह अपनी गति का अवलोकन नहीं कर पाता; उसे सब कुछ अचल सा प्रतीत होता है और उसका सिर नहीं घूमता।

तिलस्मी गोला नामक इस मोहक घुरनी की बनावट यही है। इसके भीतर चबूतरे पर खड़े हो कर आप क्या अनुभव करते हैं? आप चाहे अक्ष के समीप खड़े हों या उससे दूर, जहाँ 45^0 की ढलान है, हर बिंदु पर आपको लगेगा कि आप क्षैतिज समतल पर खड़े हैं। आँखें साफ-साफ दिखाती हैं कि चबूतरे का तल वक्र है, पर पेशियों की संवेदना बताती है कि पैरों तले जमीन समतल है।

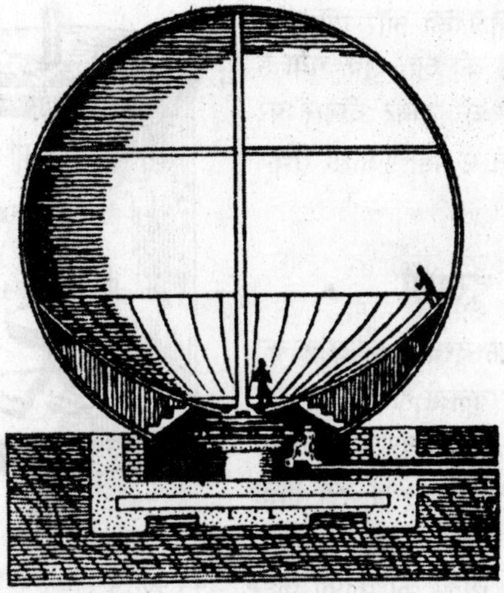

चित्र 37. 'तिलस्मी' गोला (अनुच्छेद)।

दोनों संवेदनाओं का यह परस्पर विरोध ही उन विचित्र अनुभूतियों का कारण है, जिसे आप गोले में प्राप्त करते हैं। उदाहरणार्थ, यदि आप चबूतरे के एक छोर से दूसरे पर पहुँचेंगे, तो आप को लगेगा कि गोला आपके भार से इस ओर झुक गया है और वह भाग, जहाँ आप पहले खड़े थे, ऊपर उठ आया है। कारण स्पष्ट है : आपको हर जगह लगता है कि आप समतल पर खड़े हैं। चबूतरे की ढलान पर खड़े लोगों की स्थिति और भी विचित्र लगेगी। वे छत पर रेंगती मक्खियों की तरह उल्टा लटके नजर आएँगे (चित्र 38)।

चित्र 38. 'तिलस्मी' गोले में लोगों की वास्तविक स्थिति।

चित्र 39. हरेक सोचता है कि जमीन पर सिर्फ वही खड़ा है।

चबूतरे पर गिरा हुआ पानी उसके पूरे वक्र तल पर फैल कर समान मोटाई की परत बना लेगा। लोगों को प्रतीत होगा कि उनके सामने पानी की ढालू दीवार खड़ी है।

आप देखते हैं कि गुरुत्व नियम की आम धारणाएँ यहाँ नष्ट हो जाती हैं और हम परीकथाओं की जादुई दुनिया में पहुँच जाते हैं...।

विमान-चालकों को हवाई जहाज घुमाते वक्त ऐसी ही अनुभूति होती है। मान लें कि वह 200 km प्रति घंटे की चाल से उड़ रहा है। पथ की वक्रता-त्रिज्या 500 m है। चालक को जमीन थोड़ी उभरी हुई 16^0 की ढलान बनाती नजर आएगी।

जर्मनी के हैटिंग्टन शहर में ऐसी ही एक घूर्णनरत प्रयोगशाला बनाई गई थी, जिसका आकार बेलनाकार कमरे जैसा था (चित्र 40)। इसका व्यास 3 m था और प्रति सेकेंड 50 चक्करों की चाल से नाचता था। चूँकि फर्श समतल

था, अंदर खड़े प्रेक्षक को लगता था कि कमरा पीछे की ओर झुक गया है और वह पीठ के सहारे दीवार पर अधलेटी स्थिति में पड़ा हुआ है (चित्र 41)।

द्रव निर्मित दूरदर्शी

परावर्तक दूरदर्शी के दर्पण का इष्टतम रूप परवलयी ही है। यह वही परवलयी तल है, जो घूर्णनरत बरतन में रखे द्रव की सतह का रूप होता है। दर्पण को ऐसा रूप देने के लिए दूरदर्शी बनाने वालों को काफी कड़ी मेहनत करनी पड़ती है। दूरदर्शी का दर्पण बनाने में वर्षों का समय व्यतीत होता है। पर अमेरिकन भौतिकविद् वुड ने इन परेशानियों से बचने के लिए **द्रव से एक दर्पण** बना लिया। उन्होंने एक चौड़े बरतन में पारे को घूर्णित कर एक आदर्श परवलयी तल प्राप्त किया, जो दर्पण का काम कर सकता था, क्योंकि पारा प्रकाश का अच्छा परावर्तक है। वुड का दूरदर्शी एक कम गहरे कुएँ में रखा गया था। गतिदायक पट्टी पारे के बरतन के साथ-साथ उसमें प्रतिबिंबित प्रो. वुड की शक्ल भी घुमाती रहती थी।

चित्र 40. घूर्णनरत, प्रयोगशाला—वास्तविक स्थिति।

चित्र 41. उसी प्रयोगशाला की प्रतीयमान स्थिति।

इस दर्पण की कमी यह है कि हलकी सी ठोकर भी सतह पर हिलकोरें ला देती है, जिससे प्रतिबिंब विकृत हो उठता है। इसके अतिरिक्त, दर्पण सिर्फ क्षैतिज स्थिति में रखा जा सकता है, अतः इसके सहारे आप सिर्फ उन्हीं नक्षत्रों का अवलोकन कर सकते हैं, जो नभ में ठीक दर्पण के ऊपर (मध्य में) हैं।

आश्चर्य नहीं कि बनावट में इतना सरल होने के बावजूद भी प्रो. वुड के पारद दूरदर्शी का कोई व्यावहारिक उपयोग नहीं हो पाया। इसे गंभीरता से कोई ले भी नहीं रहा था—न ही आविष्कारक और न ही तत्कालीन भौतिकविद्।

उदाहरणार्थ ए.बी. वेब्स्टर, जो अमेरिका के एक विश्वविद्यालय में भौतिकी विभाग के अध्यक्ष थे, इस मौलिक उपकरण को देखने के बाद निम्न पंक्तियाँ लिख कर छोड़ गए :

डिंग, डौंग—घंटा बोला,
कुएँ में प्रो. डोला
क्या रखा उसमें आस से?
कठौता भरा बकवास से।
और क्या लाए साथ?
कुछ नहीं, आए खाली हाथ।

'शैतान का फंदा'

आपने सरकस में साइकिल का एक कौशल देखा होगा। आदमी नीचे से ऊपर की ओर साइकिल चलाता हुआ

गोल पथ तय करता है। इस पथ के ऊपरी भाग पर उसे पैर ऊपर व सिर नीचे किए हुए चलना पड़ता है। इसके लिए लीला स्थल पर लकड़ी का एक पथ रखा जाता है, जिसका रूप फंदे जैसा होता है (चित्र 42)। उसमें एक से अधिक फंदे भी हो सकते हैं। कलाकार साइकिल चलाता हुआ पथ के ढालू भाग से उत्तरता है और फिर तेजी से ऊपर चढ़ता हुआ गोल चक्कर लगाता है। इस क्रिया में उसके पैर ऊपर हो जाते हैं और सिर नीचे, लेकिन वह गिरता नहीं है; सकुशल वापस लौट आता है।[1]

साइकिल का यह सिर चकरा देने वाला कौशल दर्शकों को कलाबाजी का शिखर प्रतीत होता है। लोग सोचते हैं कि कोई रहस्यमय अलौकिक शक्ति ही साइकिल सवार को गिरने से रोकती है। उन्हें यह भी शक होता है कि इसमें कोई धोखा है। पर इस ट्रिक के पीछे कोई दिव्य चमत्कार नहीं है। इसे यांत्रिकी के नियमों से समझाया जा सकता है। इस पथ पर यदि भारी गेंद को भी तेजी से लुढ़का दिया जाए, तो वह भी नहीं गिरेगी। स्कूलों में भौतिकी की प्रयोगशालाओं में भी ऐसे फंदों का नन्हा प्रतिमान देखा जा सकता है।

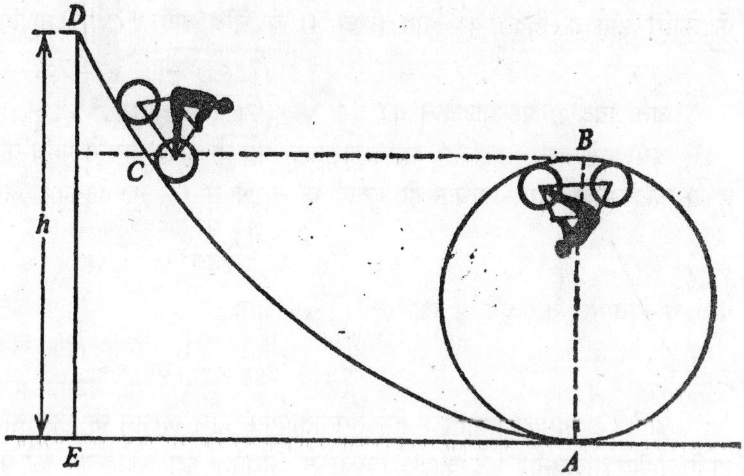

चित्र 42. 'शैतान का फंदा'। वलन के लिए आरेख।

इस कलाबाजी के विख्यात आविष्कारक एवं प्रदर्शक कलाकार 'मेफिस्तो' फंदे की मजबूती जाँचने के लिए एक गोला रखते थे, जिसका भार सवार समेत साइकिल के भार के बराबर था। गोले को फंदे के पथ पर तेजी से लुढ़काया जाता था। यदि गोला पूरा पथ सकुशल तय कर लेता था, तब कलाकार अपनी कला दिखाने को तैयार होते थे।

पाठक बेशक समझ गए होंगे कि इस विचित्र संवृत्ति का कारण वही है, जो घूमती बाल्टी से पानी को गिरने से रोकता है (पृ. 65)। पर ट्रिक हमेशा सफल नहीं होती। जिस स्थान से साइकिल सवार अपनी गति आरंभ करता है, उसकी ऊँचाई का सही-सही कलन पर लेना चाहिए, अन्यथा दुर्घटना हो जाएगी।

सरकस की गणित

मैं जानता हूँ कि भौतिकी के कुछ प्रेमी ऐसे भी हैं, जो नीरस सूत्रों को देखकर डर जाते हैं। पर घटनाओं के गणितीय पक्ष को जानने से इनकार करने पर हम उनके बारे में न कोई भविष्यवाणी कर सकते हैं, न उन परिस्थितियों को ही निर्धारित कर सकते हैं, जो दी हुई घटनाओं के लिए आवश्यक हैं। उदाहरणार्थ, 'शैतानी फंदे' जैसी कलाबाजी दिखाने के लिए आवश्यक बातें दो-तीन सूत्रों की सहायता से ज्ञात की जा सकती हैं।

आइए, कलन करते है। आरंभ करते हैं वर्णों द्वारा कलन के लिए आवश्यक राशियों के द्योतन से :

वर्ण h द्वारा द्योतित करते हैं ऊँचाई, जिससे कलाकर साइकिल लुढ़काना आरंभ करता है;

---

1. ''शैतान के फंदे'' का आविष्कार सरकस के दो कलाकारों ने एक ही साथ 1902 ई. में किया था। एक का नाम था 'दियाबोलो' (जोन्सन) और दूसरे का 'मेफिस्ती' (नुवाजेत)। दियाबोलो और मेफिस्तो शैतान के नाम हैं।

वर्ण x द्वारा ऊँचाई h के उस भाग को द्योतित करते हैं, जो 'फंदे' के उच्चतम बिंदु से ऊपर है; चित्र 42 से स्पष्ट है कि $x=h-AB$; वर्ण r द्वारा फंदे की त्रिज्या द्योतित करते हैं;

वर्ण m द्वारा–सवार व साइकिल का सम्मिलित द्रव्यमान; उनका सम्मिलित भार होगा mg, जहाँ :

वर्ण g द्वारा पृथ्वी के गुरुत्व-बल के प्राप्त त्वरण को द्योतित किया गया है; ज्ञात है कि $g=9.8m$ प्रति सेकेंड प्रति सेकेंड;

वर्ण u उस क्षण पर साइकिल का वेग द्योतित करता है, जब वह वृत्त के उच्चतम बिंदु पर पहुँचता है।

इन सभी राशियों को दो समीकरणों की सहायता से संबद्ध किया जा सकता है। यांत्रिकी से ज्ञात है कि ढालू पथ के बिंदु C पर (जो कि बिंदु B जितना ही ऊँचा है) साइकिल का वेग उतना ही होगा, जितना उसका वेग फंदे के ऊपरी भाग के बिंदु B पर होगा (चित्र 41 के नीचे बाएँ)। C पर साइकिल के लुढ़कने का वेग होगा[1]

$$v = \sqrt{2gx}\,, \quad \text{या} \quad v^2 = 2gx$$

अतः बिंदु B पर साइकिल का वेग $v = \sqrt{2gx}$, अर्थात् $v^2 = 2gx$ ।

अब आगे चलें : साइकिल चालक वृत्ताकार पथ के ऊपर भाग में पहुँच कर नीचे न गिर जाए, इसके लिए आवश्यक है कि केंद्रोन्मुखी त्वरण अधिक हो गुरुत्व के त्वरण से (दे. पृ. 65-66), अर्थात्

$$\frac{v^2}{r} > g \quad \text{या} \quad v^2 > gr$$

पर हम निर्धारित कर चुके हैं कि $v^2 = 2gx$; अतः

$$2gx > gr \quad \text{या} \quad x > \frac{r}{2}$$

अंतिम असमिका बताती हैं कि सफलतापूर्वक खेल दिखाने के लिए ढालू पथ की चोटी फंदे के शिखर से ऊँची होनी चाहिए। कितनी? फंदे की ½ त्रिज्या से अधिक। पथ की ढलान का कोई महत्त्व नहीं होता। मुख्य बात यह है कि जिस बिंदु से साइकिल चलती है, उसे फंदे से उसके ¼ व्यास ऊपर होना चाहिए। उदाहरणार्थ, यदि फंदे का व्यास 16 m है, तो कलाकार को साइकिल लुढ़काने का काम 20 m से अधिक की ऊँचाई से शुरू करना चाहिए; कम से नहीं, अन्यथा उसका गिरना अवश्यंभावी हो जाएगा। यह ट्रिक की आवश्यक शर्त है।

हमारा कलन साइकिल में उपस्थित घर्षण बल को ध्यान में नहीं रखता : हम यह मान कर चलते हैं कि बिंदु B व बिंदु C पर साइकिल का वेग समान रहता है। अतः फंदे तक पहुचने के लिए पथ के ढालूपन को कम नहीं करना चाहिए; इससे पथ की लंबाई बढ़ जाएगी। और इसके फलस्वरूप साइकिल का वेग बिंदु B पर बिंदु C की तुलना में कम हो जाएगा।

आप इस पर भी ध्यान दें कि इस कला के प्रदर्शन में साइकिल को चेन निकाल ली जाती है। पैडल मारने की जरूरत नहीं पड़ती; साइकिल सिर्फ गुरुत्व के प्रभाव से गतिमान रहती है। चेन के बिना कलाकार न तो साइकिल की चाल तेज कर सकता है, न धीमी। और उसे यह करना भी नहीं चाहिए। उसकी कला इसी में है कि वह काष्ठ-पथ की लीक पर साइकिल स्थिर रख सके। थोड़ा भी इधर-उधर होने पर पथ से विचलित होने और गिर जाने का खतरा होता है। वृत्ताकार पथ पर वेग काफी अधिक होता है : व्यास 16 m होने पर साइकिल 3 सेकेंड में एक चक्कर पूरा करती है। यह प्रति घंटे 60 m के तुल्य है। इस वेग से चलने पर साइकिल को नियंत्रण में रखना मुश्किल होता है; पर इसकी आवश्यकता भी नहीं है। यांत्रिकी के नियम काफी हैं। "साइकिलबाजी का यह कौशल,–एक पेशेवर कलाकार लिखते हैं,–खतरनाक नहीं है, यदि सारे कलन सही हैं। खतरा खुद कलाकार को होता है। यदि कलाकार का हाथ काँप जाए, वह आत्मनियंत्रण खो बैठे या अचानक उसका सिर चकराने लगे, तो दुर्घटना की संभावना तेजी से बढ़ जाती है।"

विमान-संचालन में 'मृत-फंदा' आदि जैसी कलाबाजियाँ इन्हीं नियमों पर आधारित हैं। 'मृत-फंदे' में विमान को

वक्र पथ पर सही वेग देने और उसे पूरी तरह नियंत्रण में रखने की समस्या मुख्य भूमिका अदा करती है।

डंडीमारी

किसी ने मजाक में कहा कि वह डंडी मारने की एक गुप्त विधि जानता है। उसने बताया कि माल विषुवत् रेखा के पास खरीदना चाहिए, और बेचना चाहिए ध्रुववर्ती देशों में। सभी जानते होंगे कि विषुवत् रेखा के समीप वस्तुओं का भार कुछ कम होता है और ध्रुव के पास कुछ अधिक। विषुवत् रेखा के पास यदि किसी वस्तु का भार 1kg है, तो ध्रुव पर उसके भार में 5 g की वृद्धि हो जाएगी। लेकिन यहाँ साधारण तुला से काम नहीं चलेगा : वस्तु के भार के साथ-साथ बाटों का भार भी बढ़ जाएगा। इस काम के लिए कमानीदार तुला चाहिए, और वह भी ऐसी, जिसमें भारों का निशान विषुवत् रेखा के पास लगाया गया हो अन्यथा आपको कोई लाभ नहीं होगा। वैसे भी, डंडीमारी की यह विधि इतनी लाभदायक नहीं है। यदि पेरू के पास एक टन सोना खरीदा जाए, और उसे आइसलैंड में बेचा जाए, तब कहीं कुछ फायदा होगा; और वह भी उस हालत में, जब यातायात का साधन मुफ्त का हो।

मैं नहीं सोचता कि इस व्यापार से कोई बहुत मालामाल हो जाएगा, पर मजाक में सत्य का कुछ अंश जरूर है : विषुवत् (विषुवत् रेखा) से दूर जाने पर भार में सचमुच कमी आ जाती है। उसके दो कारण हैं। प्रथमतः, पृथ्वी के घूर्णन के कारण विषुवत् पर स्थित पिंड सबसे बड़ा वृत्त निरूपित करता है। और दूसरे, पृथ्वी का गोला विषुवत् पर कुछ फूला सा है।

पर भार में अधिकांश कमी का कारण घूर्णन है। यह ध्रुव से विषुवत् पर लाए गए पिंड के भार में $^1/_{290}$ अंश की कमी ला देता है।

कम भारी पिंडों को एक अक्षांश से दूसरे पर लाने से उनके भारों में कमी नगण्य होती है। एक से अधिक भारी वस्तुओं के लिए यह राशि पर्याप्त बड़ी हो सकती है। किसी ने संदेह नहीं किया होगा कि मास्को में 60 टन भार रखने वाला रेल-इंजन अर्खांगेल्सक में 60 kg अधिक भारी हो जाता है और ओडेसा में उतना ही हल्का हो जाता है।

शिपत्सबेर्गेन द्वीप से एक जमाने में 300 000 टन से अधिक कोयला भेजा जाता था। यदि कोयले की यह मात्रा किसी विषुवत्वर्ती बंदरगाह पर आती और वहाँ कोयले को कमानीदार तुला पर तौला जाता, तो पता चलता कि 1200 टन कोयला घट रहा है। अर्खांगेल्सक में 20 000 टन भार रखने वाला जहाज विषुवत्वर्ती सागरों में 80 टन भार खो देता है। हम इसे महसूस नहीं करते, क्योंकि अन्य सभी वस्तुएँ भी इसी अनुपात में हल्की हो जाती हैं। खुद सागर का पानी ध्रुव की अपेक्षा विषुवत् पर अधिक हलका होता है।[1]

यदि पृथ्वी का गोला अपने अक्ष के गिर्द और तेजी से घूर्णन करता, तो ध्रुव व विषुवत् पर वस्तुओं के भारों में और गहरा अंतर होता। उदाहरणार्थ, यदि पृथ्वी इतनी तेजी से घूर्णन करती कि एक दिन-रात 24 घंटे का नहीं होकर 4 घंटे का होता, तो ध्रुव पर 1kg भार रखने वाला पिंड विषुवत् पर सिर्फ 875 g भारी होता। शनि ग्रह पर लगभग ऐसी ही स्थिति है : वहाँ विषुवत् की तुलना में ध्रुव पर पिंड का भार 1/6 भाग अधिक होता है।

केंद्रोन्मुखी त्वरण वेग के वर्ग के समानुपाती होता है, अतः कलन द्वारा सरलतापूर्वक वह घूर्ण-वेग ज्ञात किया जा सकता है, जिसके लिए केंद्रोन्मुखी त्वरण 290 गुना अधिक हो जाए। यह तब होगा, जब पृथ्वी अपने वर्तमान वेग से 17 गुना अधिक तेज घूर्णन करने लगे (17X17=290 लगभग)। इस अवस्था में वस्तुएँ अपने अवलंब पर दबाव डालना बंद कर देंगी। दूसरे शब्दों में, यदि पृथ्वी 17 गुना अधिक तेजी से घूर्णन करने लगेगी, तो विषुवत् पर वस्तुओं का भार कुछ भी नहीं रह जाएगा। शनि पर यह स्थिति उसके 2.5 गुना तेजी से घूमने पर ही आ जाएगी।

---

1. इसी लिए विषुवर्ती क्षेत्रों में जहाज का उतना ही भाग पानी में डूबा रहता है, जितना ध्रुववर्ती क्षेत्रों में।

अध्याय 4

गुरुत्वाकर्षण बल

गुरुत्वाकर्षण बल की मात्रा

''यदि हम वस्तुओं का हमेशा नीचे गिरना नहीं देखते, तो हमारे लिए यह अत्यंत आश्चर्य की बात होती''—विख्यात फ्रांसीसी खगोलशास्त्री अरागो ने यह लिखा था। हम इस बात के आदी हो गए हैं कि पृथ्वी हर पार्थिव वस्तु को अपनी ओर आकर्षित करती है, इसीलिए यह संवृत्ति सामान्य व नैसर्गिक प्रतीत होती है। लेकिन जब हमें कहा जाता है कि दुनिया में सभी वस्तुएँ एक दूसरे को आकर्षित करती हैं, तो विश्वास मुश्किल से होता है। कारण यह है कि दैनंदिन जीवन में हमें ऐसी कोई बात देखने को नहीं मिलती।

आखिर क्या बात है कि साधारण परिस्थितियों में हमारे इर्द-गिर्द गुरुत्वाकर्षण-बल अपने व्यापक रूप से प्रकट नहीं होता? टेबल, लोग, तरबूज आदि क्यों नहीं एक दूसरे को आकर्षित करते? क्योंकि छोटी वस्तुओं के बीच गुरुत्वाकर्षण-बल नगण्य होता है : औसत भार वाले दो व्यक्तियों के बीच इस बल का मान सिर्फ 1/100 मिलिग्राम होता है। इसका अर्थ है कि दो आदमी एक दूसरे को अपनी ओर उसी बल से खींचते हैं, जिससे 1/100 000 ग्राम का बाट तराजू के पलड़े को दबाता है; इतने नन्हे बोझ का पता विज्ञान-प्रयोगशालाओं में व्यवहृत अतिसंवेदनशील तुला ही दे सकती है। स्पष्ट है कि ऐसा बल किसी व्यक्ति को अपने स्थान से नहीं खिसका सकता,—इसमें जूते और फर्श के बीच का घर्षण बाधक होगा। लकड़ी के फर्श पर खड़े आदमी को घसीटने के लिए 20 kg से अधिक का बल चाहिए (जूते के तल्ले और लकड़ी के फर्श के बीच क्रियाशील घर्षण-बल का मान आदमी के भार का 30% जितना होता है)। इतने बड़े बल के साथ मिलिग्राम के शतांश जितने गुरुत्वाकर्षण-बल की तुलना करना हास्यास्पद ही है। मिलिग्राम एक ग्राम का हजारवाँ अंश है; अर्थात् 0.01 mg में खिसका सकने वाले बल का **एक अरबवाँ अंश** है। इसीलिए इस में आश्चर्य की कोई बात नहीं होनी चाहिए कि आम परिस्थितियों में

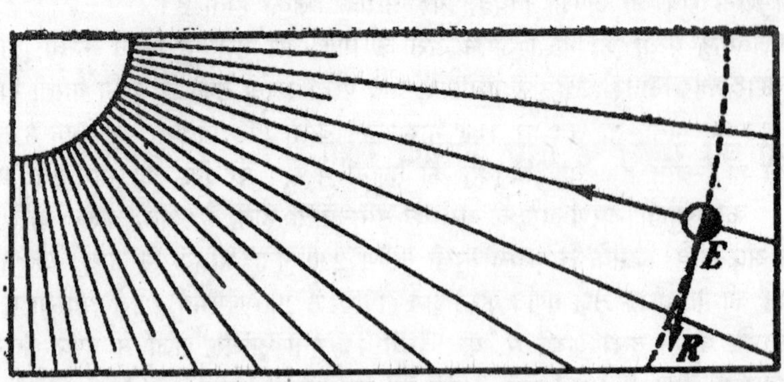

चित्र 43. सूर्य का गुरुत्वाकर्षण पृथ्वी E का पथ वक्रित कर देता है। जड़त्व के कारण पृथ्वी स्पर्श रेखा ER पर भागने को प्रवृत्त रहती है।

पार्थिव पिंडों के बीच लागू आकर्षण-बल का लेश मात्र भी दर्शन नहीं होता।

यदि घर्षण नहीं होता, तो बात दूसरी होती; पिंडों को निकट लाने में इन क्षीण बलों का कोई बाधक नहीं होता। पर 0.01 mg बल के लोग बहुत मंद गति से एक दूसरे की ओर खिंचेंगे। कलन किया जा सकता है कि घर्षण की अनुपस्थिति में एक दूसरे से दो मीटर की दूरी पर खड़े दो व्यक्तियों को यह बल प्रथम घंटे में सिर्फ 3cm निकट लाएगा; अगले घंटे में उनके बीच की दूरी और 9cm कम हो जाएगी। तीसरे घंटे के दरम्यान वे 15cm और नजदीक हो जाएँगे। कहने का तात्पर्य यह है कि गति बढ़ती जाएगी, पर दोनों व्यक्ति एक दूसरे से सट जाएँगे, इसमें 5 घंटे से कम समय नहीं लगेगा।

घर्षण जैसी बाधा की उपस्थिति में भी पार्थिव पिंडों के पारस्परिक आकर्षण का पता लगाया जा सकता है। ध ागे से लटका हुआ मनका पार्थिव आकर्षण के प्रभाव में होता है, अतः धागे की दिशा उदग्र होती है। यदि निकट कोई भारी पिंड हो, तो वह मनके को अपनी ओर आकर्षित करेगा। फल यह होगा कि धागा अपनी उदग्र दिशा से विचलित हो जाएगा। अब उसकी दिशा मनके को आकर्षित करने वाले दो बलों—पृथ्वी और पिंड के आकर्षण-बल—के परिणामी बल की दिशा बताएगी। मनके के इस विचलन का प्रथम अवलोकन स्कौटलैंड के मास्केलाइन ने 1775 ई. में एक पहाड़ के निकट किया था। उसने पहाड़ के दोनों तरफ से शाहुल और तारक-नभ के ध्रुव की दिशाओं की तुलना की। इसी के बाद पार्थिव पिंडों के आकर्षण सम्बन्धी अधिक परिष्कृत प्रयोग कार्यान्वित किए गए, जिनमें विशेष बनावट वाली तुला की सहायता से गुरुत्वाकर्षण-बल का अधिक शुद्ध मान ज्ञात किया जा सका।

कम द्रव्यमान वाले पिंडों के बीच गुरुत्वाकर्षण-बल नगण्य होता है। द्रव्यमानों के बढ़ने पर वह उनके गुणनफल के अनुपात में बढ़ता है। इसी तथ्य के आधार पर बहुत से लोग इस बल का अतिमूल्यांकन करने लग जाते हैं। एक वैज्ञानिक,—वैसे वे भौतिकविद नहीं, जीवशास्त्री थे,—मुझे विश्वास दिलाना चाहते थे कि समुद्री जहाजों के पारस्परिक खिंचाव का कारण गुरुत्वाकर्षण-बल ही है! कलन द्वारा दिखाया जा सकता है कि इस खिंचाव के पीछे गुरुत्वाकर्षण की कोई भूमिका नहीं है। 25000 टन भार वाले दो जहाज 100 m की आपसी दूरी से एक दूसरे को सिर्फ 400 g के गुरुत्वाकर्षण-बल से खींचते हैं। स्पष्ट है कि इतना क्षीण बल इतने बड़े जहाजों को बाल भर भी अपने स्थान से नहीं खिसका सकता। जहाजों के बीच इस रहस्यमय खिंचाव का कारण हम द्रवों के गुण वाले अध्याय में समझाएँगे।

गुरुत्वाकर्षण-बल का प्रभाव तब महत्त्व रखता है, जब विराट् पिंडों की बात चल रही होती है। नेपचून ग्रह हमसे काफी दूर है, पर पृथ्वी को 18 टन के तुल्य गुरुत्वाकर्षण-बल से प्रभावित करता है। पृथ्वी सूरज से इतनी दूर है, पर गुरुत्वाकर्षण-बल के कारण ही वह अपनी कक्षा पर स्थित है। यदि सूर्य की आकर्षण-शक्ति किसी कारणवश नष्ट हो जाए, तो पृथ्वी अपने अक्ष की स्पर्श रेखा की दिशा में भाग जाएगी और ब्रह्मांड की गहराइयों में अनंत काल तक बिना किसी ठौर-ठिकाने से भटकती रहेगी।

पृथ्वी को रोकने के लिए फौलादी रस्सा

कल्पना कीजिए कि सूर्य की आकर्षण-शक्ति सचमुच लुप्त हो गई है और पृथ्वी की, किस्मत में सदा के लिए ठंडे और अँधेरे ब्रह्मांड में भटकना रह गया है। इंजिनियर लोग पृथ्वी को रोकने के लिए गुरुत्वाकर्षण-बल के अदृश्य बंधन की जगह मूर्त फौलादी रस्से का इस्तेमाल करना चाहते हैं। वे इस रस्से से पृथ्वी को सूर्य के साथ बाँधना चाहते हैं, ताकि वह भागे नहीं, अपने अक्ष पर बनी रहे। कहना नहीं होगा कि यह सब कल्पना की बात है, पर फौलादी रस्से के बारे में थोड़ा सोचें। फौलाद से बढ़ कर मजबूत चीज और क्या होगी, जो हर वर्ग मिलिमीटर पर 100kg का तनाव सहन कर सके। अब आप 5cm व्यास वाले विराट् लौह-स्तंभ की कल्पना करें। उसके अनुप्रस्थ-काट का क्षेत्रफल लगभग 20 000 000 वर्ग मिलिमीटर होगा; अतः यह खंभा 20 000 000 टन के तनाव से टूट सकता है। अब कल्पना करें

कि ऐसे अत्यंत लंबे खंभे (या खंभे जितने मोटे फौलादी तार) से पृथ्वी को सूर्य के साथ बाँधना है। आप जानते हैं कि पृथ्वी को उसके अक्ष पर रोके रखने के लिए ऐसे कितने खंभों की जरूरत पड़ेगी? करोड़ों करोड़। सूर्य की ओर वाले पृथ्वी के पूरे अर्द्ध पर यदि इन खंभों का घनघोर जंगल बना दिया जाए, और ये सारे खंभे सूर्य से जुड़े हों, तब जाकर काम चल सकता है। इतने तारों को ऐंठ कर बने रस्से को तोड़ने वाले बल की यदि आप कल्पना कर सकें, तो आप समझ जाएँगे कि पृथ्वी और सूर्य के बीच गुरुत्वाकर्षण-बल का अदृश्य बंधन कितना विराट् है।

और यह विराट् बल करता क्या है? पृथ्वी को स्पर्शरेखा से प्रति सेकेंड 3 mm का विचलन देते हुए उसके पथ को वक्रित करता रहता है। इसी के कारण पृथ्वी का पथ बंद दीर्घवृत्ती घेरे जैसा होता है। आश्चर्य की बात है कि पृथ्वी को प्रति सेकेंड 3mm (अर्थात् इन अक्षरों की ऊँचाई के बराबर) खिसकाने के लिए इतने बड़े बल की आवश्यकता पड़ती है! यदि यह विराट् बल पृथ्वी को इतना नगण्य स्थानांतरण देता है, तो इससे आप पृथ्वी के द्रव्यमान का अंदाजा लगा सकते हैं। कितना बड़ा है वह!

गुरुत्वाकर्षण-बल के प्रभाव से कैसे बचें?

अभी हमने कल्पना-दृष्टि से देखा कि पृथ्वी और सूर्य को जोड़ने वाले गुरुत्वाकर्षण-बल के अदृश्य बंधन के टूट जाने पर पृथ्वी ब्रह्मांड में भटकना शुरू कर देगी। अब देखें कि पृथ्वी पर स्थित वस्तुओं के साथ क्या होगा, यदि गुरुत्व का लोप हो जाए। वस्तुओं को हमारे ग्रह पर रोक रखने वाला बंधन नष्ट हो जाएगा, वे हल्की सी भी ठोकर लगने पर ब्रह्मांड में उड़ना शुरू कर देंगी। ठोकर देने की भी आवश्यकता नहीं पड़ेगी : हमारे ग्रह का घूर्णन उन सभी वस्तुओं को व्योम में फेंक देगा, जो उसके साथ मजबूती से नहीं जुड़ी हैं।

अंग्रेज लेखक वेल्स ने इस विचार का उपयोग अपने उपन्यास में चंद्रमा की काल्पनिक यात्रा का वर्णन करने के लिए किया है। 'चंद्रमा के प्रथम यात्री' नामक इस कृति में उपन्यासकार ने अंतर्ग्रही यात्राओं की एक मौलिक विधि बताई है। उपन्यास का नायक कैवर एक विशेष प्रकार के पदार्थ का आविष्कार करता है, जो गुरुत्वाकर्षण-बल के लिए अबेध्य होता है। किसी पिंड के नीचे इस पदार्थ की एक परत बना देने पर पिंड पृथ्वी के आकर्षण-बल के बंधन से मुक्त हो जाता है। इस काल्पनिक पदार्थ का नाम वेल्स ने 'कैवरीट' रखा।

उपन्यास का एक अवतरण पढ़ें :

''हम जानते हैं कि गुरुत्वाकर्षण, या गुरुत्व बल, सभी वस्तुओं के आर-पार जा सकता है। प्रकाश के मार्ग में दीवार डाल कर आप उसे वस्तु तक पहुँचने से रोक सकते हैं। रेडियो या टेलीग्राफ संचार के वैद्युत-तरंगों का पथ धातुई चद्दर से रोका जा सकता है। पर वस्तु को सूर्य या पृथ्वी की गुरुत्वाकर्षण से बचाने वाला कोई कवच नहीं है। प्रकृति में ऐसे पदार्थ की अनुपस्थिति का कारण ज्ञात नहीं है, पर कैवर के विचार में गुरुत्व के लिए अबेध्य पदार्थ बनाया जा सकता है और वह सोचता है कि बना भी लेगा।

यदि किसी में थोड़ी भी विचारशक्ति हो, तो वह सरलतापूर्वक ऐसे पदार्थ के लाभ की कल्पना कर सकता है। यदि कोई भार उठाना हो, तो उसके नीचे इस पदार्थ की चादर बिछा देना काफी रहेगा। वस्तु कितनी भी भारी क्यों न हो, उसे उठाना बिल्कुल कठिन नहीं रह जाएगा।''

ऐसे पदार्थ का आविष्कार कर लेने के बाद उपन्यास का नायक एक यान बनाता है, जिसमें चंद्रमा की यात्रा को निकल पड़ता है। यान की बनावट जटिल नहीं। उसमें कोई चलित्र (मोटर) नहीं है; वह नक्षत्रों के गुरुत्वाकर्षण-बल से चलता है।

यान की बनावट का वर्णन देखें :

''आप मोटे काँच के एक बड़े गेंद की कल्पना करें, जिसमें आवश्यक सामान सहित दो आदमी अँट सकते हैं।

यह गेंद एक फौलादी गेंद के भीतर ठीक-ठीक अँट जाती है। साथ में आप संघनित वायु, जलासवन यंत्र, सांद्रित खाद्य-सामग्री आदि रख ले सकते हैं। फौलादी गेंद पर बाहर से 'कैवरीट' की परत चढ़ी होगी। अंदरूनी काँच का खोल दरवाजे की जगह छोड़कर सर्वत्र एकाश्म होगा। फौलादी गेंद अलग-अलग खिड़कियों में बँटा होगा। हर खिड़की पर्दे की तरह मोड़ी जा सकेगी। इसके लिए विशेष कमानियों व विद्युत् का प्रयोग करना होगा। बिजली भीतर से खिड़कियों पर प्लैटटिन के तारों की मदद से लाई जाएगी। ये सब तो तकनीकी विवरण हुए। मुख्य बात यह है कि बाहरी खोल 'कैवरीट' के पर्दों से बना होगा, जो जरूरत पड़ने पर हटाए जा सकेंगे। जब सारे पर्दे गिरे होंगे, यान के भीतर किरण के रूप में बाह्य कोई भी ऊर्जा नहीं आ सकेगी—चाहे वह प्रकाश हो, या किरण के रूप में कोई अन्य ऊर्जा, या गुरुत्वाकर्षण-बल। अब मान लें कि एक खिड़की खुली हुई है। इस स्थिति में खिड़की के सामने जो भी बड़ा पिंड होगा, यान को अपनी ओर खींचना शुरू कर देगा। व्यवहारतः ब्रह्मांड में हम किसी भी दिशा में यात्रा कर सकेंगे। इसके लिए सिर्फ आवश्यक दिशा में खिड़की खोलनी होगी।''

चंद्रमा की ओर

उपन्यासकार ने प्रस्थान का बड़ा ही रोचक वर्णन किया है। यान की सारी खिड़कियाँ बंद है। 'कैवरीट' की परत के कारण वह बिल्कुल भारहीन हो गया है। आप समझते होंगे कि भारहीन वस्तु तल पर नहीं रह सकती। गहरे झील के तल पर रखा हुआ लकड़ी का हल्का काग जैसे तेजी से ऊपर उठता है, वैसे ही यान हवा में ऊपर उड़ना शुरू करता है और हवा की सीमा पर आकर काग की तरह ही हवा से ऊपर उछलता है और अंतरिक्ष में चलना शुरू कर देता है। पृथ्वी का घूर्णन भी उसे फेंकता हुआ उसकी उड़ान में सहायक होता है। उगन्यास के नायक इसी प्रकार अपनी यात्रा आरंभ करते हैं। अंतरिक्ष में वे कभी सूरज, तो कभी पृथ्वी, तो कभी चंद्रमा के आकर्षण बल से खिंचते हुए हमारे एकमात्र उपग्रह की सतह तक पहुँच जाते हैं। बाद में उनमें से एक यात्री इसी यान में पृथ्वी पर वापस भी लौट आता है।

वेल्स के विचार का विश्लेषण हम यहाँ नहीं करेंगे; यह मैं पहले कर चुका हूँ और दिखा चुका हूँ कि इसका कार्यान्वयन संभव नहीं है।[1] फिलहाल उपन्यासकार की बातों का विश्वास कर लेते हैं और देखते हैं कि आगे क्या होता है।

चाँद पर आधा घंटा

उपन्यास के पात्र एक ऐसी दुनिया में पहुँच गए हैं, जहाँ गुरुत्व-बल पृथ्वी की तुलना में अत्यंत क्षीण है। उसके विचित्र अनुभवों का रोचक वर्णन उन्हीं में से एक की मुँहजबानी सुनें :[2]

''मैंने ढक्कन घुमा कर खोलना शुरू किया। घुटनों पर खड़ा हो कर छेद में से बाहर झाँकने लगा; मेरे सिर से तीन फुट की दूरी पर नीचे चाँद का अक्षत हिम पड़ा हुआ था।

कैवर कंबल ओढ़ कर छेद की किनारी पर बैठ गया और सावधानी से पैर नीचे करने लगा। जमीन से करीब आधा फुट ऊपर तक पैर लटका चुकने के बाद वह थोड़ा हिचकिचाया और फिर कूद गया। उसके पैर अब चाँद की धरती पर थे।

मैं शीशे के खोल में बैठा उसे देख रहा था। कुछ कदम चलने के बाद वह रुक गया, मिनट भर अपने इर्द-गिर्द देखता रहा और अंत में उसने आगे की ओर छलांग लगा दी।

---

1. दे. 'अंतर्ग्रही यात्राएँ'।
2. 'चाँद के प्रथम यात्री' उपन्यास का यह अवतरण बीच-बीच से कुछ छोड़ कर दिया जा रहा है।

शीशे से साफ नहीं दिख रहा था, पर मुझे लगा कि छलांग कुछ ज्यादा ही लंबी थी। कैवर एक छलांग में ही 6-10 मीटर दूर पहुँच गया था। वहाँ चट्टान पर खड़ा हो कर उसने मुझे कुछ इशारे किए; हो सकता है कि चिल्ला कर कुछ कहा भी हो,—पर आवाज मुझ तक नहीं आ रही थी...पर इतनी लंबी छलांग उसने कैसे लगा ली?

मैं चक्कर में पड़ा छेद के बाहर निकला और नीचे उतर आया। पैरों तले बर्फ थी। मैंने कदम उठाया और छलांग लगा दी।

मुझे लगा कि मैं उड़ रहा हूँ; पर जल्द ही उस चट्टान पर उतर आया, जहाँ कैवर मेरा इंतजार कर रहा था। मैं आश्चर्य से कर्त्तव्यविमूढ़ चट्टान का कोना पकड़े लटका हुआ था।

कैवर झुका हुआ खसखसी आवाज में चिल्ला रहा था कि मुझे सावधानी बरतनी चाहिए। मैं तो बिल्कुल भूल गया था कि चाँद पर गुरुत्व की प्रचंडता पृथ्वी से छः गुनी कम है। पर यहाँ की वास्तविकता स्वयं इस बात की याद दिला रही थी।

सावधानी से अपनी गति नियंत्रित करते हुए मैं चट्टान की चोटी पर चढ़ आया और गठिए के बीमा जैसा रेंगता हुआ कैवर के पास खड़ा हुआ। हमारा यान हमसे करीब 30 फुट की दूरी पर खड़ा था। उसके नीचे पड़ी बर्फ हल्के-हल्के पिघल रही थी।

—देखिए,—मैंने कैवर की ओर मुड़ते हुए कहा।

पर कैवर गायब था।

क्षण भर में आश्चर्य से ठगा खड़ा रहा। होश में आते ही चट्टान की किनारी से झाँकने के लिए मैंने जल्दी-बाजी में एक कदम बढ़ाया। पृथ्वी पर यह कदम एक मीटर लंबा होता, पर मैं भूल गया था कि यह चाँद है। यहाँ इस कदम से मैं अपने स्थान से 6 मीटर आगे बढ़ गया। मैं चट्टान की किनारी से 5 मीटर दूर था।

मैं चक्कर खाता हुआ गिर रहा था। अनुभव वैसा ही था, जैसे आप सपने में किसी खाई में गिरते जा रहे हों। पृथ्वी पर गिरता हुआ आदमी प्रथम सेकेंड में कोई 5 मीटर की दूरी तय करता है। चाँद पर सिर्फ 80 सेंटीमीटर। इसीलिए मैं करीब 9 मीटर नीचे उड़ता हुआ बिना किसी चोट के जमीन पर पहुँच गया। मुझे लगा कि मैं काफी देर से गिर रहा था, पर इसमें तीन सेकेंड से अधिक नहीं लगे थे। मैं रुई के फाहे की तरह हौले से जमीन पर गिरा और घुटनों तक नर्म बर्फ में धँस गया।

—कैवर!—मैंने निगाहों से उसे ढूँढ़ते हुए पुकारा। पर वह कहीं नजर नहीं आ रहा था।

—कैवर!—मैंने और जोर से पुकारा।

अचानक मेरी नजर उस पर पड़ी : वह हँस रहा था। मुझसे करीब 20 मीटर की दूरी पर खड़ा वह मुझे इशारे कर रहा था। उसकी आवाज मुझे सुनाई नहीं दे रही थी, पर उसके इशारों का अर्थ मैं समझ गया : वह मुझसे अपनी ओर छलांग लगाने को कह रहा था।

पहले तो मैं थोड़ा हिचकिचाया, क्योंकि हम दोनों के बीच दूरी बहुत बड़ी थी। पर मैंने सोचा कि यदि कैवर इतनी लंबी छलांग लगा सकता है, तो शायद मैं भी लगा लूँगा।

एक कदम पीछे हट कर मैंने सारी शक्ति से छलांग लगा दी। मैं तीर की तरह हवा में उड़ गया। मुझे लगा कि अब जमीन पर कभी नहीं उतरूँगा। यह कल्पनातीत उड़ान थी। जैसा कि सपने में होता है, डर भी लग रहा था और मजा भी आ रहा था।

छलांग काफी बढ़ी निकली : मैं कैवर के सर के ऊपर से गेंद की तरह निकल गया।''

चाँद पर चाँदमारी

विख्यात सोवियत आविष्कारक क.ए. त्सियलकोव्स्की के उपन्यास 'चाँद पर' की यह कहानी गुरुत्व-बल के आधीन संपन्न होने वाली गतियों की प्रकृति समझने में सहायक होगी। वातावरण गति में बाधक होता है, इसीलिए पृथ्वी पर अभिपातन के सरल नियम साफ प्रकट नहीं होते। पिंड पर गुरुत्व-बल के साथ-साथ वातावरण का घर्षण बल भी क्रियाशील हो जाता है, जिसके कारण स्थिति की जटिलता बढ़ जाती है और चित्र साफ नहीं मिलता। चाँद पर हवा बिल्कुल नहीं है, अतः वह पिंडों के अभिपातन का अध्ययन करने के लिए अच्छी प्रयोगशाला सिद्ध हो सकता है, यदि वहाँ पहुँच कर वैज्ञानिक अध्ययन करने का मौका मिले।

निम्न अवतरण में चंद्रमा पर स्थित दो व्यक्ति बंदूक से निकली गोली की गति का अध्ययन करना चाहते हैं :

''—लेकिन क्या बारूद यहाँ विस्फोट करेगा?

—विस्फोटक पदार्थ हवा की अपेक्षा शून्य में और अधिक शक्ति से काम करते हैं, क्योंकि हवा उनके प्रसार में बाधक होती है। जहाँ तक ऑक्सीजन का सवाल है, उन्हें इसकी जरूरत नहीं है, क्योंकि ऑक्सीजन की आवश्यक मात्रा इन पदार्थों में पहले से मौजूद रहती है।

—बंदूक उदग्र खड़ा रखते हैं, ताकि विस्फोट के बाद गोली यहीं नजदीक में ढूँढ़ी जा सके...

आग, हलका सा धमाका, धरती में क्षीण कंपन।[1]

—खोल कहाँ गया? उसे तो आस-पास ही होना चाहिए।

—खोल गोली के साथ ही उड़ गया और शायद ही उनका पीछा छोड़े। पृथ्वी पर वातावरण का घर्षण खोल को सीसे से अलग कर देता है, पर यहाँ रुई का फाहा भी इतनी तेजी से गिरता या उठता है, जैसे पत्थर हो। तुम रुई का गोला लो और मैं लोहे का गोला लेता हूँ। दोनों अपना-अपना गोला फेंकते हैं। जितनी आसानी से मैं फेंकूगा उतनी ही आसानी से तुम भी फेंक लोगे। मैं करीब 400 m तक फेंक सकता हूँ। तुम भी करीब इतना ही दूर फेंक लोगे। यह बात दूसरी है कि तुम्हारे गोले से किसी को चोट नहीं आएगी। तुम महसूस भी नहीं करोगे कि कुछ फेंक रहे हो। आओ, दोनों अपना-अपना गोला फेंकते हैं उस लाल ग्रेनाइट पर...तुम देखोगे कि ज्यादा अंतर नहीं है।

रुई का गोला लोहे वाले से कुछ आगे निकल गया, मानों उसे कोई आँधी उड़ा ले गई हो।

—पर यह क्या बात है? गोली छोड़े तीन मिनट बीत चुके हैं और वह अभी तक लौटी नहीं?

—दो मिनट और ठहर जाओ; लौटेगी जरूर।

दो मिनट बाद गोली सचमुच में वापस आ गिरी : जमीन में हल्का सा कंपन हुआ और थोड़ी दूर पर खोल उछलता हुआ नजर आया।

—कितनी देर तक वह उड़ती रही! कितनी ऊँची वह गई होगी?

—करीब सत्तर किलोमीटर। इतनी ऊँचाई तक जा सकने के दो कारण हैं—क्षीण गुरुत्व और वातावरण के प्रतिरोध की अनुपस्थिति।''

देखा जाए कि वह ऊँचाई कहाँ सच है। यदि बंदूक से निकलते वक्त गोली का वेग 500 m सेंकेड माना जाए (आधुनिक अस्त्र डेढ़ गुने अधिक वेग से गोल फेंकते हैं), तो पृथ्वी पर वातावरण की अनुपरिस्थिति में गोली के उड़ने

$$x = \frac{v^2}{2g} = \frac{500^2}{2.10} = 12500 \text{ m},$$

1. धमाके की आवाज कानों तक जमीन पर आदमी के शरीर से गुजरती हुई पहुँचती है, हवा के माध्यम से नहीं। चाँद पर हवा नहीं है।

की ऊँचाई होती अर्थात् 12½ km। चांद पर गुरुत्व की प्रचंडता 6 गुनी कम है, अतः g के स्थान पर $10/6\ m/s^2$ रखना चाहिये; इस स्थिति में गोली के उड़ने की ऊंचाई होगी

$$12500 \cdot 6 = 75\ km$$

तलहीन कुएँ में

पृथ्वी के गर्भ में क्या हो रहा है, इसके बारे में हमें बहुत कम ज्ञान है। कुछ लोग मानते हैं कि पृथ्वी में सैकड़ों किलोमीटर मोटी ऊपरी ठोस परतों के नीचे गर्म तरल पदार्थ भरा हुआ है। दूसरों का कहना है कि पृथ्वी केंद्र तक ठोस ही ठोस है। असलियत क्या है, इसका उत्तर देना कठिन है, क्योंकि पृथ्वी में बनाया गया सबसे गहरा सुराख 7.5 किलोमीटर से अधिक गहरा नहीं हैं और सबसे गहरी खान, जिसमें आदमी उतर सका है, 3300 m की गहराई पर स्थित है।[1] पर पृथ्वी की त्रिज्या है 6400 km। यदि जमीन में इतना गहरा कुँआ खोदा जाए कि पृथ्वी में आर-पार छेद ही हो जाए और यह छेद पृथ्वी के केंद्र से होता हुआ, अर्थात् व्यास के सहारे गुजरे, तब शायद ऐसे प्रश्नों का उत्तर देना संभव होगा। आधुनिक तकनीकी उपलब्धियों के वश का यह काम नहीं है, यद्यपि पृथ्वी में जितने सुराख अब तक किए जा चुके हैं, उनकी लंबाइयों का कुल योग हमारे ग्रह के व्यास से अधिक ही होगा। पृथ्वी के आरपार सुराख बनाने का सपना अठारहवीं शती के गणितज्ञ मोपोर्टी और दार्शनिक वोल्टर देख सकते थे। फ्रांस के खगोलशास्त्री फ्लैमारियन ने बाद में इस योजना को पुनर्जन्म दिया, पर इनकी योजना उतने बड़े पैमाने की नहीं थी। इस विषय पर उनका निबंध छपा था, जिसके प्रथम पृष्ठ से एक चित्र यहाँ दिया जा रहा है (चित्र 44)।

चित्र 44. यदि पृथ्वी में उसके व्यास के सहारे एक छेद किया जाए...

पर अभी तक इस तरह का कुछ किया नहीं जा सका है, अतः हम काल्पनिक तलहीन कुएँ से संबंधित एक रोचक प्रश्न का उत्तर ढूँढ़ने की कोशिश करते है। यदि आप ऐसे कुएँ में गिर जाएँ, तो क्या होगा (हवा के प्रतिरोध को आप थोड़ी देर के लिए भूल जा सकते हैं)? आपके चूर होने का कोई डर नहीं है, क्योंकि तल है ही नहीं। आप कहाँ रुकेंगे? पृथ्वी के केंद्र में? नहीं।

जब आप गिरते हुए पृथ्वी के केंद्र तक पहुँचेंगे, आपकी गति इतनी तीव्र होगी (करीब 8km/s) कि रुकने का प्रश्न ही नहीं उठता। आप केंद्र से आगे बढ़ते जाएँगे, पर इस क्षण से आपका वेग कम होने लगेगा। जब आप कुएँ के दूसरे छोर पर पहुँचेंगे, तब आप रुकेंगे। यहाँ आपको किनारी कसकर पकड़ लेनी चाहिए, अन्यथा फिर से आपको पूरे कुएँ की सैर करनी पड़ेगी; आप वापस उस छोर पर पहुँच जाएँगे, जहाँ से आप का गिरना शुरू हुआ था। यदि यहाँ भी कुछ पकड़ने को नहीं मिला, तो आप इसी तरह कुएँ के दोनों छोरों के बीच अविराम झूलते रहेंगे। यांत्रिकी बताती है कि इन परिस्थितियों में (मैं एक बार फिर से दुहरा दूँ कि कुएँ में हवा का प्रतिरोध नहीं है), पिंड अनंत काल तक इधर-उधर झूलता रहेगा।[2]

एक बार एक छोर से दूसरे तक जाने और वहाँ से लौटने में कितना समय लगेगा? कलन से ज्ञात होता है कि ऐसे एक पूर्ण झूलन में 84 मिनट 24 सेकेंड, अर्थात् लगभग डेढ़ घंटा खर्च होगा।

---

1. बोक्सबर्ग (दक्षिणी अफ्रीका, ट्रांसवाल) में सोने की खान की बात चल रही है। ज्ञातव्य है कि इसका मुहाना सागर-तल से 1600 m ऊपर है। सागर-तल से नीचे इसकी गहराई सिर्फ 1700 m है।—संपादक।

2. यदि कुएँ में वायु का प्रतिरोध होगा, तो झूलने की गति शनैः-शनैः धीमी पड़ने लगेगी और आदमी अंततोगत्वा केंद्र में आकर रुक जाएगा।

“ये बातें होतीं,—फ्लैमारियन आगे लिखते हैं,—यदि कुआँ पृथ्वी के अक्ष के सहारे एक ध्रुव तक खोदा गया होता। लेकिन कुआँ किसी दूसरे अक्षांश पर यूरोप, एशिया या अफ्रीका में कहीं खोदा जाएगा, तो पृथ्वी के घूर्णन के प्रभाव को भी ध्यान में रखना होगा। ज्ञात है कि विषुवत् पर पृथ्वी तल पर हर बिंदु एक सेकेंड में 465 m तय करता है और पेरिस के अक्षांश पर—300 m। चूँकि घूर्णनाक्ष से दूर जाने पर वलन-वेग बढ़ता है, सीसे का गोला कुएँ में फेंकने पर वह उदग्र दिशा में नहीं, पूरब की ओर थोड़ा झुकता हुआ गिरेगा। यदि तलहीन कुआँ विषुवत् पर खोदना हो, तो उसका मुँह बहुत चौड़ा बनाना पड़ेगा। यहाँ कुएँ को सीधा नीचे की ओर नहीं, बल्कि बहुत तिरछा खोदना पड़ेगा, क्योंकि पृथ्वी-तल से उसमें गिरता हुआ पिंड उसके केंद्र से बहुत दूर पूर्व की दिशा में चला जाएगा।

यदि कुएँ का एक मुहाना दक्षिणी अमेरिका के किसी 2 किलोमीटर ऊँचे पठार पर हो और दूसरा मुहाना सागर-तल की ऊँचाई पर हो, तो पठार वाले मुहाने से गिरता हुआ आदमी दूसरे मुहाने से इतनी तेजी से निकलेगा कि वह दो किलोमीटर ऊँचा चला जाएगा।

यदि कुएँ के दोनों ही मुहाने सागर-तल की ऊँचाई पर बने हों, तो एक से गिर कर दूसरे तक पहुँचने के क्षण आदमी का वेग शून्य होगा और कोई भी दूसरा आदमी हाथ बढ़ा कर उसे पकड़ ले सकेगा। इसके पहले वाली स्थिति में कोई हाथ देने में भी डरेगा।”

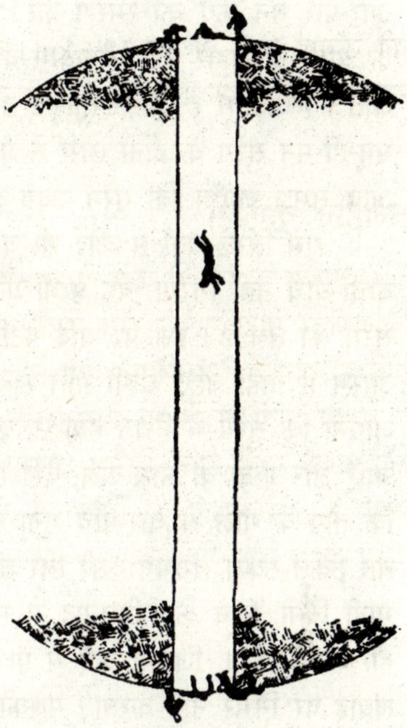

चित्र 45 पृथ्वी के केंद्र से होकर आर-पार खोदे गए कुएँ में गिरने पर आदमी एक छोर से दूसरे छोर तक अविराम झूलता रहेगा और एक पूर्ण झूलन में उसे 1 घंटा 24 मिनट का समय लगेगा।

जादुई पथ

सान-पिटरबुर्ग[1] में एक छोटी सी पुस्तिका छपी थी, जिसका नाम कुछ विचित्र सा था : “सुरंग में बिना इंजन के चलने वाली मास्को-पिटरबुर्ग गाड़ी। कल्पनातीत उपन्यास, जो अब तक सिर्फ तीन खंडों में है और वे भी पूरे नहीं हैं।” उसके लेखक आ आ रदनिख एक योजना प्रस्तुत करते हैं, जो वैज्ञानिक विरोधाभासों के प्रेमियों को बहुत पसंद आएगी।

योजना थी “600km लंबी सुरंग बनाने की, जो हमारी दोनों राजधानियों को बिल्कुल सरल रेखा द्वारा मिला सके। इसके फलस्वरूप मनुष्य-जाति को पहली बार सीधे पथ पर चलने का मौका मिलता। अब तक हमें वक्र पथों पर ही चलना पड़ता है।” (लेखक कहना चाहता है कि पृथ्वी-तल के वक्र होने के कारण उस पर बने सभी पथ भी वक्र ही हैं, पर योजनाधीन सुरंग सीधी रेखा पर, अर्थात् पृथ्वी के गोले के चापकर्ण पर चलने का अवसर देगी।)

यदि ऐसी सुरंग खोदी जा सकती, तो इस पर बने पथ में एक खासियत होती, जो किसी दूसरे पथ में नहीं है। इस पर कोई भी गाड़ी बिना किसी इंजन के चला करती। पृथ्वी के

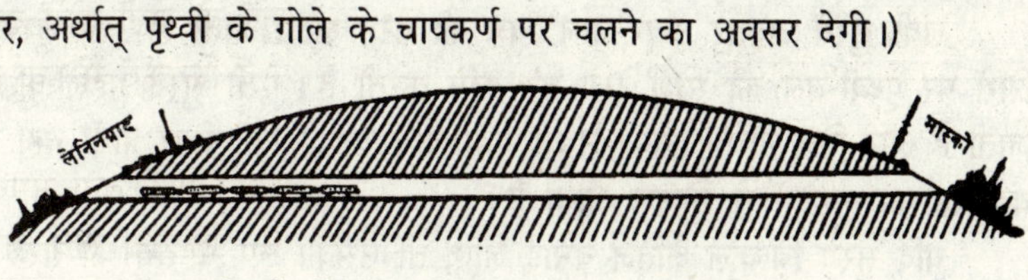

चित्र 46. यदि मास्को और लेनिनग्राद के बीच एक सुरंग खोदी जाए, तो उसमें रेलगाड़ी सिर्फ अपने भार से चला करेगी; इंजन की आवश्यकता नहीं पड़ेगी।

1. लेनिनग्राद का पुराना नाम।

आर-पार बने कुएँ को स्मरण करें। लेनिनग्राद-मास्को सुरंग ऐसा ही एक कुआँ है। अंतर इतना ही है कि यह पृथ्वी के व्यास के सहारे नहीं, चापकर्ण के सहारे बनाया गया है। चित्र 46 को देखने पर आपको लग सकता है कि सुरंग क्षैतिज स्थिति में है और इसीलिए इस में कोई भी गाड़ी स्वयं अपने भार से नहीं चलेगी। पर यह दृष्टि-भ्रम है। आप मन-ही-मन सुरंग के दोनों छोरों से पृथ्वी की त्रिज्या खींच कर देखें (त्रिज्या की दिशा शाहुल-रेखा की दिशा बताती है); आप समझ जाएँगे कि सुरंग उदग्र शाहुल-रेखा के साथ समकोण नहीं बनाती, अर्थात् वह क्षैतिज नहीं तिरछी है।

ऐसे तिरछे कुएँ में कोई भी वस्तु गुरुत्व-बल के प्रभाव से आगे-पीछे झूलना शुरू कर देगी। पर इस कुएँ में पिंड बीचों-बीच नहीं गिरेगा, वह पृथ्वी के केंद्र की ओर वाली दीवार के सहारे फिसलता हुआ यात्रा करेगा। यह दीवार ही सुरंग का तल है। इस पर यदि पटरियाँ बिछा दी जाएँ, तो उन पर रेलगाड़ी बिना इंजन के खुद-ब-खुद चला करेगी। आरंभ में गाड़ी बहुत धीमी गति से चलेगी, पर उसका वेग प्रति सेकेंड बढ़ता जाएगा। जल्द ही उसका वेग इतना बढ़ जाएगा कि सुरंग में स्थित हवा उसकी गति का प्रतिरोध करने लगेगी। पर थोड़ी देर के लिए इस दुखद बाधा को भूल जाएँ और गाड़ी के साथ चलें; देखें कि आगे क्या होता है। सुरंग के बीच आते-आते गाड़ी का वेग इतना बढ़ जाएगा कि तोप के गोले से चार-पाँच गुना तेज भगाना शुरू कर देगा। यद्यपि इस क्षण से उसका वेग घटना शुरू हो जाएगा, वह रुकते-रुकते लगभग दूसरे छोर तक पहुँच जाएगा। यदि घर्षण बल नहीं होता, तो यह 'लगभग' भी नहीं रह जाता : गाड़ी बिना इंजन के लेनिनग्राद से मास्को तक स्वयं पहुँच जाती। कलन बताते हैं कि एक तरफ की यात्रा में उतना ही समय लगेगा, जितना कुएँ में पृथ्वी के आर-पार गिरने में लगता है—42 मिनट 12 सेकेंड। यह अंतराल सुरंग की लंबाई पर निर्भर नहीं करता। मास्को-लेनिनग्राद, मास्को-व्लादीवस्तोक या मास्को-मेलबुर्न—इन सारी सुरंगों की यात्रा में एक ही समय लगेगा। है न विचित्र बात?[1]

यह बात रेलगाड़ी के साथ ही नहीं, किसी भी दूसरी गाड़ी के साथ होगी, अतः रेलगाड़ी की बजाय आप मोटर-कार भी इस्तेमाल कर सकते हैं। चार चक्कों वाले रथ में भी ऐसी यात्राएँ संपन्न की जा सकती हैं; घोड़े की जरूरत नहीं पड़ेगी। अब आप अवश्य सहमत होंगे कि ऐसा पथ सचमुच तिलस्मी है, जिस पर कोई भी गाड़ी खुद ब खुद इतने बड़े वेग से चल सकती है।

सुरंग कैसे खोदते हैं?

चित्र 47 में सुरंग खोदने की तीन विधियाँ दिखाई गई हैं। आप इन्हें देख कर बताएँ कि इनमें से कौन भी सुरंग क्षैतिज है।

सिर्फ बीच वाली सुरंग क्षैतिज है, क्योंकि वह अपने हर बिंदु पर शाहुल रेखा (या पृथ्वी की त्रिज्या) के साथ समकोण बनाती है। उसका मोड़ पृथ्वी-तल की वक्रता के अनुरूप है।

लंबी सुरंगें अक्सर ऊपर वाले चित्र की तरह खोदी जाती हैं। यह सुरंग अपने सिरों पर पृथ्वी-तल की स्पर्श रेखा का काम करती है। ऐसी सुरंगें पहले कुछ ऊपर जाती हैं और फिर नीचे। इनका सबसे बड़ा लाभ यह है कि भीतर पानी नहीं जमता, वह बह कर मुहानों से निकल आता है।

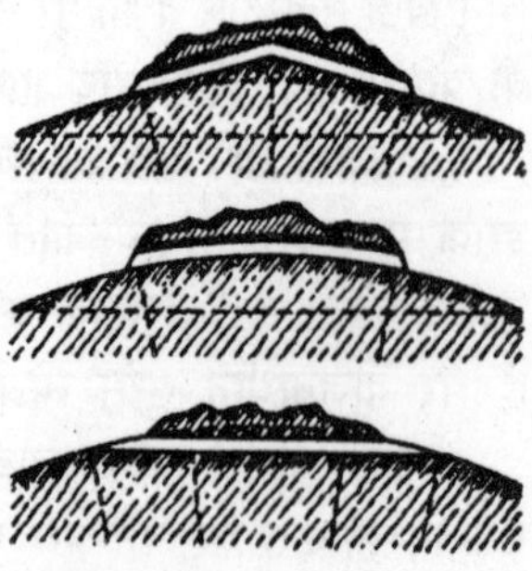

चित्र 47. पहाड़ के आर-पार सुरंग खोदने की तीन विधियाँ।

यदि सुरंग बिल्कुल क्षैतिज बनाई जाए, तो उसका रूप मेहराब की तरह होगा।

1. एक इससे भी रोचक बात सिद्ध की जा सकती है : ग्रह के आर-पार खुदे कुएँ में 'झूलन-काल' ग्रह के आकार पर निर्भर नहीं करता; यह सिर्फ उसके घनत्व पर निर्भर करता है।

इसमें पानी कहीं भी नहीं बह सकेगा, क्योंकि वह हर बिंदु पर संतुलन की अवस्था में रहेगा। यदि ऐसी सुरंग की लंबाई 15km से अधिक होगी (जैसे 20km लंबी सिंप्लोंस्की सुरंग) तो आप तक मुहाने से झाँक कर दूसरा सिरा नहीं देख पाएँगे : आपकी निगाह छत से टकरा जाएगी, क्योंकि सुरंग का मध्य अपने मुहानों की तुलना में कहीं अधिक ऊँचा है।

अंत में, यदि सुरंग उसके मुहानों को जोड़ने वाली सरल रेखा पर खुदी होगी, तो वह दोनों ही सिरों से बीच की ओर थोड़ी झुकी होगी। ऐसी सुरंग से पानी बह कर बाहर तो क्या निकलेगा, उल्टा उसके बीच में जमा होने लगेगा, क्योंकि यह स्थान सबसे गहरा होगा। पर यदि आप इसके एक मुहाने पर खड़े होकर देखेंगे, तो दूसरा सिरा बिल्कुल साफ नजर आएगा। जो कुछ यहाँ कहा गया है, आप चित्र देख कर समझ जाएँगे।[1]

---

1. ऊपर कही गई बातों से यह भी निष्कर्ष निकलता है कि क्षैतिज रेखाएँ वक्र होती हैं; सरल (ऋजु) क्षैतिज रेखाएँ नहीं होतीं। उदग्र रेखाएँ हमेशा ऋजु होती हैं; वे वक्र नहीं हो सकतीं।

अध्याय 5

तोप से यात्रा

गुरुत्वाकर्षण-बल व गति-नियमों के बारे में बातचीत समाप्त करने के पहले चंद्रमा की उस कल्पनातीत सैर का थोड़ा विश्लेषण कर लें, जिसका जूल वेर्न ने 'पृथ्वी से चाँद पर' और 'चाँद की परिक्रमा' नामक अपने उपन्यासों में इतना रोचक वर्णन किया है। आपको बाल्टीमोर तोप-क्लब के सदस्य तो याद ही होंगे, जिन्होंने चाँद पर भेजने के लिए एक विशाल तोप के खोखले में यात्रियों को बैठा कर तोप दागने का निश्चय किया था।

विचार कोरी कल्पना ही है या इसके पीछे सत्य का भी कुछ अंश है? पहला प्रश्न है : क्या किसी पिंड को इतना बड़ा वेग संप्रेषित किया जा सकता है कि वह पृथ्वी पर वापस न लौटे?

न्यूटन का पहाड़

देखें कि इसके बारे में गुरुत्वाकर्षण—नियम के अन्वेषक प्रतिभावान न्यूटन क्या के कहते हैं। अपनी कृति 'भौतिकी की गणितीय आधार' में वे लिखते हैं (समझने में आसानी हो, इसके लिए अवतरण का स्वतंत्र अनुवाद दिया जा रहा है)।

''फेंका गया पत्थर गुरुत्व के प्रभाववश अपने ऋजु पथ से विचलित होता है और वक्र रेखा निरूपित करता हुआ जमीन पर गिर जाता है। यदि पत्थर को अधिक वेग से फेंका जाए, तो वह और बड़ा पथ तय करेगा; अतः यह भी संभव है कि वह दस मील का चाप निरूपित करे, सौ मील का, हजार मील का, आदि। अंत में यह भी सम्भव है कि वह पृथ्वी की सीमा से बाहर चला जाएगा और कभी वापस नहीं लौटेगा।

माना कि *AFB* (चित्र 48) पृथ्वी की सतह है, *C*—उसका केंद्र और *UD, UE, UF, UG* आदि वक्र रेखाएँ हैं, जो अत्यंत ऊँचे पहाड़ की चोटी से क्षैतिज दिशा में क्रमशः अधिक बड़े वेगों से फेंके गए पिंड द्वारा निरूपित होती हैं। हम वातावरण के प्रतिरोध को ध्यान में नहीं रख रहे हैं, अर्थात् हम मान लेते हैं कि वातावरण है ही नहीं। यदि पिंड का आरंभिक वेग कम है, तो उसका पथ *UD* होता है। और अधिक वेग होने पर उसका पथ *UE* हो जाता है। वेग के और बढ़ने पर उसके पथ क्रमशः *UF* तथा *UG* वक्र रेखाएँ होती हैं। एक विशेष वेग होने पर पिंड पृथ्वी की परिक्रमा करता हुआ पुनः उसी पहाड़ की चोटी पर पहुँच जाएगा, जहाँ से वह फेंका जाता है। चूँकि इस आरंभिक

चित्र 48. पर्वत-शिखर से क्षैतिज दिशा में फेंके गए पत्थर का गिरना; प्रक्षेपन-वेग बहुत अधिक है।

बिंदु पर पिंड का वेग उतना ही रहेगा, जितना पहले इस बिंदु पर था (अर्थात् जिस वेग से फेंका गया था), इसलिए वह आगे बढ़ जाएगा और पुनः इसी पुराने वक्र पर परिक्रमा शुरू कर देगा।''

अगर इस काल्पनिक पहाड़ की चोटी पर तोप होती, तो उससे एक विशेष वेग से छोड़ा गया गोला कभी जमीन पर वापस नहीं गिरता; वह पृथ्वी की अविराम परिक्रमा करता रह जाता। पर्याप्त सरल कलनों द्वारा ज्ञात किया जा सकता है कि लगभग 8km प्रति सेकेंड के वेग में फेंका गया गोला वापस नहीं आएगा; पृथ्वी की परिक्रमा करने लगेगा।[1] अन्य शब्दों में, आठ किलोमीटर प्रति सेकेंड के वेग से फेंका गया गोला पृथ्वी की परिक्रमा करता हुआ उसका उपग्रह बन जाता है, उस पर वापस नहीं लौटता। वह विषुवत् के किसी भी बिंदु की तुलना में 17 गुना तेज गतिमान होगा और हमारे ग्रह की एक पूरी परिक्रमा 1 घंटा 24 मिनट में किया करेगा। यदि गोले का वेग इससे अधिक होगा, तो वह पृथ्वी की परिक्रमा वृत्ताकार पथ पर नहीं, बल्कि पृथ्वी से काफी दूर होते हुए लमड़े दीर्घवृत्तीय पथ पर करेगा। यदि वेग और बड़ा होगा, तो गोला हमेशा के लिए हमारे ग्रह से दूर ब्रह्मांड में चला जाएगा। इसके लिए आवश्यक है कि आरंभिक वेग करीब 11 km प्रति सेकेंड का हो (ये सारी बातें उस स्थिति के लिए सत्य हैं, जब गोला शून्य व्योम में भ्रमण कर रहा होता है, हवा में नहीं)।

जब देखें कि जूल वेर्न द्वारा प्रस्तावित साधनों की सहायता से चंद्रमा तक की उड़ान संभव है या नहीं। आधुनिक तोप भी अपने गोले को प्रथम सेकेंड 2 km से अधिक का वेग नहीं संप्रेषित कर पाते। चाँद पर पहुँचने के लिए आवश्यक वेग से यह पाँच गुना कम है। उपन्यास के पात्र सोचते हैं कि यदि बहुत बड़ी तोप में बारूद की बहुत बड़ी मात्रा भर कर गोला छोड़ा जाए, तो वह चाँद तक पहुँचने के लिए आवश्यक वेग प्राप्त कर लेगा।

विराट् तोप

तोप-क्लब के सदस्य चौथाई किलोमीटर लंबी तोप जमीन में उदग्र गाड़ देते हैं। इसके अनुरूप ही एक बहुत बड़ा गोला बनाया जाता है, जो यात्रियों के लिए यान का काम करेगा। उसका भार 8 टन है। तोप में 160 टन बारूदी रूई (पाइरोक्सीलीन) भरी जाती है। यदि उपन्यासकार की बातों का विश्वास किया जाए, तो विस्फोट के फलस्वरूप गोले को 16km/s का वेग मिलता है, जो हवा के घर्षण से कम हो कर 11 km/s का रह जाता है। इस प्रकार जूल वेर्न का गोला वातावरण की सीमा से निकलने के बाद ठीक इतना वेग रखता है कि चाँद तक पहुँच जाए।

उपन्यास में यात्रा का वर्णन इसी प्रकार है। अब देखें कि भौतिकी इसके बारे में क्या कह सकती हैं।

जूल वेर्न की योजना उस जगह ढीली नहीं है, जहाँ पाठक अक्सर संदेह करते हैं। पहली बात तो यह है कि बारूद के काम करने वाले तोप गोले को 3 km/s से अधिक का वेग नहीं दे सकते (यह मैंने अपनी पुस्तक 'अंतर्ग्रही यात्राएँ' में सिद्ध किया है)।

इसके अतिरिक्त जूल वेर्न ने हवा के प्रतिरोध का सही मूल्यांकन नहीं किया है। गोले के इतने बड़े वेग के लिए हवा का प्रतिरोध भी काफी बड़ा होगा—इतना बड़ा कि उड़ान की रूप-रेखा बदल कर कुछ दूसरी ही हो जाए। पर तोप के गोले में बैठ कर चंद्र-यात्रा की योजना के विरुद्ध कुछ गंभीर आपत्तियाँ भी हैं।

मुख्य खतरा यात्रियों को है। यह मत सोचें कि खतरा पृथ्वी से चाँद तक की उड़ान में है। यदि वे तोप की नली से जीते-जागते निकल जाएँ, तो आगे की यात्रा में उन्हें किसी बात का डर नहीं होना चाहिए। यह विशाल वेग, जिससे यात्री अंतरिक्ष में उड़ेंगे, उनके लिए बिल्कुल नुकसानदेह नहीं होगा। आखिर पृथ्वीवासी इससे कहीं अधिक वेग से सूर्य का चक्कर लगाते हैं!

---

1. दे. ''मनोरंजक भौतिकी'' भाग 1, अध्याय 2

भारी-भरकम तोप

यात्रियों के लिए सबसे खतरनाक समय एक सेकेंड के कुछ शतांश भर हैं, जब गोला तोप की नली में भ्रमण करता है। इस क्षुद्र अंतराल में यात्रियों का वेग शून्य से 16 km/s तक बढ़ जाएगा! उपन्यास में यात्रीगण तोप दागने के क्षण का इंतजार करते वक्त यूँ ही नहीं घबरा रहे थे। बार्बीकेन बिल्कुल सच कह रहा था कि जिस समय तोप से गोला छूटेगा, उसमें बैठे यात्रियों के लिए उतना ही खतरा रहेगा, जितना गोले से बाहर उसके रास्ते में पड़े आदमी को। जिस क्षण तोप छूटेगी, यान का फर्श यात्रियों को उसी बल से धक्का देगा, जिससे तोप का गोला अपने पथ पर पड़े किसी भी दूसरे पिंड को धक्का देगा। उपन्यास के पात्रों ने इस खतरे को कोई खास महत्त्व नहीं दिया। उन्होंने सोचा कि ज्यादा-से-ज्यादा बेहोश हो जाएँगे...

पर स्थिति कहीं अधिक गंभीर है। नली में गोला त्वरित गति से चलता है। उसका वेग विस्फोट से उत्पन्न गैसों के दबाव से निरंतर बढ़ता ही रहता है। सेकेंड के क्षुद्रांश में उसका वेग शून्य से बढ़ पर 16km/s हो जाता है। यदि प्रश्न को सरल बनाने के लिए मान लें कि वेगवृद्धि समरूप है, तो इस नन्हें अंतराल में गोले के वेग को 16dm/s तक पहुँचाने के लिए आवश्यक त्वरण होगा 600 km/S^2 (कलन आगे पृ. 104-106 पर देखें)।

इस संख्यात्मक मान का महत्त्व समझने के लिए स्मरण करें कि पृथ्वी तल पर गुरुत्व-बल से प्राप्त त्वरण साधारणतः प्रति सेकेंड 10 m प्रति सेकेंड होता है।[1] इससे निष्कर्ष निकलता है कि तोप दागने के क्षण गोले के भीतर की हर वस्तु फर्श पर अपने भार से 60 000 गुना अधिक दबाव डालेगी। दूसरे शब्दों में : यात्रियों को लगेगा कि वे दसियों हजार गुना अधिक भारी हो गए हैं। इतने बड़े भार से दब कर वे क्षण भर में पिचक जाएँगे। तोप दागने के क्षण बार्बीकेन की तोप का भार 15 टन से कम नहीं होगा। यह सामान से भरे मालगाड़ी के डिब्बे का भार है। ऐसी तोप अपने मालिक का जान लेने के लिए काफी है।

वैसे, उपन्यास में यह भी बताया गया है कि उक्त चोट से बचने के लिए कुछ कदम उठाये गए थे : गोले में कमानीदार प्रत्याघाती लगे हुए थे; गोले के दो पेंदे थे, जिनके बीच पानी भरा हुआ था, आदि। इससे चोट की मियाद थोड़ी लंबी हो जाती और इसीलिए वेगवृद्धि की क्षिप्रता कुछ कम पड़ जाती। पर जिन विशाल बलों की यहाँ बात चल रही है, उनके सामने इन उपायों से प्राप्त लाभ नगण्य ही माना जाएगा। यात्रियों को पिचकाने वाला बल क्षुद्रांश भर ही कम होगा। आप 15 टन भारी तोप से दब जाएँ या 14 टन भारी तोप से—अंतर विशेष बड़ी नहीं होगा!

चोट कम करने का उपाय

वेगवृद्धि की खतरनाक क्षिप्रता कम कैसे की जाए, उसका उपाय यांत्रिकी से ज्ञात होता है। इसके लिए तोप की नली को कई गुना अधिक लंबा करना होगा।

यदि हम चाहते हैं कि तोप दागने के क्षण गोले में 'कृत्रिम' गुरुत्व का बल पृथ्वी के गुरुत्व बल के बराबर हो, तो तोप की नली को बहुत लंबा करना पड़ेगा। समीपवर्ती कलन के आधार पर कहा जा सकता है कि इसके लिए तोप की लंबाई 6000km होनी चाहिए; इससे न ज्यादा, न कम। अन्य शब्दों में, तोप को पृथ्वी के केंद्र तक गहरा गड़ा होना चाहिए। सिर्फ तभी यात्री पिचकने के खतरे से बच सकेंगे : उनके अपने भार में मंद वेगवृद्धि के फलस्वरूप प्रतीत होने वाला उतना ही और भार जुड़ जाएगा और वे अपने को दुगुना भारी महसूस करेंगे।

---

1. यह भी बता दूँ कि मोटर-रेस की गाड़ी जब तेजी से अपना वेग बढ़ाती है, उसका त्वरण 2-3 m/s^2 से अधिक नहीं होता और स्टेशन से चलते वक्त ट्रेन का त्वरण 1 m/s^2 होता है।

वैसे, कम समय के लिए मानव शरीर कई गुनी भार-वृद्धि सहन कर सकता है। बर्फीले टीले से स्लेज के सहारे फिसलते वक्त जब हम गति की दिशा बदलते हैं, क्षण भर को हमारा भार बढ़ जाता है, अर्थात् हमारा शरीर स्लेज को अधिक बल से दबाता है। भार में तिगुनी वृद्धि हम काफी आराम से सहन कर लेते हैं। यदि मान लें कि एकाध क्षण के दरम्यान आदमी भार में दस गुनी वृद्धि भी सहन कर ले सकता है, तो तोप की नली सिर्फ 600km लंबी करनी होगी। लेकिन इससे कोई अधिक लाभ नहीं होगा। आधुनिक तकनीकी ज्ञान इतनी लंबी तोप नहीं बना सकता।

ये ही हैं वे परिस्थितियाँ, जिनमें जूल वेर्न की चंद्र-यात्रा की योजना सफल हो सकती है।[1]

गणित-प्रेमियों के लिए

हमारे पाठकों के बीच निस्संदेह ऐसे भी होंगे, जो उपरोक्त कलनों की जाँच करना चाहेंगे। यहाँ वे कलन सविस्तार दिए जा रहे हैं। पर वे समीपवर्ती हैं, क्योंकि हम मान कर चल रहे हैं कि तोप की नली में गोले की वेगवृद्धि समरूप है (यथार्थ में वेग की वृद्धि असमान रूप से होती है)।

कलन में समरूप त्वरित गति के निम्न दो सूत्रों का उपयोग हुआ है :

t-वां सेकेंड बीतने पर वेग v बराबर होगा at के, जहाँ a त्वरण है :

$$v=at.$$

t सेकेंड में तय किया गया पथ S ज्ञात करने का सूत्र है

$$S=at^2/2.$$

पहले इन सूत्रों की सहायता से तोप की नली में गोले का त्वरण ज्ञात करते हैं।

उपन्यास से ज्ञात है कि नली का वह भाग, जो बारूद से नहीं भरा गया है, 210 m लंबा है। नली में गोले के पथ की लंबाई S यही है।

पथ के अंत में गोले का वेग हमें ज्ञात है : v=16000 m/s। S व v की सहायता से t ज्ञात करते है। यह नली में गोले की गति का समय है (गति को समरूप त्वरित माना जा रहा है। समीकरणों का उपयोग करें :

$$v = at = 16000, \quad 210 = S = \frac{at.t}{2} = \frac{16000t}{2} = 8000t,$$

$$t = \frac{210}{8000} = \text{ करीब } \frac{1}{40} \text{ सेकेंड।}$$

मतलब कि गोला नली का पथ $1/40$ सेकेंड में तय करता है! सूत्र v=at में $t = 1/40$ रखने पर :

$$16000 = \frac{1}{40}a, \text{ अतः } a = 640000 \ m/2^2.$$

आप देखते हैं कि नली का त्वरण 640000 m/s^2 के बराबर है। यह गुरुत्व-बल के त्वरण से 64000 गुना अधिक है।

---

1. उपन्यास के गोले के भीतर की जिंदगी का वर्णन करते वक्त जूल वेर्न ने एक महत्त्वपूर्ण भूल की है, जिसके बारे में 'मनोरंजक भौतिकी' के प्रथम भाग में कहा जा चुका है। याद दिला दें कि उपन्यासकार ने इस बात पर बिल्कुल ही ध्यान नहीं दिया कि **तोप दागने के बाद पूरे उड़ानकाल में गोले के भीतर सभी वस्तुएँ बिल्कुल भारहीन रहेंगी,** क्योंकि गुरुत्व-बल गोले और उसके भीतर की सभी वस्तुओं को समान त्वरण संप्रेषित करता है (आगे भी देखें शीर्षक 'जूल वेर्न के उपन्यास में अलिखित अध्याय')।

नली की लंबाई कितनी रखी जाये कि उसमें गोले का त्वरण किसी स्वतंत्र गिरते हुए पिंड के त्वरण से सिर्फ 10 गुना अधिक हो (अर्थात् 100 m/s^2 के बराबर हो)?

यह उस प्रश्न का ठीक उल्टा है, जिसे हम अभी-अभी हल कर चुके हैं। प्रदत्त मान हैं : $a = 100\ m/s^2$, $v=11000\ m/s$ (वातावरण के प्रतिरोध की अनुपस्थिति में यह वेग पर्याप्त रहेगा)।

सूत्र $v=at$ से $11000=100\ t$, अतः $t=110\ s$.

सूत्र $S=at^2/2=at\ .\ t/2$ से तोप की आवश्यक लंबाई ज्ञात होती है

$$\frac{11000-110}{2}=605000\ m$$

अर्थात् लगभग 600km.

आप देखते हैं कि इन कलनों से प्राप्त सांख्यिक मान जूल वेर्न की लुभावनी योजना को बिल्कुल अव्यावहारिक सिद्ध कर देते हैं।[1]

1. इस अध्याय में बताई गई सभी बातें सिद्धांततः सही है। अंतरिक्षी उड़ान की समस्याओं के व्यावहारिक हल विज्ञान की अद्यतन पुस्तकों से प्राप्त हो सकते हैं।—संपादक।

अध्याय 6

गैस और द्रव के गुण

समुद्र, जिसमें डूबते नहीं

इस तरह का सागर उस देश में है, जिसे मानव-जाति प्राचीन काल से जानती है। यह पालेस्तीन का मृत सागर है। इसका पानी इतना खारा है कि इसमें कोई जीवित प्राणी नहीं रह सकता। पालेस्तीन में वर्षा बहुत कम होती है और वहाँ की जलवायु अत्यंत गर्म है, अतः वहाँ पानी का वाष्पीकरण बहुत तेजी से होता रहता है। वाष्पीकरण से सिर्फ पानी ही उड़ता है, लवण सागर में रह जाते हैं। यही कारण है कि मृत सागर का खारापन बढ़ता जा रहा है। मृत सागर के पानी में अन्य सागरों की भाँति लवणों की मात्रा भारानुसार 2 या 3 प्रतिशत नहीं, बल्कि 27 प्रतिशत है। गहराई में लवण की मात्रा बढ़ती जाती है। इस प्रकार, मृत सागर के पानी में चौथाई अंश लवणों का है। लवणों की पूरी मात्रा इस सागर में कोई 40 मिलियन टन आँकी गई है।

अत्यधिक खारेपन के कारण मृत सागर में एक विशेषता आ गई है : इसका पानी अन्य सागरों के जल से अधिक भारी है; इतना भारी कि इसमें आदमी डूबता नहीं है। आदमी का शरीर इसके पानी से हल्का है।

हमारे शरीर का भार तुल्य आयतन के घोर नमकीन पानी के भार से काफी हल्का है, इसलिए प्लवन नियम के अनुसार आदमी मृत सागर में नहीं डूबता; उसके पानी में वह वैसे ही तैर पर ऊपर आ जाता है, जैसे नमकीन पानी में मुर्गी का अंडा (जो मीठे पानी में डूब जाता है)।

व्यंग्यकार मार्क ट्वेन इस विशाल झील के भारी पानी में नहाने के अनुभवों का बड़ा ही रोचक व सविस्तार वर्णन करते हैं :

"स्नान-बेहद मजेदार था! हम डूबते नहीं थे। डुबकी लगाना भी मुश्किल था। यहाँ आप हाथ वक्ष पर रख कर पानी पर पीठ के बल लंबे लेट सकते हैं; आपके शरीर का अधिकतर भाग पानी के ऊपर रहेगा। इस स्थिति में आप सिर ऊपर भी उठा सकते हैं...। आप घुटनों को ठुड्डी तक मोड़ कर उन्हें हाथों से पकड़े हुए भी लेट सकते हैं; पर जल्द ही आप उलट जाएँगे, क्योंकि सिर अधिक भारी होता है। आप सिर के बल खड़े हो सकते हैं—वक्ष के मध्य से पैरों तक आप पानी के ऊपर रहेंगे। पर इस स्थिति में आप काफी देर तक नहीं टिके रह सकते। आप पीठ के बल लेटे हुए तैर कर दूर नहीं जा सकते, क्योंकि आपका पैर पानी से ऊपर रहता है। पानी को धक्का सिर्फ तलवों से देना पड़ता है। यदि आप पट हो कर तैरते हैं, तो आगे बढ़ने की बजाय पीछे खिसकने लगते हैं। घोड़ा मृत सागर में न तो खड़ा रह सकता है, न तैर सकता है—वह करवट के बल लेट जाता है।"

'चित्र 49 में आप एक आदमी को देख रहे हैं, जो मृत सागर की सतह पर आराम से लेटा हुआ हैं। पानी के उच्च विशिष्ट भार के कारण ही वह इस स्थिति में किताब पढ़ रहा है। प्रचंड सूर्य-किरणों के बचने के लिए छाता वह

भी रख पा रहा है।

ऐसा ही असाधारण गुण कास्पियन सागर की खाड़ी कारा-बोगाज-कोला[1] और एल्तन झील के नमकीन पानी में है। एल्तन के पानी में लवणों की मात्रा 27 प्रतिशत है।

चित्र 49. मृत सागर की सतह पर आदमी (फोटोचित्र से)।

कुछ ऐसा ही अनुभव उन लोगों को होता है, जिन्हें डाक्टर की सलाह पर नमकीन पानी के टब में स्नान करना पड़ता है। यदि पानी में काफी अधिक लवण हैं, जैसा कि स्तारोरूस के खनिज जलों में होता है, तो बीमार व्यक्ति को टब में अपना शरीर डुबाए रखने के लिए काफी शक्ति लगानी पड़ती है। स्ताराया रूस्सा में चिकित्साधीन एक औरत की शिकायत थी कि पानी "उसे टब से बिल्कुल बाहर धकेल देता है"। वह आर्कमिडीज़ के नियम को नहीं, चिकित्सागृह के प्रबंधक को दोषी ठहराना चाहती थी।

भिन्न समुद्रों में पानी का खारापन भी भिन्न होता है और इसीलिए उनमें जहाज का निचला भाग भिन्न ऊँचाई तक डूबता है। कुछ पाठकों ने बंदरगाहों पर खड़े जहाज की जलरेखा के समीप तथाकथित "लायड चिह्न" अंकित देखा होगा। यह चिह्न बताता है कि किस घनत्व वाले पानी में जहाज का निचला भाग कितना डूबेगा। चित्र 50 में दर्शित बोझ-चिह्न महत्तम जलरेखा का स्तर बताता है :

चित्र 50. जहाज के पार्श्व पर बोझ-चिह्न। चिह्न जल-स्तर पर बनाया जाता है। स्पष्टता के लिए उसे अलग से बड़ा करके दिखाया गया है। अक्षरों का अर्थ पुस्तक में देखें।

1. कारा-बोगाज-कोला के पानी का विशिष्ट भार 1.18 है। उसके एक अध्ययनकर्ता लिखते हैं कि "इसमें बिना किसी कठिनाई के तैरा जा सकता है और आर्कमिडीज़ के नियम का उल्लंघन किए बगैर इसमें डूबना नामुमकिन है"।

मीठे पानी में (Fersch Water)...FW

हिंद महासागर में (India Summer)...IS

खारे पानी में गर्मियों में (Summer)...S

खारे पानी में जाड़ा (Winter)...W

जाड़े में उत्तरी अटलांटिक महासागर (Winter North Atlantik)...WNA

हमारे यहाँ जहाजों में यह चिह्न लगाना 1909 ई. अनिवार्य किया गया है।

अंत में एक और बात स्पष्ट कर देना चाहूँगा कि पानी का एक प्रकार है, जो अपने शुद्ध रूप में भी साधारण पानी से भारी होता है। उसका विशिष्ट भार 1.1 है, अर्थात् वह साधारण पानी से 10% अधिक भारी है। ऐसे पानी से भरे तालाब में तैरना नहीं जानने वाला व्यक्ति भी नहीं डूबेगा। इस पानी को 'भारी' नाम से पुकारा गया है। इसका रासायनिक सूत्र Do है (यह पानी ऐसे हाइड्रोजन से बनता है, जो साधारण हाइड्रोजन से दुगुना भारी होता है; इसे D से द्योतित करते हैं)। 'भारी' पानी साधारण पानी में भी होता है—एक बाल्टी साधारण पानी में करीब 8g।

Do संरचना वाले भारी पानी (भारी पानी की विभिन्न संरचनाओं की संख्या भी सत्रह है) को आजकल लगभग शुद्ध रूप में प्राप्त किया जा सकता है : इसमें साधारण पानी सिर्फ 0.05% होगा।[1]

हिम-भंजक कैसे काम करता है?

पानी से भरे टब में स्नान करते वक्त एक प्रयोग करें। टब से निकलने के पहले उसके तल पर लेटे रहिए और पानी निकलने का छेद खोल दीजिए। जैसे-जैसे पानी निकलता जाएगा, आपका शरीर पानी से ऊपर निकलना शुरू कर देगा और आप महसूस करेंगे कि आपका शरीर अधिक भारी होता जा रहा है। आपको विश्वास हो जाएगा कि पानी में खोया हुआ भार (स्मरण करें कि टब में आप अपने को कितना हल्का महसूस करते हैं) पुनः वापस आ जाता है, जब अपना शरीर पानी से बाहर निकल आता है।

जब व्हेल मछली ज्वार-भाटे के साथ छिछले स्थान पर आकर अनजाने में इस तरह का प्रयोग कर बैठती है, तो उसे प्राण गँवाने पड़ते हैं : वह अपने ही भार से कुचल जाती है। इसीलिए तो व्हेल पानी में रहती है : वहाँ द्रव का उत्प्लावक बल गुरुत्व-बल के घातक प्रभाव से उसकी रक्षा करता है।

जो कुछ यहाँ कहा गया है, इस लेख के शीर्षक के साथ उसका निकटतम संबंध है। हिम-भंजक का कार्य इसी भौतिक संवृत्ति पर आधारित है : पानी से बाहर निकाला गया जहाज का भाग पानी के उत्प्लावक बल से संतुलित नहीं रहता है और अपना 'थलीय' भार प्राप्त कर लेता है। यह मत सोचें कि हिम-भंजक चलता हुआ अपने अग्र-भाग के दबाव से बर्फ की परत काटता रहता है। इस तरह से काम करता है **हिम-भंजक नहीं, हिम-कर्तक।** यह विधि तभी काम आती है, जब बर्फ की परत अधिक मोटी नहीं होती है।

'क्रासीन' और 'येरमाक' जैसे असली समुद्री हिम-भंजक कुछ दूसरी तरह से काम करते हैं। शक्तिशाली मशीन की सहायता से हिम-भंजक अपना अग्र-भाग बर्फ की सतह पर धकेल कर चढ़ा देता है। उसका अग्र-भाग इसीलिए तिरछा बनाया जाता है। पानी से बाहर आकर हिम-भंजक का अग्र-भाग अपना वास्तविक भार प्राप्त कर लेता है और यह इतना अधिक होता है ('येरमाक' का अग्र-भाग 800 टन भारी था) कि बर्फ को पीस कर रख देता है। इस प्रभाव को और शक्तिशाली बनाने के लिए अग्र-भाग के पीपों में पानी भर दिया जाता है, जो 'द्रव-गिट्टी' का काम करता है।

---

1. भारी पानी का विस्तृत उपयोग परमाण्विक तकनीकी में और खास कर परमाण्विक रिएक्टर में होता है। उसे साधारण पानी से ही औद्योगिक विधियों द्वारा प्राप्त किया जाता है।—संपादक।

हिम-भंजक इस तरह से तब काम करता है, जब बर्फ की परत आधे मीटर से अधिक मोटी नहीं होती। इससे अधिक मोटी परत जहाज की **चोट** से तोड़ी जाती है। हिम-भंजक थोड़ा पीछे हटता है और फिर आगे बढ़ता हुआ अपने पूरे द्रव्यमान से बर्फ पर टक्कर मारता है। इस स्थिति में जहाज का भार नहीं, उसकी गति ऊर्जा काम आती है; जहाज तोप के गोले सा काम करता है, जिसका वेग तो अधिक नहीं होता, पर द्रव्यमान बहुत बड़ा होता है।

यदि बर्फ का टीला कई मीटर ऊँचा होता है, तो हिम-भंजक को कई बार टक्कर मारनी पड़ती है। इसके लिए उसका अग्र-भाग बहुत मजबूत बनाना पड़ता है।

1392 ई. में संगठित 'सिबिरिकोव' के विख्यात अभियान के एक सदस्य नि. मार्कोव इस हिम-भंजक के कार्य का वर्णन निम्न शब्दों में करते हैं :

'सिबिरिकोव' ने सैकड़ों बर्फीली चट्टानों और बर्फ की मोटी एकाश्म परतों के बीच अपना संघर्ष आरंभ किया। लगातार बावन घंटों तक मशीनी टेलीग्राफ की सुई 'पीछे हटो' से 'आगे बढ़ो' पर छलांग लगाती रही। बावन घंटों तक 'सिबिरिकोव' टक्कर मार-मार कर बर्फ को तोड़ता रहा। बर्फ की तीन चौथाई मीटर मोटी परत जहाज को बहुत कठिनाई से आगे बढ़ने दे रही थी। हर टक्कर से जहाज अपनी लंबाई की एक तिहाई दूरी तय करता था।''

दुनिया के सबसे बड़े व शक्तिशाली हिम-भंजक सोवियत संघ के पास हैं।

डूबे हुए जहाज कहाँ है?

एक प्रचलित धारणा है (बहुत से समुद्री नाविक भी यही सोचते हैं) कि सागर में डूबे हुए जहाज सागर के तल तक नहीं पहुँचते; वे बीच में ही किसी विशेष गहराई पर लटके होते हैं, जहाँ ''पानी ऊपर की परतों के दबाव से अधिक घना हो जाता है''।

''पानी में 20 हजार ली नीचे'' के लेखक का भी शायद यही खयाल था। इस उपन्यास के इस अध्याय में जूल वेर्न पानी में डूब कर लटके हुए एक जहाज का वर्णन करते हैं। इसी उपन्यास के एक अन्य अध्याय में वे 'पानी में स्वतंत्र लटके हुए डूबे जहाजों'' की याद दिलाते हैं।

क्या इस तरह के कथन सही हैं?

इसके लिए कुछ आधार तो है ही। सागर की गहराइयों में पानी का दबाव बहत ज्यादा होता है। 10 मीटर की गहराई में डूबे पिंड के प्रति वर्ग सेंटीमीटर पर पानी 1kg का दबाव डालता है। 20 मीटर की गहराई पर यह दबाव 2 kg के बराबर हो जाता है, 100 m की गहराई पर—10kg और 100m के बराबर। लेकिन अनेक स्थानों पर सागर की गहराई कई किलोमीटर की होती है। ये गहराइयाँ 11 km से भी अधिक की हो सकती हैं (जैसे मेरियन दरार में)। आप आसानी से कलन कर सकते हैं कि इतनी गहराई में डूबी वस्तु पर पानी का दबाव कितना होगा।

यदि खाली बोतल को डाट से बंद कर के काफी गहराई में रखा जाएँ, तो पानी दबाव के साथ डाट को धकेल कर भीतर घुस आएगा। विख्यात समुद्रविद जोन मेरी अपनी पुस्तक 'महासागर' में निम्न प्रयोग का वर्णन करते हैं : भिन्न नाप वाली शीशे के तीन नलियाँ ली गईं। उनके दोनों सिरों को झलैया (वेल्डिंग) से बंद कर के उन्हें एक कपड़े से लपेट दिया गया और ताँबे के खोखले बेलन में रख कर 5 km की गहराई पर उतारा गया। बेलन में इस तरह से छिद्र बने थे कि पानी उसमें स्वतंत्रतापूर्वक प्रविष्ट हो सके। जब उसे वापस निकाला गया, कपड़े में बर्फ के चूरन सा कोई पदार्थ भरा हुआ था। यह शीशे का चूरन था। लकड़ी के टुकड़े को इतनी गहराई पर रखने से वह इतना दब जाता है कि पानी में ईंट के समान डूबने की विशेषता प्राप्त कर लेता है।

उक्त तथ्यों के आधार पर यह आशा करना बिल्कुल स्वाभाविक होगा कि बड़ी गहराइयों पर अत्यधिक दबाव के कारण पानी इतना घना हो जाता है कि उसमें भारी वस्तुएँ भी नहीं डूबतीं। स्मरण करें कि पानी में लोहे की वस्तु

नहीं डूबती, क्योंकि पानी का घनत्व काफी अधिक होता है।

पर इस तरह के विचार बिल्कुल निराधार हैं। प्रयोगों से ज्ञात होता है कि अन्य सभी द्रवों के समान पानी भी बहुत मुश्किल से संकुचित होता है। प्रति cm^{-2} पर 1 kg का दबाव डालने पर पानी में संकोचन उसके आयतन के 1/22 000 वें अंश के बराबर होता है। दबाव बढ़ाने पर प्रति किलोग्राम के लिए संकोचन-दर लगभग यही रहता है। यदि आप पानी का घनत्व इतना बढ़ाना चाहते हैं कि इसमें लोहा तैरने लगे, तो आपको उसे 8 गुना अधिक घना करना पड़ेगा। पर उसे सिर्फ दुगुना घना करने के लिए, अर्थात् उसके आयतन को आधा करने के लिए प्रति वर्ग सेंटीमीटर पर 11000kg का दबाव चाहिए (यदि इतने बड़े दबाव के लिए उपरोक्त संकोचन दर सही हो)। इसके लिए आपको सागर में 110km गहरे स्थान की खोज करनी होगी।

इससे स्पष्ट हो जाता है कि सागर की गहराइयों में पानी के कुछ विशेष घना होने की बात करना बेकार है। सबसे गहरे स्थान पर पानी का घनापन सिर्फ 1100/22000, अर्थात् 1/20 भाग ही अधिक होता है। यह पानी के साधारण घनत्व से 5% अधिक होगा।[1] यह अंतर भिन्न पिंडों के प्लवन पर कोई प्रभाव नहीं डाल सकता। इसके अतिरिक्त, ऐसे पानी में ठोस वस्तुएँ भी तो दब कर कुछ अधिक घनी हो जाएँगी।

इसलिए इसमें शक नहीं है कि डूबे हुए जहाज सागर के तल पर ही होते हैं। मेरी लिखते हैं : ''जो वस्तु गिलास के पानी में डूब सकती है, वह गहरे से गहरे सागर में भी डूबेगी और उसके तल को अपना विश्राम-स्थल बनाएगी।''

इस बात को काटने के लिए अक्सर यह तर्क सुनने में आता है : गिलास को **औंधा** कर के सावधानी से पानी में डुबाया जाए, तो वह इसी स्थिति में टिका रह सकता है, क्योंकि उसके द्वारा विस्थापित पानी का भार उसके भार के तुल्य होता है। धातु का अधिक भारी गिलास यह स्थिति बिना तल पर गए जल-स्तर से कुछ नीचे प्राप्त कर सकता है। औंधा जहाज भी डूबते वक्त इसी तरह आधे रास्ते में रुक सकता है। यदि जहाज के भीतरी भाग में कहीं हवा अच्छी तरह से कैद रह गई हो, तो जहाज एक विशेष गहराई पर रुक जाएगा।

औंधी स्थिति में अनेक जहाज डूबते हैं और बिल्कुल संभव है कि उनमें से कुछेक तल तक नहीं पहुँचते; सागर की अँधियारी गहराइयों में कहीं लटके रह जाते हैं। ऐसे जहाज के लिए हल्का सा धक्का काफी रहेगा कि उसका संतुलन बिगाड़ दिया जाए और उसे थोड़ा उलट कर उसमें पानी भर दिया जाए। वह आराम से तल पर पहुँच जाएगा। पर सागर की गहराई में कहाँ से धक्का मिल सकता है? वहाँ हमेशा शांति रहती है और पानी की सतह पर आए तूफानों की भी खबर वहाँ नहीं पहुँचती।

ये सब तर्क एक गलती पर आधारित है। औंधा गिलास **स्वयं नहीं डूबता;** उसे लकड़ी के टुकड़े या बंद खाली बोतल की तरह **बाह्य बल** की सहायता से डुबाना पड़ता है। यदि जहाज डूबते वक्त औंधा हो जाता है और उसमें कहीं बंद हवा रह जाती है, तो वह डूबेगा ही नहीं। वह तल और सतह के बीच किसी भी हालत में डूबा नहीं रह सकता।

जूल वेर्न और वेल्स के सपने कैसे साकार हुए

हमारे समय की वास्तविक पनडुब्बियाँ कुछ बातों में जूल वेर्न की काल्पनिक 'नौटिलुस' से कहीं बढ़-चढ़ कर हैं। आधुनिक पनडुब्बियों की चाल 'नौटिलुस' की चाल से दुगुनी धीमी है : सिर्फ 24 नॉट, जबकि 'नौटिलुस' की चाल 50 नॉट थी (एक नॉट है करीब 1.8m/h)। सबसे लंबी यात्रा पर चली आधुनिक पनडुब्बी पृथ्वी का एक

1. अंग्रेज भौतिकविद थेट ने हिसाब लगाया कि यदि पार्थिव गुरुत्वाकर्षण समाप्त हो जाए और पानी भारहीन हो जाए, तो सागरों में जल-स्तर औसतन 35m ऊँचा उठ आएगा (क्योंकि भार से दबा पानी अपना यथार्थ आयतन ग्रहण करने को मुक्त हो जाएगा)। ''सागर 5000 000km^2 थल को डुबा देगा, जो पानी के दबे होने के कारण ही सागर-स्तर से ऊपर रहता है।'' (बेर्जे)

चक्कर लगाती है। कैप्टेन नेमा की पनडुब्बी ने इससे दुगुना रास्ता तय किया था। पर 'नौटिलुस' की जलविस्थापन क्षमता सिर्फ 1500 टन थी और उसमें करीब बीस-तीस व्यक्ति ही सफर कर सकते थे। यह पनडुब्बी 8 घंटे से अधिक लगातार पानी के नीचे नहीं रह सकती थी। 1929 ई. में निर्मित-फ्रांसीसी पनडुब्बी 'सुर्कुफ' की विस्थापन क्षमता 3200 टन थी। उसमें करीब डेढ़ सौ आदमी थे और वह एक सौ बीस घंटे से अधिक समय तक लगातार पानी के नीचे रह सकती थी।[1]

फ्रांस से मडागास्कर द्वीप तक की यात्रा के बीच यह पनडुब्बी एक बार भी पानी से बाहर नहीं आई। 'सर्कुफ' 'नौटिलुस' से कम आरामदेह नहीं था। 'सुर्कुफ' के ऊपरी डेक पर एक टोही जल विमान के लिए गैरेज भी था, जिसमें पानी नहीं घुस सकता था। कैप्टेन नेमा के पास समय-समय पर आस-पास की टोह लेने के लिए कोई साधन नहीं था। जूल वेर्न के 'नौटिलुस' में पानी से ऊपर देखने के लिए पेरिस्कोप भी नहीं था।

वास्तविक पनडुब्बियाँ सिर्फ एक बात में फ्रांसीसी उपन्यासकार की काल्पनिक पनडुब्बी से लोहा नहीं ले सकतीं। 'नौटिलुस' काफी गहराई में तैर सकती थी, पर वास्तविक पनडुब्बियाँ नहीं। लेकिन इस बात में जूल वेर्न की कल्पना सत्य से बहुत दूर है। "कैप्टने नेमा,–उपन्यास में एक जगह लिखा है,–तीन से दस हजार मीटर की गहराई में उतर सकते थे।" और एक बार 'नौटिलुस' 16 हजार मीटर की गहराई में उतर आया। वह कल्पनातीत घटना थी। उपन्यास का मुख्य पात्र अपनी कहानी कहता है : "मैं साफ महसूस कर रहा था कि पनडुब्बी की बाहरी सतह पर चादरों के जोड़ कसक रहे हैं और खिड़कियाँ पानी के दबाव से भीतर की ओर नम रही हैं। यदि हमारा जहाज ढलैया से बने एकाश्म पिंड जैसा मजबूत नहीं होता, तो इतने बड़े दबाव से पिचक कर रोटी जैसा हो जाता।"

डरने की बात जरूर थी। क्योंकि 16km की गहराई पर (यदि सागर में ऐसे गहरे स्थान हैं) पानी का दबाव होगा :

$$16000 : 10 = 1600 \text{ kg/cm}^2$$

या 1600 तकनीकी वातदबाव। ऐसा दबाव लोहे को पीस तो नहीं सकता, पर जहाज की बनावट जरूर बिगाड़ देगा। पर आधुनिक समुद्र (समुद्र विज्ञान) को ऐसे गहरे स्थल ज्ञात नहीं है। जूल वेर्न के जमाने में (उपन्यास 1869 में लिखा गया था) सागर की गहराइयों के प्रति लोगों के खयाल गलत थे, क्योंकि उसे नापने की शुद्ध विधियाँ नहीं थीं। उस समय गहराई नापने के लिए तार का नहीं सन की रस्सी का उपयोग होता था। तब लंगर जितना ही गहरा जाता था, रस्सी के साथ पानी का घर्षण भी उतना ही अधिक होता जाता था। अधिक गहराई पर घर्षण इतना अधिक हो जाता था कि लंगर इससे नीचे उतरता ही नहीं था। लोग रस्सी ऊपर से छोड़ते थे और उन्हें लगता था कि वहाँ काफी अधिक गहरा है।

हमारे समय की पनडुब्बियाँ 25 से अधिक वातदाब सहन नहीं कर सकतीं। इसका अर्थ है कि उन्हें 25 m से अधिक गहराई पर नहीं उतरना

चित्र 51. सागर की गहरी परतों में उतरने के लिए इस्पात का गोलाकार उपकरण 'प्लावर्तुल' (बैथी-स्फेयर)। इस उपकरण में विलियम बीब 1036 ई. में 923 m की गहराई में उतरे थे। गोले की दीवारें करीब 4 cm मोटी हैं। उसका व्यास 1.5m है और भार 2.5 टन

1. आधुनिक पनडुब्बियाँ परमाणु-शक्ति से चलती हैं, अतः उनमें ऊर्जा का भंडार व्यावहारिकतः अक्षय माना जा सकता है। इसीलिए मनुष्य सागर-तल के अज्ञात स्थलों का निरीक्षण करने के लिए लंबा से लंबा कोई भी पथ चुन सकता है। उदाहरणार्थ, 1958 ई. में (22 जुलाई से 5 अगस्त तक) परमाणु-चलित अमरीकी पनडुब्बी 'नौटिलुस' ने उत्तरी ध्रुव के पास ग्रीनलैंड सागर से बेरिंग सागर तक जलगत यात्रा पूरी की।–संपादक।

चाहिए। कहीं अधिक गहराई पर उतरने के लिए एक दूसरा उपकरण है, जिसे प्लावर्तुल (बैथीस्फेयर) कहते हैं (चित्र 51)। इसका उपयोग सागर की गहराई में स्थित जीव-जगत् के अध्ययन में होता है। इसकी बनावट जूल वेर्न के 'नौटिलुस' जैसी नहीं, वेल्स के जलगामी गोले की तरह है, जिसका वर्णन उन्होंने 'समुद्र की गहराई में' नामक पुस्तक में किया है। कहानी का नायक मोटी दीवारों वाले एक खोखले गोले में 9 km की गहराई पर उतरता है। उपकरण को रस्सी से बाँध कर नहीं लटकाया जाता था। उसमें वजनी वस्तुएँ रखी जाती थीं, जिसके कारण वह स्वयं पानी में डूब जाता था। ऊपर आने के लिए इस बोझ को अलग कर देते थे और गोला स्वयं ऊपर आ जाता था।

प्लावर्तुल में वैज्ञानिकगण 900m तक की गहराई पर जा चुके हैं। उसे जहाज से रस्सी के सहारे पानी में उतारा जाता है। रस्सी के साथ टेलीफोन-लाइन भी लगी होती है।[1]

'सादको' का उद्धार

विस्तृत सागर में प्रतिवर्ष हजारों छोटे-बड़े जहाज डूब जाया करते हैं। युद्ध-काल में डूबने वाले जहाजों की संख्या विशेष रूप से अधिक थी। अधिक मूल्यवान् जहाजों में से जो सुगम स्थलों पर पड़े हैं, उन्हें उबारने की कोशिश की जाती है। ''विशेष कार्यों के लिए जलगत अभियान'' के सदस्यों के रूप में सोवियत इंजीनियरों तथा गोताखोरों को 150 से अधिक जहाजों को सफलतापूर्वक उबारने के लिए विश्वख्याति प्राप्त हो चुकी है। इनमें सबसे बड़ा जहाज हिमभंजक 'सादको' था, जो 1916 ई. में कैप्टेन की गलती से श्वेत सागर में डूब गया था। वह 17 साल तक सागर तल पर पड़ा रहा। उक्त अभियान के सदस्यों ने उसे निकाल कर उसे पुनः काम करने लायक बना दिया।

इस जहाज को निकालने की विधि पूर्णतया आर्कमिडीज़ के नियम पर आधारित थी। डूबे जहाज के नीचे जमीन में 12 सुरंगें खोदी गईं और उनमें फौलादी रस्से बिछा दिए गए। रस्सों के सिरे पीपों से बँधे थे। यह सारा काम जल-स्तर से 25 m नीचे पूरा किया गया था।

पीपे (चित्र 52) 11 मीटर लंबे लोहे के बेलन थे, जिनका व्यास 5.5 m था। खाली पीपे का वजन 50 टन था। ज्यामितीय नियमों से बेलन का आयतन ज्ञात किया जा सकता है : करीब 250 घन मीटर। स्पष्ट है कि ऐसा पीपा डूब नहीं सकता; वह पानी पर तैरता रहेगा, क्योंकि उसका भार है 50 टन और उसके द्वारा विस्थापित जल का भार है 250 टन। उसकी भार उठाने की क्षमता 250 और 50 का अंतर, अर्थात् 200 टन होगी। पीपे को तल पर उतारने के लिए उसे पहले पानी से भर दिया गया था।

चित्र 52. 'सादको' को उठाने की योजना का आरेख। चित्र में हिम-भंजक का अनुच्छेद, पीपे और रस्से दिखाए हैं।

जब डूबे हुए पीपों को लोहे के रस्सों से अच्छी तरह बाँध दिया गया, रबड़ की नलियों से उसमें हवा भरी गयी। 25 m की गहराई पर हवा का दबाव 25/10+1; अर्थात् 3 1/2 वातदाब के बराबर होता है। हवा पीपे में 4 वातदाब के अंतर्गत भरी जा रही थी, इसीलिए वह उसमें से पानी विस्थापित कर सकती थी। हल्का हो जाने पर पीपे परिवेशी जल द्वारा विशाल शक्ति से ऊपर धकेले

1. इसके कुछ समय बाद फ्रांस में इंजिनियर विल्म और इटली में बेल्जियन प्रोफेसर पिकार की देख-रेख में प्लाकोष्ठ (बैथीश्काफ) नामक उपकरण बनाए गए। प्लावर्तुल रस्सी के सहारे सिर्फ एक स्थान पर लटके रहते हैं, पर प्लाकोष्ठ स्वयं तैर सकते हैं। पिकार का प्लाकोष्ठ 3 km नीचे उतरा था। इसके बाद फ्रांसीसी गियोम तथा विल्म का प्लाकोष्ठ 4050 m की गहराई तक पहुँचा। 1959के नवंबर में प्लाकोष्ठ 5670m की गहराई पर था। 9 जनवरी 1960 को पिकार 7300 m की गहराई देख आया और 23 जनवरी को उसका प्लाकोष्ठ मैरियन दरार के तल का निरीक्षण कर आया, जो 11.5 km की गहराई पर स्थित है। आधुनिकतम अध्ययनों के अनुसार यह दुनिया में सबसे गहरा स्थान है।

जाने लगे। पीपों की भार उठाने की सम्मलित क्षमता 200X12, अर्थात् 2400 टन थी। यह 'सादको' के भार से काफी अधिक था, इसीलिए पीपों में से सारा पानी नहीं निकाला गया। सारा पानी निकाल देने पर जहाज के ऊपर आने का वेग बहुत अधिक होता है।

जहाज एक ही बार में नहीं निकल आया। इसके पहले के कुछ प्रयत्न असफल हो गए थे। ''जहाज के उद्धारकों को चार दुर्घटनाओं का सामना करना पड़ा, तब जा कर उन्हें सफलता मिली,—अभियान के नेतृत्वकर्ता इंजीनियर त. इ. बब्रीत्स्की लिखते हैं।[1]—तीन बार उत्सुकता से जहाज के निकालने की प्रतिज्ञा की गई और तीनों बार जहाज की जगह अकेले खाली पीपे निकले। रस्से और पाइप टूट जाया करते थे। अंतिम बार जहाज दिखा, पर फिर डुबकी लगा गया...फिर बाहर निकला और फिर नीचे चला गया और तब जाकर पानी की सतह पर स्थिर हुआ।''

'शाश्वत' जल-चलित्र

'शाश्वत-चलित्रों' की अनेक योजनाएँ पानी में वस्तुओं के उत्प्लवन-गुण पर आधारित हैं। 20 मीटर ऊँचा मीनारनुमा हौज पानी से भरा हुआ है। ऊपर और नीचे चक्के लगे हुए हैं, जिन पर लोहे का रस्सा लगा हुआ है। रस्से से एक-एक मीटर की ऊँचाई वाले 14 घनाकार बरतन लगे हैं। पानी बरतन के भीतर नहीं जा सकता। चित्र 53 व 54 में इस हौज का बाह्य रूप तथा अनुतीर काट दिखाए गए हैं।

उपकरण किस प्रकार काम करता है? आर्कमिडीज़ के नियम से परिचित लोग समझ जाएँगे कि पानी के भीतर वाले बरतन ऊपर उठने को प्रवृत्त होंगे। उन्हें ऊपर धकेलता है बल, जो उनके द्वारा विस्थापित जल के बराबर है। यह एक घन मीटर पानी के भार गुण पानी में स्थित बरतनों की संख्या के बराबर होगा। चित्र से स्पष्ट है कि पानी में हमेशा छः बरतन होंगे। अतः पानी में बरतनों को ऊपर धकेलने वाला बल 6 m^3 पानी के भार के बराबर, अर्थात् 6 टन के बराबर होगा। इन बरतनों को इनका अपना भार नीचे खींचता है, पर इनका भार स्वतंत्र रूप से बाहर लटके बरतनों के भार द्वारा संतुलित हो जाता है।

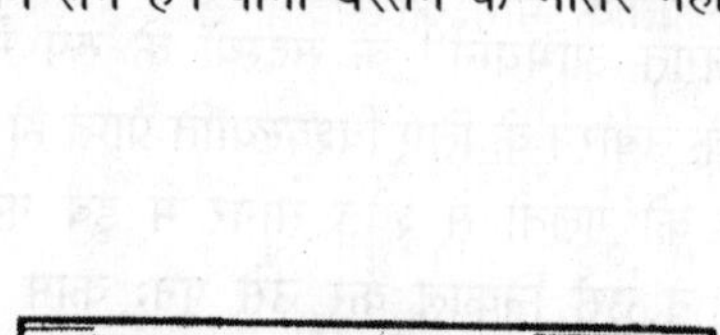

चित्र 53. मिथ्या 'शाश्वत' जल चलित्र की एक योजना।

चित्र 54. पिछले चित्र में दिखाए गए हौज की बनावट।

इस स्थिति में रस्सा हमेशा एक तरफ से ऊपर की ओर 6 टन बल से खींचता रहेगा। स्पष्ट है कि यह बल

1. पुस्तक 'गहराई पर विजय' में।

रस्से को चक्कों पर अविराम घूमने के लिए विवश करेगा और हर चक्कर से 16000X20=120 000 kgm के बराबर कार्य संपन्न होता रहेगा।

आप समझ सकते हैं कि यदि पूरे देश भर में ऐसे हौज बनाए जाएँ, तो हमें कार्य की अक्षय मात्रा प्राप्त होती रहेगी और इससे सारी आर्थिक आवश्यकताएँ पूरी हो सकेंगी। इस चलित्र की मदद से डायनेमो घुमाए जाएँगे, जो किसी भी मात्रा में विद्युत्-ऊर्जा दे सकेंगे।

लेकिन यदि इस योजना का ध्यानपूर्वक निरीक्षण करें, तो आपको मानना पड़ेगा कि रस्से से घूमने की कोई आशा नहीं करनी चाहिए।

रस्सा घूमता रहे, इसके लिए आवश्यक है कि बरतन नीचे से हौज में घुसे और ऊपर से निकले। लेकिन हौज में घुसते वक्त बरतन को 20 m **ऊँचे जल-स्तंभ के दाब का सामना करना पड़ेगा।** बरतन के एक वर्ग मीटर वाली सतह पर यह दबाव बीस टन के बराबर बल लगाएगा (यह $20m^3$ पानी का भार है)। ऊपर खींचने वाला बल सिर्फ 6 टन है और यह बरतन को हौज में खींचने के लिए काफी नहीं है।

'शाश्वत' जल-चलित्रों के सैकड़ों असफल नमूने हैं, जिनमें कुछ अत्यंत सरल हैं और आविष्कारक की प्रतिभा के प्रतीक माने जा सकते हैं।

चित्र 55 को देखें लकड़ी का बेलन अपने अक्ष के सहारे घूम सकता है। बेलन का एक भाग हमेशा पानी में है। यदि आर्कमिडीज़ का नियम सत्य है, तो पानी में डूबा हुआ भाग उत्प्लवन के लिए प्रवृत्त होगा। यदि उत्प्लवन-बल घर्षण-बल से अधिक होगा, तो बेलन का घूर्णन कभी बंद नहीं होगा...।

चित्र 55. "शाश्वत" जल चलित्र की एक और योजना।

लेकिन ऐसा 'शाश्वत' चलित्र बनाने की जल्दीबाजी न करें। आपको सफलता नहीं मिलेगी; बेलन अपनी जगह पर टस से मस नहीं होगा। फिर हमारे विचारक्रम में गलती कहाँ है? यहाँ हमने क्रियाशील बलों की दिशा पर कोई ध्यान नहीं दिया है। उत्प्लवन-बल बेलन की सतह के अभिलंब, अर्थात् त्रिज्या की दिशा में अक्ष की ओर लगता है। दैनिक अनुभव से सभी जानते हैं कि चक्के को उसके त्रिज्या के अनुतीर बल लगा कर घुमाना असंभव है। उसे घुमाने के लिए त्रिज्या के अभिलंब, अर्थात् चक्के की परिधि की स्पर्श रेखा के अनुतीर बल लगाया जाता है। अब आप बेशक समझ गए होंगे कि यह 'शाश्वत' चलित्र भी काम नहीं देगा।

'शाश्वत' चलित्र के अन्वेषकों के लिए आर्कमिडीज़ का नियम हमेशा आकर्षण का केंद्र रहा है। द्रव में डूबी वस्तु के भार में प्रतीयमान कमी आती है—इस तथ्य को उपयोग में लाने वाली नाना प्रयुक्तियाँ सोची गईं, जो अन्वेषकों के विचार में यांत्रिक ऊर्जा का शाश्वत स्रोत बन सकती थीं।

'गैस' और 'एटमोस्फेयर' शब्द किसकी देन हैं?

'गैस' शब्द 'थर्मोमीटर', 'इलेक्ट्रिसिटी', 'गैल्वेनोमीटर', 'टेलीफोन' 'एटमोस्फेयर' आदि जैसे शब्दों की तरह ही सोच कर बनाया गया है। सोच कर बनाए गए शब्दों में 'गैस' सबसे छोटा शब्द है। इसे गैलीली के समकालीन हालैंडवासी चिकित्सक व रसायनविद् हैल्मौंट (1577-1644) ने यूनानी शब्द 'केओस' से बनाया था। हवा दो अवयवों से मिल कर बना है, जिसमें से एक जलने में सहायक होता है तथा खुद भी जल जाता है और दूसरा अवयव यह गुण नहीं रखता—यह ज्ञात होने पर हैल्मौंट ने लिखा :

"ऐसे वाष्प को मैंने **गैस** का नाम दिया, क्योंकि यह प्राचीन **केओस** से काफी मिलता-जुलता है ('केओस' का आरंभिक अर्थ है—उद्भासित व्योम)।

पर नया शब्द काफी समय तक प्रयोग में नहीं आया। 1789 में लावोजिये ने इसे नया जन्म दिया। गुब्बारे में मंगोल्फिये भाइयों की उड़ान के बाद इस शब्द का विस्तृत प्रयोग होने लगा।

लोमोनोसोव की कृतियों में गैसरूपी पिंडों के लिए दूसरा नाम मिलता है—'लचीला द्रव' (यह नाम उस समय भी प्रचलित था, जब मैं स्कूल में पढ़ता था)। लोमोनोसोव ने रूसी भाषा को अनेक शब्द दिए, जिन्हें विज्ञान में मानक शब्दों का स्थान प्राप्त हुआ। वे आज भी प्रचलित हैं :[1]

वातमंडल (एटमोस्फेयर)	घनत्वमापी (मैनोमीटर)
दाबमापी (बैरोमीटर)	सूक्ष्ममापी (माइक्रोमीटर)
वातनिष्कार्षक पंप	प्रकाशिकी, प्रकाशिकीय
श्यानता	वैद्युत
क्रिस्टलीकरण	ईथर
पदार्थ	आदि

रूसी ज्ञान-विज्ञान के मेधावी पितर इसके बारे में लिखते हैं : "कुछ भौतिकीय उपकरणों, प्रक्रियाओं व प्राकृतिक वस्तुओं के नामकरण के लिए मुझे ऐसे शब्द ढूँढने पड़े, जो प्रथम दृष्टि में विचित्र से लगते हैं, पर कालांतर में वे प्रयोग के माध्यम से हमारे लिए अधिक परिचित हो जाएँगे।"

हम जानते हैं कि लोमोनोसोव की आशा व्यर्थ नहीं गई।

इसके विपरीत...दाल (रूसी शब्दकोष के प्रणेता) ने वातावरण के लिए जो शब्द दिया था—'भूसंलग्न'[1]—प्रचलित नहीं हो सका। इसी प्रकार क्षितिज के लिए उन्होंने 'खभौम'[2] शब्द दिया था, पर यह भी प्रयोग में नहीं आ पाया।

सरल प्रश्न?

लबालब भरे समोवर में 30 गिलास पानी अँटता है। आप उसके पेंदे के पास लगे नल को खोल कर एक गिलास में पानी भरना चाहते हैं। साथ ही आप घड़ी में देखते हैं कि गिलास भरने में कितना समय लगता है। माना कि इसमे आधे मिनट का समय व्यतीत होता है। अब प्रश्न उठता है : यदि नल खुला छोड़ दिया जाए, तो कितनी देर में समोवर खाली हो जाएगा?

लगता है कि यह बच्चों के लिए गणित का प्रश्न है : समोवर से एक गिलास पानी गिरता है 1/2 मिनट में अतः 30 गिलास पानी के गिरने में 15 मिनट लगेंगे।

लेकिन आप कर के देखें। पता चलेगा कि समोवर चौथाई घंटे में खाली नहीं होता; उसे खाली होने में आध घंटा लगता है।

हिसाब तो बिल्कुल सीधा है, फिर बात क्या है?

सीधा है, पर गलत है। यह नहीं सोचना चाहिए कि पानी गिरने की दर शुरू से अंत तक एक ही रहती है जब तक गिलास पानी गिर चुका होता है, पानी का धार कम दबाव से निकलता है, क्योंकि समोवर में पानी का स्त नीचे उतर आता है। स्पष्ट है कि दूसरा गिलास भरने में आपको आधा मिनट से कुछ अधिक समय लेगा; तीसरे क

1. यहाँ इन शब्दों के लिए हिंदी में प्रयुक्त शब्द दिए जा रहे हैं।—अनु.

2. रूसी शब्दों का अक्षरशः अनुवाद।—अनु।

भरने में और भी अधिक समय लगेगा, आदि।

खुले बरतन के छेद से किसी भी द्रव के बहने की दर उस छेद से ऊपर स्थित द्रव-स्तंभ की ऊँचाई की समानुपाती होती है। इस संबंध को पहले-पहल गैलीली के मेधावी शिष्य टोरीसेली ने दिखाया और इसे निम्न सूत्र द्वारा व्यक्त किया :

$$v = \sqrt{2gh},$$

जहाँ u—प्रवाह-दर, g—गुरुत्व-बल से प्राप्त त्वरण, और *h*—छेद से ऊपर द्रव के स्तंभ की ऊँचाई। इस सूत्र से निष्कर्ष निकलता है कि प्रवाह की दर द्रव के घनत्व पर निर्भर नहीं करता। यदि बरतनों में पारे और स्प्रि की ऊँचाई एक हो, तो दोनों समान तेजी से बहेंगे, यद्यपि पारा भारी होता है और स्प्रि हल्का (चित्र 56)। सूत्र से यह भी स्पष्ट हो जाता है कि पृथ्वी की अपेक्षा चाँद पर एक गिलास भरने में $2^1/2$ गुना अधिक समय लगेगा, क्योंकि वहाँ गुरुत्व बल 6 गुना कम है।

अब अपने प्रश्न की ओर लौटें। यदि 20 गिलास पानी बह चुकने के बाद समोवार में नल के ऊपर जल-स्तंभ की ऊँचाई **चौगुनी** कम हो जाती है, तो 21 वाँ गिलास भरने में प्रथम गिलास की तुलना में **दुगुना** समय लेगा। यदि आगे चल कर जल-स्तंभ की ऊँचाई 9 गुनी कम हो जाती है, तो गिलास भरने में पहले से **तिगुना** समय लेगा। सभी जानते होंगे कि लगभग खाली समोवर के नल से पानी कितना धीरे बहता है। उच्च गणित की सहायता से इस प्रश्न को हल करते समय सिद्ध किया जा सकता है कि बरतन के पूरा खाली होने में **दुगुना समय** लगता है, अपेक्षाकृत कि यदि उससे उतना ही द्रव इस प्रकार बहे कि उसकी ऊँचाई कम न हो।

हौज का प्रश्न

उपरोक्त बातों को समझ लेने पर हम हौज से संबंधित उन विख्यात प्रश्नों को देख सकते हैं, जिनके बिना अंकगणित या बीजगणित की एक भी किताब नहीं छपती। ऊब भरा ऐसा पंडिताऊ प्रश्न सबों को याद होगा :

"हौज में दो नल लगे हैं। उनमें से एक की मदद से खाली हौज 5 घंटों में भरा जा सकता है; दूसरे की मदद से हौज 10 मंटों में खाली किया जा सकता है। यदि दोनों नल खुले हों, तो हौज भरने में कितना समय लगेगा?"

इस तरह के प्रश्न प्राचीनकाल से ही चले आ रहे हैं। आज से दो हजार साल पहले अलेक्जेंडर हिरोन ने इस प्रकार के प्रश्न रखे थे। उनमें से एक यहाँ दिया जा रहा है :

"चार फव्वारे, एक तालाब।
एक भरने में लगाता एक दिन-रात,
दूसरा लगाता दो दिन और दो रात।
तीसरे का तिगुना पहले से मंद आब;
चौथ लगाता चार दिन, चार रात।
बता मुझे कब भरेगा तालाब
गर सब खुल जाएँ एक साथ।"

हौज से संबंधित प्रश्न दो हजार वर्षों से हल किए जा रहे हैं और दो हजार वर्षों से **गलत** हल किए जा रहे हैं। गलत हल का कारण उपरोक्त बातों से समझा जा सकता है। स्मरण करें कि इन प्रश्नों को किस प्रकार हल करना सिखाया जाता है। पहला प्रश्न इस प्रकार से : पहला नल 1 घंटे में हौज का 1/5 भाग भरता है और दूसरा इसी अंतराल में हौज का 1/10 भाग खाली करता है; अतः दोनों नलों के सम्मिलित प्रभाव के प्रति घंटा हौज का $\frac{1}{5}-\frac{1}{10}$ भाग

भरता है।

स्पष्ट है कि हौज 10 घंटों में भर जाएगा। पर यहाँ गलत विचार-क्रम लागू किया गया है। हौज में पानी भरने की क्रिया समरूप मानी जा सकती है, क्योंकि नल से पानी स्थायी दबाव पर निकलता है। लेकिन हौज से पानी निकलने की क्रिया **समरूप नहीं हो सकती,** क्योंकि जैसे-जैसे पानी निकलता जाता है, हौज में पानी की ऊँचाई वैसे-वैसे घटती जाती है। दूसरा नल पूरे हौज को 10 घंटे में खाली करता है, इससे यह निष्कर्ष नहीं निकाला जा सकता कि हर घंटे हौज का 1/10 भाग ही खाली होता है। आप देखते हैं कि प्रश्न हल करने की स्कूली विधि सही नहीं है। सरल गणित की विधियों से इस प्रश्न का सही हल नहीं दिया जा सकता और इसीलिए हौज के खाली होने से संबंधित प्रश्नों को अंकगणित की पुस्तक में स्थान नहीं मिलना चाहिए।[1]

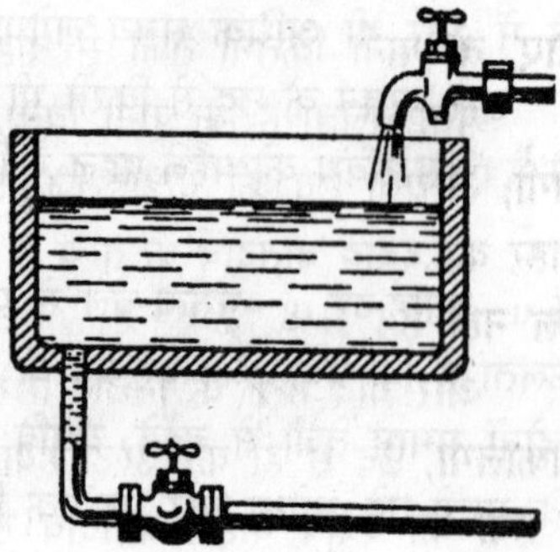

चित्र 57. हौज का प्रश्न।

क्या ऐसा कोई बरतन बनाया जा सकता है, जिसमें पानी लगातार समरूप गति से गिरता रहे और इस पर पानी की ऊँचाई का असर न पड़े? उपरोक्त बातों को जान लेने के बाद शायद आप इसे असंभव मानेंगे।

आश्चर्यजनक बरतन

लेकिन यह पूरी तरह से संभव है। चित्र 58 में दिखाई गई बोतल ही ऐसा आश्चर्यजनक बरतन है। इसके काग से हो कर एक काँच की नली लगी है। यदि आप नली के नीचे स्थित नल C खोलेंगे, तो पानी समरूप गति से गिरता रहेगा और उसकी धार तब तक क्षीण नहीं होगी, जब तक कि पानी का स्तर नली के निचले सिरे तक नहीं उतर आता। यदि नली का निचला सिरा नल के पास होगा, तो ऊपर से नल तक का पानी एकरूप गति से गिरता रहेगा। यह बात और है कि पानी की धार अत्यंत क्षीण होगी।

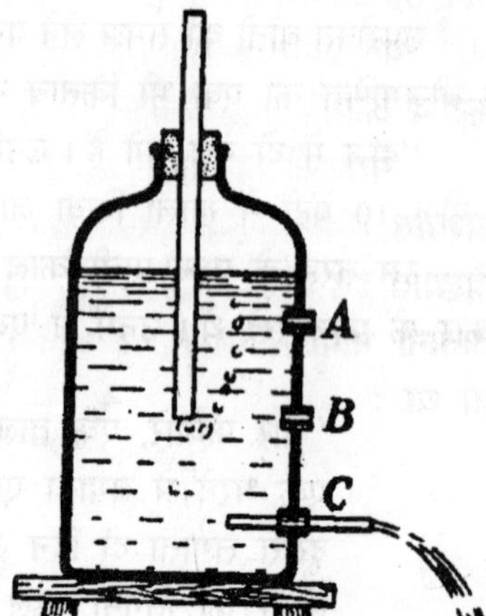

चित्र 58. मैरियट से बरतन की बनावट। छेद C से पानी समरूप धार से गिरता है।

क्या कारण है इसका? आप कल्पनादृष्टि से देखने की कोशिश करें कि नल C को खोलने पर बरतन के भीतर क्या होता है (चित्र 58)। पहले नली का पानी गिरेगा; नली में पानी का स्तर उसके निचले सिरे तक उतर आएगा। इसके बाद पानी के गिरने से बोतल में पानी का स्तर नीचे उतरने लगेगा और नली के सहारे उसमें बाहर की हवा प्रवेश करने लगेगी। हवा बुलबुलों के रूप में पानी से हो कर बोतल के ऊपरी भाग में जमा होगी। अब B की ऊँचाई पर दबाव सर्वत्र वातदाब के तुल्य हो जाएगा। स्पष्ट है कि नल C से पानी शुरू से अंत तक सिर्फ जल-स्तंभ BC के दबाव से निकलता है, क्योंकि वातदाब बरतन के भीतर व बाहर आपस में संतुलित रहता है। कहने का तात्पर्य है कि पानी का आरंभिक स्तर बिंदु B तक सिर्फ जल-स्तंभ BC के दबाव से उतरता है। इसीलिए इस अवधि में पानी समरूप गति से निकलता रहता है।

अब निम्न प्रश्न का उत्तर देने की कोशिश करें : यदि नली के निचले सिरे के पास स्थित काग B निकाल लिया

1. ऐसे प्रश्नों का सविस्तार हल मेरी पुस्तक 'क्या आपको भौतिकी का ज्ञान है?' में देखें।

जाए, तो पानी कितनी तेजी से बाहर निकलेगा?

पता चलता है कि पानी **बिल्कुल ही नहीं निकलेगा** (स्पष्टतः सिर्फ उस हालत में, जब छेद B की चौड़ाई नगण्य होगी; अन्यथा छेद की चौड़ाई जितने ऊँचे जल-स्तंभ के दबाव से पानी की पतली धार फूट पड़ेगी)। यहाँ भीतर और बाहर का दबाव वातदाब के तुल्य है और इसीलिए पानी को छेद से निकलने के लिए प्रेरित करने वाला कोई अतिरिक्त बल नहीं है।

और यदि नली के निचले सिरे से **ऊपर** स्थित छेद A को खोला जाए, तो? इस स्थिति में पानी बाहर तो क्या निकालेगा, छेद से हो कर उल्टा हवा भीतर जाने लगेगी। क्यों? कारण बहुत सीधा सा है : भीतर बरतन के इस भाग में हवा का दबाव बाहरी वातदाब से **कम** है।

इतने असाधारण गुणों वाले बरतन को विख्यात भौतिकविद् मैरियट ने बनाया था। इसे **'मैरियट का बरतन'** कहते हैं।

हवाई बोझ

सत्रहवीं सदी के मध्य में रेंसबुर्ग शहर के निवासियों को एक विचित्र दृश्य देखने का अवसर मिला : 16 घोड़े मिल कर आपस में सटे ताँबे के दो अर्धगोलों को सारी शक्ति से अलग करने में लगे हुए थे। यह दृश्य देखने के लिए सम्राट् सहित जर्मनी के छोटे-बड़े सभी राजा आए हुए थे। सभी आश्चर्यचकित थे कि इन दो अर्धगोलों को आपस में सटा कर रखने वाली शक्ति मामूली हवा की थी। इस विधि से स्थानीय मेयर ने सबको दिखा दिया कि हवा 'शून्य' नहीं है, उसका अपना भार होता है और वह पार्थिव वस्तुओं को पर्याप्त शक्ति से दबा कर रखती है।

यह प्रयोग 8 मई 1654 ई. में किया गया था और काफी धूमधाम से किया गया था। विद्वान् मेयर राजनैतिक फूट व आपसी युद्ध के काल में भी लोगों का ध्यान अपनी वैज्ञानिक खोजों की ओर आकर्षित करने में सफल हो गए।

'मैग्डबुर्गी अर्धगोलों' के साथ इस प्रयोग का वर्णन भौतिकी की पाठ्य-पुस्तकों में देखा जा सकता है। पर मुझे विश्वास है कि पाठक इसका किस्सा स्वयं गेरिक की जुबानी सुनना अधिक पसंद करेंगें 'जर्मनी का गैलीली' नाम से विख्यात इस उत्कृष्ट भौतिकवेत्ता की पुस्तक आम्स्टरडम में 1672 ई. में प्रकाशित हुई थी। पुस्तक काफी मोटी थी और लातीनी भाषा में लिखी गई थी। इसमें अनेकानेक प्रयोगों का वर्णन किया गया था और इसका नाम काफी विचित्र सा था :

ओटो वोन गेरिक

निर्वात व्योम

के साथ तथाकथित नवीन मैग्डबुर्गी प्रयोग, जिनका प्रथम
वर्णन व्यूर्ट्सबुर्ग विश्वविद्यालय के गणित प्राध्यापक **कासपार शोट**
ने किया था।
लेखकीय संस्करण अधिक सविस्तार है तथा इसमें विभिन्न
नवीन प्रयोगों का समावेश कराया गया है।

उस जमाने में किताबों के नाम ऐसे ही विचित्र हुआ करते थे।

जिस प्रयोग में हमारी दिलचस्पी है, उसका वर्णन इस पुस्तक के तेरहवें अध्याय में किया गया है। यहाँ हम उसका अक्षरशः अनुवाद दे रहे हैं :

"प्रयोग, जो सिद्ध करता है कि हवा का दबाव दो अर्द्धगोलों को इतनी मजबूती से जोड़ता है कि उन्हें 16 घोड़ों की शक्ति से अलग नहीं किया जा सकता।

मैंने तीन चौथाई मैग्डबुर्गी हाथ के बराबर व्यास वाले ताँबे के दो खोखले अर्द्धगोले बनाने का आर्डर दिया।[1] पर वास्तव में उनका व्यास सिर्फ 67/100 के बराबर था, क्योंकि मिस्त्री, जैसा कि अक्सर होता है, ठीक वैसी चीज नहीं बना पाते, जैसा उनसे कहा जाता है। दोनों अर्द्धगोले एक दूसरे के बिल्कुल अनुकूल थे। एक अर्द्धगोले में एक नल लगा हुआ था; इस नल की सहायता से भीतर की हवा निकाली जा सकती थी और बाहर की हवा को भीतर जाने से रोका जा सकता था। इसके अतिरिक्त, अर्द्धगोलों में चार कड़े लगे हुए थे, जिनमें रस्सा लगा कर उन्हें घोड़ों के साथ बाँधा गया था। मैंने एक चमड़े का छल्ला सिलाने का भी आदेश दिया था : वह मोम और तारपीन के घोल में भिगोया गया था; अर्द्धगोलों के बीच उसे दबाने पर वह उनके भीतर हवा नहीं जाने देता था। नल पंप के साथ जोड़ कर गोले के भीतर की हवा निकाल ली गई। तब पता चला कि किस बल से दोनों अर्द्धगोले चमड़े के छल्ले के सहारे एक दूसरे को दबा कर आपस में जकड़े हुए थे। बाहर की हवा का दबाव उन्हें इतनी मजबूती से आपस में दबाए था कि 16 घोड़े (हूल देकर) भी उन्हें बिल्कुल अलग नहीं कर पा रहे थे या अलग करते भी थे, तो काफी मुश्किल से। जब अर्द्धगोले घोड़ों की सारी शक्ति के तनाव से हार कर अलग होते थे तो गोली छूटने की धमाके सी आवाज होती थी।

लेकिन नल की मूठ घुमा कर हवा के भीतर जाने का मार्ग खोल देने के बाद अर्द्धगोलों को हाथों से ही अलग कर लिया जा सकता था।"

एक सरल कलन हमें समझा सकता है कि खोखले गोले के भागों को अलग करने के लिए इतने बड़े बल (दोनों तरफ से आठ-आठ घोड़ों के खींचने से उत्पन्न बल) की आवश्यकता क्यों पड़ती थी। हवा हर $1cm^2$ को करीब 1 kg के बल से दबाता है। 0.67 हाथ (37 cm) व्यास वाले वृत्त का क्षेत्रफल[2] $1060cm^2$ होता है। अतः हर अर्द्धगोले पर हवा का दबाव 1000kg (1 टन) से अधिक होता है। इसीलिए आठ घोड़ों को बाह्य हवा के विरुद्ध कार्य करने के लिए एक अर्द्धगोले को एक टन के बल से खींचना पड़ता था।

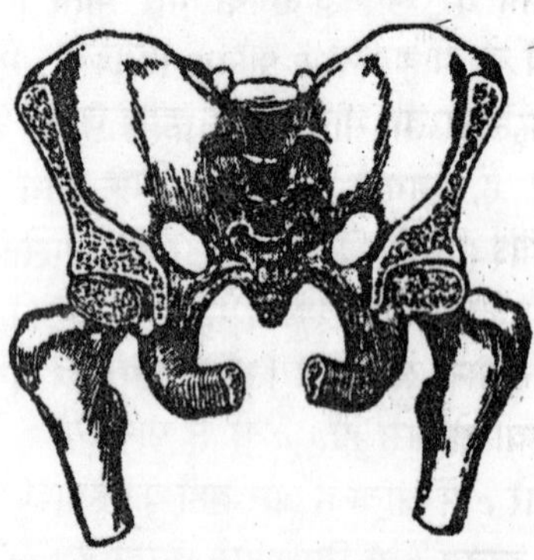

चित्र 59. कमर और पैर की हड्डियों से अलग नहीं होने का कारण है वातदाब; वह उन्हें उसी तरह सटा कर रखता है, जैसे मैग्डबुर्ग के विख्यात अर्द्धगोलों को।

आपको लग सकता है कि आठ घोड़ों के लिए (दोनों तरफ से) यह कोई बड़ा बोझ नहीं है। पर यह न भूलें कि एक टन का बोझ खींचते वक्त घोड़े को एक टन के बराबर बल का सामना नहीं करना पड़ता। उसे चक्के और सड़क के बीच से घर्षण-बल का सामना करना पड़ता है और यह बल काफी कम होता है। अच्छी पक्की सड़क पर यह बल बोझ का सिर्फ पाँच प्रतिशत भाग होता है। अतः यदि बोझ 1 टन के बराबर है, तो घोड़े को सिर्फ 50 kg के बल का सामना करना पड़ता है। (हम इसके बारे में कुछ नहीं कहते कि आठ घोड़ों को जोतने पर व्यवहार में बोझ 50% हल्का हो जाता है।) अतः

---

1. 'मैग्डबुर्गी हाथ' 550mm के बराबर होता है।

1. यहाँ **वृत्त का क्षेत्रफल** लिया जाता है, अर्द्धगोले की सतह का नहीं, क्योंकि वतदाब उपरोक्त मान के बराबर सिर्फ तब होता है, जब वह अपने अभिलंब सतह पर क्रियाशील होता है। दी गई स्थितियों में हम वर्तुली सतह का लांबिक **प्रक्षेप** अर्थात् बड़े वृत्त का क्षेत्रफल लेते हैं।

आठ घोड़ों के लिए एक टन का बोझ गाड़ी में रखे 20 टन के समतुल्य है। इतना बड़ा हवाई बोझ ढोना था मेग्डबुर्गी मेयर के घोड़ों को! उन्हें एक छोटे-मोटे इंजन को खींचना था और वह भी ऐसे इंजन को, जो बिना पटरी के जमीन पर खड़ा हो।

नाप कर देखा गया है कि छकड़े का मजबूत घोड़ा मुश्किल से 80kg भारी गाड़ी खींच सकता है।[1] अतः मैग्डबुर्गी अर्द्धगोलों को अलग करने के लिए दोनों तरफ से (यदि खिंचाव समरूप हो) 1000/80, अर्थात् तेरह-तेरह घोड़ों की जरूरत पड़ेगी।[2]

पाठक को यह जान पर शायद आश्चर्य होगा कि हमारे अस्थि-पंजर के कुछ भाग उसी प्रकार से जुड़े हैं, जैसे मैग्डबुर्गी अर्द्धगोले। कमर और जाँघ की हड्डियों का जोड़ मैग्डबुर्गी अर्द्धगोलों जैसा ही है। यदि उन्हें जोड़ने वाली पेशियों और मृदु अस्थियों को हटा भी दिया जाए, तो जाँघ कमर से अलग नहीं होगा : उन्हें वातदाब आपस में चिपका कर रखता है, क्योंकि उनके जोड़ के बीच हवा नहीं होती।

हिरोन के फव्वारों का नया रूप

प्राचीन यंत्रकार हिरोन के नाम से प्रसिद्ध फव्वारे की सामान्य बनावट से शायद सभी परिचित होंगे। फिर भी, इस मनोरंजक उपकरण के नवीन रूपों का वर्णन करने से पहले इसकी आरंभिक बनावट की याद दिला देना अधिक उचित होगा। हिरोन के फव्वारे में (चित्र 60) तीन बरतन होते हैं : खुला बरतन *a* सबसे ऊपर होता है और नीचे के दो बरतन *b* और *c* वायुरुद्ध होते है; बरतन तीन नलियों द्वारा जुड़े होते हैं, जिनकी स्थितियाँ चित्र में दिखाई गई हैं। फव्वारे के चलने के लिए आवश्यक है कि *a* में थोड़ा पानी हो, *b* पानी से पूरा भरा हो और बरतन *c* हवा से भरा हो। *a* में से पानी के सहारे *c* में आता है और वहाँ की हवा को बरतन *b* में विस्थापित करता है। *b* में अतिरिक्त हवा के दबाव से पानी नली के ऊपर चढ़ता है और फव्वारे की तरह निकलने लगता है। जब *b* का सारा पानी निकल चुका होता है, फव्वारे का चलना बंद हो जाता है।

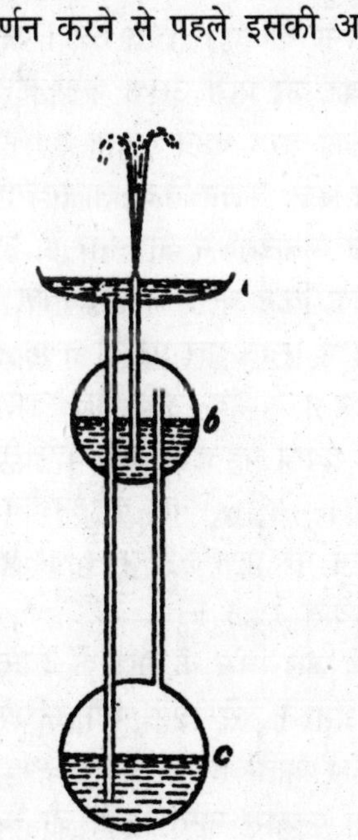

चित्र 60. हिरोन का एक प्राचीन फव्वारा।

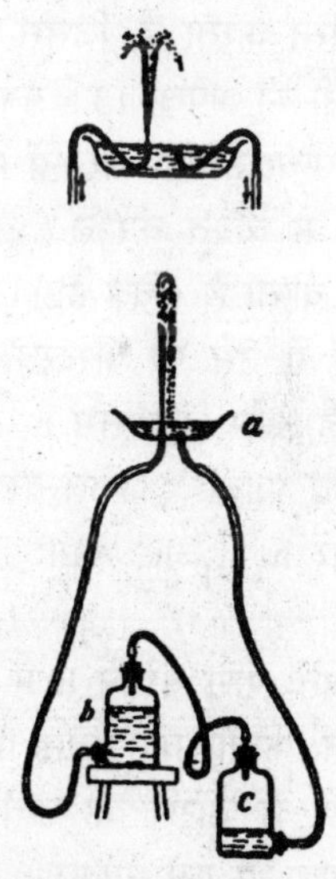

चित्र 61. हिरोन के फव्वारे का आधुनिक रूप। ऊपर–थाली की एक अतिरिक्त बनावट।

हिरोन के फव्वारे की पुरानी

1. 4km/h के वेग से घोड़े की खींचने की शक्ति औसतन उसके भार के 15% के बराबर मानी जाती है। हल्के घोड़े का भार 400 kg होता है और भारी घोड़े का–750 kg। अत्यंत छोटे अंतरालों में (जैसे खींचना शुरू करते वक्त) खींचने का बल कई गुना अधिक हो सकता है।

2. हर तरफ 13 घोड़ों की ही जरूरत क्यों पड़ेगी, इसका उत्तर पाठक मेरी पुस्तक 'मनोरंजक यांत्रिकी' मे पढ़ सकते हैं

बनावट यही है। इटली के एक स्कूल में भौतिकी की प्रयोगशाला के लिए पर्याप्त साधन नहीं होने के कारण एक शिक्षक को उपरोक्त फव्वारे की बनावट को थोड़ा सरल करना पड़ा, ताकि उसे बिना किसी विशेष उपकरण के बनाया जा सके (चित्र 61)। उसने शीशे के गोल बरतनों की जगह साधारण बोतलों का उपयोग किया और काँच या धातु की नलियों के बदले उसने रबड़ की नलियाँ लगाईं। सबसे ऊपर वाले बरतन में छेद करने की भी आवश्यकता नहीं रह गई : नली के सिरों को चित्र 61 में ऊपर दिखाई गई विधि से मोड़ कर रखा जा सकता है।

इस परिवर्तित रूप के कारण उपकरण का उपयोग और भी सुविधाजनक हो जाता है : जब बोतल *b* का सारा पानी बरतन *a* से होता हुआ बोतल *c* में आ जाता है, तब बोतल *b* और *c* के जगहों को अदला-बदली कर देते हैं; फव्वारा पुनः चलने लगता है। स्पष्ट है कि इस क्रिया में फव्वारा देने वाली नली को दूसरी बोतल में लगाना नहीं भूलना चाहिए।

नई बनावट से दूसरी सुविधा यह है कि इसमें सभी बरतनों की स्थिति आवश्यकतानुसार बदल-बदल कर फव्वारे की ऊँचाई पर बरतनों की ऊँचाई के प्रभाव का अध्ययन किया जा सकता है।

यदि आप चाहते हैं कि फव्वारा कई गुना ऊँचा हों, तो निचले बरतनों में पानी की जगह पारा और हवा की जगह पानी भरना चाहिए। (चित्र 62)। ऐसे उपकरण की कार्य-विधि स्पष्ट है : बोतल *c* में से *b* में बह कर पारा उसके पानी को तेजी से ऊपर स्थानांतरित करता है, जिससे पानी फव्वारे की तरह बहने लगता है। हमें ज्ञात है कि पारा पानी की अपेक्षा 13.5 गुना अधिक भारी, अतः कलन किया जा सकता है कि फव्वारा कितना ऊँचा उठेगा। बरतनों में द्रव-स्तरों की ऊँचाईयों में जो अंतर हैं, उन्हें क्रमशः h_1, h_2, h_3 से व्यक्त कर लें। अब देखते हैं कि किन बलों के प्रभाववश पारा बरतन *c* से *b* में बहता है (चित्र 62)। संयोजक नली में स्थित पारे पर दो तरफ से दबाव पड़ता है। दाएँ से उस पर पारदस्तंभ h_2 (13.5 गुना अधिक ऊँचे जल-स्तंभ जितना दबाव डालता है) और जल-स्तंभ h_1 का सम्मिलित दबाव पड़ता है और बाएँ से जल-स्तंभ h_3 का दबाव पड़ता है। फलस्वरूप पारा $13.5\ h_2+h_1-h_3$ बल के आधीन बहता है।

पर $h_3-h_1=h_2$; अतः h_1-h_3 के स्थान पर ऋण h_2 रखने पर प्राप्त होता है।

$$13.5h_2-h_2,\ \text{अर्थात}\ 12.5\ h_2$$

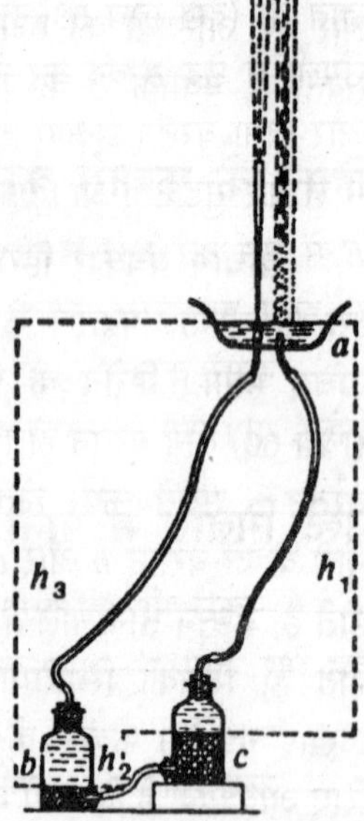

चित्र 62. पारे के दबाव से क्रियाशील फव्वारा। उसकी ऊँचाई पारद-स्तंभों की ऊँचाई के अंतर से दस गुनी अधिक है।

अतः पारा बरतन b में 12.5 h_2 ऊँचे जल-स्तंभ के भार के दबाव से आता है। सिद्धांततः फव्वारे की ऊँचाई पारद-स्तरों के अंतर h_2 से 12.5 गुनी अधिक होनी चाहिए, पर घर्षण के कारण यह ऊँचाई कुछ कम हो जाती है।

फिर भी इस उपकरण से काफी ऊँचा फव्वारा प्राप्त किया जा सकता है। दस मीटर ऊँचा फव्वारा प्राप्त करने के लिए एक बोतल को दूसरे से सिर्फ एक मीटर ऊँचा रखना काफी रहेगा। हमारे कलन का एक रोचक निष्कर्ष यह है कि बोतलों से बरतन a की ऊँचाई फव्वारे की ऊँचाई पर कोई असर नहीं डालती।

शरारती बरतन

सत्रहवीं-अठारहवीं सदी में बड़े लोग दिल्ली के लिए एक विशेष बरतन रखते थे। इसकी बनावट जग की तरह होती थी और इसके ऊपरी भाग में बेल-बूटे के रूप में बड़े-बड़े छेद होते थे (चित्र 63)। किसी निचले स्तर के अतिथि को जिसका हंसी उड़ाने से कोई हानि नहीं होने वाली थी, इस बरतन में शराब पीने के लिए दी जाती थी। पर कैसे

पी जाए? बरतन को झुकाया नहीं जा सकता : शराब छेदों से बहने लगेगी और मुँह में एक बूँद भी नहीं पड़ेगी। ठीक कहानियों वाली बात हो जाएगी :

शहद और शराब पी,
मूछें भी न शरोबार कीं।

पर जिसे बरतन का रहस्य ज्ञात था (देखें चित्र 63, दाएँ), वह उँगली से छेद *B* बंद कर लेता था और बिना बरतन झुकाए टोंटी मुँह में ले कर सुड़कता था। शराब छेद *E* में घुस कर हत्थे में छिपी नली से होती हुई ऊपर उठती थी और नली *C* से हो कर टोंटी *A* तक पहुँच जाती थी।

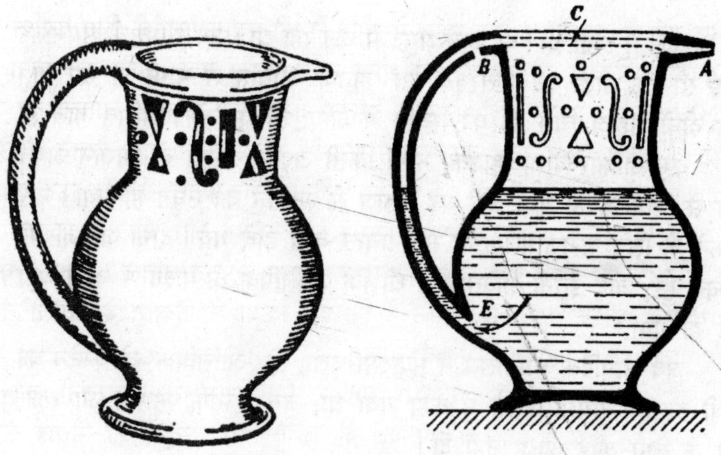

चित्र 63. XVIII-वीं शती का धोखेबाज जग और उसकी बनावट का रहस्य।

हमारे कुम्हार अभी कुल पहले तक ऐसे बरतन बनाया करते थे। एक बार मुझे इस तरह का बरतन देखने को मिला था। उसका रहस्य भली-भाँति छिपा हुआ था और उस पर लिखा था : "पीयो, पर सराबोर न हो"।

उल्टे गिलास में पानी का भार कितना होगा?

—कुछ भी नहीं होगा, क्योंकि ऐसे गिलास में पानी टिका नहीं रह सकता; वह गिर जाएगा,—आप कहेंगे।

—और यदि नहीं गिरे?—मैं कहता हूँ।—तब क्या होगा?

उल्टे गिलास में पानी रोकने के लिए सचमुच में एक विधि है, जो चित्र 64 में दिखाई गई है। गिलास पानी से भर कर पलड़े से उल्टा लटका दिया जाता है। पानी गिरता नहीं है, क्योंकि गिलास की किनारी पानी में डूबी हुई है। दूसरे पलड़े पर ठीक वैसा ही, खाली गिलास रखा गया है।

कौन सा पलड़ा भारी होगा?

भारी वह पलड़ा होगा, जिससे पानी भरा उल्टा गिलास लटका हुआ है। इस गिलास पर ऊपर से पूर्ण वातदाब पड़ता है, और नीचे से ऊपर की ओर—वातदाब घटाव गिलास में स्थित पानी के भार के बराबर बल। अतः तराजू को संतुलित करने के लिए दूसरे पलड़े पर रखे गिलास को भी पानी से भरना पड़ेगा।

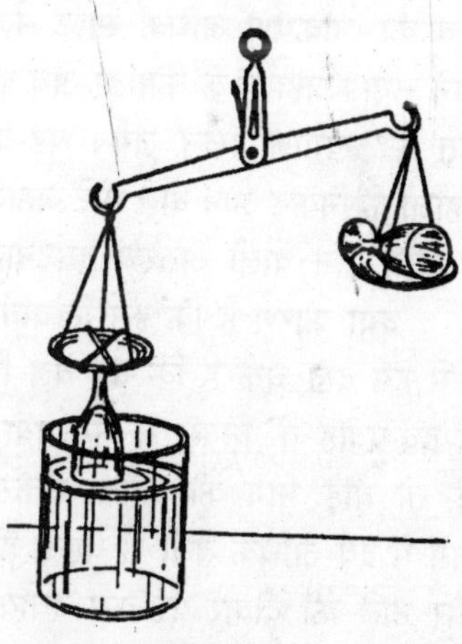

चित्र 64. कौन सा पलड़ा भारी है?

इस प्रकार, उपरोक्त परिस्थितियों में उल्टे गिलास के पानी का भार उतना ही होता है, जितना सीधा रखे गिलास में भरे पानी का।

जहाजों का पारस्परिक आकर्षण

1912 के पतझड़ में 'ओलिंपिक' नामक स्टीमर के साथ एक घटना घटी। इसकी गिनती उस जमाने से सबसे

बड़े जहाजों में होती थी। वह खुले समुद्र में चल रहा था। उसके पथ के समनांतर कोई सौ-एक मीटर दूर बख्तरबंद पोत 'हाउक' शीघ्रता से भागा जा रहा था। जब दोनों जहाज चित्र 65 की स्थिति में आए, तो एक अप्रत्याशित बात हो गई : कम आकार वाला 'हाउक' मानों किसी अदृश्य शक्ति के आधीन अपने पथ से विचलित हो गया और बड़े जहाज से टकराने को उघृत हो गया। उसे रोकने के लिए जहाजचालक के सारे प्रयत्न व्यर्थ होते गये। दोनों जहाजों की टक्कर हुई; चोट इतनी शक्तिशाली थी कि ओलिंपिक के पार्श्व में बहुत बड़ा छेद हो गया।

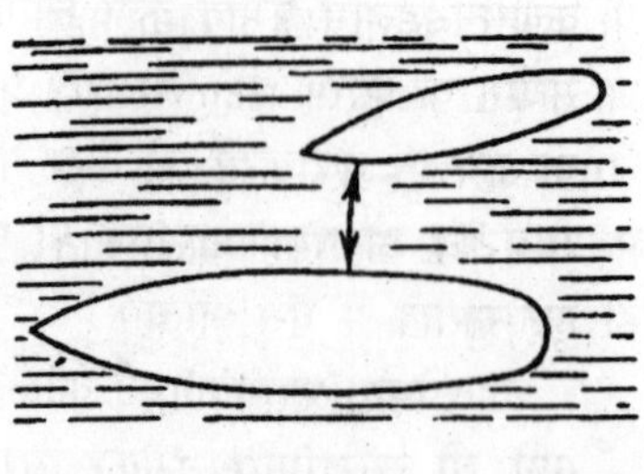

चित्र 65. टक्कर से पूर्व 'ओलिंपिक' और 'हाउक' जहाजों की स्थिति।

जब सामुद्रिक न्यायालय में मुकदमा चला, तो 'ओलिंपिक' के कैप्टेन को दोषी ठहराया गया। फैसले में कहा गया था; जब 'हाउक' सामने आ रहा था, 'ओलिंपिक' के कैप्टेन ने उसे रास्ता देने के लिए कोई आज्ञा नहीं दीं।

स्पष्ट है कि न्यायालय को उक्त घटना में कोई असाधारण बात नहीं दिखी। सिर्फ कैप्टेन की गलती मानी गई। पर यह **समुद्र में जहाजों के पारस्परिक आकर्षण** की घटना थी, जिसकी किसी ने कल्पना भी नहीं की होगी।

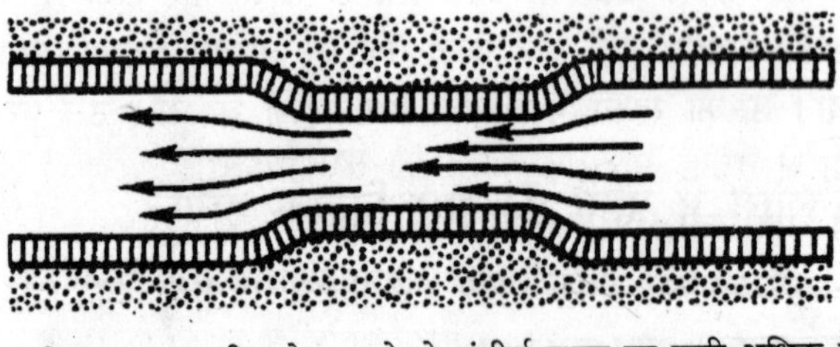

चित्र 66. विस्तृत स्थान की अपेक्षा नाले के संकीर्ण स्थान पर पानी अधिक तेज बहता है और दीवारों का कम दबाव डालता है।

दो जहाजों की समनांतर गति के वक्त ऐसी घटना पहले भी होती होगी। पर जब तक बड़े-बड़े जहाज नहीं बनने लगे, यह घटना खुल कर सामने नहीं आ रही थी। बड़े जहाजों के बनने पर उनके बीच का आकर्षण अधिक स्पष्ट नजर आने लगा। जहाजों के कमांडर अब इस बात का खयाल रखने लगे। बड़े-बड़े जहाजों के निकट आने वाले छोटे जहाजों के साथ होने वाली असंख्य दुर्घटनाओं का कारण सम्भवतः उनका खिंचाव ही रहा होगा।

क्या कारण है कि इस खिंचाव का? निस्संदेह, न्यूटन का गुरुत्वाकर्षण बल इसका कारण नहीं हो सकता; अध्याय 4 में हम देख चुके हैं कि यह बल बिल्कुल नगण्य है। इस संवृत्ति का कारण बिल्कुल दूसरा है और उसे नाले या नली के द्रव-प्रवाह के नियम से समझाया जाता है। यह सिद्ध किया जा सकता है कि यदि नाले में चौड़े और सँकरे भाग हों, तो चौड़े भाग की अपेक्षा सँकरे भाग में द्रव अधिक तेजी से बहता है और नाले की दीवार पर कम दबाव डालता है। चौड़े भाग में द्रव का प्रवाह शांत होता है और नाले की दीवारों पर वह अधिक दबाव डालता है (इसका नाम है बर्नूली सिद्धांत)।

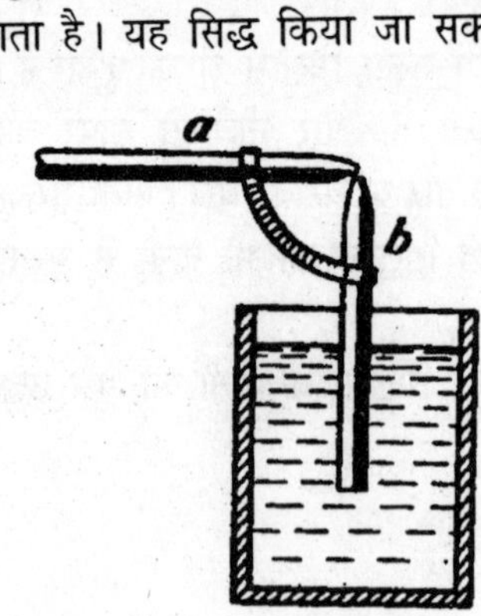

चित्र 67. फुहार देने की पिचकारी।

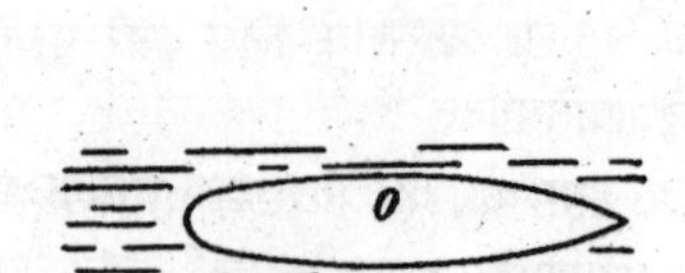

चित्र 68. दो गतिमान जहाजों के बीच पानी का बहाव।

यही बात गैसों के लिए भी सत्य है। गैस-सिद्धांत में इस संवृत्ति को इसके आविष्कारों के नाम पर

क्लीमेन-डिजोर्म प्रभाव कहा जाता है। कभी-कभी इसे वायु-स्थैतिक विरोधाभास भी कहते हैं। इसका ज्ञान सिर्फ एक संयोग के कारण ही हुआ था। फ्रांस के एक खान में किसी मजदूर से नीचे की ओर दाबयुक्त हवा भेजने वाले सुराख का ढक्कन बंद करने को कहा गया। वह काफी देर तक हवा की धार के साथ संघर्ष करता रहा, पर अचानक ढक्कन स्वयं बंद हो गया और वह भी ऐसी शक्ति से कि यदि ढक्कन पर्याप्त नहीं होता, तो भयभीत मजदूर को साथ लिए हुए सुराख में घुस जाता।

स्प्रेयर (फुहारक) का कार्य भी गैस-प्रवाह की इसी विशेषता पर आधारित है। जब हम नली a से फूँकते हैं (चित्र 67), तो दूसरे अधिक सँकरे सिरे पर हवा का दबाव कम हो जाता है। फलस्वरूप नली b के ऊपर कम दबाव वाली हवा आ जाती है और वातदाब गिलास के द्रव को नली के सहारे ऊपर उठा देता है। ऊपरी मुहाने पर निकलते वक्त द्रव फूँक से निकली हवा की चपेट में पड़ जाता है और इसीलिए फुहारे का रूप ग्रहण लेता है।

अब हम जहाजों के आपसी खिंचाव का कारण समझ सकते हैं। जब दो जहाज एक दूसरे के समनांतर चलते हैं, तो उसके पार्श्वों के बीच पानी का नाला सा बन जाता है। साधारण नाले की दीवारें अचल होती हैं और उनके बीच पानी बहता रहता है, पर यहाँ ठीक उल्टा है : इस नाले में पानी स्थिर रहता है और उसकी दीवारें (जहाज के पार्श्व) गतिमान् होती हैं। पर इससे बलों के कार्य में कोई अन्तर नहीं पड़ता। इस संकीर्ण गतिमान् नाले की दीवारों को पानी कम शक्ति से दबाता है, जहाजों के अपेक्षाकृत अधिक विस्तृत स्थानों पर। अन्य शब्दों में, जहाजों के आमने-सामने वाले पार्श्वों पर उनके बाह्य पार्श्वों की अपेक्षा पानी का दबाव कम होता है, आप समझ सकते हैं कि इसका परिणाम क्या होगा। जहाज बाह्य जल के दबाव से एक दूसरे की ओर गतिमान् हो जाएँगे। स्वाभाविक है कि छोटा जहाज अधिक तेजी से बढ़ेगा और बड़े जहाज का स्थानांतरण बहुत धीमा होगा। इसीलिए खिंचाव अधिक स्पष्ट तब दिखाई देता है, जब बड़ा जहाज छोटे के पास से निकलता है।

इस प्रकार, जहाजों का आपसी खिंचाव प्रवहमान जल की चूसन क्रिया पर आधारित है। तेज बहाव में नहाने वालों के लिए खतरा और भँवर द्वारा खींचे जाने की क्रिया भी इन्हीं कारणों द्वारा समझाई जाती है। हिसाब लगाया जा राकता है कि 1 m/s वाली शांत क्षिप्रता से बहती नदी का पानी 30 kg के बल से आदमी को मँझधार की ओर खींच ले जा सकता है। इस बल का प्रतिरोध करना सरल नहीं है; विशेषकर पानी में, जहाँ हमारा भार संतुलन बनाए रखने में बिल्कुल काम नहीं देता। अंततः, तेज रेलगाड़ियों द्वारा खींचे जाने की क्रिया भी बर्नूली सिद्धांत द्वारा समझाई जा सकती है : 50 km/h के वेग से गतिमान् गाड़ी निकट खड़े व्यक्ति को करीब 8 kg के बल से खींचती है।

'बर्नूली सिद्धांत' से संबंधित घटनाएँ विरल नहीं हैं, पर विशेषज्ञों के अतिरिक्त बहुत कम लोग इसे जानते हैं। इसीलिए विस्तारपूर्वक इसका अध्ययन करना लाभप्रद रहेगा। अगला निबंध इसी विषय से संबंधित है और वह ललित विज्ञान की एक पत्रिका में छपा था।

बर्नूली-सिद्धांत और उसके निष्कर्ष

डैनियल बर्नूली द्वारा 1726 में प्रतिपादित सिद्धांत कहता है : पानी या हवा की धार में दबाव अधिक होता है, यदि वेग कम होता है। दबाव कम होता है, यदि वेग अधिक होता है। इस नियम पर लागू होने वाले कुछ प्रतिबंध भी हैं, लेकिन यहाँ हम उन पर चर्चा नहीं करेंगे।

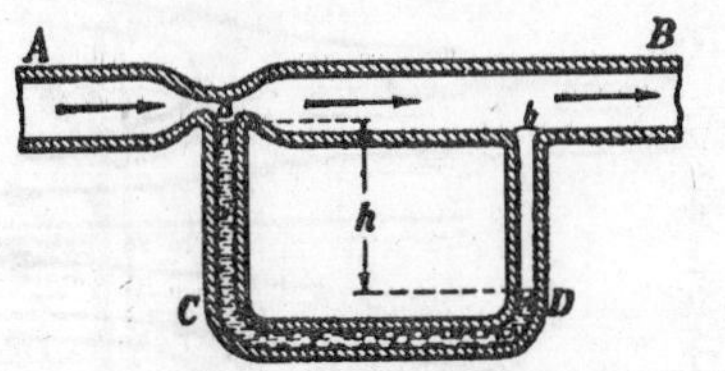

चित्र 69. बर्नूली के सिद्धांत का प्रदर्शन। नली AB के संकीर्ण स्थान (a) में विस्तृत स्थान (b) की अपेक्षा कम दबाव है।

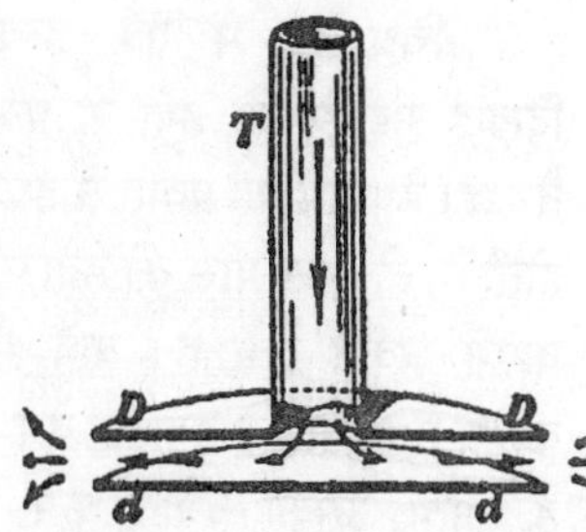

चित्र 70. चकतियों के साथ एक प्रयोग।

चित्र 69 में उक्त नियम दिखाया गया है।

नली AB में हवा फूँकी जाती है। यदि नली का परिच्छेद कम है (जैसे a पर), तो हवा का वेग अधिक है। जहाँ परिच्छेद अधिक है (जैसे b पर), वहाँ हवा का वेग कम है। जहाँ वेग अधिक है, दबाव कम है और जहाँ वेग कम है, दबाव अधिक है। a में हवा के दबाव का मान कम होने के कारण नली c में द्रव का स्तर ऊँचा हो जाता है। b में हवा का दबाव अधिक है, अतः नली D में द्रव का स्तर नीचे है।

चित्र 70 में नली T ताँबे की चकती DD के साथ लगी है। नली T में हवा फूँकने पर वह स्वतंत्र चकती dd के ऊपर से गुजरती है। दोनों चकतियों के बीच हवा का वेग अधिक होता है, पर यह वेग चकतियों की किनारी की ओर जाने पर कम होता जाता है, क्योंकि वायु-प्रवाह का अनुप्रस्थ काट तेजी से बढ़ता जाता है और चकतियों के बीच से बहती हवा का जड़त्व नष्ट होता जाता है। चकती के गिर्द हवा का दबाव अधिक होता है, क्योंकि उसका वेग कम है। पर चकतियों के बीच हवा का वेग अधिक होता है और इसीलिए उसका दबाव कम होता है फल यह होता है कि चकतियों के बीच की हवा की शक्ति, जो उन्हें अलग करने की कोशिश करती है, उन्हें निकट लाने वाली हवा की शक्ति से कम हो जाती है। स्पष्ट है कि इस स्थिति में चकती dd चकती DD की ओर खिंच जाती है। यह खिंचाव उतना ही अधिक होगा, जितना अधिक नली में फूँकी जाने वाली हवा का वेग होगा।

चित्र 71 में चित्र 70 की तरह का ही एक उपकरण दिखाया गया है। चकती DD पर तेजी से बहता हुआ पानी चकती की ऊपर मुड़ी किनारी को लाँघ कर हौज में स्थित पानी के स्तर तक ऊपर उठ आता है। इसीलिए चकती के नीचे का शांत पानी ऊपर उठ आता है। छड़ P चकती को अपने स्थान से इधर-उधर नहीं होने देता।

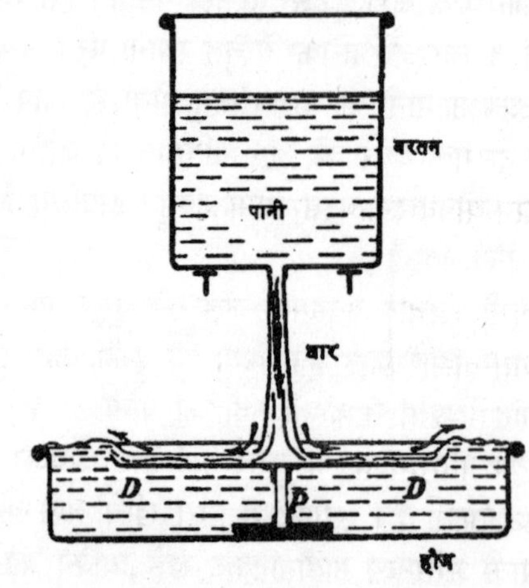

चित्र 71. जब चकती DD पर बरतन का पानी धार के रूप में गिरने लगता है, तब वह अक्ष P के सहारे ऊपर उठ आता है।

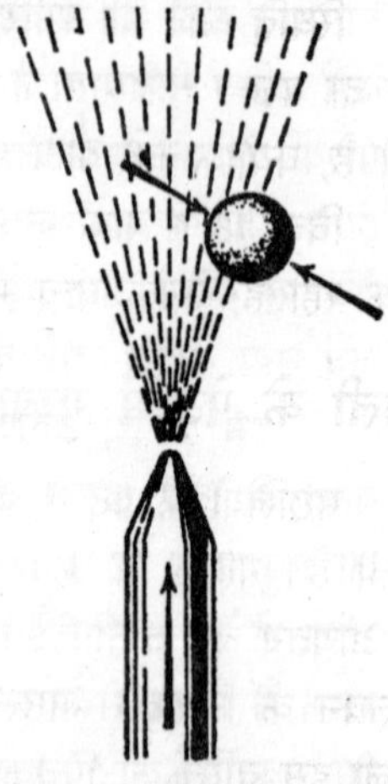
चित्र 72. हवा की फुहार पर टिकी हुई गोली।

चित्र 72 में एक हल्की गेंद दिखाई गई है, जो हवा के प्रवाह पर तैर रही है। जब वह प्रवाह से इधर-उधर होती है, तो आस-पास की हवा उसे पुनः वापस धकेल देती है। यहाँ भी वही कारण है : प्रवाह में हवा का वेग अधिक है, अतः उसका दबाव कम है, पर परिवेशी हवा का वेग कम है और इसीलिए उसका दबाव अधिक है।

चित्र 73 में दो जहाज दिखाए गए

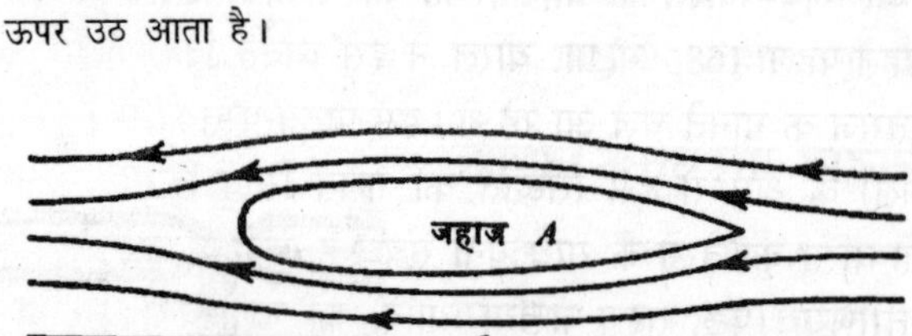

चित्र 73. एक दूसरे के समांतर गतिमान जहाज एक दूसरे की ओर खिंचने लगते हैं।

हैं, जो शांत जल में पास-पास चल रहे हैं। यह स्थिति दूसरी के समतुल्य है, जब दोनों जहाज स्थिर खड़े हों और उनके बीच से पानी बह रहा हो। जहाजों के बीच का स्थान संकीर्ण है और उसमें जल का प्रवाह अधिक तेज है, अपेक्षाकृत जहाजों के दूरस्थ पार्श्वों के पास। इसीलिए जहाजों के बीच में स्थित पानी का दबाव कम होता है और उनके दूरस्थ पार्श्वों पर पानी का दबाव अधिक होता है। नौयात्री अच्छी तरह से जानते हैं कि पास-पास चलने वाले दो जहाज तेजी से एक दूसरे की ओर खिंचते हैं।

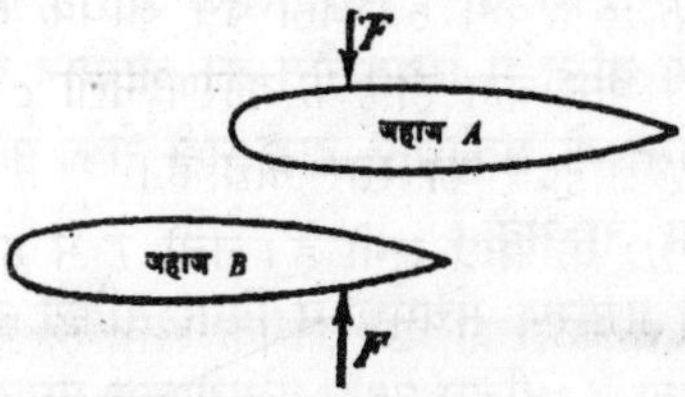

चित्र 74. आगे बढ़ते वक्त जहाज B जहाज A की ओर मुड़ जाता है।

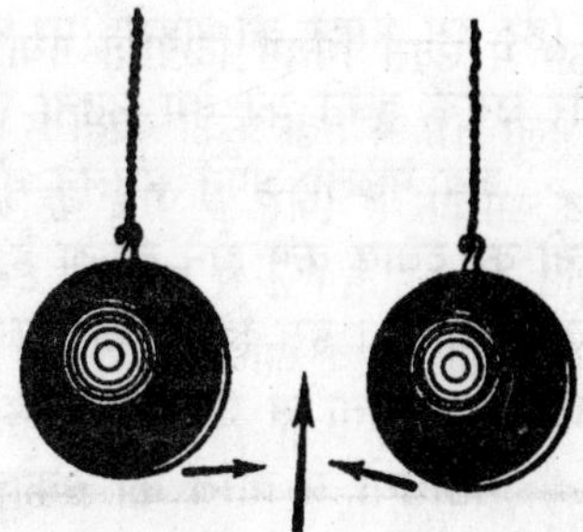

चित्र 75. यदि दो हल्की गेंदों के बीच फूँक मारी जाए, तो वे एक दूसरे के करीब आ जाती हैं; इतना करीब कि सट भी सकती हैं।

स्थिति और भी गंभीर होती है, जब एक जहाज दूसरे से कुछ पीछे होता है (चित्र 74)। जहाजों को निकट लाने वाले दो बल F और F जहाज B को A की ओर काफी शक्ति से घुमा देते हैं। इस स्थिति में टक्कर अवश्यंभावी होती है, क्योंकि चालक जहाज की दिशा आसानी से नहीं बदल पाता।

चित्र 73 से संबंधित संवृत्ति को दूसरी तरह से भी दिखाया जा सकता है : चित्र 75 में रबड़ की दो हल्की गेंदे लटक रही हैं; उनके बीच में फूँक मारने से वे एक दूसर के निकट आ जाती हैं और टकरा आती हैं।

मछली के पेट में गुब्बारा

मछलियों के पेट मे पाई जाने वायु-वस्ति के कार्य के बारे में निम्न मान्यताएँ हैं, जो सिर्फ सतही दृष्टि से ठीक लगती है। गहराई से ऊपर आने के लिए मछली इस वस्ति को गुब्बारे की तरह फुला लेती है, जिससे उसके शरीर का आयतन बढ़ जाता है और उसके द्वारा विस्थापित जल का भार उसके खुद के भार से अधिक हो जाता है। फलतः, उत्प्लवन के नियम से मछली ऊपर उठ आती है। ऊपर उठना बंद करने के लिए या नीचे गहराई में जाने के लिए मछली इस वस्ति को पिचकाती है। उसके शरीर का आयतन तथा साथ-साथ उसके द्वारा विस्थापित जल का भार कम हो जाता है और आर्कमिडीज़ के नियम से वह तल की ओर उतरने लगती है।

मछली की प्लवन-वस्ति के बारे में यह धारणा फ्लोरेंटाइन अकादमी (XVII-वीं सदी) के वक्त से ही चली आ रही है और पहले-पहल 1685 में प्रो. बोरेल ने इसे व्यक्त किया था। 200 से अधिक वर्षों तक लोग इस सिद्धांत को बिना किसी एतराज के मानते चले आ रहे थे। इसे पाठ्य-पुस्तकों में भी स्थान मिल गया था। सिर्फ आधुनिक शोधकर्ताओं (मोरो, शार्बोनेल) के श्रम से इस सिद्धांत को गलत सिद्ध किया जा सका।

निस्संदेह वस्ति का तैरने के साथ घना संबंध है, क्योंकि प्रयोग के लिए शल्यविधि से उसे निकाल देने पर मछलियाँ सिर्फ अपनी तरणियों (पूँछ, तरण-पंखियों आदि) को चला-चला कर ही पानी में टिकी रह सकती हैं। यह काम बंद करते ही वे डूब कर तल की ओर जाने लगती थीं। पर वस्तियों की वास्तविक भूमिका क्या है? उनकी भूमिका काफी सीमित है। वे मछलियों के सिर्फ एक विशेष गहराई पर टिके रहने में सहायक होती हैं। यदि मछली तरणियों की सहायता से थोड़ा नीचे उतर आएगी, तो पानी के दबाव में वृद्धि स्वयं मछली की वस्ति को दबा कर छोटी बना देगी। इससे मछली का आयतन घट जाता है और तदनुरूप उसके द्वारा विस्थापित जल का भार भी मछली के भार से कम हो जाता है और मछली और तेजी से डूबने लगती है। जितना ही नीचे वह जाती है, पानी का दबाव उतना ही बढ़ता जाता

है (हर दस मीटर की गहराई पर दबाव में 1 वातदाब की वृद्धि होती है), उसका शरीर उतना ही पिचकता जाता है और उसके डूबने का वेग उतना ही तेज होता जाता है।

जब मछली अपने संतुलन वाली गहराई से ऊपर चली आती है, तो उपरोक्त प्रक्रिया उल्टी हो जाती है। ऊपर पानी का दबाव कम होने लगता है, जिससे वस्ति में स्थित गैस का आयतन बढ़ने लगता है तथा मछली और भी ऊपर चली जाती है। इस क्रिया को मछली 'वस्ति के संकोचन' द्वारा नहीं रोक सकती, क्योंकि वस्ति में पेशियाँ नहीं होतीं, जिसकी सहायता से उसे छोटा-बड़ा किया जा सके।

मछलियों में वस्ति का संकोचन या प्रसारण सचमुच में बिना सक्रिय कोशिश के होता है, इसका प्रमाण निम्न प्रयोग से मिलता है। (चित्र 76)। क्लोरोफार्म सुँघा कर बेहोश की गई ब्लीक मछली को पानी से भरे एक बंद बरतन में रखा जाता है। बरतन में पानी का दबाव लगभग उतना ही होता है, जितना प्राकृतिक जलाशयों की एक विशेष गहराई पर होता है। पानी की सतह पर मछली चित निष्क्रिय पड़ी रहती है। थोड़ा नीचे डुबाने पर वह पुनः ऊपर आ आती है। यदि उसे तल के निकट रखा जाए, तो वह और डूब कर जल पर पैठ जाती है। यदि मछली को इन दो स्तरों के बीच में रखा जाए, तो वह न तो डूबती है, न ऊपर आती है; वह संतुलन की अवस्था में रहती है। ये बातें वस्ति के निश्चेष्ट संकोचन या प्रसारण की मान्यता को सत्य सिद्ध करती हैं।

चित्र 76. मछली के साथ प्रयोग

इस प्रकार, प्रचलित मान्यता के प्रतिकूल मछली अपनी प्लवन-वस्ति को प्रसारित या संकुचित नहीं कर सकती। आयतन में परिवर्तन बगैर किसी प्रयत्न के होता है। इसका मुख्य कारण बाह्य दबाव की घटाव-बढ़ाव है (बायल-मैरियट नियम के अनुसार)। आयतन में होने वाले इन परिवर्तनों से मछली को कुछ भी लाभ नहीं है, नुकसान अधिक है। इसके कारण या तो वह अविराम त्वरित गति से डूबने लगती है या सतह पर आने के लिए प्रवृत्त होती है। अन्य शब्दों में, वस्ति मछली को निश्चेष्ट स्थिति में संतुलन बनाये रखने में सहायता देती है, पर यह संतुलन **टिकाऊ नहीं होता**।

जहाँ तक तैरने का संबंध है, मछलियों के शरीर में वस्ति की वास्तविक भूमिका यही है। इसका कोई अन्य कार्य भी है या नहीं, इस विषय में कुछ नहीं कहा जा सकता। इसलिए इस अंग को रहस्यमय माना जा सकता है। अब तक सिर्फ इसकी जल-स्थैतिकीय भूमिका ही स्पष्ट हो पाई है।

मछुओं द्वारा अवलोकित घटनाएँ भी उपर्युक्त बातों की सत्यता सिद्ध करती हैं : गहराइयों में रहने वाली मछली को जब फँसा कर ऊपर उठाया जाता है, तो वह आधे रास्ते में ही जाल से मुक्त हो जाती है। पर वह वापस गहराई में नहीं लौट पाती; सीधे तीर की तरह पानी की सतह पर आ जाती है। ऐसी ही मछलियों की वस्ति फूल कर मुँह से बाहर दिखाई देने लगती है।

लहर और भँवर

दैनिक जीवन में दिखने वाली अनेक भौतिक संवृत्तियाँ भौतिकी के सरल नियमों द्वारा नहीं समझाई जा सकती। हवा के बहने पर सागर की उथल-पुथल नित्य देखी जा सकती है, पर स्कूली स्तर की भौतिकी इसे भी नहीं समझा सकती और शांत समुद्र में भी चलते जहाज के अग्र-भाग के पास लहरों के प्रकट होने का क्या कारण है? सागर-तट पर रेत लहरदार क्यों होती

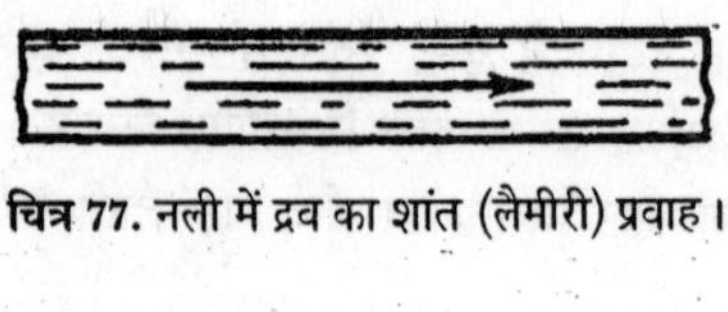
चित्र 77. नली में द्रव का शांत (लैमीरी) प्रवाह।

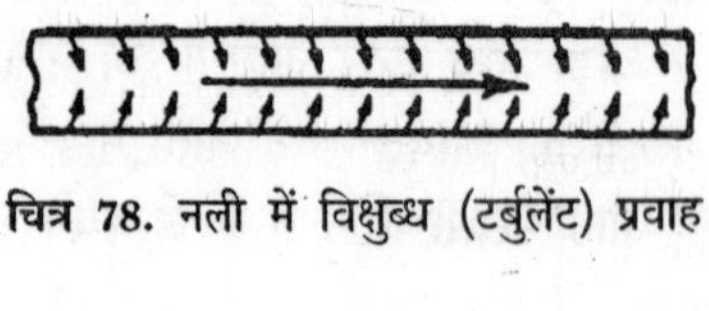
चित्र 78. नली में विक्षुब्ध (टर्बुलेंट) प्रवाह।

है? मिलों की चिमनियों से धुआँ गोल चक्कर लगाता हुआ क्यों निकलता है?

इन जैसी संवृत्तियों को समझाने के लिए गैसों व द्रवों में पाई जाने वाली तथाकथित **भँवरकार** गति की विशेषताओं को जानना चाहिए। यहाँ हम थोड़ा बहुत भँवरी संवृत्तियों के बारे में बताएँगे और उनकी मुख्य विशेषताओं का अध्ययन करेंगे। इस विषय पर सविस्तार कुछ नहीं कहा जा सकता, क्योंकि स्कूली पाठ्य-पुस्तकों में भँवरी गति का नाम भी नहीं लिया जाता।

कल्पना करें कि नली में द्रव बह रहा है। यदि द्रव के सभी कण नली के अनुतीर और एक दूसरे के समनांतर चल रहे हैं, तो यह द्रव की गति का सरलतम रूप है, जिसे भौतिकविद् शांत या 'पटलीय' धारा कहते हैं। पर यह स्थिति विरले ही पाई जाती है। अक्सर नली में द्रव की धारा अशांत होती है : नली की दीवारों से उसके अक्ष की ओर भँवरी गति देखने को मिलती है। भौतिकविद् इसे **विक्षुब्ध** धारा कहते हैं। इस तरह की गति शहर के जल-प्रदाय की नलियों में होती है (यहाँ पतली नलियों की बात नहीं चल रही है, जिनमें धारा पटलीय होती है)। भँवरी धारा तब उत्पन्न होती है, जब द्रव एक विशेष व्यास वाली नली में एक विशेष वेग से बह रहा होती है। इसे चरम वेग कहते हैं।[1]

नली में द्रव के प्रवाह को दृष्टिगोचर बनाने के लिए पारदर्शक कांच नली का उपयोग किया जाता है और द्रव में थोड़ा सा कोई हल्का व अघुलनशील चूर्ण मिला दिया जाता है। तब आप साफ-साफ देख सकते हैं कि भँवर नली की दीवारों से उठ कर नली के अक्ष की ओर प्रवृत्त होते हैं।

भँवरी धारा की वह विशेषता फ्रिज व अन्य शीतकारियों में प्रयुक्त होती है। ठंडी की जाने वाली दीवारों की नलियों में द्रव विक्षुब्ध धारा रो बहता रहता है, जिसके कारण उसके हर कण को दीवार के समीप आ कर अपने साथ गर्मी का एक नन्हा अंश ले जाने का अवसर मिलता है। स्मरणीय है कि द्रव अपने आप में ऊष्मा का बुरा चालक होता है और यदि उसे हिलोड़ा न जाए, तो उसे ठंडा या गर्म होने में काफी समय लगता है। रक्त और उसके द्वारा सराबोर होते रहने वाले तंतुओं के बीच ऊष्मा और द्रंव्य का सक्रिय विनिमय सिर्फ इसलिए संभव होता है, क्योंकि धमनियों में रक्त की धारा पटलीय नहीं, भँवरी होती है।

जो कुछ नलियों के बारे में कहा गया है, वह खुली नहरों और नदियों के बारे में भी सत्य है। नदी की धारा का शुद्ध नाप लेने वाले उपकरण नदी में (विशेष कर तल के समीप) एक स्पंदन की विद्यमानता बताते हैं। स्पंदन का अर्थ है कि धारा की दिशा निरंतर बदल रही है, अर्थात् धारा का रूप भँवर जैसा है। नदी-जल के कण सिर्फ नदी के अनुतीर ही नहीं बहते, जैसा कि बहुत से लोग सोचते हैं। वे तट के मध्य की ओर भी चलते हैं। इसीलिए नदी गहराई में पूरे वर्ष $+4^0C$ के बराबर तापक्रम पाए जाने का अक्सर एक गलत कारण भी बताया जाता है : पानी पूरी तरह हिलोड़ित होता रहता है, इसीलिए नदी में (झील में नहीं) तल पर वैसा ही तापक्रम रहता है, जैसा कि सतह के पास।[2]

नदी के तल पर बनने वाले भँवर अपने साथ बालू के हल्के कण भी खींच ले जाते हैं, जिसके कारण वहाँ रेत की लहरें बनती हैं। यही बात सागर के रेतीले तट पर देखी जा सकती हैं, जिस पर लहरों के थपेड़े पड़ते रहते हैं (चित्र 79)। यदि तल के पास पानी की धारा शांत होती, तो वहाँ की रेतीली सतह समतल होती।

इसी प्रकार, भँवर जलधारा के पखारे जाने वाले पिंड के पास बनता है। उनकी विद्यमानता किसी रस्सी द्वारा भी दर्शायी जा सकती है, जो पानी की धारा में साँप की तरह लहराती रहती है (यदि उसका एक सिरा बँधा हो और दूसरा

---

1. नली में बहने वाले किसी द्रव का चरम वेग उसकी श्यानता का समानुपाती और नली के व्यास का व्युत्क्रमानुपाती होती है। (सविस्तार देखें वे.एल. किर्पिचेव की पुस्तक 'यांत्रिकी पर वार्त्ता', सातवीं वार्त्ता।)

2 देखो मेरी पुस्तक 'क्या आप भौतिकी जानते हैं?", 133

चित्र 79. सागर-तट पर पानी की भंवर से रेत पर बनी लहरें।

चित्र 80. प्रवाहमान जल में रस्सी की लहरदार गति का कारण भी भंवर ही हैं।

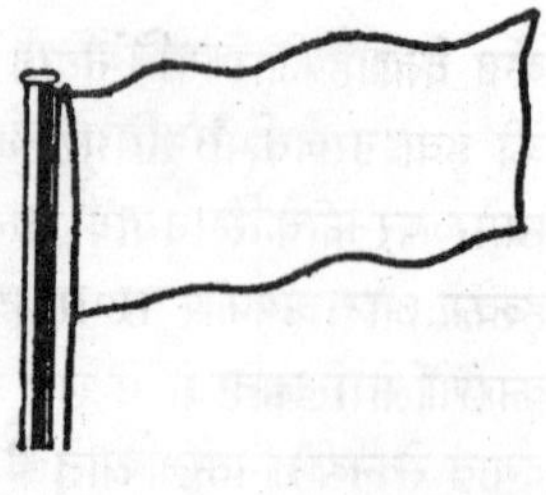

चित्र 81. हवा में फहरता झंडा।

स्वतंत्र हो)। उसके इस प्रकार लहराने का क्या कारण है? रस्सी का वह भाग, जिसके निकट भँवर उत्पन्न होता है, भँवर के साथ चलना शुरू कर देता है; पर दूसरे ही क्षण रस्सी का वह भाग दूसरे भँवर की चपेट में आ जाता है, जिसकी गति विपरीत दिशा में होती है। इसीलिए रस्सी साँप की तरह लहराती रहती है (चित्र 80)।

अब द्रव से गैसों की ओर चलते हैं। पानी के बाद हवा की गतियों पर ध्यान दें। बवंडर या चक्रवात धूल और घास-फूस आदि को कैसे अपनी चपेट में लेते हैं, यह सभी ने देखा होगा। यह जमीन के अनुतीर हवा की भँवरी धारा है। जब हवा पानी की सतह के अनुतीर बहती है, तो जिस जगह बवंडर बनता है, वहाँ हवा का दबाव कम होने के कारण पानी ऊपर उठ आता है और भँवरें पैदा होती हैं। मरुभूमि और बालुकूट पर रेत की लहरों के बनने का कारण यही है (चित्र 82)।

चित्र 82. मरुभूमि में लहरदार रेतीली सतह।

अब आप आसानी से समझ सकते हैं कि हवा में झंडा फहरता क्यों है : उसके साथ भी वही होता है, जो जलधारा में पड़ी रस्सी के साथ होता है। वातदर्शक मुर्गा ठोस पत्तर का बना होता है, इसीलिए वह स्थायी तौर पर एक दिशा नहीं दिखाता। भँवर के प्रभाव से वह अपने स्थान पर कंपन करता रहता है। चिमनी से निकलने लहरदार धुएँ की उत्पत्ति भी हवा की भँवराकार गति से संबंधित है। चिमनी में गैस बवंडर की तरह भँवर खाती हुई निकलती है। जड़त्व के कारण उनकी यह गति चिमनी से निकलने के बाद भी बनी रहती है (83)।

चित्र 83. चिमनी से निकलते धुएँ के थक्के।

हवा की विक्षुब्ध गति विमानन के लिए बहुत बड़ा महत्त्व रखती है। हवाई जहाज के डैनों का रूप ऐसा होता है कि उनके नीचे स्थित विरल हवा का स्थान डैने स्वयं ले लेते हैं और डैनों पर हवा का भँवरी प्रभाव तीव्र हो जाता है। फल यह होता है कि डैनों को नीचे से टेक मिलती रहती है और साथ ही वे ऊपर की ओर खिंचे जाते हैं (चित्र 84)। पक्षियों के पंख फैलाए मँडराने की क्रिया में भी ऐसी बात देखने को मिलती है।

छप्पर हवा में कैसे उड़ जाता है? भँवर छप्पर के ऊपर हवा को विरल

बना देता है और वहाँ दबाव कम हो जाता है। छप्पर के नीचे की हवा इस कमी को पूरी करने के लिए ऊपर उठती है और छप्पर पर नीचे से दबाव डालती है। परिणाम यह होता है कि हल्का और कमजोर छप्पर हवा के साथ उड़ चलता है। इन्हीं कारणों से खिड़कियों में लगे बड़े शीशे भीतर से दब कर (बाह्य दबाव से नहीं) निकल आते हैं। पर इन संवृत्तियों को सीधा-सीधी गतिमान् वायु में दबाव की कमी से समझाया जा सकता है (दे. ऊपर 'बर्नूली सिद्धांत,' पृ. 140)।

जब भिन्न तापक्रमों वाली हवा की धाराएँ एक दूसरे को स्पर्श करती हुई बहती हैं, तो उनमें से प्रत्येक में भँवर बनते हैं। बादलों की अनेकानेक आकृतियाँ अधिकांशतः इन्हीं कारणों से उत्पन्न होती हैं।

इस प्रकार हम देखते हैं कि भँवरी धारा का अनेक संवृत्तियों के साथ संबंध है।

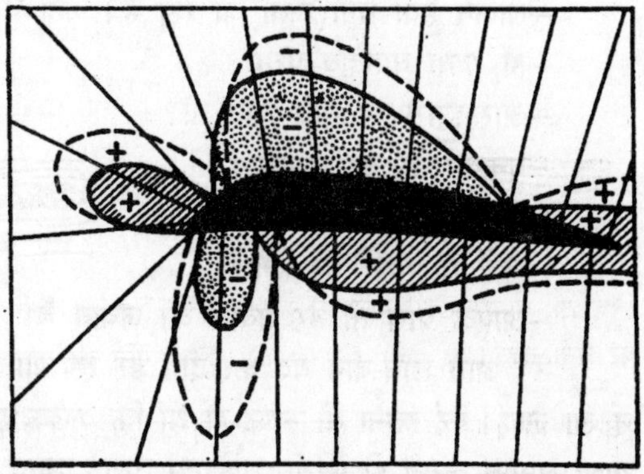

चित्र 84. विमान के डैने पर कौन से बल क्रियाशील रहते हैं। हवा के दबाव (+) और उसकी विरलता (–) का डैने पर वितरण प्रयोगों द्वारा प्राप्त होते हैं। टेक देने वाले और अपनी ओर खींचने वाले सभी बलों की क्रिया के परिणाम से विमान ऊपर की ओर खिंचता है। (सतत रेखाएँ दबाव का वितरण दिखाती हैं; छिन्न रेखाएँ भी वही दिखाती हैं, जब विमान के वेग में तेजी से वृद्धि होती है)

पृथ्वी की गहराइयों में

जमीन में 3.3 km से अधिक गहरा कोई नहीं गया है, जबकि पृथ्वी की त्रिज्या 6400 km है। कहना नहीं होगा कि केंद्र तक पहुँचने के लिए रास्ता काफी लंबा है। पर जूल वेर्न की कल्पनाशक्ति 'पृथ्वी-केंद्र की यात्रा' नामक उपन्यास के पात्रों–झक्की प्रोफेसर लिडेनब्रोक और उनके भतीजे आक्सेल–को पृथ्वी के केंद्र तक पहुँचा देती है। इस उपन्यास में जूल वेर्न ने भूगत यात्राओं का आश्चर्यजनक विवरण दिया है।

पृथ्वी के गर्भ की विचित्रताओं में से एक बात थी–हवा के घनत्व में वृद्धि। ऊपर उठने पर हवा का तेजी से विरलन होता है : यदि आप समनांतर श्रेणी के क्रम से ऊपर चढ़ रहे हैं, तो हवा के घनत्व में ह्रास गुणोत्तर श्रेणी के क्रम से होता है। इसके विपरीत, सागर-स्तर से नीचे उतरने पर ऊपर स्थित परतों का दबाव बढ़ता जाता है और इसीलिए हवा घनी होती जाती है। भूगत यात्री इस महत्त्वपूर्ण बात को कैसे नहीं देखते!

वैज्ञानिक चाचा और उनके भतीजे के बीच की एक बात-चीत सुनें, जो 12 ली (48 km) की गहराई में चल रही है :

"–देखो तो, मैनोमीटर क्या बता रहा है?–चाचा ने पूछा।

–दबाव बहुत शक्तिशाली है।

–अब तो तुम देख रहे हो कि थोड़ा-थोड़ा करके उतरने से हम घनित हवा के आदी होते जा रहे हैं और उससे हमें कोई तकलीफ नहीं हो रही है।

–यदि कान दुखने की बात छोड़ दें।

–यह छोटी-मोटी बात है!

–खैर,–चाचा का विरोध नहीं करने के लिए मैंने कहा।–घनित हवा में एक तरह से मजा भी आ रहा है। आपने ध्यान दिया कि इसमें आवाज कितनी प्रबल होती है?

–और नहीं तो क्या। इस वातावरण में तो बहरा भी सुनने लगेगा।

—लेकिन हवा घनी होती जा रही है। कहीं वह पानी जितनी घनी तो नहीं हो जाएगी?

—हाँ, 770 वातदाब पर।

—और इससे भी नीचे जाएँ तो?

—घनत्व और बढ़ जाएगा।

—फिर हम नीचे कैसे उतरेंगे?

—जेबों में पत्थर भर लेंगे।

—आपके पास तो हर सवाल का जवाब है!

मैंने आगे छान-बीन बंद कर दी। डर रहा था कि कहीं चाचा को नाराज करने वाली कोई बाधा मेरे दिमाग में न आ जाए। पर इतना तो स्पष्ट ही था कि कुछेक हजार वातदाब पर हवा ठोस अवस्था में आ जाएगी और तब हमें यात्रा समाप्त करनी ही पड़ेगी, चाहे हम उसके दबाव को सहन भी क्यों न कर लें। यहाँ बहस से कुछ नहीं मिलेगा।''

कल्पना और गणित

उपन्यासकार ने यह विवरण दिया है। पर यदि हम इस अवतरण में दिए गए तथ्यों की जाँच करेंगे, तो कुछ और ही बात मिलेगी। इसके लिए हमें पृथ्वी की गहराइयों में नहीं उतरना होगा; सिर्फ भौतिकी की एक छोटी सी यात्रा करनी होगी और इसके लिए कागज-पेंसिल से अधिक कुछ भी नहीं चाहिए।

सबसे पहले यह निर्धारित करने का प्रयत्न करते हैं कि वातावरण के दबाव में 1000-वें अंश की वृद्धि के लिए किस गहराई तक उतरना होगा। वातावरण का साधारण दबाव 760 मिलिमीटर ऊँचे पारद-स्तंभ के दबाव के तुल्य होता है। यदि हम हवा की बजाय पारे में डूबे रहते, तो हमें सिर्फ 760/1000=0.76 mm की गहराई पर उतरना होगा; यहाँ दबाव में हजारवें अंश की वृद्धि हो जाती है। हवा में बेशक इससे कहीं अधिक गहरा उतरना होगा; इतना गुना अधिक गहरा, जितना गुना पारा हवा से भारी होता है। पारा हवा से भारी होता है। पारा हवा से 10500 गुना अधिक भारी है। मतलब कि हमें दबाव में हजारवें अंश की वृद्धि का अवलोकन करने के लिए 0.76 mm नहीं 0.76×10500, अर्थात् लगभग 8 mm की गहराई पर उतरना होगा। इसी प्रकार से हम 8 mm और नीचे उतरेंगे, तब वात के दबाव में एक और हजारवें अंश की वृद्धि हो जाएगी, आदि।[1] किसी भी स्तर पर हम क्यों न हों—चाहे वातावरण की ऊपरी सतह पर (22 km), या एवरेस्ट की चोटी पर (9 km) या सागर-स्तर के पास,—वातावरण के दबाव में हजारवें अंश की वृद्धि पाने के लिए हमें 8 m नीचे उतरना होगा। अतः गहराई में हवा के दबाव की वृद्धि के लिए निम्न सारणी प्राप्त होती है :

पृथ्वी तल का दबाव 760 mm+साधारण वातदाब

8 m की गहराई पर दबाव = 1.001 साधारण वातदाब का

2×8 m की गहराई पर दबाव $=(1.001)^2$ साधारण वातदाब का

3×8 m की गहराई पर दबाव $=(1.001)^3$ साधारण वातदाब का

4×8 m की गहराई पर दबाव $=(1.001)^4$ साधारण वातदाब का

और व्यापक रूप में h×8 m की गहराई पर हवा का दबाव साधारण से 1.00^h गुना अधिक होगा; और जब

1. हवा की अगली 8 मीटर मोटी परत पिछली परतों से अधिक घनी होगी, अतः दबाव के सांख्यिक मान में पिछली की अपेक्षा अधिक वृद्धि होगी। पर उसे अधिक होना भी चाहिए, क्योंकि यहाँ हजारवाँ अंश एक बड़े मान से लिया जा रहा है।

तक दबाव बहुत अधिक नहीं बढ़ जाता, हवा के घनत्व में भी इतनी ही गुनी वृद्धि होगी (मैरियट का नियम)।

ध्यान देने योग्य है कि उपन्यास में पृथ्वी की सतह से सिर्फ 48 km नीचे की बात चल रही है और इसीलिए गुरुत्व बल में कमी और इससे संबंधित हवा के भार में कमी को नगण्य माना जा सकता है।

अब अनुमान किया जा सकता है कि जूल वेर्न के भूगत यात्री 48 km (48000)m की गहराई पर कितना दबाव अनुभव कर रहे थे। हमारे सूत्र में h बराबर है 48000/8=6000। अतः 1.001^{6000} का मान ज्ञात करना होगा। चूँकि 1.001 को अपने आप से 6000 बार गुना कराना काफी ऊबाने वाला कार्य है और इसमें बहुत समय लगेगा, इसलिए लघुगणकों की सहायता लेनी होगी, जिनके बारे में लैप्लेस ने ठीक ही कहा था कि वे कलनकर्ता के श्रम को कम करके उसकी जिंदगी दुगुनी बढ़ा देते हैं।[1]

विचाराधीन व्यंजन का लघुगणक लेने पर उसके मान का लघुगणक प्राप्त होता है :

$$6000\times 1g\ 1.001=60000\times 0.00043=2.6$$

सारणी से देखते हैं कि 2.6 किस संख्या का लघुगणक है; यही इष्ट मान और यह 400 के बराबर है।

इस प्रकार, 48 km की गहराई पर वातावरण का दबाव साधारण से 400 गुना अधिक है। प्रयोग दिखाते हैं कि इस दबाव पर हवा का घनत्व 315 गुना बढ़ जाता है। इसीलिए यह पूर्णतः संदेहजनक है कि यात्रियों को कान में दर्द के अतिरिक्त और कोई कष्ट नहीं महसूस हो रहा था। पर जूल वेर्न के उपन्यास में 120 और 325 km की गहराई पर भी यात्रा का वर्णन किया गया है। यहाँ हवा का दबाव भयानक रूप से अधिक होना चाहिए, क्योंकि आदमी तीन-चार वातदाब से अधिक दबाव बिना किसी खतरे के नहीं सहन कर सकता।

यदि इसी सूत्र पर हम कलन करें कि किस गहराई पर हवा पानी जितनी, अर्थात् 770 गुनी अधिक घनी हो जाती है, तो हमें संख्या मिलती : 53 km। पर यह परिणाम सही नहीं है; क्योंकि अत्यधिक दबाव पर गैस का घनत्व उसके दबाव का समानुपाती नहीं होता। मैरियट का नियम सिर्फ उस स्थिति के लिए सही है, जब दबाव बहुत ज्यादा न हो या कुछेक सौ वातदाब से अधिक न हो। प्रयोग द्वारा प्राप्त हवा का घनत्व निम्न है :

दबाव	घनत्व
200 वातदाब	190
400 वातदाब	315
600 वातदाब	387
1500 वातदाब	513
1800 वातदाब	540
2100 वातदाब	564

घनत्व के बढ़ने की दर, जैसा कि देख रहे हैं, दबाव में वृद्धि की दर से काफी कम है। जूल वेर्न का वैज्ञानिक बेकार ही उस गहराई तक पहुँचने की आशा कर रहा था, जहाँ हवा पानी से अधिक घनी होती। पानी जितना घनत्व

1. विद्यालय से ही जो लघुगणकों की सारणी से नफरत करने लग गए हैं, वे शायद महान फ्रांसीसी ज्योतिर्विद के शब्दों को पढ़ने के बाद अपना विचार बदल लेंगे। यह अवतरण 'विश्व-संरचना का वर्ण' कृति से लिया गया है : 'लघुगणकों का आविष्कार महीनों के कलन-श्रम को चंद दिनों में पूरा कर सदा लंबे कलनों में रत ज्योतिर्विदों की आयु को एक तरह से दुगुनी कर देता है, उन्हें गलतियों व थकावट से बचाता है। यह आविष्कार मानव-बुद्धि का यशगान है, क्योंकि यह पूर्णतया इसी (अर्थात् बुद्धि) की उपज है। तकनीक में अपने सामर्थ्य को बढ़ाने के लिए मनुष्य परिवेश की प्राकृतिक शक्तियों व पदार्थों का उपयोग करता है पर लघुगणकों में पूर्णतया उसकी बुद्धि व्यक्त होती है।''

हवा सिर्फ 3000 वातदाब पर प्राप्त करती है और इसके बाद उसमें शायद ही कोई संकोचन हो पाता है। हवा को 146^0 से भी कम तापक्रम तक ठंडा किए बिना उसे ठोस में परिणत करने का प्रश्न ही नहीं उठता।

जूल वेर्न के साथ अन्याय न हो, इसके लिए उल्लेखनीय है कि उनका उपन्यास उपर्युक्त तथ्यों के प्रकाश में आने के बहुत पहले छपा था, पर इससे कथानक को सत्य माना जा सकता है।

ऊपर दिए गए सूत्र का उपयोग करके यह भी ज्ञात कर लें कि स्वास्थ्य को बिना कोई खतरा पहुँचाए आदमी कितनी गहराई पर जा सकता है। हमारा शरीर 3 वातदाब से अधिक का दबाव सहन नहीं कर सकता। इष्ट गहराई को x द्वारा द्योतित करने पर समीकरण प्राप्त होता है : $(1.001)^{x/8}=3$। लघुगणक लेकर x का मान ज्ञान करते हैं : $x=8.9$ km।

इस प्रकार, आदमी लगभग 9 km की गहराई पर रह सकता है। यदि प्रशांत महासागर अचानक सूख जाए, तो लोग उसके तल पर कहीं भी रह लेते।

गहरी खान में

पृथ्वी के केंद्र के सबसे नजदीक कौन लोग गए हैं (उपन्यासकार की कल्पना में नहीं, वास्तविकता में)? ये हैं खान में काम करने वाले मजदूर। हमें ज्ञात हो चुका है कि दुनिया की सबसे गहरी खान दक्षिणी अफ्रीका में खोदी गई है (दे. अध्याय 4)। उसकी गहराई 3 km से भी अधिक है। यह बोरिंग मशीन द्वारा वेधित गहराई नहीं है; मशीन की छेनी 7.5 km गहरी जा चुकी है। यह वह गहराई है, जहाँ आदमी पहुँच चुके हैं और काम कर रहे हैं। उदाहरण के लिए देखें कि मोरो वेल्खो की खान (जिसकी गहराई करीब 2300 m है) के बारे में फ्रांसीसी लेखक डा. ल्यूक ड्यूर्टेन के व्यक्तिगत अनुभव क्या हैं :

"स्वर्ण की विख्यात खान मोरो-वेल्खो रियो-दे-जेनेरे से 400 km की दूरी पर है। चट्टानी इलाके में 16 घंटे की रेलयात्रा के बाद आप जंगलों से घिरी एक गहरी घाटी में पहुँचते हैं। यहाँ एक अंग्रेज कंपनी इतनी गहराई में से सोना निकाल रही है, जितनी गहराई में आज तक कोई भी आदमी नहीं गया है।

खान में उतरने के लिए कूप थोड़ा तिरछा है। इसके बाद खान है, जो दो चरणों में बनी है। उदग्र खान कूप जैसी हैं और क्षैतिज–सुरंग जैसी। यह आधुनिक समाज का ही विशेष लक्षण है कि पृथ्वी में सबसे गहरा छेद, जो हमारे ग्रह में प्रविष्ट होने के लिए मनुष्य का सबसे साहसी प्रयत्न माना जा सकता है, स्वर्ण की प्राप्ति के लिए बनाया गया है।

मजदूरों की किरमिची वर्दी और चमड़े का जैकेट पहन लीजिए। सावधानी रखें : कुएँ में गिरने वाला एक नन्हा सा कंकड़ भी आदमी को चोट पहुँचा सकता है। खान के 'कैप्टनों' में से एक आपका साथ देंगे। आप प्रथम सुरंग में प्रविष्ट होते हैं। उसे अच्छी तरह से प्रकाशमान किया गया है। 4^0 ठंडी हवा आपको सिहराने लगती है; यह गहरी खानों को ठंडा रखने के लिए संवातन है।

धातु के संकीर्ण पिंजड़े में 700m गहरे प्रथम कूप को पार कर के आप दूसरी सुरंग में पहुँचते हैं। इसके बाद आप दूसरे कुएँ में उतरना शुरू करते हैं। हवा धीरे-धीरे गर्म होने लगती है। अब आप सागर-स्तर से नीचे हैं।

अगले कुएँ में गर्म हवा आपके चेहरे को झुलसाना शुरू करती है। पसीने से लथपथ नीची सुरंग में झुक कर चलते हुए आप उस ओर बढ़ते हैं, जहाँ से खोदने वाली मशीनों के गर्जन की आवाज आ रही होती है। घनी धूल से लिपे अधनंगे लोग काम कर रहे हैं; उनके शरीर से पसीने की धाराएँ बह रही हैं, हाथ लगातार एक दूसरे को पानी की बोतल थमा रहे हैं। अभी-अभी खोदे गए अयस्क टुकड़ों को छूने की कोशिश मत कीजिए : उनका तापक्रम 57^0 है।

इस भयानक, घृणित वास्तविकता की उपज क्या है?—दिन में करीब 10 किलोग्राम सोना।"[1]

खान के तल पर भौतिक परिस्थितियों व मजदूरों के शोषण का वर्णन करते वक्त फ्रांसीसी लेखक ने उच्च तापक्रम पर तो ध्यान दिया है, लेकिन हवा के ऊँचे दबाव के बारे में कुछ भी नहीं लिखा है। कलन करें कि 2300 m की गहराई पर वह कितना होगा। यदि तापक्रम उतना ही रहता, जितना पृथ्वी के तल पर रहता है, तो हमारे परिचित सूत्र के अनुसार हवा का घनत्व बढ़ जाता।

$$(1{,}001)^{\frac{23000}{8}} = 1.33 \text{ गुना।}$$

पर वास्तविकता में तापक्रम स्थिर नहीं रहता, वह बढ़ता जाता है। इसीलिए हवा का घनत्व इतना अधिक नहीं, बहुत कम बढ़ता है। फलस्वरूप खान के तल पर वहाँ का घनत्व पृथ्वी-तल के समीप की हवा के घनत्व से बहुत अधिक अन्तर नहीं रखता। दोनों में उतना ही अंतर होता है, जितना जाड़े की बर्फीली हवा और गर्मियों की लू भरी हवा के घनत्वों में। इससे स्पष्ट हो जाता है कि खान के अतिथि ने इस बात पर क्यों नहीं ध्यान दिया।

पर ऐसी गहरी खानों में आर्द्रता बहुत अधिक होती है, जिसके कारण अधिक तापक्रम पर वहाँ टिकना असह्य हो जाता है। एक अफ्रीकन खान (योगान्सबुर्ग) में, जिसकी गहराई 2552 m है, 50^0 की गर्मी में आर्द्रता 100% तक पहुँच जाती है। आजकल यहाँ 'कृत्रिम जलवायु' बना कर रखा जाता है। इसके शीतकारी उपकरण का प्रभाव 2000 टन बर्फ के तुल्य है।

गुब्बारे में

अबतक हम कल्पना में पाताल की यात्रा कर रहे थे, जिसमें गहराई पर हवा के दबाव की निर्भरता को व्यक्त करने वाला सूत्र हमारी सहायता कर रहा था। अब आकाश में जाकर इस सूत्र की सहायता से देखें कि अधिक ऊँचाइयों पर हवा का दबाव कैसे बदलता है। इस स्थिति में सूत्र का रूप निम्न होगा :

$$p = 0.999^{\frac{h}{8}}$$

जहाँ P—हवा का दबाव है और h—मीटरों में ऊँचाई। सूत्र में संख्या 1.001 की जगह भिन्न 0.999 रखा गया है, क्योंकि 8 मीटर ऊपर स्थानांतरित होने पर दबाव में 0.001 की वृद्धि नहीं, बल्कि कमी होती है।

शुरुआत के लिए यह प्रश्न हल करें : किस ऊँचाई पर हवा का दबाव घट कर आधा हो जाएगा?

इसके लिए सूत्र में p की जगह 0.5 रख कर h का मान ढूँढ़ते हैं। प्राप्त होता है निम्न समीकरण :

$$0.5 = 0.999^{\frac{h}{8}}$$

जिन पाठकों को लघुगणकों का उपयोग करना आता है, वे आसानी से इस समीकरण को हल कर सकते हैं। उत्तर h=5.6 km ही वह ऊँचाई है, जहाँ हवा का दबाव घट कर आधा हो जाएगा।

अब और ऊपर चलें। 19 से 22 km की ऊँचाई पर, जहाँ साहसी सोवियत विमान चालक पहुँच सके हैं, तथाकथित 'स्ट्रैटोस्फेयर' है। इसीलिए इन ऊँचाइयों तक पहुँचने के लिए प्रयुक्त गुब्बारे को एयरोस्टैट (या स्ट्रैटो गुब्बारा) कहते हैं। मैं नहीं सोचता कि बुजुर्ग पीढ़ी के लोगों में ऐसा आदमी मिलेगा, जिसने सोवियत स्ट्रैटो गुब्बारों 'USSR' वह 'OAX-1' का नाम नहीं सुना होगा। 1933 में इन्होंने ऊँचाइयों पर पहुँचने के नए कीर्तिमान (क्रमशः 19 km व 22 km)

---

1. रूसी साप्ताहिक 'विदेश', 1933 NO 13 में

स्थापित किए थे।

कलन किया जाए कि इन ऊँचाइयों पर वातावरण का दबाव कितना होगा।

हम पाएँगे कि 19 km की ऊँचाई के लिए हवा का दबाव होना चाहिए।

$$0.999^{\frac{19000}{8}} = 0.095 \quad \text{वातदाब} = 72 \text{ mm}$$

और 22 km की ऊँचाई के लिए

$$0.999^{\frac{22000}{8}} = 0.066 \quad \text{वातदाब} = 50 \text{ mm.}$$

पर यदि स्ट्रैटो गुब्बारों के यात्रियों की डायरी देखी जाए, तो पता चलेगा कि उन्होंने उक्त ऊँचाइयों पर कुछ दूसरा ही दबाव नोट किया था : 19 km की ऊँचाई पर 50 mm और 22 km की ऊँचाई पर 45mm।

पर हमारे कलन के साथ इसका मेल क्यों नहीं बैठता? कहाँ हमने गलती की है?

इतने कम दबाव की स्थिति में गैसों के लिए मैरियट का नियम पूर्णतः लागू किया जा सकता है, पर हम यहाँ एक दूसरे प्रकार की भूल कर बैठे हैं : हमने यह मान लिया कि हवा का तापक्रम पूरे 20 km की ऊँचाई तक समान रहता है; पर वास्तविकता में हवा का तापक्रम ऊँचाई के साथ-साथ घटता है। माना जाता है कि एक किलोमीटर ऊँचा जाने पर तापक्रम औसतन 6.5^0 नीचे उतर आता है। यह बात सिर्फ 11 km तक की ऊँचाई के लिए सत्य है, जहाँ तापक्रम शून्य से 56^0 रहता है। इसके बाद काफी ऊँचाई तक तापक्रम लगभग अपरिवर्तित रहता है। यदि इन तथ्यों को ध्यान में रखा जाए (लेकिन यह सरल गणित की विधियों से संभव नहीं है), तो परिणाम वास्तविकता से कहीं अधिक मिलते-जुलते नजर आएँगे। इन्हीं कारणों से इसके पहले गहराई पर दबाव के लिए दिखाए गए कलनों को भी लगभग ही मानना चाहिए।

अध्याय 7

ताप-संवृत्तियाँ

पंखा

पंखा झलने पर निस्संदेह शीतलता का अनुभव होता है। कमरे में स्थित अन्य लोगों के लिए यह बिल्कुल हानिकर नहीं है; उल्टा, लोग ठंडी हवा के लिए आपके कृतज्ञ ही होंगे।

अब देखें कि यह कहाँ तक सही है। पंखा झलने पर हमें शीतल क्यों लगता है? हमारे चेहरे के निकट की हवा धीरे-धीरे गर्म हो जाती है। फिर यह अदृश्य नकाब चेहरे को 'गर्म' करने लगती है, अर्थात् शरीर से ताप-हानि की क्रिया मंद करने लगती है। यदि हमारे गिर्द हवा स्थिर है, तो चेहरे के पास स्थित हवा की गर्म परत ठंडी व भारी हवा द्वारा बहुत धीरे-धीरे ऊपर की ओर विस्थापित होती है। जब हम पंखा झलते हैं, तो चेहरे के पास की गर्म हवा दूर हो जाती है और दूसरी जगह की ठंडी हवा चेहरे को स्पर्श करने लगती है और हमारे शरीर की गर्मी दूर ले जाने लगती है। शीतलता की अनुभूति का यही कारण है।

इसका मतलब है कि पंखा झल कर हम अपने शरीर के पास की गर्म हवा को अपेक्षाकृत ठंडी हवा द्वारा विस्थापित करते रहते हैं।

पंखा हवा के स्थानांतरण की क्रिया को तेज कर देता है, जिससे कमरे में शीघ्र ही हवा का तापक्रम एक जैसा हो जाता है। इसका मतलब है कि पंखे वाला व्यक्ति अपने लाभ के लिए दूसरे लोगों को घेर कर रखने वाली ठंडी हवा का इस्तेमाल करता है। पंखे के सार्थक प्रभाव के लिए एक और बात का महत्त्व है, जिसके बारे में हम अभी बताने जा रहे हैं।

हवा में ठंड क्यों लगती है?

सभी जानते हैं कि बर्फीली ठंड सहन करना आसान है, यदि हवा नहीं बह रही हो। पर सभी इसका सही कारण नहीं समझते। तेज हवा में अधिक ठंड की अनुभूति सिर्फ **सजीव प्राणियों** को ही होती है : थर्मोमीटर का पारा हवा लगने से नीचे नहीं उतरता। बर्फीली ठंड में हवा बहने पर तेजी से ठंडक लगने का कारण यह है कि शरीर से (विशेष कर उसके खुले भागों से) कहीं अधिक गर्मी निकल कर वातावरण में लीन हो जाती है, अपेक्षाकृत शांत मौसम में, जब शरीर द्वारा गर्म की गई हवा नई ठंडी हवा से इतनी जल्द विस्थापित नहीं हो पाती। हवा जितनी ही तेज होगी, प्रति मिनट उसकी उतनी ही अधिक मात्रा शरीर की सतह को स्पर्श करती हुई निकलेगी और इसके फलस्वरूप शरीर से प्रति मिनट ताप-हानि की मात्रा भी उतनी ही अधिक होगी। तेज ठंड की अनुभूति के लिए यही पर्याप्त है।

लेकिन एक कारण और है। हमारी चमड़ी के वाष्प से रूप में हमेशा आर्द्रता निकलती रहती है। वाष्पीकरण के

लिए ताप चाहिए; वह हमारे शरीर से मिलता है और हमारे शरीर की निकटवर्ती हवा की परत से (यदि हवा स्थिर है, तो) वाष्पीकरण बहुत मंद होता है, क्योंकि चमड़ी के पास की हवा वाष्प से जल्द ही संतृप्त हो जाती है (आर्द्रता से संतृप्त हवा में वाष्पीकरण की क्रिया तीव्र नहीं होती)। पर यदि हवा प्रवहमान है और चमड़ी को स्पर्श करती हुई नई-नई हवा गुजरती रहती है, तो वाष्पीकरण की गति अपनी प्रचंडता बनाए रखती है; वह मंद नहीं होती। और इसके लिए अधिक ताप खर्च होता है, जो हमारे शरीर से ही खींचा जाता है।

हवा की शीतकारी शक्ति कितनी बड़ी है? वह हवा के वेग और तापक्रम पर निर्भर करती है और जितना लोग सोचते हैं, उससे कहीं अधिक प्रचंड है। एक उदाहरण देता हूँ, ताकि आपको इस शक्ति का कुछ अंदाजा मिल सके। मान लें कि हवा का तापक्रम 4^0 है और वह शांत है। इस परिस्थिति में हमारी चमड़ी का तापक्रम 31^0 होता है। यदि हल्का समीरण हो, तो पताका में सिहरन सी गति उत्पन्न करे, पर पत्तियों को नहीं हिलाए (जब हवा का वेग 2m/s हो) तो चमड़ी का तापक्रम 7^0 नीचे उतर आता है। यदि पताका फहर रही हो, अर्थात् हवा का वेग 6 m/s हो, तो चमड़ी के तापक्रम में 22^0 की कमी आ जाती है; उसका तापक्रम 9^0 हो जाता है। ये तथ्य नि.नि. कालीचिन की पुस्तक ''चिकित्साशास्त्र में वातावरण की भौतिकी के उपयोग का आधार'' से लिए गए हैं; इससे आप अनेक रोचक बातें जान सकते हैं।

अतः कितनी ठंड लग रही है, यह सिर्फ तापक्रम पर ही नहीं, हवा के वेग पर भी निर्भर करता है। एक ही तापक्रम पर मास्को की अपेक्षा लेनिनग्राद में अधिक ठंड महसूस होती है, क्योंकि वहाँ बाल्टिक समुद्र के तट पर हवा का वेग 5-6 मीटर प्रति सेकेंड होता है। मास्को में हवा का औसत वेग सिर्फ 4.5 m/s है। बैकाल झील के पार ठंड सहन करना और भी सरल है, क्योंकि वहाँ हवा का वेग सिर्फ 1.3 m/s होता है। पूर्वी साइबेरिया की ठंड इतनी कड़ाके की नहीं होती, जितना हम सोचते हैं। दरअसल हम यूरोप की तेज हवा के आदी हो गए हैं, जबकि बैकाल के पार हवा का वेग नहीं के बराबर होता है।

मरु का ऊष्म उच्छ्वास

पिछले निबंध को पढ़ने के बाद शायद पाठक कहेंगे : ''इसका मतलब है कि हवा बहने पर कड़ी गर्मी में भी शीतलता का अनुभव होना चाहिए। फिर मरुभूमि के यात्री मरु के गर्म उच्छ्वास की बात क्यों करते है।?''

इस विरोधाभास का कारण यह है कि उष्णकटि की जलवायु में हवा **हमारे शरीर से अधिक गर्म होती है**। अतः इसमें आश्चर्य नहीं होना चाहिए कि वहाँ हवा बहने पर लोगों को शीतलता की बजाय और अधिक गर्मी महसूस होती है। वहाँ ताप हमारे शरीर से हवा में नहीं जाता, बल्कि उल्टा हवा से हमारे शरीर में आता है। इसीलिए हमारे शरीर की सतह को प्रति मिनट जितनी ही अधिक हवा स्पर्श करेगी, हम उतनी ही अधिक गर्मी अनुभव करेंगे। यह सच है कि ऐसी स्थिति में शरीर से आर्द्रता के वाष्पीकरण की क्रिया तीव्र हो जाती है। पर इस क्रिया में जितना ताप खर्च होता है, उससे कहीं अधिक ताप शरीर को हवा से मिलता रहता है। ताप के आगमन को रोकने के लिए ही मरु इलाके के वासी, जैसे तुर्कमान-गर्म लबादा और फर की टोपी पहन कर घूमते हैं।

झीने घूँघट से गर्मी?

दैनिक जीवन एक और प्रश्न प्रस्तुत करता है भौतिकी के लिए। स्त्रियों का कहना है कि घूँघट या बुर्के से गर्मी मिलती है और उनके बिना चेहरे में ठंड लगती है। पर घूँघट के महीन झीने कपड़े को देख कर, जिसमें अक्सर बड़े-बड़े छेद होते हैं, पुरुषों को विश्वास नहीं होता। वे सोचते हैं कि यह सब कल्पना का खेल है।

पर यदि आप ऊपर कही गई बातों को याद करें, तो आप को इस पर संदेह नहीं होगा। छिद्र कितने भी बड़े

क्यों न हों, कपड़ा हवा के आवागमन पर रोक-थाम जरूर लगाता है। चेहरे की त्वचा को स्पर्श करने वाली हवा की परत धीरे-धीरे गर्म हो जाती है और घूँघट उसे उड़ने नहीं देता। इसीलिए जब स्त्रियाँ कहती हैं कि घूँघट से ठंड कम लगती है, विशेषकर जब ठंड अधिक न हो और हवा मंद हो, तो इस पर अविश्वास करने का कोई आधार नहीं होता।

शीतकारी घड़ा

यदि आपने ऐसे घड़ों को देखा नहीं होगा, तो इनके बारे में पढ़ा या सुना अवश्य होगा। कच्ची मिट्टी के बने इन बरतनों की यह विशेषता है कि इनमें डाला गया पानी कालांतर में आस-पास की वस्तुओं की अपेक्षा ठंडा हो जाता है। दक्षिणी देशों में और हमारे यहाँ भी (क्रिम में) ऐसे बरतनों का काफी प्रचलन है और अलग-अलग जगहों पर ये अलग-अलग नामों से पुकारे जाते हैं, जैसे स्पेन में इन्हें 'आलकारासा' कहा जाता है और मिश्र में–'गाउला'।

इन घड़ों के शीतकारी प्रभाव का रहस्य सरल है : भीतर का द्रव मिट्टी की दीवार से रिस कर बाह सतह पर आता है और वाष्पित होने लगता है; वाष्पीकरण के लिए ताप (वाष्पीकरण के गुप्त ताप) की आवश्यक मात्रा बरतन और पानी से ली जाती है, इसीलिए पानी ठंडा होने लगता है।

पर यह सही नहीं है कि इन बरतनों में पानी बहुत ठंडा हो जाता है। दक्षिणी देशों के यात्री अपने वर्णन में कुछ बढ़ा-चढ़ाकर लिख दिया करते हैं। बहुत अधिक शीतन संभव ही नहीं है। ठंडे होने की क्रिया अनेक परिस्थितियों पर निर्भर करती है। हवा जितनी गर्म होगी, द्रव बरतन के बाह्य सतह से उतनी ही जल्दी और उतनी ही अधिक मात्रा में वाष्पित होगा और इसके फलस्वरूप बरतन में स्थित द्रव उतना ही अधिक ठंडा होगा। शीतन परिवेशी हवा की आर्द्रता पर भी निर्भर करता है : अधिक आर्द्रता से वाष्पन मंद हो जाता है, जिससे पानी कम ठंडा होता है। इसके विपरीत, शुष्क हवा में वाष्पन तेज हो जाता है और इसके कारण पानी शीघ्र ठंडा होने लगता है। तेज हवा वाष्पन की क्रिया को तीव्र करके पानी अधिक ठंडा कर देती है। गर्मी में तेज हवा के समय भीगे कपड़े पहनने पर ऐसी ठंड सभी ने महसूस की होगी। शीतकारी घड़ों से पानी के तापक्रम में 5^0 से अधिक की कमी नहीं होती। कड़ी गर्मी में जब तापमापी 33^0 दिखाता है, घड़े के पानी का तापक्रम 28^0 होता है। स्पष्ट है कि इस शीतन का कोई व्यावहारिक लाभ नहीं हो सकता। पर घड़ा **पानी की ठंड को** अच्छी तरह सुरक्षित रख सकता है और उसका व्यवहार भी अधिकतर इसी काम के लिए होता है।

घड़े में पानी के ठंडे होने की सीमा निर्धारित करने का प्रयत्न किया जा सकता है।

माना कि किसी घड़े में 51 पानी अँटता है। कल्पना करें कि इसमें से 1/10 1 पानी वाष्प में परिणत हो गया। कड़ी गर्मी में जब वातावरण का तापक्रम 33^0 होता है, पानी के 1। (1kg) की मात्रा को वाष्पित करने के लिए 580 cal ताप की आवश्यकता पड़ती है। हमारे बरतन से 1/10 kg पानी वाष्पित हुआ है, अतः 58 cal ताप खर्च हुआ है। यदि यह सारा ताप सिर्फ घड़े के पानी से लिया गया होता, तो उसका तापक्रम 58/5, अर्थात 12^0 के लगभग कम हो जाता। पर वाष्पन के लिए ताप की आवश्यक मात्रा का अधिकतम भाग स्वयं घड़े की दीवारों और परिवेश की हवा से लिया जाता है; इसके अतिरिक्त, पानी ठंडा होने के साथ-साथ गर्म हवा के संसर्ग से गर्म भी होता रहता है। इसीलिए शीतन प्राप्त संख्या 12^0 के आधे से अधिक शायद ही होती है।

यह कहना मुश्किल है कि घड़े का शीतन धूप में अधिक होता है या छाया में। धूप में वाष्पन तो तेज हो जाता है, पर ताप का आगमन भी बढ़ जाता है। शायद घड़े को ऐसे स्थान पर रखना उत्तम रहेगा, जहाँ छाया हो और हल्की-हल्की हवा बह रही हो।

बिना ओला ठंड

खाद्य-सामग्रियों को सुरक्षित रखने के लिए शीत-अलमारी की बनावट वाष्पन से ठंड की प्राप्ति पर ही आधारित है। इसकी बनावट जटिल नहीं है : यह लकड़ी (या जस्ते का मुलम्मा चढ़े लोहे) की अलमारी होती है, जिसकी पिछली दीवार पर एक कपड़ा फैला रहता है। कपड़े का ऊपरी सिरा अलमारी पर रखे बरतन के पानी में डूबा रहता है और निचला सिरा नीचे रखे बरतन में। कपड़ा बाती की तरह पानी को सोखता रहता है, जिससे पानी रिस कर कपड़े के तार-तार पर फैलता हुआ धीरे-धीरे वाष्प में परिणत होता रहता है। इसी से अलमारी के सभी खाने ठंडे होते रहते हैं।

ऐसी अलमारी घर के किसी शीतल व हवादार स्थान पर रखनी चाहिए। बरतन का पानी हर शाम बदला जाता है, ताकि रात भर में वह अच्छी तरह ठंडा हो जाए। कहने की आवश्यकता नहीं कि पानी का बरतन और उसे सोखने वाला कपड़ा आदि बिल्कुल साफ होने चाहिए।

हम कितनी गर्मी सहन कर सकते हैं?

मनुष्य कहीं अधिक गर्मी बर्दाश्त कर सकता है, जितना हम सोच सकते हैं। दक्षिणी देशों के निवासी ऐसी गर्मी सहन कर सकते हैं, जिसे हम शीतोष्ण कटि के लोग बिल्कुल असह्य मानते हैं। मध्य अस्ट्रेलिया की गर्मियों में तापक्रम छाँव में भी 46^0 तक चला जाता है। कई बार तो वहाँ छाया में 55^0 (सेल्सियस) तक का तापक्रम भी देखा गया है। लाल सागर से फारस की खाड़ी पार करते वक्त जहाजों में 50^0 से भी अधिक तापक्रम देखा जाता है, जबकि वहाँ बिजली के पंखों से दिन-रात वातसंचार चलता रहता है।

पृथ्वी पर प्रकृति में 57^0 से अधिक का तापक्रम अवलोकित नहीं हुआ है। इतनी गर्मी कैलीफोर्निया की 'मृत्यु-घाटी' में होती है। मध्य एशिया सोवियत संघ का सबसे गर्म स्थान माना जाता है, पर वहाँ 50^0 से अधिक तापक्रम नहीं होता।

ऊपर बताए गए तापक्रम **छाया में** नापे गए हैं। यहाँ मैं आपको समझा दूँ कि मौसम-विशेषज्ञों की दिलचस्पी धूप में नहीं, छाया में नापे गए तापक्रम के साथ क्यों होती है। बात यह है कि हवा का तापक्रम सिर्फ छाया में रखा गया थर्मोमीटर बता सकता है। यदि उसे धूप में रखा जाएगा, तो वह सूर्य-किरणों से गर्म होकर परिवेशी हवा के तापक्रम से अधिक दिखाने लगेगा; उसका पारा हवा की तापीय-अवस्था निर्धारित करने में कोई सहायता नहीं देगा। इसीलिए धूप में रखे हुए तापमापी का पठन करके मौसम को गर्म करार करना कोई मानी नहीं रखता।

ऐसे प्रयोग भी किए गए थे, जिससे निर्धारित हो सके कि कौन सा अधिकतम तापक्रम मानव-शरीर बर्दाश्त कर सकता है। पता चला कि शुष्क हवा में यदि शरीर धीरे-धीरे गर्म किया जाए, तो वह पानी के उबलने का तापक्रम (100^0) ही नहीं, उससे कहीं अधिक ऊँचा तापक्रम (160^0 C तक) सहन कर सकता है। यह सिद्ध किया ब्लैकडेन और चेंट्री नामक अंग्रेज भौतिकविदों ने, जो प्रयोग के लिए डबल रोटी बनाने की बेकरी में भट्ठी जला कर घंटों व्यतीत किया करते थे। ''कमरे की हवा में अंडा उबाला जा सकता था और बीफ्स्टेक्स भूने जा सकते थे, पर लोगों का वहाँ बालबाँका नहीं होता था''—यह टिंडल ने ऐसी परिस्थिति के बारे में लिखा था।

इस सहनशीलता का कारण क्या है? यही कि व्यवहारतः हमारा शरीर इस तापक्रम का एक अंश भी नहीं ग्रहण करता; वह अपना साधारण तापक्रम सुरक्षित रखता है। गर्मी के विरुद्ध उसके संघर्ष का साधन है पसीना बहाना। पसीने का वाष्पीकरण हवा की उस परत का अधिकांश ताप हजम कर जाता है, जो प्रत्यक्षतः त्वचा के संसर्ग में आती है और इसी से उसका तापक्रम पर्याप्त कम हो जाता है। इन सब बातों के लिए एकमात्र शर्त यही है कि शरीर गर्मी के स्रोत के साथ प्रत्यक्ष संसर्ग में न आए और हवा शुष्क हो।

जो मध्य एशिया में हो आए हैं, उन्होंने ध्यान दिया होगा कि 37^0 से अधिक तापक्रम भी बिना किसी कष्ट के सहन हो जाता है, पर लेनिनग्राद में 24^0 की गर्मी भी असह्य होती है। कारण यही है कि लेनिनग्राद की हवा काफी आर्द्र होती है और मध्य एशिया की हवा लगभग शुष्क होती है; वहाँ के लिए वर्षा एक विरल घटना है।[1]

तापमापी या दाबमापी

एक भोले-भाले व्यक्ति के बारे में चुटकुला है कि वह टब में स्नान नहीं करना चाहता था। जब उससे पूछा था, तो उसने एक बड़ा ही असाधारण कारण बताया :

—खतरनाक काम है यह! मैंने उसमें बैरोमीटर घुसाया, तो पता चला कि वहाँ तूफान आया है।

पर आप यह न सोचें कि तापमापी और दाबमापी में हमेशा अंतर किया जा सकता है। ऐसे भी तापमापी हैं, जिन्हें दाबमापी भी कहा जा सकता है। इन्हें तापदर्शी (थर्मोस्कोप) कहना अधिक उपयुक्त होगा। इसके विपरीत, ऐसे दाबमापी भी है, जिससे तापदर्शी का काम लिया जा सकता है। इसका उदाहरण है अलेक्जेंडर हिरोन द्वारा निर्मित एक प्राचीन तापदर्शी, जिसे चित्र 85 में दिखाया गया है। गोल बरतन के ऊपरी भाग में स्थित हवा सूर्य किरणों से गर्म होकर फैलती है और पानी को दबा कर टेढ़ी नली और टीप के सहारे नीचे डिब्बे में चूने को विवश करती है।

इसके विपरीत, ठंडे मौसम में गोले के भीतर स्थित हवा की प्रत्यास्थता कम हो जाती है और डिब्बे का पानी बाह्य हवा के दबाव से सीधी नली में चढ़ कर गोले में आ जाता है।

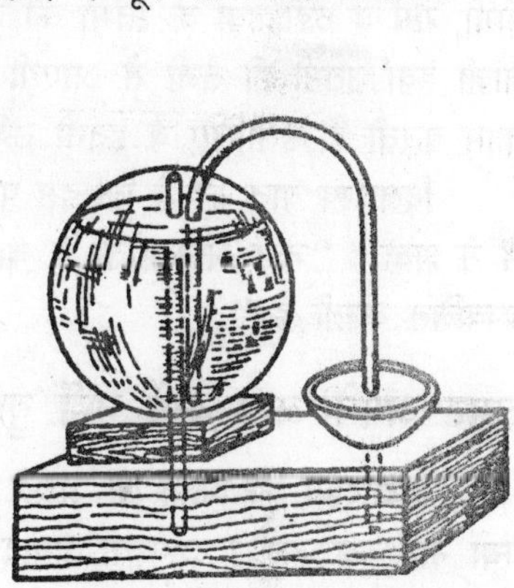

चित्र 85. हिरोन का तापदर्शी

पर यह उपकरण दाबमापी परिवर्तनों के प्रति भी संवेदनशील है : जब बाह्य दबाव कम हो जाता है, पुराने दबाव पर स्थित गोले की हवा फैल कर पानी का एक अंश मुड़ी नली के सहारे डिब्बे में विस्थापित कर देती है; बाह्य दबाव के बढ़ने पर डिब्बे का पानी सीधी नली के सहारे गोल बरतन में गिरने लगता है। तापक्रम में प्रति डिग्री का परिवर्तन हवा के आयतन में उतना ही परिवर्तन लाता है, जितना पारे के दाबमापी स्तंभ की ऊँचाई में 760/273 = करीब 2½ mm अंतर। मास्को में वातावरण के दबाव में 20 या इससे अधिक मिलिमीटर का परिवर्तन होता है। यह हिरोन के तापदर्शी में 8^0C के परिवर्तन के अनुकूल है; अतः मास्को के वातदाब में होने वाली कमी को तापक्रम में 8^0 की वृद्धि का फल मान लेने की भूल करना कोई बड़ी बात नहीं है।

आप देखते हैं कि प्राचीन तापदर्शी को दाबदर्शी कहलाने का भी कम अधिकार नहीं था। एक जमाने में हमारे यहाँ पानी का प्रयोग करने वाले बैरोमीटर बेचे जाते थे, जिनका थर्मोमीटर की तरह भी उपयोग किया जा सकता था। पर खरीददार तो क्या इसका आविष्कारक भी इस बात से अनभिज्ञ था।

लालटेन में शीशा किस लिए है?

बहुत कम लोगों को ज्ञात होगा कि लालटेन के शीशे को आधुनिक रूप ग्रहण करने के लिए कितनी लंबी यात्रा करनी पड़ी है। सहस्राब्दियों तक लोग बिना शीशे का उपयोग किए सिर्फ आग की लौ से प्रकाश प्राप्त करते है। लालटेन या बत्ती में इस महत्त्वपूर्ण सुधार के लिए लियोनार्दो द विंसी (1452-1519) की प्रतिभा को जन्म लेना था। पर लियोनार्दो

---

1. दिलचस्प बात यह है कि मेरे जेबी आर्द्रतामापक ने वहाँ जून महीने में दो बार शून्य आर्द्रता दिखाई थी (13 व 16 जून 1930 में)

ने आग की लौ को शीशे की नहीं, धातु की नली से घेरा था। इसके बाद तीन शताब्दियाँ और बीतीं जब तक कि धातु की नली का स्थान शीशे के पारदर्शक बेलन ने लिया। जैसा कि आप देख रहे हैं, लालटेनी शीशे के आविष्कार पर दसियों पीढ़ियों को काम करना पड़ा है।

लालटेन के शीशे का काम क्या है?

इस अतिस्वाभाविक प्रश्न का उत्तर शायद ही सबके पास होगा। लौ को हवा के झोंके से बचाना शीशे का सिर्फ गौण कार्य है। उसका मुख्य कार्य है–लौ की **प्रभा** (जलने की क्रिया) को तीव्र करना है। लालटेन के शीशे की वही भूमिका होती है, जो भट्ठी या फैक्टरी में धुआँ निकालने के लिए चिमनी की होती है :[1] वह लौ की ओर हवा के प्रवाह को बढ़ाता है।

इसे विस्तार से देखें। शीशे के भीतर का वायु-स्तंभक बाह्य हवा की अपेक्षा जल्दी गर्म होता है। गर्म होने के कारण हवा हल्की हो जाती है और आर्कमिडीज़ के नियम के अनुसार वह दूसरी ठंडी हवा द्वारा विस्थापित हो जाती है। ठंडी हवा के प्रविष्ट होने के लिए ही नीचे छेद बने होते हैं। इस प्रकार नीचे से ऊपर तक ताजी हवा का संवहन होता रहता है और जलन से प्राप्त गैस, कालिख आदि की दूरी होती रहती है। शीशे की ऊँचाई जितनी ही अधिक होगी, गर्म व ठंडी हवा के स्तंभों की ऊँचाइयों में अंतर उतना ही अधिक होगा। और वह अंतर जितना अधिक होगा, ताजी हवा उतनी ही तेजी से आएगी और आग को उतनी ही अधिक उकसाएगी। फैक्टरियों की चिमनियाँ भी यही काम करती हैं, इसीलिए वे इतनी ऊँची बनाई जाती हैं।

दिलचस्प बात यह है कि इस पूरी परिवृत्ति को लियोनार्दो अच्छी तरह समझ चुके थे। प्रमाण हैं उनकी हस्तलिपि में ये शब्द : "जहाँ आग होती है, वहाँ उसके गिर्द हवा की धारा बनती है : वही उसका शोषण करती है और उसे प्रज्वलित करती है।"

लपट अपने आप क्यों नहीं बुझती?

यदि दहन की क्रिया पर अच्छी तरह से विचार करें, तो चाहें न चाहें, एक प्रश्न उठ आएगा : लपट अपने आप क्यों नहीं बुझ जाती? दहन के उत्पाद हैं–जल-वाष्प और कार्बन डायक्साइड। ये अदहनशील हैं और दहन का पोषण कर सकने में असमर्थ हैं। अदहनशील पदार्थों को दहन के आरंभिक क्षणों में ही लपट को आवृत्त करके उसे हवा के संसर्ग से वंचित कर देना चाहिए। और चूँकि हवा की अनुपस्थिति में दहन जारी नहीं रह सकता, लपट को बुझ जाना चाहिए।

पर ऐसा क्यों नहीं होता? दहन क्यों तब तक जारी रहता है, जब तक कि सारा ईंधन समाप्त नहीं हो जाता? सिर्फ इसलिए कि गैसें गर्म होकर फैलती हैं और आयतन-प्रसार के कारण **हल्की हो जाती** हैं। इसी कारण दहन के उत्पाद लपट के समीप अपने उद्भव-स्थल पर टिके नहीं रह पाते; शीघ्र ही ताजी हवा द्वारा ऊपर विस्थापित कर दिए जाते हैं। यदि आर्कमिडीज़ का नियम गैसों पर लागू नहीं होता (या गुरुत्व ही नहीं होता), तो कैसी भी लपट थोड़ी बहुत जल कर स्वयं बुझ जाती।

दहन के उत्पाद लपट के लिए कितने हानिकारक होते हैं, इसकी परख आसानी से की जा सकती है। जब आप फूँक मार कर दीया या लालटेन बुझाते हैं, आप जाने अनजाने इसी बात का उपयोग करते हैं : आप ऊपर से फूँक मारते हैं, ताकि दहन के उत्पाद वापस लपट कर छा जाएँ। लपट ताजी हवा से वंचित होकर बुझ जाती है।

---

1. हिंदी में लालटेन के शीशे को चिमनी ही कहते हैं।–अनु.

जूल वेर्न के उपन्यास की अलिखित अध्याय

जूल वेर्न ने तोप के गोले में चाँद की ओर अग्रसर तीनों हिम्मतमर्दों की दिनचर्या का सविस्तार वर्णन किया है। पर उन्होंने इसके बारे में एक शब्द भी नहीं लिखा कि इस असाधारण परिस्थिति में मिशेल अर्दान अपनी रसोइए की जिम्मेदारी कैसे निभाता है। शायद उपन्यासकार ने यह सोचा होगा कि उड़ते हुए गोले में खाना पकाना ऐसी कोई बात नहीं है, जिसका रोचक वर्णन किया जा सके। यदि वे सचमुच ऐसा सोचते थे, तो निस्संदेह वे गलत थे। बात यह है कि तोप के उड़ते हुए गोले में सारी वस्तुएँ अपना भार **खो बैठती हैं** (इन मनोरंजक संवृत्ति की सविस्तार व्याख्या 'मनोरंजक भौतिकी' के प्रथम भाग, 'अंतर्ग्रही यात्राएँ,' 'राकेट में सितारों की ओर' 'राकेट में चाँद पर' नामक मेरी अन्य पुस्तकों में दी गई है)। जूल वेर्न ने इस परिस्थिति पर कोई ध्यान नहीं दिया। पर विश्वास कीजिए कि भारहीनता में खाना पकाना उपन्यासकार के लिए रोचक विषय हो सकता था। हमारे लिए सिर्फ अफसोस करना रह जाता है कि प्रतिभावान् लेखक ने इस पर कोई ध्यान नहीं दिया। मैं इस कमी को पूरा करने का भरसक प्रयत्न करता हूँ, ताकि पाठकों को अंदाजा मिले कि जूल वेर्न की लेखनी से कितनी सशक्त कहानी बनती।

पाठक इसे पढ़ते वक्त यह स्मरण रखें कि तोप के गोले में भार **अनुपस्थित है;** उसमें सभी वस्तुएँ **भारहीनता की अवस्था** में हैं।

भारहीन रसोई

—मित्रों, हमने अभी तक नाश्ता नहीं किया है,—मिशेल अर्दान ने अपने अंतरिक्षी सहयात्रियों को बुला कर कहा।—हमारा भार लुप्त हो गया है, तो इसका यह मतलब नहीं है कि हमारी भूख भी लुप्त हो गई है। अभी मैं आपके लिए भारहीन खाना तैयार करता हूँ, जो बेशक दुनिया का सबसे हल्का-फुल्का नाश्ता होगा।

और वह उत्तर की प्रतीक्षा किए बगैर रसोई में लग गया।

—पानी की बोतल खाली होने का बहाना कर रही है,—अर्दान एक बड़ी सी बोतल खोलने की कोशिश करता हुआ बड़बड़ा रहा था।—लेकिन मुझे धोखा देना आसान नहीं है : मुझे तो मालूम है कि तू इतनी हल्की क्यों है...खैर, काग खुल गया; अब जरा अपनी अंतर्वस्तु ढालने की कृपा करो तो।

बोतल लाख झुकाने पर भी पानी ढल नहीं रहा था।

—परेशान न होओ, मेरे प्यारे अर्दान,—सहायता के लिए आते हुए निकोल ने कहा।—जरा समझने की कोशिश करो कि हमारे गोले में भार नहीं है और यहाँ पानी **नहीं ढल सकता।** तुम्हें पानी गाढ़ी चाशनी की तरह छिड़क-छिड़क कर निकालना पड़ेगा।

अर्दान ने सोचने में देरी नहीं की; उल्टी बोतल की पेंदी पर एक जोरदार धौल लगा दी। एक नई आफत आ खड़ी हुई : बोतल से एक बड़ा सा गोला निकल कर हवा में लटक गया।

—हाय, क्या हाल हो गया पानी का?—चकित होकर अर्दान ने कहा।—कम-से-कम इस अचंभे की तो जरूरत नहीं थी! वैज्ञानिक मित्रो, कुछ तो बताएँ कि यह सब क्या है?

—यह पानी की बूँद है, प्यारे अर्दान, एक सीधी-सादी बूँद है। भारहीनता की दुनिया में बूँद जितनी चाहे, बड़ी हो सकती है...याद करो कि द्रव गुरुत्व के प्रभाववश ही बरतन का रूप धर लेता है, धार के रूप में बहता है, आदि। यहाँ गुरुत्व नहीं है, इसीलिए द्रव पूरी तरह अपने भीतर की आण्विक शक्तियों के वश में होता है। यहाँ बूँद भी गोले का रूप धारण कर लेगी, जैसे प्लेटो के विख्यात प्रयोग में तेल।

—पर प्लेटो के प्रयोग से मुझे क्या लेना है। मुझे शोखे के लिए पानी उबालना है और कोई भी आण्विक शक्ति

मुझे नहीं रोक सकती।—बिगड़ कर उसने कहा।

और वह क्रोध में पागलों की तरह बोतल झाड़ने लगा। पानी के बड़े-बड़े गोले उड़ती पतीली तक पहुँच कर उसकी सतह पर पसरना शुरू कर देते थे। बात यहीं खत्म नहीं होती थी : पानी भीतरी दीवारों से बाहरी पर बह आता था,—और अंत में पतीली पानी की एक मोटी परत से आच्छादित हो गई। इस रूप में पानी उबालना असंभव था।

—कितना रोचक प्रयोग है। इससे सिद्ध होता है कि संसंजना (आपसी चिपकाव) का बल कितना बड़ा होता है,—निकोल ने निर्द्वंद्व भाव से कहना शुरू किया।—तुम चिंता मत करो : यह द्रव द्वारा ठोस पिंडों के भिगाने की क्रिया है; यहाँ गुरुत्व नाम की कोई चीज इस क्रिया में बाधा नहीं पहुँचा रही है, इसीलिए वह अपनी पराकाष्ठा पर है।

—बहुत दुख की बात है!—अर्दान ने अड़ कर कहा।—भीगने की क्रिया हो या कुछ और; मुझे पानी पतीली के **भीतर** चाहिए, इसके **इर्द-गिर्द** नहीं। यह भी कोई बात हुई। इन परिस्थितियों में दुनिया का एक भी रसोइया खाना पकाने को तैयार नहीं होगा।

यदि क्लेदन (भीगने की क्रिया) तुम्हारे काम में बाधक हो रहा है, तो तुम उसे सरलतापूर्वक रोक सकते हो,—उसे शांत करते हुए बार्बीकेन ने कहा।—तुम्हें याद होगा कि यदि पिंड पर तैल पदार्थ की महीन परत हो,तो पानी उसे नहीं भिगोता। पतीली की बाहरी सतहों पर तेल मल दो, पानी उसके भीतर टिका रहेगा।

—शाबास! इसको मैं विज्ञानी का सच्चा ज्ञान कहता हूँ,—सलाह को अमल में लाते हुए उसने खुशी-खुशी कहा। इसके बाद वह पानी को गैस के चूल्हे पर गर्म करने की तैयारी करने लगा।

पर अर्दान के भाग्य में शांति नहीं थी; सब कुछ उसके विरुद्ध था। गैस का चूल्हा नखरे करने लगा : वह मंद लौ से करीब आधा मिनट जला, फिर पता नहीं क्यों अपने आप बुझ गया।

अर्दान अब चूल्हे के पीछे पड़ा। वह धैर्यपूर्वक तरह-तरह की युक्तियाँ लगाता रहा, ताकि लौ देर तक जलती रहे। पर सारा श्रम बेकार था : लौ जलने का नाम नहीं ले रही थी।

—बार्बीकेन! निकोल! क्या सचमुच इस जिद्दी लौ को वैसे जलने पर विवश नहीं किया जा सकता, जैसे आपकी भौतिकी और गैस की कंपनी कहती है?—फ्रांसीसी आजिज होकर अपने मित्रों को बुलाने लगा।

—इसमें कोई नई बात नहीं है,—निकोल ने समझाया।—इन परिस्थितियों में यही उम्मीद की जानी चाहिए थी। लौ भौतिकी के नियमों का ही अनुसरण कर रही है। और जहाँ तक गैस कंपनियों का प्रश्न है...मैं सोचता हूँ कि यदि गुरुत्व नहीं होता, तो उनका दिवाला निकल गया होता। तुम जानते हो कि जलने से कार्बन डायक्साइड, जलवाष्प आदि गैसें बनती हैं, जो अदहनशील हैं। साधारण परिस्थितियों में दहन के ये उत्पाद लौ के पास नहीं टिके रहते : वे गर्म होकर हल्के हो जाते हैं और इसीलिए ताजी हवा द्वारा ऊपर विस्थापित होते रहते हैं। पर यहाँ गुरुत्व नहीं है, इसलिए दहन के उत्पाद अपनी उत्पत्ति के स्थान पर ही टिके रहते हैं और लौ को अदहनशील गैस से ढक देते हैं। लौ के पास ताजी हवा का आना रुक जाता है और वह बुझ जाती है। आग बुझाने वाले उपकरणों के कार्य इसी बात पर आधारित हैं : वे लपट को अदहनशील गैसों से ढक देते हैं।

—तुम कहना चाहते हो कि,—फ्रांसीसी ने टोका,—यदि पृथ्वी पर गुरुत्व नहीं होता, तो दमकलों की आवश्यकता नहीं पड़ती; आग खुद ब खुद अपनी ही निःश्वास से घुट कर बुझ जाती है?

—बिल्कुल! पर अभी हालात ठीक करने के लिए एक बार फिर से गैस जलाओ; हम दोनों मिल कर फूँक लगाते हैं। मैं सोचता हूँ कि हमें हवा की कृत्रिम संवहन धाराएँ बनाने में सफलता मिल जाएगी और लौ वैसे ही जलने लगेगी, जैसे पृथ्वी पर।

यही किया गया। अर्दान ने फिर से गैस जलायी और रसोई में लग गया। वह निकोल और बार्बीकेन की हालत देख कर मन-ही-मन खुश हो रहा था : उन्हें लगातार हवा करनी पड़ रही थी, ताकि लौ को ताजी हवा मिलती रहे।

फ्रांसीसी अपने हृदय में इन सारी आफतों का कसूरवार अपने मित्रों और उनके विज्ञान को मान रहा था।

—अब आप इस बात से कारखाने की चिमनी का काम कर रहे हैं, क्योंकि ताजी हवा के लिए संवहन धारा बना रहे हैं,—अर्दान ने हँसी उड़ाने के मूड में बोलना शुरू किया।—मुझे आप लोगों पर बहुत तरस आ रहा है, मेरे वैज्ञानिक मित्रों, लेकिन यदि हम गर्म-गर्म नाश्ता चाहते हैं, तो भौतिकी की गुलामी करनी पड़ेगी।

पंद्रह मिनट बीत गए, आधा घंटा बीता, घंटा बीत गया, पर पतीली में पानी उबलने का नाम नहीं ले रहा था।

—तुम्हें धीरज से प्रतीक्षा करनी होगी, अर्दान। बात यह है कि साधारण भारयुक्त पानी बहुत जल्द गर्म होता है, क्योंकि उसमें गर्म व ठंडी परतों का निरंतर स्थानांतरण होता रहता है। नीचे की परत गर्म होकर हलकी हो जाती है और ऊपर उठ जाती हैं उसका स्थान ठंडी परत ले लेती और गर्म होने लगती है। फल यह होता है कि शीघ्र ही सारा पानी ऊँचे तापक्रम पर पहुँच जाता है। तुमने कभी पानी को नीचे की बजाय ऊपर से गर्म किया है? इस स्थिति में परतों का स्थानांतरण नहीं होता; ऊपर की गर्म परत अपने स्थान पर टिकी रहती है। पानी की ताप-चालकता नगण्य होती है, इसलिए ऊपरी परत निचली परत को गर्मी नहीं देती; वह स्वयं उबलने लगती है, पर नीचे की परत में रखा हुआ बर्फ का टुकड़ा पिघलने का भी नाम नहीं लेता। पर हमारी भारहीन दुनिया में कोई फर्क नहीं पड़ता कि किधर से पानी गर्म किया जा रहा है। किधर से भी गर्म करो, पतीली में संवहन धाराएँ नहीं बनेंगी और इसीलिए पानी बहुत धीरे-धीरे गर्म होगा। यदि तुम चाहते हो कि पानी जल्द गर्म हो, तो तुम्हें पानी को निरंतर हिलोड़ें देते रहना होगा।

निकोल ने अर्दान को सावधान कर दिया कि वह पानी को सौ डिग्री तक गर्म न करे, उसे कुछ कम तापक्रम पर ही रखे। 100^0 पर बहुत अधिक मात्रा में वाष्प बनने लगेगा, जिसका विशिष्ट भार पानी के विशिष्ट भार के बराबर होगा (दोनों ही शून्य हैं) और इसीलिए पानी और भाप मिल कर समरूप फेन बनाने लगेंगे।

एक दूसरा घपला मटर के साथ हो गया, जिसके कारण मित्रों को कुछ कम कठिनाई नहीं उठानी पड़ी। अर्दान पोटली खोलकर मटर पतीली में डालना चाहता था। इसके लिए उसने गलती से पोटली को एक झटका दे दिया। फिर क्या था : मटर के सारे दाने हवा में बिखर कर उड़ने लगे, दीवार से टकरा-टकरा कर सब ओर मँडराने लगे। इन घुमक्कड़ दानों के कारण एक दुर्घटना होते-होते बच गई : निकोल की साँस के साथ एक दाना उसके फेफड़े तक पहुँच गया और उसका खाँसी से दम घुटने लगा। फिर से ऐसी दुर्घटना न हो जाए, इसके लिए मित्रों ने पहले हवा साफ करने का निश्चय किया। तीनों मटर के दाने पकड़ने में लीन हो गए। यहाँ तितली पकड़ने वाली जाली काम आ गई, जिसे अर्दान ने चाँद की तितलियों का संग्रह करने के लिए अपने साथ रख लिया था।

इस परिस्थितियों में खाना बनाना सचमुच ही जटिल काम था। अर्दान बिल्कुल सही कह रहा था कि कोई भी अच्छा रसोइया यहाँ खाना बनाने को राजी नहीं होगा। बीफस्टेक्स भूनने में भी बड़ी कठिनाइयों का सामना करना पड़ा : मांस के टुकड़े को हर समय काँटे से दबा कर रखना पड़ रहा था, क्योंकि तेल का स्प्रिंग जैसा प्रत्यास्थ वाष्प बीफस्टेक्स को पतीली से उछाल देता था और कच्चा मांस 'ऊपर' उड़ने लगाया था (यदि 'ऊपर' शब्द का प्रयोग किया जा सकता है, जहाँ न तो 'ऊपर' था, न 'नीचे')।

इस गुरुत्वहीन दुनिया में खाना खाना भी मुश्किल काम था। बैठने का कोई प्रश्न नहीं था; तीनों मित्र अजीबोगरीब मुद्राओं में एक दूसरे से सिर के बल टकराते हुए मँडरा रहे थे (कहना नहीं होगा कि दृश्य बड़ा मनोहर था!)। टेबल, कुर्सी, बेंच जैसी वस्तुएँ इस दुनिया में बेकार थीं। सच पूछिए तो टेबल की जरूरत भी नहीं थी, यदि अर्दान की अकाट्य इच्छा नहीं होती कि 'टेबल पर' ही खाना खाया जाए।

शोरबा बनाना तो कठिन काम था ही, पर इससे भी कठिन काम निकला उसे निगलना। पहले तो इस भारहीन शोरबे को कप में ढालना ही कठिन था। इस चक्कर में अर्दान की सुबह से अब तक कि मेहनत नष्ट होते-होते रह गई। वह भूल गया कि शोरबा भारहीन है और उसे ढालने के लिए उसने पतीली की पेंदी पर एक धौल जमा दी।

परिणामस्वरूप पतीली से द्रव का एक बड़ा सा गोला उछल आया—यह वर्तुलज रूप में शोरबा था। यहाँ अर्दान को सरकस की बाजीगरी दिखानी पड़ी, अन्यथा इतनी कठिनता से बना हुआ शोरबा हाथ से निकल जाता।

खाने के लिए चम्मच का प्रयोग भी निष्फल रहा। शोरबा चम्मच के गड्ढे में जमा होने की बजाय पूरे चम्मच पर फैल जाता था; यहाँ तक कि उँगलियाँ भी गीली हो जाती थीं। चम्मच पर तेल मल दिया गया, ताकि भीगने की क्रिया रुक जाए, पर इससे स्थिति सुधरी नहीं : चम्मच में शोरबा गोली का आकार ग्रहण कर लेता था, जिसे मुँह तक लाने की कोई संभावना नहीं थी।

अंततोगत्वा निकोल ने समस्या का हल ढूँढ निकाला : उसने मोम चढ़े कागज की नली बनाई और उसके सहारे सुड़क-सुड़क कर पीने लगा। यात्रा के पूरे दौर मित्रगण पानी, शराब आदि कोई भी द्रव इसी विधि से पीते रहे।[1]

पानी आग क्यों बुझाता है?

इस सरल प्रश्न का उत्तर सभी नहीं जानते, इसीलिए यदि मैं संक्षेप में बता दूँ, तो आशा है कि पाठक बुरा नहीं मानेंगे।

प्रथमतः, पानी जलती वस्तु के संसर्ग में आ कर वाष्प में परिणत हो जाता है और इस क्रिया में वह जलती वस्तु से ताप का बहुत बड़ा अंश लेकर खर्च कर देता है; खौलते पानी को पूरी तरह वाष्प में परिणत करने के लिए पाँच गुना अधिक ताप की आवश्यकता पड़ती है, अपेक्षाकृत ठंडे पानी को सौ डिग्री तक गर्म करने में।

और दूसरे, इस विधि से उत्पन्न वाष्प उसे जन्म देने वाले पानी से सैकड़ों गुना अधिक आयतन रखती है; वह जलती वस्तु को घेर कर उसके चारों तरफ की हवा को विस्थापित कर देती है और बिना हवा के कोई भी वस्तु नहीं जल सकती।

पानी की अग्निशामक शक्ति बढ़ाने के लिए कभी-कभी उसमें बारूद मिला दिया करते हैं। पढ़ कर आपको आश्चर्य होता होगा, पर बात काफी बुद्धिमानी की है : बारूद बहुत जल्द जल जाती है और ढेर सारी अदहनशील गैसें बना देती है। ये गैसें जलती वस्तु को आवृत्त करके जलने की क्रिया में बाधा डालने लगती हैं।

आग से अग्नि-शमन

आपने सुना होगा कि जंगल या ऊँची घास व झाड़ियों वाले विस्तृत मैदान में लगी आग को रोकने के लिए कभी-कभी दूसरी तरफ से आग लगा दी जाती है। नई लपटें मार्ग में मिलने वाले दहनशील पदार्थों को जला कर उसे उसके आहार से वंचित कर देती हैं। जैसे ही आग की दोनों दीवारें मिलती हैं, दोनों तरफ की आग बुझ जाती है, मानो वे एक दूसरे को निगल गई हों।

अमेरिका में एक मैदान में लगी आग को इस विधि से बुझाने की विधि का वर्णन बहुतों ने कूपर के उपन्यास 'प्रेयरी' में पढ़ा होगा। बूढ़े ट्रैपर (बहेलिए) द्वारा पथिकों की मैदानी आग से रक्षा का नाटकीय दृश्य भुलाया नहीं जा

1. इस पुस्तक के पिछले संस्करणों के पाठकों ने इस बात पर शंका प्रकट की थी कि गुरुत्वहीन परिवेश में भी द्रव पीया जा सकता है, चाहे उपरोक्त विधि ही क्यों न इस्तेमाल की गई हो। अक्सर उनके पत्रों में यह तर्क होता था : उड़न-गोले में हवा भी भारहीन है, अतः उसमें दबाव डालने का गुण नहीं हो सकता; और यदि दबाव नहीं है, तो सुड़क कर भी आप द्रव को नहीं पी सकते। विचित्र बात तो यह है कि यही आपत्ति पत्र-पत्रिकाओं के माध्यम से कुछ समीक्षकों ने भी उठाई थी। जबकि यह बिल्कुल स्पष्ट है कि हवा की भारहीनता का उसके दबाव के साथ कोई संबंध नहीं है : किसी भी बंद व्योम (या बरतन) में हवा दबाव डालती है; इसलिए नहीं कि उसमें भार है, बल्कि इसलिए कि गैसीय पिंड होने के नाते वह असीम प्रसारण की प्रवृत्ति रखती है, जिसके कारण उसे घेर कर रखने वाली दीवारों पर दबाव पड़ता है। पृथ्वी-तल पर खुले व्योम में दीवार की भूमिका गुरुत्व निभाता है; वही हवा के असीम प्रसार में बाधा डालता है। गुरुत्व और दबाव के इस प्राकृतिक संबंध के कारण ही मेरे आलोचक गलती कर बैठे थे।

सकता। 'प्रेयरी' का यह अंश उद्धृत किया जा रहा है :

"बूढ़ा अचानक उठ खड़ा हो गया।

—अब कुछ करना चाहिए; समय आ गया है,—उसने कहा।

—अब! अब बहुत देर हो चुकी है, बूढ़े।—मिडिलटोन ने चीख कर कहा।—आग हमसे कोई चौथाई मील की दूरी पर है और हवा उसे भयानक गति से हमारी ओर बढ़ा रही है!

—आग-वाग से मैं नहीं डरता। आओ बहादुरो, जरा इस सूखी घास को हाथ लगाते हैं। यहाँ जमीन को थोड़ा नंगा करना है।

चित्र 86. आग से आग बुझाना

जल्द ही करीब 20 फीट व्यास वाली गोलाकार जगह साफ हो गई। ट्रैपर ने औरतों को आग से दूर वाले छोर पर खड़ा रहने और उन्हें अपने कपड़ों को कंबल से लपेट लेने की हिदायत दे दी; कपड़ों के जल उठने पर खतरा अधिक था। यह सावधानी बरत लेने के बाद बूढ़ा उस ओर बढ़ा, जिधर से आग की लपलपाती लपटें उन्हें छल्ले की तरह घेरती चली आ रही थीं। उसने मुट्ठी भर घास बंदूक की नली पर लगाई और उसमें आग लगा दी। सूखी घास क्षण भर में लहक उठी। बूढ़े ने उसे ऊँची झाड़ियों में फेंक दिया और साफ की हुई जगह के बीच में खड़ा होकर अपने काम का नतीजा देखने लगा।

नई लपटें भुक्खड़ों की तरह अपने शिकार पर टूट पड़ीं और मैदान को सफाचट करती हुई आगे बढ़ चलीं।

—अब आप देखेंगे कि आग आग को कैसे बुझाती है।

—क्या इससे खतरा नहीं है?—मिडिलटोन ने आश्चर्य से पूछा।—क्या आप दुश्मन को दूर भगाने की बजाय उसे और करीब तो नहीं ला रहे हैं?

अब आग तीन तरफ से बढ़ रही थी; चौथी दिशा में उसका अंत हो रहा था, वह भूख से दम तोड़ रही थी। यहाँ खाना नहीं था। आग के पीछे धुँआ छोड़ती काली जमीन छूटती जा रही थी। घास काट पर भी वह इतनी साफ नहीं होती।

मगेड़ुओं की स्थिति और भी खतरे में होती, यदि उनके द्वारा साफ की गई जमीन का क्षेत्र बढ़ता नहीं जाता,—आग दूसरी दिशा से भी तो बढ़ रही थी।

कुछ मिनटों बाद लपटें हर ओर पीछे हटने लगीं। लोग धुएँ के बादलों में लिपटे हुए थे, पर पागलों की तरह बढ़ रही आग की बाढ़ से बिल्कुल स्वतंत्र थे।

लोग ट्रैपर द्वारा प्रयुक्त विधि की सरलता पर चकित थे और उसके कारनामे को यूँ देख रहे थे, जैसे फेर्दिनांद के दरबारी कोलंबो को, जब वह अंडे को टेबल पर उसके सिरे के सहारे खड़ा कर रहा था।"

पर मैदानी आग बुझाने की विधि इतनी सरल नहीं है, जितना ऊपर से देखने में लगता है। आग बुझाने के लिए आग बुझाने का काम किसी अनुभवी व्यक्ति को ही करना चाहिए, अन्यथा प्रकोप कम होने की बजाय बढ़ भी सकता है।

इसके लिए कितनी निपुणता की आवश्यकता है, यह आप निम्न प्रश्नों का उत्तर देने के बाद ही समझ सकेंगे : ट्रैपर द्वारा लगाई गई आग असली आग की दिशा में ही क्यों भागने लगी; वह उल्टी दिशा में क्यों नहीं बढ़ने लगी? आखिर हवा आग की ओर से आ रही थी और आग को पथिकों की दिशा में खदेड़ रही थी! इसीलिए ट्रैपर द्वारा लगाई गई आग को असली आग की ओर नहीं, उल्टा लोगों की ओर बढ़ना चाहिए था। पर यदि ऐसा होता, तो राहियों की मृत्यु निश्चित थी।

क्या रहस्य था ट्रैपर की विधि का?

भौतिकी के एक साधारण नियम का ज्ञान। यह ठीक है कि हवा मैदान के जलते भाग से पथिकों की ओर बह रही थी, पर आग के **आगे-आगे, उसके निकट,** हवा का विपरीत बहाव भी होना चाहिए था। आग से गर्म होकर हवा हल्की हो जाती है और ऊपर उठने लगती है। रिक्त स्थान को भरने के लिए मैदान के दूसरे हिस्सों से ताजी हवा का आग की ओर बढ़ना शुरू हो जाता है। इसीलिए आग की सीमा के पास **हवा का खिंचाव लपटों की ओर होता है।** आग तभी जलानी चाहिए, जब असली आग पर्याप्त निकट आ जाए, अर्थात् जब असली आग की ओर हवा का खिंचाव महसूस होने लगे। इसीलिए ट्रैपर जल्दीबाजी नहीं कर रहा था; वह शांत खड़ा आवश्यक क्षण की प्रतीक्षा कर रहा था। यदि असली आग की ओर हवा का खिंचाव महसूस करने के थोड़ा पहले वह आग लगा देता, तो आग उल्टी उन्हीं की ओर बढ़ने लगती और लोगों के सामने मरने के सिवा कोई चारा नहीं बचता। आग लगाने में देर भी नहीं की जा सकती थी; असली आग काफी निकट आ जाती।

उबलते पानी से पानी उबालना

एक छोटी सी शीशी में पानी भर कर आग पर चढ़ी पतीली के शुद्ध पानी में इस प्रकार डुबाइए कि शीशी पतीली की पेंदी को स्पर्श न करे। इसके लिए आपको शीशी महीन तार से बाँध कर लटकानी पड़ेगी। कायदे से, जब पतीली का पानी खौलने लगेगा, शीशी के पानी को भी खौल जाना चाहिए। पर आप जितनी मर्जी इंतजार कर सकते हैं; ऐसा नहीं होगा। शीशी के भीतर पानी गर्म होगा, बहुत गर्म हो जाएगा, पर खौलेगा नहीं। खौलता पानी इतना गर्म नहीं होता कि पानी को खौला सके।

निष्कर्ष आशातीत है, पर ऐसा होगा—यह पहले से कहा जा सकता था। पानी को खौलाने के लिए 100^0C तक उसे गर्म करना ही पर्याप्त नहीं है : उसे इतना और अतिरिक्त ताप देना होगा कि वह एक समुच्च अवस्था से दूसरी (वाष्प की अवस्था) में आ जाए।

शुद्ध जल 100^0C पर खौलने लगता है; साधारण परिस्थितियों में आप उसे जितना चाहें, गर्म कर सकते हैं; उसका तापक्रम इस बिंदु से ऊपर नहीं उठेगा। अर्थात् ताप का स्रोत, जिससे आप शीशी का पानी गर्म कर रहे हैं, 100^0C तापक्रम पर है; इसलिए वह शीशी के पानी को इससे अधिक गर्म नहीं कर सकता। जब दोनों बरतनों में स्थित पानी का तापक्रम समान (100^0C) हो जाएगा, तब **पतीली के पानी से शीशी के पानी की ओर ताप का संचार बंद हो जाएगा।**

अतः शीशी के पानी को वाष्प में परिणत करने के लिए अतिरिक्त ताप उसे उपरोक्त विधि द्वारा नहीं दिया जा सकता (100^0C तक गर्म किए गए एक ग्राम पानी को वाष्प में परिणत करने के लिए 500 कैलोरी अतिरिक्त ताप देना पड़ता है)। यही कारण है कि शीशी का पानी पतीली में गर्म हो जाता है, पर खौलता नहीं।

यहाँ प्रश्न उठ सकता है : पतीली के पानी और शीशी के पानी में आखिर अंतर क्या है? शीशी में भी तो वही पानी है; सिर्फ वह बाकी पानी से शीशे की दीवार द्वारा घिरा हुआ है। फिर उसके साथ वही क्यों नहीं होता, जो बाकी पानी के साथ होता है?

क्योंकि दीवार शीशी में स्थित पानी को संवहन धाराओं में भाग लेने से वंचित कर देती है, जो पतीली के पानी

को हिलोड़ती रहती है।

इस प्रकार हम देखते हैं कि उबलते पानी की गर्मी से पानी उबालना संभव नहीं है। पर यदि पतीली के पानी में मुट्ठी भर नमक घोल दिया जाए, तो बात दूसरी हो जाती है। नमकीन पानी सौ डिग्री पर नहीं, कुछ अधिक पर खौलता है और इसलिए वह शीशी के शुद्ध पानी को खौलाने की सामर्थ्य रखता है।

क्या पानी को बर्फ से खौलाया जा सकता है?

कुछ पाठक कहेंगे : "यदि इस काम के लिए खौलता पानी बेकार है, तो फिर बर्फ की क्या बात की जा सकती है?" पर उत्तर देने में जल्दीबाजी न करें। बेहतर होगा कि एक प्रयोग करें; उसी शीशी के साथ, जिसका आप अभी-अभी प्रयोग कर चुके हैं।

शीशी को आधी दूरी तक पानी से भर दीजिए और नमकीन खौलते पानी में डुबा दीजिए। जब शीशी में पानी खौलने लगे, उसे पतीली से निकाल लीजिए और पहले से तैयार किए गए एक डाट से उसका मुँह अच्छी तरह बंद कर दीजिए। अब शीशी को औंधा लटका कर थोड़ा इंतजार करें। जब भीतर पानी का खौलना बंद हो जाए, तो उसकी पेंदी पर थोड़ा बर्फ रखें, या चित्र 87 की भाँति उस पर ठंडा पानी डालें,—और आप देखेंगे कि पानी खौलने लगा है...बर्फ ने वह कर दिया जो खौलता पानी नहीं कर सका!

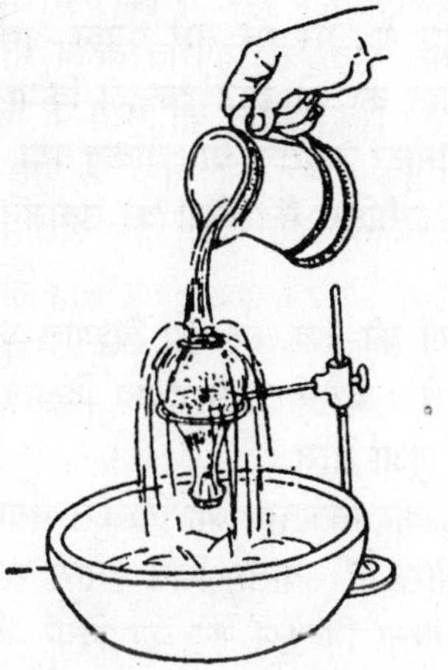

चित्र 87. फ्लास्क में पानी का उबलना।

चित्र 88. टिन का डिब्बा ठंडा करने का नतीजा।

बात और भी रहस्यमय लगेगी, जब आप शीशी छू कर देखेंगे कि वह कुछ विशेष गर्म नहीं है, पर पानी खौल रहा है।

दरअसल बर्फ शीशी की दीवारों को ठंडा कर देता है और परिणामस्वरूप भीतर का वाष्प घनित होकर पानी की बूँदों में परिणत हो जाता है। और चूँकि शीशी में से हवा पानी खौलाते वक्त ही निकल गई थी, इसलिए उसके भीतर स्थित पानी पर दबाव बहुत कम रह जाता है। कम दबाव पर द्रव आवश्यक तापक्रम से कम पर ही खौलने लगता है। यही कारण है कि शीशी का पानी ठंडा होने पर भी खौलता रहता है।

यदि शीशी की दीवारें काफी पतली होंगी, तो वाष्प के हठात् संघनन से विस्फोट हो सकता है : बाह्य हवा भीतर से हवा का प्रतिरोध न पाकर शीशी को दबाव से तोड़ देगी (इसीलिए इसे सही माने में विस्फोट नहीं कहा जा सकता)। बेहतर होगा यदि आप गोल पेंदी की शीशी (जैसे उन्नतोदर पेंदी वाले फ्लास्क) के साथ प्रयोग करेंगे। शीशी की गुंबजाकार पेंदी बाह्य हवा के दबाव को सहन कर लेगी।

आप एक दूसरा प्रयोग भी कर सकते हैं, जिसमें किसी दुर्घटना का डर नहीं है। एक टिन के डिब्बे में थोड़ा पानी खौला कर उसका डाट अच्छी तरह बंद कर लीजिए और उस पर ठंडा पानी उँडेलिए। वाष्प से भरा डिब्बा बाह्य हवा के दबाव से पिचक जाएगा, क्योंकि भीतर का वाष्प ठंडा होकर पानी में परिणत हो जाएगा। डिब्बा पिचक कर इस तरह टेढ़ा-मेढ़ा हो जाएगा, जैसे उस पर हथौड़े चलाए गए हों (चित्र 88)।

बैरोमीटर का शोरबा

चित्र 89. मार्क ट्वेन द्वारा 'वैज्ञानिक अध्ययन'।

अमरीकी व्यंग्यकार मार्क ट्वेन अपनी पुस्तक 'विदेश-भ्रमण' में आल्प की यात्रा का एक किस्सा बताते हैं। किस्सा मनगढ़ंत है :

"कठिनाईयाँ समाप्त हुईं; लोग अब विश्राम कर सकते थे और मैं इस अभियान के वैज्ञानिक पक्षों पर कुछ सोच-विचार कर सकता था। सबसे पहले मैं बैरोमीटर की सहायता से उस स्थान की ऊँचाई ज्ञात करना चाहता था, जहाँ हम लोग टिके हुए थे। पर मेरे सारे प्रयत्न असफल रहे। किताबें पढ़-पढ़ कर मैंने विज्ञान का जो ज्ञान इकट्ठा किया था, उसके अनुसार मुझे थर्मोमीटर या बैरोमीटर उबालना था। लेकिन क्या—यह मैं ठीक-ठीक नहीं जानता था और इसीलिए मैंने दोनों को उबालने का निश्चय किया

पर बात बनी नहीं। उपकरणों को देख कर मुझे विश्वास करना पड़ा कि दोनों ही खराब हो चुके थे : बैरोमीटर में दबाव दिखाने वाली सूई बची थी और थर्मोमीटर में सिर्फ पारे की घुंडी और उसमें छलकता हुआ पारा...

मैंने एक दूसरा बैरोमीटर ढूँढ़ कर निकाला; वह बिल्कुल नया था और बहुत ही अच्छा काम कर रहा था। मैंने उसे आधे घंटे तक सेम के शोरबे में उबाला, जिसे हमारा रसोइया बना रहा था। परिणाम की आशा मैंने नहीं की थी : उपकरण ने काम करना बिल्कुल बंद कर दिया और शोरबे में बैरोमीटर का स्वाद आने लगा। उसका स्वाद इतना तेज था कि मुख्य रसोइए ने, जो बहुत ही समझदार आदमी था, व्यंजनों की सूची में इस शोरबे का नाम काट कर नया नाम रख दिया। चूँकि नया शोरबा सभी को पसंद आया, इसलिए मुझे हर दिन बैरोमीटर का शोरबा बनाने का आदेश देना पड़ा बैरोमीटर खराब हो गया, पर इसका मुझे कोई अफसोस नहीं था। जब उससे ऊँचाई नापने में सहायता नहीं मिली, तो फिर उसकी जरूरत ही क्या थी!"

खैर, मजाक छोड़ें और निम्न प्रश्न पर गौर करें : वस्तुतः क्या उबालना चाहिए था—थर्मोमीटर या बैरोमीटर? थर्मोमीटर। और इसका कारण यह है :

पिछले प्रयोगों से हम देख चुके हैं कि पानी का दबाव जितना कम होगा, उसके उबलने का तापक्रम भी उतना ही कम होगा। पहाड़ पर वातावरण का दबाव घटता है, इसलिए वहाँ पानी के उबलने का तापक्रम भी कम होना चाहिए।

भिन्न वातदाबों पर शुद्ध जल के उबलने का तापक्रम सचमुच ही भिन्न होता है :

उबालने का तापक्रम, ^{0}C	बैरोमीटर दबाव, mm
101	787,7
100	760
98	707
96	657,5
94	611
92	567
90	525,5
88	487
86	450

बेर्न (स्वीटजरलैंड) में, जहाँ वातावरण का औसत दबाव 713 mm है, पानी खुले बरतन में 97.5^0 पर उबलने लगता है। मोंटब्लांक की चोटी पर बैरोमीटर 424 mm दबाव दिखाता है और वहाँ पानी सिर्फ 84.5^0 पर खौलता है। हर एक किलोमीटर ऊँचा जाने पर क्वथनांक (पानी उबलने का तापक्रम) 3^0C नीचे उतर आता है। मतलब कि यदि हम पानी के उबलने का तापक्रम नाप लेते हैं (या ट्वेन के शब्दों में–"थर्मोमीटर उबालते हैं"), तो **तदनुरूप सारणी** देख कर हम उस स्थान की ऊँचाई बता सकते हैं। लेकिन सारणी पहले से तैयार रखनी होगी, जिसके बारे में मार्क ट्वेन बिल्कुल ही भूल गए थे।

इस काम के लिए अक्सर प्रयुक्त होने वाला उपकरण–उच्चतामापी (हिप्सोथर्मोमीटर)–ढोने में धातु के बैरोमीटर जितना ही सुविधाजनक है, पर इससे कहीं अधिक शुद्ध मान मिलते हैं।

स्पष्ट है कि बैरोमीटर भी स्थान की ऊँचाई निर्धारित करने में सहायक हो सकता है, क्योंकि वह बिना कुछ 'उबाले' ही वातावरण का दबाव बता देता है। दबाव तथा ऊँचाई के बीच संबंध बिल्कुल सरल है : जितना ही हम ऊपर उठते हैं, दबाव उतना ही कम होता जाता है। पर सारणी की आवश्यकता यहाँ भी पड़ेगी; ऐसी सारणी की, जो सागर-स्तर से ऊपर उठने पर दबाव में होने वाली कमियाँ बता सके। यदि सारणी नहीं है, तो आवश्यक सूत्रों का ज्ञान होना आवश्यक है। व्यंग्यकार के दिमाग में ये बातें उलट-पुलट हो गई होंगी, इसीलिए उन्हें 'बैरोमीटर का शोरबा' बनाना पड़ा।

क्या उबलता पानी हमेशा गर्म होता है?

जूल वेर्न के उपन्यास 'हेक्तर सेर्वादाक' के अर्दली वेन-जूफ से पाठक अवश्य ही परिचित होंगे। वेन-जूफ को पूरा विश्वास था कि खौलता पानी हर जगह समान रूप से गर्म होता है। शायद वह सारी जिंदगी यही सोचता, यदि संयोगवश अपने कमांडर सेर्वादाक के साथ पुच्छल तारे पर नहीं पहुँच गया होता। यह घुमक्कड़ नक्षत्र पृथ्वी से टकरा कर हमारे ग्रह का यह भाग काट ले गया, जहाँ ये दोनों पात्र उस समय मौजूद थे। पुच्छल के दीर्घवृत्तीय कक्ष पर भ्रमण करते वक्त ही अर्दली को पहली बार अनुभव हुआ कि उबलता पानी सर्वत्र समान रूप से गर्म नहीं होता। यह खोज उसने बिल्कुल संयोगवश की, जब वह नाश्ता तैयार कर रहा था।

"वेन-जूफ ने पतीले में पानी डाल कर उसे चूल्हे पर चढ़ाया और उसके खौलने का इंतजार करने लगा। उसे अंडे उबालनें थे, जो उसे भीतर से खाली प्रतीत हो रहे थे; वहाँ उनका भार बहुत ही घट गया था।

दो मिनट भी नहीं बीता कि पानी खौलने लगा।

–कंबख्त! कितनी गर्म है आग यहाँ।–वेन-जूफ आश्चर्य से बोल उठा।

–आग अधिक गर्म नहीं है,–सेर्वादाक ने थोड़ा सोच कर कहा,–यहाँ पानी जल्द उबलता है।

और उसने सेल्सियस का तापमापी दीवार से उतार कर खौलते पानी में डुबा दिया।

तापमापी सिर्फ छियासठ डिग्री दिखा रहा था।

–यह बात है!–आफिसर ने कहा।–पानी सौ की बजाय छियासठ डिग्री पर खौल रहा है।

–तो फिर, कैप्टन?...

–फिर, वेन-जूफ, मैं तुम्हें अंडे खौलते पानी में पंद्रह मिनट तक रखने की सलाह देता हूँ।

–वे बहुत सख्त हो जाएँगे।

–नहीं दोस्त, वे मुश्किल से सीधे होंगे।"

इस विचित्रता का कारण संभवतः वातावरण की ऊँचाई कम हो जाने में था। जमीन के ऊपर हवा के स्तंभ की ऊँचाई करीब तिहाई कम हो गई थी, जिससे वातदाब कम हो गया था और पानी सौ की बजाय छियासठ डिग्री पर खौलने लगा था। पृथ्वी पर यह बात 1100 om ऊँचे पर्वत पर देखने को मिलती। यदि कैप्टन के साथ बैरोमीटर होता,

तो उसे वातदाब की कमी का पता लग जाता।''

हम इन पात्रों द्वारा अवलोकित तथ्यों पर संदेह नहीं करेंगे : वे कहते हैं कि पानी 66 डिग्री पर खौल रहा है; हम इसे सत्य मान लेते हैं। पर यह बात अवश्य ही शंकाजनक है कि इतने विरल वातावरण में वे अपने को भला-चंगा महसूस कर रहे थे।

'सेर्वादाक' के लेखक बिल्कुल सही कहते हैं कि इस तरह की संवृत्ति 11000 m की ऊँचाई पर देखने को मिलती : कथन से सिद्ध किया जा सकता है[1] कि इस ऊँचाई पर पानी को सचमुच 66^0C खौलना चाहिए। पर वहाँ हवा का दबाव सिर्फ 190 mm ऊँचे पारद-स्तंभ के दबाव के बराबर होगा, जो साधारण से ठीक चौगुना कम है। इतनी विरल हवा में साँस ले सकना असंभव है! यह ऊँचाई स्ट्रैटोस्फेयर की है। बिना आक्सीजन की नकाब के पायलट इस ऊँचाई पर अपना होश खो बैठते हैं, पर सेर्वादाक और उसका अर्दली अपने को बिल्कुल स्वस्थ महसूस कर रहे थे। अच्छा ही हुआ कि सेर्वादाक के पास बैरोमीटर नहीं था, अन्यथा उपन्यासकार को वहाँ के दाब का भौतिकी-संगत मान छिपा कर कोई दूसरा मान दिखाना पड़ता।

यदि हमारे पात्र किसी काल्पनिक पुच्छल तारे पर नहीं, मंगल ग्रह पर पहुँच जाते, तो उन्हें और भी कम तापक्रम (सिर्फ 45^0C) पर खौलने वाला पानी पीना पड़ता।

इसके विपरीत, यदि हम किसी गहरे खान की तली पर पहुँच जाएँ, तो वहाँ पृथ्वी-तल की तुलना में कहीं अधिक वातदाब होगा। इसीलिए पानी 300 m गहरे खान में 101^0 पर खौलता है और 600 m की गहराई में–102^0 पर।

यदि दबाव बहुत अधिक हो, तो पानी को वाष्प-इंजन की भट्ठी ही खौला सकती है। उदाहरण के लिए, 14 वातदाब पर पानी खौलाने के लिए 200^0C का ताप चाहिए! इसके विपरीत, यदि बरतन में से हवा वायु-निष्कासक पंप द्वारा निकाली जा चुकी है, तो उसमें पानी कमरे के साधारण तापक्रम 20^0C पर ही खौलने लगेगा।

गर्म बर्फ

ऊपर ठंडे खौलते पानी की बात चल रही थी। पर इससे भी आश्चर्यजनक चीज है : **गर्म बर्फ।** हम यह सोचने के आदी हो गए हैं कि 0^0 से अधिक तापक्रम पर पानी ठोस अवस्था में नहीं रह सकता। पर अंग्रेज भौतिकविद् ब्रिजमेन की खोजों से ज्ञात होता है कि यह सही नहीं है : यदि दबाव बहुत अधिक हो, तो पानी शून्य से ऊँचे तापक्रम पर भी ठोस अवस्था में रह सकता है या उसमें संक्रमण कर जा सकता है। ब्रिजमेन ने दिखाया कि बर्फ सिर्फ एक प्रकार की नहीं होती; उसके कई प्रकार होते हैं। जिस बर्फ को उन्होंने ''बर्फ न. 5'' की संज्ञा दी, वह 20600 वातदाब पर प्राप्त होती है और उसका तापक्रम 76^0C होता है। यदि हम उसे छू पाते, तो हमारी उँगली जल जाती। लेकिन उसे छूना संभव नहीं है : बर्फ न. 5 शक्तिशाली संपीडक (प्रेस) के दबाव से मोटी दीवार वाले बरतन में बनती है, जो सबसे अच्छे इस्पात का होता है। इसीलिए उसे देखना या हाथ में लेना संभव नहीं है; उसके गुणों के बारे में हम सिर्फ अप्रत्यक्ष विधियों से बता सकते हैं।

एक रोचक बात यह भी है कि 'गर्म बर्फ' साधारण बर्फ से ही नहीं, पानी से भी भारी होती है : उसका विशिष्ट भार 1.05 के बराबर है; वह पानी में डूब जाती है, जबकि साधारण बर्फ तैरती रहती है।

---

1. हम पहले बता चुके हैं (पृ. 184 पर) कि पानी का क्वथनांक एक किलोमीटर ऊपर उठने पर 3^0C नीचे उतर आता है, अतः क्वाथनांक के 66^0 होने के लिए 34.3 11 km ऊँचा जाना होगा।

कोयले से ठंड

कोयले से गर्मी की बजाय ठंड की प्राप्ति कोई कोरी कल्पना नहीं हैः यह तथाकथित 'शुष्क बर्फ' बनाने वाले कारखानों में हर दिन किया जाता है। उसमें स्थित कार्बन डायक्साइड गैस क्षारीय घोल में कैद कर ली जाती है। फिर उसे गर्म करके शुद्ध कार्बन डायक्साइड प्राप्त करते हैं और इसे 70 वातदाब पर संपीडित करके ठंडा करते हैं, जिससे वह द्रव अवस्था में आ जाती है। यह वही द्रव कार्बोनिक अम्ल है, जिसे गैस-मिश्रित पेय तैयार करने के लिए मोटे-मोटे सिलिंडरों में कारखानों तक लाया जाता है। औद्योगिकी में भी इसका काफी उपयोग है यह इतना ठंडा होता है कि जमीन तक को जमा दे सकता है; मास्को में मेट्रो (भूगत रेलपथ) बनाते वक्त गीली जमीन को जमाने के लिए भी इसका उपयोग किया था। पर अनेक दूसरे कार्यों के लिए कार्बोनिक अम्ल ठोस अवस्था में प्राप्त करना इष्ट है, जिसे **शुष्क बर्फ** कहते हैं।

शुष्क बर्फ, अर्थात् ठोस कार्बोनिक अम्ल, कम दबाव पर द्रव के शीघ्र वाष्पीकरण द्वारा प्राप्त करते हैं। इसके टुकड़े देखने में ऐसे लगते हैं, जैसे भुरभुरी बर्फ दबा कर प्रेस कर दी गई हो। साधारण बर्फ से यह कई बातों में भिन्न हैं। यह साधारण बर्फ से भारी होता है और पानी में डूब जाता है। इसका तापक्रम इतना कम (ऋण 70^0) होने पर भी यदि सावधानीपूर्वक उसे हाथ में लिया जाए, तो उँगलियाँ ठंड से गल नहीं जातीं : उसे छूते ही त्वचा की गर्मी से बनी कार्बन डायक्साइड त्वचा को आवृत्त कर लेती है और उँगलियों को भीषण ठंड से बचाने लगती है। सिर्फ उसे मुट्ठी में जकड़ने से उँगलियों के गलने का खतरा रहता है।

'शुष्क बर्फ' नाम इस बर्फ की एक विशेषता पर प्रकाश डालता है : वह कभी गीली नहीं होती और न ही आस-पास की वस्तुओं को गीली करती है। ताप के प्रभाव से वह बिना द्रव में परिवर्तित हुए ही गैसीय अवस्था में संक्रमण कर जाती है। वह 1 वातदाब पर द्रव की अवस्था में नहीं रह सकती।

अपनी इस विशेषता और अपने अति निम्न तापक्रम के कारण शुष्क बर्फ कई व्यावहारिक कार्यों के लिए उत्तम शीतकारी वस्तु मानी जाती है। यह ठंडी की जाने वाली खाद्य-सामग्रियों को आर्द्र नहीं करती और कार्बन डायक्साइड का वातावरण कीटाणुओं आदि को पनपने नहीं देता। ऐसे वातावरण में चूहे और कीड़े-मकोड़े भी नहीं जी सकते। इसके अतिरिक्त, कार्बन डायक्साइड एक विश्वस्त अग्निशामक पदार्थ भी है : शुष्क बर्फ के चंद टुकड़े जलते पेट्रोल को बुझा दे सकते हैं। इन्हीं सारे कारणों से शुष्क बर्फ का घरेलू कार्यों व औद्योगिकी में इतना उपयोग है।

अध्याय 8

चुंबकत्व, विद्युत

'प्यार भरा पत्थर'

यह काव्यात्मक नाम चीन में प्राकृतिक चुंबक को दिया गया है। चीनी कहते हैं : प्यार भरा पत्थर (त्शू-शी) लोहे को इस प्रकार अपनी ओर खींचता है, जैसे ममता भरी माँ अपने बच्चों को। ध्यान देने योग्य है कि पुरानी दुनिया (पूर्वी गोलार्द्ध के देशों) के बिल्कुल दूसरे सिरे पर स्थित फ्रांस में भी चुंबक का कुछ ऐसा ही नाम है : 'aimant' जिसका अर्थ 'चुंबक' भी है और ''प्यार करने वाला' भी।

इस 'प्यार' की शक्ति प्राकृतिक चुंबक में बहुत क्षीण होती है और इसीलिए चुंबक का ग्रीक नाम 'हरकुलस का पत्थर' कुछ बचकाना सा लगता है। प्राचीन ऐलादवासी यदि प्राकृतिक चुंबक की साधारण शक्ति से इतने चकित थे, तो वे आधुनिक कारखानों में प्रयुक्त टन के टन लोहा खींचने वाले चुंबकों को देख कर क्या कहते? यह और बात है कि वे प्राकृतिक चुंबक नहीं, बल्कि 'विद्युत्-चुंबक' हैं। दूसरे शब्दों में, ये लोहे के टुकड़े हैं, जो उन पर लपेटे गए तार में प्रवाहित विद्युत्धारा के कारण चुंबकीय गुण प्राप्त करते हैं। पर दोनों ही स्थितियों में आकर्षणबलों की प्रकृति समान होती है, जिसे चुंबकत्व कहते हैं।

यह नहीं सोचना चाहिए कि चुंबक सिर्फ लोहे पर अपना प्रभाव डालता है। कई अन्य पिंड भी हैं, जो शक्तिशाली चुंबक का प्रभाव, लोहे जितना तो नहीं, पर अनुभव करते हैं। निकेल, कोबाल्ट, मैंगनीज, प्लैटिनम, सोना, चाँदी, अल्युमीनियम आदि धातु भी चुंबक द्वारा आकर्षित होते हैं, पर कम शक्ति से। तथाकथित पारचुंबकीय पिंडों के गुण भी अत्यंत महत्त्वपूर्ण हैं : ये शक्तिशाली चुंबक से विकर्षित होते हैं। उनके उदाहरण हैं—जस्ता, सीसा, गंधक, बिस्मथ आदि।

द्रव और गैसें भी चुंबक से आकर्षित या विकर्षित होती हैं, पर बहुत ही क्षीण शक्ति से। इन द्रव्यों को प्रभावित करने के लिए चुंबक को अत्यंत शक्तिशाली होना चाहिए। उदाहरण के लिए, शुद्ध अम्लजन (औक्सीजन) चुंबक से आकर्षित होती है। यदि साबुन के बुलबुले को किसी शक्तिशाली विद्युत्चुंबक के ध्रुवों के बीच रखा जाए, तो बुलबुला चुंबक की अदृश्य शक्ति से दोनों ध्रुवों की ओर लमड़ जाएगा। शक्तिशाली चुंबक के सिरों के बीच मोमबत्ती की लौ अपना सामान्य रूप खो देती है; यह चुंबकीय शक्ति के प्रति उसकी संवेदनशीलता दिखाता है (चित्र 90)।

कंपास का एक प्रश्न

हम यह सोचने के आदी हो गए हैं कि कंपास की सूई का एक सिरा उत्तर और दूसरा दक्षिण दिखाता है। इसीलिए हमें निम्न प्रश्न सिर-फिरा सा लगेगा : पृथ्वी के किस स्थान पर चुंबकीय सूई के **दोनों सिरे** उत्तर दिशा दिखाएँगे?

इतना ही निरर्थक यह प्रश्न भी लगेगा : पृथ्वी के किस स्थान पर कंपास दोनों सिरों से दक्षिण दिशा बताएगा?

आप शायद यह कहना चाहते हैं कि पृथ्वी पर ऐसा कोई स्थान नहीं है। पर वस्तुतः ऐसा स्थान है।

स्मरण करें कि पृथ्वी के चुंबकीय ध्रुव उसके भौगोलिक ध्रुवों से भिन्न हैं। अब आप समझ रहे होंगे कि उक्त प्रश्नों में हमारे ग्रह के किन स्थानों की बात चल रही है। दक्षिणी भौगोलिक ध्रुव पर रखे गए कंपास की सूई किस दिशा को इंगित करेगी? उसका एक सिरा निकटतम चुंबकीय ध्रुव की ओर इंगित करेगा और दूसरा उसकी विपरीत दिशा दिखाएगा। पर दक्षिणी भौगोलिक ध्रुव से आप जिधर भी जाएँगे, सिर्फ **उत्तर दिशा** ही होगी; दक्षिणी भौगोलिक ध्रुव से दूसरी दिशा में नहीं जा सकते,—उसके चारों ओर सिर्फ उत्तर ही है। अतः वहाँ रखी गई चुंबकीय सूई अपने दोनों ही सिरों से सिर्फ उत्तर दिशा दिखाएगी।

चित्र 90. विद्युत-चुंबक के ध्रुवों के बीच मोमबत्ती की लौ।

ठीक इसी प्रकार से उत्तरी भौगोलिक ध्रुव पर लाए गए कंपास की सूई अपने दोनों सिरों से दक्षिण दिशा दिखाएगी।

चुंबकीय बल-रेखाएँ

फोटो से उतारे गए चित्र 91 में एक रोचक दृश्य दिखाया गया है : विद्युतचुंबक के ध्रुवों पर रखे गए हाथ पर खड़े कड़े बालों जैसी बड़ी-बडी काँटियों के गुच्छे लगे हैं। स्वयं हाथ चुंबकीय बल को बिल्कुल नहीं महसूस करता : अदृश्य धागे हाथ के पार निकल जाते हैं और हाथ को उनकी उपस्थिति का पता भी नहीं लगता। पर लोहे की काँटियाँ उसके प्रभाव के अधीन हो जाती हैं और एक विशेष क्रम में लग जाती हैं। उनकी दिशाएँ चुंबकीय बलों की दिशाएँ दर्शाती हैं।

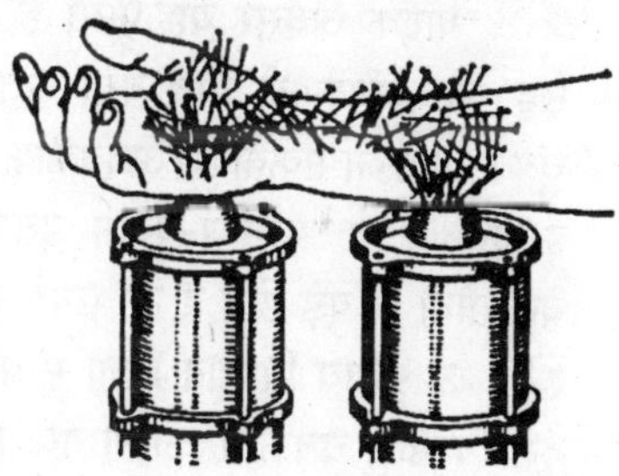

चित्र 91. चुंबकीय बल हाथ के पार जा सकते हैं।

आदमी के पास कोई चुंबकीय ज्ञानेंद्रिय नहीं है; इसीलिए हम चुंबक को आवृत्त रखने वाले चुंबकीय बलों की विद्यमानता का सिर्फ अनुमान लगा सकते हैं।[1] पर अप्रत्यक्ष रूप से व्योम में इन बलों के वितरण का चित्र प्राप्त करना कठिन नहीं है। इसके लिए लोहे के महीन बुरादे का उपयोग करना उत्तम रहेगा। चिकने गत्ते के एक टुकड़े पर समरूप परत के रूप में ये बुरादे फैला लें; गत्ते के नीचे साधारण चुंबक रख कर गत्ते पर उँगली से हल्के-हल्के चोट देते हुए बुरादों को उछालें। चुंबकीय बल गत्ते और शीशे आदि के आर-पार स्वतंत्र रूप से प्रसारित हो सकते हैं, इसीलिए आप

---

1. यदि हमारे पास चुंबकीय प्रभावों को प्रत्यक्ष रूप से अनुभव करने के लिए कोई इंद्रिय होता, तो हमें कैसा लगता—यह जानना भी कम रोचक नहीं होगा। झींगा मछली में इस प्रकार का इंद्रिय लगाने में पहले-पहल क्रेडिल को सफलता मिली थी। उन्होंने देखा कि छोटी युवा झींगा मछलियाँ अपने कान में नन्हे कंकड़ घुसा लिया करती हैं। वे कंकड़ अपने भार के कारण एक संवेदनशील बाल पर प्रभाव डालते हैं, जो झींगे के संतुलनकारी अंग का एक महत्त्वपूर्ण भाग है। इस तरह के कंकड़ आदमी के भी कान में होते हैं; इन्हें कर्णाश्म कहा जाता है। उदग्र नीचे भार डाल कर ये गुरुत्व बल की दिशा का ज्ञान कराते हैं। क्रेडिल ने इन कंकड़ों की जगह लोहे के बुरादे रख दिए। मछलियों ने इस पर कोई ध्यान नहीं दिया। जब उनके समीप चुंबक लाया गया, तो वे चुंबकीय व गुरुत्व बलों के परिणामी बल की दिशा के अभिलंब तल पर तैरने लगीं।

"पिछले समय के प्रयोग कुछ परिवर्तित रूप में आदमियों पर भी सफल हुए हैं। केलेर ने कर्ण-पट के साथ लोहे के कुछ महीन कण चिपका दिए, जिसके फलस्वरूप कान चुंबकीय बल को एक विशेष ध्वनि के रूप में अनुभव करने लगा।"

(प्रो.ओ. विनेर)

देखेंगे कि बुरादों का चुंबकीकरण हो गया है। जब हम ठोकर देते हैं, तो वे उछल कर क्षण भर को गत्ते से अलग हो जाते हैं और इस अंतराल में चुंबकीय बल के प्रभाव के सरलतापूर्वक उस दिशा में घूम जाते हैं, जो दिशा उस बिंदु पर चुंबकीय 'बल-रेखा' की दिशा है। अंततः बुरादे कतारों में लग जाते हैं, जो अदृश्य चुंबकीय रेखाओं का वितरण द्योतित करती हैं।

गत्ते को चुंबक पर रख कर उसे ठोकर देने में हमें चित्र 92 की भाँति आकृति मिलेगी। चुंबकीय बल मुड़ी रेखाओं का एक जटिल विन्यास बनाते हैं। बुरादों के आपस में सटने की विधि से आप देख सकते हैं कि वे चुंबक के हर ध्रुव से अपसृत होते हैं और दोनों ध्रुवों को मिलाने वाले छोटे-बड़े अनगिनत चाप बनाते हैं। लोहे के बुरादे उस चीज को दृश्य-सुगम बना देते हैं, जिसे भौतिकविद् अपनी कल्पना में देखते हैं और जो अदृश्य रूप से हर चुंबक के चारों ओर विद्यमान रहती है। ध्रुवों के निकट बुरादों की कतारें घनी व स्पष्ट हैं, ध्रुव से दूर जाने पर वे विरल और अस्पष्ट होती जाती हैं। यह दृढ़ता से सिद्ध करता है कि दूरी बढ़ने पर चुंबकीय बल क्षीण होते जाते हैं।

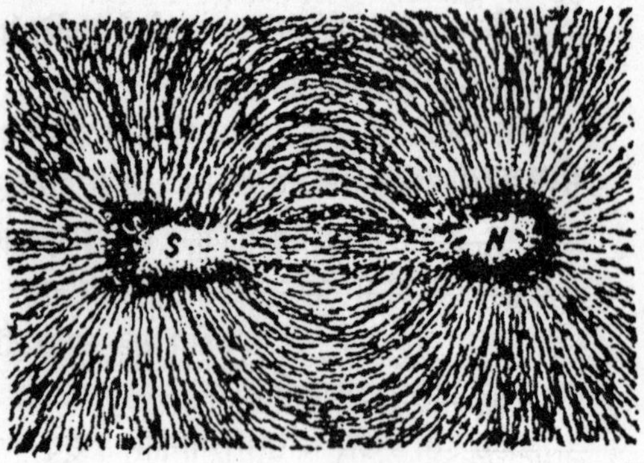

चित्र 92. चुंबक के ध्रुवों पर रखे गत्ते पर लोहे के बुरादों की स्थिति (फोटोचित्र से)।

इस्पात का चुंबकीकरण कैसे होता है?

पाठक अक्सर यह पूछते हैं, पर इस प्रश्न का उत्तर देने के पहले यह समझना आवश्यक है कि इस्पात के कोरे छड़ और चुंबक के बीच क्या अंतर है। इस्पात चुंबकीकृत हो या अचुंबकीकृत, उसके हर परमाणु को एक नन्हा सा चुंबक माना जा सकता है। अचुंबकीकृत इस्पात में ये परमाणु-चुंबक इतनी बेतरतीबी से पड़े होते हैं कि उनमें से हरेक का प्रभाव विपरीत दिशा में पड़े दूसरे परमाणु चुंबक के कारण नष्ट हो जाता है (चित्र 93, *A*)। इसके विपरीत, चुंबक में ये सभी नन्हे प्राथमिक चुंबक क्रम-बद्ध स्थिति में होते हैं; उसके समान ध्रुव चित्र 93 *B* की भाँति समान दिशा में होते हैं।

जब लोहे के टुकड़े को चुंबक से रगड़ा जाता है, तब उसमें क्या होता है? अपनी आकर्षण शक्ति से चुंबक लोहे के टुकड़े में स्थित नन्हे चुंबक की दिशा उलटने लगता है, ताकि उनके समान प्रकार के ध्रुव समान दिशा में हो जाएँ। चित्र 93 *C* इस

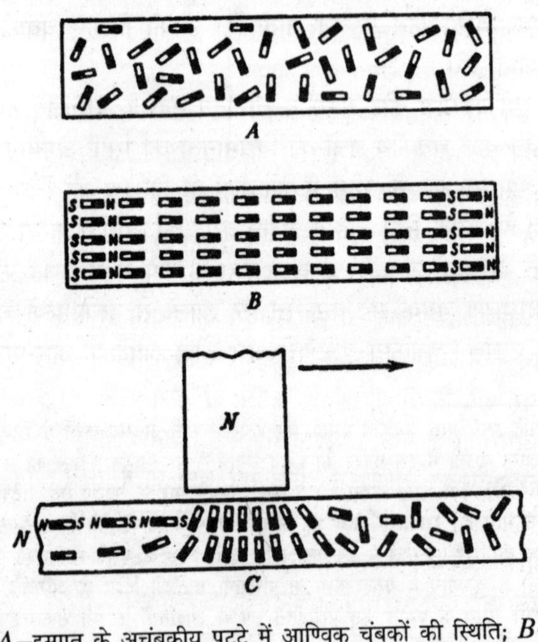

चित्र 93. *A*—इस्पात के अचुंबकीय पट्टे में आण्विक चुंबकों की स्थिति; *B*—वही, चुंबकित इस्पात में; *C*—चुंबक बनाए जाने वाले इस्पात के आण्विक चुंबकों पर चुंबकीय ध्रुव का प्रभाव।

क्रिया को दृश्यसुगम बनाता है : प्राथमिक चुंबक के दक्षिणी ध्रुव प्रथमतः चुंबक के उत्तरी ध्रुव की ओर उन्मुख होते हैं और फिर, जब चुंबक को आगे बढ़ाया जाता है, वे उसकी गति की दिशा में अपने दक्षिणी ध्रुव को छड़ के मध्य की ओर करने लगते हैं।

इससे आप सरलतापूर्वक समझ सकते हैं कि चुंबक द्वारा इस्पात के छड़ का किस प्रकार चुंबकीकरण करना चाहिए : छड़ के एक छोर से चुंबक का एक ध्रुव सटा कर उसे छड़ के दूसरे छोर तक रगड़ना चाहिए। यह चुंबकीकरण की सरलतम व प्राचीनतम विधि है, पर इससे सिर्फ छोटे आकारों के कमजोर चुंबक बन सकते हैं। शक्तिशाली चुंबक विद्युत्धारा के गुणों का उपयोग करके बनाया जा सकता है।

भीमकाय विद्युतीय चुंबक

धातुकर्मी कारखानों में आप बड़े-बड़े बोझ उठाने वाले विद्युत्-क्रेन देख सकते हैं। लोहा ढलैया करने वाले और इसी तरह के दूसरे कारखानों में लोहे के भारी टुकड़ों को उठाने व इधर से उधर करने में इनसे बहुत सहायता मिलती है।

चित्र 94 व 95 में चुंबक का यह लाभदायक काम दिखाया गया है। लोहे के तख्तों को एक ढेर में जमा करना और एक जगह से दूसरी जगह ले जाना कितनी परेशानी का काम है, पर चित्र 94 का शक्तिशाली चुंबकीय क्रेन उन्हें यूँ ही एक बार में उठा लेता है। यहाँ सिर्फ शक्ति की ही बचत नहीं होती, काम भी आसान हो जाता है। चित्र 95 में आप देखते हैं कि चुंबक-क्रेन पीपों में पैक की गई काँटियों को भी दूसरी जगह रख सकता है, एक बार में ही काँटियों के छे पीपों को। एक धातुकर्मी कारखाने में एक साथ दस रेल की पटरियाँ उठाने वाले चार चुंबक-क्रेन हाथ से काम करने वाले दो सौ मजदूरों का स्थान ले सकते हैं। इन बोझों को क्रेन से बाँधने की भी चिंता नहीं करनी है : जब तक विद्युत्चुंबक की कुंडली में बिजली की धारा चल रही है, एक टुकड़ा भी नहीं गिरेगा।

चित्र 94. लोहे के चादरों को उठाने के लिए विद्युत-चुंबकीय क्रेन।

चित्र 95. काँटी भरे पीपों को उठाने के लिए विद्युत-चुंबकीय क्रेन।

पर यदि किसी कारणवश कुडंली में धारा रुक जाए, तो दुर्घटना अवश्यंभावी है। शुरू-शुरू में ऐसी घटनाएँ होती थीं। "अमरीका के एक कारखाने में—एक तकनीकी पत्रिका में खबर छपी थी—विद्युत्-चुंबक मालगाड़ी से लाए गए कच्चे लोहे को उठा कर भट्ठी में झोंक रहा था। अचानक नियाग्रा जलप्रपात के विद्युत्-केंद्र में कोई गड़बड़ी हो गई और लाइन कट गई; विद्युत्चुंबक से लोहे का ढेर एक मजदूर के सिर पर गिर गया। भविष्य में ऐसी दुर्घटनाएँ न हों, और साथ ही बिजली की बचत हो सके, इसके लिए विद्युत्चुंबकों में एक विशेष प्रयुक्ति लगाई जा रही है। जब वस्तुएँ चुंबक द्वारा उठ कर क्रेन से चिपक जाती हैं, उनके बगल से मजबूत इस्पात के पंजे निकल कर उन्हें अच्छी तरह से जकड़ लेते हैं और उन्हें गिरने से रोके रखते हैं। ढुलाई के समय बिजली काट दी जाती है।"

चित्र 94 व 95 में दर्शित विद्युत्चुंबकों का व्यास 1.5 m तक का होता है : हर चुंबक 16 टन भारी वस्तु (मालगाड़ी का डब्बा) उठा सकता है। इस तरह का एक चुंबक दिन भर में कुल मिला कर 600 टन का भार उठाता है। ऐसे भी विद्युत्-चुंबक हैं, जो एक बार में 75 टन तक का भार, अर्थात्, रेलगाड़ी का एक पूरा इंजन उठा ले सकते हैं!

विद्युत्-चुंबकों के कामों को देख कर कुछ पाठकों के मन में ऐसा विचार उठ सकता है : चुंबकों की सहायता से **तप्त** कच्चा लोहा उठाना कितना सुविधाजनक होता। पर अफसोस की बात है कि यह सिर्फ एक विशेष तापक्रम तक ही संभव है, क्योंकि **बहुत तप्त लोहा चुंबकीकृत नहीं होता।** 800^0 तक गर्म किया गया चुंबक अपने चुंबकीय गुण खो देता है।

धातुशोधन की आधुनिक तकनीक में विद्युत्-चुंबक के उपयोग का काफी प्रचलन है। उसका उपयोग लोहे के सामानों को रोक कर रखने, आगे बढ़ाने आदि में होता है। सैकड़ों प्रकार के सौकेट, टेबल आदि बनाए जा चुके हैं, जो शोधन का कार्य आसान बनाते हैं, उसे शीघ्र पूरा करने में सहायक होते हैं।

चंबुक से जादू

विद्युतचुंबकीय बल का उपयोग कभी-कभी जादूगर लोग भी करते हैं; आप समझ रहे होंगे कि इस अदृश्य बल की सहायता से कितने प्रभावशाली ट्रिक दिखाए जा सकते हैं। 'बिजली के उपयोग' नामक विख्यात पुस्तक के लेखक डेरी एक फ्रांसीसी जादूगर से सुनी कहानी उद्धृत करते हैं। जादूगर महोदय अलजीरिया में एक जादू दिखा रहे थे, जिसने वहाँ के अनपढ़ दर्शकों के बीच सच्चे चमत्कारी की पदवी पा ली थी।

''मंच पर,–जादूगर अपनी कहानी सुना रहे हैं,–सिकड़ी से बंधा एक छोटा सा डब्बा पड़ा हुआ है। मैं दर्शकों के बीच से किसी शक्तिशाली व्यक्ति को आमंत्रित करता हूँ। मेरी पुकार पर एक अरबी आता है। उसका कद साधारण है, पर हट्टे-कट्टे शरीर के कारण उसे अरबी हरकुलस का नाम दिया जा सकता है। वह प्रसन्न मन से आत्मविश्वास के साथ निकलता है और थोड़ी हँसी उड़ाने के मूड में मुस्कुराता हुआ मेरे पास आकर खड़ा हो जाता है।

–क्या आप बहुत शक्तिशाली हैं?–उसे सिर से पैर तक देखते हुए मैंने उससे पूछा।

–हाँ,–उसने लापरवाही के साथ कहा।

–आपको विश्वास है कि आप हमेशा शक्तिशाली बने रहेंगे?

–बिल्कुल।

–आप ग़लतफहमी में हैं : मैं पलक मारते आपकी सारी शक्ति हर लूँगा और आप छोटे बच्चे की तरह निर्बल हो जाएँगे।

अरबी उपेक्षा के साथ मुस्कुराया, जिसका मतलब था कि मेरे शब्दों पर उसे विश्वास नहीं था।

–यहाँ आइए,–मैं उससे कहता हूँ,–और डब्बा उठाइए।

अरबी ने झुक कर डब्बा उठा लिया और घमंड के साथ पूछा :

–बस, इतना ही?

–जरा सा और रुकिए,–मैंने उत्तर दिया।

इसके बाद मैंने गंभीर मुद्रा बनाई, जादू के इशारे किए और घोषणा की :

–अब आप औरतों से भी कमजोर हैं। फिर से डब्बा उठाने की कोशिश कीजिए।

पहलवान मेरे जादू से जरा भी नहीं डरा। उसने फिर से झुक कर डब्बे को उठाने की कोशिश की, पर इस बार डब्बा प्रतिरोध कर रहा था। अरबी ने लाख कोशिश की, पर वह टस से मस नहीं हुआ। अरबी इतनी ताकत लगा रहा था कि वह बहुत बड़ा बोझ उठा लेता, पर डब्बे पर कोई असर नहीं हो रहा था। अंत में शर्म और थकावट के

मारे उसने उठाना छोड़ दिया और हाँफता हुआ वापस जाने लगा। अब उसे जादू पर विश्वास हो गया था।''

'सभ्य समाज' के प्रतिनिधि द्वारा दिखाए गए जादू का रहस्य बहुत सरल था। डब्बे का पेंदा लोहे का था और वह शक्तिशाली विद्युत्-चुंबक के एक ध्रुव पर रखा हुआ था। विद्युत्धारा की अनुपस्थिति में डब्बे को उठाना कठिन नहीं था, पर विद्युत्-चुंबक की कुंडली में धारा चालू करने के बाद उसे उठाने के लिए दो-तीन आदमियों की ताकत भी कम पड़ती।

खेती में चुंबक

चुंबक से एक और लाभ है, जो कहीं अधिक दिलचस्प है : वह कृषियोग्य पौधों के बीजों को अपतृणों व अकृष्या पौधों के बीजों से अलग करने में सहायक होता है। तिपतिया चारा, फ्लोक्स (पटसन की एक जाति), लसुनघास (लुसर्न) आदि जैसे लाभप्रद पौधों के बीज चिकने होते हैं। अकृष्य पौधों के बीज रूखे व रोमयुक्त होते हैं; उनका यह गुण करोड़ों वर्ष से चले आ रहे जीवन-संघर्ष का परिणाम है। इस गुण के कारण वे पास गुजरते जीव-जंतुओं के बालों में फँस कर अपने मातृ-पौधे से बहुत दूर पहुँच जाते हैं और नई जगहों पर पनपने लगते हैं। चुंबक द्वारा अच्छे पौधों के बीजों से उन्हें अलग करने के लिए उनके इन्हीं गुण का उपयोग किया जाता है। यदि बीजों पर लोहे के बुरादे छिड़क कर अच्छी तरह मिला दिए जाएँ, तो बुरादे अवांछित बीज के रोमों में फँस जाएँगे; लाभप्रद पौधों के चिकने बीजों के साथ वे किसी भी तरह नहीं चिपक सकते। इन बीजों को पर्याप्त शक्तिशाली चुंबक के कार्य-क्षेत्र में रखने पर उनमें वांछित बीज स्वतः अलग हो जाएँगे : चुंबक उन सारे बीजों को खींच लेगा, जिनमें लोहे के बुरादे फँसे होते हैं।

चुंबकीय विमान

इस किताब के शुरू में मैंने फ्रांसीसी लेखक सिरानो दे बेर्जोराक की विख्यात कृति 'चंद्रमा पर राज्य का इतिहास' की याद दिलाई थी। इस वर्णन में चुंबक के आकर्षण बल से उड़ने वाले एक रोचक विमान का वर्णन किया गया है, जिसमें बैठ कर उपन्यास का एक पात्र चाँद पर पहुँच जाता है। पुस्तक से यह अवतरण उद्धृत करता हूँ :

''मैंने एक लोहे की हल्की सी गाड़ी बनवा ली; उसमें आराम से बैठ चुकने के बाद मैं चुंबकीय गोला अपने से ऊपर उछालने लगा। जब मैं गोला ऊपर फेंकता था, गाड़ी खिंच कर उसके पास पहुँच जाती थी और मैं गोले को और आगे बढ़ा देता था। गोले को हाथ में उठाने पर भी गाड़ी उसकी ओर गतिमान् हो जाती थी। गोले को फेंकते-फेंकते आखिर मैं उस स्थान पर पहुँचा, जहाँ से मैं गाड़ी समेत चाँद पर गिरने लगा। इस क्षण मैंने गोले को कस कर पकड़ लिया, ताकि गाड़ी मुझसे दूर न भाग जाए। गिर कर कहीं चूर-चूर न हो जाऊँ, इसके लिए मैं गोले को इस प्रकार फेंकता था, कि गाड़ी के गिरने की गति गोले के आकर्षण से कम हो जाया करे। जब मैं चांद की जमीन से पाँच-छः सौ गज ऊपर आ गया, मैंने गोले को गिरने की दिशा के अभिलंब फेंकना शुरू कर दिया।''

इस तरह का विमान निरर्थक है, इसमें न तो उपन्यास के लेखक को कोई शक है, न उसके पाठकों को। पर मैं नहीं सोचता कि सभी ऐसी योजना की असंभाव्यता का सही कारण बताने में समर्थ होंगे। क्या लोहे की गाड़ी में बैठ कर चुंबक उछालना संभव नहीं है? या गाड़ी चुंबक के पीछे खिंचती हुई नहीं जाएगी? या कोई अन्य कारण है?

चुंबक को उछालना संभव है और यदि वह पर्याप्त शक्तिशाली है, तो वह गाड़ी को खींच भी लेगा। पर फिर भी विमान अपने स्थान से ऊपर नहीं उठेगा।

आपने कभी नाव में से कोई चीज तट पर फेंकी हैं? आपने बेशक ध्यान दिया होगा कि इससे नाव तट से थोड़ी दूर खिसक आती है। फेंकी जाने वाली वस्तु को एक दिशा में धक्का देते हुए आपकी पेशियाँ आपके शरीर को (और साथ ही नौका को) विपरीत दिशा में धकेलती हैं। यहाँ क्रियाशील व प्रतिक्रियाशील बलों की तुल्यता का

वही नियम प्रकट होता है, जिसका नाम पहले भी कई बार आ चुका है। चुंबक उछालते वक्त भी यही होता है; जब गाड़ी में बैठा व्यक्ति गोले को ऊपर उछालता है (काफी बड़ी शक्ति से, क्योंकि गोला लोहे की गाड़ी की ओर खिंचता है) तो वह अनिवार्य रूप से गाड़ी को नीचे धकेलता है। और जब गाड़ी और गोला पारस्परिक आकर्षण के कारण पुनः मिलते हैं, तो वे उसी आरंभिक स्थान पर पहुँचते हैं जहाँ से उन्हें अलग किया गया था। इससे स्पष्ट है कि गाड़ी यदि बिल्कुल हल्की भी होती, तो चुंबक फेंकने से उस में एक मध्यवर्ती स्थान के गिर्द कंपन की गति ही आ सकती थी; इस विधि से उसे अग्र गति से चलने पर विवश नहीं किया जा सकता।

सिरानो के जमाने में (XVII-वीं शती के मध्य में) क्रिया व प्रतिक्रिया का नियम ज्ञात नहीं हुआ था, इसीलिए वह शंका का विषय है कि फ्रांसीसी लेखक अपनी मजाकिया गाड़ी की निरर्थकता का सही कारण जानते भी थे या नहीं।

'मुहम्मद के ताबूत' की तरह

विद्युत्-चुंबकीय क्रेन के साथ काम करते वक्त एक बार एक मनोरंजक बात देखने को मिली। जंजीर के सहारे फर्श से बँधा हुआ लोहे का गोला विद्युत्-चुंबक द्वारा ऊपर खिंच आया। जंजीर कुछ छोटी थी, इसीलिए गोला चुंबक को स्पर्श नहीं कर पा रहा था; चुंबक से उसकी दूरी एक हाथ के करीब थी। दृश्य असाधारण था : जंजीर उदग्र खड़ी थी। चुंबक की शक्ति इतनी अधिक थी कि जंजीर पकड़ कर उस पर एक मजदूर चढ़ गया; जंजीर की स्थिति ज्यों की त्यों बनी रही।[1] संयोगवश पास ही एक फोटोग्राफर खड़ा था, जिसने इस रोचक क्षण को चित्र में कैद कर लेने की देरी नहीं की। मुहम्मद के ताबूत की तरह हवा में लटकते आदमी का यह दृश्य चित्र 96 में दिखाया गया है।

चित्र 96. ऊपर 'लटकते' बोझ के साथ लोहे की सिकड़ी।

मुहम्मद का ताबूत क्या है। धार्मिक मुसलमान यह विश्वास रखते हैं कि उनके नबी का ताबूत मकबरे के बीचोंबीच हवा में लटका हुआ है।

कहाँ तक यह संभव है?

"मुहम्मद का ताबूत,—अपने 'विभिन्न भौतिकीय वस्तुओं के बारे में पत्रों' में ऐलर ने लिखा है,—कहते हैं कि एक चुंबक के कारण हवा में स्थिर है; यह असंभव सा प्रतीत नहीं होता, क्योंकि कृत्रिम तौर पर बनाए गए ऐसे चुंबक भी हैं, जो 100 पौंड तक उठा ले सकते हैं।"[2]

ऐसी व्याख्या सही नहीं है; यदि उक्त विधि से (अर्थात् चुंबक के आकर्षण का उपयोग करके) ऐसा संतुलन क्षण भर को प्राप्त कर भी लिया जाए, तो वह स्थायी नहीं होगा। हल्की सी भी ठोकर या हवा की मामूली सी गति इस संतुलन को तोड़ने के लिए काफी रहेगी,—और तब ताबूत या तो जमीन पर गिर जाएगा, या छत की ओर खिंच आएगा। उसे स्थिर अवस्था में रोक रखना उतना ही कठिन है, जितना शंकु को शीर्ष के सहारे टिका कर रखना, यद्यपि सिद्धांततः यह संभव है।

---

1. यह विद्युत्-चुंबकों की विराट् शक्ति को दर्शाता है, क्योंकि खींचे जाने वाले पिंड से ध्रुव की दूरी बढ़ाने से चुंबक का बल बहुत तेजी से घटने लगता है। नाल-चुंबक, जो प्रत्यक्षसंसर्ग से कुछेक सौ ग्राम का बोझ उठा सकता है, बोझ और उसके बीच कागज का एक पृष्ठ रख देने से बोझ उठाने की आधी शक्ति खो देता है। इसीलिए चुंबकों के सिरे पर रंग की परत नहीं चढ़ाई जाती, यद्यपि यह जंग से बचाने का अच्छा साधन है।

1. यह 1774 में लिखा गया है, जिस समय विद्युत-चुंबक ज्ञात नहीं थे।

लेकिन, 'मुहम्मद के ताबूत' जैसी संवृत्ति चुंबकों की सहायता से उत्पन्न की जा सकती है। सिर्फ इसके लिए उनके पारस्परिक **आकर्षण** की नहीं, पारस्परिक **विकर्षण** की सहायता लेनी पड़ेगी। (जिन्होंने अभी-अभी भौतिकी का अध्ययन किया है, वे भी अक्सर भूल जाते हैं कि चुंबक सिर्फ आकर्षित ही नहीं, विकर्षित भी होते हैं।) सभी जानते हैं कि चुंबकों के समान ध्रुव एक दूसरे को विकर्षित करते हैं। दो चुंबकीय पट्टों को यदि एक दूसरे पर इस प्रकार रखा जाए कि उनके असमान ध्रुव पास हों, तो वे एक दूसरे को विकर्षित करेंगे। ऊपर वाले पट्टे को भार के अनुसार इस प्रकार चुना जा सकता है कि वह नीचे वाले पट्टे के ठीक ऊपर स्थायी संतुलन के साथ हवा में लटका रहे। सिर्फ इस बात का खयाल रखना होगा कि ऊपर वाला चुंबक घूमने न लगे और क्षैतिज तल पर बना रहे। इसके लिए काँच जैसे किसी अचुंबकीय पदार्थ के खंभे लगाए जा सकते हैं, जो ऊपर वाले चुंबक को इधर-उधर नहीं होने देंगे। ऐसी परिस्थितियों में मुहम्मद का ताबूत सचमुच हवा में टिका रह सकता है।

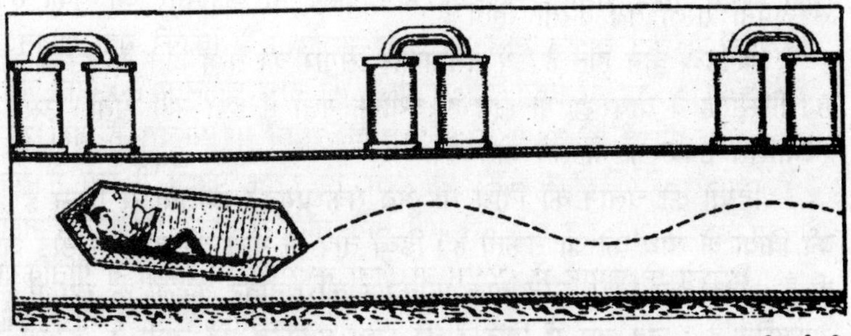

चित्र 97. घर्षणहीन गति वाली गाड़ी। पथ की योजना प्रो.ब.पे. वेइनबेर्ग द्वारा बनाई गई थी।

इस तरह की संवृत्ति चुंबक की **आकर्षण** शक्ति से भी उत्पन्न की जा सकती है, यदि पिंड गतिमान् हो। इसी विचार के आधार पर सोवियत भौतिकविद् प्रो.बे.पे. वेइनबेर्ग ने घर्षणहीन विद्युत्-चुंबकीय रेलपथ की उत्कृष्ट योजना पेश की थी (चित्र 97)। योजना इतनी शिक्षाप्रद है कि भौतिकी के साथ दिलचस्पी रखने वाले हर व्यक्ति को इसे जानना चाहिए।

विद्युत्-चुंबकीय गाड़ी

प्रो.बे.पे. वेइनबेर्ग द्वारा प्रस्तावित रेलपथ के डिब्बे **बिल्कुल भारहीन** होंगे; उनका भार विद्युत्-चुंबक के आकर्षण द्वारा नष्ट किया जाता है। इसीलिए आपको आश्चर्य नहीं होगा, यदि आपको पता चलेगा कि योजनानुसार ये डिब्बे न तो चक्कों से रेल पथ पर लुढ़कते हैं, न पानी में तैरते हैं और न हवा में फिसलते हैं। वे बिना किसी टेक या आधार के और बिना किसी चीज को स्पर्श किए चुंबकीय बलों के शक्तिशाली अदृश्य धागों से लटकते हुए चलते हैं। उनके साथ किसी चीज का घर्षण नहीं होता और इसीलिए एक बार गतिमान् हो जाने पर जड़त्व के कारण अपना वेग स्थिर बनाए रखते हैं; उन्हें किसी इंजन की आवश्यकता नहीं पड़ती।

योजना का कार्यान्वयन निम्न प्रकार से होगा। डिब्बे ताँबे की नली में चलेंगे। घर्षण डिब्बे की गति में बाधक न हो, इसके लिए नली को निर्वात कर दिया जाएगा। नली की निचली दीवार के साथ घर्षण न हो, इसके लिए डिब्बे **नली की दीवारों को स्पर्श किए बगैर** शून्य में लटकते हुए चलेंगे। इसके लिए नली के ऊपर पूरे रास्ते पर विशेष दूरियों पर शक्तिशाली विद्युत्-चुंबक रखे रहेंगे। वे **लोहे** के गतिमान् डिब्बों को अपनी ओर आकर्षित करेंगे ओर डिब्बों को गिरने से रोकेंगे। चुंबकों की शक्ति इतनी होगी कि डिब्बा हमेशा नली के 'फर्श' और 'छत' के बीच में रहेगा; दोनों में से किसी को भी स्पर्श नहीं करेगा। विद्युत्चुंबक अपने नीचे भागते हुए डिब्बे को ऊपर खींचता है, पर डिब्बा छत को छू नहीं पाता; गुरुत्व शक्ति इसमें बाधक होती है। लेकिन जैसे ही वह फर्श पर गिरने वाला होता है, अगला चुंबक उसे ऊपर खींचने लगता है। इस प्रकार डिब्बा पृथ्वी और विद्युत्चुंबकों के आकर्षण बल के बीच लटकता हुआ लहरदार रेखा पर चलता रहता हैं; कोई घर्षण नहीं होता, कोई झटका नहीं लगता : डिब्बा अंतरिक्ष में ग्रहों की भाँति आराम

से अपना रास्ता तय करता रहता है।

ये डिब्बे कैसे होते हैं? ये बेलनाकार सिगार की तरह होते हैं, इनकी ऊँचाई 90 cm और लंबाई 2 1/2 m होती है। निस्संदेह वे वायुरुद्ध भी होते हैं, क्योंकि नली में हवा नहीं होती। उसमें पनडुब्बियों की तरह हवा साफ करने के स्वचालित उपकरण भी लगे होते हैं।

डिब्बों को चलाने की विधि भी अब तक प्रयुक्त विधियों से भिन्न है : इसकी तुलना सिर्फ तोप से गोला दागने की क्रिया के साथ की जा सकती है। डिब्बे तोप के गोले की तरह ही छोड़े जाते हैं। पर यहाँ 'तोप' भी विद्युत्-चुंबकीय ही है। डिब्बे को विदा करने वाले उपकरण की बनावट कुंडली के रूप में लपेटे गए तार (नलिज[1]) के एक गुण पर आधारित है : जब तार में बिजली की धारा प्रवाहित की जाती है, कुंडली में घुसाई गई छड़ खिंचाव से आगे बढ़ने लगती है। खिंचाव इतना शक्तिशाली होता है कि यदि कुंडली की लंबाई पर्याप्त बड़ी होगी, तो छड़ बहुत तीव्र वेग प्राप्त कर लेगी।[2] नए चुंबकीय पथ में यही बल डिब्बों को 'फेंकेगा'। चूँकि सुरंग में घर्षण नहीं है, इसलिए डिब्बे का वेग कम नहीं होगा; वह जड़त्व के कारण तब तक चलता रहेगा, जब तक कि दूसरे स्टेशन पर स्थित नलिज उसे विपरीत शक्ति से रोक न ले।

योजना के बारे में चंद सूचनाएँ आविष्कारक के शब्दों में दी जा रही हैं :

''यह प्रयोग मैं 1911-1913 में तोम्स्क तकनीकी संस्थान की भौतिकीय प्रयोगशाला में 32cm व्यास वाली ताम्र-नली के साथ कर रहा था। इसके ऊपर विद्युत्-चुंबक रखे हुए थे। डिब्बे की जगह 10 kg भारी लोहे की नली का एक टुकड़ा काम में लाया जा रहा था। इसमें आगे और पीछे चक्के लगे हुए थे; इसकी 'नाक' भी थी, जिससे वह बालू की बोरी के सहारे रखे तख्ते पर चोट करता था (रुकने के लिए!)। इस डिब्बे को 6 km/h का वेग संप्रेषित किया जा सकता था। कमरे के छोटे आकार और नली की छल्ले जैसी आकृति के कारण उसे इससे अधिक वेग देना मुश्किल था। मेरी योजना के अनुसार सोलेनायड की लंबाई करीब तीन मील होनी थी, जिससे डिब्बे का वेग सरलतापूर्वक 800-1000 km/h तक पहुँचाया जा सकता था। इस वेग को बनाए रखने के लिए अतिरिक्त ऊर्जा की कोई आवश्यकता नहीं पड़ेगी, क्योंकि नली के भीतर फर्श के साथ डिब्बे का कोई घर्षण नहीं होगा।

इसमें कोई संदेह नहीं कि पथ के निर्माण में, विशेष कर नली के निर्माण में, काफी बड़ी धन-राशि खर्च करनी होगी, पर वेग को **स्थिर बनाए रखने में** और ड्राइवर, गार्ड, आदि रखने में कोई खर्च न लगने के कारण प्रति किलोमीटर यात्रा का मूल्य एक कोपेक के कुछेक सहस्त्रांश से लेकर 1-2 शतांश भर ही होगा और यदि आती-जाती (डबल) लाइन बनाई जाए, तो दिन भर में 15000 यात्री एक दिशा में सफर कर सकेंगे, या एक दिशा में 10000 टन माल भेजा जा सकेगा।''

पृथ्वीवासियों के साथ मंगलवासियों का युद्ध

प्राचीन रोम के प्रकृतिदर्शी प्लीन अपने समय की एक प्रचलित कहानी के बारे में लिखते हैं, जिसके अनुसार भारत के सागर-तट पर कहीं एक विशाल चुंबकीय चट्टान थी। वह लोहे की वस्तुओं को इतनी शक्ति से खींचती थी कि पास से गुजरने वाले जहाज से काँटी तक उखड़ कर उससे चिपक जाती थी, और जहाज की जगह सिर्फ तख्तों का

1. किसी नली पर एक तार बहुत बड़ी संख्या में लपेट कर नली को निकाल लेने से तार एक लंबे बेलनाकार पेंच की चूड़ियों का आकार ग्रहण कर लेता है। यदि चूड़ियाँ बहुत पास-पास होंगे, तो तार नली जैसा दिखने लगेगा। इन्हीं कारणों से ऐसे सर्पिलाकार कुंडली को नलिज या सोलेनायड कहते हैं (यूनानी 'सोलेन' का अर्थ है 'नली' 'आयड' का–'जैसा')।–अनु.

2. विद्युत्-धारा के कारण नलिज के भीतर उत्पन्न समरूप चुंबकीय क्षेत्र के बल छड़ को एक विशेष त्वरण के साथ गतिमान् करते हैं और इसीलिए नलिज से निकलते क्षण छड़ का वेग नलिज की लंबाई पर निर्भर करता है।–अनु.

ढेर बच जाता था। नौयात्रियों के लिए यह काफी खतरनाक जगह थी।

बाद में उक्त चट्टान का वर्णन 'एक हजार एक रातें' नामक कथासंग्रह में देखा गया।

कहने की आवश्यकता नहीं कि यह सिर्फ एक किंदवंती है। हम जानते हैं कि चुंबकीय पर्वत, अर्थात् चुंबकीय लौह-अयस्कों से समृद्ध पर्वत सचमुच में होते हैं। माग्नितागोर्स्क के विख्यात चुंबकीय पर्वत को ही लीजिए, जहाँ आज लौह-अयस्क के शोधन के लिए वात-भट्टियाँ लगी हुई हैं। पर ऐसे पर्वतों की आकर्षण-शक्ति इतनी क्षीण होती है कि इसे नगण्य माना जा सकता है। ऐसे चट्टान और पर्वत, जिनका वर्णन प्लीन ने किया है, पृथ्वी पर कभी नहीं थे।

ऐसे जहाज, जिनमें लोहे का, इस्पात का कुछ नहीं होता, आजकल चुंबकीय पर्वतों के डर से नहीं, पार्थिव चुंबकीय के अध्ययन के लिए बनाए जाते हैं।[1]

विज्ञान-गल्प के लेखक कुर्ट लासविट्स ने प्लीन की किंदवंती के विचारों का उपयोग अपने 'दो ग्रहों पर' नामक उपन्यास में एक भयानक अस्त्र की कल्पना के लिए किया। इस अस्त्र का प्रयोग पृथ्वी की सेना के विरुद्ध मंगलग्रह से आए हुए लोग करते हैं। मंगलवासी इस चुंबकीय (या और सही कहें, तो विद्युत्-चुंबकीय) अस्त्र का प्रयोग करके पृथ्वी की सेना को युद्ध के आरंभ में ही निःशस्त्र कर देते हैं।

उपन्यासकार इस युद्ध का वर्णन इस प्रकार से करते हैं :

''घुड़सवारों की शानदार कतार आगे बढ़ती जा रही थी। लग रहा था कि प्राण न्योछावर करने को तत्पर सैनिकों ने आखिर शक्तिशाली शत्रु (मंगलवासी—या. पे.) को पीछे हटने पर विवश कर दिया है; उनके हवाई विमानों में एक दूसरी ही गति होने लगी। वे एक के बाद एक ऊपर उठने लगे, मानो रास्ता छोड़ रहे हों।

पर इसके साथ ही ऊपर से कोई काली वस्तु मैदान पर लटकती हुई उतरने लगी। वह फहरती चादर की तरह हवा में मैदान पर छाई हुई थी और विमानों से घिरी हुई थी। घुड़सवारों की अगली कतार उस वस्तु के प्रभाव क्षेत्र में आ गई और उसी क्षण वह विचित्र मशीन सेना की पूरी टुकड़ी पर छा गई। उसका प्रभाव भयावह था और ऐसा, जिसकी बिल्कुल आशा नहीं की गई थी। रणभूमि से भय की तेज चीखें आने लगीं। घोड़े और घुड़सवार जमीन पर लोटने लगे और असंख्य भाले, तलवार, तीर, फरसे आदि अस्त्र-शस्त्र हवा में उड़ चले—सब उस विचित्र मशीन की ओर आकर्षित हो कर उससे चिपकते जा रहे थे।

मशीन हवा में तैरती हुई रणभूमि से कुछ दूर हटी और हथियारों की पहली फसल जमीन पर फेंक कर वापस आ गई। दो बार और उसने हथियारों की 'कटनी' की। रणक्षेत्र में एक भी व्यक्ति नहीं बचा, जो हाथ में भाला या कोई अन्य अस्त्र लेकर खड़ा हो।

यह मशीन मंगलवासियों का नया आविष्कार थी : वह लोहे और इस्पात की नई वस्तुओं को प्रचंड शक्ति से अपनी ओर खींचने लगती थी। हवा में फहरते इस चुंबक द्वारा मंगलवासी अपने शत्रुओं को बिना कोई चोट पहुँचाए निःशस्त्र कर देते थे।

इसके बाद हवाई चुंबक पैदल सैनिकों की ओर बढ़ा। सिपाही हथियार पकड़े रहने का निष्फल प्रयत्न कर रहे थे, पर अदृश्य शक्ति उनके हाथों से छीनती जा रही थी। बहुत से सैनिक, जो अपना हथियार छोड़ना नहीं चाहते थे, भाले-तलवार समेत चुंबक की ओर स्वयं खिंचने लगे। चंद ही मिनटों में सारी बटालियन निहत्थी हो गई। इसके बाद मशीन शहर में मार्च करती बटालियनों के पीछे भागी और उन्हें भी निःशस्त्र कर दिया।

तोपचियों की यही हालत हुई।''

---

1. 1957-1958 में अंतर्राष्ट्रीय ज्याभौतिकी वर्ष के अध्ययन-कार्य में सोवियत संघ की ओर से एक जहाज 'जर्या' ने भाग लिया था, जिस पर चुंबकीय बल अपना प्रभाव नहीं डाल सकते थे। इसमें मशीनों से लेकर काँटी और पेंच तक हर वस्तु ताँबे, अलुमीनियम या किसी अन्य अचुंबकीय पदार्थ से बनी थी।—संपादक

घड़ी और चुंबकत्व

ऊपर दिए गए उद्धरण को पढ़ने के बाद मन में यह प्रश्न उठना स्वाभाविक है : क्या चुंबकीय बलों के प्रभाव से बचने का कोई उपाय नहीं है, क्या किसी ऐसी चीज की दीवार नहीं बनाई जा सकती, जिसे चुंबकीय बल बेध न सकें?

यह पूरी तरह से संभव है। मंगलवासियों के अनोखे आविष्कार को प्रभावहीन किया जा सकता था, यदि इसके लिए पहले से आवश्यक कदम उठाए गए होते।

चुंबक के लिए अवेध्य द्रव्य लोहा ही है। यह बात विचित्र सी लग सकती है, क्योंकि लोहा चुंबक के प्रभाव से सरलतापूर्वक चुंबकीकृत हो जाता है! पर लोहे के छल्ले के **भीतर** स्थित कंपास की सूई छल्ले के बाहर रखे गए चुंबक द्वारा प्रभावित नहीं होती है।

जेबी घड़ी में जो लोहे के पुर्जे होते हैं, उन्हें चुंबक के प्रभाव से बचाने के लिए घड़ी को लोहे की डिब्बी में रखना चाहिए। यदि आप नाल-चुंबक के शक्तिशाली ध्रुवों पर सोने की घड़ी रखेंगे, तो भीतर स्थित यंत्र के सभी फौलादी भाग, विशेषकर संतुलक में लगी केशिका-कमानी,[1] चुंबकीकृत हो जाएँगे और घड़ी खराब हो जाएगी, ये ठीक समय नहीं बतायेगी। चुंबक हटा लेने पर घड़ी अपनी पुरानी अवस्था में नहीं लौटेगी; उसके फौलादी भाग चुंबकीकृत ही रहेंगे और घड़ी की अच्छी खासी मरम्मत करानी पड़ेगी, बहुत सारे पुर्जों को बदलवाना पड़ जाएगा। इसीलिए सोने की घड़ी के साथ ऐसे प्रयोग न करना ही बेहतर होगा, क्योंकि वह कुछ ज्यादा ही महँगा पड़ेगा।

चित्र 98. कौन सी चीज घड़ी के पुर्जों को चुंबकीय होने से बचाती है?

इसके विपरीत, जिस घड़ी के कल-पुर्जे लोहे की डिब्बी (कौरपुस) में बंद हैं, उनके साथ आप बिना किसी डर के यह प्रयोग कर सकते हैं,—चुंबकीय बल लोहे को बेध कर उसके पार नहीं जा सकता। ऐसी घड़ी को आप शक्तिशाली से शक्तिशाली डायनेमो की कुंडली के पास ले जा सकते हैं, घड़ी की चाल में कोई फर्क नहीं पड़ेगा। बिजली तकनीशियनों के लिए लोहे की सस्ती घड़ियाँ आदर्श होती हैं। सोने और चाँदी की घड़ियाँ चुंबकीय प्रभाव से उसके हाथों में अक्सर खराब होती रहेंगी।

चुंबकीय 'शाश्वत' चलित्र

'शाश्वत' चलित्र बनाने के प्रयत्नों में चुंबक की भी कम भूमिका नहीं रही। आविष्कारकों ने चुंबक का तरह-तरह से उपयोग किया, पर अनंत काल तक खुद ब खुद चलते रहने वाली कोई प्रयुक्ति नहीं बन पाई। ऐसी एक प्रयुक्ति यहाँ दी जा रही है (इसका वर्णन XVII-वीं शती में चेस्टर के एपिस्कोप अंग्रेज जोन विल्केंसन ने किया था)।

एक खंभे पर शक्तिशाली चुंबक *A* रखा जाता है। (चित्र 99)। उससे दो पटरियाँ *M* और *N* उठंगा कर रखी गई हैं। ऊपर वाली पटरी *M* सीधी है और उसकी ऊपरी भाग में एक छेद *C* है। निचली पटरी *N* का आकार उल्टे मेहराब सा है। आविष्कारक का विचार था कि ऊपरी पटरी में लोहे की एक छोटी सी गोली रखी जाए, तो वह चुंबक से खिंच कर ऊपर लुढ़क आएगी; पर छेद तक पहुँचने पर वह नीचे वाली पटरी *N* पर गिर जाएगी और वेग के कारण नीचे मुड़ी किनारी *D* पर फिसलती हुई पुनः ऊपर वाली पटरी *M* पर आ जाएगी; यहाँ से वह चुंबक द्वारा आकर्षित

1. यदि यह कमानी इन्वर (invar) नाम मिश्र-धातु से बनी है, तो उस पर चुंबक का असर नहीं पड़ेगा। इन्वर चुंबकीकृत नहीं होता, यद्यपि उसमें लोहा और निकले भी मिला होता है।

होकर फिर से ऊपर चढ़ने लगेगी। गोली इसी प्रकार ऊपर-नीचे अविराम लुढ़कती रहेगी और हमें 'शाश्वत गति' मिल जायेगी।

इस आविष्कार में गड़बड़ी क्या है?

यह बताना कठिन नहीं है। आविष्कारक ने यह क्यों सोच लिया कि पटरी *N* पर लुढ़कती हुई गोली मुड़ी किनारी *D* के सहारे उठ कर पटरी *M* पर जाएगी? क्या *N* पर लुढ़कते वक्त गोली इतना बड़ा वेग प्राप्त कर लेगी? यह तभी संभव होता, यदि गोली सिर्फ गुरुत्व-बल के प्रभाव से लुढ़कती होती : इस स्थिति में उसकी गति त्वरित होती। लेकिन गोली पर दो बल लग रहे हैं : गुरुत्व का और चुंबकीय आकर्षण का। चुंबकीय आकर्षण का बल मान्यतानुसार इतना सामर्थ्य रखता है कि वह गोली को स्थिति *B* से खींच कर स्थिति *C* में ला दे। इसीलिए पटरी *N* पर गोली त्वरित नहीं, मंद गति से लुढ़केगी, और यदि वह निचले छोर तक पहुँच भी जाएगी, तो वह इतना वेग नहीं एकत्र कर पाएगी कि मुड़ी किनारी *D* पर होते हुए ऊपर उठ सके।

चित्र 99. मिथ्या शाश्वत चलित्र।

ऊपर वर्णित योजना कई बार अपना रूप बदल-बदल कर सामने आती रही है। इसमें से एक को जर्मनी में 1878 ई. में पेटेंट भी दिया गया था। यह काफी विचित्र बात है, क्योंकि तब तक ऊर्जा संरक्षण नियम की घोषणा हुए तीस साल बीत चुके थे। आविष्कारक ने अपने 'शाश्वत चुंबकीय चलित्र' में प्रयुक्त मुख्य गलत धारणा को इस चालाकी से छिपा लिया कि पेटेंट देने वाला तकनीकी आयोग धोखा खा गया। कानून के अनुसार प्रकृति के नियमों का विरोध करने वाले विचारों को पेटेंट मिल गया। इस तरह के एकमात्र पेटेंट का मालिक अपनी कृति से शायद जल्द ही निराश हो गया, क्योंकि दो साल बाद उसने एकस्व-कर देना बंद कर दिया। मजेदार एकस्व सर्वसुलभ हो गया, पर किसी को उसकी आवश्यकता ही नहीं थी।

संग्रहालयों की समस्या

संग्रहालयों में कभी-कभी प्राचीन वर्तिलेखों (रूल की तरह लपेटे हुए कागजातों) को पढ़ना पड़ता है, जो कागज के पुराने पड़ जाने के कारण इतने जीर्ण हो जाते हैं कि छूने से भी फटने लगते हैं।

ऐस कागजों को कैसे सीधा किया जा सकता है?

सोवियत संघ की विज्ञान आकदमी में दस्तावेजों के जीर्णोद्धार के लिए एक विशेष प्रयोगशाला है, जहाँ ऐसी समस्याएँ आती रहती हैं। इसके लिए प्रयोगशाला में विद्युत् का उपयोग किया जाता है। वर्तिलेख का विद्युतन कर देने से कागज की सभी परतों पर समान आवेश आ जाता है और वे एक दूसरी से विकर्षित होकर अलग हो जाती हैं। फिर उन्हें निपुण हाथों से सीधा करना और अच्छे कागज पर चिपका लेना भर रह जाता है, जो अपेक्षाकृत कठिन काम नहीं है।

एक और काल्पनिक शाश्वत चलित्र

पिछले समय के शाश्वत चलित्र के अन्वेषकों में डायनेमो और विद्युत्-चलित्र को जोड़ने का विचार काफी लोकप्रिय हो रहा है। मेरे पास साल में करीब आधी दर्जन ऐसी योजनाएँ आ जाया करती हैं। इन सब में मुख्य बात एक ही होती है : विद्युत्चलित्र और डायनेमो के चक्कों को गति संचारक फीते से जोड़ देना चाहिए। यदि शुरू में डायनेमो को एक बार चला दिया जाए, तो उत्पन्न विद्युत्धारा से विद्युत्चलित्र चल पड़ेगा और साथ-साथ फीते द्वारा डायनेमो को भी चलाया करेगा। इस तरह दोनों ही मशीनें,—आविष्कारक सोचते हैं,—एक दूसरे को चलाने लगेंगी और वे तब तक

चलती रहेंगी, जब तक उनके पुर्जे घिस-पिट का खराब नहीं हो जाएँगे।

आविष्कारकों को यह विचार लुभावना लगता है; पर जिन्होंने इसे व्यवहार में उतारने की कोशिश की, उन्हें साश्चर्य बात माननी पड़ी कि उपर्युक्त परिस्थितियों में दोनों में से एक भी मशीन काम नहीं करती। इस योजना से और कोई आशा भी नहीं थी। यदि दोनों संयोजित मशीनों की दक्षता-गुणांक सौ प्रतिशत भी होता, तो उनकी गति को अविराम बनाने के लिए घर्षण को पूर्णतया नष्ट करना पड़ता। उपर्युक्त दो मशीनों को जोड़ने पर वस्तुतः वे एक नई मशीन (इंजीनियरों की भाषा में–'एग्रीगेट') बन जाती हैं, जिससे स्वयं अपने आपको चलाते रहने की माँग की जाती है। यदि एग्रीगेट में घर्षण पूर्णतया अनुपस्थित रहता, तो वह अनंत काल तक चलता रहता। लेकिन इससे हम कोई लाभ नहीं उठा पाते : जैसे ही 'चलित्र' से कोई बाह्य कार्य संपन्न करने का प्रयत्न किया जाता, वह उसी क्षण रुक जाता। हमारे सामने 'शाश्वत गति' का नमूना होता, शाश्वत चलित्र का नहीं। घर्षण की उपस्थिति में एग्रीगेट चलेगा ही नहीं।

आश्चर्य है कि इस विचार से आकर्षित लोगों के दिमाग में इसके कार्यान्वयन की और सरल विधि क्यों नहीं आती : किन्हीं भी दो चक्कों को बेल्ट या फीते से जोड़ कर एक को चला दिया और शाश्वत चलित्र बन गया। यदि ऊपर बताई गई योजना के तर्कों का अनुसरण किया जाए, तो यहाँ भी एक चक्का दूसरे को घुमाएगा और दूसरा पहले को। एक चक्के से भी काम चल सकता है : उसे एक बार घुमा दें और उसका दायाँ भाग बाएँ भाग को घुमाने लगेगा और बायाँ भाग दाएँ को। पर आखिरी दो स्थितियों में विचार का बेतुकापन कुछ ज्यादा ही स्पष्ट है और इसीलिए ऐसी योजनाएँ बनाने के लिए कोई व्यक्ति प्रेरित नहीं होता। पर यदि सच पूछा जाए, तो ऊपर वर्णित सभी तीन 'शाश्वत चलित्रों' की योजनाओं के पीछे एक ही भ्रांति छिपी है।

लगभग शाश्वत चलित्र

गणितज्ञ के लिए 'लगभग शाश्वत' शब्दों में कोई आकर्षण की बात नहीं है। गति या तो शाश्वत हो सकती है या नश्वर; यथार्थतः 'लगभग शाश्वत' का अर्थ है नश्वर।

पर व्यावहारिक जीवन के लिए ऐसी बात नहीं है। बहुत से लोग इतने ही से संतुष्ट हो जाते हैं कि उनके पास बिल्कुल शाश्वत चलित्र नहीं, तो कम-से-कम 'लगभग शाश्वत' चलित्र ही है, जो उदाहरण के लिए, एक हजार वर्ष तक काम कर सकता है। मानव जीवन बहुत ही छोटा है और हमारे लिए सहस्त्राब्दियों का भी उतना ही महत्त्व है, जितना शाश्वत का। व्यावहारिक बुद्धि के लोग कहेंगे कि शाश्वत चलित्र की समस्या हल हो चुकी है और अब इस पर सिर खपाने की आवश्यकता नहीं है।

ऐसे लोगों के लिए एक खुशबखरी है कि हजार वर्षों तक काम कर सकने वाले चलित्र का आविष्कार हो चुका है। ऐसा शाश्वत चलित्र कुछ साधन लगा कर कोई भी व्यक्ति प्राप्त कर सकता है। इस आविष्कार पर किसी एका एकस्व (पेटेंट) नहीं है और इसे बनाने की विधि सर्वविदित है। 1903 में प्रो. स्ट्रेट द्वारा बनाया गया उपकरण, जिसे अक्सर रेडियम-घड़ी के नाम से पुकारते हैं, बिल्कुल सरल है (दे. चित्र 100)।

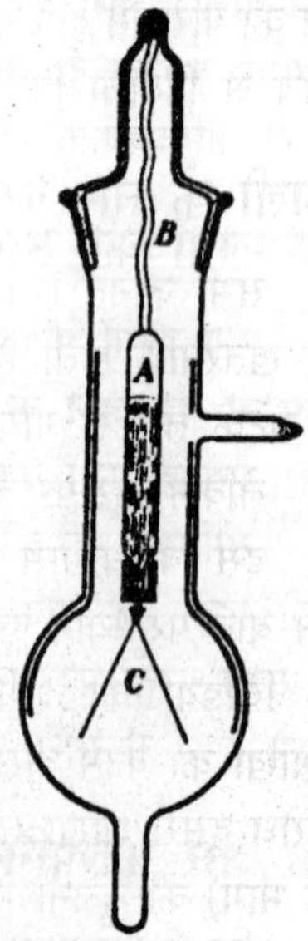

चित्र 100. रेडियम-घड़ी, जो 'लगभग शाश्वत' है; एक बार चाबी देने पर वह 1600 वर्षों तक चलती रहेगी।

शीशे के निर्वात बरतन में स्फटिक के धागे *B* से (जो विद्युत् का कुचालक है) एक परखनली लटक रही है। इसमें एक ग्राम का सहस्त्रांश भर रेडियम-लवण होता है। परखनली के निचले छोर पर विद्युत्दर्शी (एलेक्ट्रोस्कोप) की तरह दो स्वर्ण-पत्तर लगे होते हैं। विदित है कि रेडियम तीन प्रकार की किरणें छोड़ता है : अल्फा, बीटा और गामा। हमारे उपकरण के लिए बीटा-किरणें अधिक महत्त्व रखती हैं, जो ऋण विद्युत् से आविष्ट कणिकाओं (एलेक्ट्रोन) के प्रवाह से बनती हैं। ये

किरणें काँच को बेध कर उसके पार निकल जाती हैं। रेडियम द्वारा अपने समीप फेंकी जाने वाली कणिकाएँ उसके **ऋणावेश** का कुछ भाग अपने साथ लेती जाती हैं और इसीलिए परखनली रेडियम समेत **धनाविष्ट** हो जाती है। यह धनावेश स्वर्ण-पत्तरों पर आ जाता है और उन्हें पारस्परिक विकर्षण द्वारा एक दूसरे से अलग होने पर विवश कर देता है।

बहुत ज्यादा फैलने पर पत्तर बरतन की दीवारों को स्पर्श करने लगते हैं और वहाँ अपना आवेश खो देते हैं (क्योंकि वहाँ दीवार से पन्नी की पट्टियाँ लगी होती हैं, जिनके सहारे आवेश निकल जाता है)। आवेश खो कर वे पुनः आपस में सट जाते हैं। पर धनावेश जमा होता रहता है, इसलिए पत्तर पुनः फैलते हैं, अपना आवेश दीवारों को दे देते हैं और पुनः सट जाते हैं। यह क्रिया चलती रहती है और हर दो-तीन मिनट पर अपने को दुहराने लगती है। स्फुरण क्रिया इतनी नियमित होती है, जैसे यह घड़ी की लोलक हो। इसलिए इसका नाम रेडियम-घड़ी पड़ा है। दसियों और सैकड़ों वर्षों तक, जब तक रेडियम से विकिरण जारी रहेगा, घड़ी काम करती रहेगी।

पाठक निसंदेह समझ रहे होंगे कि यह 'शाश्वत' नहीं, सिर्फ निःशुल्क चलित्र है।

कितने समय तक रेडियम अपनी किरणें छोड़ता रहता है?

यह निर्धारित है कि रेडियम की विकिरण-क्षमता 1600 वर्षों में दुगुनी कम हो जाती है। इसीलिए रेडियम घड़ी बिना रुके एक हजार वर्षों से कम नहीं चलेगी। सिर्फ स्फुरण की आवृत्ति (बारंबारता) कम होती जाएगी, क्योंकि कालानुसार विद्युत् का आवेश कम होने लगता है। यदि रूस राज्य के आरंभ में ऐसा उपकरण बनाया गया होता, तो वह आज भी काम करता रहता।

क्या इस निःशुल्क चलित्र से कोई व्यावहारिक लाभ हो सकता है? अफसोस है कि नहीं। इस चलित्र की शक्ति, अर्थात् उसके द्वारा प्रति सेकेंड संपन्न कार्य इतना नगण्य है कि उससे कोई भी यंत्र चलाया नहीं जा सकता। उसके काम का परिणाम दृष्टिगोचर हो, उसके लिए रेडियम के काफी बड़े भंडार की आवश्यकता पड़ेगी। लेकिन तब ऐसे निःशुल्क चलित्र से दिवाला पिट जाएगा, क्योंकि रेडियम पृथ्वी पर काफी महँगा व विरल तत्त्व है।

बिजली के तार पर चिड़िया

सभी जानते हैं कि उच्च वोल्टता पर स्थित बिजली के किसी तार को (जैसे ट्राम के तार को) छूना आदमी के लिए खतरनाक होता है। यह आदमी और बड़े जीवों के लिए घातक सिद्ध हो सकता है बिजली के खम्भों से टूट कर लटके तार से गाय या घोड़े की मृत्यु होने की अनेक घटनाएँ ज्ञात हैं।

लेकिन तार पर बैठी चिड़ियों को क्यों नहीं कुछ होता? शहरों में आपने अक्सर यह दृश्य देखा होगा (चित्र 101)।

इस विरोधाभास को समझने के लिए निम्न बात पर ध्यान देना चाहिए : तार पर बैठी चिड़िया का शरीर सर्किट की एक उपशाखा का काम करने लगता है, जिसका प्रतिरोध दूसरी शाखा (दोनों पैरों के बीच के नन्हे भाग) की तुलना में बहुत अधिक होता है। इसीलिए इस उपशाखा (चिड़िया के शरीर) में धारा-बल नगण्य होता है और कोई नुकसान नहीं पहुँचाता। लेकिन यदि तार पर बैठी चिड़िया पंख, दुम या चोंच आदि से खंभे को छू दे, या किसी भी प्रकार जमीन से संलग्न हो जाए, तो उसके शरीर से होकर पृथ्वी की ओर दौड़ती धारा द्वारा क्षण भर में उसकी मृत्यु

चित्र 101. बिजली के तार पर पक्षी बिना किसी खतरे के बैठे रहते हैं क्यों?

हो जाएगी। ऐसा अक्सर देखा जाता है।

चिड़ियों की आदत होती है कि वे खंभे की बाजू पर बैठ कर तार से चोंच साफ करने लगती हैं। चूँकि बाजू खंभे द्वारा जमीन से संलग्न होता है, इसलिए धारामय तार को छूते ही भूसंपर्कित चिड़िया की मृत्यु हो जाती है। ऐसी घटनाओं की विशाल संख्या का अंदाज आपको इस बात लग सकता है कि जर्मनी में चिड़ियों की रक्षा करने के लिए विशेष कदम उठाने पड़े। इसके लिए खंभों के बाजू पर चिड़ियों के बैठने के लिए पृथक् स्थान बनाया जाता है (चित्र 102), ताकि वे बिना किसी खतरे के चोंच साफ कर सकें। कभी-कभी खतरनाक स्थानों को घेर दिया जाता है, ताकि पक्षी उसे छू न सके।

सोवियत संघ में इस तीव्रता से विद्युतीकरण का विकास हो रहा है कि यहाँ भी बिजली के तार से पक्षियों की रक्षा के लिए कुछ सोचना चाहिए। इससे वन और खेती को लाभ होगा।

चित्र 102. उच्च वोल्टता पर बिजली भेजने के लिए बने खंभों पर चिड़ियों के बैठने के लिए पृथक्कृत स्थान।

तडित-प्रकाश

क्या आपने कभी बिजली की चमक में सड़क के सरगर्म भाग का दृश्य देखा है? यदि हाँ, तो आपने आकाश में चमकने वाली बिजली के प्रकाश की एक विशेषता पर अवश्य ध्यान दिया होगा : सड़क पर, जहाँ काफी चहल-पहल थी, क्षण भर को सब कुछ मृतप्राय हो जाता है। दौड़ते घोड़े हवा में पैर उठाए थम जाते हैं; गाड़ियाँ भी थम जाती हैं; चक्के की तीलियाँ स्पष्ट दिखने लगती हैं...

इस प्रतीयमान जड़ता का कारण है तडित का अत्यंत छोटा जीवन-काल। बिजली से उत्पन्न चिनगारियों की तरह तड़ित भी इतनी कम देर टिकती है कि साधारण उपकरणों द्वारा उसे नापा भी नहीं जा सकता। अप्रत्यक्ष विधियों से यह निर्धारित करने में सफलता मिली है कि तड़ित सेकेंड के कुछ सहस्त्रांश भर ही जीवित रहती है।[1] इतने नन्हे अंतराल में शायद ही कोई वस्तु इतना खिसक सकती है कि उसका स्थानांतरण आँखों से दिख सके। इसीलिए चहल-पहल से भरी सड़क भी बिजली की कौंध में बिल्कुल थमी सी लगती है; हमें सड़क पर सेकेंड के सहस्त्रांश भर टिकने वाली चीज़ दिखती है। इस अंतराल में चलती गाड़ी के चक्के की तीली मिलीमीटर के एक क्षुद्रांश भर ही घूम पाती है। स्वाभाविक है कि आँखों से वह जड़ सी अचल लगेगी।

तडित की कीमत

पुराने जमाने में तडित को भगवान का अस्त्र माना जाता था, अतः उस समय ऐसा प्रश्न पूछना धर्म की निंदा करने का प्रतीक होता। लेकिन आज के युग में विद्युत्-ऊर्जा क्रय-विक्रय की सामग्री हो गई है; उसे नापते हैं, उसका मूल्यांकन करते हैं और इसीलिए तडित की कीमत जैसा प्रश्न अब निरर्थक नहीं रह गया है। तडित की कीमत का अर्थ है वज्रपात के लिए विद्युत्-ऊर्जा की आवश्यक मात्रा को ज्ञात करना और यह हिसाब लगाना कि इतनी ही बिजली घर में खर्च करने पर आपको कितने पैसे देने पड़ते।

---

1. अधिक जीने वाली तड़ित भी होती हैं; उनका जीवनकाल सेकेंड के शतांश से दशांश तक लंबा हो सकता है। बहुगुणित तडितें भी होती हैं। जब तक तडित द्वारा बनाए गए पथ पर एक के बाद एक दसियों तड़ितें चल पड़ती हैं, तो इसे बहुगुणित तडित कहते हैं। इसका जीवन काल कुल मिला कर डेढ़ सेकेंड तक का हो सकता है।

–संपादक

कलन इस प्रकार है : तडित में विसर्जित विद्युत् का विभव करीब करोड़ वोल्ट होता है। इस स्थिति में धारा-बल अधिक-से-अधिक 200 हजार ऐंपियर के बराबर हो सकता है (यह इस बात से ज्ञात किया जाता है कि बिजली गिरने पर तडित चालकों में बहने वाली विद्युत् धारा के कारण लोहे का छड़ किस हद तक चुंबकीकृत हो जाता है)। वाट में शक्ति की मात्रा ज्ञात करने के लिए वोल्ट व एंपियर की संख्याओं को आपस में गुणा करना पड़ता है; पर इस बात का ध्यान रखना चाहिए कि जब तक बिजली गिरती है, उसका विभव शून्य तक उतर आता है। अतः विसर्जित आवेश की शक्ति कलन करने के लिए औसत विभव अर्थात् आरंभिक विभव का आधा लेना चाहिए। प्राप्त होता है :

आवेश की शक्ति– $\frac{50\,000\,000 \times 200\,000}{2}$ अर्थात् 5 000 000 000 000

वाट या 5 अरब किलोवाट।

शून्यों की इतनी बड़ी कतार पाने के बाद स्वाभाविक ही है कि आप तडित का मूल्य व्यक्त करने के लिए कोई बड़ी संख्या पाने की उम्मीद कर रहे होंगे। पर किलोवाट घंटे में (जो आपके घर में लगा मीटर दिखाता है) ऊर्जा को व्यक्त करने के लिए समय को भी ध्यान में रखना होगा। इतनी बड़ी शक्ति का संचार सेकेंड के सिर्फ सहस्त्रांश तक ही जारी रहता है। इस नन्हे कालांतर में खर्च होगा :

$$\frac{5\,000\,000\,000}{3\,600 \times 1000} \cong 1400$$

उपभोगकर्ताओं को एक किलोवाट-घंटे के लिए 4 कोपेक अदा करने पड़ते हैं। इससे तडित की कीमत सरलतापूर्वक आँकी जा सकती है :

$$14000 \times 4 = 5600 \text{ कोपोक } = 56 \text{ रूबल।}$$

उत्तर आश्चर्यजनक है : तडित जिसकी ऊर्जा भारी तोप से दागे गए गोले की ऊर्जा से सौ गुनी अधिक है, बिजली-घर के अनुसार सिर्फ 56 रूबल कीमत रखती है।

जानना दिलचस्प होगा कि आधुनिक विद्युत् प्राविधि द्वारा बनाया गया तडित प्राकृतिक तडित से कितनी दूर है। प्रयोगशालाओं में एक करोड़ वोल्टता की 15 cm लंबी चिनगारी उत्पन्न की जा चुकी है। दूरी बहुत अधिक नहीं है...

कमरे में मूसलाधार वर्षा

घर में रबड़ की नली से छोटा-मोटा फव्वारा बहुत सरलतापूर्वक बनाया जा सकता है। उसका एक सिरा ऊँचा कर रखी पानी से भरी बाल्टी में डुबा देते है। या पानी के नल से जोड़ देते हैं नली का दूसरा मुँह काफी छोटा होना चाहिए, ताकि पानी का फव्वारा महीन धार के रूप में निकले। पेंसिल के एक टुकड़े में से ग्रैफाइट की छड़ निकाल कर पेंसिल को नली में घुसा देने से काम चल जाएगा। फव्वारे को आसानी से नियंत्रित किया जा सके, इसके लिए नली के स्वतंत्र सिरे को उल्टे हुए शंकु में चित्र 103 की भाँति लगा देते हैं।

जब फव्वारा करीब आधा मीटर ऊँचा हो जाए, तो लाह की छड़ी या एबोनाइट की कंघी सिल्क पर रगड़ कर फव्वारे के समीप लाएँ। आप उसी क्षण एक विचित्र चीज देखेंगे : फव्वारे की अलग-अलग धारें मिल कर एक धार में परिणत हो जाएँगी, जो एक विशेष ध्वनि करती हुई पास रखी थाली में गिरने लगेगी। ''यह ध्वनि आपको मूसलाधार वर्षा की याद दिलाएगी। इसमें कोई शक नहीं है,–भौतिकविद् बायस इसके बारे में कहते हैं,–कि बादल गरजते वक्त वर्षा की बूँदें इसी कारण से बड़ी हो जाती है।'' लाह की छड़ी हटा लीजिए, फव्वारे में परिणत हो जाएगा और विशेष ध्वनि भंगुर धार की नर्म ध्वनि में बदल जाएगी।

जो इन बातों से अनभिज्ञ हैं, उनके सामने आप लाह की छड़ी जादूगर की तरह घुमा-घुमा कर खेल दिखा सकते हैं, मानो पानी के फव्वारे पर भी आप हुक्म चला सकते हैं।

फव्वारे पर विद्युत् के आवेश के इस विचित्र प्रभाव का कारण समझना कठिन नहीं है। बूँदों का विद्युतन हो जाता है; छड़ी के निकट वाली बूँदें धनाविष्ट हो जाती हैं और दूर वाली ऋणाविष्ट। इसीलिए वे एक दूसरे को ओर आकर्षित हो कर एकाकार हो जाती हैं।

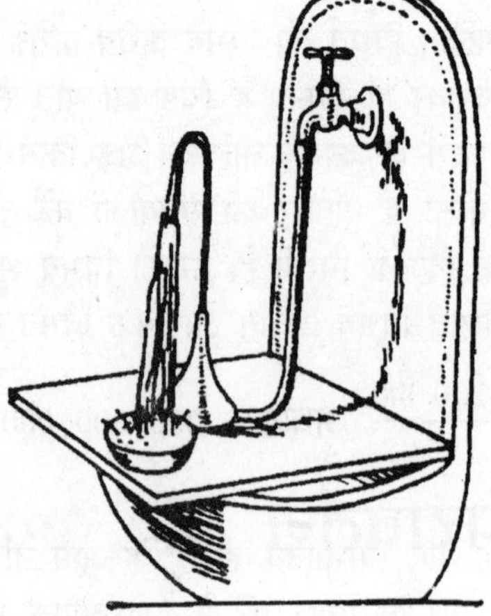

चित्र 103. मूसलाधार वर्षा का नन्हा नमूना।

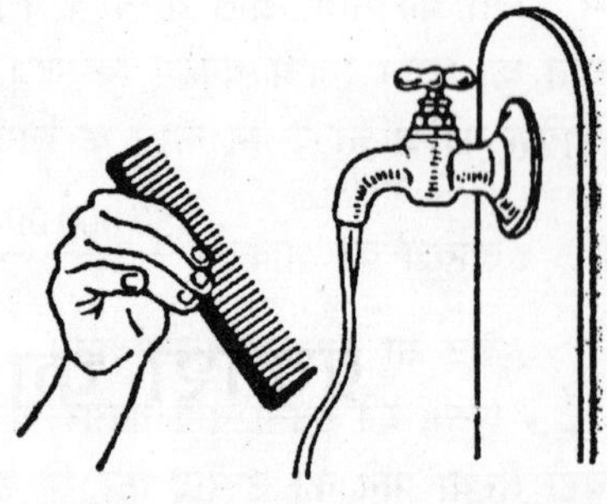

चित्र 104. विद्युताविष्ट कंघी को निकट लाने पर पानी की धार विचलित हो जाती है।

पानी की धार पर बिजली का प्रभाव और आसानी से देखा जा सकता है। एबोनाइट की कंघी बालों पर कुछेक बार फेर कर नल से गिरते पानी की पतली धार के पास लाएँ : धार टेढ़ी होकर कंघी की ओर झुक जाती है (चित्र 104)। इस संवृत्ति को समझाना कहीं जटिल काम है, की तुलना में पिछली संवृत्ति को। इसका संबंध तलीय तनाव में परिवर्तन से है, जो विद्युतावेश के प्रभाव से होता है।

एक बात और बता दें कि घर्षण द्वारा विद्युत् के आवेशों का आसानी से उत्पन्न हो जाना ही चक्कों को जोड़ने वाले गतिसंचारक फीते के विद्युतन का कारण होता है। उत्पादन की कुछ क्रियाओं में उससे बिजली की चिनगारियाँ निकलने लगती हैं और आग लगने का गंभीर खतरा बन जाता है। इसे रोकने के लिए फीतों पर चाँदी की महीन परत चढ़ा देते हैं। चाँदी बिजली का सुचालक है, अतः फीते पर आवेश का जमा होना संभव नहीं होता।

अध्याय 9

प्रकाश का परावर्तन और अपवर्तन-दृष्टि

पंचपक्षीय चित्र

फोटोग्राफी में एक निराली विधि है,—व्यक्ति को एक साथ पाँच भिन्न पक्षों से दिखाना। चित्र 105 ऐसे ही एक फोटो के आधार पर बनाया गया है; आप इसमें एक व्यक्ति को पाँच भिन्न मुद्राओं में देख सकते हैं। साधारण फोटो-चित्रों की तुलना में इनसे यह लाभ है कि ये व्यक्ति की विशेषताओं को पूरी तरह से दिखा सकते हैं। आप जानते हैं कि फोटोग्राफर एक बात का बहुत अधिक खयाल रखते हैं : चेहरे को कैसा घुमाव दिया जाए कि चित्र व्यक्ति की सभी विशेषताओं को दिखा सके। यहाँ एक ही बार में चेहरा कई पक्षों से चित्रित हो जाता है। इनमें से एक को चुन लिया जा सकता है, जो व्यक्ति की विशेषताओं को सबसे अच्छा व्यक्त करता हो।

चित्र 105. एक ही व्यक्ति का एक साथ पाँच ओर से खींचा गया फोटोचित्र।

इस तरह के चित्र कैसे प्राप्त किए जाते हैं? निस्संदेह, दर्पणों की सहायता से (चित्र 106)। व्यक्ति कैमरे A की ओर पीठ करके बैठता है; उसका मुख दो उदग्र दर्पण की ओर होता है। दर्पणों के बीच का कोण 36^0 का पाँचवा भाग, अर्थात् 72^0 के बराबर होता है। दर्पणों के इस जोड़े से व्यक्ति के चार बिंब मिल जाएँगे, जिनका मुख कैमरे की ओर भिन्न पक्षों से होगा। कैमरे से इन चारों बिंबों समेत व्यक्ति का चित्र खींचा जाता है। फोटो में दर्पण दिखाई नहीं देते (वे बिना फ्रेम के होते हैं)। कैमरा दर्पणों में प्रतिबिंबित न होने लगे, इसके लिए उसे दो पर्दों *(BB)* से ढक

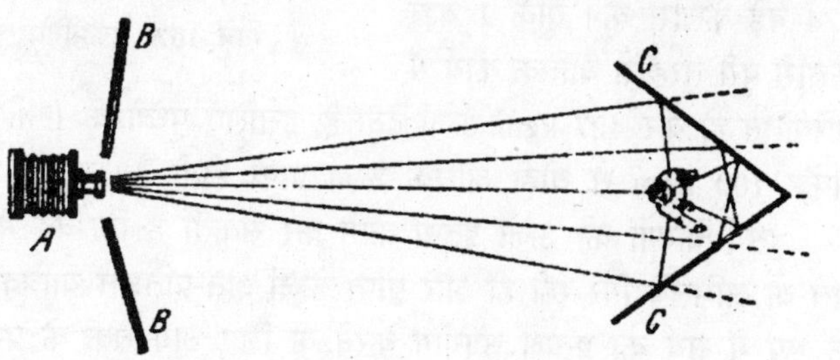

चित्र 106. पंचमुखी फोटोचित्र प्राप्त करने की विधि। आदमी को दर्पणों CC के बीच खड़ा किया जाता है।

देते हैं। सिफ लेंस के सामने एक छोड़ दिया जाता है।

बिंबों की संख्या दर्पणों के आपसी कोण पर निर्भर करती है : जितना ही वह कम होगा, बिंबों की संख्या उतनी ही अधिक होगी। यदि कोण $360^0/4=90^0$ हो, तो चार बिंब मिलते हैं। कोण के $360^0/6=60^0$ होने पर 6 बिंब प्राप्त होते हैं, और $360^0/8=45^0$ होने पर–आठ, आदि। पर अनेक बार परावर्तन होने से बने बिंब अस्पष्ट होते हैं, इसलिए पंच पक्षीय चित्र से ही संतोष करना पड़ता है।

सौर चलित्र और सौर

चलित्रों के वाष्पित को सौर ऊर्जा से गर्म करने का विचार आकर्षक है। पर आइए, थोड़ा हिसाब लगाते हैं। वातावरण की बाह्य (ऊपरी) सतहों के उस भाग पर, जो सूर्य-किरणों के अभिलंब होता है, प्रति वर्ग सेंटीमीटर पर प्रति मिनट प्राप्त होने वाली सौर-ऊर्जा की मात्रा सही-सही निर्धारित की जा चुकी है। यह मात्रा शायद स्थिर रहती है, इसलिए इसे 'सौर-स्थिरांक' भी कहा जाता है। सौर-स्थिरांक का मान प्रति वर्ग मीटर पर प्रति मिनट लगभग 2 छोटी कैलोरी (या ग्राम कैलोरी) है। सूरज द्वारा नियमित रूप से भेजी जाने वाली यह तापीय रसद पृथ्वी की सतह तक पूरी-पूरी नहीं पहुँचती : करीब आधा कैलोरी ताप वातावरण द्वारा अवशोषित हो जाता है। हम मान सकते हैं कि सूर्य-किरणों के अभिलंब पृथ्वी-तल के प्रत्येक वर्ग सेंटीमीटर को करीब 1.4 कैलोरी ताप प्राप्त होता है। यह 1 m^2 पर प्रति मिनट 14000 छोटे कैलोरी या 14 बड़े कैलोरी (किलो कैलोरी) के बराबर होगा और प्रति सेकेंड–करीब 1/4 बड़े कैलोरी के। चूँकि 1 बड़ा कैलोरी पूरी तरह से यांत्रिक कार्य में परिवर्तित हो कर 427 kgm ऊर्जा देता है, इसलिए पृथ्वी के 1 m^2 क्षेत्र पर उसके अभिलंब गिरती सूर्य-किरणों से प्रति सेकेंड 100 kgm से थोड़ी अधिक ऊर्जा प्राप्त होती है। यह 1 1/3 अश्व-शक्ति से थोड़ी अधिक होगी।

चित्र 107. तुर्कमेनिया में सूर्य-किरणों से पानी गर्म करने के लिए उपकरण

सूर्य-किरणों की ऊर्जा इतना काम कर सकती है कि वह भी सिर्फ इष्टतम परिस्थितियों में–अर्थात् जब किरणें तल के अभिलंब गिर रही हों और प्राप्त ऊर्जा शत-प्रतिशत यांत्रिक ऊर्जा में परिणत की जा रही हो। पर चालकशक्ति के रूप में सूर्य का प्रत्यक्ष उपयोग करने के लिए अब तक के प्रयत्न ऐसी आदर्श परिस्थितियों से बहुत दूर रहे हैं : उनका दक्षता-गुणांक 5–6% से अधिक कभी नहीं हुआ है। विख्यात भौतिकविद् एब्लौट का सौर चलित्र अब तक कार्यान्वित योजनाओं की तुलना में सबसे अधिक दक्षता-गुणांक (15%) रखता है।

सूर्य-किरणों से यांत्रिक-कार्य की अपेक्षा सिर्फ गर्मी प्राप्त करना कहीं अधिक सरल है,–इस बात पर सोवियत

संघ में विशेष ध्यान दिया गया है। यहाँ (समरकंद में) एक अखिल सोवियत और ऊर्जा संस्थान भी है, जहाँ विस्तृत खोज-कार्य चल रहे हैं। ताशकंद में धूप से पानी गर्म करने वाला एक हम्माम है, जिसका प्रतिदिन 70 व्यक्ति उपयोग कर सकते हैं। ताशकंद के ही एक घर की छत पर एक सौर-उपकरण है, जिसमें सूर्य-किरणों से गर्म होने वाले आठ क्वथित्र लगे हैं; इनमें से प्रत्येक 200 बाल्टी पानी गर्म कर सकता है।

चित्र 108. तुर्कमेनिया के सूर्य चलित कोल्ड-स्टोर।

इससे घर के सभी क्वार्टरों का काम चल जाता है। सौर-तकनीशियनों के अनुसार गर्म पानी वर्ष में सात-आठ महीनों तक बिना नागा के मिला करेगा। अन्य चार-पाँच महीने गर्म पानी सिर्फ धूप उगे दिन मिलेगा। क्वथित्रों की औसत दक्षता अपेक्षाकृत अधिक है–करीब 47%। अधिकतम कार्य-दक्षता 61% तक प्राप्त की जा सकती है।

तुर्कमेनिया में एक सौर शीतित्र (गेलियो रेफ्रीजरेटर) का परीक्षण किया गया था। परिवेशी हवा का तापक्रम छाया में 45^0 होने पर शीतित्र के कक्षों में प्रशीतक बैटरियों का तापक्रम शून्य से $2\text{-}3^0$ नीचे होता था। औद्योगिक सौर-शीतित्र का यह पहला उदाहरण है।

सौर-ऊर्जा से गंधक-द्रवण (द्रवणांक 120^0C) के प्रयोग भी उत्तम रहे हैं। सौर-ऊर्जा से काम करने वाले चंद और उपकरण बन चुके हैं, जिनकी याद दिला देना उपयुक्त होगा : कास्पियन व अराल सागरों पर पानी मीठा करने के लिए उपकरण, मध्य एशिया में पानी ऊपर खींचने वाले पंप, फल सुखाने वाले उपकरण आदि इस दिशा में की गई खोजों के नए परिणाम हैं। रसोई बनाने वाले चूल्हे भी हैं, जिन पर खाना सूर्य-किरणों से पकता है। कृत्रिम रूप से कैद की गई सूर्य-किरणों का उपयोग इतने तक ही सीमित नहीं रहेगा। मध्य एशिया, काकेशिया, क्रिम, वोल्गा व दक्षिणी उक्रैन के आर्थिक जीवन में सौर-ऊर्जा को अभी महत्त्वपूर्ण भूमिका निभानी है।

अदृश्य करने वाली टोपी

जादुई टोपी की कहानी अति प्राचीन काल से चली आ रही है : जो भी उसे पहनता है, अदृश्य हो जाता है। पुरानी किंदवंती को 'रुसलान और लुदमीला' में सजीव करते हुए पुश्किन ने एक चमत्कारी टोपी का सुंदर वर्णन किया है :

"और मृदुला के मन आया,
खयालों की मनरोली में,
अटपट विचार आवारा–
लगती कैसी मैं टोपी में...
चोर्नामोर की टोपी लुदमीला,
आँखों पर, सीधा, तिरछा,

उलट रही, पुलट रही,
पहन गई आखिर उल्टा।
फिर क्या? चमत्कार-युग का दान!
लुदमीला थी अंतर्धान।
सीधी की–और पहले जैसी
लुदमीला खड़ी दर्पण में;
फिर उलटी–फिर गायब;
उतार ली–दर्पण में! "अच्छा!
ओ, मायावी! भाग्य मेरा!
अब नहीं रहा कोई खतरा!"

अदृश्य होने की क्षमता बंदिनी लुदमीला के लिए अपनी रक्षा का एकमात्र साधन रह गई थी। संतरी उसे देख नहीं पाते थे, सिर्फ उसके कार्यों से उसकी उपस्थिति का अनुमान लगा पाते थे :

हर समय हर जगह दिख जाते
चिह्न उसके कारनामों के–
कभी पका-सा पीला फल
कलरवमय टहनी से ओझल,
कभी निर्झर की बूँदा-बूँदी
उड़ नहलाती हरी घास रौंदी;
तब जान लेते महलवासी
जलपान कर रही सुवासी...
जब विरल होता निशा-तम,
लुदमीला निर्झर को जाती,
स्नारता शीतल जल छलकाती।
खुद कार्ल ने देखा एक प्रभात
अदृश्य हाथों से कैसे
छलकता था तब जल प्रपात।"

अनेक प्राचीन स्वप्न साकार हो चुके हैं, अनेक चमत्कार आज विज्ञान द्वारा दिखाए जा सकते है। पहाड़ों में सुरंगे बन रही हैं, आकाश की बिजली प्रयोगशालाओं में कैद की जा चुकी है, उड़न-खटोला आम बात है...पर क्या अदृश्यकारी टोपी का आविष्कार नहीं हो सकता? या कोई अन्य साधन नहीं ढूँढा जा सकता, जिससे हम अदृश्य हो सकें? यहाँ इसी समस्या पर विचार किया जाएगा।

अदृश्य आदमी

अंग्रेज लेखक वेल्स अपने उपन्यास 'अदृश्य-आदमी' में पाठकों को यह विश्वास दिलाने का प्रयत्न करते हैं कि

अदृश्य बनाना संभव है। उसका नायक (उपन्यासकार उसे ''दुनिया के सबसे प्रतिभाशाली भौतिकविद्'' के रूप में पेश करते हैं) मानवशरीर को अदृश्य बनाने की विधि ज्ञात कर लेता है, देखिए, अपने एक चिकित्सक मित्र को वह अपनी खोज के वैज्ञानिक आधार को किस प्रकार समझाता है :

''दृश्यमानता प्रकाश के साथ पिंडों की क्रिया पर निर्भर करती है। आप जानते हैं कि कोई भी पिंड या तो प्रकाश को अवशोषित करता है, या परावर्तित या अपवर्तित। यदि पिंड न तो प्रकाश को अवशोषित करता है, न परावर्तित या अपवर्तित, तो पिंड अदृश्य होगा। उदाहरण के लिए लाल डिब्बे को लीजिए; वह दृश्यमान है, क्योंकि उसका रोगन प्रकाश का एक अंश अवशोषित कर लेता है और अन्य भाग को परावर्तित (प्रकीर्णित) कर लेता है। यदि डिब्बा प्रकाश को बिल्कुल अवशोषित नहीं करता, उसे पूर्णतया परावर्तित कर देता, तो वह चाँदी जैसा श्वेत और चमकदार होता। हीरे से बना डिब्बा प्रकाश को बहुत कम अवशोषित करता और उसकी पूर्ण सतह से प्रकाश का परावर्तन भी बहुत कम होता; सिर्फ किनारियों के पास प्रकाश का थोड़ा परावर्तन व अपवर्तन होता, जिससे हमें डिब्बे का चमकदार प्रकाशीय 'अस्थिपंजर' दिखता। शीशे का डिब्बा कम चमकता और हीरे के डिब्बे जितनी स्पष्टता से दृष्टिगोचर नहीं होता, क्योंकि शीशा परावर्तन व अपवर्तन और भी कम करता है। यदि सफेद पादर्शक काँच के टुकड़े को पानी में (या और अच्छा होगा पानी से कुछ अधिक घने द्रव में) रखा जाए, तो वह लगभग पूरी तरह से गायब हो जाएगा, क्योंकि पानी में चलती प्रकाश-किरणें काँच से बहुत-बहुत कम परावर्तित व अपवर्तित होती है। काँच वैसे ही अदृश्य हो जाता है, जैसे हवा में कार्बन डायक्साइड या उदजन (हाइड्रोजन) की फुहार। दोनों जगह पर एक ही कारण की भूमिका है।

—हाँ,—केंप (चिकित्सक) ने कहा,—ये बातें बहुत ही सरल हैं और हमारे युग में इन्हें स्कूल का बच्चा-बच्चा जानता है।

—एक और बात बता दूँ, जिसे स्कूल का हर बच्चा जानता है : यदि काँच को महीनी से पीस लिया जाए, तो हवा में उसकी दृष्टिगोचरता अधिक हो जाती है; वह श्वेत अपारदर्शक चूर्ण में परिणत हो जाता है। कारण यह है कि पीसने से काँच की परावर्तक व अपवर्तक सतहों की संख्या बढ़ जाती है। खिड़की में लगे शीशे की ऐसी दो सतहें हैं, पर चूर्ण में प्रकाश हर कण की कई सतहों से परावर्तित एवं अपवर्तित होता रहता है। इसके अतिरिक्त, चूर्ण में प्रकाश बहुत दूर तक नहीं जा सकता। पर यदि काँच के चूर्ण को पानी में डाल दिया जाए, तो वह गायब हो जाता है। पीसे हुए काँच और पानी के अपवर्तनांक लगभग समान होते हैं, इसलिए एक से दूसरे में प्रवेश करते वक्त प्रकाश का परावर्तन व अपवर्तन कम होता है।

काँच को लगभग उसके समान अपवर्तनांक वाले द्रव में रख कर आप उसे अदृश्य कर दे सकते हैं : **पारदर्शक वस्तु हमेशा अदृश्य हो जाती है, जब उसे उसके समान अपवर्तनांक वाले परिवेश में रखा जाता है।** काँच को हवा में भी अदृश्य किया जा सकता है; इसके लिए कुछ ज्यादा सोचने की आवश्यकता नहीं है : सिर्फ इतना करना होगा कि काँच का अपवर्तनांक हवा के अपवर्तनांक के बराबर हो जाए; इससे काँच से हवा में प्रवेश करते वक्त प्रकाश का न तो परावर्तन होगा, न अपवर्तन।[1]

---

1. बिल्कुल पारदर्शक वस्तु को पूर्णतः अदृश्य बनाने के लिए उसे चारों ओर से ऐसी दीवारों द्वारा घेर देना चाहिए, जो प्रकाश का समरूप प्रकीर्णन कर सके। पार्श्व के छेद से झाँकती आँख को वस्तु की सतह के हर बिंदु से ठीक उतना प्रकाश प्राप्त होगा, जितना वस्तु की अनुपस्थिति में होता : वस्तु की विद्यमानता दिखाने वाली कोई छाया चमक नहीं रह जाएगी।

ऐसा एक प्रयोग आप भी कर सकते हैं। सफेद गत्ते को मोड़ कर चित्र 109 की भाँति आधे मीटर व्यास वाला एक शंकु बना लें और उससे कुछ ऊपर 25 कैंडिल-शक्ति का बल्ब जलने दें। अब नीचे से काँच का एक छड़ इस प्रकार घुसाएँ कि उसकी स्थिति यथासंभव उदग्र रहे। उदग्र स्थिति से थोड़ा भी इधर-उधर होने से छड़ अपने अक्ष पर काला और किनारों पर प्रकाशमान (या ठीक इसका उल्टा) नजर आने लगेगा। दोनों ही दृश्य छड़ को इधर या उधर हल्का झुकाव दे कर प्राप्त किए जा सकते हैं। थोड़ा घुमा-फिरा कर आप छड़ की वह स्थिति प्राप्त कर ले सकते हैं, जिसमें वह सब →

—यह सब ठीक है,—केंप ने कहा,—पर आदमी कोई काँच का तो नहीं बना है न।

—वह और भी पारदर्शक है।

—बकवास है!

—क्या यह एक वैज्ञानिक कह रहा है! आप क्या दस वर्षों में भौतिकी बिल्कुल ही भूल गए? कागज को लीजिए; उसके सफेद और अपारदर्शक होने का कारण वही है, जो पीसे हुए काँच के सफेद और अपारदर्शक होने का कारण है। सफेद कागज पर तेल मल दें। इससे रेशों के बीच का स्थान तेल से इस प्रकार भर जाएगा कि प्रकाश का परावर्तन व अपवर्तन सिर्फ सतह पर होने लगेगा—और कागज काँच की तरह पारदर्शक हो जाएगा। सिर्फ कागज के रेशे ही नहीं, कपड़े, ऊन, लकड़ी, हड्डियों, बालों, पेशियों, नाखून और स्नायु के रेशे भी पारदर्शक होते हैं! और इन्हीं से तो आदमी बनता है। सिर्फ रक्त के लाल पदार्थ और बालों के काले रंजक (पिगमेंट) ही अपारदर्शक होते हैं और इतनी सी बात के कारण हम अदृश्य नहीं हो पाते!''

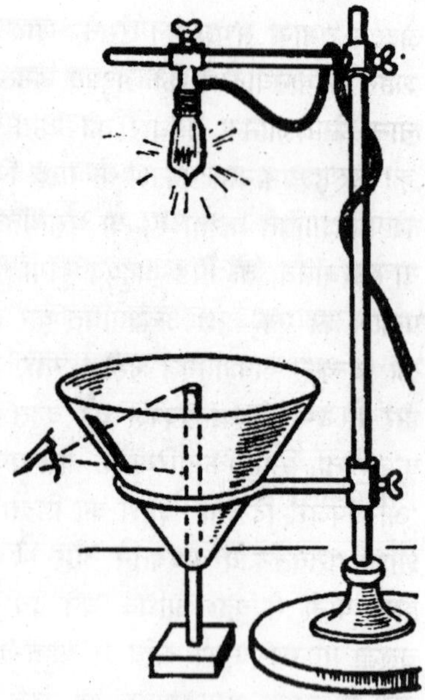

चित्र 109. कांच की अदृश्य छड़ी।

उपर्युक्त बातों की सत्यता का प्रमाण है बिना बाल वाले रंजकहीन (आलबीनो) जंतु, जिनके तंतुओं में रंजक पदार्थ बिल्कुल अनुपस्थित रहते हैं। ऐसे जीव एक सीमा तक पारदर्शक होते हैं। 1934 ई. में जेत्स्कोये सेलो (एक गाँव) में एक रंजकहीन मेंढक मिला था। जीवविज्ञान उसका वर्णन करते हैं : त्वचा और पेशियों के तंतु पारदर्शक हैं; उनके पार भीतर की बनावटें और अस्थिपंजर साफ झलक रहे हैं...पेट की दीवार और भी पारदर्शक है—हृदय-संकोचन और आँतें साफ दिख रही हैं।''

वेल्स लिखित उपन्यास के नायक ने मानव-शरीर के तंतुओं और रंजक द्रव्यों को पारदर्शक बनाने की विधि ढूढ ली और अपनी खोज का सफलतापूर्वक प्रयोग अपने ही शरीर पर कर लिया। अब देखें कि इस अदृश्य आदमी के साथ आगे क्या हुआ।

अदृश्य आदमी की शक्ति

'अदृश्य आदमी' के लेखक असाधारण निपुणता से सिद्ध करते हैं कि पारदर्शक व अदृश्य हो जाने पर आदमी लगभग असीम शक्ति का मालिक बन जाता है। वह कहीं भी अदृश्य पहुँच सकता है; कोई भी चीज उठा कर ले जा सकता है; अदृश्य होने के कारण वह हथियारबंद लोगों की पूरी भीड़ के साथ लड़ सकता है। सर्वसाधारण को कड़ी सजा की धमकी दे कर वह पूरे नगरवासियों को अपने आधीन कर लेता है। उसे कोई भी पकड़ नहीं सकता, उसे चोट नहीं पहुँचा सकता और वह सब की खबर ले सकता है। लोग अपनी रक्षा के लिए कितनी भी सावधानी क्यों न बरतें, इस अदृश्य दुश्मन से बचना असंभव था। इस असाधारण शक्ति के कारण ही अंग्रेजी उपन्यास का नायक अपने शहर की जनता के बीच यह घोषणा करता है :

→ ओर से समरूपता के साथ प्रकाशित हो जाता है। अब यदि उसे पार्श्व की दरार से देखेंगे (उसकी लंबाई 1 cm से अधिक नहीं होनी चाहिए), तो छड़ **बिल्कुल गायब** हो जाएगा। छड़ और हवा की अपवर्तक क्षमताएँ काफी भिन्न हैं, फिर भी उपरोक्त स्थिति में छड़ पूरी तरह अदृश्य हो जाता है।

तराशे हुए (फलकित) काँच के टुकड़े को अदृश्य बनाने की एक अन्य विधि है : उसे डिब्बे में डाल देते हैं, जिसकी भीतरी सतहें संदीप्त रोगन से पुती होती है।

''आज से इस नगर में महारानी का शासन खत्म होता है। सेना-नायकों और पुलिस अफसरों को बता दें कि शहर मेरे आधीन है। आज का दिन नए युग के प्रथम वर्ष का प्रथम दिवस है; यह नए युग का आरंभ है और इसका नाम होगा अदृश्य युग। मैं अदृश्य-प्रथम हूँ। शुरू-शुरू में मैं दया-भाव से शासन करूँगा। पहले दिन मात्र एक व्यक्ति को मृत्युदंड दे रहा हूँ, जिसका नाम है केंप। अपने आप उसकी मृत्यु होगी। वह घर में बंद रहे या कहीं और छिप जाए, अंगरक्षकों के पहरे में रहे या फौलाद से अपने को ढक ले—अदृश्य मृत्यु उसकी ओर बढ़ रही है; वह बच नहीं सकेगा। वह अपनी रक्षा के सारे उपाय कर सकता है; इससे जनता में मेरा प्रभाव ही बढ़ेगा। जिसे अपनी जान प्यारी हो, उसकी कोई सहायता न करे।''

अदृश्य को शुरू-शुरू में काफी सफलता मिली। भयभीत नगरवासी बड़ी कठिनाई से सत्ता के सपने वाले इस शत्रु पर विजय प्राप्त कर सके।

पारदर्शक प्रसाधन

इस विज्ञान-गल्प के भौतिकीय आधार सही हैं या नहीं? सही हैं। पारदर्शक परिवेश में कोई भी पारदर्शक वस्तु अदृश्य हो जा सकती है; परिवेश और वस्तु में अपवर्तनांकों में 0.05 तक का अंतर वस्तु के अदृश्य होने में बाधक नहीं बन सकता। अंग्रेज उपन्यासकार की कृति लिखी जाने के कोई दस साल बाद जर्मन शरीरविद् प्रो. श्पाल्टेगोल्ट्स इस विचार को व्यावहारिक रूप देने में सफल हुए। पर उनकी विधि से सिर्फ मृत अंगों को ही अदृश्य किया जा सकता है, जीवित शरीर को नहीं। पूरे जंतु या भिन्न मानव-अंगों के ऐसे पारदर्शक प्रसाधन अनेक संग्रहालयों में देखे जा सकते हैं।

पारदर्शक प्रसाधन तैयार करने की प्रो. श्पाल्टेगोल्ट्स द्वारा आविष्कृत विधि (1911 में) इस प्रकार है : प्रसाधन के प्रश्वेतन और प्रक्षालन के बाद उसे सैलीसीलिक अम्ल के मेथिल ईथर से संतृप्त कर देते हैं (यह उच्च अपवर्तनांक वाला एक रंगहीन द्रव है)। इस प्रकार से तैयार किए गए चूहे, मछली या मानवीय अंग को उसी द्रव में डुबा कर रखते हैं।

स्पष्ट है कि पूर्णतया अदृश्य प्रसाधन तैयार करने का प्रयत्न नहीं किया जाता, अन्यथा शरीरविद् के लिए उसका कोई उपयोग नहीं रह जाएगा। पर उन्हें बिल्कुल अदृश्य भी किया जा सकता है।

यह बेशक वेल्स की जीवित आदमी को अदृश्य करने की कल्पना से बहुत दूर है, क्योंकि **जीवित** अंग के रेशों को बिना नष्ट किए पारदर्शक द्रव से संतृत करने की कोई विधि अब तक नहीं ज्ञात हो पाई है। इसके अतिरिक्त, प्रो. श्पाल्टेगोल्ट्स के प्रसाधन सिर्फ पारदर्शक हैं, अदृश्य नहीं। इन प्रसाधनों के रेशे तभी तक अदृश्य रहते हैं, जब तक कि अनुकूल अपवर्तनांक वाले द्रव में डूबे रहते हैं। हवा में वो तभी अदृश्य हो सकेंगे, जब उनका अपवर्तनांक **हवा** के अपवर्तनांक के बराबर किया जाएगा; और यह कैसे किया जाए, अभी हम नहीं जानते।

पर मान लें कि कालांतर में ये दोनों बाधाएँ दूर कर ली जाती हैं और अंग्रेज उपन्यासकार का सपना सच हो जाता है। फिर क्या होगा?

वेल्स ने घटनाओं का वर्णन इतना सोच-समझ कर किया है कि आप जाने-अनजाने उन्हें सत्य मानने लगते हैं। लगता है कि साधारण लोगों के लिए अदृश्य आदमी सचमुच की सर्वशक्तिमान् होगा...पर यह सही नहीं है।

एक छोटी सी बात रह जाती है, जिस पर 'अदृश्य आदमी' के लेखक ने ध्यान नहीं दिया। प्रश्न यह है कि—

क्या अदृश्य आदमी देख सकता है?

यदि वेल्स ने उपन्यास लिखने के पहले यह प्रश्न उठाया होता, तो अदृश्य आदमी की इतनी रोचक कहानी का

जन्म ही नहीं होता...

अदृश्य आदमी की शक्ति के बारे में जो गलतफहमी है, इस प्रश्न से दूर हो जाती है। **अदृश्य आदमी अंधा होगा।**

उपन्यास का नायक अदृश्य क्यों? इसलिए कि उसके शरीर के सभी अंग—यहाँ तक कि आँखें भी—पारदर्शक हैं और उनका अपवर्तनांक हवा के अपवर्तनांक के बराबर है।

अब आँखों की भूमिका पर गौर करें : उसका क्रिस्टलिक, उसकी काँचर (काँचवत्) आर्द्रता और उसके अन्य भाग प्रकाश-किरणों को इस प्रकार अपवर्तित करते हैं कि रेटीना पर बाह्य वस्तुओं का बिंब बनने लगता है। पर यदि आँख और हवा के अपवर्तनांक समान हैं, तो अपवर्तनन का एकमात्र कारण नष्ट हो जाता है। **समान अपवर्तनता** वाले एक परिवेश से दूसरे में प्रविष्ट होते वक्त किरणें अपने मार्ग की दिशा नहीं बदलतीं, और इसीलिए वे एक बिंदु पर नहीं मिल सकतीं। अदृश्य व्यक्ति की आँखों से गुजरते वक्त किरणें कोई बाधा महसूस नहीं करेंगी; वे न तो अपने पथ से विचलित होंगी, न कहीं रुकेंगी (रंजक पदार्थ भी तो नहीं है![1])। इसीलिए वे चेतना में कोई बिंब भी नहीं प्रस्तुत करेंगी।

मतलब कि **अदृश्य आदमी कुछ भी नहीं देख सकता।** अदृश्य होने से जितने लाभ मिल सकते हैं, निरर्थक हो जाते हैं। सत्ता का सपना देखने वाला भीख माँगता हुआ राह टटोलता होगा और लोग इससे अनभिज्ञ उसके पास से गुजरते रहेंगे। सर्वशक्तिमान् व्यक्ति की जगह वह बेसहारा और अपाहिज होगा; आज्ञा देने की बजाय वह दया की याचना करता होगा[2]

इस प्रकार हम देखते हैं कि वेल्स द्वारा बताए गए तरीके से अदृश्य होने की समस्या को हल करना बेकार है। यदि इस तरीके से समस्या पूरी तरह हल हो भी गई, तो इससे लक्ष्य तक नहीं पहुँचा जा सकता।

रक्षी रंग

'अदृश्यकारी टोपी' की समस्या हल करने का एक और रास्ता है। वस्तु को इस प्रकार रंगा जा सकता है कि वह आँखों से दिखे नहीं। प्रकृति अपने जीवों की रक्षा के लिए, उन्हें शत्रुओं से छिपाने के लिए, उन्हें रक्षी रंग से सुसज्जित करती है। जीवन-संघर्ष में आत्म-रक्षा की यह विधि बहुत विस्तृत पैमाने पर प्रयुक्त होती है।

सैन्य-विद्या में जिसे सुरक्षा रंग की संज्ञा देते हैं, जीवविज्ञानी उसे डार्विन के जमाने से ही रक्षी या शरणदायक रंग कहते आ रहे हैं। जीव-जगत् में ऐसी रक्षा के हजारों उदाहरण हैं; उन्हें आप हर कदम पर देख सकते हैं। मरुभूमि के जीवों का रंग अक्सर बालू जैसा पीला होता है। शेर हो या गिरगिट, मकड़ा हो या पक्षी, या कोई कीड़ा-मकोड़ा,—सब मरुभूमि के रंग में रंगे होते हैं। इसके विपरीत, उत्तर के हिमावृत स्थलों पर खतरनाक ध्रुवीय भालू से ले कर नन्ही आक चिड़िया तक का रंग सफेद होता है, जिसके कारण बर्फ की सफेद पृष्ठभूमि पर उन्हें देख पाना मुश्किल हो जाता

---

1. जीव में कोई संवेदना उत्पन्न करने के लिए प्रकाश-किरणों को उसकी आँखों में किसी-न-किसी तरह का परिवर्तन अवश्य लाना पड़ता है। दूसरे शब्दों में, उन्हें एक नियत **कार्य** संपन्न करना पड़ता है। इसके लिए किरणों को आँख में कहीं पर **रुकना** पड़ेगा। पर बिल्कुल पारदर्शक आँखें किरणों को रोकने में असमर्थ रहेंगी, अन्यथा वे पारदर्शक नहीं होंगी। जिन जीवों के लिए आत्मरक्षा का साधन उनके शरीर की पारदर्शिकता है, उनकी भी आँखें पूर्णतया पारदर्शक नहीं होतीं। "सागर की सतह के निकट,—विख्यात समुद्रवेत्ता मुर्रे लिखते हैं,—अधिकांश जीव पारदर्शक एवं रंगहीन होते हैं। जब उन्हें जाल से निकाला जाता है, उनकी उपस्थिति का पता **सिर्फ उनकी नन्ही काली आँखों** के कारण चलता है। क्योंकि उनके रक्त में हैमोग्लोबीन (रक्त-रंजक कण) भी नहीं होता; रक्त बिल्कुल पारदर्शक होता है।"

2. यह भी संभव है कि उपन्यासकार ने जान-बूझ कर यह गलती की हो। विज्ञान-गल्प में वेल्स साहित्य-रचना के किन दाव-पेंचों का उपयोग करते हैं, यह सभी को ज्ञात है : वे अपनी कृति की त्रुटियों को यथार्थवादी विवरणों की भरमार से ढक दिया करते हैं। अपने विज्ञान-गल्पों के अमेरिकी संस्करण के प्राक्कथन में वे साफ-साफ लिखते हैं : "जादू का मंत्र फूँक चुकने के बाद बाकी सभी चीजों को संभाव्य व दैनंदिन रूप में दिखाना चाहिए। भरोसा तर्क की शक्ति का नहीं, कला-सृजित भ्रम का करना चाहिए।"

है। पेड़ों की खाल में रहने वाले कीड़े-मकोड़ों का रंग खाल के रंग जैसा ही होता है।

कीड़े-मकोड़ों के संग्रहकर्ता अच्छी तरह जानते हैं कि प्रकृति-प्रदत्त रक्षी-रंग के कारण उन्हें ढूँढ पाना कितना कठिन होता है। पैरों के पास ही घास में चीखते हरे टिड्डे को पकड़ने की कोशिश कीजिए,–पहले तो आप हरी पृष्ठभूमि पर उसे देख ही नहीं पाएँगे।

जलचर जीवों के साथ भी यही बात है। भूरे जल-घास में रहने वाले समुद्री जीवों का रंग भूरा होता है और लाल वनस्पति के क्षेत्र में विचरण करने वालों का रंग लाल होता है। मछलियों की चाँदी सी चमकदार चोंइया भी रक्षी रंग का ही उदाहरण है। उनके शत्रु हवा में भी हैं और पानी में भी। ऊपर हिंसक पक्षी मँडराते रहते हैं और नीचे हिंसक जलचर उनकी ताक में घूमते रहते हैं। चोंइया इन दोनों प्रकार के शत्रुओं से मछली को छिपाती है। बात यह है कि पानी की सतह सिर्फ ऊपर से ही दर्पण की तरह चमकदार नहीं दिखती। नीचे पानी के भीतर से वह कहीं अधिक चमकदार लगती है ('पूर्ण परावर्तन' के कारण)। सतह से एक धातुई रंग की पृष्ठभूमि से मछली की चोंइया को अलग करना कठिन हो जाता है। मेडसा और दूसरे पारदर्शक जलचरों–केंचुवे, सीप, शीर्षपादी आदि–ने 'रक्षी रंग' के रूप में पूर्ण रंगहीनता और पारदर्शिता का चुनाव किया है। इसी कारणवश वे रंगहीन पारदर्शक परिवेश में दृष्टिगोचर नहीं हो पाते।

प्रकृति की ये 'चालाकियाँ' मानवीय आविष्कारों से भी बढ़-चढ़ कर हैं। कई जीवों में परिवेश के अनुसार रंग बदलने की क्षमता होती है। बर्फ की पृष्ठभूमि पर अदृश्य प्रतीत होने वाले चाँदी जैसे धवल रोएँ से कोई लाभ नहीं होता, यदि गर्मियों में वह कत्थई नहीं हो जाता। बर्फ पिघलने के बाद निकली जमीन का रंग ऐसा ही होता है। रोंएदार जीव-जंतुओं का रंग वसंत के आरंभ से कत्थई में परणत होने लगता है और जाड़ों में पुनः सफेद हो जाता है।

सुरक्षा रंग

परिवेश के अनुसार अपना रंग बना कर छिपने की कला लोगों ने भी सीख ली है। पुरानी बटालियनों को तड़क-भड़क प्रदान करने वाली रंग-बिरंगी पोशाक का जमाना चला गया है : अब सैनिकों की पोशाक एकरंगी होती हैं, जिसे सुरक्षा की दृष्टि से अधिक उपयुक्त माना जाता है। आधुनिक युद्ध-पोतों का फौलादी भूरा रंग भी सुरक्षा रंग ही है; इसके कारण उन्हें सागर की पृष्ठभूमि पर देख पाना सरल नहीं होता।

युद्धकला में छद्‌पोशी की नीति इसी श्रेणी में आती है : टैंक, किलेबंदी, जहाज आदि को छिपाना, कृत्रिम कुहासा छोड़ना–यह सब शत्रु को धोखा देने तथा उसकी निगाहों से छिपने के लिए ही किया जाता है। सैन्य-शिविरों को छिपाने के लिए विशेष जाली का उपयोग किया जाता है, जिसके छेदों में घास के गुच्छे लगे होते हैं; सैनिक अपनी पोशाक पर घास और टहनियाँ आदि लगा लिया करते हैं, आदि, आदि।
आधुनिक युद्ध-विमानन में भी सुरक्षा रंग के उपयोग का काफी प्रचलन है।

विमान की ऊपरी सतहें भूतले के रंगानुसार कत्थई, बैंगनी व गाढ़े हरे रंगों से रंगी जाती हैं। इससे विमान के ऊपर उड़ रहे दूसरे विमान में बैठा हुआ व्यक्ति नीचे वाले को भूतल की पृष्ठभूमि से अलग नहीं कर पाता।

जमीन पर खड़े संतरियों को धोखा देने के लिए विमान की निचली सतहें आकाश को रंग हल्के नीले, हल्के गुलाबी या श्वेत रंग से रंगी जाती हैं। विमान पर ये रंग बड़े-बड़े धब्बों के रूप में होते हैं। 740 m की ऊँचाई पर स्थित विमान में ये धब्बे आकाश के रंग में घुल-मिल जाते हैं ओर विमान नीचे से नहीं दिखता। 3000 m की ऊँचाई पर ऐसा विमान जमीन वालों के लिए अदृश्य हो जाता है। रात में बम बरसाने वाले विमान काले रंग में पुते होते हैं।

किसी भी परिवेश में छिपने के लिए एक सामान्य सुरक्षा रंग है–**दर्पण जैसी चमकीली सतह**। इस रंग के कारण वस्तु परिवेश को प्रतिबिंबित करती हुए परिवेश के समान ही हो जाती है और उसे पहचानना कठिन हो जाता है। प्रथम विश्व-युद्ध के जर्मन विमानों पर ऐसा ही सुरक्षा-रंग चढ़ाया गया था : उनकी सतह चमकदार अलुमिनियम की थी, जो

आकाश और बादलों को प्रतिबिंबित करती थी। ऐसे विमान को दूर से देख पाना बिल्कुल संभव नहीं था। सिर्फ शोर के कारण उसकी उपस्थिति का पता चलता था।

प्रकृति और युद्धकला में अदृश्यकारी टोपी का सपना इसी तरह से साकार किया जाता है।

पानी में आदमी की आँख

मान लें कि आप पानी में जितनी देर चाहें, रह सकते हैं और अपनी आँखें खुली रख सकते हैं। आप कुछ देख सकेंगे या नहीं?

आप कहेंगे कि पानी पारदर्शक है, अतः उसमें उतना ही आराम से देखा जा सकता है, जितना हवा में। पर 'अदृश्य आदमी' के अंधे होने की बात याद कीजिए। वह कुछ देखने में असमर्थ होता, क्योंकि उसकी आँखों और वहाँ के अपवर्तनांक समान होते। पानी में हमारे साथ लगभग वही बात होती, जो 'अदृश्य आदमी' के साथ हवा में। निम्न आँकड़ों पर गौर करें—बात स्पष्ट हो जाएगी। पानी का अपवर्तनांक 1.34 है। आदमी की आँख के पारदर्शक भागों में अपवर्तनांक इस प्रकार हैं :

शृंगल झिल्ली (कार्निया) और काँचर पिंड..	1.34
क्रिस्टलिक (क्रिस्टलीय) लेंस...	1.43
जलीय आर्द्रता...	1.34

आप देख रहे हैं कि क्रिस्टलिक का अपवर्तन-सामर्थ्य पानी से सिर्फ 1/10 अंश अधिक है; अन्य भागों के लिए वह पानी **जैसा ही** है। पानी में स्थित आँख में किरणों का संसरण रेटीना के पीछे बहुत दूर स्थित बिंदु पर होता है, इसीलिए रेटिना पर बिंब अस्पष्ट होता है और कुछ देख पाना संभव नहीं होता। सिर्फ निकट-दृष्टि वाले लोग पानी में कुछ ठीक-ठाक देख सकते हैं।

यदि आप जानना चाहते हैं कि पानी के भीतर वस्तुएँ कैसी दिखती हैं, तो शक्तिशाली प्रकीर्णक (**उभयावतल**) शीशों का चश्मा पहन लें। इस स्थिति में किरणों का संसरण-बिंदु (नाभि) रेटीना के बहुत पीछे चला जाएगा और परिवेशी वस्तुएँ उसे धुँधली और अस्पष्ट दिखने लगेंगी।

क्या आदमी शक्तिशाली अपवर्तक शीशों की सहायता से पानी में नहीं देख सकता?

चश्मे में प्रयुक्त साधारण शीशे यहाँ काम नहीं आएँगे : साधारण काँच का अपवर्तनांक 1.5, अर्थात् पानी के अपवर्तनांक (1.34) से थोड़ा ही अधिक होता है। ऐसे चश्मे पानी में किरणों को बहुत कम अपवर्तित करेंगे। यहाँ विशेष प्रकार के काँच की आवश्यकता है, जिनकी अपवर्ती क्षमता बहुत अधिक होती है (तथाकथित फ्लिंटग्लास या भारी चकमकी शीशे का अपवर्तनांक लगभग दो के बराबर होता है)। ऐसे शीशे के चश्मे से पानी में कुछ हद तक देखा जा सकता है (गोताखोरों द्वारा प्रयुक्त विशेष ऐनेकों के बारे में आगे पढ़ें)।

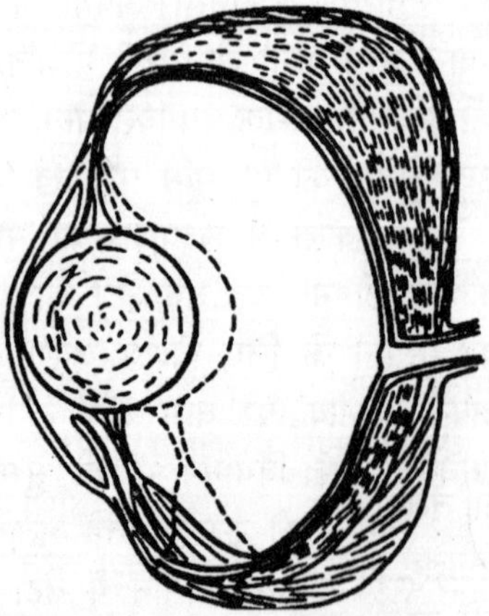

चित्र 110. मछली की आँख का अनुच्छेद। क्रिस्टल गोल होता है और समंजन के लिए अपना रूप नहीं बदलता है। जैसा कि डैशदार पंक्ति द्वारा दिखाया गया है, वह रूप की बजाय आँख में अपनी स्थिति बदलता है।

इन बातों से स्पष्ट हो जाता है कि मछली का क्रिस्टलिक अत्यधिक उत्तल क्यों होता है। वह वर्तुलाकार होता है और उसका अपवर्तनांक किसी भी ज्ञात जीव के क्रिस्टलिक से अधिक होता है। यदि मछली की आँखों में ऐसा क्रिस्टलिक नहीं होता, तो आँख उसके लिए बेकार होती; उसे अपना जीवन शक्तिशाली अपवर्तनता वाले परिवेश में व्यतीत करना पड़ता।

गोताखोर कैसे देखता है?

बहुत से लोग यह प्रश्न उठाएँगे : यदि पानी में हमारी आँखें प्रकाश किरणों को नहीं के बराबर अपवर्तित करती हैं, तो फिर गोताखोर वहाँ अपनी पोशाक के भीतर से कैसे कुछ देखते है? उनके शिरस्त्राण भी उत्तल नहीं होते; उनमें लगा शीशा समतल होता है।...इसके अतिरिक्त, जूल वेर्न के उपन्यास में वर्णित 'नौटिलुस' नामक पनडुब्बी के यात्री जलगत दुनिया का दृश्य देख पाए होंगे या नहीं?

हमारे सामने एक नया प्रश्न है, पर इसका उत्तर देना कठिन नहीं है। उत्तर स्पष्ट हो जाएगा, यदि आप इस बात पर ध्यान देंगे कि जब हम बिना गोताखोर की पोशाक के डुबकी लगाते हैं, तो पानी हमारी आँखों के संसर्ग में होता है; गोताखोर के शिरस्त्राण (या पनडुब्बी 'नौटिलुस') में आँखें पानी से हवा और शीशे की परत द्वारा अलग कर दी जाती हैं। इससे काफी असर पड़ता है। प्रकाश-किरणें पानी से निकल कर शीशे से गुजरती हैं और फिर हवा में चलती हुई आँखों में प्रविष्ट होती हैं। जब किरणें पानी में चलती हुई समनांतर-तलीय काँच पर गिरती हैं, तो प्रकाशिकी के नियमानुसार उनका अपवर्तन नहीं होता, उनकी दिशा नहीं बदलती। हवा से आँख में प्रविष्ट होते वक्त किरणें बेशक अपवर्तित होती हैं,—और आँख इन परिस्थितियों में ठीक उसी प्रकार काम करती है, जैसे पानी के बाहर हवा में। हमें चक्कर में डालने वाले विरोधाभास का रहस्य यही है। इन बातों का एक सुंदर उदाहरण पेश किया जा सकता है कि शीशे के हौज में तैरती मछलियाँ हमें बहुत अच्छी तरह से दिखती हैं।

काँच के लेंस पानी में

आपने कभी यह सरल प्रयोग करने का प्रयत्न किया है : पानी में उभयोत्तल ('विशालक') शीशे को पानी में डुबा कर डूबी वस्तुओं को देखने की कोशिश कीजिए,—परिणाम से आप चकित रह जाएँगे : विशालक शीशा विशाल नहीं करता! लघ्वक (उभयावतल) शीशा पानी में डुबाइए,—पता चलेगा कि वह वस्तुओं को छोटी नहीं करता। यदि आप यही प्रयोग पानी के साथ नहीं, वनस्पति तेल के साथ करेंगे, जिसका अपवर्तनांक शीशे से अधिक होता है, तो उभयोत्तल शीशा वस्तुओं को छोटी कर देगा और उभयावतल शीशा—बड़ी।

पर यदि आप प्रकाश अपवर्तन के नियमों को स्मरण करें, तो चमत्कार चमत्कार नहीं रह जाएगा। उभयोत्तल लेंस हवा में वस्तुओं को बड़ा दिखाता है, क्योंकि काँच प्रकाश को अधिक अपवर्तित करता है, उसकी परिवेशी हवा की तुलना में। पर काँच और शीशे की अपवर्तक क्षमताएँ लगभग समान हैं; इसीलिए पानी से शीशे में प्रवेश करते वक्त किरणें अपने पथ से अधिक विचलित नहीं होतीं। यही कारण है कि विशालक शीशा हवा की अपेक्षा पानी में कम बड़ा करता है और लघ्वक शीशा—कम छोटा।

वनस्पति तेल किरणों को काँच की अपेक्षा अधिक अपवर्तित करता है, और इसीलिए उसमें 'विशालक' शीशा छोटा दिखाने लगता है और 'लघ्वक' शीशा बड़ा दिखाने लगता है। खोखले (या हवाई) लेंस भी पानी में इस प्रकार काम करते हैं : अवतल लेंस बड़ा करते हैं और उत्तल—छोटा। डुबकी लगाने वालों का चश्मा ऐसे ही खोखले लेंसों का बना होता है (चित्र 111)

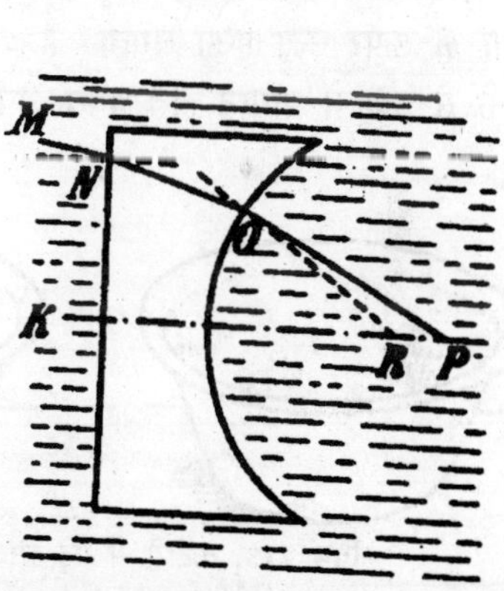

चित्र 111. डुबकी लगाने वालों के चश्मे में खोखले समतल-नतोदर वीक्ष (लेंस) लगाए जाते हैं। किरण MN विचलित होती हुई पथ $MNOP$ पर सफर करती है। वीक्ष के भीतर वह आपतन बिंदु के अभिलंब से दूर होने लगती है और वीक्ष के बाहर (अर्थात् OR के) निकट आने लगती है। इसीलिए वीक्ष विशालक की तरह काम करता है।

अनुभवहीन तैराक

अनुभवहीन तैराकों की जान कभी-कभी खतरे में पड़ जाती है, क्योंकि वे अपवर्तन-नियम के एक रोचक निष्कर्ष को भूल जाते हैं : अपवर्तन पानी में डूबी वस्तु को उनकी वास्तविक स्थिति से कुछ ऊपर उठा कर दिखाता है। पोखर, नदी या किसी भी जलाशय का तल ऊपर से देखने पर उसकी वास्तविक गहराई से एक तिहाई कम गहरा लगता है, अर्थात् तल ऊपर उभरा हुआ प्रतीत होता है। इस छद्‌म गहराई का भरोसा करके ही लोग अपनी स्थिति खतरनाक बना लेते हैं। यह बात विशेषकर बच्चों और छोटे कद के लोगों को जाननी चाहिए, जिनके लिए गहराई के अनुमान में थोड़ी भूल भी घातक सिद्ध हो सकती है।

चित्र 112. पानी के गिलास में स्थित चम्मच की आकृति टूटी सी दिखती है।

इस भ्रम का कारण प्रकाश के जिस नियम के कारण पानी में आधा डूबा हुआ चम्मच टूटा सा लगता है (चित्र 112), उसी नियम के कारण तल भी उभरा हुआ लगता है। आप स्वयं यह देख सकते हैं।

अपने मित्र को टेबल से कुछ दूर बैठा लीजिए, ताकि वह सामने रखी कटोरी की पेंदी न देख सके। कटोरी में एक सिक्का डाल दें, आपका मित्र उसे नहीं देख सकेगा; कटोरी की दीवारें सिक्के को छिपा लेंगी। अब अपने मित्र से अनुरोध करें कि वह स्थिर बैठा रहे, अपना सिर इधर-उधर न करे। कटोरी में धीरे-धीरे पानी डालिए। आपके मित्र को सिक्का दिखने लगेगा! पिचकारी से कटोरी का पानी निकाल लीजिए,—कटोरी की पेंदी सिक्का समेत नीचे उतर आएगी और उसका दिखना बंद हो जाएगा (चित्र 113)।

इस घटना को चित्र 114 द्वारा समझाया गया है। अवलोकक की आँख बिंदु *A* पर है। वहाँ से उसे पेंदी का भाग *m* ऊपर उठा हुआ लगता है : सिक्के से चलती प्रकाश-किरणें पानी से हवा में प्रविष्ट होते वक्त अपने पथ से विचलित हो जाती हैं

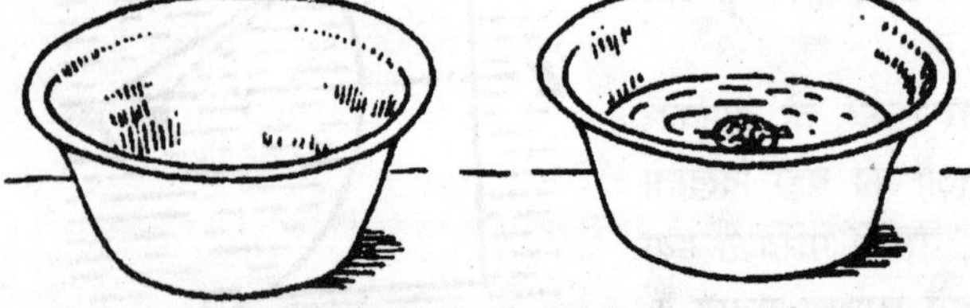

चित्र 113. कटोरी में पड़े सिक्के के साथ प्रयोग।

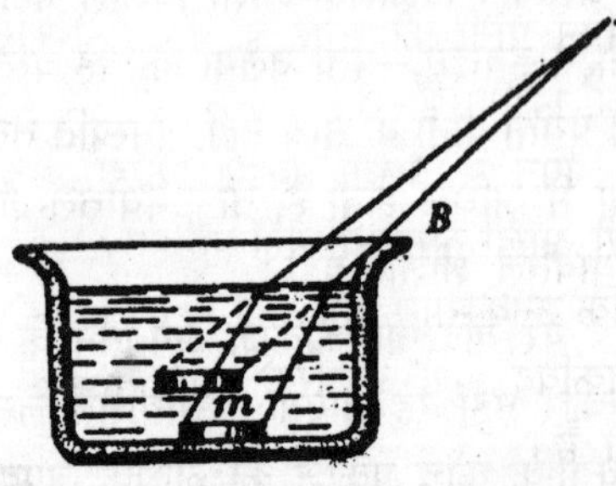

चित्र 114. पिछले चित्र वाले प्रयोग में सिक्का अपने स्थान से उठा हुआ क्यों लगता है।

और आँख *A* तक पहुँचती है; आँख सिक्के को इन रेखाओं की सीध में *m* से थोड़ा ऊपर देखती है। किरणें अपने पथ से जितना ही अधिक विचलित होंगी, सिक्का उतना ही ऊपर उठा हुआ लगेगा। इसलिए नाव में से देखने पर सर्वत्र समान गहराई वाले पोखर का तल नाव के ठीक नीचे अधिक गहरा लगता है और जैसे-जैसे दृष्टि दूर होती जाती है, पोखर की गहराई कम होती दिखती है।

इस प्रकार, पोखर का तल नाव में से देखने पर अवतल लगता है। पर यदि आप डुबकी लगा कर पोखर के तल से उस पर लगे पुल को देखेंगे, तो वह हमें उत्तल प्रतीत होगा, जैसा कि चित्र 114 में दिखाया गया है। ऐसे फोटो-चित्र प्राप्त करने की विधि आगे बताई जाएगी।

इस स्थिति में किरणें अल्प अपवर्तक परिवेश (हवा) से अधिक अपवर्तक परिवेश (पानी) में प्रवेश करती हैं, इसीलिए चित्र उल्टा मिलता है। इन्हीं कारणों से शीशे के हौज में तैरती मछली को आदमी उत्तल प्रतीत होते होंगे। मछलियों को दुनिया कैसी दिखती होगी, इसके बारे में हम आगे विस्तारपूर्वक बताएँगे।

काग की गोल चक्की के बीचों-बीच सुई या पिन

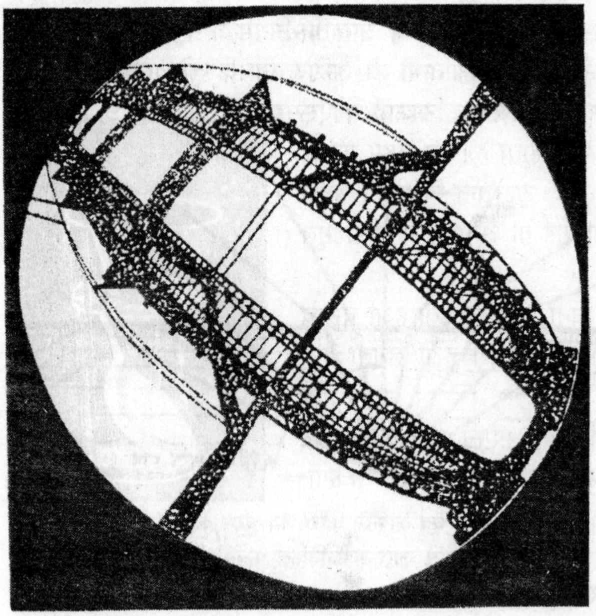

चित्र 115. रेलगाड़ी के लिए नदी पर बना हुआ पुल पानी के भीतर से ऐसा ही दिखता है (प्रो. वुड के फोटोचित्र से)।

चित्र 116. पानी में अदृश्य हो जाने वाली सुई।

चुभा कर पानी की सतह पर उलट दें। यदि काग बहुत अधिक चौड़ा नहीं है और पिन पर्याप्त लंबा है, तो सिर झुकाने पर पिन पानी की सतह के पार से दिखनी चाहिए। लेकिन आप जितना मर्जी सिर झुका सकते हैं, वह नहीं दिखेगी (चित्र 116)।

पिन से चलती प्रकाश किरणें हमारी आँखों तक क्यों नहीं पहुँचतीं? क्योंकि उनके साथ वही होता है, जिसे भौतिकविद् 'पूर्ण आंतरिक परावर्तन' कहते हैं।

इस संवृत्ति की याद दिला दूँ।

चित्र 117 में आप पानी से हवा की ओर (या किसी भी अधिक अपवर्तक परिवेश से अल्प अपवर्तक परिवेश की ओर) अग्रसर किरण के भिन्न संभव पथों को देख रहे हैं। जो जाने का पथ है, वही आने का भी पथ हो सकता है। जब किरणें **हवा से पानी में** प्रवेश करती हैं, तो वे आपतन बिंदु पर लंब की ओर झुकती हैं। उदाहरणार्थ, यदि पानी पर गिरती किरण आपतन-नल के लंब के साथ β का कोण बनाती है और पानी के भीतर उस लंब के साथ α का कोण बनाती हैं, तो α कम होगा β से।

चित्र 117. पानी से हवा में प्रवेश करते वक्त किरण के अपवर्तन की विभिन्न स्थितियाँ। स्थिति II में किरण आपतन-बिंदु पर लंब के साथ चरम कोण बनाती हुई गिरती है और इसीलिए पानी से निकल कर पानी की सतह पर फिसलती हुई निकलती है। चित्र III में पूर्ण आंतरिक परावर्तन की स्थिति दिखाई गई है।

पर यदि आपतित किरण पानी की सतह पर फिसलती हुई आपतन-लंब के साथ समकोण बनाने लगती है, तब

क्या होता है? वह पानी में समकोण से कम (करीब 48/1/2 डिग्री) का कोण बनाती हुई प्रवेश करती है। किरण पानी में इस प्रकार नहीं प्रवेश कर सकती कि पानी के भीतर वह आपतन-लंब के साथ 48.5 डिग्री से अधिक का कोण बना सके। यह पानी के लिए 'चरम' कोण है। इन जटिल संबंधों को अभी ही अधिक अच्छी तरह स्पष्ट कर लेना चाहिए ताकि आगे चलकर अपवर्तन-नियम के रोचक व आश्चर्यजनक निष्कर्षों को समझने में कठिनाई न हो।

उपरोक्त बातों से पता चलता है कि प्रकाश-किरणें पानी पर किसी भी दिशा से क्यों न गिरें, **पानी के भीतर** दब कर वे एक संकीर्ण शंकु बनाने लगती हैं, जिसका कोण 48½ + 48½ = 97° होता है। अब उल्टी दिशा में, अर्थात् पानी से हवा की ओर चलती किरणों का पथ देखें (चित्र 118)। प्रकाशिकी के नियम कहते हैं कि पथ वे ही रहेंगे और उपरोक्त 97 डिग्री वाले संकीर्ण शंकु के भीतर चलने वाली किरणें पानी से बाहर निकलने में सफल हो जाएँगी। हवा में वे 180^0 कोण वाले विस्तृत व्योम में वितरित हो कर भिन्न कोणों पर सफर कर सकेंगी।

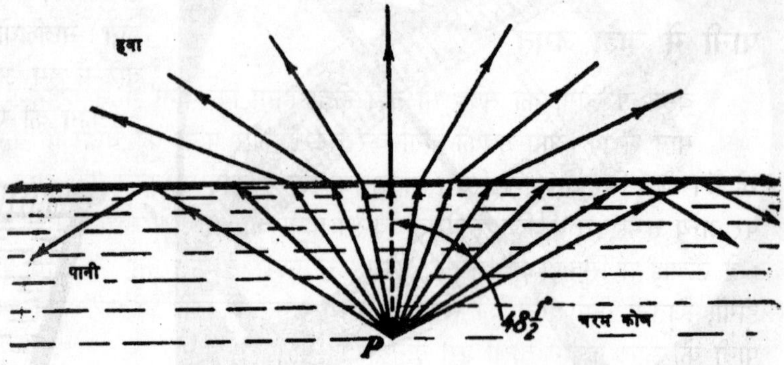

चित्र 118. बिंदु p से निकलती किरणों का आपतन कोण जब चरम कोण (पानी के लिए–48 $1/2^0$) से अधिक हो जाता है, वे पानी से बाहर नहीं निकल पातीं; भीतर ही भीतर पानी की सतह से पूर्णतया परावर्तित हो जाती हैं।

पर पानी में उक्त शंकु से बाहर की किरणें कहाँ जाएँगी? ज्ञात होता है, कि **वे पानी से बाहर बिल्कुल नहीं निकलतीं, वे भीतर ही भीतर उसकी सतह से दर्पण की** तरह परावर्तित हो जाती हैं। कोई भी जलगत किरण जब पानी की सतह से 'चरम' कोण (अर्थात् 48/1/2 डिग्री) से अधिक का कोण बनाती हुई मिलती है, तो उसका अपवर्तन नहीं होता; वह परावर्तित हो जाती है। इसी को भौतिकविद् 'पूर्ण आंतरिक परावर्तन' की संज्ञा देते हैं।[1]

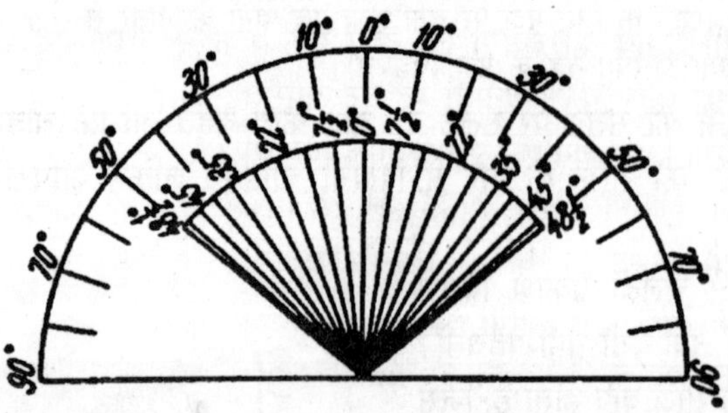

चित्र 119. बाह्य दुनिया में 180^0 का कोण बनाने वाला चाप पनडुब्बी प्रेक्षक की आँखों पर 97^0 तक का ही कोण बना सकता है। चाप का भाग आकाश के शिरोबिंदु से जितना ही दूर होगा, प्रेक्षक को वह उतना ही छोटा प्रतीत होगा।

यदि मछलियाँ भौतिकी का अध्ययन करतीं, तो उनके लिए प्रकाशिकी का मुख्य परिच्छेद 'आंतरिक परावर्तन' ही होता, क्योंकि उनकी जलगत दृष्टि में वह मुख्य भूमिका निभाता है।

बहुत सी मछलियाँ चाँदी की तरह सफेद होती हैं,—इस बात का संबंध भी संभवतः जलगत दृष्टि की विशेषताओं

1. इस स्थिति में परावर्तन को **पूर्ण** कहा जाता है, क्योंकि यहाँ सभी किरणें परावर्तित हो जाती हैं। यह काम अच्छे से अच्छा दर्पण भी नहीं कर सकता। पालिश किए हुए चाँदी या मैग्नेशियम का दर्पण भी सही किरणों को परावर्तित नहीं करता; वह उनके एक अंश को परावर्तित करता है और बाकी को अवशोषित कर लेता है। अतः उपरोक्त स्थिति में पानी आदर्श दर्पण की तरह काम करता है।

के साथ जुड़ा हुआ है। जीवविज्ञानियों के अनुसार ऐसा रंग उनके ऊपर फैली जलीय सतह के रंग के साथ समंजन का परिणाम है : **नीचे** से देखने पर पानी की सतह 'पूर्ण आंतरिक परावर्तन' के कारण दर्पण सी चमकदार लगती है और ऐसी पृष्ठभूमि पर चाँदी सी धवल मछलियों को देख पाना संभव नहीं होता। जलचर हिंसकों से रक्षा का यह अच्छा साधन है।

पानी में बाह्य जगत्

बहुत से लोगों को संदेह भी नहीं होता होगा कि पानी में से देखने पर बाहरी दुनिया कितनी परिवर्तित लगेगी।

मान लें कि आप डुबकी लगा कर बैठे हैं और पानी की चादर के नीचे से ऊपर की दुनिया का अवलोकन कर रहे हैं। ठीक सिर के ऊपर स्थित बादलों के रूप में कोई परिवर्तन नहीं होगा : उदग्र आती किरण अपवर्तित नहीं होती। पर अन्य सभी वस्तुएँ, जिनसे चलती किरणें पानी की सतह के साथ समकोण से कम का कोण बनाती हैं, विकृत दिखेंगी : वे ऊँचाई में सिकुड़ी हुई लगेंगी, मानो उन्हें ऊपर से कस कर दबा दिया गया हो। ऊँचाई में उतनी ही अधिक कमी होगी, जितना कम पानी की सतह के साथ उनसे निकली किरणों का कोण होगा। कारण समझना कठिन नहीं है : पानी के ऊपर दिखने वाली पूरी दुनिया को पानी के भीतर एक संकीर्ण शंकु में समा जाना : 180 डिग्री को दब कर लगभग दुगुना छोटा (97^0 तक) हो जाना है और इसीलिए बिंबों की विकृति अवश्यंभावी है। जिन वस्तुओं से निकली किरणें पानी की सतह के साथ 10^0 का कोण बनाती है, उनका बिंब इतना पिचक जाता है कि उन्हें देख पाना संभव नहीं होता। पर इससे भी अधिक विस्मित होंगे आप जल की सतह के दृश्य से : वह समतल नहीं, शंकु के आकार की दिखेगी! आप को लगेगा कि आप एक शंकु में उसके पेंदे पर बैठे हैं; शंकु की दीवारें आपस में समकोण से कुछ अधिक (97^0) का कोण बनाती हुई दूर अपसृत होती जाएँगी। इस शंकु की ऊपरी गोल किनारी लाल, पीले, हरे, नीले और बैंगनी छल्लों से घिरी होगी। क्यों? सूरज का श्वेत रंग भिन्न रंगों वाली किरणों के मिश्रण से बनता है; हर प्रकार की किरण का अपना अपवर्तनांक होता है और अपना 'चरम कोण' होता है। परिणाम यह होता है कि पानी के नीचे से देखने पर बाहर की वस्तुएँ इंद्रधनुषी रंगों की पट्टियों से घिरी हुई दिखाई दे हैं।

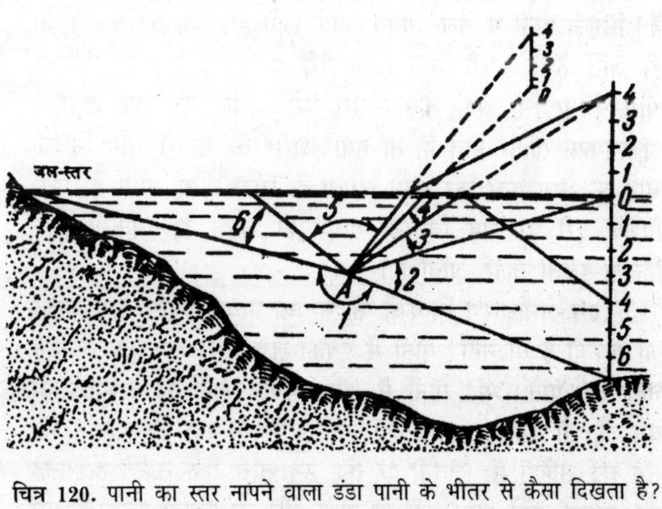

चित्र 120. पानी का स्तर नापने वाला डंडा पानी के भीतर से कैसा दिखता है? आँख बिंदु A पर है। कोण 2 में डंडे का डूबा हुआ धुँधला भाग दिखता है। कोण 3 में इसी भाग का बिंब दिखता है, जो पानी की भीतरी सतह पर किरणों के परावर्तन के कारण बनता है। इससे थोड़ा ऊपर डंडे का पानी से बाहर वाला भाग दिखता है; वह डंडे से टूट कर अलग हो गया सा प्रतीत होता है। कोण 4 में तली परावर्तित होती है। कोण 5 शंक्वाकार नली के रूप में पानी से बाहर की दुनिया दिखाता है। कोण 6 में पानी की निचली सतह से परावर्तित होता हुआ नदी का तल दिखता है। कोण I में तल का धुंधला रूप दिखता है।

यदि ऊपर की सारी दुनिया इस शंकु में ही सिमट आती है, तो शंकु के घेरे से बाहर क्या दिखता है? वहाँ पानी की चमकदार सतह होती है, जिसमें दर्पण की तरह **जलगत** वस्तुएँ परावर्तित होती हैं।

जिन वस्तुओं का एक भाग पानी में डूबा होता है और दूसरा भाग पानी के ऊपर होता है, उनका रूप और भी असाधारण प्रतीत होता है। मान लें कि नदी में जल-स्तर मापक स्तंभ

गड़ा हुआ है (चित्र 120)। पानी के भीतर बिंदु A पर स्थित अवलोकक को क्या दिखेगा? उसके द्वारा अवलोकित 360 डिग्री के व्योम को अलग-अलग हिस्सों में बाँट लेते हैं और हर हिस्से को अलग-अलग देखते हैं। कोण 1 की सीमा में उसे नदी का तल दिखाई देगा (यदि वहाँ पर्याप्त प्रकाश है)। कोण 2 में वह स्तंभ का जलगत भाग बिना किसी परिवर्तन या विकृति के देखेगा। कोण 3 में उसे स्तंभ के उसी भाग का परावर्तन दिखेगा, अर्थात् उसे स्तंभ के जलगत भाग का उल्टा बिंब दिखेगा ('पूर्ण आंतरिक परावर्तन' के बारे में जो कुछ कहा गया है, यहाँ स्मरण करें)। इसके ऊपर अवलोकक स्तंभ का ऊपरी भाग देखेगा; पर यह भाग निचले भाग से जुड़ा हुआ नहीं, कुछ ऊपर नजर आएगा, मानो वह टूट कर अलग हो गया है। जाहिर है कि अवलोकक इसे उसी स्तंभ का भाग मानने को तैयार नहीं होगा। इसके अतिरिक्त, स्तंभ का यह भाग ऊपर से दबा हुआ लगेगा; जैसे-जैसे आप निगाह नीचे लाएँगे, स्तंभ पर बने निशान एक दूसरे के करीब आते जाएँगे। बाढ़ में डूबे हुए तटवर्ती वृक्ष का पानी के भीतर से दृश्य वैसा ही होगा, जैसा चित्र 121 में दिखाया गया है।

चित्र 121. पानी के नीचे से आधे डूबे हुए वृक्ष का दृश्य (तुलना करें चित्र 120 से)।

यदि स्तंभ की जगह आदमी होता, तो वह चित्र 122 की तरह दिखता। मछलियों को पानी में नहाते लोग इसी रूप में नजर आते हैं। छिछले पानी में चलते वक्त उनके लिए हम एक की बजाय दो हो जाते हैं : ऊपरी भाग बिना पैरों का होता है और निचला भाग—बिना सिर का, लेकिन चार पैरों वाला! जब हम जलगत अवलोकक से दूर होते हैं, तो हमारे शरीर का ऊपरी भाग निचले भाग के साथ कस कर दबने लगता है, छोटा होता जाता है; एक विशेष दूरी पर धड़ बिल्कुल गायब हो जाता है,—अकेला सिर हिलता-डुलता नजर आता है।

चित्र 122. पानी के भीतर से देखने पर छाती भर पानी में खड़े व्यक्ति की आकृति (तुलना करें चित्र 120 से)।

इन असाधारण निष्कर्षों की सत्यता प्रत्यक्ष प्रयोग द्वारा जाँची जा सकती है या नहीं? पानी में डुबकी लगाने पर हम कुछ अधिक नहीं देख पाते। यदि पानी में आँख खुला रखने का अभ्यास भी कर लें, तो अधिक लाभ नहीं होगा। पहली बात तो यह है कि उन चंद सेकेंडों में, जितनी देर तक हम साँस रोक सकते हैं, सतह पर उत्पन्न तरंगें शांत नहीं हो पातीं और तरंगयुक्त सतह के पार कोई चीज स्पष्ट देखना संभव नहीं होता। दूसरे, जैसा कि हम पहले समझा चुके हैं, पानी का अपवर्तनांक आँख के पारदर्शक भागों के अपवर्तनांक से अधिक भिन्न नहीं होता; इसीलिए रेटीना पर बहुत ही अस्पष्ट बिंब बनते हैं। परिवेश धुँधला और कुहासे से भरा हुआ दिखेगा (पृ. 237)। गोताखोर के शिरस्त्राण या पनडुब्बी की शीशा लगी खिड़की से देखने पर भी इष्ट फल प्राप्त नहीं होता। इन परिस्थितियों में,—जैसा कि पहले समझाया जा चुका है,—अवलोकक पानी के

भीतर रहता है, पर 'जलगत दृष्टि' नहीं प्राप्त कर सकता : उसकी आँखों तक पहुँचने के लिए प्रकाश-किरणें शीशा पार करके पुनः हवा में प्रविष्ट हो जाती हैं और इसीलिए उनका विपरीत अपवर्तन हो जाता है। इसके कारण किरणों की दिशा पानी में प्रविष्ट होने के पहले वाली दिशा जैसी हो जाती है, या उनकी दिशा कुछ बदल जाती है। कुछ भी हो, उनकी दिशा वह नहीं रह जाती, जो पानी में थी। यही कारण है कि पनडुब्बियों की खिड़की से आप 'जलगत दृष्टि' का सही अंदाजा नहीं लगा सकते।

पर पानी के नीचे से दुनिया कैसी दिखती है, यह जानने के लिए स्वयं डुबकी लगाने की कोई आवश्यकता नहीं है। 'जलगत दृष्टि' की परिस्थितियों का अध्ययन करने के लिए विशेष फोटो कैमरे की सहायता ली जा सकती है, जिसके भीतर पानी भरा होता है, इसमें लेंस की जगह धातु का पत्तर लगा होता है। प्रकाश पत्तर में बने रंध्र से भीतर प्रविष्ट होता है। स्पष्ट है कि यदि रंध्र और प्रकाश-संवेदी परत तक का व्योम पानी से भरा होगा, तो बाह्य दुनिया का चित्र वैसा ही मिलेगा, जैसा वह जलगत अवलोकक को दिखेगा। अमेरिकी भौतिकविद् प्रो. वुड ने इसी विधि से अत्यंत दिलचस्प फोटो चित्र प्राप्त किए, जिनमें से एक चित्र 115 में दिखाया गया है। जलगत अवलोकक को जल के ऊपर की वस्तुएँ बिगड़े रूप में दिखती हैं (वुड द्वार प्राप्त फोटो चित्र में सीधे रेल-पथ मेहराब की तरह मुड़े हुए हैं)—इसका कारण भी हम तभी बता चुके हैं, जब पोखर के समतल पेंदे के अवतलीय रूप को समझा रहे थे (पृ. 241)।

जलगत अवलोकक को दुनिया कैसी दिखती है, इससे प्रत्यक्ष परिचय पाने की एक और विधि है : शांत व स्वच्छ जल वाले पोखर में दर्पण डुबा कर उसे आवश्यक झुकाव दे दीजिए और उसमें जल के ऊपर की वस्तुओं का बिंब देखते रहिए!

इन अवलोकनों के परिणाम उपर्युक्त सैद्धांतिक निष्कर्षों की पूर्णरूपेण पुष्टि करते हैं।

निष्कर्ष यह है कि पानी की पारदर्शक परत अपने बाहर की वस्तु और आँख के बीच आकर जलोपरी जगत् का पूरा चित्र बिगाड़ देती है और उसे कल्पनातीत रूप दे देती है। यदि कोई जीव थल पर जीने के बाद जल में लौटेगा, तो उसे अपनी पुरानी दुनिया इतनी बदली हुई लगेगी कि वह उसे पहचान भी नहीं सकेगा।

पानी की गहराइयों में रंग

पानी के नीचे वर्णाभ में होने वाले परिवर्तनों का सुंदर चित्र अमेरिकी जीवविज्ञानी बीब प्रस्तुत करते हैं :

"हम प्लावर्तुल (बैथीस्फेयर) में बैठ कर पानी में उतरे। हमारी पीली सुनहरी दुनिया हरी हो जाएगी,—इसकी हमने कल्पना नहीं की थी। जब खिड़कियों के पास फेन और बुलबुले खत्म हो गए, हमारा कक्ष हरे रंग की किरणों से प्रकाशित हो गया। हमारे चेहरे, सिलिंडर और यहाँ तक कि काली पड़ी दीवारें भी हरी हो गईं; जबकि जहाज में बैठे लोगों का कहना था कि हम समुद्रपारीय नील रंग में डूब रहे हैं।

पानी में डूबते ही हमारी आँखें स्पेक्ट्रम की गर्म[1] (अर्थात् लाल व नारंगी) किरणों से वंचित हो जाती हैं। लगता था कि लाल और नारंगी रंग होते ही नहीं हैं। जल्द ही पीला रंग भी हरे रंग द्वारा विस्थापित हो गया। प्रसन्नतादायक गर्म किरणें स्पेक्ट्रम के दृश्य भाग में बहुत ही कम स्थान घेरती हैं, फिर भी 30 मीटर या इससे अधिक की गहराई पर उनके लोप हो जाने से लगता है कि दुनिया में ठंडक, अँधेरा और मृत्यु के सिवाय और कुछ नहीं बचा।

जैसे-जैसे हम नीचे उतरने लगे, हरी आभाएँ भी एक के बाद एक लुप्त होने लगी हैं। 60 मीटर की गहराई पर ही बताना मुश्किल हो गया कि पानी का रंग हरा-नीला है या नीला-हरा!

---

1. यहाँ शब्द 'गर्म' उस अर्थ में प्रयुक्त किया गया, जिसमें रंगाभों की विशेषता बताने के लिए चित्रकार इस शब्द का प्रयोग करते हैं; वे लाल व नारंगी रंगों को 'गर्म' आभा की संज्ञा देते हैं और नीले व आसमानी को 'ठंडी' आभा की।

180 मीटर की गहराई पर चीजें चमकदार गाढ़ी नीली किरणों में सरोबार दिख रही थीं, वे इतना कम प्रकाश दे रही थीं कि कुछ पढ़-लिख सकना संभव नहीं था।

300 मीटर की गहराई पर मैंने पानी का रंग निर्धारित करने की कोशिश की; वह काला-नीला या काला-भूरा-नीला था। आश्चर्य है कि जब नीला प्रकाश पीछे छूट जाता है, स्पेक्ट्रम का अंतिम सदस्य बैंगनी रंग सामने नहीं आता : शायद वह पहले ही अवशोषित हो चुकता है। नीले रंग की आखिरी आभाएँ भूरी में परिवर्तित हो रही हैं और भूरी क्रमशः काली आभाओं में। यहाँ सूरज हार मान लेता है और रंग हमेशा के लिए भगा दिए जाते हैं, जब तक कि आदमी यहाँ आकर विद्युत्-किरणों से यहाँ की चीजों को प्रकाशित नहीं करता, जो अरबों-खरबों वर्षों से परम काले रंग में डूबी हुई थीं।"

बड़ी गहराई पर अवलोकित अँधियारी के बारे में ये ही अनुसंधानकर्ता एक अन्य स्थान पर लिखते हैं : "750 मीटर की गहराई पर ऐसी अँधयिारी थी, जिसकी कल्पना नहीं की जा सकती—फिर भी अब (1000 मीटर की गहराई पर) वह काली से भी अधिक काली थी। लगता था कि ऊपरी दुनिया में आने वाली सभी रातें इस अँधेरेपन के सामने झुटपुटी शाम जैसी लगेंगी। इसके बाद मैं कभी किसी चीज के प्रति 'काला' शब्द का प्रयोग पूरे विश्वास के साथ नहीं कर सका।"[1]

आँख में अंधा स्थल

यदि आप से कहा जाएगा कि आपके दृष्टि-क्षेत्र में एक ऐसा स्थल भी है, जिसे आप बिल्कुल नहीं देखते, यद्यपि वह ठीक आपकी आँखों के सामने है, तो आप निश्चय ही इसमें विश्वास नहीं करेंगे। वह कैसे संभव है कि इतने दिन जीने के बाद भी आप अपनी दृष्टि की इतनी बड़ी त्रुटि नहीं देख पाए? पर यहाँ एक सरल प्रयोग दिया जा रहा है, जिससे आप इस बात में विश्वास कर लेंगे।

चित्र 123 को दाईं आँख से 20 सेंटीमीटर की दूरी पर रखें (बाईं आँख बंद होनी चाहिए) और बाईं ओर स्थित कट-कुट के चित्र को देखते रहें; चित्र को धीरे-धीरे आँख के निकट लाएँ : इस क्रिया में ऐसा क्षण जरूर आएगा, जब दो वृत्तों की कटान पर स्थित बड़ा वाला काला धब्बा बिल्कुल **गायब हो जाएगा**। आप उसे नहीं देखेंगे, यद्यपि वह आपके दृश्य क्षेत्र में ही रहेगा : **उसके दाएँ के वृत्त आपको स्पष्ट दिखते रहेंगे।**

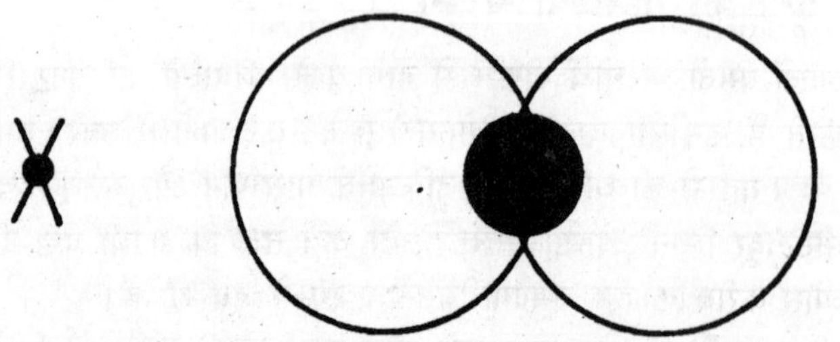

चित्र 123. रेटीना पर स्थित अंधस्थल को ढूँढ़ने के लिए आकृति।

यह प्रयोग पहली बार विख्यात भौतिकविद् मैरियट ने 1668 ई. में किया था। उस समय इसका रूप कुछ दूसरा था और इससे लुदविक XIV के दरबारी अपना मनोरंजन किया करते थे। मैरिट का प्रयोग इस प्रकार था : वे दो दरबारियों को आपने-सामने दो मीटर की दूरी पर खड़ा करा के उन्हें एक आँख से पार्श्व के किसी बिंदु को देखने के लिए कहते थे,—इससे दोनों में से प्रत्येक को लगता था कि सामने वाले का सिर नहीं है।

यह बहुत विचित्र बात है कि लोगों को सिर्फ XVII-वीं शती में पता चला कि आँख की रेटीना पर 'अंध-स्थल'

1. सागर की गहराइयों में अवलोकित रंगों के सविस्तार वर्णन के लिए देखें आकदमीशियन शुलेइकिन की पुस्तक 'समुद्र-भौतिकी पर निबंध' विज्ञान आकदमी, सोवियत संघ, 1949।—संपादक

भी है। पहले इसके बारे में किसी ने सोचा भी नहीं था। यह रेटीना का वह स्थल है, जहाँ नेत्र-गोलक के साथ अक्षि-तंत्रिक (स्नायु) जुड़ती है। यहाँ आने के बाद से ही उसकी प्रकाश संवेदी शाखाएँ फूटती हैं।

हमें अपने दृष्टि-क्षेत्र में कोई काला धब्बा नहीं दिखाई देता, क्योंकि हम इसके आदी हो जाते हैं। परिवेशी दृश्य में इस धब्बे के कारण जो चीज लुप्त रहती है, उसका चित्रण हमें कल्पना-शक्ति द्वारा मिल जाता है। उदाहरण के लिए, चित्र 123 का काला धब्बा जब लुप्त हो जाता है, हम मन ही मन वृत्त की परिरेखाओं को बढ़ा कर उन्हें पूरा गोल बना लेते हैं और हमें विश्वास रहता है कि हम उनके कटान-बिंदुओं को स्पष्ट रूप से देख रहे हैं।

चित्र 124. एक आँख से भवन को देखने पर हम रेटीना के अंधस्थल C के कारण उसका एक नन्हा सा भाग C' देखने में बिल्कुल असमर्थ रहते हैं।

यदि आप चश्मा पहनते हैं, तो एक प्रयोग कर सकते हैं : शीशे पर कागज का छोटा सा टुकडा चिपका लें (बीच में नहीं, थोड़ा बगल में)। कागज का टुकड़ा शुरू-शुरू में ही देखने में बाधा डालेगा। लेकिन एक-दो हफ्ते में आप उसके आदी हो जाएँगे और आप उस पर कोई ध्यान नहीं देंगे यह बात वे लोग अच्छी तरह से जानते होंगे, जो चवन के शीशे वाला चश्मा पहनते हैं; शीशे की चयन सिर्फ शुरू के दिन तंग करती है। ठीक इसी प्रकार लंबी अवधि की आदत के कारण हमें आँखों के अँध-स्थल दिखाई नहीं देते। इसके अतिरिक्त, दोनों आँखों के अंध-स्थल दृष्टिक्षेत्र के भिन्न भागों को अदृश्य करते हैं, इसलिए दोनों आँखों से देखने पर उनके सम्मिलित दृष्टि-क्षेत्र में कोरा स्थान नहीं बचता।

यह न सोचें कि हमारे दृष्टि-क्षेत्र में अंध-स्थल का क्षेत्र बहुत ही छोटा होता है, अब आप एक आँख से दस मीटर दूर स्थित घर को देखते हैं, तो अंध-स्थल के कारण आप उसका एक बहुत बड़ा हिस्सा नहीं देख पाते। उसका व्यास करीब एक मीटर होगा; उसमें एक पूरी खिड़की आ जाएगी। जब-जब एक आँख से आकाश को देखते हैं, पूर्णचंद्र की 'तश्तरी' से 120 गुना बड़ा क्षेत्र हमारे लिए अदृश्य रहता है।

चाँद कितना बड़ा प्रतीत हो

चाँद के दृश्यमान आकार के बारे में थोड़ी बात की जाए। यदि आप अपने परिचितों से पूछेंगे कि चाँद आप को कितना बड़ा **प्रतीत** होता है, तो आपको बिल्कुल अलग उत्तर सुनने को मिलेंगे। अधिकतर लोग कहेंगे कि चाँद तश्तरी के बराबर है। पर ऐसे लोग भी होंगे, जिन्हें चाँद सेब जितना या बेर, जामुन आदि जितना बड़ा लगेगा। एक स्कूली बच्चे को चाँद 'बारह व्यक्तियों के खाना खाने लायक गोल टेबल जितना बड़ा लगता था''। एक लेखक का कहना था कि चाँद एक गज चौड़ा लगता है।

एक ही वस्तु के आकार पर इतना मतभेद क्यों है?

यह दूरी के मूल्यांकन पर निर्भर करता है और यह मूल्यांकन अनजाने में किया जाता है। चाँद को सेब जितना देखने वाले लोग उसे कम दूरी पर स्थित मानते हैं, की तुलना में उन लोगों, जिन्हें थाली या टेबल जितना बड़ा दिखता है।

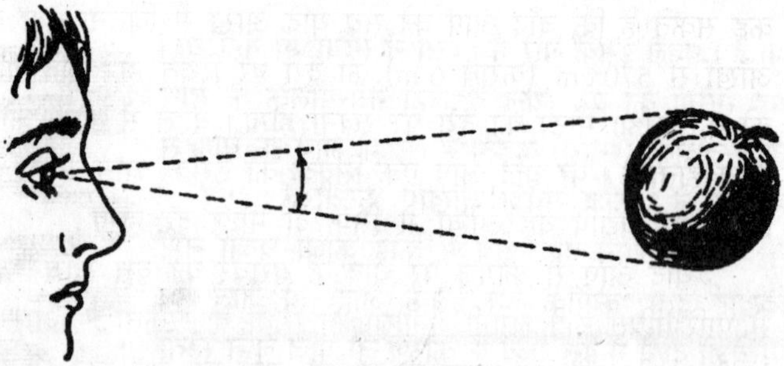

चित्र 125. दृष्टिकोण।

पर अधिकतर लोगों को चाँद तश्तरी जितना बड़ा ही लगता है। इससे एक रोचक निष्कर्ष निकलता है। यदि कलन किया जाए (कलन की विधि आगे स्पष्ट हो जाएगी) कि इतना बड़ा दिखने के लिए चाँद को कितना दूर होना चाहिए, तो ज्ञात होगा कि वह हमसे 30 m से अधिक दूर नहीं है। अनजाने में हम चाँद को कितना निकट ला देते हैं।

दूरी पर गलत मूल्यांकन अनेकानेक दृष्टिभ्रमों का आधार है। मुझे बचपन का एक दृष्टिभ्रम अच्छी तरह से याद है; उस समय मेरे लिए जीवन की सभी बातें नईं थीं। मैं शहर में पला था। एक दिन बसंत ऋतु में शहर के बाहर टहलते वक्त मुझे गायों का एक झुंड दिखा। मैं दूरी का सही मूल्यांकन नहीं कर पाया, इसलिए गायें मुझे बौनी प्रतीत हुईं। इतनी नन्ही गायें मुझे फिर कभी नहीं दिखीं, और बेशक दिखेंगी भी नहीं।[1]

चित्र 126. सप्तर्षियों के बीच की कोणिक दूरियाँ वास्तविक हैं; चित्र की आँख से 25cm की दूरी पर रख कर देखें।

नक्षत्रों के दृष्ट आकार को खगोलशास्त्री उस कोण द्वारा निर्धारित करते हैं, जो नक्षत्र द्वारा हमारी आँखों पर बनता है। 'कोणिक आकार' या 'दृष्टिकोण' उस कोण को कहते हैं, जो हमारी आँख की ऊपरी व निचली किनारियों को मिलाने वाली सरल रेखाओं से बनता है (चित्र 127)। कोण, जैसा कि हमें ज्ञात है, डिग्री, मिनट, सेकंड आदि में व्यक्त किए जाते हैं, चाँद के दृष्ट आकार के बारे में पूछने पर खगोलशास्त्री यह नहीं कहेगा कि चाँद तश्तरी या सेब जितना बड़ा है। वह कहेगा कि उसका आकार आधे डिग्री के बराबर है। इसका मतलब है कि चाँद की 'तश्तरी' की ऊपरी व निचली किनारी को आँख से मिलने वाली रेखाओं के बीच का कोण आधे डिग्री के बराबर होता है। यह एक मात्र सही उत्तर है, जिससे कोई गलतफहमी नहीं हो सकती। ज्यामितीय नियमों के अनुसार[2] आँख से अपनी चौड़ाई की 57 गुनी अधिक दूरी पर स्थित पिंड आँख पर एक डिग्री का कोण बनाता है। उदाहरणार्थ, 5 cm व्यास वाला सेब से 5X57cm दूर रखा जाएगा, तो वह आँख पर एक डिग्री का कोण बनाएगा। यदि दूरी दुगुनी कर दी जाए, तो वह आँख पर $1/2^0$ का कोण बनाने लगेगा, अर्थात् चाँद के बराबर दिखने लगेगा। यदि चाहें तो आप

---

1. ऐसे भ्रम के शिकार वयस्क लोग भी हो सकते हैं। इसका प्रमाण ग्रिगोरोविच के उपन्यास 'हरवाहा' के निम्न अंश से मिलता है :

"इलाका इस तरह दिख रहा था, जैसे वह हथेली पर हो; गाँव ठीक पुल के पास नजर आ रहा था; घर, टीले और बर्च के झुरमुट भी गाँव से सटे हुए लग रहे थे। यह सब खिलौने के गाँव सा लग रहा था, जिसमें घास का टुकड़ा पेड़ को द्योतित करता है और टूटे आइने का टुकड़ा नदी को।"

2. यदि आप दृष्टि-कोण से संबंधित ज्यामितीय कलनों में रुचि लेने लगे हों, तो आवश्यक उदाहरण और व्याख्याएँ मेरी पुस्तक 'मनोरंजक ज्यामिति' में देख सकते हैं।

कह सकते हैं कि चाँद आप को सेब यदि आख से जितना बड़ा लगता है;—लेकिन सिर्फ उसी स्थिति में, जब यह सेब आँखों से 570 cm (करीब 6 m) की दूरी पर स्थित हो। यदि चाँद को तश्तरी के बराबर देखना चाहते हैं, तो तश्तरी को करीब 30 मीटर की दूरी पर रखना होगा। बहुत से लोगों को विश्वास नहीं होता कि चाँद का दृष्ट आकार इतना छोटा होता है। पर यदि आप एक सिक्के को उसके व्यास से 114 गुना दूर रख कर देखेंगे, तो वह चाँद को ठीक-ठीक ढक लेगा, यद्यपि वह आँखों से सिर्फ दो मीटर दूर होगा।

यदि आप से कागज पर चाँद के बराबर का वृत्त खींचने को कहा जाए, तो समस्या आपको पर्याप्त स्पष्ट रूप से पारिभाषित नहीं लगेगी : गोला छोटा भी हो सकता है, और बड़ा भी; यह आँख से उसकी दूरी पर निर्भर करता है। पर प्रश्न की शर्तें स्पष्ट हो जाएँगी, यदि हम यह मान लें कि कागज को आँखों से उतना दूर रखना है, जितना हम किताब पढ़ते वक्त रखते हैं। साधारण स्वस्थ आँखों के लिए यह दूरी 25 cm के बराबर होगी।

अब कलन करें कि वृत्त कितना बड़ा बनाना चाहिए कि उसका आकार चाँद के दृष्ट-आकार के बराबर हो जाए। हिसाब सरल है : 25 cm की दूरी को 114 से भाग दे दीजिए। उत्तर में काफी छोटा परिणाम मिलेगा—2 mm से थोड़ा अधिक! इस पुस्तक पर छपे हुए अंश 'O' से भी कुछ छोटा होगा। विश्वास नहीं होता कि चाँद और सूरज दृष्ट आकार के अनुसार इतने छोटे कोण पर दिखाई देते हैं।

आपने शायद देखा होगा कि सूरज की ओर देखने के बाद आपके दृष्टि क्षेत्र में कुछ देर तक छोटे-छोटे रंगीन वृत्त झलकते रहते हैं। इन तथाकथित "प्रकाशीय चिह्नों का कोणीय मान उतना ही होता है, जितना सूरज का। पर उनके प्रतीयमान आकार बदलते रहते हैं। जब आप आकाश में देखते हैं, तब उनका आकार सूर्य की 'तश्तरी' के बराबर लगता है और जब आप किताब के पन्ने पर देखते हैं, तो उसका आकार करीब 2 mm वाले वृत्त सा होता है। हमारे कलनफल की सत्यता इससे भी प्रमाणित होती है।

नक्षत्रों के दृश्य-आकार

यदि सप्तर्षि के कोणिक मापों को सुरक्षित रखते हुए उन्हें कागज पर अंकित करें, तो चित्र 126 का आरेख मिलेगा। उसे आँखों से इतना दूर रखा जाए कि स्पष्ट देख लें, तो वे उसी तरह दिखेंगे, जैसे आकाश में दिखते हैं। यह सप्तर्षि का कोणिक मापों वाला मानचित्र होगा। यदि आपको सप्तर्षियों का दृश्य,—**सिर्फ रूप ही नहीं**, दृश्य,—याद हो तो इस चित्र को ध्यान से देखने पर मानो यथार्थ आकाशीय दृश्य में खो जाएँगे। सभी तारक-झुंडों के मुख्य तारों के बीच की कोणिक दूरी जान लेने पर (ये दूरियाँ खगोलशास्त्र की निर्देशिकाओं में मिल सकती हैं) आप खगोलीय मानचित्र बना ले सकते हैं। इसके लिए मिलिमीटर-वर्गों में बँटे कागज पर हर 4.5 mm की दूरी को एक डिग्री मान कर तारों को नन्हें वृत्तों के रूप में अंकित कर ले सकते हैं (वृत्तों का क्षेत्रफल तारों की चमक के अनुपात में ले सकते हैं)।

अब ग्रहों पर एक दृष्टि डालें। उनके दृश्य-आकार तारों की तरह ही इतने नन्हे हैं कि वे प्रकाश-बिंदुओं जैसे दिखते हैं। इसका कारण समझना कठिन नहीं है, क्योंकि कोई भी ग्रह (अधिकतम चमक के काल में शुक्र को छोड़ कर) आँखों पर एक मिनट से अधिक का कोण नहीं बनाता। यह वह सीमा है, जहाँ वस्तु की लंबाई, चौड़ाई आदि विमाएँ लुप्त हो जाती हैं। इससे कम कोणिक मान वाली वस्तु आकारहीन बिंदु प्रतीत होती है।

निम्न तालिका में भिन्न ग्रहों के कोणिक मान (सेकेंडों) दिए जा रहे हैं। हर ग्रह के सामने दो संख्याएँ हैं; पहली संख्या ग्रह की निकटतम दूरी के वक्त उसका कोणिक आकार बताती है और दूसरी—अधिकतम दूरी के वक्त :

	सेकेंड
बुध	13-5
शुक्र	64-10

मंगल	25-35
वृहस्पति	50-31
शनि	20-15
शनि-वलय	48-35

ऐसे कोणिक मान को 'वास्तविक पैमाने' पर चित्रित करना असंभव है : पूरा एक मिनट अर्थात 60 सेकेंड के बराबर का कोणिक मान स्पष्ट दृष्टि की दूरी पर सिर्फ 0.04 mm के बराबर होगा। इस आकार की वस्तु को आँखों से नहीं देखा जा सकता है। इसीलिए इन ग्रहों को इतने बड़े आकार दें, जितने बड़े ये आकार को सौ गुना बढ़ाने वाले दूरबीन में लगते हैं। चित्र 127 में ग्रहों के दृश्य-आकार इतना बढ़ा कर दिखाए गए हैं।

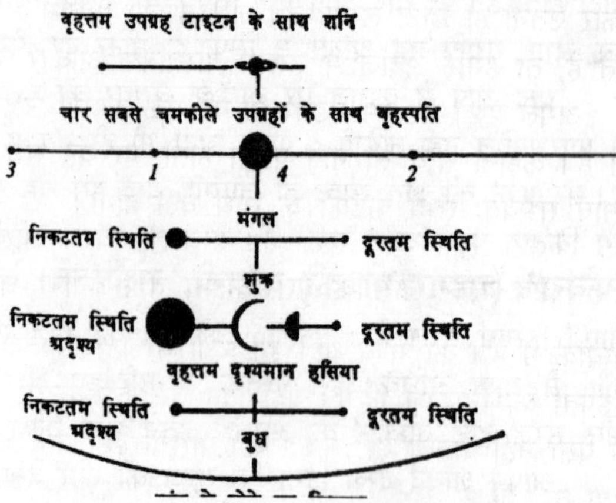

चित्र 127. यदि इस चित्र को आँखों से 25 cm की दूरी पर रख जाए, तो उसमें ग्रहों की आकृतियाँ ठीक उतनी बड़ी लगेंगी, जितनी बड़ी वे आकाश में सौ गुनी वर्धनशीलता वाली दूरबीन से दिखती हैं।

नीचे का मेहराब सौ गुना विशाल दूरबीन में चाँद (या सूर्य) की किनारी को दिखाता है। इसके ऊपर पृथ्वी से निकटतम और अधिकतम दूरियों पर स्थित बुध का आकार दिखाया गया है। इसके ऊपर शुक्र की भिन्न कलाएँ दिखाईं गई हैं। पृथ्वी से निकटतम दूरी पर वह बिल्कुल नहीं दिखाई देता क्योंकि उसका आधा भाग अँधेरे में होता है।[1] इसके बाद उसका संकीर्ण हँसिया दिखता है। इस स्थिति में शुक्र सभी ग्रहों से बड़ा होता है। इसके बाद की कलाओं में वह छोटा होने लगता है। जब वह पूरा गोल दिखने लगता है, हँसिए की तुलना में उसका व्यास छः गुना कम होता है।

शुक्र से ऊपर मंगल दिखाया गया है। जब वह पृथ्वी से निकटतम दूरी पर होता है, उसका आकार बाईं ओर वाले वृत्त जितना बड़ा दिखता है। इस नन्हे से वृत्त में आप क्या देख सकते हैं? कल्पना द्वारा आप इस वृत्त को दस गुना बढ़ा दीजिए,—आपको अंदाज मिल जाएगा कि हजार गुना बड़ा दिखाने वाले दूरबीन से खगोलशास्त्री क्या देखते होंगे। क्या इस नन्हे से प्रकाश-धब्बे में 'नहर' जैसी चीज दिख सकती है, जिनके बारे में इतना शोर था? या यह देखा जा सकता है कि उसका रंग-परिवर्तन उसके सागरों के वनस्पति-जगत् के साथ संबंध रखता है? ऐसे अवलोकन के आधार पर कोई भी कुछ दावे के साथ नहीं कह सकता। इसीलिए तो मंगल के प्रेक्षकों के बीच इतना मतभेद है; सभी अलग-अलग बातें कहते है। और एक दूसरे की बातों को भ्रम कह कर काटते रहते हैं।...[2]

विशाल बृहस्पति को हमारी तालिका में महत्त्वपूर्ण स्थान प्राप्त है : उसका गोला शुक्र के बाद सबसे बड़ा है और उसके चार मुख्य सहयात्री (उपग्रह) रेखा-कांड पर स्थित हैं, वह चाँद के व्यास से आधा है। चित्र में बृहस्पति वैसा दिख रहा है, जैसा वह पृथ्वी से निकटतम दूरी पर दिखता है (सौ गुना वर्धक-क्षमता दूरबीन में)। इसके बाद अपने

1. इस स्थिति में वह सिर्फ तब दिखता है, जब वह नन्हे से वृत्त के रूप में सूर्य-मंडल पर प्रक्षिप्त होता है। पर ऐसी स्थिति विरले ही मिलती है।

2. पिछले समय के ग्रहों का अध्ययन-कार्य अंतर्ग्रही स्वचालित केंद्रों (सैटेलाइट) की सहायता से किया जा रहा है। ये सिर्फ दृश्य-साधनों का ही उपयोग नहीं करते। इनसे ग्रहों के बारे में अनेक रोचक सूचनाएँ मिलती हैं; इनमें से एक यह भी है कि मंगल पर न तो कोई नहरें हैं, न कोई सागर ही। जिज्ञासु पाठकों को निम्न पुस्तक का नाम बताया जा सकता है : पे.इ. बाकूनिन, ए.वे. कोनोविच, वे.इ. मोरोज, 'सामान्य खगोलशास्त्र', 1974।—संपादक

वलय और अपने बृहत्तम उपग्रह (टाइटन) के साथ शनि ग्रह दिखाया गया है। हमसे निकटतम दूरी पर वह भी काफी बड़ा दिखता है।

उपरोक्त बातों से यह समझ में आ जाता है कि किसी दृश्यमान पिंड को हम जितना ही निकट मानते हैं, उसका आकार उतना ही छोटा लगता है। और उसका विलोम : यदि किसी कारणवश हम किसी पिंड को अधिक दूर मानने लगते हैं, तो हमारे अंदाज में उसका वास्तविक आकार बड़ा हो जाता है।

अगले पृष्ठों पर हम एडगर पो की एक कहानी उद्धृत कर रहे हैं, जिसमें एक ऐसे ही दृष्टि-भ्रम का वर्णन किया गया है। कहानी सत्य सी नहीं प्रतीत होती, पर वह सच है। मैं स्वयं एक बार ऐसे भ्रम में पड़ गया था और ऐसी घटनाएँ संभवतः सभी पाठकों के साथ घटी होंगी।

'स्फिंक्स' (एडगर पो की कहानी, संक्षेप में)

"न्यूयार्क में हैजे का राज्य था। इन दिनों मेरे एक रिश्तेदार ने मुझे शहर के बाहर स्थित अपने बंगले में रहने के लिए दो हफ्तों का निमंत्रण दिया। वहाँ दिन बुरे नहीं कटते, पर हर दिन शहर से दुखद समाचार मिल रहे थे। कोई भी दिन ऐसा नहीं बीतता था, जब किसी परिचित की मृत्यु का समाचार न मिले। यहाँ तक कि अखबार देख कर भी डर लगता था। दक्षिण से बहने वाली हवा मृत्युरंजित लगती थी। मनहूस विचार मेरे मन को निरंतर आलोड़ित कर रहे थे। पर मेरे मेजबान शांत प्रकृति के व्यक्ति थे और यथासंभव मुझे सांत्वना देते रहते थे।

गर्मी का दिन अंधकार में डूब रहा था और मैं खुली खिड़की के पास किताब लिए बैठा हुआ था। सामने नदी के पार ऊँचे टीलों का दृश्य दिख रहा था। मन पुस्तक से उचट कर संकटग्रसित शहर पर छाई निराशा के साथ उलझा हुआ था। अचानक मेरी निगाह टीले की नंगी ढलान पर चली गई...वहाँ एक विचित्र दृश्य था! टीले से एक भयानक जंतु नीचे उतर रहा था। नीचे उतर कर वह तराई के घने जंगलों में छिप गया। पहले तो मुझे लगा कि मैं पागल हो गया हूँ, या मेरी आँखें धोखा दे रही हैं। पर चंद मिनटों बाद मुझे विश्वास हो गया कि दृश्य सत्य है। यदि मैं इस जंतु का बर्णन करूं, तो आगके लिये, प्रिय पाठक, इस पर विश्वास कर पाना कठिन होगा। पर मैं उसे बिल्कुल साफ-साफ देख रहा था और तंब तक देखता रहा, जब तक कि वह उतरने के बाद जंगल में छिप नहीं गया।

विशाल पेड़ों के तनों के साथ उसके आकार की तुलना करके मैंने देखा कि वह किसी युद्ध-पोत से कम नहीं है। मैं युद्ध-पोत का नाम ले रहा हूँ, क्योंकि उसका रूप जहाज की तरह ही था : चौहत्तर तोपों वाला जहाज आपको उस जंतु के रूप और आकार का सही अंदाजा देता। जंतु का मुँह उसकी सूँड के छोर पर था और सूँड करीब साठ या सत्तर फीट लंबी थी। उसकी मोटाई हाथ के धड़ जितनी थी। सूँड़ के आधार के पास घने और खड़े बाल थे। उनके बीच दो आँखें गजदंत लगे हुए थे। वे थोड़ा नीचे झुक कर पार्श्व की ओर मुड़े हुए थे। ऐसे दाँत बनैले सूअर के होते हैं; पर ये बहुत थे। सूँड़ के दोनों तरफ तीस या चालीस फीट लंबे सींग लगे हुए थे, जो शायद स्फटिक के थे; धूप में वे ऐसे ही चमक रहे थे। धड़ का आकार उल्टे खूँटे की तरह था। उसमें एक के ऊपर एक चढ़े दो जोड़े डैने लगे थे, जिनमें से प्रत्येक की लंबाई करीब 300 फीट थी। डैनों पर पंखियों की जगह घने धातुई पत्तर लगे थे; इनमें से प्रत्येक का व्यास करीब दस-बारह फीट लंबा था। इस विचित्र जंतु की मुख्य विशेषता उसकी शक्ल थी, जिसकी तुलना सिर्फ मृत्यु के देव के साथ की जा सकती थी। वह उसकी छाती तक जगह घेरे थी और सफेद होने के नाते उसके काले शरीर पर स्पष्ट दृष्टिगोचर हो रही थी। जब मैं डर से काँपता हुआ इस भयानक सृष्टि को देख रहा था, विशेषकर उसकी मौत जैसी शक्ल को, उसने अचानक मुँह खोल कर चीत्कार की आवाज की...यह मेरे लिए असह्य था और जब वह आँखों से ओझल हुआ, मैं फर्श पर गिर कर बेहोश हो गया...

होश में आने पर मेरी पहली इच्छा थी अपने मित्र को सारी बात बताने की। अंत तक सुन चुकने के बाद पहले

तो वह जोर-जोर से हँसने लगा, फिर तुरंत गंभीर हो गया, मानों मेरे पागल होने में उसे कोई संदेह न रह गया हो।

इसी क्षण मुझे फिर से वह जंतु दिखाई दे गया। मैं चीख-चीख कर मित्र को बताने की कोशिश करने लगा कि वह कहाँ है, पर वह कसम खा रहा था कि वहाँ कुछ भी नहीं है।

मैं चेहरे को हाथों से छिपा कर बैठ गया। जब आँखें फिर से खोली, तो जंतु गायब था।

मित्र देर तक उसके रूप-आकार आदि के बारे में पूछ-तलब करता रहा। जब मैं विस्तारपूर्वक सब कुछ बता चुका, तो उन्होंने संतोष की साँस ली, मानों सिर से कोई भारी बोझ उतर गया हो; वह किताबों की आलमारी के पास गया और वहाँ से प्राकृतिक इतिहास की एक पाठ्य-पुस्तक निकाली। उसने मुझसे जगह बदलने का अनुरोध किया, क्योंकि खिड़की के पास किताब के महीन अक्षरों को देखने में आसानी होती। वह कुर्सी पर बैठ कर कहने लगा :

यदि आपने उस जीव का इतना सही वर्णन न किया होता, तो मैं कभी नहीं समझा सकता था कि यह क्या था। पहले मैं आपसे इस पुस्तक के एक अंश को पढ़कर सुनाने की अनुमति माँगूँगा' इसमें Insecta शलभ श्रेणी Lepidotera (शल्कपंखी या चोंइयेदार पंख वाले) गण के Crepusculariae (सांध्यचर) परिवार की तितली Sphinx के बारे में लिखा गया है।

''एक के ऊपर एक चढ़े डैनों को दो जोड़े होते हैं, जो धातुई चमक वाले शल्क (चोंइयों) से ढके होते हैं; मुँह निचले जबड़े के लंबे होने से काफी नीचे दिखता है; पार्श्व में लंबे लोमदार स्पर्शेंद्रिय हैं; निचले और ऊपरी डैने मजबूत बालों से जुड़े होते हैं; मूछें प्रिज्मीय छड़ियों की तरह हैं; पेट नुकीला होता है। अपनी चीत्कार जैसी आवाज़ और पेट पर स्थित खोपड़ी जैसे सफेद चिह्न के कारण स्फिंक्स 'मृत सर' सर्व-साधारण में अंधविश्वास का डर उत्पन्न करता है।[1]

यहाँ उसने किताब बंद की खिड़की पर उसी तरह झुक कर कुछ देखने लगा, जैसे मैं जंतु को देखते वक्त झुका हुआ था।

—यह रहा वह!—चीख कर उसने कहा,—वह टीले पर चढ़ रहा है और काफी विलक्षण लग रहा है। लेकिन वह इतना बड़ा और इतना दूर नहीं है, जितना आपने सोचा था, क्योंकि हमारी खिड़की से लगे किसी मकड़े के धागे के सहारे चढ़ रहा है!''

सूक्ष्मदर्शी से बड़ा क्यों दिखता है?

''क्योंकि वह भौतिकी की पाठ्य-पुस्तकों में वर्णित तरीके से किरणों का पथ परिवर्तित कर देता है'',—यह उत्तर है, जो अक्सर सुनने में आता है। पर ऐसे उत्तर में कारण निर्दिष्ट नहीं किया गया है; मुख्य बात को ही छोड़ दिया गया है। सूक्ष्मदर्शी या दूरदर्शी की विशालक क्रिया के पीछे आखिर कारण क्या है?

मुझे इस कारण का ज्ञान बिना किसी पाठ्य-पुस्तक के ही हो गया था। जब मैं स्कूल में पढ़ता था, तब की एक घटना है। मैं बंद खिड़की के पास बैठा हुआ सामने का मकान देख रहा था। अचानक मैं डर कर पीछे हट गया ईंट की दीवार से मुझे आदमी की एक बहुत बड़ी आँख देख रही थी; उसकी चौड़ाई कुछेक मीटर की रही होगी। उस समय मैंने एडगर पो की कहानी नहीं पढ़ी थी, इसीलिए मैं समझ नहीं पाया कि यह मेरी ही आँख का प्रतिबिंब है, जिसे मैं अनजाने में सामने की दीवार पर प्रक्षिप्त कर रहा था।

कारण समझने के बाद मैं सोचने लगा कि क्या इस दृष्टि-भ्रम के आधार पर काम करने वाला एक सूक्ष्मदर्शी

---

1. अब इस तितली को Acherontia परिवार का माना जाता है। इसकी गणना उन चंद तितलियों में होती है, जो ध्वनि पैदा कर सकती हैं। इनकी आवाज चूहे की चीं-चीं की याद दिलाती है। इसके अतिरिक्त, यह एकमात्र तितली है, जो मुँह से आवाज निकालती है। आवाज काफी प्रबल होती है और कुछेक मीटर दूर तक सुनाई दे सकती है। दी गई परिस्थितियों में प्रेक्षक को उसकी आवाज बहुत जोरदार लगी होगी, क्योंकि प्रेक्षक उसके बहुत दूर होने की कल्पना कर रहा था। (दे. 'मनोरंजक भौतिकी', भाग, 1, अध्याय 10)

नहीं बनाया जा सकता? और जब मेरे सारे प्रयत्न असफल हो गए, तब मैं समझा कि सूक्ष्मदर्शी के विशालक गुण का कारण क्या है। कारण यह नहीं है कि वस्तु अपने आकार से बड़ी प्रतीत होती है, बल्कि यह है कि वह **हमारी आँखों पर वस्तु द्वारा बड़ा कोण बनवाता है** और इसलिए–यह अधिक महत्त्वपूर्ण,–**उसका बिंब हमारी आँख की रेटीना पर अधिक स्थान फेंकता है।**

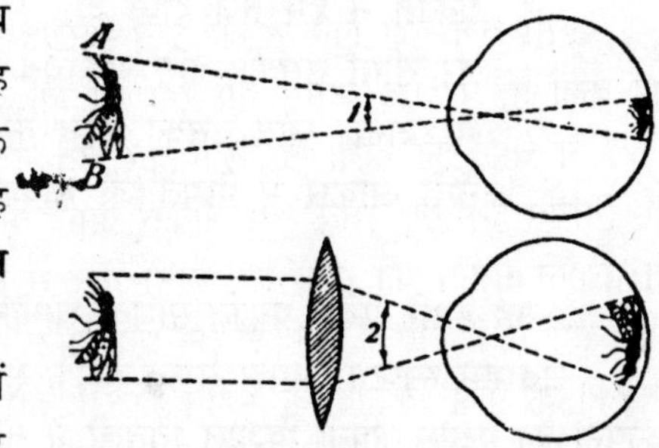

चित्र 128. विशालक शीशा बिंब को रेटीना पर संवर्धित करता है।

यहाँ दृष्टि-कोण का इतना महत्त्व क्यों है, यह समझने के लिए हमें आँख की एक विशेषता पर ध्यान देना चाहिए : आँख पर एक मिनट से कम कोण बनाने वाली वस्तु साधारण स्वस्थ आँखों को एक बिंदु सी लगती है, जिसमें न तो उसका कोई भाग दिखाई देता है, न उसका रूप ही। जब वस्तु आँख से इतनी दूर होती है या अपने आप में इतनी छोटी होती है कि वह (या उसके भाग) आँख पर एक मिनट से कम का कोण बनाते हैं, तो हम उसकी बनावट को स्पष्ट रूप से नहीं देख पाते। इसका कारण यह है कि दृष्टि-कोण के इतने छोटे होने के कारण उसका बिंब रेटीना पर कई नहीं सिर्फ एक दृष्टि-कोशिका को ढकता है। इस स्थिति में वस्तु की बनावट, उसका रूप आदि नहीं दिखता, हमें सिर्फ एक **बिंदु** दिखाई देता है।

सूक्ष्मदर्शी और दूरदर्शी की भूमिका यही है कि वे वस्तु से निकलती किरणों के पथ को विचलित करके उसे बड़े दृष्टि-कोण पर दिखाते हैं; रेटीना पर बिंब बड़ा हो जाता है और अधिक दृष्टि-कोशिकाओं के साथ क्रिया करता है। फल यह होता है कि हम बिंब के भिन्न अवयवों को स्पष्ट रूप से देखने लगते हैं। ''सूक्ष्मदर्शी या दूरदर्शी की विशालक शक्ति 100 है''–इसका मतलब है कि वह वस्तु को 100 गुने बड़े कोण पर दिखाता है, की तुलना में उस कोण, जो वस्तु हमारी नंगी आँखों पर बनाती है। यदि उपकरण दृष्टि-कोण नहीं बढ़ाता, तो उससे वस्तु का आकार बड़ा नहीं दिखता, **यद्यपि हमें प्रतीत हो सकता है कि वह बड़ी दिख रही है।** ईंट की दीवार पर आँख मुझे काफी बड़ी दिख रही थी (या लग रही थी), पर मुझे उसका **कोई नया अतिरिक्त विवरण नहीं दिख रहा था।** दर्पण में भी उतनी ही बड़ी दिखती (पर बड़ी नहीं लगती) और कोई नया विवरण नहीं दिखता।

क्षितिज के पास चाँद बड़ा लगता है, अपेक्षाकृत जब वह सिर के ठीक ऊपर होता है। पर क्या उसके बड़े दिखने से हम उसमें कोई अतिरिक्त विवरण देख पाते हैं?

यदि एडगर पो की कहानी को फिर से याद करें, तो इसमें भी लेखक को 'स्फिंक्स' की बनावट में कोई नया विवरण नहीं दिखा था। तितली द्वारा हमारी आँखों पर बनते कोण की मात्रा इस बात पर निर्भर नहीं करती कि हम तितली की तुलना खिड़की के फ्रेम के साथ करते हैं या दूरस्थ टीले के दृश्य के साथ करते हैं (टीले पर तितली को प्रक्षिप्त करते हैं)। और यदि दृष्टि-कोण में कोई परिवर्तन नहीं होता, तो हम चाहे कितना भी उसके बड़े दिखने वाले आकार से चकित क्यों न हों, हमें उसके वर्धन से उसकी बनावट में कोई अतिरिक्त विवरण दिखाई नहीं देगा। सच्चे कलाकार होने के नाते एडगर पो ने अपने वर्णन में एक भी ऐसी बात नहीं जोड़ी जो तितली में नंगी आँखों से नहीं दिखाई देती। दोनों वर्णनों की तुलना करें,–वे कहानी में यूँ ही नहीं घुसेड़े गए हैं,–और आप देखेंगे कि उनमें सिर्फ शब्दों का अंतर है (दस फीट व्यास वाले पत्तर–चोंइया, विशाल सींग–मूँछें, गजदंत–स्पर्शेंद्रिय, आदि), बनावट का नहीं।

यदि सूक्ष्मदर्शी सिर्फ इसी तरह से आकार बड़ा करता, तो वह सिर्फ एक रोचक खिलौना होता; वैज्ञानिकों के लिए उसकी कोई उपयोगिता नहीं रह जाती। पर हम जानते हैं कि सूक्ष्मदर्शी ने मनुष्य की दृष्टि-सीमा बढ़ा कर उसके सामने एक नई दुनिया खोली है :

प्रकृति ने हमें तेज दृष्टि दी,
पर सीमा उसकी अति संकुचित की।
गर अनेक जीव उसकी पहुँच के बाहर,
नन्हे आकार में छिपते जो साकार!

—यह हमारे प्रथम प्रकृति-साधक लोमोनोसोव ने 'शीशे के लाभ पर पत्र' में लिखा था।

अब हम स्पष्टतः समझ सकते हैं कि सूक्ष्मदर्शी ही क्यों उस 'रहस्य' का उद्‌घाटन करता है, जिसे एडगर पो की कहानी का प्रेक्षक अपनी विशाल तितली में नहीं देख सका : क्योंकि सूक्ष्मदर्शी सिर्फ आकार ही नहीं बड़ा करता, वह वस्तुओं को **बड़े दृष्टि-कोण पर** दिखाता है, जिसके कारण रेटीना पर वस्तु का **अधिक बड़ा बिंब** बनता है। यह बिंब रेटीना पर कहीं अधिक दृष्टि-कोशिकाओं के साथ क्रिया करता है और अधिक संख्या में दृश्य-संवेदनाओं को जन्म देता है। यदि संक्षेप में कहें, तो सूक्ष्मदर्शी वस्तु को नहीं, रेटीना पर उसके बिंब को बड़ा करता है।

चाक्षुष आत्मवंचनाएँ

हम अक्सर 'दृष्टि-भ्रम', 'श्रव्य-भ्रम' आदि की बात करते हैं, पर ये नाम गलत हैं। **ऐंद्रिय भ्रम** नहीं होता। दार्शनिक काँट ने इसके बारे में बिल्कुल ही ठीक कहा है : ''इंद्रिय हमें धोखा नहीं देते,—इसलिए नहीं कि वे हमेशा सही मूल्यांकन करते हैं, बल्कि इसलिए कि वे मूल्यांकन करते ही नहीं है।''

फिर तथाकथित दृष्टि-भ्रम में कौन हमें भ्रमित करता है? वही, जो मूल्यांकन करता है, अर्थात् मस्तिष्क। अधिकांश दृष्टि-भ्रम सचमुच ही सिर्फ इस बात पर निर्भर करते हैं कि हम सिर्फ देखते ही नहीं, अनजाने में दृश्य संवेदनाओं का **मूल्यांकन भी करते जाते हैं** और अक्सर स्वयं को भ्रम में डाल लिया करते हैं। ये **तर्क जनित** भ्रम हैं, इंद्रिय जनित नहीं।

कोई दो हजार वर्ष पूर्व लुक्रेशियम ने लिखा था :

''आँखें वस्तुओं की प्रकृति का ज्ञान नहीं देतीं, इसलिए उन्हें बुद्धि-भ्रम के लिए दोषी मत ठहराओ।''

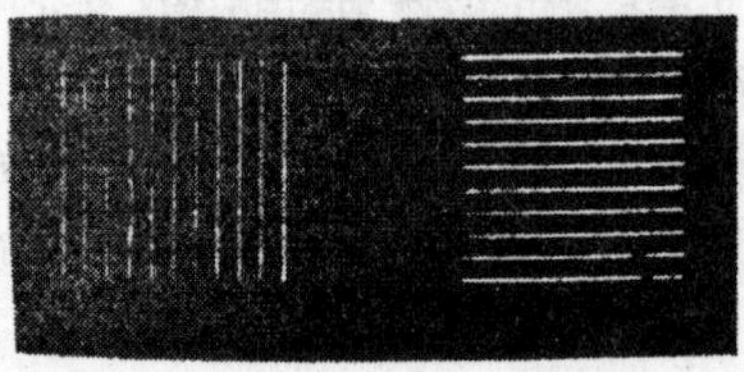

चित्र 129. कौन सी आकृति अधिक चौड़ी है—बाईं या दाईं?

चित्र 130. इस आकृति में क्या अधिक है—ऊँचाई या चौड़ाई?

प्रकाशकीय भ्रम का एक सर्वविदित उदाहरण लेते हैं : चित्र 129 में बाईं आकृति दाईं से सँकरी लगती है, यद्यपि दोनों ही बिल्कुल समान वर्गों में सीमित हैं। कारण यह है कि आकृति की ऊँचाई का मूल्यांकन करते वक्त हम अनजाने में रेखाओं के बीच की दूरियाँ जोड़ने लगते हैं और इसीलिए उसकी चौड़ाई कम प्रतीत होती है। इसके विपरीत, दाईं आकृति में उसी अचेत मूल्यांकन के कारण चौड़ाई ऊँचाई से अधिक लगती है। इन्हीं कारणों से चित्र 130 की आकृति में ऊँचाई उसकी चौड़ाई से अधिक प्रतीत होती है।

दर्जियों के लिए लाभदायक भ्रम

यदि उपरोक्त दृष्टि-भ्रम को बड़ी आकृतियों के लिए लागू करेंगे, जिन्हें आँखें एक-बारगी से पूरी तरह नहीं देख पातीं, तो वह भ्रम नहीं होगा। सभी जानते हैं कि छोटे कद के मोटे आदमी क्षैतिज धारियों वाले कोट में दुबले-पतले नहीं, और मोटे ही प्रतीत होते हैं। इसके विपरीत, उदग्र धारियों वाली पोशाक में वे अपनी मोटाई कुछ हद तक छिपा ले सकते हैं।

इस विरोधाभास का क्या कारण है? यही कि ऐसे कोट-पैंट को देखते वक्त हमारी आँखें उन्हें एक-बारगी से पूरी तरह अपने दृष्टि-क्षेत्र में नहीं ले पातीं। हमारी दृष्टि जाने अनजाने धारियों के सहारे रेंगने लगती हैं। चक्षुपेशियों का अतिरिक्त प्रयत्न हमें अनजाने में वस्तु का आकार धारी की दिशा में बढ़ाने को विवश कर देता है। चक्षु-पेशियों के प्रयत्न का संबंध हम वस्तुओं के बड़े आकार के साथ जोड़ने के आदी हो गए हैं (जब वे हमारे दृष्टि-क्षेत्र से नहीं हटतीं)। पर नन्हीं धारीदार आकृतियों को देखते वक्त आँखें स्थिर रहती हैं और उन्हें थकान नहीं होती।

क्या बड़ा है?

चित्र 131 में कौन सा दीर्घवृत्त बड़ा है : नीचे वाला या ऊपर का अंदरूनी? इस विचार से छुटकारा पाना कठिन है कि नीचे वाला ऊपर से बड़ा है। पर दोनों बराबर हैं। ऊपर का बाह्य दीर्घवृत्त यह भ्रम उत्पन्न करता है कि उसके भीतर की आकृति निचले दीर्घवृत्त से छोटी है।

चित्र 131. कौन सा दीर्घवृत्त बड़ा है—निचला या ऊपर भीतर वाला?

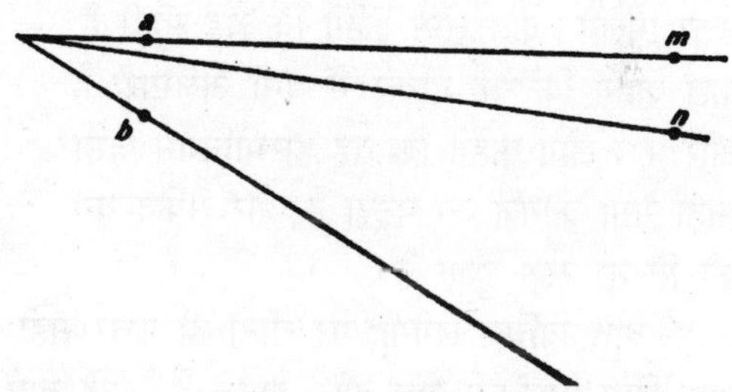

चित्र 132. कौन सी अधिक है—*ab* या *mn* ?

भ्रम अधिक शक्ति रखता है, क्योंकि चित्र की पूर्ण आकृति समतली नहीं, बाल्टी की तरह व्योम प्रतीत होती है : जाने-अनजाने दीर्घवृत्त परिप्रेक्ष्य के कारण दबे वृत्त से प्रतीत होते है। और आड़ी रेखाएँ बाल्टी की दीवार सी प्रतीत होती हैं

चित्र 132 में a और b बिंदुओं के बीच की दूरी m और n की दूरी से अधिक प्रतीत होती है। बीच वाली रेखा कोण के शीर्ष से निकल कर भ्रम को और बढ़ा देती हैं।

कल्पना की शक्ति

जैसा कि ऊपर कहा जा चुका है, अधिकाश दृष्टि भ्रमों का कारण यह है कि हम सिर्फ देखते ही नहीं हैं, अनजाने में उसके बारे में सोचते भी जाते हैं। ''हम आँखों से नहीं, मस्तिष्क से देखते हैं,''—शरीर-क्रिया-विज्ञानियों का कहना है। आप भी इस बात से सहमत हो जाएँगे, जब ऐसे भ्रमों से परिचित होंगे, जिनमें कल्पना देखने की क्रिया में सचेत रूप से भाग लेती है।

चित्र 133 को देखें। यदि आप यह चित्र दूसरों को दिखा कर पूछेंगे कि

चित्र 133. क्या देख रहे हैं आप यहाँ—सीढ़ियाँ, ताखे या 'हारमोनियम' (या ताड़ के पंखे की तरह मोड़ी गई कागज की पट्टी)?

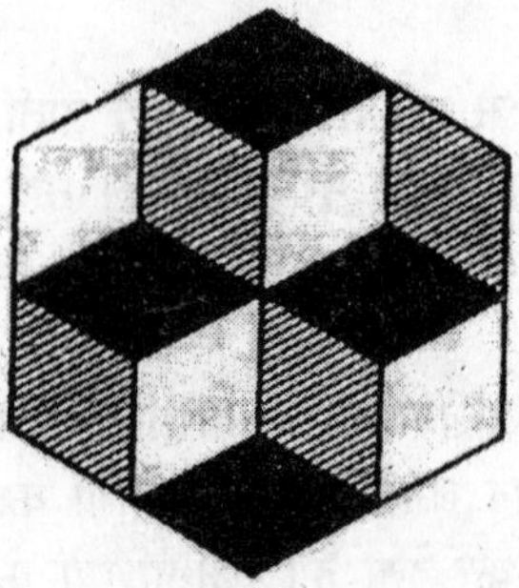

चित्र 134. घनों की स्थिति बताए। नीचे दो घन हैं या ऊपर?

चित्र 135. क्या अधिक लंबा है–AB या AC?

यह क्या है, तो आपको शायद तीन प्रकार के उत्तर मिलेंगे। कुछ लोग कहेंगे कि यह सीढ़ी है, कुछ कहेंगे कि यह दीवार में बनी अलमारी है और कुछ लोग कहेंगे कि यह हारमोनियम जैसा मोड़ा गया कागज का पट्टा है और सफेद वर्ग को तिरछा रखा हुआ है।

बात विचित्र लगेगी, पर तीनों ही उत्तर सही हैं! आप स्वयं तीनों वस्तुएँ देख सकते हैं, पर निर्भर करता है कि आप चित्र पर किस ओर दृष्टि डालते हैं। यदि **बाएँ** भाग को देखेंगे, तो सीढ़ी नजर आएगी। यदि निगाह दाएँ से बाएँ फिसल रही है, तो आपको अलमारी दिखेगी। नीचे के दाएँ कोने से ऊपर के बाएँ कोने की ओर कर्ण के सहारे दृष्टि फिरा कर आप हारमोनियम सा मुड़ा कागज देखेंगे।

यदि आप चित्र पर टकटकी लगा कर देर तक देखेंगे, तो आपकी आँखें थक जाएँगी और अपकी इच्छा के विरुद्ध बारी-बारी से तीनों ही वस्तुएँ दिखने लगेंगी। चित्र 134 में भी ये ही विशेषताएँ हैं।

चित्र 135 का भ्रम भी दिलचस्प है : नहीं चाहते हुए भी हमें लगता है कि दूरी AC बड़ी है दूरी AB से।

चंद और दृष्टि-भ्रम

सभी भ्रमों का कारण बता सकना कठिन है। अक्सर यह बताना भी मुश्किल होता है कि मस्तिष्क में किस प्रकार के तर्क चल रहे हैं और भ्रम किस बात का है। चित्र 136 में साफ-साफ दो चाप दिख रहे हैं, जो बीच में एक दूसरे की ओर झुके प्रतीत हो रहे हैं। पर सीधी पटरी उनके पास रखिए या चित्र को आँख की ऊँचाई पर रख कर उन पर

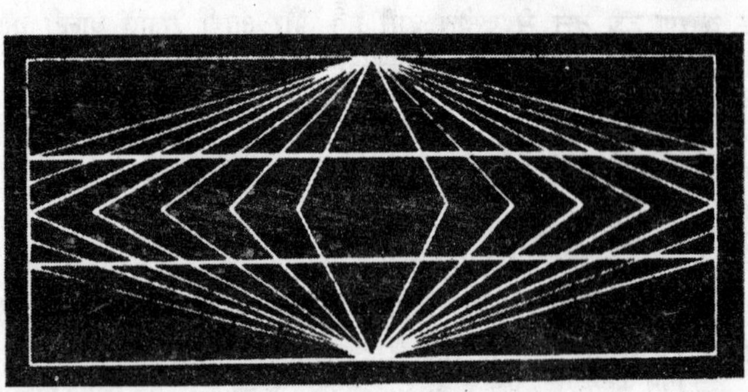

चित्र 136. बाएँ से दाएँ जाती हुई दो रेखाएँ समनांतर एवं सरल हैं, पर वे बीच से एक दूसरे की ओर झुकी सी लगती हैं। भ्रम नष्ट हो जाता है : (1) यदि आकृति को आँख की ऊँचाई पर रख कर इस प्रकार देखा जाए कि निगाहें रेखाओं के अनुतीर फिसलती रहें; (2) यदि आकृति के किसी बिंदु पर पेंसिल की नोक रख कर उसे ध्यान से एकटक देखा जाए।

चित्र 137. सरल रेखा के छः भाग समान हैं या असमान?

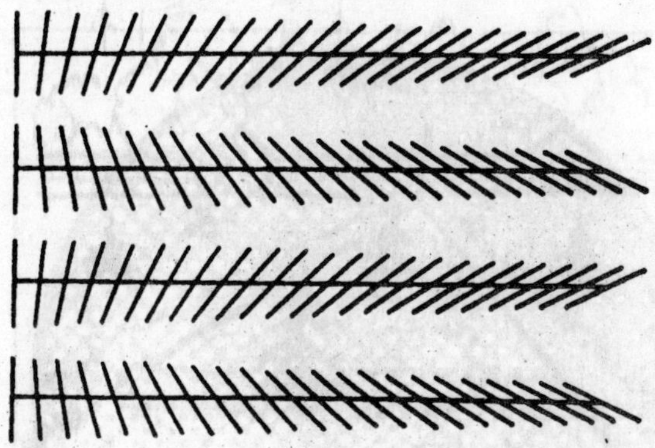

चित्र 138. समनांतर सरल रेखाएँ असमनांतर प्रतीत होती हैं।

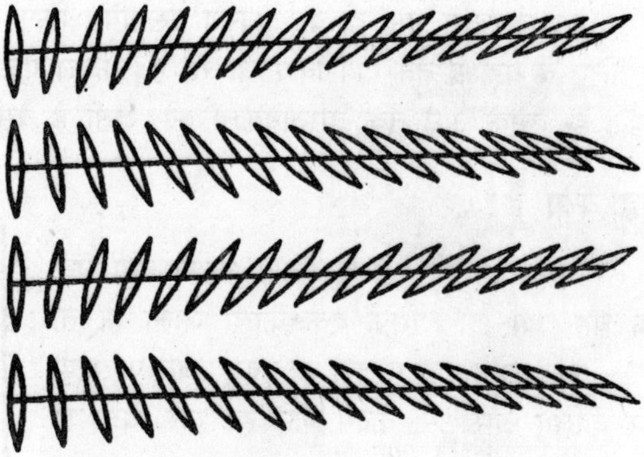

चित्र 139. पिछले चित्र के भ्रम का एक अन्य रूप।

दृष्टि फिराइए, आपको विश्वास हो जाएगा कि वे सरल रेखाएँ हैं।

इसी तरह के चंद और भ्रम हैं। चित्र 137 में सरल रेखा असमान टुकड़ों में बँटी लगती हैं, पर नापने से ज्ञात होता है कि वे समान हैं। चित्र 138 और 139 में समनांतर रेखाएँ असमनांतर प्रतीत होती हैं। चित्र 140 में वृत्त अंडे की तरह लगता है। उल्लेखनीय है कि विद्युत्-चिनगारी के प्रकाश में देखने पर चित्र 137, 138, 139 के भ्रम लुप्त हो जाते हैं। स्पष्ट है कि इन भ्रमों का संबंध दृष्टि घुमाने के साथ है : चिनगारी के क्षणिक प्रकाश में आँखें इधर-उधर घूमने में सफल नहीं हो पातीं।

चित्र 141 का भ्रम भी कम दिलचस्प नहीं है : कौन सी लकीरें लंबी हैं,—बाईं ओर की या दाईं ओर की? बाईं

चित्र 140. क्या वह वृत्त है?

चित्र 141. 'चुरुट' का भ्रम। दाईं लकीरें बाईं लकीरों से छोटी प्रतीत होती हैं, पर वास्तव में वे बराबर हैं।

ओर वाली लंबी लगती हैं, यद्यपि सभी बराबर हैं।[1] इसका नाम 'चुरुट का भ्रम' रखा गया है।

---

1. यह चित्र कावालियेरी के ज्यामितीय नियम को दर्शाता है, जिसके अनुसार 'चूरुट' के बाएँ और दाएँ भागों के क्षेत्रफल समान हैं।

इन दिलचस्प भ्रमों के कई कारण प्रस्तावित किए गए हैं, पर किसी को भी बिल्कुल सही नहीं कहा जा सकता; इसीलिए वे यहाँ प्रस्तुत नहीं किए जा रहे हैं। केवल एक बात संदेह से परे है : ये भ्रम अवचेतना की 'बुद्धिमत्ता' की उपज हैं; उसके अंधे तर्क वास्तविकता को, जैसी है वैसी, देखने में बाधक होते हैं।

यह क्या है?

चित्र 142 को देख कर आप शायद बता सकें कि यह क्या है। "सिर्फ एक काली जाली ही तो है",—आप कहेंगे। पर पुस्तक को उदग्र टेबल पर खड़ी कर दीजिए और 3-4 कदम पीछे हट कर चित्र को देखिए। आपको आदमी की आँख नजर आएगी। नजदीक आइए, फिर खाली जाली नजर आने लगेगी।

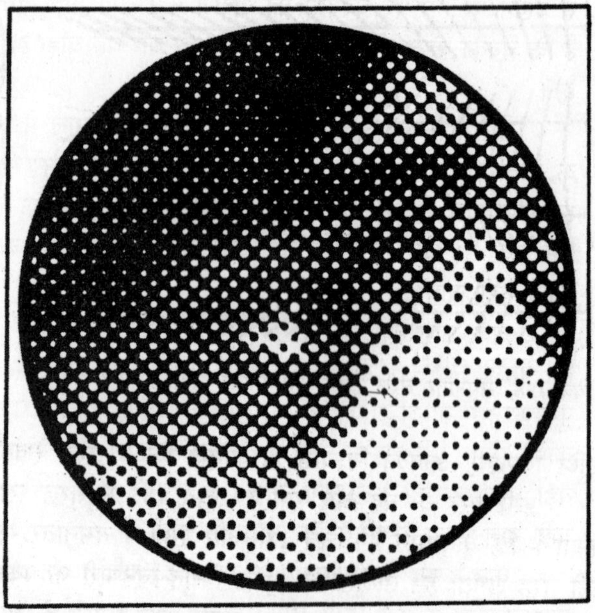

चित्र 142. दूर से इस जाली को देखने पर आपको इसमें दाईं ओर मुँह किए एक लड़की के पार्श्व-चित्र का एक अंश (एक आँख और नाक का कुछ भाग) दृष्टिगोचर होगा।

आप सोचते होंगे कि यह किसी प्रवीण चित्रकार का कमाल है। पर यह सिर्फ उस भ्रम का उदाहरण है, जिसके चक्कर में हम अक्सर अर्द्धछाया चित्र देखते वक्त पड़ जाया करते हैं। पुस्तकों या पत्रिकाओं में चित्र का परिप्रेक्ष्य सतत सा प्रतीत होता है, पर यदि आप विशालक शीशे से देखेंगे, तो आपको बिंदु-बिंदु अलग नजर आने लगेंगे; आपके सामने चित्र 142 की भाँति ही एक जाली होगी। यह चित्र ऐसे ही एक अर्द्धछाया चित्र का दस गुना बड़ा किया हुआ एक भाग है। जब जाली काफी महीन होती है, तो वह नजदीक से ही सतत रंग में रंगी होती है। जाली के छेद बड़े होने पर उन्हें दूर से देखना पड़ता है। पाठकों को इसका कारण समझने में कठिनाई नहीं होगी, यदि वे दृष्टि-कोण के बारे में कही गई बातों को स्मरण करेंगे।

असाधारण चक्के

क्या आपको कभी बाड़े के छेदों से (या सिनेमा में) तेज दौड़ती मोटर-कार या बग्गी के चक्कों को देखने का मौका मिला है? शायद आपने एक विचित्र बात पर ध्यान दिया हो : कार तेज गति से दौड़ती है, पर चक्का मुश्किल से घूमता नजर आता है, या बिल्कुल रुका हुआ लगता है। कभी-कभी वह उल्टी दिशा में घूमता नजर आने लगता है!

यह भ्रम इतना असाधारण है कि पहली बार देखने वाले बिल्कुल ही चकरा जाते हैं।

कारण निम्न है। बाड़े के छेदों से हम चक्के को लगातार नहीं देखते। यह कभी छिप जाता है, तो कभी दिखने लगता है। सिनेमा में भी हम चक्के को लगातार नहीं देखते, अलग-अलग चित्रों में देखते हैं (एक सेकेंड में 24 चित्रों की गति से)।

अतः यहाँ तीन बातें हो सकती हैं, जिन्हें हम अभी एक-एक कर देखेंगे।

प्रथमतः, हो सकता है कि चक्का जितनी देर आँखों से ओझल रहता है, उतनी देर में वह किसी पूर्ण संख्या तक चक्कर काट लेता है,—कोई फर्क नहीं पड़ता कि एक चक्कर या बीस चक्कर। सिर्फ चक्कर पूरे होने चाहिए। तब नए

चित्र में चक्के की वही स्थिति होगी, जो पिछले में थी। इससे हम निष्कर्ष निकालते हैं कि वह घूम नहीं रहा है (चित्र 143 में बीच वाला स्तंभ)।

दूसरी स्थिति : चक्का हर बार जब ओझल होता है, वह पूरी संख्या में चक्कर लगा चुकने के बाद थोड़ा और आगे घूम जाता है। ऐसे चित्रों को क्रम से देखने पर हम पूरे चक्करों का अंदाज नहीं लगा पाते और हमें प्रतीत होता है कि चक्का बहुत धीरे-धीरे घूम रहा है (हर बार वह थोड़ा ही घूमा हुआ दिखता है)।

तीसरी स्थिति : आँख से ओझल होने के अंतराल में चक्का पूरे चक्करों के अतिरिक्त आधा घूम जाता है (जैसे चित्र 143 के तीसरे स्तंभ में 315^0 पर)। इस हालत में पिछले चित्र से तुलना करने पर लगेगा कि चक्का थोड़ा पीछे घूम गया है। यह भ्रम तब तक जारी रहेगा, जब तक चक्के की घूर्णन-गति बदल नहीं जाती।

अब ऊपर की व्याख्या में चंद और छोटी-मोटी बातें जोड़नी रह जाती हैं। पहली स्थिति में हमने सरलता के लिए कह दिया था कि चक्के चक्कर पूरा करने में सफल हो जाते हैं; पर चूँकि चक्के की तीलियाँ एक जैसी हैं, इसलिए काफी रहेगा, यदि चक्का तीलियों के **बीच के कोण** की किसी पूर्ण संख्या जितना बड़ा कोण बनाता हुआ घूम जाए।
यही बात अन्य स्थितियों के साथ भी होगी।

घूर्णन की वास्तविक दिशा

घूर्णन की प्रातीयमान दिशा।

चित्र 143. सिनेमा के पर्दे पर चक्कों की अजीब गति का रहस्य।

कुछ दूसरी विलक्षणताएँ भी संभव हैं। यदि चक्के की किनारी पर कोई निशान लगा हो, तो कभी ऐसा भी लग सकता है कि निशान एक दिशा में घूम रहा हो और तीलियाँ **दूसरी दिशा में!** यदि निशान किसी तीली पर है, तो तीलियाँ निशान के विपरीत घूम सकती हैं; निशान तीलियों पर दौड़ता सा प्रतीत होगा।

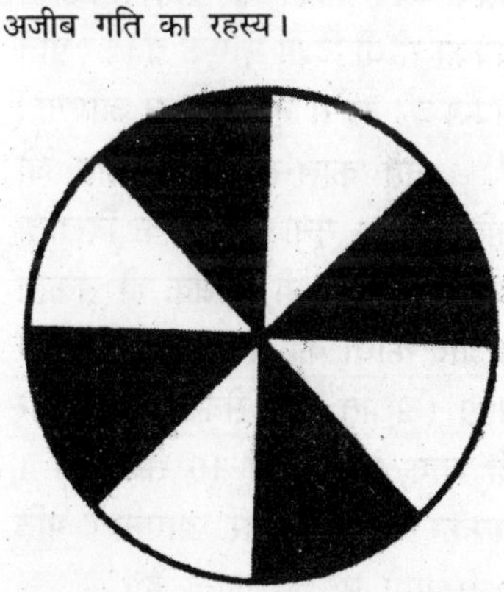

चित्र 144. चलित्र का घूर्णन-वेग निर्धारित कर ने लिए चक्रिका।

जब सिनेमा में साधारण दृश्य दिखाए जाते हैं, तो इस भ्रम से कोई फर्क नहीं पड़ता। पर यदि पर्दे पर किसी यंत्र का कार्य समझाया जा रहा हो, तो इस भ्रम के कारण यंत्र के कार्य के बारे में गलत धारणा भी बन सकती है। ध्यानपूर्वक देखने वाले दर्शक पर्दे पर स्थिर प्रतीत होने वाले चक्कों की तीलियाँ गिन कर कुछ हद तक उनकी घूर्णन-गति का वेग ज्ञात कर ले सकते हैं। सिनेमा में अक्सर प्रति सेकेंड 24 चित्र दिखाए जाते हैं। यदि तीलियों की संख्या 12 है, तो प्रति सेकेंड चक्करों की संख्या 24.12, अर्थात् 2, या आधे सेकेंड में एक पूरा चक्कर। यह चक्करों की न्यूनतम संख्या है। अन्य संख्याएँ भी संभव हैं; वे इस संख्या से किसी पूर्णांक संख्या गुनी अधिक हो सकती है (जैसे दुगुनी, तिगुनी, चौगुनी आदि)। चक्के के व्यास का अंदाज लगा कर आप उसका वेग भी लगभग मानों में निर्धारित कर सकते हैं। यदि चक्के का व्यास 8 cm है, तो हमारी स्थिति में कार का वेग 18 km/h (या 36 km/h, या 54 km/h, आदि) हो सकता है।

ऊपर बताए गए भ्रम की सहायता से प्रविधि में तेजी के साथ घूमते चक्के की घूर्णन-संख्या ज्ञात की जाती है।

विधि निम्न बातों पर आधारित है। परिवर्ती विद्युत्-धारा से जलते बल्ब की प्रकाश-शक्ति स्थिर नहीं रहती : वह सेकेंड के हर शतांश में धीमी पड़ जाती है। साधारण परिस्थितियों में हम इसे नहीं देखते। पर मान लीजिए कि ऐसे बल्ब से चित्र 144 में दिखाया गया चक्का प्रकाशित किया जा रहा है। यदि चक्का सेकेंड के हर शतांश में 1/4 चक्कर लगाता है, तो हमें चक्का समरूप भूरे की जगह काले-सफेद वृत्त खंडों में बँटा हुआ लगेगा, मानों वह बिल्कुल स्थिर हो।

प्रविधि में 'काल-सूक्ष्मदर्शी'

'मनोरंजक भौतिकी' की प्रथम पुस्तक में 'काल विशालक' का वर्णन किया गया था, जिसका आधार सिनेमा का कैमरा था। वैसा ही प्रभाव एक अन्य विधि से भी प्राप्त किया जा सकता है, जिसका आधार पिछले निबंध में बताई गई बातें हैं।

हम जान चुके हैं कि 25 चक्कर प्रति सेकेंड के वेग से घूर्णनरत काले-सफेद वृत्तखंडों वाला चक्का (चित्र-1 44) प्रति सेकेंड 100 कौंधे देने वाले बल्ब के प्रकाश में स्थिर प्रतीत होता है। अब मान लें कि प्रति सेकेंड कौंधों की संख्या बढ़ कर 101 हो जाती है। ऐसे दो कौंधों के बीच के समय में चक्का पहले की तरह चौथाई चक्कर पूरा नहीं कर सकेगा और इसका मतलब है कि वृत्त-खंड अपना अनुरूप स्थान नहीं ले पाएगा।

आँखें उसे परिधि के शतांश तुल्य दूरी पीछे देखेंगी। अगली कौंध में वृत्तखंड परिधि के दो शतांश तुल्य दूरी पीछे दिखेगा। हमें लगेगा कि चक्का उल्टी दिशा में घूम रहा है और एक सेकेंड में एक दूसरा चक्कर लगा रहा है। गति 25 गुनी कम लगती है।

आप समझ गए होंगे कि उल्टी दिशा की बजाय सीधी दिशा में चक्के का घूर्णन कैसे मंद किया जा सकता है। इसके लिए कौंधों की प्रति सेकेंड संख्या बढ़ानी नहीं **घटानी** होगी। उदाहरणार्थ, प्रति सेकेंड 99 कौंधों वाले प्रकाश में चक्का सीधी दिशा में एक चक्कर प्रति सेकेंड की दर से घूमता नजर आएगा।

यह 'काल-सूक्ष्मदर्शी' होगा, जो गति को 25 गुना मंद करके दिखाता है। मंदन और भी अधिक हो सकता है यदि कौंधों की संख्या 10 सेकेंड में 999 (अर्थात् प्रति सेकेंड 99.9) कर दी जाए, तो चक्का 10 सेकेंड में 1 चक्कर लगाता नजर आएगा। गति 250 गुनी मंद हो जाती है।

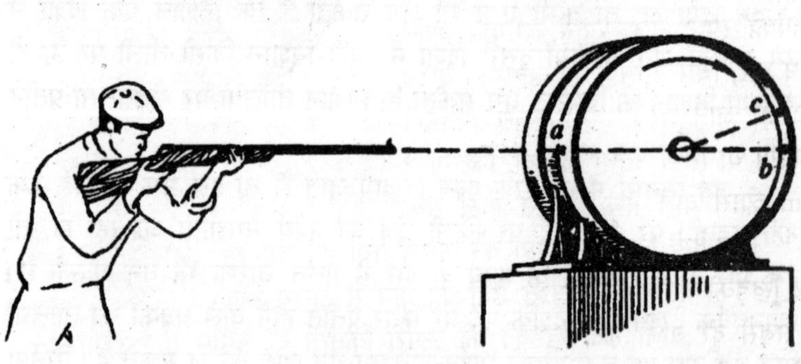

चित्र 145. गोली का वेग ज्ञात करना।

उपरोक्त विधि से किसी भी क्षिप्र आवर्ती गति को आँखों के लिए इष्ट सीमा तक मंद किया जा सकता है। क्षिप्र यंत्रों की गति-विशेषताओं का अध्ययन करने में इससे काफी सुविधा होती है, क्योंकि ऐसे 'काल-सूक्ष्मदर्शी, से गति को सौ गुना, हजार गुना अधिक जितना मंदन किया जा सकता है।[1]

1. क्षिप्रपरिवर्ती प्रक्रियाओं की आवृत्ति नापने के लिए व्यवहृत उपकरण—आवर्तदर्शी (स्ट्रोबोस्कोप) के मूल में यही नियम है। आवर्तदर्शियों से अत्यंत शुद्ध मापें मिल सकती हैं (उदाहरणार्थ, एलेक्ट्रोनी आवर्तदर्शी से सिर्फ 0.001% की अशुद्धि मिलती है।—संपादक

अंत में बंदूक की गोली का वेग नापने के लिए एक विधि का वर्णन करते हैं, जो चक्के की घूर्णन-संख्या को शुद्धता के साथ निर्धारित करने की संभावना पर आधारित है। क्षिप्र घूर्णन वाले बेलन पर गत्ते की चकती बैठा देते हैं। चकती काले-सफेद वृत्त-खंडों में बँटी होती है और उसकी किनारी इस प्रकार मुड़ी होती है कि वह बेलनाकार खुले बरतन जैसी लगती है (चित्र 145)। बंदूकधारी इससे व्यास के अनुतीर निशाना लगाता है, जिससे गोली बरतन की दीवार में दो जगह छेद कर देती है। यदि बरतन स्थिर होता, तो दोनों छेद एक ही व्यास के दोनों सिरों पर होते। लेकिन बरतन को घूर्णन-गति दी गई है, इसलिए जब तक गोली एक किनारी से दूसरी किनारी तक पहुँचती है, बरतन थोड़ा घूम चुका होता है। फलतः दूसरा छेद a की बजाय c पर बनता है। बरतन की घूर्णन-संख्या, उसका व्यास और चाप bc नाप कर गोली का वेग ज्ञात किया जा सकता है। यह एक सरल ज्यामितीय समस्या है, जिसे थोड़ा बहुत गणित का ज्ञान रखने वाले पाठक भी हल कर ले सकते हैं।

निपकोव-चक्र

दृष्टि-भ्रम के प्राविधिक उपयोग का एक सुंदर उदाहरण तथाकथित 'निपकोव चक्र' है। इसका उपयोग प्रथम टेलिविजनों में हुआ करता था। चित्र 146 में आप वृत्त देखते हैं। छेद एक सर्पिल रेखा पर समरूपता से बनाए गए हैं। हर छेद अपने पड़ोस की तुलना में केंद्र से 2 mm निकट हैं। ऐसे चक्र से कोई विशेष उम्मीद नहीं की जा सकती। पर आप इसे चित्र 147 की भाँति एक उदग्र खिड़की और चित्र के बीच अक्ष के सहारे नचाना शुरू कीजिए। स्थिर चक्र द्वारा छिपा हुआ चित्र आपको स्पष्ट नजर आने लगेगा। घूर्णन कम करें, चित्र अस्पष्ट हो जाएगा। घूर्णन बंद हो जाने पर चित्र बिल्कुल ही नहीं दिखेगा या सिर्फ उतना दिखेगा, जितना 2 mm व्यास वाले नन्हे छेद से दिख सकता है।

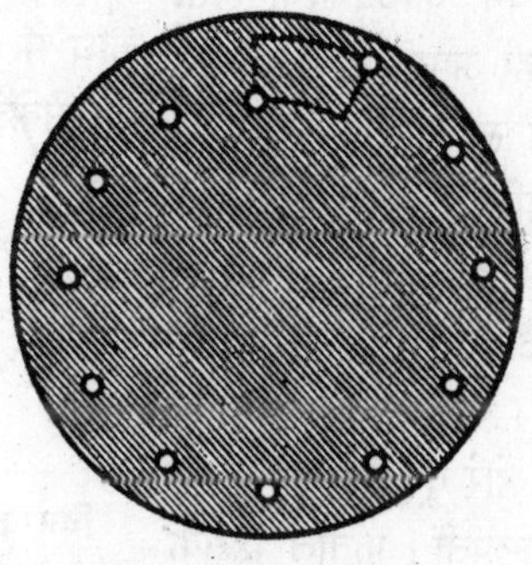

चित्र 146

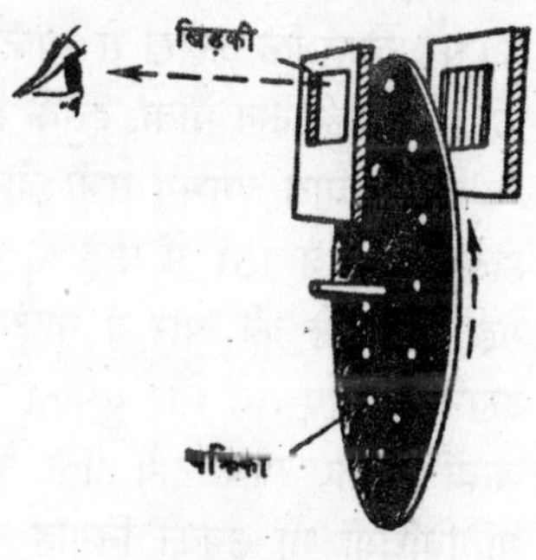

चित्र 147.

अब देखें कि इस प्रभाव का कारण क्या है। चक्र को मंद गति से घुमा कर खिड़की के समाने गुजरते छेदों को क्रम से अलग-अलग देखा जाए। केंद्र से सबसे दूर वाला छेद खिड़की की ऊपरी किनारी के समीप से गुजरता है। यदि उसकी गति बहुत तेज होगी, तो वह आपको चित्र का क्षैतिज पट्टी जितना बड़ा भाग दिखा देगा। यह चित्र का ऊपरी भाग होगा। दूसरा छेद, जो पहले से थोड़ा नीचे है, चित्र की निचली पट्टी दिखाएगा। इसी तरह सारे छेद एक-एक पट्टी करके पूरा चित्र दिखा देंगे। घूर्णन-गति तेज होने पर आपको चित्र सतत दिखता रहेगा, मानो चक्र में खिड़की के बराबर आकार वाला छेद कर दिया गया है।

निपकोव का चक्र आप स्वयं सरलतापूर्वक बना सकते हैं; तेजी से घूमने के लिए उसके अक्ष पर रस्सी लपेट लीजिए, पर छोटे से विद्युत् चलित्र का उपयोग करना बेहतर होगा।

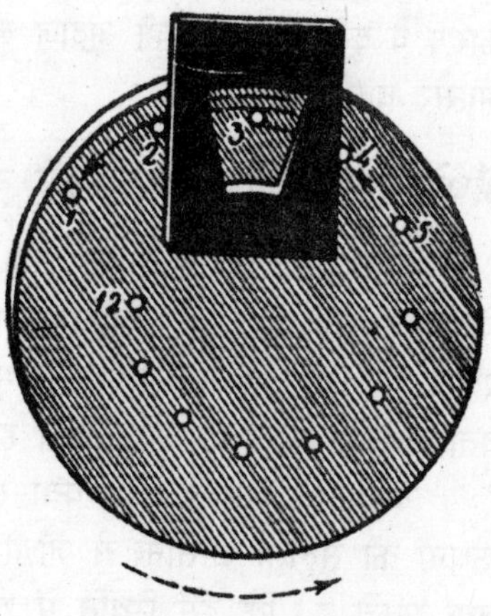

चित्र 148.

खरहा ऐंचा क्यों?

आदमी जैसे जीव बहुत कम हैं, जिनकी दोनों आँखें किसी वस्तु को एक साथ देख सकती हैं। उसकी बाईं आँख का दृष्टि-क्षेत्र दाईं आँख के दृष्टि-क्षेत्र से थोड़ा ही भिन्न होता है।

अधिकतर जीवों की दोनों आँखें अलग-अलग चीजें देखती हैं। वे वस्तु का व्योम चित्र नहीं प्राप्त करते, लेकिन हमारी तुलना में वे एक साथ कहीं अधिक बड़ा क्षेत्र देखने में समर्थ होते हैं। चित्र 149 में आदमी की आँखों के दृष्टि-क्षेत्र दिखाए गए हैं : हर आँख क्षैतिज दिशा में 120^0 के कोण की सीमा में देख सकती है और दोनों आँखों में दृष्टि-क्षेत्र लगभग एक ही हैं (यदि आँखें स्थिर हों)।

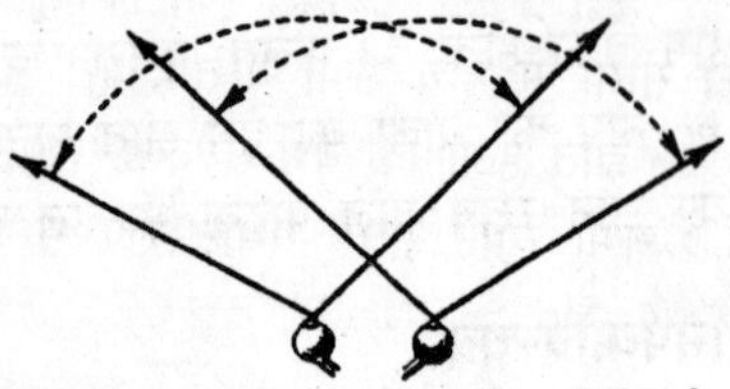

चित्र 149. आदमी की दोनों आँखों के दृश्य-क्षेत्र।

इस आरेख की तुलना अब चित्र 150 के साथ करें; एक खरहे की आँखों का दृष्टि-क्षेत्र दिखाता है। खरहा बिना सर घुमाए सिर्फ आगे की ही नहीं, **पीछे की वस्तुएँ** भी देख सकता है। दोनों आँखों के दृष्टि-क्षेत्र उसके आगे और पीछे मिलते हैं। अब आप समझते होंगे कि खरहे को बिना डराए उसके पास पीछे से छिप कर पहुँचना कठिन क्यों होता है। पर, जैसा कि आरेख से स्पष्ट है, खरहा अपनी नाक के पास की चीज नहीं देख पाता, इसके लिए उसे सर घुमाना पड़ता है।

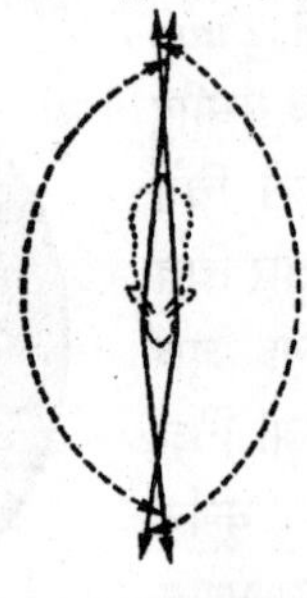

चित्र 150. खरगोश की दोनों आँखों के दृश्य-क्षेत्र।

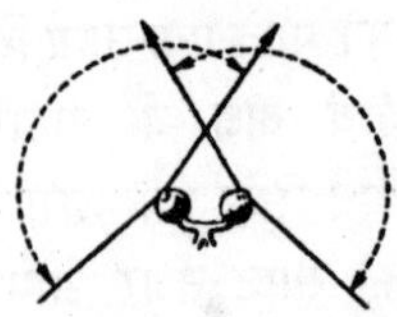

चित्र 151. घोड़े की दोनों आँखों के दृश्य-क्षेत्र।

खुर वाले लगभग सभी जीवों की दृष्टि ऐसी ही 'सर्वमुखी' होती है। चित्र 151 में घोड़े के दृष्टि-क्षेत्रों की स्थितियाँ दिखाई गई हैं : पीछे की ओर वे नहीं मिलते अतः पीछे क्या है, यह देखने के लिए उसे सिर घुमाना पड़ता है। वस्तुओं का बिंब इन जीवों के लिए स्पष्ट नहीं होता, पर चारों ओर दूर तक की हल्की गतिविधियाँ भी उनकी निगाह से नहीं छिपतीं। फुर्तीले हिंसक पशु जिन्हें आक्रामक की भूमिका निभानी पड़ती है, अपने चारों ओर नहीं देख पाते; उनकी दृष्टि 'दो आँखों वाली' होती है, जिसके कारण वे दूरी का सही-सही अंदाज लगा पाते हैं। यदि ऐसा नहीं होता, तो अपने शिकार पर छलांग लगाने में उनसे अक्सर चूक होती रहती।

अँधेरे में सभी बिल्लियाँ भूरी क्यों?

भौतिकविद् कहता है कि ''अँधेरे में सभी बिल्लियाँ काली लगती हैं'', क्योंकि प्रकाश की अनुपस्थिति में चीजें दिखाई ही नहीं देतीं। पर कहावत का संबंध पूर्ण अँधेरे से नहीं, अत्यंत क्षीण प्रकाश से है। कहावत सही रूप में इस प्रकार है : अँधेरे में सभी बिल्लियाँ भूरी होती हैं। कहावत का मूल अर्थ यह है कि कम प्रकाश में आँखें रंग-भेद नहीं बता सकतीं, हर सतह भूरी प्रतीत होती है।

कहाँ तक सच है यह? क्या सचमुच ही कम अँधेरे में लाल झंडा और हरा पत्ता एक जैसे भूरे लगते हैं? इन कथनों की सत्यता आसानी से जाँची जा सकती है। जिन्हें झुटपुटी शाम में रंगों को देखने की कोशिश की होगी, वे बता सकते है। कि इस स्थिति में रंग-भेद लुप्त हो जाते हैं और हर चीज गाढ़ी भूरी लगती है।

चेखव के 'पत्र' में आप पढ़ सकते हैं : ''पर्दे के कारण यहाँ सूर्य-किरणें नहीं आ रही थीं; कमरे में झुटपुट अँधेरा

था, इसलिए बड़े से गुलदस्ते में सभी गुलाब एक रंग के प्रतीत हो रहे थे।''

भौतिकीय प्रयोग भी इस अवलोकन की सत्यता को सिद्ध करते हैं। यदि रंगीन सतह पर क्षीण श्वेत प्रकाश डाला जाए (या सफेद सतह पर रंगीन प्रकाश डाला जाए और प्रकाश की शक्ति धीरे-धीरे बढ़ाई जाए, तो शुरू-शुरू में सिर्फ भूरा रंग दिखाई देगा। जब प्रकाश की शक्ति एक नियत सीमा तक पहुँचती है, आँखों को रंग की अनुभूति मिलनी शुरू होती है। प्रकाश की यह शक्ति 'वर्ण संवेदना की निचली सीमा' कहलाती है।

इस प्रकार, कहावत (जो अनेक भाषाओं में मिल सकती है) का शाब्दिक और सही अर्थ यह है कि वर्ण-संवेदना की सीमा से नीचे सभी वस्तुएँ भूरी लगती हैं।

ज्ञात हुआ कि वर्ण-संवेदना की ऊपरी सीमा भी है। काफी तीव्र प्रकाश में आँखें रंग-भेद करने में असमर्थ होती हैं : सभी रंगीन सतहें समान रूप से श्वेत लगती हैं।

अध्याय 10

ध्वनि, लहरदार गति

ध्वनि व रेडियो-तरंगें

ध्वनि प्रकाश की तुलना में करीब दस लाख गुनी मंद गति से प्रसारित होती है; और चूँकि रेडियो-तरंगों और प्रकाश के वेग समान हैं, इसलिए ध्वनि रेडियो-संकेत से दस लाख गुना मंद वेग से चलती है। इससे एक दिलचस्प निष्कर्ष निकलता है, जिसका सार निम्न प्रश्न से स्पष्ट हो सकता है : संगीत-कक्ष में पियानो की प्रथम ध्वनि किसे पहले सुनाई देगी—पियानो से 10 m की दूरी पर बैठे श्रोता को, या 100 किलोमीटर दूर स्थित रेडियो के पास बैठे व्यक्ति को (रेडियो पर वही प्रोग्राम सीधे संगीत कक्ष से प्रसारित हो रहा है)?

बात कितनी भी विचित्र क्यों न हो, रेडियो सुनने वाला व्यक्ति पियानो की आवाज संगीत-कक्ष के श्रोता से पहले सुन लेगा, यद्यपि यह वाद्य-यंत्र से 10 000 गुना अधिक दूर बैठा है। रेडियो-तरंगें 100 मिलोमीटर की दूरी तय करने में समय लगाती हैं।

$$\frac{100}{300\,000} = \frac{1}{3\,000} \text{ सेकेंड।}$$

ध्वनि 10 मीटर की दूरी तय करती है

$$\frac{10}{340} = \frac{1}{34} \text{ सेकेंड में।}$$

इससे स्पष्ट है कि रेडियो प्रसारण द्वारा ध्वनि को भेजने में करीब सौ गुना कम समय लगता है, की तुलना ध्वनि को हवा के माध्यम से भेजने में।

ध्वनि और बंदूक की गोली

जब जूल वेर्न के यात्री गोले में बैठ कर तोप से छुटे, तो वे इस बात पर विस्मित थे कि इतनी बड़ी तोप दागे जाने की कोई आवाज उनके कानों तक नहीं पहुँची। पहुँचती भी नहीं। आवाज कितनी भी जोरदार क्यों न हो, उसके प्रसारण का वेग (हवा में किसी भी ध्वनि की तरह) सिर्फ 340 m/s के बराबर होता है। पर गोले का वेग था 11000 mm। स्पष्ट है कि तोप दागने की आवाज यात्रियों तक नहीं पहुँचेगी : गोला ध्वनि से आगे निकल जाएगा।[1]

1. अनेक आधुनिक विमान ध्वनि के वेग से काफी तेज चलते हैं।—संपादक

तोप के गोले और बंदूक की गोलियाँ वास्तविकता में कितनी तेज चल सकती हैं : ध्वनि से तेज चलती हैं या उनकी आवाज उनसे आगे निकल कर शिकार को सावधान कर देती है?

आधुनिक बंदूक की गोली ध्वनि से तिगुनी तेज चलती है, अर्थात् उनका वेग होता है 900 m/s (और ध्वनि का वेग 0^0 पर 322 m/s)। यह बात और है कि ध्वनि समरूप गति से चलती रहती है और गोली का वेग घटने लगता है। पर अपने पथ का अधिकांश भाग गोली ध्वनि से तेज चलती हुई तय करती है। इससे सीधा निष्कर्ष यह निकलता है कि यदि गोली चलने पर आपको उसकी आवाज सुनाई देती है, तो इसका मतलब है कि घबराने की कोई बात नहीं है : गोली आपको नहीं लगी है। गोली बंदूक की आवाज से आगे चली जाती है और यदि वह किसी को लगती है, तो वह पीछे से आती आवाज को सुन सकने से पहले ही मृत हो जाएगा।

मिथ्या विस्फोट

उड़ते हुए पिंड और उसके द्वारा उत्पन्न ध्वनि के वेगों में अंतर होने के कारण हम कभी-कभी गलत निष्कर्षों पर पहुँच जाते हैं, जिनका वास्तविकता के साथ कोई मेल नहीं होता।

इसका एक रोचक उदाहरण है उल्का (या तोप का गोला), जो हमारे ठीक सिर के ऊपर से काफी ऊँचाई पर उड़ती हुई निकलती है। उल्काएँ बाह्य अंतरिक्ष से हमारे वातावरण में घुस आती हैं। उनका वेग काफी बड़ा होता है। हवा के प्रतिरोध से कम होते-होते भी उसका वेग ध्वनि के वेग से दसियों गुना अधिक रह जाता है।

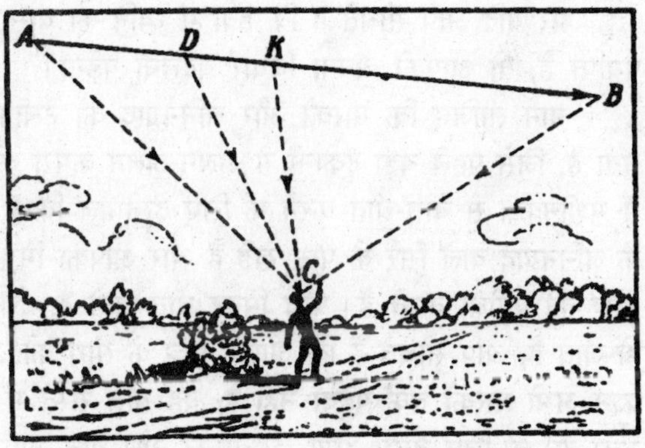

चित्र 152. विस्फोट से उल्का के टुकड़े होने का भ्रम

हवा को चीरती हुई वे अक्सर शोर करती हैं, जो बादल गरजने की याद दिलाता है। मान लें कि हम बिंदु *C* पर खड़े हैं (चित्र 152) और ठीक हमारे ऊपर से *AB* रेखा पर एक उल्का जा रही है। उल्का द्वारा बिंदु *A* से भेजी गई ध्वनि हम तक (अर्थात् *C* तक) तब पहुँचती है, जब स्वयं उल्का बिंदु *B* पर पहुँच चुकी होती है। चूँकि उल्का काफी तेज भाग रही है, वह हम तक *A* वाली ध्वनि पहुँचने के पहले *D* से ध्वनि भेज देती है। इसलिए हम *D* बिंदु से आती ध्वनि पहले सुनते हैं और *A* वाली ध्वनि बाद में। और चूँकि *B* बिंदु से चलने वाली ध्वनि भी हम *D* वाली के बाद सुनते हैं, तो हमारे सिर के ऊपर एक बिंदु *K* होना चाहिए, जहाँ से उल्का की ध्वनि हमें सबसे पहले सुनाई दे जाती है। गणित के प्रेमी इस बिंदु की स्थिति कलन द्वारा निर्धारित कर सकते हैं, यदि उल्का और ध्वनि के वेगों का अनुपात ज्ञात हो जाए।

परिणाम यह होता है : जो हम सुनेंगे और जो देखेंगे, उनका आपस में कोई मेल नहीं बैठेगा। आँखों के लिए उल्का सर्वप्रथम बिंदु *A* पर होगी और वह रेखा *AB* पर अग्रसर होती। लेकिन कान के लिए वह सर्वप्रथम हमारे सिर के ऊपर कहीं *K* पर होगी और इसके बाद हमें एक ही समय में दो ध्वनियाँ सुनाई देंगी, जो विपरीत दिशाओं में लुप्त होती प्रतीत होगी–*K* से *A* की ओर और *K* से *B* की ओर। दूसरे शब्दों में, हमें सुनाई देगा कि उल्का मानो दो भागों में टूट गई और हर भाग विपरीत दिशा में अग्रसर हो गया। यह विस्फोट नहीं हुआ है। और यह दिखाता है कि ध्वनि संवेदनाएँ कितनी भ्रामक हो सकती हैं। बिल्कुल संभव है कि उल्का के विस्फोट की आँखों देखी कहानियाँ सुनाने वाले लोग ऐसे श्रवण-भ्रम का ही शिकार रहे हों।

यदि ध्वनि-वेग घट जाए...

यदि ध्वनि हवा में 340 m/s के वेग से नहीं, बल्कि इससे काफी कम वेग से प्रसारित होने लगे, तो श्रवण-भ्रमों की घटनाएँ अधिक घटतीं।

कल्पना करें कि ध्वनि एक सेकेंड में 340 m नहीं, 340 mm तय करती है, अर्थात् वह पैदल-यात्री से भी सुस्त चलती है। आप आराम-कुर्सी में बैठे अपने मित्र की कहानी सुन रहे हैं, जिसे बोलते वक्त चहल-कदमी करने की आदत है। साधारण परिस्थितियों में यह चहल-कदमी आपको कहानी सुनने में बाधा पहुँचाती, पर ध्वनि का वेग कम हो जाने पर आप अपने मित्र की बातें बिल्कुल नहीं समझेंगे : पहले उच्चरित स्वर (जब मित्र आपसे दूर था) आपके कानों तक देर से पहुँचेंगे और बाद में उच्चरित स्वर (जब मित्र आपके निकट था) आप पहले सुन लेंगे। सारे स्वर आप तक उल्टे क्रम से पहुँचा करेंगे। इसमें से सिर्फ चंद शब्द आप समझ सकेंगे, जिनके लिए उल्टा-सीधा एक समान होता है, जैसे : 'नवजीवन'।

सबसे मंद वार्त्ता

पर यदि आप सोचते हैं कि हवा में ध्वनि का वास्तविक वेग—तिहाई किलोमीटर प्रति सेकेंड—हर स्थिति के लिए पर्याप्त है, तो आपको अपना विचार बदलना पड़ेगा।

मान लीजिए कि मास्को और लेनिनग्राद को टेलीफोन के बजाय बातचीत करने वाली साधारण टोंटी से जोड़ा गया है, जिसे पहले बड़ी दूकानों से अलग-अलग कमरों को जोड़ने के लिए इस्तेमाल किया जाता था (या जिसे जहाजों में मशीनकक्ष से बात-चीत करने के लिए इस्तेमाल किया जाता था)। मान लीजिए कि आप इस 650 km लंबी नली के लेनिनग्राद वाले सिरे के पास खड़े हैं और आपका मित्र मास्को वाले सिरे के पास खड़ा है। आप कुछ पूछते हैं और उत्तर की प्रतीक्षा करते हैं। पाँच मिनट बीत जाते हैं, दस मिनट, पंद्रह मिनट..., उत्तर नहीं आ रहा है। आप चिंतित हो जाते हैं; आप सोचते हैं कि आपके मित्र के साथ कोई दुर्घटना हो गई है। पर डरने की कोई बात नहीं है : आपका प्रश्न **अभी मास्को तक पहुँचा नहीं है;** वह बोल रास्ते में ही हैं। जब तक आपका मित्र आपकी आवाज सुनेगा और उत्तर देने के लिए तैयार होगा, 15 मिनट और बीत जाएँगे। लेकिन उत्तर को मास्को से लेनिनग्राद आने में भी आधे घंटे से कम नहीं लगेगा। इस प्रकार आप उत्तर सिर्फ एक घंटे बाद सुन सकेंगे।

आप हिसाब करके देख सकते हैं : लेनिनग्राद से मास्को की दूरी 650 km है; ध्वनि पर सेकेंड में 1/3 km चलती है; अतः मंजिल तक पहुँचने में उसे 2160 सेकेंड या 35 मिनट से कुछ अधिक लगेंगे। इन परिस्थितियों में आप सुबह से शाम तक में दस वाक्यों से अधिक का आदान-प्रदान शायद ही कर सकेंगे।[1]

क्षिप्रतम पथ

एक जमाना था जब खबर भेजने की यह विधि भी क्षिप्र मानी जाती थी। सौ साल पहले विद्युत् टेलीग्राफ या टेलीफोन की किसी ने कल्पना भी नहीं की होती और 650 km की दूरी पर कुछेक घंटे में समाचार भेजना शीघ्रता का आदर्श उदाहरण होता।

कहते हैं कि जार पावेल-I के राजतिलक शुरू होने की सूचना मास्को से लेनिनग्राद भेजने के लिए निम्न विधि अपनाई गई थी। दोनों राजधानियों के बीच दो-दो सौ मीटर की दूरी पर सैनिक तैनात किए गए थे। गिरजे की प्रथम

1. लेखक इस बात को ध्यान में नहीं रख रहे कि दूरी के साथ-साथ ध्वनि-कंपन बिल्कुल बुझ जाएगा। इसके कारण बातचीत बिल्कुल असंभव हो जाएगी, आपका प्रश्न आपके मित्र तक पहुँचेगा ही नहीं।—संपादक।

घंटी की आवाज सुनते ही निकटतम सैनिक ने हवा में गोली दाग दी। यह आवाज सुनते ही उसके बाद वाले सैनिक ने गोली दागी, इसके बाद तीसरे सैनिक ने,—और इसी प्रकार राजतिलक के आरंभ होने का संकेत लेनिनग्राद (उस समय पिटरबुर्ग) तक सिर्फ तीन घंटों में पहुँच गया। मास्को में घंटी की प्रथम ध्वनि के, ठीक तीन घंटे बाद 650 km दूर लेनिनग्राद के पेत्रो-पाव्लोव्स्क किले में भी तोप दागने की आवाज सुनाई देने लगी।

यदि मास्को के घड़ी-घंटों की आवाज उत्तरीय राजधानी लेनिनग्राद में सुनी जा सकती, तो जैसा कि हम देख चुके हैं, सिर्फ आधे घंटे बाद सुनी जाती। इसका मतलब है कि तीन घंटों में से ढाई घंटे सिर्फ इस बात में खर्च हुए कि सैनिक पिछले सैनिक द्वारा दागी गई बंदूक की आवाज ग्रहण करता था और अपनी बंदूक दागने के लिए आवश्यक कार्य संपन्न करता था। इतना सा काम समय के बहुत नन्हे अंतराल में हो जाता है, पर ऐसे अनेक अंतराल मिल कर 2 ½ घंटे में परिणत हो गए थे।

पुराने जमाने में प्रयुक्त प्रकाशीय टेलीग्राफ भी इसी तरह का होता था : इसमें पिछले स्टेशन से प्रकाशीय संकेत पा कर वैसा ही संकेत अगले स्टेशन पर भेजा जाता था। संकेत इसी तरह एक के बाद एक स्टेशन तय करता हुआ मंजिल तक पहुँचता था। प्रकाश संकेत द्वारा खबर भेजने की विधि का उपयोग जार के जमाने में क्रांतिकारी लोग भी करते थे। यदि कहीं पर उनकी गुप्त बैठक होती थी, तो बैठक के स्थान से पुलिस-स्टेशन तक थोड़ी दूर पर अन्य क्रांतिकारी छिपे रहते थे। पुलिस-चौकी में कोई चहल-पहल दिखते ही निकटतम क्रांतिकारी टार्च जला कर अगले को सचेत कर देता था।

नगाड़े से टेलीग्राफ

अफ्रीका, मध्य अमेरिका और पोलीनेशिया की आदिवासी जातियों के बीच ध्वनि-संकेतों द्वारा खबर भेजने की प्रथा आज भी प्रचलित है। इसके लिए विशेष नगाड़ों का उपयोग किया जाता है। इनकी मदद से ध्वनि संकेतों को विशाल दूरियों तक भेजा जा सकता है : एक जगह पर सुने गए संकेत दूसरी जगह दुहराए जाते हैं और इसी तरह से आगे पहुँचते रहते हैं। इस विधि से कोई भी महत्त्वपूर्ण खबर छोटे अंतराल में काफी बड़े भूभाग पर फैलाई जा सकती है (चित्र 153)

इटली और अबिसीनिया के बीच होने वाले प्रथम युद्ध के दरम्यान इटालियन सेना की गति-विधियों की खबर शासक मेनेलीक को इतनी जल्द लग जाती थी कि इटालियन युद्ध-मंत्रणालय में लोग हैरत में पड़े हुए थे। उन्हें दुश्मन के मृदंगी टेलीग्राफ के बारे में कुछ भी नहीं मालूम था।

इटली के साथ अबिसीनिया के दूसरे युद्ध के आरंभ में लामबंदी की आज्ञा अदीस-अबीस से निकल कर चंद घंटों में देश के कोने-कोने तक फैल गई।

चित्र 153. फीजी द्वीप का आदिवासी नगाड़े के 'टेलीग्राम' द्वारा वार्तालाप में मशगूल है।

ऐंग्लो-बोइर युद्ध के समय भी यही बात देखी गई थी : काफ्र जनजाति के 'टेलीग्राफ' के उपयोग से कैपलैंड निवासियों के बीच युद्ध-समाचार असाधारण गति से फैलते थे, जबकि सरकारी संदेश-वाहकों को इसमें कई-कई दिन लग जाते थे।

अफ्रीका के यात्रियों (जैसे लेव फ्रोबेनीउस) के अनुसार कुछ अफ्रीकन जन-जातियों के पास ध्वनि संकेतों की प्रणाली इतनी पूर्ण है कि उनके 'टेलीग्राफ' को यूरोपियनों के प्रकाशीय टेलीग्राफ से (जो विद्युत् टेलीग्राफ से पूर्व था) अधिक अच्छा माना जा सकता है।

एक पत्रिका में निम्न खबर छपी थी ब्रिटिश संग्रहालय के पुरावेत्ता आर. हैसेल्डेन नाइजीरिया के मध्य में स्थित शहर इबाड में थे। नगाड़े की आवाज वहाँ दिन रात गूँजती रहती थी। एक सुबह उन्होंने ध्यान दिया कि हर जगह लोग सरगर्मी के साथ किसी चीज के बारे में बातें कर रहे हैं पूछने पर उन्हें बताया गया कि "गोरों का एक बड़ा जहाज डूब गया है; बहुत से लोगों की मृत्यु हुई है।" तट से यह खबर मृदंगी टेलीग्राफ से वहाँ पहुँची थी। पुरावेत्ता ने इस अफवाह पर कोई ध्यान नहीं दिया। लेकिन तीन दिन बाद उसे टेलीग्राफ मिला (लाइन खराब होने की वजह से देर हो गई थी) कि "लुजीटेन" डूब गया है। तब वे समझ गए कि निग्रो लोगों की खबर सही थी, और वह कैर से दूबाड पहुँची थी। सबसे आश्चर्य की बात तो यह थी कि मार्ग में कई जनजातियाँ ऐसी थीं, जो एक दूसरे की बोली बिल्कुल नहीं समझती थीं और उनमें से कइयों के बीच युद्ध चल रहा था।

ध्वनि-कुहरे और हवा से प्रतिध्वनि

ध्वनि सिर्फ कठोर बाधा से ही परावर्तित नहीं होती। प्रतिध्वनि बादल जैसी नर्म कोमल वस्तु से भी मिल सकती है। यही नहीं, बिल्कुल पारदर्शक हवा भी विशेष परिस्थितियों में ध्वनि तरंगों को परावर्तित कर सकती है। जैसे, जब हवा के इस पारदर्शक भाग की ध्वनि-चालकता बाकी हवा से किसी कारणवश भिन्न होती है। इस घटना की तुलना प्रकाशिकी के 'पूर्ण परावर्तन' की घटना के साथ की जा सकती है। ध्वनि अदृश्य बाधा से टकरा कर लौटती है और हमें रहस्यमयी प्रतिध्वनि सुनाई देती है, जो पता नहीं कहाँ से आती है।

यह रोचक तथ्य टिंडल को बिल्कुल संयोगवश ज्ञात हुआ था, जब वे समुद्र-तट पर ध्वनि -संकेतों के साथ प्रयोग कर रहे थे। "बिल्कुल पारदर्शक हवा से प्रतिध्वनि मिलती है,–वे लिखते हैं।–प्रतिध्वनि मानों जादू के इशारे पर किसी ध्वनि-कुहरे से फूट रही थी"

ध्वनि-कुहरे की संज्ञा अंग्रेज भौतिकविद् ने पारदर्शक हवा के उस क्षेत्र को दी, जो ध्वनि को परावर्तित कर के "हवा से प्रतिध्वनि" उत्पन्न करता है। देखिए, क्या कहते हैं वे इसके बारे में :

"ध्वनि-कुहरे हवा में उड़ते रहते हैं। उनका बादल, वास्तविक कुहासे आदि के साथ कोई संबंध नहीं है। पारदर्शक से पारदर्शक हवा में भी वे उपस्थित हो सकते हैं। उनसे हवाई प्रतिध्वनियाँ मिल सकती है; सामान्य मान्यता के विपरीत, वे स्वच्छतम वातावरण में भी उत्पन्न हो सकती हैं। हवाई प्रतिध्वनियों का अस्तित्व प्रयोगों तथा प्रेक्षणों से सिद्ध किया जा चुका है। वे वायु-धाराओं से भी उत्पन्न हो सकती हैं, यदि धाराएँ भिन्न तापक्रम पर हैं या उनमें आर्द्रता की मात्रा भिन्न है।"

ध्वनि-कुहरे का अस्तित्व युद्ध-काल में अवलोकित चंद रहस्यमयी संवृत्तियों पर प्रकाश डालता है। टिंडल फ्रैंको-प्रुशियन युद्ध (1871) के साथ एक चश्मदीद गवाह की याद प्रस्तुत करते हैं :

"तारीख 6 की सुबह पिछली सुबह की ठीक उल्टी थी। पिछले दिन कनकनी ठंड थी और कुहासा था। छः का दिन साफ व गर्म था। पिछले दिन हवा में शोर भी था। तरह-तरह की आवाजें थीं, और छः को पूर्ण नीरवता थी, जैसे लड़ाई कभी शुरू ही नहीं हुई थी। हम एक दूसरे की ओर आश्चर्य से देख रहे थे। क्या पेरिस, उसके किले और तोप,

सब गायब हो गए?...मैं मोनमोरॉस में पहुँचा; वहाँ से उत्तरी पेरिस का विस्तृत दृश्य देखा जा सकता था। पर यहाँ भी पूर्ण शांति थी। मुझे तीन सैनिक मिल गए; मैं उनसे बातें करने लगा। वे यह मानने के लिए तैयार थे कि संधि का उपक्रम चल रहा है, क्योंकि सुबह से गोली या बम की एक भी आवाज नहीं सुनाई दे रही है...

मैं आगे गोनेस की ओर बढ़ा। मेरे आश्चर्य का ठिकाना न रहा, जब मुझे पता चला कि जर्मन सैनिक 8 बजे सुबह से ही तड़ातड़ गोलियाँ चला रहे हैं। दक्षिण हिस्से में भी बमबाजी करीब आठ बजे ही शुरू हो गई थी। लेकिन मोनमोरॉस की कोई आवाज नहीं आ रही थी। यह सब हवा पर निर्भर करता था : आज हवा ध्वनि को प्रसारित नहीं होने दे रही थी, और कल उसे दूर-दूर तक फैला रही थी''

ऐसी संवृत्तियाँ 1914-1918 की लड़ाइयों में भी अवलोकित हुई थीं।

ध्वनिहीन ध्वनि :

ऐसे भी लोग हैं जो झींगुर-गान या चमगादड़ की चीख जैसी तीखी ध्वनि नहीं सुन पाते। ये लोग बहरे नहीं है,–उनके कान ठीक-ठाक है, फिर भी वे ऊँची तान नहीं सुन पाते। विख्यात अंग्रेज भौतिकविद् का कहना था कि कुछ लोग गौरैये की आवाज भी नहीं सुन पाते!

हमारे कान हमारे गिर्द के सभी कंपनों को नहीं सुन पाते। यदि पिंड एक सेकेंड में 16 से कम कंपन करता है, तो हमें ध्वनि सुनाई नहीं देती। यदि वह सेकेंड में 15-22 हजार से अधिक कंपन करता है, तो भी हमें कोई आवाज नहीं सुनाई देती। तान सुनने की ऊपरी सीमा भिन्न लोगों के लिए भिन्न होती है। वृद्ध लोगों के लिए ऊपरी सीमा सिर्फ 6 हजार कंपन प्रति सेकेंड वाली तान होती है। इसी कारण से यह विचित्र बात देखने को मिलती है कि कान बेधने वाली तीखी ध्वनि कुछ लोग अच्छी तरह से सुनते हैं और कुछ लोग बिल्कुल नहीं सुन पाते।

अनेक कीड़े-मकोड़े (जैसे मच्छर झींगुर) ऐसी आवाजें निकालते हैं, जिनकी तान प्रति सेकेंड 20 हजार कंपन वाली होती है। कुछ लोग इसे सुन सकते हैं और कुछ के लिए इसका कोई अस्तित्व नहीं होता। उच्च्य तान के प्रति असंवेदनशील लोग जहाँ पूर्ण नीरवता का रस लेते हैं, दूसरे लोगों को तीखी ध्वनियों का बेतरतीब शोर सुनाई देता रहता है। टिंडल बातते हैं कि उन्हें एक ऐसी घटना देखने का अवसर मिला था, जब वे अपने एक मित्र के साथ स्विटज़रलैंड में टहल रहे थे : ''रास्ते के दोनों तरफ मैदानी घास कीड़े-मकोड़ों से भरा हुआ था, जो हवा में तरह-तरह से अनभनाहट और चर्राहट की आवाज फैलप रहे थे। मेरा मित्र इन आवाजों को बिल्कल नहीं सुन पा रहा था; उसके लिए कीड़े-मकोड़ों के 'कलरव'' का कोई अस्तित्व नहीं था।

चमगादड़ की चीख पतंगों के तीखे स्वर से पूरा एक सरगम (औक्टेव) नीचे है, अर्थात् उससे हवा में होने वाले कंपन की बारंबारता दुगुनी कम है। पर ऐसे लोग भी मिल जाते हैं, जिनकी ध्वनि-ग्राह्यता इससे भी कम है और उनके लिए चमगादड़ एक मूक जंतु है।

इसके विपरीत, पावलोव की प्रयोगशाला में निर्धारित किया गया था कि कुत्ते 38 हजार कंपन प्रति सेकेंड वाली तान भी सुन सकते हैं।

प्रविधि में पराध्वनि

आधुनिक भौतिकी व प्रविधि के पास ऐसे साधन हैं, जो ऊपर बताई गई ध्वनियों से कहीं अधिक बारंबारता वाली 'ध्वनिहीन ध्वनि' उत्पन्न कर सकते हैं। इन 'पराध्वनियों का कंपन 10,000 000 000 प्रति सेकेंड तक पहुँच सकता है।

पराध्वनि (या परास्वनिक) कंपन प्राप्त करने की एक विधि स्फटिक (क्वार्ट्स) के निम्न गुण पर आधारित है : उसके क्रिस्टल को विशेष ढंग से काटकर प्राप्त किए गए पत्तर को संपीडित करने (दबाने) से पत्तर की सतह पर विद्युत्

के आवेश उत्पन्न हो जाते हैं।[1] इसके ठीक उल्टा, यदि ऐसे पत्तर को आवर्ती विद्युतावेश दिया जाए, तो वह बारी-बारी से संपीडित व प्रसारित होने लगता है, अर्थात् वह कंपनमय हो जाता है और उसका कंपन परास्वनिक होता है। पत्तर को आविष्ट करने के लिए रेडियो-प्रविधि में प्रयुक्त नलिका-जनित्र की मदद ली जाती है, जिसकी आवृत्ति पत्तर की तथाकथित 'निजी' आवृति के अनुरूप चुनी जाती है।[2]

परास्वनिक को तुम सुन नहीं पाते, पर उसका प्रभाव कई अन्य रूपों में व्यक्त होता है और काफी प्रकट रूपों में व्यक्त होता है। उदाहरणार्थ, यदि कंपनरत पत्तर को तेल के बरतन में डुबा दिया जाए, तो परास्वनिक कँपकपी के मारे द्रव की सतह पर करीब 10 cm ऊँचा 'टीला' बन जाता है और तेल के छींटे चालिस-चालिस सेंटीमीटर तक उड़ने लगते हैं। एक मीटर लंबे काँच के छड़ का एक सिरा इस तेल में डुबाइए और दूसरा हाथ में पकड़े रहिए; हाथ में फोड़ा पड़ जाएगा। कंपनरत छड़ के सिरे को लकड़ी से सटाएँगे, तो छड़ लकड़ी को जलाता हुआ उसमें छेद कर देगा; परास्वनिक ऊर्जा तापीय ऊर्जा में परिणत हो जाती है।

सोवियत संघ और इसके बाहर परास्वनिक का गहन अध्ययन चल रहा है। ये कंपन सजीव अंगों पर गंभीर असर डालते हैं : समुद्री घास के रेशे टूट जाते हैं, जीव-कोशिकाएँ फट जाती हैं, रक्त-कोशिकाएँ विघटित हो जाती हैं; छोटी मछलियाँ और मेंढक परास्वनिक के प्रभाव से 1-2 मिनट के अंदर मृत हो जाते हैं; प्रयोगाधीन जीव (जैसे चूहे) का तापक्रम 45°C तक पहुँच जाता है। परास्वनिक कंपनों का व्यवहार चिकित्सा में हो रहा है; अदृश्य पराबैंगनी किरणों की तरह ही अश्रव्य परास्वनिक भी रोगों से लड़ने के काम आ रही है।

धातुकर्म में परास्वनिक के उपयोग विशेष रूप से सफल रहे हैं; इससे धातु की अशुद्धियाँ, हवा के बुलबुलों के कारण उसमें बनी गुफाओं, महीन दरार आदि का पता लगाया जा सकता है। विचाराधीन धातु को तेल में भिगा देते हैं और उस पर परास्वनिक कंपन का प्रयोग करते हैं। धातु में जिन जगहों पर अशुद्धियाँ होती है, वहाँ परास्वनिक प्रकीर्णित होने लगती है। प्रकीर्णन की 'छाया' तेल की सतह पर पड़ती है ; शुद्ध-धातु वाले क्षेत्र पर तेल की सतह का रूप कुछ और होता है और अशुद्धता वाले क्षेत्र पर—कुछ और अंतर इतना स्पष्ट होता है कि इसका फोटो-चित्र लिया जा सकता है।[3]

परस्वनिक द्वारा पूरे एक मीटर मोटे धातु के टुकड़े के आर-पार 'देखा' जा सकता है। एकक्स-किरणें इतने मोटे धातु के पार नहीं जा सकतीं। इसके अतिरिक्त, परास्वनिक की सहायता से धातु में स्थित एक मिलिमीटर चौड़ाई तक का अशुद्धि-क्षेत्र ज्ञात किया जा सकता है। इन बातों के आधार पर कहा जा सकता है कि परास्वनिक कंपनों का भविष्य काफी उज्वल है।[4]

लीलीपुट और गुलीवर के स्वर

सोवियत फिल्म 'नया गुलीवर' में लीलीपुट अपने नन्हे कंठों और ध्वनि-उत्पादक नन्हीं पेशियों के कारण पतली आवाज में बोलते हैं और विशाल पेत्या-मोटी आवाज में। शूटिंग के वक्त बात-चीत में लीलीपुट की भूमिका वयस्क

---

1. इसे पीडविद्युत् (या दाबविद्युत) कहते हैं।

2. क्वार्ट्स के क्रिस्टल परास्वनिक के महँगे या क्षीण स्रोत हैं, इसीलिए इनका उपयोग प्रयोगशालाओं तक ही सीमित है। प्राविधिक उपयोग के लिए बेरियम टाइटेनेट की मृत्तिका जैसे पदार्थों को कृत्रिम रूप से संश्लिष्ट किया गया है।

1. परास्वनिक अशुद्धिदर्शी-विधि 1928 में सोवियत वैज्ञानिक एस. या. सोकोलोव द्वारा प्रस्तावित की गई थी। आजकल परास्वनिक कंपनों के विशेष संग्राही बन चुके हैं, जिनके कारण तेल की आवश्यकता नहीं पड़ती और अशुद्धि ज्ञात करने में विशेष झंझट का सामना नहीं करना पड़ता—**संपादक।**

2. परास्वनिक प्रकृति में भी पाई जाती है। हवा के शोर और सगार के गर्जन में भी ऐसे कंपन हैं, जो परास्वनिक के अनुरूप हैं। कई सजीव प्राणी (जैसे तितलियाँ, सिकाड नामक शलभ) परास्वनिक उत्पन्न करने की क्षमता रखते हैं। चमगादड़ उड़ते वक्त परास्वनिक संकेत छोड़ता रहता है, जो मार्ग में स्थित बाधा से परावर्तित होकर चमगादड़ को बता देते हैं कि अमुक दिशा में नहीं उड़ना चाहिए।—संपादक।

कलाकार अदा कर रहे थे और पेत्या की—एक छोटा सा बच्चा। फिर उनके स्वर की तान में आवश्यक परिवर्तन कैसे लाया गया? मुझे काफी आश्चर्य हुआ, जब फिल्म-निर्देशक प्तुश्को ने बताया कि शूटिंग के वक्त कलाकार अपने स्वाभाविक स्वर में ही बोल रहे थे। आवाज बदलने के लिए एक मौलिक विधि का उपयोग किया गया था, जो ध्वनि की भौतिकीय विशेषताओं पर आधारित थी।

लीलीपुटों की आवाज को पतली और पेत्या की आवाज की मोटी बनाने के लिए निर्देशक ने लीलीपुटों का अभिनय करने वाले कलाकारों की आवाज की रिकार्डिंग **धीमी गति में** की और पेत्या की—**तेज गति में**। पर्दे पर चित्र साधारण गति से प्रक्षिप्त किए जाते हैं, अतः निर्देशक की चालाकी का क्या फल हुआ होगा, समझना कठिन नहीं है। श्रोता लीलीपुट की आवाज साधारण ध्वनि-कंपनों में नहीं, **तीव्र** किये गये ध्वनि-कंपनों में सुन रहे थे और पेत्या की आवाज **धीमे** किये गये ध्वनि-कंपनों। कंपन की तीव्रता बढ़ाने से आवाज **पतली** हो जाती है और कम होने से आवाज मोटी हो जाती है।

फल यह होता है कि लीलीपुटों की आवाज साधारण से पाँच स्वर ऊँची हो जाती है और गुलीवर पेत्या की—पाँच स्वर **नीची।**

इस प्रकार 'समय विशालक' का प्रयोग ध्वनि की तान बदलने के लिए किया गया था। चाबी से चलने वाले ग्रामोफोन में जब रिकार्ड की गति साधारण से तेज या मंद हो जाती है, तो यही बात देखने को मिलती है।

दिन में दो बार दैनिक पत्र

अभी हम एक समस्या पर विचार करने जा रहे हैं, जिसका भौतिक या ध्वनि के साथ कोई संबंध नहीं लगता। फिर भी आप इस पर ध्यान दें; इससे आगे की सामग्री सुलभ हो जाएगी।

इस तरह का प्रश्न आपने दूसरे रूपों में सुना होगा। मास्को से व्लादीवस्तोक जाने के लिए हर दिन दोपहर को एक गाड़ी छूटती है। व्लादीवस्तोक से मास्को आने वाली गाड़ी भी हर दिन दोपहर को चलती है। मान लें कि एक तरफ की यात्रा दस दिनों की है। प्रश्न है : यदि आप व्लादीवस्तोक से मास्को आ रहे हैं, तो आपको मास्को से लौटती कितनी गाड़ियाँ रास्ते में मिलेंगी?

अक्सर उत्तर मिलता है : 10 पर यह गलत है। आपको रास्ते में सिर्फ वे ही गाड़ियाँ नहीं मिलेंगी, जो आपके रवाना होने के बाद मास्को से चलती हैं, बल्कि वे भी, जो पहले से चल चुकी हैं और अभी रास्ते में हैं। सही उत्तर 10 नहीं 20 होगा।

आगे बढ़ें। मास्को से चलने वाली हर गाड़ी अपने साथ ताजे समाचार-पत्र ले जाती है। यदि आप समाचारों में रुचि रखते हैं, तो जाहिर है कि हर स्टेशन पर आप अखबार खरीदने की कोशिश करेंगे। अपनी दस-दिवसीय यात्रा में आपके द्वारा खरीदे गए ताजे समाचार-पत्रों की संख्या क्या होगी?

इस बार सही उत्तर(20) बताने में आपको कठिनाई नहीं होगी। रास्ते में मिलने वाली हर गाड़ी अपने साथ ताजे समाचार पत्र लाती हैं और चूँकि आपको यात्रा के दरम्यान 20 गाड़ियाँ मिलती हैं, आप 20 अखबार खरीदेंगे। लेकिन आप की यात्रा सिर्फ दस दिनों की है, अतः आप दिन में दो बार दैनिक पत्र पढ़ेंगे!

इस निष्कर्ष की आपने उम्मीद नहीं की होगी और आपने विश्वास नहीं किया होता, यदि व्यवहार में स्वयं इसे परखने का मौका आपको नहीं मिलता। आप कम से कम यही याद कीजिए कि सेवस्तोपोल से लेनिनग्राद की द्वि-दिवसीय यात्रा में आपको लेनिनग्राद के चार अखबार पढ़ने को मिले थे : दो दिन के अखबार, जो आपकी रवानगी से पहले निकल चुके थे और दो अखबार, जो आपकी यात्रा के दरम्यान निकले थे। अब आप जानते हैं कि राजधानी के दैनिक पत्र किसके लिए दिन में दो बार निकलते हैं : उन यात्रियों के लिए, जो गाड़ी से राजधानी की ओर आ रहे हैं।

इंजन की सीटी

यदि आपके कान संगीत के लिए अच्छे हैं, तो आपने ध्यान दिया होगा कि सामने से आती गाड़ी की सीटी की तान (तान ही, ध्वनि की प्रबलता नहीं) कैसे परिवर्तित होती है। जब तक दोनों गाड़ियाँ एक दूसरे के निकट आ रही होती हैं, तान नीची हो जाती है। यदि दोनों गाड़ियों का वेग 50 किलोमीटर प्रति घंटे का है, तो ध्वनि की उच्चता में पूरी एक तारता का अंतर हो जाता है।

क्या कारण है इसका?

कारण समझने में दिक्कत नहीं होगी, यदि आप स्मरण करेंगे कि तारता की ऊँचाई प्रति सेकेंड की कंपन-संख्या पर निर्भर करती है। अब आप पिछले प्रश्न के साथ इसकी तुलना करें। आने वाली गाड़ी की सीटी से एक नियत बारंबारता (आवृत्ति) वाली ही ध्वनि निकलती है। पर आपके कान द्वारा गृहीत कंपनों की संख्या इस बात पर निर्भर करती है कि आप इस गाड़ी के निकट आ रहे हैं या उससे दूर जा रहे हैं।

जिस प्रकार मास्को की यात्रा के दौरान मास्को से दिन में एक बार निकलने वाले पत्र आप दिन में दो बार खरीदते हैं, उसी प्रकार ध्वनि-स्रोत के निकट आते वक्त आप के कान **प्रति सेकेंड अधिक कंपन ग्रहण करते हैं, जितने इंजन की सीटी देती है।** लेकिन यहाँ आप तर्क नहीं करतेः आप के कान प्रति सेकेंड अधिक कंपन ग्रहण करते हैं और आप प्रत्यक्ष रूप से अधिक ऊँची तारता की ध्वनि सुनने लगते हैं। दूर होते वक्त आप कम संख्या में कंपन ग्रहण करते हैं,—और आपको **कम नीची तारता सुनाई देती है।**

चित्र 154. इंजन की सीटी से संबंधित समस्या। ऊपर—खड़े इंजन से निकलती ध्वनि-तरंगें, नीचे—वही, गतिमान् इंजन से।

यदि उपरोक्त व्याख्या आपके लिए पर्याप्त नहीं है, तो मन ही मन देखने की कोशिश करें कि इंजन की सीटी से ध्वनि किस प्रकार प्रसारित होती है। पहले खड़ी इंजन की सीटी पर गौर करें (चित्र 154)। सीटी के कारण हवाई तरंगें उत्पन्न होती हैं। सरलता के लिए हम सिर्फ चार तरंगों को देखेंगे (चित्र में ऊपरी लहरदार रेखा) : खड़े इंजन से तरंगें नियत काल में हर दिशा में समान दूरियाँ तय करती हैं। तरंग न. 0 प्रेक्षक A तक आने में उतना ही समय लगाएगी जितना प्रेक्षक B तक पहुँचने में। इसके बाद दोनों प्रेक्षकों तक समान कालांतरों में क्रमश : तरंग न. 1, 2, 3, आदि पहुँचेंगी। दोनों प्रेक्षकों के कर्ण-पटों द्वारा अनुभूत धक्कों की संख्या प्रति सेकेंड समान होगी और इसीलिए दोनों ही समान तारता के स्वर सुनेंगे।

यदि इंजन B से A की ओर गतिमान् है, तो बात दूसरी होगी (निचली लहरदार रेखा देखें)। मान लें कि आरंभ में सीटी बिंदु C^1 पर थी और चार तरंगें छोड़ चुकने के बाद वह D पर पहुँच जाती है।

अब देखें कि तरंगों का प्रसारण किस प्रकार होता है। बिंदु C^1से निकली तरंग न. O प्रेक्षकों A' और B' तक एक साथ पहुँचेगी। पर बिंदु D पर बनी चौथी तरंग उन तक एक साथ नहीं पहुँचेगी। पथ DA^1 पथ DB^1 से काफी कम है। अतः चौथी तरंग B^1की अपेक्षा A^1 तक पहले पहुँचेगी। बीच की तरंगें न. 1 और न. 2 भी A^1 पर पहले पहुँचेंगी बीच की तरंगें-न.1 और न.2-भी A'पर पहले पहुँचेंगी और B^1 पर बाद में । पर पहुँचने के समयों में अंतर कम होगा फल यह होगा कि बिंदु A^1 तक ध्वनि-तरंगें अधिक बार ग्रहण की जाएँगी, बिन्दु B^1 से : A^1 पर स्थिति प्रेक्षक को उच्च तारता का स्वर सुनाई देगा और B^1 पर—निम्न तारता का। साथ ही आप चित्र से यह भी देख सकते हैं कि A^1की दिशा में तरंगों की लंबाई कम है और B^1 की दिशा में अधिक है।[1]

डोप्लर-संवृत्ति

ऊपर बताई गई संवृत्ति की खोज भौतिकविद् डोप्लर ने की थी और उसे डोप्लर के ही नाम से पुकारते हैं। वह सिर्फ ध्वनि के लिए नहीं, प्रकाश के लिए भी अवलोकित होती है, क्योंकि प्रकाश भी तरंग के रूप में प्रसारित होता है। तरंगों की संख्या (जो ध्वनि की स्थिति में तारता के रूप में सुनाई देती है) प्रकाश की स्थिति में आँखों द्वारा रंग के रूप में ग्रहण की जाती है।

डोप्लर का नियम खगोलशास्त्रियों को यह निर्धारित करने की विधि देता है कि कोई तारा हम से दूर जा रहा है या हमारी ओर आ रहा है। इस नियम से तारे का वेग भी ज्ञात किया जा सकता है।

खगोलशास्त्रियों को इसमें मदद मिलती है काली रेखाओं से, जो नक्षत्रों के स्पेक्ट्रम को खंडों में बाँटती हैं। यदि ध्यानपूर्वक अध्ययन किया जाए कि ये रेखाएँ किस ओर और कितनी स्थानांतरित हैं, तो अनेक महत्त्वपूर्ण सूचनाएँ प्राप्त हो सकती हैं। डोप्लर-संवृत्ति से ही हम जानते हैं कि चमकदार लुब्धक (Sirius) हर सेकेंड हम से 75 km दूर होता जाता है। यह तारा हमसे इतनी विराट् दूरी पर स्थित है कि उससे करोड़ों किलोमीटर दूर होते रहने पर भी उसकी चमक में कोई अंतर नहीं दिखता। बिना डोप्लर-संवृत्ति की सहायता लिए हम इस नक्षत्र की गति के बारे में सोच भी नहीं सकते थे।

यह इस बात का ज्वलंत उदाहरण है कि भौतिकी सचमुच ही सर्वव्यापक नियमों का अध्ययन करने वाला विज्ञान है। कुछ एक मीटर लंबाई वाली **ध्वनि-तरंगों** के अध्ययन से प्राप्त परिणामों को वह नन्हीं **प्रकाश-तरंगों** पर लागू करती है, जिसकी लंबाई मिलिमीटर के हजारवें-लाखवें अंश के बराबर होती है और इस ज्ञान का उपयोग कर के अनंत ब्रह्मांड में गतिशील असंख्य सूर्यों की गति-विधि का चित्र प्राप्त कर लेती है।

किस्सा एक जुर्माने का

जब डोप्लर पहली बार (1842 में) इस निष्कर्ष पर पहुँचे कि ध्वनि या प्रकाश के तरंगों की प्रति सेकेंड संख्या प्रेक्षक और ध्वनि या प्रकाश के स्रोत की आपसी दूरी के बढ़ने या घटने पर निर्भर करती है, तो उन्होंने तारों के रंगीन होने की बात इस नियम से समझाने की कोशिश की। वे सोचते थे कि सभी तारे अपने आप में सफेद रंग के सूर्य हैं। वे हमें रंगीन लगते हैं, क्योंकि वे हमारे सापेक्ष तेजी से गति करते रहते हैं। तेजी से हमारी ओर बढ़ने वाले सफेद तारे पृथ्वी पर तरंगों को छोटी कर के भेजते हैं, इसलिए प्रेक्षक की आँखों को हरे, नीले या बैंगनी रंग की अनुभूति

---

1. यहाँ इस बात को ध्यान में रखना चाहिए कि चित्र की लहरदार रेखाएँ ध्वनि-तरंगों के **रूप** को सही-सही व्यक्त नहीं करतीं : हवा में कणों का कंपन ध्वनि की दिशा के अभिलंब नहीं, उसके **अनुतीर** होता है। ध्वनि की दिशा के अभिलंब कंपन से उत्पन्न तरंगों को सिर्फ दृश्य-सुगमता के लिए दिखाया गया है। ऐसी तरंग का कूबड़ ध्वनि की अनुतीरी तरंग में कणों के महत्तम संपीडन का समतुल्य है।

होती है। इसके विपरीत, हमसे दूर भागते सितारों से निकलती प्रकाश-तरंगों की लंबाइयाँ बड़ी हो जाती हैं, और हमें पीले या लाल रंग की अनुभूति होती है।

विचार मौलिक था, पर गलत था। सितारों के रंग में कोई परिवर्तन दिखे, इसके लिए आवश्यक है कि उनका वेग हजारों-लाखों किलोमीटर प्रति सेकेंड का हो। पर इतना ही काफी नहीं है : बात यह है कि निकट आते तारे का नीला रंग यदि बैंगनी में बदलता, तो साथ ही साथ हरा रंग नीले म बदल जाता, पराबैंगनी की जगह बैंगनी रंग ले लेता, लाल की—अवरक्त, आदि। फल यह होता कि श्वेत रंग के सारे अवयव पहले की तरह ही मौजूद रहते ; स्पेक्ट्रम में सारे रंगों के स्थानांतरण के बावजूद हमारी आँखें कोई परिवर्तन नहीं देख पातीं।

प्रेक्षक की ओर आते हुए तारे के स्पेक्ट्रम में काली रेखाओं के स्थानांतरण की बात दूसरी है : ये स्थानांतरण अच्छे उपकरणों से ज्ञात हो सकते हैं और तारों की गति को दृश्य किरणों की सहायता से निर्धारित करने में सहायक होते हैं। (अच्छा स्पेक्ट्रमदर्शी तारों का 1km\ s जैसा छोटा वेग भी बता सकता है)।

जब भौतिकविद् रौबर्ट वुड को पुलिस लाल बत्ती पर गाड़ी नहीं रोकने का जुर्माना कर रही थी, उन्हें अचानक डोप्लर की इस भूल की याद आ गई। बताते हैं कि वुड पुलिस वाले के सामने यह सिद्ध करने लगे कि तेज गति से चलने पर लाल बत्ती हरी दिखने लगती है। यदि पुलिस वाला भौतिकी जानता होता, तो वह हिसाब लगा कर देख लेता कि वैज्ञानिक को इसके लिए प्रति घंटे 1350 लाख किलोमीटर के वेग से गाड़ी हाँकनी पड़ती।

कलन इस प्रकार से है। मान लें कि बत्ती से निकलती प्रकाश-तरंग की लंबाई *l* है और प्रोफेसर को दिखने वाली तरंग की लंबाई *l'* है। *V*-गाड़ी का वेग है और *c*-प्रकाश का वेग है। इन परिणामों की परस्परिक निर्भरता सिद्धांत से ज्ञात होती है :

$$\frac{l}{l'} = 1 + \frac{v}{c}.$$

हम जानते हैं कि लाल रंग की अनुभूति उत्पन्न करने वाली तरंगों में से सबसे छोटी की लंबाई 0.0063mm के बराबर होती है और हरे रंग की सबसे बड़ी तरंग की लंबाई 0.0056m होती है। सूत्र में ये मान बैठाने से

$$\frac{0.0063}{0.0056} = 1 + \frac{v}{300\,000},$$

जिससे गाड़ी का वेग

$$v = \frac{300\,000}{8} = 37\,500 \ \text{km/s}$$

या 135 000 000 km\h प्राप्त होता है। वुड यदि इस वेग से चल रहे होते, तो एक घंटे से कुछ अधिक समय में सूर्य से आगे निकल जाते। कहते हैं कि जुर्माने से उन्हें छुटकारा नहीं मिला; पुलिस ने उन पर अनुमत वेग से अधिक तेज गाड़ी चलाने का आरोप लगाया।

ध्वनि-वेग से

वादक संगीत आरंभ करता है और आप ध्वनि के वेग से उससे दूर भागने लगते हैं। आपको क्या सुनाई देगा?

डाक-गाड़ी में लेनिनग्राद से चल रहे व्यक्ति को हर स्टेशन पर एक ही तरह के अखबार नजर आएँगे। ये वे अखबार होंगे, जो उसकी डाकगाड़ी से भेजे जा रहे हैं। नये समाचार पत्र पिछली गाड़ियों से आ रहे हैं। इसके आधार पर यह निष्कर्ष निकल सकता है कि ध्वनि-वेग से वादक को पीछे छोड़ते हुए चलने पर आपको हर समय एक ही ध्वनि सुनाई देगी,—वह ध्वनि, जो वादक के पास चलते वक्त आपने सुनी थी वह हमेशा आपके पीछे लगी रहेगी।

पर यह निष्कर्ष गलत है। यदि आप ध्वनि वेग से भाग रहे हैं, तो ध्वनि-तरंगों के सापेक्ष आप स्थिर हैं; इसलिए तरंगें आप के कर्ण-पट पर चोट नहीं करेंगी और आप कुछ भी नहीं सुनेंगे। आप सोचेंगे वादक ने बजाना बंद कर दिया है।

पर अखबारों की उपमा से गलत निष्कर्ष क्यों निकला? इसलिए कि हमने निष्कर्ष निकालने के लिए उपमा-विधि का सही प्रयोग नहीं किया है। यात्री एक ही तारीख वाले अखबारों को देख कर यह भी तो सोच सकता है कि अखबारों का प्रकाशन बंद हो गया है। उसके लिए प्रकाशन-गृह अपना अस्तित्व खो बैठता, जैसे भागते श्रोता के लिए संगीत की ध्वनि अपना अस्तित्व खो बैठती है। रोचक बात यह है कि इस प्रश्न में वैज्ञानिक लोग भी उलझ सकते हैं, यद्यपि प्रश्न इतना जटिल नहीं है।

स्कूल के जमाने में मेरी बहस एक अंतरिक्ष यात्री के साथ चल रही थी।(अब वे नहीं रहे)। वे उक्त तर्क को मानने के लिए तैयार नहीं हो रहे थे। और बार-बार इस बात पर जोर दे रहे थे कि वादक के पास से ध्वनि-वेग से भागने वाले को लगातार एक ही स्वर सुनायी देता रहेगा। उनका तर्क यह था (उनके पत्र का एक अंश प्रस्तुत है) :

"मान लें कि एक विशेष तारता की ध्वनि गूँजती है। वह पुराने जमाने से गूँजती आ रही है और भविष्य में भी गूँजती रहेगी। व्योम स्थित प्रेक्षक क्रम से एक के बाद वह उसे सुनते जाते हैं (मान लें कि ध्वनि की प्रबलता घटती नहीं है)। यदि आप ध्वनि-वेग से उड़ते हुए इन प्रेक्षकों के स्थानों पर क्रमानुसार पहुँचते जाते हैं, तो आपको उन स्थानों पर वह ध्वनि क्यों नहीं सुनाई देगी?"

ठीक इसी प्रकार से वे यह भी सिद्ध कर रहे थे कि बिजली चमकने के क्षण प्रकाश-वेग से गतिमान् व्यक्ति को आकाश में वह लगातार दिखती रहेगी :

"मान लीजिए,—वे लिखते हैं,—कि व्योम में आँखों की सतत कतार लगी है। इनमें से प्रत्येक को बिजली के प्रकाश की अनुभूति पिछली वाली के बाद ही होगी। अब कल्पना करें कि आप प्रकाश-वेग से इन आँखों के स्थानों पर क्रम से पहुँचते जाते हैं,—तब स्पष्ट है कि बिजली हर समय दिखाई देती रहेगी।"

जाहिर है कि दोनों ही बातें गलत हैं। उक्त स्थितियों में हम न तो ध्वनि सुनेंगे, न बिजली देखेंगे। वैसे, यह पृ. 302 के सूत्र से भी स्पष्ट है; उसमें $v=-c$ रखने पर गृहीत तरंग की लंबाई l^1 अनंत हो जाती है। इसका अर्थ यही हुआ कि तरंग अनुपस्थित है।

•••

ऊर्जा विज्ञान की कहानी

परिचय

आधुनिक समाज के भौतिक आधार के विकास में और्जिकी और विद्युकरण बहुत बड़ी भूमिका निभाते हैं। व्ला. इ. लेनिन ने सोवियत राज्य की स्थापना के समय से ही इस बात पर बल दिया था; वे देश की अर्थ-व्यवस्था के सफल विकास का आधार विद्युकरण को ही मानते थे।

विद्युकरण अर्थ-व्यवस्था के विकास के लिए इतना महत्त्वपूर्ण क्यों है?

आज का आदमी बचपन से इस बात को समझने लगता है कि विद्युत और विद्युत-ऊर्जा उसके जीवन को सुगम बनाती है; विद्युत की बदौलत ही उसका जीवन रोचक, आरामदेह और संपन्न होता है।

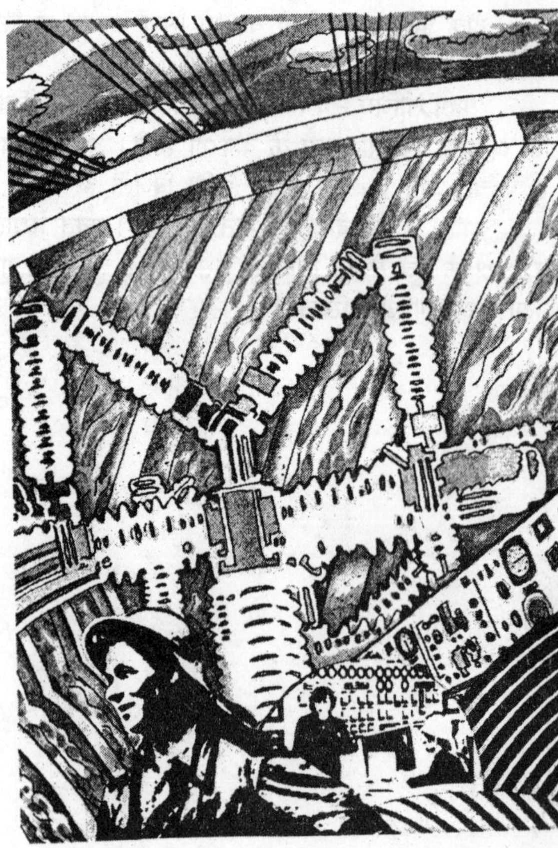

विज्ञान और प्रविधि की प्रगति और्जिकी और विद्युकरण के विकास पर ही निर्भर करती है। श्रम की उत्पादनशीलता बढ़ाने के लिए उत्पादन-प्रक्रियाओं का यंत्रीकरण व स्वचालन, और शारीरिक श्रम (विशेष कर कठिन तथा ऊबाऊ श्रम) की जगह मशीनों का प्रयोग बहुत महत्त्व रखता है।

यंत्रीकरण और स्वचालन के अधिकांश तकनीकी साधन (संयंत्र, उपकरण, कंप्यूटर) का आधार विद्युत ही है।

लेकिन विद्युत-ऊर्जा की ही माँग क्यों इतनी तेजी से बढ़ती जा रही है, इससे क्या विशेष फायदे हैं?

वैद्युत ऊर्जा का उपयोग व्यापक है। इसे बिल्कुल भिन्न उद्देश्यों के लिए काम में लाया जा सकता है। विद्युत को ताप में परिणत करना विशेष रूप से सरल है। यह प्रकाश के वैद्युत स्रोत—बल्ब—में देख सकते हैं : विद्युत-धारा टंग्स्टन के महीन तार से गुजरती हुई उसे 2100-2600^{0}C तापक्रम तक गर्म कर देती है और वह प्रकाशमान हो उठता है। धातुकर्मी भट्ठियों और विभिन्न तापदायक उपकरणों में भी विद्युत-ऊर्जा ताप में परिणत होती है।

विद्युत-ऊर्जा का वैद्युत-चलित्रों (मोटरों) में विशेष विस्तृत उपयोग हैं। बिजली-मशीनों की शक्ति का परास

बहुत बड़ा है–वाट के कुछ अंशों से (जो सूक्ष्मचलित्रों में प्रयुक्त होता है) दसियों लाख किलोवाट तक (जैसे विद्युकेंद्रों के जनित्रों में)।

विद्युत-ऊर्जा का संचार भी बहुत सरल है। विद्युकेंद्र से, जहाँ उसका उत्पादन होता है, छोटी-बड़ी सभी दूरियों पर सभी उपभोक्ताओं तक उसे तारों के सहारे भेजा जा सकता है।

और्जिकी या, जैसा कि अक्सर कहते हैं, इंधनोर्जी संकुल का सभी देशों में तेजी से विकास किया जा रहा है। क्रांतिपूर्व रूस में विद्युत-ऊर्जा का उत्पादन प्रति व्यक्ति सिर्फ 12.5kW\h था, 1980 में यह राशि 5300kW हो गयी थी। वर्तमान समय में विद्युत-ऊर्जा के उत्पादन तथा सभी विद्युकेंद्रों की कुल क्षमता के अनुसार सोवियत संघ का विश्व में दूसरा स्थान है। यहाँ भी इंधनोर्जी संकुल का तेजी से विकास जारी है, उसका तकनीकी स्तर भी निरंतर ऊँचा किया जा रहा है।

और्जिकी : आज

थोड़ा-सा इतिहास : मानव-समाज जितना ही अधिक विकसित होता है, उसे ऊर्जा की उतनी ही अधिक आवश्यकता होती है।

सुदूर अतीत में आदमी ने ऊष्मा-प्राप्ति के लिए सरकंडे आदि जैसे वनस्पति-मूल वाले ईंधन का उपयोग शुरू किया। इससे वह ठंड से बचता था, खाना बनाता था, पानी गर्म करता था। मिट्टी की बनी वस्तुओं को पकाता था। बाद में इसी ईंधन का उपयोग वह धातु को प्राप्त करने और धातु से सामान बनाने में भी करने लगा। पनचक्की और पवन-चक्की के निर्माण से यांत्रिक ऊर्जा प्राप्त करने की शक्ति बढ़ी।

वाष्प से चालित मशीनों का आविष्कार 18वीं शती की एक बड़ी घटना थी। यह ईंधन के जलने से बनी तापीय ऊर्जा से बड़े पैमाने पर यांत्रिक ऊर्जा प्राप्त करने में सहायक हुआ। 18वीं शती का उत्तरार्ध वाष्पचालित मशीनों के विस्तृत उपयोग और उनके निरंतर सुधार का युग था। हस्तेन (हाथ से) उत्पादन से मशीनी उत्पादन में संक्रमण, जो औद्योगिक क्रांति के नाम से प्रसिद्ध है, वाष्प-चालित मशीनों की ही सहायता से हुआ था। इनका उपयोग कारखानों, और यातायात के साधनों में लगातार बढ़ता जा रहा था। 19वीं शती के अंत में सभी वाष्पचालित मशीनों की कुल क्षमता 12 करोड़ hp (882 लाख kW तक पहुँच गयी थी।

बहुत उच्च शक्ति वाले चलित्रों की आवश्यकता के कारण 20वीं शती में वाष्प-चर्खियां आविष्कृत हुईं और वे प्रयोग में भी आने लगीं। अंतर्दाही पिस्टनी चलित्र 19वीं शती के उत्तरार्ध में ही प्रयुक्त होने लगा था। इसमें ईंधन-दाह चलित्र के भीतर एक खोखले बेलन में होता है। भार और आकार में अपेक्षाकृत कम होने के कारण धीरे-धीरे यह चलित्र यातायात में वाष्पचालित मशीनों का स्थान लेने लगा। सभ्यता के विकास में पिस्टनी वाष्प-चलित्र की भूमिका बहुत बड़ी रही है।

तकनीकी विकास में अगला महत्त्वपूर्ण कदम विद्युत का आविष्कार और उसका विस्तृत उपयोग था। वैद्युत संवृत्तियों की खोज धीरे-धीरे कई शताब्दियों तक होती रही, उनके व्यापकीकरण के प्रयास चलते रहे, विद्युत का एक सामान्य सिद्धांत बनाया गया। इनमें से मुख्य हैं: घर्षण से पिंडों का विद्युकरण (17वीं शती के आरंभ में); वैद्युत आवेश और उनकी व्यतिक्रिया (18वीं शती में); वातावरणीय वैद्युत संवृत्तियाँ (18वीं शती के उत्तरार्ध में); विद्युत के रसायनिक स्रोत, विद्युत-धारा (18वीं शती के अंत में); वैद्युत व चुंबकीय संवृत्तियों के पारस्परिक संबंध का ज्ञान, विद्युचुंबकीय प्रेरण, वैद्युत और चुंबकीय क्षेत्र, प्रकाश की विद्युचुंबकीय प्रकृति, प्राथमिक वैद्युत आवेश-एलेक्ट्रोन (19वीं शती में)।

विद्युत क्या है? उत्तर में सभी एकमत नहीं हैं। यहाँ हम प्रसिद्ध रूसी वैज्ञानिक, सेर्गेई रीतव, की परिभाषा दे रहे हैं : विद्युत वैद्युत आवेशों और उनसे संलग्न विद्युचुंबकीय क्षेत्रों को कहते हैं। यहाँ दो अवधारणओं का नाम लिया गया है जिनसे विद्युत का बोध मिलता है—आवेश और विद्युचुंबकीय क्षेत्र।

वैद्युत आवेश सूक्ष्म हो सकते हैं या स्थूल। सूक्ष्म (प्राथमिक) आवेश द्रव्य के प्राथमिक कणों पर होते हैं, खासकर

ऋणात्मक प्राथमिक आवेश—एलेक्ट्रोन में, और धनात्मक-प्रोटोन में। यह भी बता दें कि 'एलेक्ट्रोन' नाम 1891 में अंग्रेज वैज्ञानिक जे. स्टोनी ने सिर्फ प्राथमिक वैद्युत आवेश को दिया था। अब सभी जानते हैं कि इस नाम से ऋणाविष्ट प्राथमिक कण को पुकारा जाता है। स्थूल आवेश ऐसे पिंडों पर हो सकते हैं, जिनके आकार, द्रव्यमान आदि जैसे लंछक मान (विशेषता बताने वाले मान) प्रत्यक्ष रूप से नापे जा सकते हैं। ये पिंड असंख्य प्राथमिक कणों से बने होते हैं और भौतिकीविद इन्हें स्थूल जगत का विषय मानते हैं।

वैद्युत आवेशों के आविष्कार, वैद्युत प्रयोगों के विकास व विद्युत-धारा के रसायनिक स्रोतों (गैल्वेनिक बैटरियों) की खोज के परिणामस्वरूप वैद्युत विभव और विद्युत-धारा (तार में वैद्युत आवेशों की लंबे समय तक की गति) जैसी अवधारणाओं का जन्म हुआ।

भौतिक क्षेत्र आधुनिक प्रकृति-विज्ञान की मूलभूत धारणाओं में से एक है; विद्युत्चुंबकीय क्षेत्र इसी का एक प्रकार है। भौतिक क्षेत्र और कुछ नहीं, पदार्थ के अस्तित्व का एक विशेष रूप है। इस निष्कर्ष पर विज्ञान तीन सौ वर्ष से अधिक लंबी बहस के बाद पहुँचा है, जिसकी शुरुआत डेकार्ट और न्यूटन के जमाने से हुई थी।

विद्युचुंबकीय क्षेत्र संबंधी मुख्य धारणाओं को 19वीं सदी में फैराडे और मैक्सवेल जन्म दे चुके थे (यद्यपि दोनों ही ईश्वर के अस्तित्व में विश्वास रखते थे)। आधुनिक विज्ञान के अनुसार कणों और यांत्रिक व्यूहों की तरह विद्युचुंबकीय क्षेत्र भी ऊर्जा, गतिमात्रा (आवेग) तथा गतिमात्रा का आघूर्ण रखता है। क्षेत्र भी कणों और स्थूल पिंडों के साथ ऊर्जा, गतिमात्रा और गतिमात्रा के आवेग का आदान-प्रदान कर सकता है। इस स्थिति में इन राशियों के संरक्षण के नियम क्षेत्र, कणों और स्थूल पिंडों से बने पूरे असंपृक्त व्यूह पर लागू होंगे।

विद्युचुंबकीय क्षेत्र व्योम में सीमित वेग से ही प्रसरण कर सकता है। इस संवृति को विद्युचुंबकीय तरंग कहते हैं। ज्ञात है कि प्रकाश और कुछ नहीं, $0.1-1\mu m$ लंबाई की विद्युचुंबकीय तरंगें हैं।

प्रविधि में विद्युत के विस्तृत उपयोग का आरंभ 19वीं शती के मध्य से माना जा सकता है। विद्युचुंबकीय प्रेरण के आविष्कार के बाद से विद्युचलित्र, और धारा के जनित्र बनने लगे, जिनका आधार यांत्रिक ऊर्जा का वैद्युत ऊर्जा में रूपांतरण है। इसके साथ-साथ सुधरे हुए रूप में दूरलेखी (टेलीग्राफ) उपकरण, प्रकाशदायक उपकरण, विद्युविश्लेषक उपकरण आदि अनेकानेक अन्य वस्तुएं भी बनने लगीं।

आज के दिन : सभ्यता में विकास के साथ-साथ ऊर्जा के उपभोग में तीव्रता से वृद्धि होती है, विशेषकर तापीय, यांत्रिक और वैद्युत ऊर्जा के उपभोग में। अंतिम का अनुपात सालों-साल बढ़ रहा है।

1975 में विश्व के सभी देशों ने मिल कर आद्य ऊर्जा-स्रोतों की जिस मात्रा का उपभोग किया, वह एक विशाल संख्या द्वारा व्यक्त होती है : 78.10^{12} kW.h अर्थात् 780 खरब किलोवाट घंटा। आद्य ऊर्जा-स्रोतों से तात्पर्य है–जैव ईंधन, जलीय और परमाणुक ऊर्जा तथा कुछ अन्य, जैसे सौर ऊर्जा, पवन तथा सागर के ज्वार की ऊर्जा, भूतापीय (ज्यातापीय) ऊर्जा।

इसमें से आधे से अधिक ऊर्जा का उपयोग ऊष्मा के रूप में तकनीकी आवश्यकताओं की पूर्ति करने, खाना बनाने और तापन में होता है : बाकी भाग यांत्रिक (मुख्यतः यातायात के साधनों में) और वैद्युत ऊर्जा के रूप में इस्तेमाल होता है। तापीय ऊर्जा का दूसरे सभी प्रकार की ऊर्जाओं में रूपांतरण और इसके विलोम के बीच मौलिक अंतर है। इसके बारे में हम सविस्तार आगे चल कर देखेंगे। यहाँ इतना बता दें कि 1kJ ताप प्राप्त करने के लिए 1kJ यांत्रिक या वैद्युत ऊर्जा काफी होती है। पर 1kJ यांत्रिक या वैद्युत ऊर्जा प्राप्त करने के लिए 1kJ से कहीं अधिक ताप की आवश्यकता होती है।

दुनिया भर के विशेषज्ञों पूर्व अनुमान के अनुसार ऊर्जा का उपभोग और भी बढ़ा है। 1980 से 2000 के बीच 20 वर्ष में वह करीब दुगुना हो हो गया है।

हम बता चुके हैं कि और्जिकी के विकास में सोवियत संघ ने बहुत बड़ी सफलता हासिल की। द्वितीय महायुद्ध के बाद उसका विकास विशेष तीव्रता से हुआ। जैव मूल के ईंधन (कोयला, प्राकृतिक गैस, पेट्रौल के संसाधन से प्राप्त अपेक्षाकृत सस्ते उत्पादों, दहनशील शिला-तेल व दलदल में सड़े वनस्पतियों से बने पीट) से चलने वाले तापीय विद्युकेंद्रों (ताविकों) के निर्माण में तेजी आयी; उनके आर्थिक व तकनीकी सूचकांकों (जैसे विद्युत-ऊर्जा के उत्पादन-मूल्य, ताविक-निर्माण में खर्च आदि) में सुधार हुआ, जिसके कारण निम्न हैं–ताविक के वाष्पित्र, चर्खी, वैद्युत जनित्र, धारा-रुपांतरक जैसे मुख्य भागों की शक्ति में वृद्धि; वाष्पित्र में बनने वाले तथा चर्खी पर प्रयुक्त होने वाले वाष्प के दाब और तापक्रम में वृद्धि; वैद्युत व तापीय ऊर्जाओं के सहोत्पादन का प्रचार, अर्थात् तापविद्युत-सहोत्पादन-केंद्रों (ताविसों) का निर्माण, जो विशेष रूप से लाभकर हैं; ताविकों की मुख्य तकनीकी प्रक्रियाओं का स्वचालन; और ताविकों के कार्य की विश्वसनीयता में उन्नति।

वर्तमान समय में रूस में काफी बड़ी शक्ति के कई ताविक काम कर रहे हैं, जिनमें से दो यूरोप में सबसे बड़े माने जाते हैं। ये जापरोजये और उग्लेगोर्स्क में बनाये गये हैं और इनमें से प्रत्येक की शक्ति 36 लाख kW है। एक नया ताविक बन रहा है, जो कांस्को-आचिंस्क स्थित खान के कोयले से चलेगा; इसकी शक्ति 64 लाख kW होगी।

युद्धोत्तर वर्षों में शक्तिशाली जल-विद्युकेंद्रों (जविकों) का व्यापक रूप से निर्माण हुआ–पहले वोल्गा नदी पर, फिर साइबेरिया की नदियों (अंगारा, येनिसेई आदि) पर। विश्व के सबसे बड़े जविक निर्मित हुएः अंगारा पर ब्रात्स्क में (40 लाख kW से अधिक शक्ति वाला)। येनिसेई पर क्रास्नोयार्स्क में (60 लाख kW शक्ति वाला)। विश्व कें सबसे शक्तिशाली

जविक का निर्माण-कार्य सायानो-शूशेंस्क में खत्म होने जा रहा है। बन चुकने पर इसकी शक्ति 65 लाख kW होगी। परमाणुक और्जिकी का जन्म और तीव्र विकास भी इसी अवधि से संबंधित है।

दुनिया के सभी देशों के परमाणुक विद्युकेंद्रों (परविकों) की कुल शक्ति 1980 में 10 करोड़ kW से अधिक थी। सोवियत संघ में एक बार में 10 लाख kW और इससे अधिक शक्ति देने वाले नाभिकीय रिएक्टरों से सज्जित विद्युकेंद्रों का निर्माण तेजी से हो रहा है। विभिन्न प्रकार के विद्युकेंद्रों के निर्माण-कार्य के अतिरिक्त जैव इंधन के नये भंडारों की खोज और उनके उपयोग, पुराने काम आ रहे भंडारों के विकास और सभी विद्युकेंद्रों को एक संपूर्ण प्रणाली में बांधने के साथ-साथ अन्य दिशाओं में भी बड़े-बड़े कदम उठाये जा रहे हैं, जो भावी और्जिकी के लिए आज महत्त्वपूर्ण लग रहे हैं।

तापीय विद्युकेंद्र (ताविक) तापीय ऊर्जा के रूपांतरण, जैसे ऊष्मा के यांत्रिक ऊर्जा में परिवर्तन, से संबंधित सभी प्रक्रियाएँ ऊपर से नितांत सरल लगती हैं, पर गौर से अध्ययन करने पर बहुत सारे प्रश्न उभरने लगते हैं, जिनका उत्तर गहन ज्ञान के बिना नहीं दिया जा सकता है।

ताविक के कार्य-सिद्धांत को देखें (चित्र पृ. 20 पर)। इंधन और आक्सीकारक (यह काम अक्सर गर्म हवा करती है) भट्ठी में अविराम आते रहते हैं। इंधन के रूप में अक्सर कोयले का उपयोग होता है, पर सस्ते इंधन के रूप में शिलातेल का भी इस्तेमाल होता है (शिला-तेल महीन समतल परतों से बनी अवसादी शिला को कहते हैं; इसमें हाइड्रोकार्बन विसरित रहते हैं, जिसे गर्म करके पैराफीन व अन्य खनिज तेलों में आसवित किया जा सकता है)। प्राकृतिक गैस व अपशिष्ट तेल का उपयोग अब भी काफी है (प्रेट्रोलियम में से बेंजीन, किरासी व अन्य हल्के अवयवों को आसवित कर लेने पर बचा हुआ अवसाद अपशिष्ट तेल कहलाता है)। पर यह बिल्कुल साफ है कि प्राकृतिक गैस और खास कर अपशिष्ट तेल का उपयोग धीरे-धीरे कम हो जायेगा, क्योंकि प्राकृतिक गैस, पेट्रोलियम (कच्चा तेल) व इसके संसाधन के बाद बचे अपशिष्ट इतने कीमती उत्पाद हैं कि इनका उपयोग भट्ठी में जलावन की तरह नहीं किया जा सकता (ऊर्जादायक वाष्पित्रों के लिए व्यावहारिकतः कोई भी इंधन काम में लाया जा सकता है, जबकि हवाई जहाज, मोटर-कार, डीजल इंजन, ट्रैक्टर आदि के अंतर्दाही चलित्रों के लिए सिर्फ विशेष प्रकार के इंधन प्रयुक्त हो सकते हैं)। अब तो इस रूप में पीट का भी उपयोग साल व साल घटता जा रहा है, क्यों यह एक उत्तम खाद है और जमीन की संरचना पर बहुत अनुकूल प्रभाव डालता है।

इंधन के जलने से बनी उष्मा वाष्पित्र में स्थित पानी को वाष्प में परिणत करती हैं, जिसका तापक्रम लगभग 550^0C होता है। इससे भी अधिक तापक्रम वाला वाष्प प्राप्त किया जा सकता है, क्योंकि वाष्प का आरंभिक तापक्रम ऊँचा होने पर ताविक का दक्षता-गुणांक बढ़ता है (दक्षता-गुणांक ताविक से प्राप्त वैद्युत ऊर्जा और इंधन जला कर खर्च की गयी तापीय ऊर्जा के अनुपात को कहते हैं)। पर वास्तविकता में इससे कोई लाभ नहीं होता, हानि ही होती है। वाष्प का तापक्रम 550^0C से अधिक होने पर संयंत्र के अधिक जिम्मेदारी वाले कल-पुर्जों पर यांत्रिक बोझ के साथ-साथ तापक्रम का बोझ भी बढ़ जाता है; वे टिके रहें, इसके लिए उन्हें उच्च कोटि के महंगे इस्पात से बनाना पड़ता है। दक्षता-गुणांक में वृद्धि धातु पर हुए अतिरिक्त खर्च को पूरा नहीं करती। इसीलिए कम से कम वर्तमान समय में वाष्प का आरंभिक तापक्रम 550^0C या अक्सर सिर्फ 540^0C तक सीमित रखते हैं।

वाष्पित्र में से जल-वाष्प चर्खी में पहुँचता है, जिसका काम तापीय ऊर्जा को वैद्युत ऊर्जा में रूपांतरित करना है। चर्खी के सभी घूर्णनशील भाग मजबूती से डंडेनूमा अक्ष (धुरी) के साथ जुड़े रहते हैं और उसके साथ ही घूर्णन करते हैं। चर्खी की धुरी वैद्युत जनित्र की धुरी के साथ संलग्न होती है, जिसके कारण दोनों ही साथ-साथ घूर्णनरत होते हैं।

चर्खी का घूर्णन जनित्र को प्रदान करने के लिए आगे-पीछे गति करने वाले पिस्टन का प्रयोग नहीं किया जाता है, इसीलिए जानुवत दंड और इसे पिस्टन के साथ संलग्न करने वाले योजक दंड आदि जैसे पुर्जों की जरूरत नहीं पड़ती।

वाष्प-चर्खी वाष्पचालित पिस्टनी मशीनों की अपेक्षा इसी दृष्टिकोण से अधिक फायदेमंद है।

चर्खी में तापीय ऊर्जा को यांत्रिक ऊर्जा में रूपांतरित करने की विधि निम्न है (दे चित्र, पृ. 21)। उच्च दाब व तापक्रम पर वाष्प अपने साथ विशाल मात्रा में तापीय ऊर्जा लिए हुए वाष्पित्र से चर्खी के समीपस्थ टोंटियों में प्रविष्ट होता है। टोंटियाँ धुरी के साथ घूर्णन नहीं करती, ये धातु की अचल जड़ी हुई नलियाँ हैं, जिनमें वाष्प का दाब व तापक्रम घटने लगता है; और इसीलिये वाष्प की तापीय ऊर्जा भी घट जाती है, पर इसी कारणवश वाष्प की प्रवाह-गति का वेग बढ़ जाता है। अन्य शब्दों में, तापीय ऊर्जा घटने से वाष्प की यांत्रिक (गतिज) ऊर्जा बढ़ जाती है।

टोंटी से निकलने वाले वाष्प की धार का वेग बहुत अधिक होता है, अक्सर ध्वनि के वेग से भी अधिक। टोंटी से अविराम निकलती हुई धार चर्खी (टर्बाइन) के काजकर पंखुड़ों पर चोट करती रहती हैं; पंखुड़ चर्खी की चकती से अचल जुड़े होते हैं और चकती—धुरी से। फलस्वरूप धुरी, चकती और पंखुड़ सब एक साथ घूर्णनरत होते हैं। घूर्णन का वेग बहुत बड़ा होता है, अक्सर 3000 चक्कर प्रति मिनट के बराबर।

ताविक का सरलीकृत आरेख।

1. वैद्युत जनित्र; 2. वाष्प-संघनित्र; 3. पोषक पंप; 4. शीतकारी जल के लिए पंप; 5. वाष्प पुनरोष्मक; 6. वाष्पित्र; 7. वाष्प-चर्खी।

कई चर्खियों की बनावट ऐसी होती है कि उनमें पंखुड़ों पर वाष्प के दाब और तापक्रम बदलते नहीं हैं और कुछ ऐसी चर्खियां होती हैं, जिनमें पखुड़ों पर भी वाष्प के दाब और तापक्रम का घटना जारी रहता है। पर वाष्प के प्रवाह का वेग, उसकी यांत्रिक (गतिज) ऊर्जा हमेशा ही कम हो जाती है। ऊर्जा-रूपांतरण का रहस्य यही है। टोंटियां वक्र होती हैं। वाष्प की धारा वक्र नाल में बहती है, इसलिए उसका वेग मान और दिशा में बदलता रहता है। अपकेंद्री बल के कारण वाष्प पंखुड़ों के अवतल पृष्ठ पर दबाव डालता है और पंखुड़ियां चकती व धुरी समेत घूर्णनरत हो जाती हैं; स्पष्ट है कि इनके साथ रोटर भी घूमने लगता है (घूर्णन की दिशा पृ. 21 के चित्र में तीरों द्वारा दिखायी गयी है)। इस प्रक्रिया में वाष्प के प्रवाह की यांत्रिक ऊर्जा चर्खीजनित्र के रोटर की यांत्रिक ऊर्जा में परिणत हो जाती है, क्योंकि चर्खी और विद्युजनित्र की धुरियाँ परस्पर संलग्न हैं।

यह सोचना गलत होगा कि रोटर के घूर्णन का कारण पंखुड़ों के पृष्ठ पर वाष्प की धार की चोट है। इसके विपरीत, इंजिनियर हर तरह से कोशिश करते हैं कि वाष्प की धार टोंटी से निकलते ही पंखुड़ों पर सीधी टक्कर न मारें, क्योंकि

टक्कर के कारण ऊर्जा की हानि और दक्षता-गुणांक में कमी होती है।

ताविकों के लिए बनी आधुनिक वाष्प-चर्खियां काफी हद तक श्रेष्ठ, क्षिप्र और मितव्ययी मशीनें हैं और उनकी कार्य-क्षमता और भी बढ़ायी जा सकती है। एक धुरी के कार्य से 12 लाख kW शक्ति प्राप्त होती है, पर यह कोई अंतिम सीमा नहीं है। ऐसी मशीनें हमेशा बहुचरणी होती हैं, प्रत्येक में दसियों चकतियाँ होती हैं, उनमें से प्रत्येक की अपनी पंखुड़ियाँ होती हैं और प्रत्येक के पास टोंटियों के उतने ही समूह होते हैं, जिनसे वाष्प की धार निकलती है। वाष्प के दाब और तापक्रम क्रमशः कम होते जाते हैं।

विद्युजनित्र में यांत्रिक ऊर्जा वैद्युत ऊर्जा में रूपांतरित होती है। वाष्प-चर्खी के बाद जल-वाष्प का तापक्रम करीब 25^0C और दाब करीब 0.04bar या वातावरणीय दाब के इतने ही अंश के बराबर रह जाता है और वह संघनित्र में आता है (दे. पृ. 20 पर चित्र)। संघनित्र में स्थित नलियों में पंप की सहायता से शीतकारी जल बहता रहता है, जिससे ठंडा हो कर वाष्प पानी बन जाता है और एक दूसरे पंप की सहायता से पुनः वाष्पित्र में पहुँच जाता है। चक्र फिर से शुरू होता है।

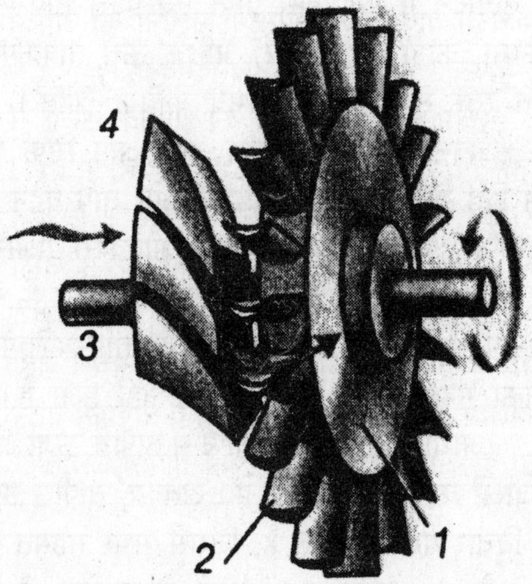

वाष्प-चर्खी में तापीय ऊर्जा के यांत्रिक ऊर्जा में रूपांतरण की विधि।

1. चर्खी की चकती; 2. काजकर पंखुड़ियां; 3. धुरी; 4. टोंटियां।

ध्यातव्य है कि शीतकारी जल की मात्रा संघनित होने वाले वाष्प की मात्रा से दसियों गुनी अधिक होनी चाहिए। यह एक छोटे-से कलन द्वारा देखा जा सकता है। 1kg जल-वाष्प को जल में परिणत करने के लिए उसमें से कम से कम वाष्पन के गुप्त ताप के बराबर ऊष्मा दूर करनी पड़ती है। जल-वाष्प के लिए यह राशि 0.04bar दाब पर करीब 600kcal प्रति किलोग्राम होती है। पर 1kg शीतकारी जल करीब 10^0C गर्म किया जा सकता है (जाड़ों में इससे कुछ अधिक और गर्मियों में—कुछ कम) (और इसमें 10kcal ऊष्मा खर्च होती है—अनु.)। इस प्रकार 1kg वाष्प को संघनित करने के लिए करीब 60kg शीतकारी जल चाहिए।

यही कारण है कि ताविक विशाल जल-स्रोतों के पास ही बनाये जाते हैं। ताविकों की सार्थकता (अर्थसंगतता), उनका दक्षता-गुणांक, वर्त्तमान समय में 0.4 या 40% है। इसका मतलब है कि इंधन जलाने से प्राप्त कुल ऊष्मा का सिर्फ 40% अंश वैद्युत ऊर्जा में परिणत होता है और बाकी 60% हम खो देते हैं (इसका क्षेप हो जाता है)।

तापीय ऊर्जा की विशेषताएँ—विज्ञान और अनुभव बताते हैं कि हाथ आयी तापीय ऊर्जा को उसके यांत्रिक, वैद्युत या किसी अन्य रूप में पूरा का पूरा परिणत कर देना असंभव है। पर इसके विपरीत, अन्य सभी ऊर्जा-रूपों को तापीय रूप में परिणत करने में कोई बाधा नहीं है। क्या रहस्य है? तापीय ऊर्जा अन्य ऊर्जा-रूपों से कोई मौलिक अंतर तो नहीं रखती?

इस प्रश्न का जवाब पाने के लिए फ्रांस के प्रतिभाशाली वैज्ञानिक सादिक कार्नो (1796-1832) को स्मरण करें। 1824 में उन्होंने अपने खर्च से एक उत्कृष्ट रचना प्रकाशित कीः ''आग के गतिकारी बल और इस बल को उत्पन्न करने वाले मशीनों के बारे में मनन''। उन्होंने एक महत्त्वपूर्ण बात कही कि, ताप से यांत्रिक ऊर्जा प्राप्त करने के लिए तापक्रमों में अंतर होना आवश्यक है। कार्नो तापीय संवृत्तियों की व्याख्या ऊष्मा की परिकल्पना द्वारा कर रहे थे, जो उस समय प्रचलित थी। इस परिकल्पना के अनुसार ताप 'ऊष्मा' नामक एक काल्पनिक, भारहीन, अनश्वर और अजन्मा द्रव है; एक पिंड से दूसरे पिंड में इसके बहने से ताप का संक्रमण होता है। इसीलिए कार्नो मानते हैं कि यांत्रिक ऊर्जा

के उत्पादन में पिंड द्वारा प्राप्त एवं प्रदत्त ताप-मात्राएँ बराबर होती हैं। यांत्रिक ऊर्जा इसलिए प्राप्त होती है कि ताप (ऊष्मा; कार्नो के अनुसार) अधिक ऊँचे तापक्रम से निम्न तापक्रम की ओर बहता है और पानी की तरह ही अधिक ऊँचे स्तर से नीचे आते समय यांत्रिक (गतिज) ऊर्जा उत्पन्न करता है।

कार्नो के अनुसार ताप अपने-आप सिर्फ अधिक गर्म पिंड से कम गर्म पिंड की ओर जा सकता है। जब कम गर्म पिंड से अधिक गर्म पिड की ओर ताप वहन करना होता है, तब यांत्रिक ऊर्जा नहीं मिलती; उलटा उसे खर्च करना पड़ता है। यह प्रक्रिया आजकल शीतकारी मशीनों में विस्तृत रूप से प्रयुक्त होती है।

ऊष्मा-सिद्धांत गलत साबित हो चुका है, पर कार्नो के उपरोक्त विचार तापप्रवेगिकी के द्वितीय नियम के सार के रूप में विज्ञान द्वारा अंगीकृत हैं। ताप-चलित्रों के सिद्धांत के विकास में उन्होंने बहुत बड़ी भूमिका निभायी है और उनका महत्त्व आज भी कुछ कम नहीं हुआ है।

आधुनिक विज्ञान की दृष्टि में तापीय ऊर्जा और कुछ नहीं, अतिसूक्ष्म कणों—अणुओं, परमाणुओं, एलेक्ट्रोनो आदि—की ऊर्जाओं का संकल (योग) है। अतएव, तापीय ऊर्जा की प्रकृति के बारे में आधुनिक दृष्टिकोण द्रव्य की छिन्न संरचना के विचार पर आधारित है, जिससे सभी सहमत हैं। (इस विचार के अनुसार द्रव्य की संरचना एकाश्म या सतत नहीं होती है, वह अलग-अलग कणों के सामीप्य से बना होता है)

उदाहरणतया, गैस में सूक्ष्मतम कण बेतरतीबी से गति करते रहते और उनमें से प्रत्येक की ऊर्जा उसके वेग (या यदि और सही कहें तो उसकी गतिज ऊर्जा) और दूसरे कणों के सापेक्ष उसकी स्थिति (उसकी स्थितिज ऊर्जा) द्वारा निर्धारित होती है। जैसा कि आस्ट्रियन भौतिकविद् लुडविग बोल्ट्समान ने बताया था, इस गति के पीछे सिर्फ एक नियम होता है–किसी भी नियम की अनुपस्थिति।

गैस की तापीय ऊर्जा को गैस में उपस्थित सभी कणों की ऊर्जाओं को जोड़ कर ज्ञात करने की विधि उपरोक्त कथन के बाद बहुत कठिन-सी लगती है। विशेषकर यदि यह स्मरण करें कि एक ग्राम-अणु गैस, अर्थात् गैस के अणु-भार को व्यक्त करने वाली संख्या जितना ग्राम गैस, में करीब $6.02.10^{23}$ अणु होते हैं। इस संख्या को आवोगाद्रो की संख्या कहते हैं (इतालवी वैज्ञानिक आवोगाद्रो के नाम पर)। यह इतनी बड़ी है कि इसकी विराटता का अंदाज दिलाना मुश्किल है। इतना बता दें कि पृथ्वी से सूर्य की दूरी (करीब 1500 लाख km) को मिलिमीटर में व्यक्त करने पर प्राप्त संख्या ($1.5.10^{14}$mm) आवोगाद्रो की संख्या से 4 अरब गुनी कम होगी।

अणु कितने छोटे होते हैं और इकाई आयतन में उनकी संख्या कितनी बड़ी है, यह अंग्रेज भौतिकविद विलियम टामसन (केल्विन) के उदाहरण से अच्छी तरह देखा जा सकता है। उनका कहना था कि यदि एक गिलास पानी के प्रत्येक अणु को किसी तरह चिन्हित कर दिया जाये और फिर इस गिलास के पानी को महासागर में उंडल कर उसे अच्छी तरह हिलोर दिया जाये, तो विश्व के किसी भी समुद्र के किसी भी स्थान से एक गिलास पानी लेने पर उसमें करीब 100 (या और सही कहें तो, 90 से 110) ऐसे अणु मिल जाएँगे, जिन्हें हमने चिन्हित किया था।

इतना कठिन होने के बावजूद भी समस्या का हल मिल गया। यह सफलता भौतिकी के सांख्यिकीय भौतिकी नामक क्षेत्र की बहुत बड़ी उपलब्धि है। सांख्यिकीय भौतिकी द्रव्य को अतिसूक्ष्म संख्याओं का विराट संख्या में संकुल मान कर, अर्थात् द्रव्य की छिन्न संरचना को आधार मान कर संभाव्यता-सिद्धांत के नियमों का उपयोग करती है, जो उतना ही अधिक शुद्ध होते हैं, जितनी अधिक विचाराधीन वस्तुओं (अणुओं, परमाणुओं आदि) की संख्या होती है। यदि वस्तुओं की संख्या आवोगाद्रो की संख्या की कोटि की हो, तो ये नियम व्यावहारिकतः बिल्कुल शुद्ध होते हैं और अनेक महत्त्वपूर्ण प्रश्नों को हल करने में सहायक होते हैं; कम से कम तापीय ऊर्जा और तापीय प्रक्रियाओं के सार का सही बोध तो करा ही देते हैं।

अलग-अलग विधियों से लगभग एक ही जैसे, या कभी-कभी बिल्कुल समान समस्याओं का अध्ययन करने वाले

ये दो विज्ञान-तापप्रवेगिकी और सांख्यिकीय भौतिकी–हमारे प्रश्न का उत्तर ढूँढ़ने में सहायक होते हैं। प्रश्न थाः क्या तापीय ऊर्जा अन्य ऊर्जा-रूपों से किसी अत्यंत महत्त्वपूर्ण बात में भिन्न है?

हाँ, है। भिन्नता इस बात में ही कि तापीय ऊर्जा द्रव्य के अतिसूक्ष्म कणों की बेतरतीब, अव्यवस्थित गति का फल है, जबकि अन्य ऊर्जा-रूप सुव्यवस्थित गति के फल हैं।

सौ साल से अधिक समय बीत चुका है, जब भौतिकी के मूलभूत नियम की स्थापना की गयी थी। यह ऊर्जा के संरक्षण का नियम है, जिसके अनुसार ऊर्जा को नष्ट नहीं किया जा सकता, उसे ''कुछ नहीं'' (अभावः) से उत्पन्न भी नहीं किया जा सकता; वह सिर्फ एक रूप से दूसरे रूप में संक्रमण कर सकती है।

20वीं शती के आरंभ में महान वैज्ञानिक-भौतिकविद् अलबर्ट आइंस्टाइन ने सापेक्षिकता-सिद्धांत को जन्म दिया। यह सिद्धांत दिक्काल (व्योम और समय) के व्यापक गुणों का नया चित्र देता है और यह सिद्ध करता है कि पिंड के वेग में परिवर्तन से उसके आाकर से परिवर्तन होता है, समय के अंतराल बदलते हैं, और पिंड का द्रव्यमान उसमें संचित ऊर्जा के साथ समानुपाती होता है। अन्य शब्दों में, आइंस्टाइन ने स्थापित किया कि ऊर्जा और द्रव्यमान समतुलय हैं। इस विचार को और भी सरल करने के लिए कह सकते हैं कि पिंड या पिंडों के व्यूह के द्रव्यमान में 1g की कमी से 9.10^{13}J ऊर्जा उत्सर्जित होती है, जो 3000 टन बदानी इंधन (टबइ) की तापकारी क्षमता के बराबर हैं। (बदानी का अर्थ है बिना किसी स्पष्ट आधार के, यूँ ही सुविधा के लिए तय किया हुआ। बदानी इंधन एक इकाई है, जिसे तकनीकी व आर्थिक कलन के लिए अंगिकार किया गया है। इसकी सहायता से भिन्न प्रकार के जैव इंधनों के तापीय मूल्य की तुलना करते हैं। परिभाषानुसार यह ऐसा इंधन है, जिसक 1kg जलाने पर 7000kcal तापीय ऊर्जा प्राप्त होती है।)

अधिकतर स्थूलदर्शी प्रक्रियाओं में पिंड के द्रव्यमान-परिवर्तन की उपेक्षा की जा सकती है, पर नाभिकीय रूपांतरण में नहीं। नाभिकीय प्रक्रियाओं के विश्लेषण में एक विशेष शब्द का उपयोग होता है–द्रव्यमान में त्रुटि (द्रव्यमान-त्रुटि), जिसका अर्थ है नाभिकीय प्रतिक्रिया में द्रव्य के द्रव्यमान में कमी और इसके अनुरूप ऊर्जा में वृद्धि।

आइंस्टाइन का सार्पेक्षिकता-सिंद्धात व्योम, काल और गुरुत्वाकर्षण के बारे में इसाक न्यूटन के विचारों का विकास है।

आइंस्टाइन द्वारा स्थापित गति के नये नियम जब प्रकाश-वेग की तुलना में बहुत नन्हे वेगों पर प्रयुक्त होते हैं (याद दिला दें कि प्रकाश का वेग निर्वात में 3.10^{8}m\s होता है), तब न्यूटन के नियमों का रूप धारण कर लेते हैं।

स्पष्ट है कि ऊर्जा-संरक्षण का नियम अन्य ऊर्जा-रूपों के साथ-साथ तापीय ऊर्जा पर भी पूरा-पूरा लागू होता है।

पर, जैसाकि ऊपर कह चुके हैं, तापीय ऊर्जा अन्य ऊर्जा-रूपों से महत्त्वपूर्ण भिन्नता रखती है, जिसका कारण यह है कि तापीय ऊर्जा का आधार द्रव्य के अतिसूक्ष्म कणों की अव्यवस्थित गति है। व्यवस्था को अव्यवस्था में बदलना आसान है, पर अव्यवस्था की व्यवस्था लाना बहुत कठिन है। ऊर्जा के सभी रूप आसानी से पूरी तरह तापीय ऊर्जा में परिणत हो जाते हैं, पर तापीय ऊर्जा दूसरे ऊर्जारूपों में हमेशा परिवर्तित नहीं होती; और पूर्ण रूप से तो कभी भी नहीं। तापीय ऊर्जा के दूसरे ऊर्जा-रूपों में परिवर्तित होने की शर्तें तापप्रवेगिकी के दूसरे नियम द्वारा निर्धारित होती हैं।

अतएव, ऊर्जा के संरक्षण का नियम, जिसका एक विशेष रूप प्रवेगिकी का प्रथम नियम है, तभी ऊर्जा-रूपों की एक-दूसरे में रूपांतरित होने की क्षमता स्थापित करता है। तापप्रवेगिकी का दूसरा नियम, जिसकी विवेचना सा. कार्नो ने ऊर्जा-संरक्षण का नियम सूत्रबद्ध होने के बहुत पहले की थी, तापीय ऊर्जा की एक महत्त्वपूर्ण विशेषता तथा अन्य रूपों में उसके रूपांतरण से संबंधित प्रतिबंधों को निर्धारित करता है।

तापप्रवेगिकी द्वारा स्थापित किया गया है कि तापीय ऊर्जा से यांत्रिक ऊर्जा प्राप्त करने के लिए तीन मुख्य तत्त्वों की आवश्वकता पड़ती हैः अपेक्षाकृत उच्च तापक्रम वाला ताप-कुंड, निम्न तापक्रम वाला ताप-कुंड, और तथाकथित काजकर पिंड, जो निरंतर एक आवर्ती प्रक्रिया (या चक्र) संपन्न करता रहता है, जिसकी सहायता से तापीय ऊर्जा यांत्रिक ऊर्जा में परिणत होती रहती है।

आवर्ती प्रक्रिया पूरा होने के फलस्वरूप काजकर पिंड आरंभिक दशा में लौटता है। अतः यांत्रिक ऊर्जा काजकर पिंड के बुते नहीं उत्पन्न हो सकतीः चक्र कितना ही बार क्यों न पूरा हो, समान बिंदुओं पर काजकर पिंड की अवस्था अपरिवर्तित रहती है। पिंर्ड सिर्फ एक औजार का काम करता है, जिसकी मदद से ऊर्जा का रूपांतरण होता है। ऊर्जारूपांतरण-प्रक्रिया की अर्थसंगति सिद्धांततः काजकर पिंड के चयन पर निर्भर नहीं करती, पर व्यवहार में काजकर पिंड के गुण चक्र के दक्षता-गुणांक पर बहुत असर डालते हैं। अंतर्दाही चलित्रों (औटोमोबील, विमान, स्टीमर, डीजल-इंजन आदि) में काजकर पिंड के रूप में अधिकांशतः इंधन-दाह के उत्पादों का उपयोग होता है और ऊर्जीय तापशक्ति संयंत्रों में—जल-वाष्प का। कोलाम्ल (कार्बोनिक अम्ल, H_2CO_3 तथा हीलियम का (मुख्यतः परविक में), फ्रेयन तथा अमोनिया का (शीतक संयंत्रों में) और कुछ अन्य वस्तुओं का बहुत कम उपयोग होता है। पर तापीय ऊर्जा से यांत्रिक ऊर्जा देने वाला मुख्यतः काजकर पिंड नहीं, बल्कि ताप-कुंड होते हैं, जिन्हें तापप्रवेगिकी में अक्सर ताप-स्रोत कहते हैं।

तापप्रवेगिकी के दूसरे नियम से निष्कर्ष निकलता है कि ताप-स्रोतों के तापक्रम अवश्य ही अलग-अलग होने चाहिएः एक का तापक्रम अधिक ऊँचा होना चाहिए (गर्म स्रोत का) और दूसरे (शीतल स्रोत) का—कम। गर्म स्रोत काजकर पिंड को हर चक्र में ताप की एक नियम मात्रा प्रदान करता है; काजकर पिंड भी शीतल स्रोत को ताप की एक नियम मात्रा प्रदान करता है, लेकिन जितना पाता है, उससे कम। चूँकि काजकर पिंड चक्र में उत्पन्न यांत्रिक ऊर्जा ताप की दो मात्राओं के अंतर के बराबर होनी चाहिए : गर्म स्रोत से प्राप्त ताप-मात्रा। यहाँ हमने चुपचाप मान लिया है कि घर्षण आदि के कारण कोई ऊर्जा-हानि (ऊर्जा-क्षेप) नहीं है। पर चूँकि व्यवहार में हानि हमेशा होती है, इसलिए वास्तविकता में प्राप्त यांत्रिक ऊर्जा दो मात्राओं के अंतर से इतनी कम होती है, जितनी मात्रा हम खो देते हैं। तापीय्य चलित्र में तापीय ऊर्जा से यांत्रिक ऊर्जा के उत्पादन की अविराम प्रक्रिया का सार यही है।

ऊपर वर्णित प्रक्रिया का दक्षता-गुणांक सबसे पहले ताप-स्रोतों के तापक्रमों पर निर्भर करता है। दक्षता-गुणांक बढ़ाने के लिए गर्म ताप-स्रोत का तापक्रम यथासंभव कम। जहाँ तक ठंडे स्रोत का सवाल है, चयन का प्रश्न नहीं उठता। यह हमारा परिवेश—हवा और पानी—है। गर्म स्रोत की बात दूसरी है। गर्म स्रोत भी प्रकृति से प्रदत्त हो सकता है, जैसे सौर ऊर्जा या पृथ्वी की आंतरिक परतों का ताप। पर वर्तमान समय में अधिकांशतः ताप के कृत्रिम स्रोत प्रयुक्त होते हैं, जो जैव इंधन जलाने से बनते हैं या परमाणु-रिएक्टर में तापरेची नियंत्रणीय नाभिकीय प्रतिक्रिया के फलस्वरूप मिलते हैं। प्रथम स्थिति में 3000^0C कोटि का तापक्रम मिल सकता है और दूसरी में—असीम ऊँचा।

प्रक्रिया का दक्षता-गुणांक बढ़ाने के लिए आरंभिक तापक्रम को ऊँचा करना सिद्धांततः सदा लाभप्रद होता है, पर व्यवहार में तापक्रम एक सीमा तक ही बढ़ा जा सकता है। यह सीमा प्रयुक्त पदार्थों की वास्तविक तकनीकी संभावनाओं और उनकी कीमत द्वारा निर्धारित होती है। यदि तापीय स्रोत 400K (127^0C) तापक्रम वाला हो और शीतल स्रोत के रूप में प्रयुक्त परिवेश का तापक्रम 300K= 27^0C हो, तो 1J तापीय ऊर्जा से 0.25J तक यांत्रिक ऊर्जा प्राप्त की जा सकती है। यदि ताप के गर्म स्रोत का तापक्रम 1000K= 727^0C होता, तो 1 जूल तापीय ऊर्जा से 0.7 जूल यांत्रिक ऊर्जा मिलती।

यांत्रिक ऊर्जा के उत्पादन के लिए तापीय ऊर्जा का उपयोग सिर्फ परिवेशी तापक्रम पर, अर्थात् भिन्न तापक्रमों वाले दो तापीय स्रोतों की अनुपस्थिति में, संभव नहीं है।

ताविक के विकास की संभावनाएं—ताविक के सफल भावी विकास के लिए कई समस्याओं का हल महत्त्व रखता

है। ताविक का दक्षता-गुणांक जल-वाष्प के आरंभिक तापक्रम को अक्सर प्रयुक्त तापक्रम $540^0C=813K$ से अधिक कर के बढ़ाया जा सकता है। पर इसके लिए ऐसी निर्माण-सामग्रियां (विशेषकर धातु) होनी चाहिए कि उनसे बने पुर्जे (जैसे वाष्पचखीं के काजकर पंखुड़) उच्च तापक्रम और बड़े यांत्रिक बोझ के अंतर्गत भी लंबी अवधि तक विश्वस्त रूप से काम कर सकें और साथ ही (जो कम महत्त्वपूर्ण नहीं है) बहुत महंगे भी नहीं हो। उच्च कोटि की सस्ती निर्माण-सामग्रियाँ बनाना सबसे जरूरी काम है।

कौन-सा इंधन ताविक की भट्ठी में जलाया जा रहा है, इस प्रश्न की भी उपेक्षा हम नहीं कर सकते। स्वाभाविकतः सस्ते और प्रचुर मात्रा में मिलने वाले इंधन को जलाना सबसे अधिक लाभकर होता है। ऐसे इंधनों में कोयला और शिलातेल आते हैं, इसलिये इनका उत्पादन बढ़ाना चाहिए।

इंधन का बहुमुखी उपयोग भी बहुत महत्त्वपूर्ण है। बात यह है कि जैव इंधन अनेक आवश्यक पदार्थों व निर्माण-सामग्रियों को प्राप्त करने के लिए कच्चा माल का काम करता है।

सोवियत संघ में ताविस के निर्माण में काफी सफलता मिली है। ये साधारण ताविक से इस बात में भिन्न हैं कि इन से उपभोक्ता को सिर्फ बिजली ही नहीं, ठंड से बचने के लिए और घर गर्म रखने के लिए ताप भी मिलता है, अर्थात् ताविस में वैद्युत ऊर्जा और तापीय ऊर्जा का सम्मिलित उत्पादन होता है। यह काफी फायदेमंद है। सिर्फ ताप प्राप्त करने के लिए (जैसे घर को गर्म रखने के लिए(इंधन जलाने से प्राप्त सारा 'तापक्रमी दाब' (करीब 1500 से 100^0C तक), अर्थात् इंधन जलाने से प्राप्त तापक्रम से लेकर घर गर्म रखने के लिए आवश्यक तापक्रम के बीच का अंतराल, पूरी तरह काम में नहीं आता। तापीय ऊर्जा का अवमूल्यन हो जाता है। इतने बड़े तापक्रमी अंतराल (1000^0C से अधिक) को तापीय ऊर्जा से यांत्रिक ऊर्जा प्राप्त करने में और थोड़े से ताप (100^0C) को घर गर्म करने में लगाना कहीं अधिक लाभप्रद है। बेशक, इस स्थिति में उतना ही इंधन जलाने से यांत्रिक ऊर्जा कुछ कम मिलेगी, क्योंकि अंतिम तापक्रम करीब 70^0C अधिक (30 की जगह 100^0C) रहता है। पर तापक्रम में यह वृद्धि आवश्यक है। घर गर्म रखने के लिए 30^0C तक गर्म पानी से क्या फायदा होगा? कमरे को गर्म रखने के लिए 100^0C तक गर्म पानी की जरूरत होती है। यह पानी कमरे में एक नली से गुजरता हुआ अपनी गर्मी का एक अंश कमरे को देता है और फिर दूसरी नली के सहारे बाहर (दूसरे कमरे में!) चला जाता है।

ताविस ताविक की तुलना में अधिक अर्थसंगत है। ताविक का दक्षता-गुणांक ज्यादा से ज्यादा 40% के करीब हो सकता है, पर ताविस में इंधन के उपयोग का गुणांक 60-70% या 1.5-1.7 गुना अधिक होता है। सिर्फ इसी कारण से सोवियत संघ में ताविस से प्राप्त कुल शक्ति 5 करोड़ kW से अधिक है। दुनिया के किसी भी देश में ताविस का

इतना विकास नहीं हुआ है। अब यह देखना है कि ताविस के विस्तृत रूप से निर्माण में उसका तकनीकी स्तर कैसे ऊँचा किया जाये, उसकी अर्थसंगति कैसे बढ़ायी जाये, परमाणुक ताविस का कैसे विकास हो!

अंत में एक और समस्या के बारे में बता दें—विद्युकेंद्रों पर बोझ हमेशा एक जैसा नहीं होता। उपभोक्ता को वैद्युत ऊर्जा की आवश्यकता रात की अपेक्षा दिन को अधिक होती है, छुट्टी के दिनों (शनीचर, इतवार) की अपेक्षा काम के दिन अधिक होती है, गर्मियों की अपेक्षा जाड़ों में अधिक होती है। यह अंतर दसियों प्रतिशत का होता है। इसीलिये यह आवश्यक है कि अधिकतम ऊर्जा-उपयोग के समय बिजली की अविराम आपूर्ति होती रहे (यदि 1kW.h का उत्पादन-मूल्य करीब 1 कोपेक हो, तो उपभोक्ता तक बिजली नहीं पहुँचाने से 4 कोपेक प्रति किलोवाट-घंटा का नुकसान होता है)। इसके अलावा, अल्पतम ऊर्जा-उपभोग के साथ संयंत्र का बोझ इतना हल्का नहीं कर देना चाहिए कि उसका कार्य-काल ही घट जाये।

इस कठिन समस्याओं को हल करने के लिए ऐसे संयंत्र बनाने चाहिएं, जिनकी चाल में काफी लोच हो (तथाकथित शिखरीय और अर्धशिखरीय संयंत्र, विशेषकर जल-संचायक विद्युकेंद्र और पवन-संचायक गैसचर्खी संयंत्र); विद्युकेंद्रों के मुख्य संयंत्रों की चाल का लोच बढ़ाना चाहिए; ऊर्जा-संचायक संयंत्र बनाने चाहिएं; विद्युत-ऊर्जा के खर्च में मितव्ययता होनी चाहिए।

जलविद्युकेंद्र (जविक) : जबकि की बनावट का आरेख-चित्र में दिखाया गया है। इसके कार्य का सिद्धांत बहुत सरल है और सर्वज्ञात है। जविक में नदी की ऊर्जा का उपयोग किया जाता है। पानी के स्तरों में अंतर एक बांध के सहारे उत्पन्न किया जाता है, जो जविक का सबसे महत्त्वपूर्ण और सबसे महंगा भाग होता है। विशेष नलियों या बांध में ही बने नालों के सहारे (दे. चित्र) पानी ऊपरी स्तर से निचले की ओर बहता हुआ बहुत बड़ा वेग हासिल कर लेता है। पानी की धार चलचर्खी के पंखुड़ों पर आती है। धार के अपकेंद्री बल के प्रभाव से जलचर्खी का रोटर घूर्णन करने लगता है। वाष्पचर्खी की तरह इसमें भी ऐसे उपाय किये जाते हैं कि पंखुड़ पर पानी की धार से सीधी चोट न लगे।

जल-ऊर्जा की गिनती तथाकथित प्रत्यादानी ऊर्जा-स्रोत में होती है, जो अन्नपूर्णा के भंडार के समान कभी खाली नहीं होता, पुनः-पुनः भरता रहता है और इसीलिए जैव इंधन के विपरीत व्यवहारतः यह अक्षय है। ऐसे स्रोत को पुनर्भर स्रोत भी कह सकते हैं। जल-ऊर्जा सौर मूल की है। (पानी-भाप-बादल-वर्षा के रूप में जल-चक्र सौर ऊर्जा से ही संपन्न होता है)। पृथ्वी का पूर्ण जल-स्रोत ऊर्जा की बहुत बड़ी मात्रा में आँका जाता है—करीब 10^{15} (1 पर प्रदह शून्य) kW.h प्रति वर्ष, जो लगभग 3 खरब टन बदानी इंधन (टबइ) प्रति वर्ष के समतुल्य है। दुनिया के सभी देश मिल कर वर्ष भर में सभी ऊर्जा-स्रोतों का जितना भाग अभी उपयोग में लाते हैं, उससे यह 30 गुना अधिक है। पृथ्वी के जल-स्रोतों से वास्तविकता में जितनी ऊर्जा प्राप्त की जाती है, वह कुछ कम है—सिर्फ 10 खरब टबइ, पर यह दुनिया में कुल ऊर्जा की वर्तमान खपत के बराबर है। दुनिया के सभी चालू जविकों की कुल क्षमता अभी करीब 5000 लाख kW है। अतः जविकों के निर्माण का भविष्य बहुत अच्छा है।

जविक की बनावट का आरेख

सोवियत संघ में, जहाँ जल-ऊर्जा का स्रोत बहुत बड़ा है (विश्व का करीब 12%), जविकों का निर्माण विस्तृत पैमाने पर चल रहा है।

जविकों का निर्माण सिर्फ विद्युत-ऊर्जा के उत्पादन के लिए ही नहीं, नदियों में जहाज-चालन, कृषि और मत्स्य-उद्योग के विकास के लिए भी लाभकर है।

परमाणुक ऊर्जा के भौतिक आधार–परमाणुक ऊर्जा को मुक्त करना और उसे काम में लाना 20वीं सदी की एक महत्त्वपूर्ण घटना है। दुख की बात है कि यह महान आविष्कार सिर्फ शांतिपूर्ण लक्ष्यों के लिए ही नहीं, युद्ध में संहार के लिए भी प्रयुक्त हो रहा है। मानव-इतिहास की इस अनुपम वैज्ञानिक उपलब्धि का पहले-पहल पता अधिकांश लोगों को तब चला, जब 6 व 9 अगस्त 1945 को जापान के हिरोशिमा और नगासाकी शहरों में अमरीकी परमाणु-बमों के विस्फोट की खबर फैली।

1938 में जर्मन वैज्ञानिकों ओ. हान और फ्रे. श्ट्रासमान ने दिखाया कि युरेनियम पर न्यूट्रोनों की बमबारी से मृदाक्षारीय तत्त्वों, विशेषकर बेरियम, के नाभिक मिलते हैं। इसके बाद आस्ट्रियन भौतिकविद ल. माइटनेर और फ्रिश ने ज्ञात किया कि परमाणुक भार ^{235} वाले युरेनियम-समस्थ का नाभिक ^{235}U न्युट्रोन की क्रिया से दो टुकड़ों में बँट जाता है; उन्होंने इस संवृत्ति को ''नाभिक का विभाजन' नाम दिया, जो कोशिका के विभाजन की जीवविज्ञानी प्रक्रिया के साथ इस संवृत्ति की समानता दिखाता है। 1940 में सोवियत वैज्ञानिकों गि. फ्लेरोव और क. पेत्रजाक ने परमुाण-नाभिकों के विभाजन की स्वतःस्फूर्त प्रक्रिया देखी, जो नाभिक के रश्मिसक्रिय क्षय की क्रिया का ही एक प्रकार है।

अधिक परमाणु-भार वाले तत्त्वों (युरेनियम, प्लुटोनियम, थोरियम) के नाभिकीय विभाजन में प्रतिक्रियापूर्व भारी नाभिक का द्रव्यमान नाभिकीय प्रतिक्रिया के उत्पादों के कुल द्रव्यमान से कुछ अधिक होता है; इसे द्रव्यमान-त्रुटि कहते हैं। अतः भारी नाभिकों के विभाजन से बहुत बड़ी मात्रा में ऊजरिचन होता है और फलस्वरूप तापीय ऊर्जा मिलती है।

यह तथ्य भी महत्त्वपूर्ण है कि भारी नाभिक के विभाजन के दौरान उत्सर्जित न्युट्रोनों की संख्या इकाई से अधिक होती है। उदाहरणार्थ, तथाकथित मंद या तापीय न्यूट्रोन की टक्कर के कारण ^{235}U नाभिक के विभाजन से दो या तीन (औसतन 2.46) नये न्युट्रोन उत्सर्जित होते हैं। यह शृंखल नाभिकीय प्रतिक्रिया जारी रखने में सहायक होता है। इसीलिए ऐसा करना चाहिए कि नाभिक के विभाजन से प्राप्त न्यूट्रोन खाली नहीं जाएँ, सब काम आ जाएँ। अयस्कों से प्राप्त प्राकृतिक धातुई युरेनियम लगभग हमेशा दो समस्थों का मिश्रण होता है–^{238}U और ^{235}U का। नाभिकीय और्जिकी का आधार कम से कम वर्त्तमान समय के ^{235}U है। न्यूट्रोन की क्रिया से उसका नाभिक विशाल मात्रा में तापरेचन और दो या तीन न्यूट्रोनों के उत्सर्जन के साथ विभाजित होता है; ये न्यूट्रोनों के उत्सर्जन के साथ विभाजित होता है; ये न्यूट्रोन नाभिकीय प्रतिक्रिया को आगे बढ़ाते हैं। 1kg ^{235}U के विभाजन से ताप के रूप में उत्सर्जित ऊर्जा की मात्रा $1.9.10^{10}$U या 2.22. 10^{7}kW.h है। यदि स्मरण करें कि 1kg बदानी इंधन से 7000kcal ताप मिलता है, तो सरलतापूर्वक हिसाब लगा सकते हैं : 1kg ^{235}U नाभिकीय इंधन $2.7.10^{6}$kg बदानी इंधन के समतुल्य है। अन्य शब्दों में, 1g^{235}U और्जिकी के दृष्टिकोण से 2.7 टन बदानी इंधन के समतुलय है। इसीलिए 10 लाख kW क्षमता वाले परविक में प्रतिदिन सिर्फ 3kg नाभिकीय इंधन खर्च होता है (यदि यह ध्यान में रखें कि कुछ भाग बर्बाद भी होता है)।

पर प्राकृतिक धातुई युरेनियम में सिर्फ 0.7% ^{235}U होता है। बाकी 99.3% अंश ^{238}U होता है।

^{238}U का क्या महत्त्व है? क्या युरेनियम के इस समस्थ का कोई उपयोग हो सकता है? हाँ! पर इसके उपयोग की प्रक्रिया अधिक जटिल है, बनिस्बत कि ^{235}U की, और इसके बारे में हमें पूरी जानकारी नहीं है। बात इस प्रकार है। परमाणुक और्जिकी में दो प्रकार के न्यूट्रोनों से वास्ता पड़ता है, जो एक दूसरे से काफी भिन्न होते हैं। एक में अधिक ऊर्जा होती है, जिन्हें क्षिप्र न्यूट्रोन कहते हैं, और दूसरे में काफी कम ऊर्जा होती है, जिन्हें मंद, मंदित या तापीय न्यूट्रोन कहते हैं। क्षिप्र न्यूट्रोन नाभिक के विभाजन के वक्त उत्सर्जित होते हैं। इस प्रक्रिया में द्रव्यमान-त्रुटि (द्रव्यमान

में कमी) के कारण विशाल मात्रा में तापरेचन होता है। यदि क्षिप्र न्यूट्रोन ^{238}U नाभिक से टकराता है, तो नाभिक सीधे विभाजित नहीं होता, वह 239 परमाणु-भार वाले प्लुटोनियम-नाभिक ^{235}Pu में परिणत हो जाता है। उसका नाभिक न्यूट्रोनों की क्रिया विभाजित हो सकता है। अन्य शब्दों में, ^{239}Pu और्जिकीय गुणों के अनुसार ^{239}U के समान ही है, पर ऊजरिचन में कहीं अधिक बढ़ा-चढ़ा है। अपेक्षाकृत द्रुत क्षयमानता (अर्धक्षय-काल—$2.4.10^4$ वर्ष) के कारण प्लुटोनियम प्रकृति में व्यावहारिकतः अनुपस्थित है; यह मनुष्य द्वारा कृत्रिम रूप से बनाया गया तत्त्व है।

^{238}U के ^{239}Pu में परिवर्तन की प्रक्रिया की कारगरता का मूल्यांकन तथाकथित पुनरोत्पादन-गुणांक द्वारा किया जाता है; यह और कुछ नहीं, बल्कि नये बने प्लुटोनियम की मात्रा और खर्च किये गये नाभिकीय इंधन की मात्रा का अनुपात है। ^{238}U नाभिक पर क्षिप्र न्यूट्रोनों की बमबारी में पुनरोत्पादन-गुणांक इकाई से अधिक है। वह 1.4 से 1.5 तक के अंतराल में होता है। इसका अर्थ है कि ^{238}U पूर्णतया ^{239}Pu में परिणत हो सकता है।

इस प्रकार, जिन प्रक्रियाओं में क्षिप्र न्यूट्रोनों का उपयोग होता है, वे बहुत लाभप्रद हैंः इससे प्राकृतिक युरेनियम, और साथ ही इसके मुख्य अवयव ^{238}U, का पूरा-पूरा सदुपयोग संभव है। पर क्षिप्र न्यूट्रोनों के प्रत्यक्ष उपयोग में बड़ी कठिनाइयाँ हैं। मंदन के कारण क्षिप्र न्यूट्रोन अपनी ऊर्जा ने खो दें, इसके लिए उनकी रक्षा करनी पड़ती है; न्यूट्रोन-प्रवाह की उच्च तीव्रता को बनाये रखना पड़ता है और साथ ही इस तीव्र न्यूट्रोनी प्रवाह के साथ 'समंजन' भी करना पड़ता है।

क्षिप्र न्यूट्रोनों को मंदन से बचाने के लिए उसकी उपस्थिति के क्षेत्र में ऐसे पदार्थ या द्रव्य कभी भी नहीं रखने चाहिए, जो उसे बहुत अधिक अवशोषित या मंदित कर दें। इसी कारणवश साधारण पानी की जगह, जो अपने गुणों के कारण एक अच्छा शीतकारी पदार्थ है, द्रव नइट्रोजन का उपयोग करना पड़ता है (पानी बहुत सक्रिय रूप से न्यूट्रोनों को मंदित करता है, द्रव नइट्रोजन—कुछ कम सक्रिय रूप से)। पानी की जगह द्रव नाइट्रोजन का उपयोग तकनीकी तौर पर संभव है, पर इससे काम आसान नहीं हो जाता।

क्षिप्र न्यूट्रोनों के तीव्र प्रवाह के साथ 'समंजन' का अर्थ है निर्माण-सामग्रियों के विज्ञान से संबंधित जटिल समस्याओं का हल ढूँढ़ना। घने न्यूट्रोनी प्रवाह में कार्यरत संरचनात्मक सामग्रियों की मजबूती कम होने लगती है, क्योंकि क्षिप्र न्यूट्रोनों से विकिरणित होने पर इन सामग्रियों के परमाणु क्रिस्टलिक जाली में अपने स्थान से विचलित हो जाते हैं। इसीलिए ऐसी निर्माण-सामग्रियों का आविष्कार करना होगा, जो तीव्र न्यूट्रोनी प्रवाह की क्षतिकारी शक्ति का सामना कर सकें।

अधिक जटिल समस्याएँ भी हैं, जो सिर्फ वैज्ञानिक व तकनीकी ही नहीं, आर्थिक प्रश्नों के भी हल से संबंधित हैं। बात यह है कि ^{238}U से बने प्लुटोनियम को अवशिष्ट ^{238}U और नेप्तूनियम से अलग करना पड़ता है। नेप्तूनियम विभाजन से प्राप्त होने वाले उच्च रश्मिसक्रिय उत्पादों में से एक है।

क्षिप्र न्यूट्रोनों से चलने वाले नाभिकीय रिएकटरों का विस्तृत प्रचलन होने के पहले ही ऐसे कारखानों का निर्माण कर लेना होगा, जो आवश्यक मात्रा में प्लुटोनियम अलग कर सकें और नाभिकीय इंधन संसाधित कर सकें। ये कारखाने कोई सस्ते नहीं होंगे, विशेषकर यदि यह ध्यान में रखें कि इनका वास्ता उच्च रश्मिसक्रिय द्रव्यों से पड़ा करेगा।

अन्य प्रश्न भी है, जो अभी पूरी तरह हल नहीं हो पाये हैं। इंधन का पुनरोत्पादन- गुणांक तभी अधिक हो सकता है, जब नाभिकीय इंधन के रूप में ^{235}U की बजाय ^{239}Pu का उपयोग किया जायेगा। कारण यह है कि ^{239}Pu नाभिक के विभाजन से कहीं अधिक न्यूट्रोन उत्सर्जित होते हैं (औसतन करीब तीन), बनिस्बत कि ^{235}U नाभिक के विभाजन से (औसतन 2.46 न्यूट्रोन)। निष्कर्षः क्षिप्र न्यूट्रोनों से चलने वाले नाभिकीय रिएक्टर के आरंभिक भरण (लोडिंग) के लिए प्राकृतिक युरेनियम के साथ-साथ प्लुटोनियम का उपयोग अधिक लाभकर है। एक रिएक्टर के भरण के लिए ढेर सारा प्लुटोनियम चाहिए—करीब एक टन से अधिक। इसीलिए क्षिप्र न्यूट्रोनों से चलने वाले नाभिकीय रिएटक्टर ऐसे होने चाहिए, जो इस प्रकार के नये रिएक्टरों के आरंभिक भरण के लिए प्लुटोनियम की आपूर्ति कर सकें। नये प्लुटोनियम

का कार्य-काल उस कालांतर द्वारा निर्धारित होता है, जिसमें प्लुटोनियम की आरंभिक भरण-मात्रा दुगुनी हो जाती है। इस प्रकार, एक और अनिवार्य शर्त सामने आती है: दुगुना होने का समय 10 साल से अधिक न हो।

क्षिप्र न्यूट्रोनों से चलने वाला नाभिकीय रिएक्टर उच्च प्रतिबली (बहुत अधिक तनाव की स्थिति में काम करने वाला) संयंत्र है। उसकी विशिष्ट ताप-उत्सर्जनता (इकाई आयतन से तापोत्सर्जन की क्षमता) 1000Kw1 तक पहुँच सकती है। यह एक अलग प्रकार की समस्याओं को जन्म देता है।

निष्कर्ष यह है कि नाभिकीय रिएक्टरों में क्षिप्र न्युट्रोनों का सीधा तत्कालिक उपयोग लाभदायक है और इसका भविष्य अधिक उज्ज्वल है। लेकिन इस प्रक्रिया से विस्तृत उपयोग के लिए उपरोक्त समस्याओं का हल ढूँढ़ना जरूरी है, जो सरल नहीं है। फिलहाल मंद न्युट्रोनों से चलने वाली प्रक्रिया से संतोष करना पड़ रहा है, जिसमें प्राकृतिक युरेनियम के एक अल्पांश का ही उपयोग हो पाता है।

चूंकि ^{235}U नाभिक या ^{239}Pu नाभिक के विभाजन से क्षिप्र न्युट्रोन ही उत्सर्जित होते हैं, इसलिये उन्हें मंदित करना पड़ता है। मदं न्युट्रोनों की ऊर्जा क्षिप्र न्युट्रोनों की अपेक्षा 100 गुनी कम होती है। इसके लिए मंदक के रूप में अक्सर ग्रैफाइट, साधारण पानी या भारी पानी का उपयोग होता है। न्युट्रोनों का मंदन मंदक के नाभिकों के साथ उनकी टक्करों के साथ होता है। टक्करों की प्रक्रिया में न्युट्रोन मंदित ही नहीं होते (जिसकी हमें आवश्यकता है), बल्कि मंदक द्वारा अवशोषित भी हो जाते हैं (और यह बुरा है, क्योंकि नाभिकीय इंधन ^{235}U या ^{239}U का अधिक मात्रा में उपयोग करना पड़ता है)।

सबसे अधिक मंदक प्रभाव साधारण जल का होता है, भारी पानी का इससे कम होता है और ग्रैफाइट का–सबसे कम। पर साधारण जल अधिक मात्रा में न्युट्रोनों को अवशोषित करता है (और डयुटेरयम बनाता है)। ग्रैफाइट कम न्युट्रोन अवशोषित करता है, भारी पानी और भी कम। इसीलिये साधारण जल या ग्रैफाइट का उपयोग करने के लिए प्राकृतिक युरेनियम को ^{235}U से 3-4% तक सांद्र करना पड़ता है। प्राकृतिक युरेनियम में ^{235}U सिर्फ 0.7% होता है)। भारी पानी (या गुरु जल) को मंदक के रूप में उपयोग करने पर प्राकृतिक युरेनियम को सांद्र करने की जरूरत नहीं पड़ती।

हम जान चुके हैं कि ^{235}U नाभिक या ^{239}Pu नाभिक एक न्युट्रोन की टक्कर से विभाजित होता है। ^{235}U नाभिक के विभाजन से औसतन 2.46 न्युट्रोन उत्सर्जित होते हैं, जिनमें से एक न्युट्रोन नाभिकीय प्रतिक्रिया को जारी रखने के लिए ^{235}U नाभिक से अवशोषित हो जाता है। इस प्रकार, ^{235}U नाभिक के एक विभाजन में उत्सर्जित 2.46 न्युट्रोनों में से सिर्फ 1 (अर्थात् करीब 40%) न्युट्रोन काम में आता है। 50% से अधिक न्युट्रोन मंदक, ^{238}U और संयंत्र की संरचनात्मक सामग्रियों द्वारा अवशोषित हो जाते हैं। इसीलिये न्युट्रोनों का क्षरण (लीकेज) 10% से अधिक नहीं होना चाहिये, अन्यथा शृंखल-प्रतिक्रिया रुक जायेगी।

व्योम का आयतन जितना कम होता है, इस व्योम की सतह और इसके आयतन का अनुपात भी उतना ही अधिक होता है। उदाहरणार्थ, 2M लम्बी किनारियों वाले घन के लिए उसकी कुल सतह और उसके आयतन का अनुपात $\frac{24\ m^2}{8\ m^3} = 3\frac{1}{m}$ है। और 1M लंबी किनारियों वाले घन के लिए यह $\frac{6\ m^2}{1\ m^3} = 6\frac{1}{m}$ है। यह सरल तथ्य प्रविधि में, और विशेषकर विचाराधीन शृंखल नाभिकीय प्रतिक्रिया में, बहुत महत्त्व रखता है।

आयतन जितना ही अधिक होगा, इकाई समय में उतने ही अधिक न्युट्रोन बनेंगे। दूसरी ओर सतह जितनी ही अधिक होगी, न्युट्रोनों का क्षरण स्वभावतः उतना ही अधिक होगा। पर आयतन-वृद्धि से सतह और आयतन का अनुपात घटता है। इसलिये जिस व्योम में नाभिकीय प्रतिक्रिया चलती है, उसका आयतन बढ़ाने पर न्युट्रोनों का क्षरण परम मान में बढ़ता है, और सापेक्षिक मान में (समान काल में क्षरित और उत्सर्जित न्युट्रोनों का प्रतिशत अंश) घटता है।

इससे निष्कर्ष निकलता है। कि कोई निम्नतम आयतन जिसे चरम आयतन कहते हैं जरूर होता है, जिसमें न्युट्रोनों का क्षरण एक महत्तम अनुमत मान (हमारी स्थिति में 10%) से अधिक नहीं होता। उसका मतलब है कि चरम आयतन में शृंखला नाभिकीय प्रतिक्रिया चल सकती है, चरम आयतन से कम व्योम में वह जारी नहीं रह सकेगी।

परमाणु-बम का सैद्धांतिक आधार भी यही है। नाभिकीय विस्फोट के लिए विभाजनरत पदार्थ के एक भाग में वही पदार्थ अक्सर ^{239}Pu थोड़ा सा और मिला दिया जाता है, जिससे विभाजनरत पदार्थ का आयतन चरम आयतन से अधिक हो जाता है और उसका द्रव्यमान चरम द्रव्यमान से अधिक हो जाता है।

इससे शृंखल नाभिकीय प्रतिक्रिया विकसित होने लगती है और विस्फोट होता है।

पर परमाणुक विद्युकेंद्र में विस्फोट क्यों नहीं होता? इसलिये कि परमाणु-बम में नाभिकीय प्रतिक्रिया अनियंत्रणीय रहती है और परविक में उसे तथाकथित पूरक छड़ों से नियंत्रित करते रहते हैं। ये छड़ बोरोन कार्बाइड से बने होते हैं, जिसकी गणना न्युट्रोनों की अत्यधिक अवशोषित करने वाले पदार्थों में होती है। जिस क्षेत्र में नाभिकीय प्रतिक्रिया चल रही होती है, उसमें इन छड़ों को घुसाने पर प्रतिक्रिया धीमी हो जाती है और इसके विपरीत, क्षेत्र में से छड़ों को निकालने पर प्रतिक्रिया तेज हो जाती है। नाभिकीय रिएक्टर में विस्फोट व्यावहारिकतः असंभव है।

परमाणुक प्रविधि में एक अवधारणा हैः नाभिकीय रिएक्टर की प्रतिकारिता। यह रिएक्टर में चलने वाली प्रतिक्रिया को लंछित करती है—नाभिकीय प्रतिक्रिया प्रसारमान है (रिएक्टर की क्षमता बढ़ रही है) या संकोचमान है। (रिएक्टर की क्षमता घट रही है।)। माना गया है कि प्रथम स्थिति में रिएक्टर की प्रतिकारिता धनात्मक होती है और दूसरी स्थिति में—ऋणात्मक। स्पष्ट है कि धनात्मक प्रतिकारिता के वक्त उत्सर्जित न्युट्रोनों की संख्या अधिक होती है, बनिस्बत कि कारगर ढंग से प्रयुक्त और अवशोषित व क्षरित न्युट्रोनों की कुल संख्या। ऋणात्मक प्रतिकारिता में इसका उल्टा होता है।

यदि उत्सर्जित और व्ययित न्युट्रोनों की संख्याएँ बराबर होंगी, तो रिएक्टर की क्षमता अचल रहेगी; वह एक स्थिर शैली में काम करता रहेगा। यह दशा पूरक छड़ों की सहायता से उपलब्ध की जाती है।

यह नहीं कहना चाहिए कि मंद न्युट्रोनों से चलने वाली नाभिकीय प्रतिक्रिया में ^{238}U का बिलकुल ही उपयोग नहीं किया जा सकता है। चूँकि मंद न्युट्रोन ^{238}U द्वारा अवशोषित होते हैं और ^{238}U का ^{239}Pu में परिवर्तन की भी प्रक्रिया कुछ न कुछ होती रहती है, इसलिये मंद न्युट्रोनों से चलने वाली नाभिकीय प्रतिक्रिया में प्रति टन प्राकृतिक युरेनियम में 7kg ^{235}U (सारा ^{235}U) और लगभग 10kg ^{238}U (लगभग 1% ^{238}U) उपयोग में लाया जा सकता है।

परमाणुक विद्युकेंद्र (परविक) : परविक के नाभिकीय रिएक्टर दो प्रकार के हो सकते हैं—क्षिप्र न्युट्रोनों से चलने वाले (इन्हें प्रजनक रिएक्टर कहते हैं), और मंद (तापीय) न्युट्रोनों से चलने वाले। प्रथम प्रकार के रिएक्टरों के उपयोग से प्राकृतिक नाभिकीय इंधन को अधिक पूरी तरह से काम में लाया जा सकता है। प्रकृति में उपस्थित एकमात्र द्रव्य, जिसके नाभिक स्वतःस्फूर्त रूप से विभाजित होते हैं, युरेनियम का समस्थ ^{235}U है। प्लुटोनियम ^{239}Pu और युरेनियम ^{233}U समस्थों के नाभिक भी स्वतःस्फूर्त विभाजित होते हैं, पर ये समस्थ कृत्रिम हैं, प्रकृति में व्यावहारिकतः अनुपस्थित होते हैं। युरेनियम ^{238}U व थोरियम ^{232}Th समस्थ प्रकृति में अपेक्षाकृत अधिक मात्रा में मिलते हैं, पर इनके नाभिक विभाजित नहीं होते। ये समस्थ इनके नाभिकों पर न्युट्रोनों की बमबारी से क्रमशः ^{233}Pu और ^{232}U में परिवर्तित हो सकते हैं। इस प्रकार, प्रजनक रिएक्टर की दृष्टि से ^{239}Pu व ^{233}U को आरंभिक नाभिकीय इंधन माना जा सकता है और ^{238}U व ^{232}Th को एक प्रकार का कच्चा माल माना जा सकता है, जिससे रिएक्टर में द्वितीयक नाभिकीय इंधन—^{239}Pu व ^{233}U का नया अंश—बनता है। इसीलिये प्रजनक रिएक्टर में आरंभिक नाभिकीय इंधन ^{239}Pu या ^{233}U) ओर 'परमाणुक कच्चा माल' (^{238}U या ^{232}Pu) भरा जाता है। रिएक्टर तापीय ऊर्जा उत्पन्न करता है, जो परविक द्वारा वैद्युत ऊर्जा में रूपांतरित होता है, वह आरंभिक भरण की मात्रा अधिक करने लायक द्वितीयक नाभिकीय इंधन (^{239}Pu या ^{233}U) को

जन्म देता है (याद करें कि पुनरोत्पादन गुणांक 1.6 है)। इसीलिये ऐसे रिएक्टर को प्रजनक रिएक्टर का नाम दिया गया है। इस प्रकार, यह नहीं भूलना चाहिऐ कि ऊपर वर्णित सभी नाभिकीय परिवर्तनों की शुरुआत ^{235}U से हुई है, जो एकमात्र आरंभिक प्राकृतिक नाभिकीय इंधन है। व्यय होने वाला और पुनरोत्पादित होने वाला नाभिकीय इंधन नियमतः एक ही समस्थ होता है, कुछ रिएक्टरों में ^{239}Pu और कुछ में—^{233}U।

चित्र (पृ. 38) में क्षिप्र न्युट्रोनों वाले परविक का एक संभावित आरेख दिखाया गया है। तुरंत देख सकते हैं कि आरेख का दायां भाग, जिसके कल-पुर्जे रिएक्टरी संयंत्र के अंतर्गत नहीं आते (रिएक्टरी संयंत्र की सीमा आरेख के बाएँ भाग में खिंची हुई है), वाष्प-वैद्युत संयंत्र से किसी भी बात में भिन्न नहीं है (तुलना करें पृ. 20 के चित्र से)।

सचमुच दोनों ही स्थितियों में हम समान प्रकार के संरचनात्मक तत्त्व देखते हैं : वाष्पचर्खी, विद्युजनित्र, संघनित्र, जल-पंप। मूल अंतर यह है कि वाष्प वैद्युत-संयंत्र में जैव इंधन के दहन-ताप से क्वथित्र (वाष्प-जनित्र) में उत्पन्न होता है, जबकि परविक (क्षिप्र या मंद न्युट्रोनों में से किसी भी चलित रिएक्टर) में वह नाभिकीय प्रतिक्रिया से ताप से तापविनिमायक-वाष्पजनिक में या सीधा रिएक्टर में उत्पन्न होता है। क्वथित्र और नाभिकीय रिएक्टर—ये दोनों ताविक ओर परविक के दो व्यतिकारी (एक-दूसरे का निषेध करने वाले) तत्त्व हैं, जिनके कारण ये दोनों विद्युकेंद्र भिन्न हो जाते हैं। क्षिप्र न्युट्रोन वाले रिएक्टर, जैसा कि हम बता चुके हैं, अभी विकासाधीन हैं और इनका उपयोग सिर्फ प्रयोगिक स्तर पर हो रहा है। सोवियत संघ में (अपेक्षाकृत कम क्षमता वाले संयंत्र के साथ प्रयोग करने के बाद) पहला बड़ा क्षिप्र न्युट्रोनी रिएक्टर शेव्चेन्को नगर में कास्पियन समुद्र के तट पर 1973 में स्थापित किया गया है। इसकी वैद्युत क्षमता 350MW है, इसीलिए इसका नाम क्षि. न्यु.-350 पड़ा है। इसकी वास्तविक वैद्युत क्षमता 150MW है। ताप की बहुत बड़ी मात्रा समुद्री पानी को मीठा करने में खर्च होती है। उराल क्षेत्र में बेलोयार्स्क के परविक में इससे भी बड़ा क्षिप्र न्युट्रोनी रिएक्टर लगाया गया है—क्षि. न्यु.-600, जिसकी क्षमता 600MW है। इस दिशा में कार्य अभी भी जारी है।

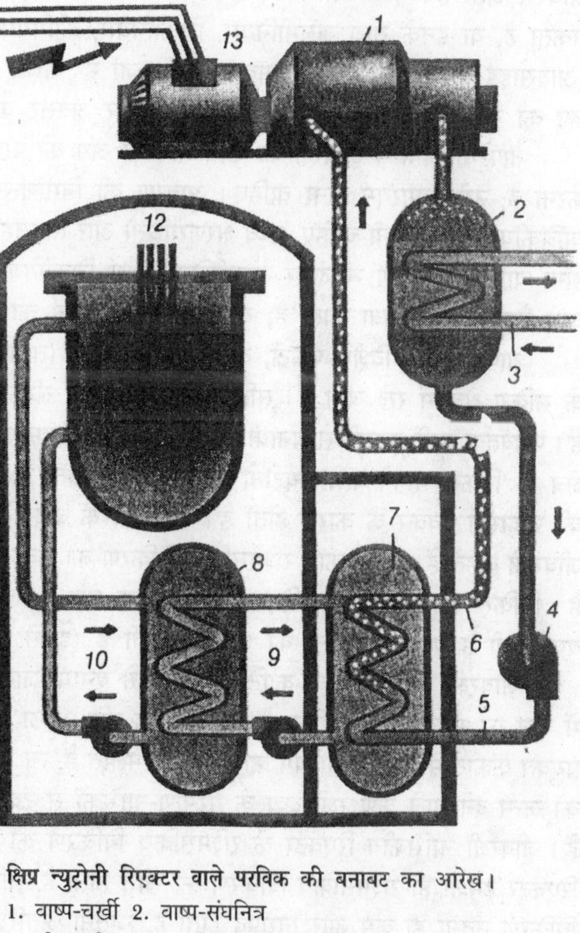

क्षिप्र न्युट्रोनी रिएक्टर वाले परविक की बनावट का आरेख।

1. वाष्प-चर्खी 2. वाष्प-संघनित्र
3. शीतकारी जल 4. पोषक पंप 5. जल
6. जल-वाष्प 7. वाष्प-जनित्र 8. ताप-विनिमायक
9. द्रव धातु 10. द्रव धातु
11. रिएक्टर 12. नियंत्रक छड़ें 13. विद्युजनित्र

वर्तमान समय में व्यावहारिकतः दूसरे प्रकार के रिएक्टर प्रयुक्त हो रहे हैं, जो मंद, तापीय न्युट्रोनों से चलते हैं। पहला परमाणुक रिएक्टर संयुक्त राज्य अमेरिका में 1942 में ए. फेर्मी की देख-रेख में बना था। यूरोप में पहला परमाणुक रिएक्टर सोवियत संघ में 1946 ई. कुर्छातव की देख-रेख में बना था। विश्व का पहला

औद्योगिक परविक सोवियत संघ में ही 27 जून 1954 में (कालूगा क्षेत्र के ओबनिंस्क शहर में) स्थापित हुआ था। उसकी वैद्युत क्षमता 5 हजार kW है। परमाणुक और्जिकी विशेषकर पिछले दशक में तेजी से विकसित हो रही है। अभी दुनिया के सारे परविकों की कुल क्षमता 10 करोड़ kW से अधिक है। एक नाभिकीय रिएक्टर की क्षमता करीब 10 लाख kW है, निकट भविष्य में इसे 15-20 लाख kW तक बढ़ाया जा सकेगा, इससे अधिक भी संभव है।

मंद न्युट्रोनों से चलने वाले रिएक्टर में नाभिकीय इंधन और मंदक जरूरी होने चाहिए; ये साथ-साथ रखे जाते हैं। रिएक्टर में जिस जगह ये होते हैं, उसे रिएक्टर का सक्रिय क्षेत्र कहते हैं। सक्रिय क्षेत्र को रिएक्टर का हृदय कह सकते हैं। इसी में विराट ऊर्जा उत्सर्जित करने वाली नाभिकीय प्रतिक्रिया चलती है, क्षिप्र न्युट्रोनों का मंदन होता है, विशेष द्रव्य (तापवाहक) की सहायता से रिएक्टर के अंतिम उत्पाद-ताप- का वहन होता है।

रिएक्टर के सक्रिय क्षेत्र में स्थित नाभिकीय इंधन तापरेची अंगों में बँटा होता है। तापरेची अंगों में मज्जा और आवरण आते हैं। मज्जा नाभिकीय इंधन का बना होता है, जो शुद्ध धातुई युरेनियम या प्लुटोनियम के समय में हो सकता है, या इनके साथ अलुमीनियम, जिर्कोनियम, क्रोमियम या बिस्मथ का धातुमिश्र हो सकता है, या चीनी मिट्टी (आक्साइड या कार्बाइड) का हो सकता है। मज्जा में 'कच्चा' नाभिकीय द्रव ^{238}U या ^{232}Th भी हो सकता है। मज्जा रूप का रूप भी कई प्रकार का हो सकता है, पर अक्सर वह बेलनाकार होता है।

तापरेची अंगों में आवरण का काम तापरेची अंग को पखारने वाले तापवाही द्रव्य से मज्जा को अच्छी तरह अलग करना है; उसे अपारगम होना चाहिए। आवरण की निर्माण-सामग्री में बहुत सारे गुण होने चाहिए। उसमें बहुत बड़ी यांत्रिकीय मजबूती होनी चाहिए, उच्च क्षरणरोधिता और तापसहयता होनी चाहिए, और उसे तीव्र न्युट्रोनी प्रवाह में टिकाऊ होना चाहिए। आवरण ज्यादातर अलुमीनियम और जिर्कोनियम के संवलन (धातुमिश्र), स्टेनलेस स्टील या उच्च घनत्व वाले ग्रैफाइट से बनाया जाता है, यह बात उसके कार्य की परिस्थिति और विशेषकर तापक्रम पर निर्भर करता है।

तापरेची अंग विशेष पैकटों, कैसेटों और ब्लौकों (तथाकथित समुच्चयों) के रूप में बनाये जाते हैं और रिएक्टर के सक्रिय क्षेत्र में रखे जाते हैं। सक्रिय क्षेत्र से न्युट्रोन लीक न करें, इसके लिए क्षेत्र को न्युट्रोन-परावर्तक से घेर देते हैं। परावर्तक उसी सामग्री से बनाया जाता है, जिससे मंदक बनते हैं। जैसा कि नाम से व्यक्त होता है, परावर्तक सक्रिय क्षेत्र से 'निकल भागने वाले' न्युट्रोनों को वापस भेज देता है। यह क्रिया परावर्तक के परमाणु-नाभिकों के साथ न्युट्रोनों की प्रत्यास्थी टक्कर के कारण होती है। परावर्तक के बाद रिएक्टर बाहर से एक आरक्षी-दीवार से घिरा होता है। इसे जीवरक्षी कहते हैं, इसका काम रश्मिसक्रिय विकिरण को रोकना है। रश्मिसक्रिय विकिरण न्युट्रोन व अन्य कणों सें बनता है। विकिरण का मुख्य स्रोत रिएक्टर का सक्रिय क्षेत्र है। वे निर्माण-सामग्रियां भी विकिरण-स्रोत हैं, जिनपर न्युट्रोनी वर्षा होती है या जो न्युट्रोनों को शोषित करती हैं (इससे तथाकथित निर्दिष्ट विकिरण उत्पन्न होता है)।

जीवरक्षी ज्यादातर उच्च कोटि के कंक्रीट से बनाया जाता है, जिसमें करीब 10% जल होता है। दी गयी परिस्थिति में जल का महत्व बहुत अधिक है, क्योंकि यह एक अच्छा अवशोषक द्रव्य है। रश्मिसक्रिय विकिरण से रक्षा के लिए प्रयुक्त कंक्रीट में अक्सर बोरियम कार्बोनेट भी मिलाते हैं, जो न्युट्रोनों का शक्तिशाली अवशोषक है। रश्मिसक्रिय विकिरण को जन्म देने वाले कण रक्षी द्रव्य के परमाणु-नाभिकों से टकरा कर पहले मंदित होते हैं और फिर अवशोषित हो जाते हैं। जीवरक्षी नाभिकीय रिएक्टर के रश्मिसक्रिय विकिरण को बहुत क्षीण बना देता है, पर उसे पूरी तरह नहीं रोकता। रिएक्टर हमेशा ही रश्मिसक्रिय विकिरण का स्रोत होता है, लेकिन उसे सही ढंग से बनाने और काम में लाने पर उसका विकिरण उतना ही कम और निरापद होता है, जितना अंतरिक्ष से पृथ्वी पर आने वाला विकिरण। पर सुरक्षा परमाणुक तकनीक में एक महत्त्वपूर्ण समस्या है, जो सर्वदा विशेषज्ञों के ध्यान का केंद्र बना रहता है।

प्रचलित रिएक्टरों की संरचनात्मक भिन्नता इस बात पर निर्भर करती है कि न्युट्रोनों के मंदक, और रिएक्टर के सक्रिया क्षेत्र से ताप को बाहर ले जाने वाले तापवाहक के रूप में किन द्रव्यों का उपयोग हुआ है।

सबसे अधिक प्रचलन जल-जलीय रिएक्टरों का है, जिनमें साधारण पानी का उपयोग न्युट्रोनों के मंदन के लिए भी और ताप के वहन के लिए भी होता है। अन्य प्रचलित रिएक्टर हैं। युरेनियम-ग्रैफाइटी (मंदक—ग्रैफाइट, तापवाहक-साधारण जल); गैस-ग्रैफाइटी (मंदक-ग्रैफाइट, तापवाहक—गैस, अक्सर कार्बोनिक एसिड); भारी पानी वाले रिएक्टर (मंदक-भारी पानी, ताप-वाहक—भारी पानी या साधारण जल)।

सोवियत संघ में जल-जलीय और युरेनियम-ग्रैफाइटी रिएक्टरों का बहुत उपयोग हो रहा है; इनका संक्षिप्त वर्णन दे रहे हैं।

जल-जलीय रिएक्टर का सैद्धांतिक आरेख चित्र में दिया गया है (पृ. 41)। रिएक्टर का सक्रिय क्षेत्र एक बर्तन-सा होता है, जिसमें पानी और उसमें डुबे हुए तापरेची अंगों के प्रखंड (ब्लौक) रहते हैं। पानी रिएक्टर में निरंतर आता रहता है, उसके सक्रिय क्षेत्र से बहता हुआ तापरेची अंगों से ताप ग्रहण करता है, जिसके फलस्वरूप उसका तापक्रम बढ़ जाता है, और रिएक्टर से बाहर चला आता है। इस प्रकार, नाभिकीय प्रतिक्रिया के फलस्वरूप उत्पन्न ताप पानी को मिल जाता है। आरेख-रूप में दर्शित नाभिकीय रिएक्टर और तापविनिमायक-वाष्पजनित्र मंद न्युट्रोनी जल-जलीय रिएक्टर वाले परविक के मुख्य अंग हैं। यह आरेख द्वाकृतिक है। रिएक्टर के पानी का काम ताप का वहन है—सक्रिय क्षेत्र में तापरेची अंग से स्पर्श करने वाला और उससे ताप प्राप्त करने वाला पानी तापविनिमायक में अपना ताप दूसरे पानी को प्रदान करता है, जो रिएक्टर के सक्रिय क्षेत्र से होकर नहीं बहता, और इसीलिए रश्मिसक्रिय विकिरण की दृष्टि से निरापद होता है। इस प्रकार, जैसा कि चित्र से स्पष्ट है, प्रथम आकृति के जल का काम है रिएक्टर के सक्रिय क्षेत्र से प्राप्त ताप दूसरी आकृति के जल को प्रदान करना।

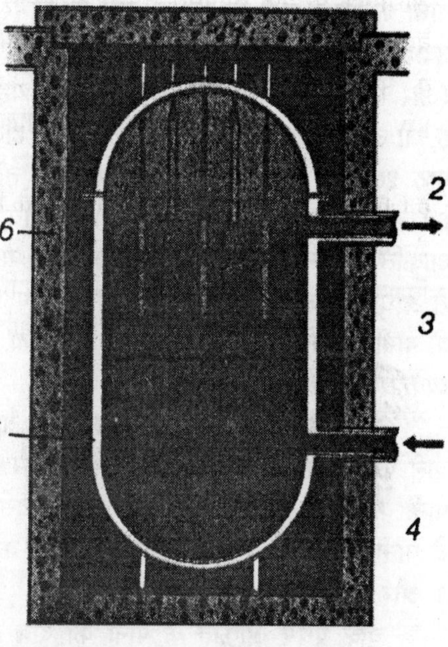

जल-जलीय रिएक्टर की बनावट का आरेख

1. नियंत्रक छड़ें; 2. गर्म पानी; 3. ऊबैट; 4. ठंडा पानी; 5. रिएक्टर का काय; 6. जैव संरक्षण

जल-जलीय रिएक्टर और तापविनिमायक-वाष्पजनित्र की बनावट का आरेख।

1. वाष्प; 2. वाष्प-जनित्र; 3. पानी; 4. पंप; 5. रिएक्टर; 6. ऊबैट

पाठक खुद समझ गये होंगे या नीचे बताये गये कारणों से समझ लेंगे कि दूसरी आकृति का जल पहली आकृति से आये पानी के ताप से भाप में परिणत हो जायेगा। तापविनिमायक को इसीलिए वाष्पजनित्र भी कहते हैं। पर प्रथम आकृति का पानी तापदायक है और दूसरी आकृति का—तापग्राहक। इसलिये दूसरी आकृति के पानी (या वाष्प) का तापक्रम पहली आकृति के पानी से अधिक नहीं हो सकता। पर क्या पहली आकृति के पानी से मिले ताप से दूसरी आकृति का पानी वाष्प में परिणत हो सकता है?

हो सकता है। यह समझना काफी सरल है। इस तथ्य से सभी

अवगत होंगे कि वाष्पन का तापक्रम, जिसके ऊपर पानी पानी के रूप में नहीं रह सकता, दाब पर निर्भर करता है। उदाहरणतया, 0.04 परम वातावरण (abs) दाब पर वाष्पन (और संघनन) का तापक्रम 29^{0}C होता है; यही वह दाब है, जो अक्सर वाष्पवैद्युत संयंत्र के संघनित्र में होता है (चित्र पृष्ठ 20 पर)। 1 abs दाब पर वाष्पन का तापक्रम 99.6^{0}C होता है, 160 abs पर-347.3^{0}C। इसीलिये, यदि प्रथम आकृति के पानी का दाब दूसरी आकृति के पानी के दाब से अधिक हो, तो दूसरी आकृति के पानी को पहली आकृति के पानी के ताप से वाष्प में परिणत किया जा सकता है। व्यवहार में यही करते हैं।

नोवोवरोनेज में स्थित 10 लाख kW वैद्युत क्षमता वाले परविक के जल-जलीय रिएक्टर में प्रथम आकृति के पानी का दाब 160 abs रखा गया है, और दूसरी आकृति के पानी का–60 abs। वाष्पन के तापक्रम हैं क्रमशः 347.3 और 275.6^{0}C।

चूँकि प्रथम आकृति के पानी का दाब बहुत ऊँचा होता है, इसलिये जल-जलीय रिएक्टर का सक्रिय क्षेत्र उच्च कोटि की धातु से बनी मोटी दीवार वाले कर्पस में रखना चाहिए। जल-जलीय रिएक्टर को संक्षेप में जजूर कहते हैं। उदाहरणार्थ, नोवोवरोनेज का परविक (क्षमता 10 लाख kW या 100^0 MW होने की वजह से) जजूर-1000 कहलाता है।

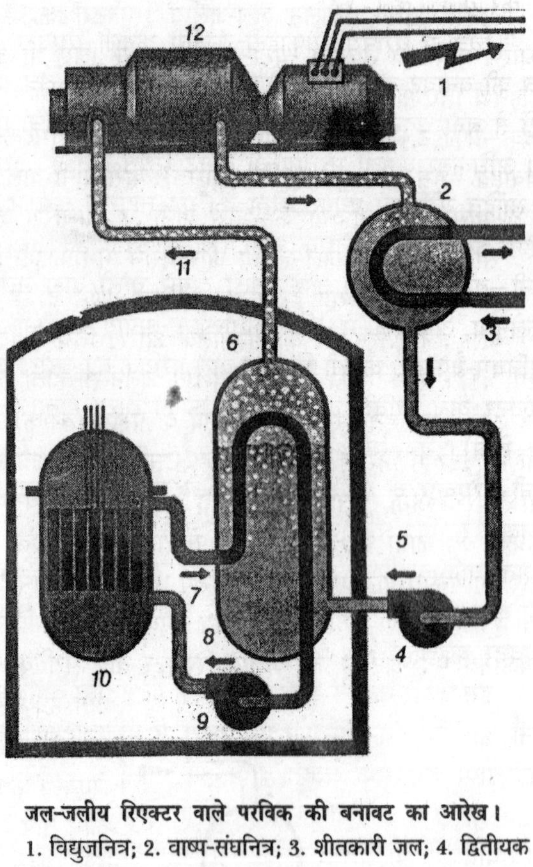

जल-जलीय रिएक्टर वाले परविक की बनावट का आरेख।

1. विद्युजनित्र; 2. वाष्प-संघनित्र; 3. शीतकारी जल; 4. द्वितीयक जल का पंप;
5. जल; 6. वाष्प-जनित्र; 7. जल;
8. जल; 9. आद्य जल का पंप;
10. रिएक्टय; 11. वाष्प; 12. वाष्प-चर्खी।

चित्र में तापीय न्युट्रोन से चलित जल-जलीय रिएक्टर वाले परविक की बनावट का आरेख दिया गया है (पृ. 42)। यह क्षिप्र न्युट्रोनों से चलित रिएक्टर वाले परविक की बनावट से काफी मिलता-जुलता है (तुलना करें पृ. 38 के चित्र से)। अंतर रिएक्टर वाले भाग की बनावट में है। क्षिप्र न्युट्रोनी रिएक्टर वाले परविक की बनावट कहीं जटिल हैः इसमें द्वाकृतिक की जगह त्रयाकृतिक आरेख का उपयोग होता है और तापवाहक द्रव्य के रूप में द्रव क्षारीय धातु काम में लाया जाता है। क्षिप्र न्युट्रोनों के प्रत्यक्ष उपयोग से संबंधित कठिनाइयों के बारे में हम बता ही चुके हैं।

परविक में तापीय न्युट्रोनों से चलित जल-जलीय रिएक्टर सबसे ज्यादा प्रचलित हैं। इनका उपयोग सोवियत संघ, संयुक्त राज्य अमेरिका, फ्रांस, जनवादी जर्मन गणतंत्र, बुल्गारिया, चेखोस्लोवाकिया, फिनलैंड और अन्य देशों में हो रहा है।

वर्तमान समय में सोवियत वैज्ञानिक जजूरों की क्षमता 2000MW तक बढ़ाने में प्रयत्नशील हैं।

सोवियत संघ में तापीय न्युट्रोनों से चलित ऊर्जा-नाभिकीय रिएक्टर का दूसरा प्रकार–युरेनियम-ग्रैफाइटी रिएक्टर–भी प्रचलित है। इसमें न्युट्रोनों का मंदक ग्रैफाइट होता है और तापवाहक द्रव्य–साधारण पानी। इसकी बनावट कर्पसी न

हो कर कैनली है।

चित्र में युरेनियम-ग्रैफाइटी ऊर्जीय कैनली रिएक्टर के सक्रिय क्षेत्र की बनावट का आरेख दिखाया गया है। सक्रिय क्षेत्र गैफाइट की ईंटों से बना चबूतरा-सा होता है, जिसमें उदग्र कैनल (नाल) बने होते हैं। अधिकतर कैनलों में तापरेची कैसेट स्थित होते हैं। इंधन के रूप में सांद्रित युरेनियम प्रयुक्त होता है। यह तापरेची अंग में उच्च दाब सहन करने वाली आंतरिक नली (जिसमें तापवाहक द्रव्य–साधारण पानी–बहता रहता है) और पतली दीवार वाली वाह्य नली के बीच छल्लेनूमा अवकाश में भरा जाता है। तापीय न्युट्रोनों से चलित युरेनियम-ग्रैफाइटी कैनली रिएक्टर वाले परविक का आरेख जल-जलीय रिएक्टर वाले परविक के आरेख से काफी भिन्न होता है (दे.पृ. 44 का चित्र)। यह एकाकृतिक आरेख है। तापवाहक द्रव्य–साधारण पानी–रिएक्टर के प्राविधिक कैनलों से गुजरता हुआ अपने दाब के अनुकूल संतृप्ति (वाष्पन) के तापक्रम तक गर्म ही नहीं होता, बल्कि अंशतः वाष्पित भी हो जाता है। इस प्रकार का रिएक्टर, जिसमें पानी (या कोई अन्य तापवाहक द्रव्य) वाष्प में परिणत हो जाता है, क्वथनी रिएक्टर कहलाता है।

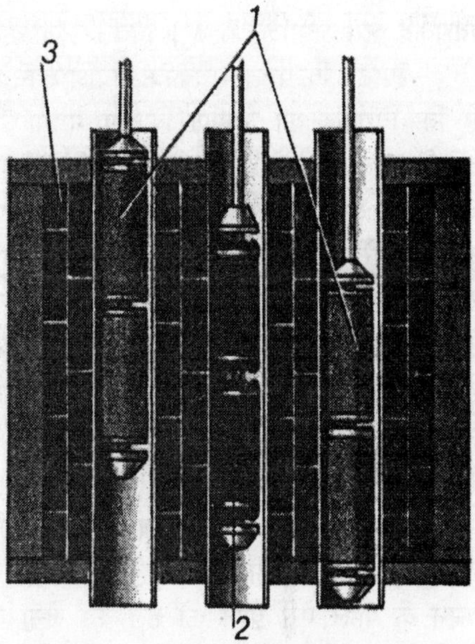

युरेनियम-ग्रैफाइटी नाल-रिएक्टर के सक्रिय भाग की बनावट का आरेख।

1. नियंत्रक छड़ें; 2. ऊष्मोत्सर्जक कैसेट; 3. ग्रैफाइट का अस्तर

इस प्रकार उत्पन्न आर्द्र वाष्प (एक ही संतृप्ति तापक्रम पर प्राप्त पानी और वाष्प का मिश्रण) पृथक्कारी में पहुँचता है, जिसका काम आर्द्र वाष्प को शुष्क संतृप्त वाष्प और पानी में विभक्त करना होता है। शुष्क वाष्प फिर वाष्प-जनित्र में जाता है।

आरेख में दाएँ भाग में वाष्प चर्खी, वैद्युत जनित्र, वाष्प-संघनित्र और जल-पंप दिखाये गये हैं। इनसे पाठक परिचित हैं। संघनित्र से पानी पुनः रिएक्टर में जाता है, इसके पहले उसे थोड़ा गर्म कर लिया जाता है। कैनली, क्वथनी, युरेनियम ग्रैफाइटी रिएक्टर वाले परविक का कार्य-सिद्धांत यही है। इन बड़ी क्षमता वाले कैनली रिएक्टरों का संक्षिप्त नाम बक्षकैरि रखा गया है।

10 लाख kW क्षमता वाले बक्षकैरि का बड़ी संख्या में निर्माण एक महत्त्वपूर्ण चरण है। इस बक्षकैरि-माला का प्रथम रिएक्टर लेनिनग्राद के परविक में 1973 के अंत में काम करने लगा था। बक्षकैरि-1000 करीब 280^0C तापक्रम और 65atm या 6.5 MPa दाब पर संतृप्त वाष्प देता है। 40 से 60 लाख kW क्षमता वाले परविकों के निर्माण में मुख्यतः ऐसे ही रिएक्टरों का उपयोग होता है। बक्षकैरि के आधार पर परविकों का विकास इन्हीं रिएक्टरों की क्षमता और आगे बढ़ाने की समस्या के साथ संबंधित है।

थोड़ा-सा अर्थशास्त्र–हम निम्न तीन प्रकार के विद्युकेंद्रों की बनावट और उनके कार्य-सिद्धांत का एक संक्षिप्त परिचय प्राप्त कर चुके हैं : ताविक, जविक और परविक। वर्तमान समय में इन तीन प्रकार के सभी विद्युकेंद्रों की कुल क्षमता विश्व की विद्युर्जा-तंत्र की क्षमता के बराबर है।

इन तीन प्रकार के विद्युकेंद्रों में कौन-सा बेहतर है? उदाहरण के लिए, ताविक और जविक के आर्थिक लंछनों (विशेषतासूचक राशियों) की तुलना करें।

किसी भी विद्युकेंद्र के लिए दो आर्थिक सूचकांक महत्त्वपूर्ण हैं : (a) प्रति kW नियोजित क्षमता का मूल्य–यह विद्युकेंद्र के निर्माण के लिए लगे कुल खर्च (पूंजी-निवेश) में विद्युकेंद्र की कुल क्षमता से भाग देने पर मिलता है; (b)

विद्युकेंद्र द्वारा उत्पादित 1kW.h विद्युत-ऊर्जा का उत्पादन-मूल्य।

स्पष्ट है कि पहला सूचकांक—विशिष्ट निवेश—यह दिखाता है कि विद्युकेंद्र का निर्माण कितना महंगा है या, जैसा कि इंजिनियर लोग कहते हैं, यह विद्युकेंद्र की पूँजीग्राहिता को लंछित करता है। दूसरा सूचकाक—उत्पादन-मूल्य—उत्पादन के दैनंदिन खर्च के बारे में बताता है, जिसमें इकाई-उत्पादन पर कच्चा माल, संयंत्रों की मरम्मत, वेतन आदि आते हैं। अनुभव से पता चलता है कि जविक में विशिष्ट निवेश ताविक की अपेक्षा बहुत अधिक है। इसके विपरीत 1 किलोवाट-घंटा विद्युत-ऊर्जा के उत्पादन का मूल्य जविक में काफी कम होता है, बनिस्बत कि ताविक में।

फिर किस सूचकांक का विश्वास किया जाये?

उपरोक्त उदाहरण उत्पादन के किसी भी क्षेत्र पर लागू हो सकता है और बड़ी संख्या में किसी संयंत्र का निर्माण शुरू करने के पहले ऐसे प्रश्न को हल कर लेना जरूरी है।

विद्युत-संचार की योजना बनाते वक्त ऐसी कठिनाइयाँ और स्पष्ट रूप से उभरती हैं। तार की काट (अनुप्रस्थ काट) जितनी अधिक होगी, विद्युत-ऊर्जा की हानि भी उतनी ही कम होगी पर साथ ही तार की कीमत बढ़ जायेगी, क्योंकि उसमें मूल्यवान धातु का खर्च और बढ़ जायेगा। विलोमतः, यदि तार की काट कम की जाये, तो विद्युत-ऊर्जा की हानि बढ़ जायेगी, पर संचार-तंत्र सस्ता हो जायेगा (यदि अन्य परिस्थितियां ज्यों की त्यों रहें)।

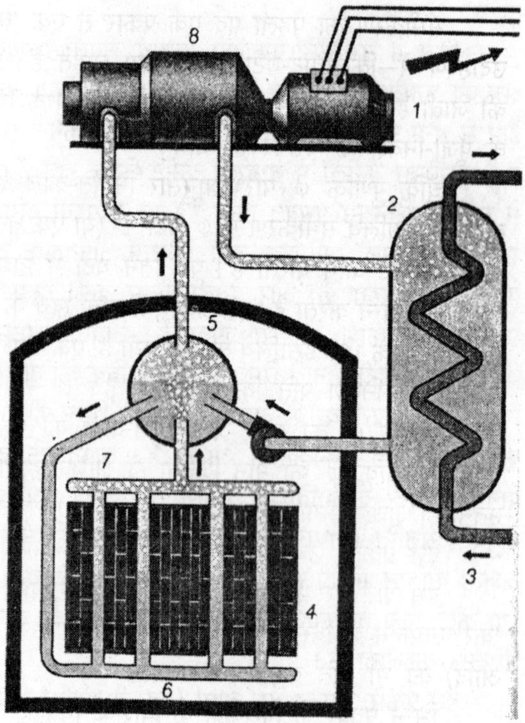

युरेनियम-ग्रैफाइटी नाल-रिएक्टर वाले परविक का आरेख।
1. विद्युजनित्र; 2. वाष्प-संघनित्र; 3. शीतकारी जल; 4. रिएक्टर; 5. वाष्प-पृथक्कारी; 6. जल-समाहर्ता 7. वाष्प-समाहर्ता; वाष्प-चर्खी

विज्ञान-सम्मत हल कैसे ढूंढ़ा जाये?

सौभाग्यवश अर्थशास्त्र इसे हल करने के लिए एक कुंजी देता है, जिसे समझने के लिए हिसाबी खर्च नामक एक अवधारणा को देखना होगा।

हिसाबी खर्च K, कोपेक निम्न सूत्र से ज्ञात हो सकता हैः $K=100V.\varphi/\tau+U$ जहां V, $\frac{\text{रूबल}}{\text{kw}}$ रूबल विशिष्ट निवेश है; τ, घंटा/वर्ष में जितने घंटे तक विद्युकेंद्र काम करता है (पूर्ण नियोजित क्षमता के साथ);

U, $\frac{\text{कोपेक}}{\text{kW.h}}$ - विद्युत-ऊर्जा का उत्पादन-मूल्य;

φ, $\frac{1}{\text{वर्ष}}$ - निवृति-गुणांक, जो मूल लागत के छूटने (वापस होने) के कारण (निवृति-काल) का प्रतीप है (अकसर यह 0.15 के बराबर लिया जाता है, जो 7 वर्ष के बराबर निवृति-काल के अनुरूप है)।

किसी भी उद्यम के पूंजी-निवेश या निवृति-काल उसके निर्माण आदि पर पूँजी-निवेश में उद्यम से प्राप्त वार्षिक लाभ द्वारा भाग दे कर निर्धारित करते हैं।

हिसाबी खर्च के समीकरण में दूसरा पद उत्पादन-मूल्य है।

समीकरण का पहला पद एक प्रकार से एक 'कर' (टैक्स) को व्यक्त करता है जो हम प्रति इकाई उत्पाद (हमारे उदाहरण में—किलोवाट-घंटा) पर लगाना चाहते हैं। प्रति किलोवाट-घंटा पर इस 'कर' की राशि इस प्रकार निर्धारित की जाती है कि निवृति-काल के बराबर समय तक विद्युकेंद्र के काम करने पर 'कर' की कुल राशि विद्युकेंद्र के निर्माण के पूँजी-निवेश के बराबर हो जाये।

चूँकि गुणांक φ परिभाषानुसार निवृति-काल का प्रतीप है और दिखाता है कि विद्युकेंद्र वर्ष में कितने घंटे काम करता है, इसलिये समीकरण में φ बटा τ (या एक बटा τ निवृति-काल) यह व्यक्त करता है कि विद्युकेंद्र पूरे निवृति-काल में कितने घंटे काम करता है। पर इतने घंटों में विद्युकेंद्र इतने ही किलोवाट-घंटा (प्रति किलोवाट निर्धारित क्षमता के अनुसार) उत्पन्न करता है। इस प्रकार, हिसाबी खर्च के समीकरण का पहला पद और कुछ नहीं, कोपेक में व्यक्त पूँजीनिवेश (अंश में गुणक 100 इसीलिये तो रखा गया है; एक रूबल में 100 कोपेक होते हैं) बटा निवृति-काल में उत्पादित किलोवाट-घंटे, अर्थात् पूँजी-निवेश प्रति किलोवाट-घंटा है।

गुणांक φ का मान, जो निवृति-काल की प्रतीप राशि है, वास्तविक तो होना ही चाहिए, निर्देशकीय भी होना चाहिए। गुणांक φ का मान जितना ही अधिक होगा, अर्थात् निवृति-काल जितना ही कम होगा, आर्थिक दृष्टि से यह उतना ही अच्छा होगा। अक्सर गुणांक φ ऐसा चुनते हैं, जो कम से कम विचाराधीन उद्योग-शाखा के लिए समान रहे।

इस प्रकार, उच्चतम आर्थिक कारगरता निम्नतम हिसाबी खर्च के अनुरूप होता है।

इस बात पर भी ध्यान देना चाहिए कि उत्पादित वस्तु (हमारी स्थिति में—kW.h में विद्युत-ऊर्जा) पर लगाया गया 'कर' उत्पादन के विस्तार की संभावना और सामान्य राजकीय खर्चों (प्रशासन, सामाजिक-आर्थिक आवश्यकताओं, सुरक्षा आदि) की भी पूर्ति करता है।

भिन्न प्रकार के विद्युकेंद्रों के विशिष्ट निवेश, उनके उत्पादन-मूल्यों के औसत आंकड़ों (जो सारणी 1 में दिये गये हैं) और हिसाबी खर्च के सूत्र की सहायता से ताविक, ज़विक और परविक की तुलना की जा सकती है।

सारणी के आंकड़ों और सूत्र की सहायता से यह देखा जा सकता है कि हिसाबी खर्च भिन्न प्रकार के विद्युकेंद्रों के लिए अपेक्षाकृत परस्पर निकट हैं। व्यवहार में हिसाबी खर्च का निर्धारण विशिष्ट निवेश और विद्युत-ऊर्जा की मूल लागत के औसत आंकड़ों के लिए नहीं, बल्कि विद्युकेंद्र के निर्माण और उसके उपयोग की वास्तविक परिस्थितियों को ध्यान में रखने के लिए होता है।

सारणी 1

विद्युकेंद्र का प्रकार कोपेक/kw.h	विशिष्ट निवेश,	विद्युत-ऊर्जा का उत्पादन-मूल्य,	रूबल/kw
ताविक	200	1.00	
जविक	350	0.05	
परविक	370	0.80	

उदाहरणार्थ, ताविक के लिए निर्णायक महत्त्व उसके निर्माण के लिए चुनी गयी ज़गह का है। यदि ताविक को इंधन कें खान से बहुत दूर बनाना है, तो इस स्थिति में यातायात के कारण इंधन का मूल्य काफी ज्यादा हो जायेगा। इसके परिणामस्वरूप विद्युत-ऊर्जा का उत्पादन-मूल्य और हिसाबी खर्च भी बढ़ जाएँगे। यही कारण है कि ताविक नियमतः इंधन के खान के निकट बनाया जाता है। सोवियत संघ के युरोपियन भाग में ताविक का निर्माण इसी कारणवश अब लाभजनक नहीं माना जाता। चूँकि सोवियत संघ के यूरोपियन भाग में ऊर्जा के उपयोग की दृष्टि के सारे लाभदायक जलोर्जो स्रोत काम में लाये जा रहे हैं, इसलिये यहाँ अब परमाणुक विद्युकेंद्रों का भविष्य ज्यादा अच्छा है।

और्जिकी की समस्याएँ और कठिनाइयाँ

जैव और नाभिकीय इंधन के स्रोत–वर्तमान समय में विश्व के सभी देश मिल कर सभी सुलभ स्रोतों से प्राप्त जितनी ऊर्जा खर्च करते हैं, वह कोयले, प्राकृतिक गैस और तेल के उपयोग लायक भंडार का सिर्फ 1 % अंश है।

पर ऊर्जा के सभी रूपों का उपयोग तेजी से बढ़ता जा रहा है। फिर आगे क्या होगा?

इस प्रश्न का उत्तर देने के लिए पहले ये देखना होगा कि पृथ्वी पर जैव इंधन (कोयले, प्राकृतिक गैस और तेल) का भंडार कितना है। भंडार दो तरह के हैं–पूर्ण भंडार और काम में आ रहे भंडार। किसी भी खान में स्थित इंधन व्यावहारिकतः शत-प्रतिशत उपयोग में नहीं आता। खनन-गुणांक इंधन के प्रकार, खान की स्थिति और खनन-तकनीक पर निर्भर करता है: तेल के लिए यह 0.3-0.4 अंतराल में है, प्राकृतिक गैस के लिए–0.5–0.8, कोयले के लिए–0. 25–0.5 अंतराल में। कोयले के खनन का गुणांक इतना कम इसलिये है कि उसके कई खानों में उसकी परतें पतली हैं और धरातल से बहुत नीचे हैं। विशेषज्ञों ने आँका है कि पृथ्वी में जैव इंधन का भंडार (जिसमें कोयला, तेल और प्राकृतिक गैस तीनों ही आते हैं) 4.10^{12} टबइ अर्थात् 4000 अरब टन बदानी इंधन के बराबर है।

यह कम है, या ज्यादा?

1980 में विश्व के सभी देशों द्वारा सभी प्रकार के स्रोतों से प्राप्त ऊर्जा का कुल उपभोग करीब 10 अरब टबइ था। जहाँ तक कि भविष्य की बात है, विशेषज्ञों का अंदाज है कि सन् 2000 ई. में सभी ऊर्जा-स्रोतों का उपभोग 20 अरब टबइ तक पहुँचेगा। यदि इस आंकड़े को सच माना जाये, तो मानव के लिए जैव ऊर्जा का भंडार सिर्फ 200 साल के लिए ही बचा है। यह सच है कि इस मूल्यांकन में द्रुत विकासशील परमाणुक और्जिकी, उसके नाभिकीय इंधन के भंडार, जलोर्जी व अन्य ऊर्जीय स्रोतों (जैसे सौर ऊर्जा, पृथ्वी की गहराइयों में स्थित तापीय ऊर्जा आदि) के उपयोग को ध्यान में नही रखा गया है।

नाभिकीय इंधन के स्रोत कैसे हैं और किस हद तक ये स्रोत मानव के लिए ऊर्जा की आपूर्ति को प्रभावित कर सकते हैं?

चूँकि थोरियम का और्जिकी में अभी तक कोई व्यावहारिक उपयोग नही हो पाया है, इसलिए हम सिर्फ युरेनियम के स्रोतों के बारे में बताएँगे (यद्यपि बहुत से विशेषज्ञ मानते हैं कि पृथ्वी पर थोरियम ज्यादा है)।

युरेनियम पृथ्वी पर काफी फैला हुआ है। पर जिस सांद्रता में वह ग्रैनाइट व अन्य चट्टानों में और साथ ही समुद्री पानी में मिलता है, वह बहुत कम है। अयस्क में खनिज का अनुपात जितना ही कम होगा, उसे प्राप्त करना उतना ही अधिक महंगा पड़ेगा। इसीलिये युरेनियम के स्रोत का प्रश्न उठने पर अक्सर 1kg प्राकृतिक धातुई युरेनियम (और इसीलिये, अवयवानुपात ^{235}U—0.7% तथा ^{238}U–99.3%) का एक अनुमत मूल्य चुन लेते हैं और हिसाब लगाते हैं कि इस मूल्य पर कितना प्राकृतिक युरेनियम प्राप्त हो सकता है। इस तरह के कलन संयुक्त राज्य अमेरिका के विशेषज्ञों ने संपन्न किये हैं।

सारणी-2

प्राकृतिक धातुई युरेनियम का अनुमत मूल्य, डालर/kg	नाभिकीय रिएक्टर के प्रकार	खनिज धातुई युरेनियम का और्जिक समतुल्य, टबइ
200	तापीय न्युट्रोनी	10^{12}
	क्षिप्र न्युट्रोनी	10^{14}
500	तापीय न्युट्रोनी	10^{13}
	क्षिप्र न्युट्रोनी	10^{15}

सारणी 2 से स्पष्ट है कि खनिज नाभिकीय इंधन के स्रोत थोरियम के बिना भी बहुत अधिक हैं। यदि खनिज प्राकृतिक युरेनियम का मूल्य सिर्फ 200 डालर प्रति किलोग्राम तक ही सीमित कर दिया जाये (अर्थात् यदि आप 1kg युरेनियम के लिए 200 डांलर तक खर्च करने के लिए तैयार हैं), तो प्राकृतिक युरेनियम का भंडार जैव इंधन, अर्थात् कोयला, गैस व तेल के कुल खन्य भंडार के बराबर होगा। यदि 1kg प्राकृतिक युरेनियम का महत्तम अनुमत मूल्य 500 डालर ही अपनाया जाये और मान लिया जाये कि क्षिप्र न्युट्रोनी रिएक्टर प्रयुक्त होंगे, तो प्राकृतिक युरेनियम का खन्य भंडार जैव-इंधन के खन्य भंडार से 1000 गुना अधिक होगा।

एक रोचक तथ्य पर ध्यान दें कि प्रति टन बदानी इंधन के हिसाब से नाभिकीय इंधन का मूल्य इस बात पर बहुत निर्भर करता है कि किस प्रकार के रिएक्टर में खनिज युरेनियम का प्रयोग होगा। 1kg प्राकृतिक युरेनियम का मूल्य 200 डालर रखने पर इस नाभिकीय इंधन का एक टन बदानी इंधन के हिसाब से मूल्य तापीय न्युट्रोनी रिएक्टर में 10 रूबल/टबइ होगा और क्षिप्र न्युट्रोनी रिएक्टर में 10 कोपेक/टबइ होगा (कहने का अर्थ है कि 200 डालर मूल्य वाले 1kg प्राकृतिक युरेनियम को तदनुरूप बदानी इंधन में परिणत करने पर मूल्य क्रमशः 10 रुबल/टबइ और 10 कोपेक/टबइ होगा)। 1kg प्राकृतिक युरेनियम का मूल्य 500 डालर तक रखने पर तदनुरूप मूल्य होंगे—क्रमशः 25 रूबल/टबइ और 25 कोपेक/टबइ। इसका अर्थ है कि नाभिकीय इंधन के भंडार बहुत बड़े हैं।

निष्कर्ष क्या हो सकते हैं? जैव तथा नाभिकीय इंधन के भंडार बहुत बड़े हैं और आदमी को ऊर्जा की किसी ऐसी भूख का सामना नहीं करना पड़ेगा, जिसके कारण पूरी सभ्यता ही नष्ट हो जायेगी। इसके अतिरिक्त, विज्ञान समाज-विकास और उसकी संपदा के नये-नये भौतिक आधारों का निरंतर आविष्कार करता जायेगा।

वर्तमान ऊर्जा-संकट के क्या कारण हैं? जैव व नाभिकीय इंधन के भंडार दुबारा नहीं भरे जा सकते। लेकिन अब तक ऊर्जा का उपभोग बहुत ज्यादा नहीं था, इसलिए इस तथ्य के बारे में कोई सोचता नहीं था। अब जैव-इंधन के भंडार की तुलना में ऊर्जा-उपभोग बहुत अधिक हो गया है। कच्चे तेल के साथ स्थिति और भी गंभीर है। विमानन और औटोमोबाइल में इंधन के रूप में व्यावहारतः सिर्फ कच्चे तेल के उत्पादों (जैसे पेट्रोल, डीजल, किरासीन) का इस्तेमाल होता है, इरालिये यातायात के इन साधनों के द्रुत विकास से कच्चे तेल की उपभोग-मात्रा में बहुत वृद्धि हुई है। 1970 में जैव-इंधन में पेट्रोलियम और गैस का उपभोग करीब 70% तक पहुँच गया था, जबकि जैव-इंधन में इनका भंडार 20% से कम ही है। इसीलिये सोचने का वक्त आ गया है। विश्व-मंडी में पेट्रोलियम (कच्चे तेल) के भाव में वृद्धि और उसके भंडार का विश्व के देशों में असमान वितरण ने ऊर्जा के दूसरे स्रोतों की अपेक्षा तेल के बेतहाश और निरंकुश उपभोग को और स्पृश्य बना दिया है।

इसीलिये और्जिक संतुलन में नाभिकीय इंधन और कोयले का अनुपात बढ़ा देना चाहिए, इससे तेल के उपभोग की प्रतिशत-मात्रा कम हो जायेगी। यह भी जरूरी है कि कोयले से कृत्रिम द्रव इंधन प्राप्त करने की अच्छी अर्थसंगत प्रविधि का विकास और उपयोग किया जाये, क्योंकि ऊर्जा के ऐसे भी उपभोक्ता हैं, जो सिर्फ उच्च कोटि के द्रव इंधन (जैसे पेट्रोल, डीजल, किरासीन) का ही उपयोग करते हैं। वर्तमान समय में यह कहना कठिन है कि इनमें से कम से कम कुछ उपभोक्ता भी कब इंधन के दूसरे स्रोतों के साथ काम करने लगेंगे। तथाकथित प्रत्यादनी ऊर्जा-स्रोतों (जैसे सौर ऊर्जा, जल-ऊर्जा, पवन ऊर्जा, ज्वार व समुद्री लहरों की ऊर्जा, पृथ्वी की गहराई में पायी जाने वाली तापीय ऊर्जा) के उपयोग की उच्च कारगर विधियों का विकास और उनका विस्तृत उपयोग भी आवश्यक है। ऊर्जा-स्रोतों का व्यापक तौर पर मितव्यय भी कम महत्वपूर्ण नहीं है (और इस बात पर पाठकों को भी ध्यान देना चाहिए)।

ऊर्जा-परिवहन—विद्युत-ऊर्जा का उपभोग साल-दर-साल बढ़ता जा रहा है। विद्युकेंद्रों का निर्माण-स्थल जैसे मन आये, नहीं चुन सकते : जविक का निर्माण-स्थल जलोर्जी स्रोतों द्वारा निधारित होता है, ताविक का—इंधन व जल की आपूर्ति के स्रोतों पर निर्भर करता है, परविक के लिए अधिक विस्तृत चयन-संभावनाएँ हैं, पर इस हालत में भी पास

में जल की आपूर्त्ति के लिए स्रोत होना चाहिए (क्योंकि वाष्प के संघनन के लिए शीतकारी जल की बहुत बड़ी मात्रा में आवश्यकता पड़ती है)।

ताविक व जविक के निर्माण-स्थल का चुनाव करते वक्त परिवहन-व्यय को भी ध्यान में रखना चाहिए। ताविक के लिए तार द्वारा विद्युत-ऊर्जा के संचार और इंधन के रेलवे नली-परिवहन का अध्ययन तथा उनकी तुलना करनी चाहिए। जविक के लिए सिर्फ विद्युत-ऊर्जा के संचार को देखना पड़ता है।

वर्तमान समय में ऊर्जा-परिवहन के सभी साधनों में सबसे लाभदायक है नलियों के सहारे पेट्रोलियम पंपित करना। बड़े-बड़े टंकियों में तेल और उसके उत्पादों को भर के भेजना भी आर्थिक दृष्टि से इतना ही लाभकर है। परिवहन पर कम खर्च के कारण ही विश्व-मंडली में तेल का मूल्य उसके उपभोग के स्थान पर निर्भर नहीं करता। सभी द्रवों की तरह तेल का संकोचन भी लगभग नहीं के बराबर होता है, इसीलिये उसके पंपन पर व्यय नली के सिर्फ घर्षण-बल दूर करने की आवश्यकता द्वारा निर्धारित होता है, अर्थात् अपेक्षाकृत बहुत कम होता है, पर वैद्युत और्जिकी में तेल और उसके उत्पादों का उपयोग कम होता जा रहा है। यह प्रवृत्ति ज्यों की त्यों ही नहीं रहेगी, वरन् तेज होती जायेगी।

नलों के सहारे प्राकृतिक गैस का परिवहन कहीं अधिक महंगा है। चूँकि गैस का संकोचन होता है, इसलिये तेल के नल में प्रयुक्त पंप की जगह इसमें संपीडक की आवश्यकता होती है।

द्रवित अवस्था में गैस का परिवहन भी अर्थहीन नहीं है। पंपन पर ऊर्जा का खर्च तुरंत घट जाता है और उसी मात्रा में परिवाह्य गैस के लिए कहीं कम व्यास की नलियां चुनी जा सकती हैं।

जहाँ तक लंबी दूरियों तक कोयले के परिवहन का प्रश्न है, इसके लिए सिर्फ रेलगाड़ी और जलमार्गों का प्रयोग होता है।

पिछले समय से कंटेनर में, नलपथ द्वारा और पल्प के रूप में कोयले के परिवहन ने ध्यान आकर्षित किया है (पल्प आधा भाग पानी और आधा भाग चूर्ण कोयले के मिश्रण को कहते हैं)। इस दिशा में काम सचमुच रोचक है।

ऊर्जा-परिवहन का अधिक व्यापक साधन तारपथ है। इससे ऊर्जा का सिर्फ एकतरफा संचार ही नहीं (जैसा कि तेल और गैस के परिवहन में होता है), बल्कि अलग-अलग विद्युकेंद्रों और पूरे के पूरे और्जिक तंत्रों के बीच संबंध भी संभव है। इस तरह का संबंध और्जिक तंत्रों के कार्य की विश्वसनीयता बढ़ाने, वैद्युत ऊर्जा के अधिकतम व अल्पतम उपभोग-काल में तंत्र के कार्य को सरल करने में सहायक होता है।

मुख्य आर्थिक सूचकांकों—विशिष्ट पूँजी-निवेश और संदोहनव्यय—में तारपथ फिलहाल तेल-परिवहन ही नहीं, गैस-परिवहन से भी पीछे है। दूरगामी विद्युत-संचारपंथ के विकास की सामान्य प्रवृत्ति अभी वोल्टता ऊँची करने की है : वह जितनी ही ऊँची होगी, विद्युत-धारा उतनी ही कम होगी और इसीलिये तारों से वैद्युत ऊर्जा का व्यर्थ क्षेप भी उतना ही कम होगा। इस क्षेप की प्रकृति बहुत साधारण है : वैद्युत ऊर्जा ताप में परिणत हो कर विकीर्णित हो जाती है।

तारपथ में वोल्टता ऊँचा करने में मुख्य बाधा हवा की चालकता है। विद्युत-संचार के दूरगामी तारपथों को आजकल इस प्रकार बनाते हैं : धातु के तार, जिनमें विद्युत-धारा बहती है, विशेष प्रकार के टेकों और पृथक्कारियों की सहायता से हवा में लटकाये जाते हैं। हवा की वैद्युत प्रतिरोधिता पर्याप्त अधिक होनी चाहिए, ताकि 'हवा के छेद' न बन जाये (वोल्टता बढ़ाने पर एक ऐसा क्षण आता है, जब पृथक्कारी में भी धारा बहने लगती है; इस स्थिति में कहते हैं कि ''पृथक्कीर में छेद'' हो गया है, इसके लिए आवश्यक वोल्टता को 'छेदक' कहते हैं)। यही मुसीबत है कि वोल्टा की एक नियत सीमा पर पहुँचने के बाद हवा की चालकता तेजी से बढ़ने लगती है।

वर्तमान समय में स्थिर और परिवर्ती दोनों ही प्रकार की धाराओं वाले तारपथों का इस्तेमाल होता है; इनमें से प्रत्येक के अपने-अपने गुण और अवगुण हैं।

स्थिर धारा वाले तारपथ का उपयोग अब विस्तृत होता जा रहा है, क्योंकि स्थिर धार के पथ में अनुमत काजकर वोल्टता अधिक ऊँची है–1.5-2 गुनी अधिक, बनिस्बत कि परिवतर्ती धारा में। इसीलिये ये बड़ी दूरियों के लिए उपयुक्त हैं।

स्थिर धारा वाले तारपथ की खामी यह है कि इसमें धारा के दो रूपांतरक (ट्रांसफार्मर) लगाने पड़ते हैं : एक, जो पथ के प्रेषक सिर पर परिवर्ती धारा को स्थिर धारा में रूपांतरित करता है, और दूसरा–जो ग्राहक सिरे पर स्थिर धारा को परिवर्ती धारा में रूपांतरित करता है। पिछले समय में रूपांतरक तकनीक में काफी सफलता मिली है (निर्वात प्रयुक्तियों की जगह अर्धचालकों की बनी प्रयुक्तियों का उपयोग होने लगा है), फिर भी रूपांतरकों का मूल्य काफी ऊँचा है।

चूँकि पूँजी-निवेश में मितव्ययता के लिए तारपथ में सिर्फ दो धारा-रूपांतरिक लगाये जाते हैं–एक प्रेषक सिरे पर और दूसरा ग्राहक सिरे पर, इसलिए पथ के बीच से कहीं भी बिजली नहीं ली जा सकती। स्पष्ट है कि आगे चल कर स्थिर धारा वाले तारपथ का प्रयोग और भी बड़ी दूरियों पर किया जायेगा (जैसे पूर्वी साइबेरिया रो, जहाँ कोयला और जलोर्जा के बड़े-बड़े भंडार हैं, सोवियत संघ के यूरोपियन भाग में बिजली लाने में)।

सोवियत संघ में स्थिर व परिवर्ती दोनों ही प्रकार की धाराओं वाले आधुनिक तारपथों के निर्माण में काफी सफलता मिली है। 750kW वोल्टता का परिवर्ती धारा वाला तारपथ बन चुका है और अब 1150kW का तारपथ बनाने का प्रयत्न किया जा रहा है। स्थिर धारा वाली 800kW ($\pm$ 400kW) वोल्टता के तारपथ बनाये गये हैं और अब 1500kW ($\pm$ 750kW) के स्थिर धारा वाले तारपथ बनाये जा रहे हैं।

तार के सहारे विद्युत-ऊर्जा के संचार के विकास का संबंध हवाई तारपथ के साथ ही नहीं, केबुल के साथ भी है, जिसे अक्सर जमीन के भीतर बिछाया जाता है। इसमें बिजली का तार पृथक्कारी समेत एक आपरगम आवरण में लिपटा होता है।

केबुल-पथ की एक विचाराधीन रूप-रेखा के अनुसार उसमें पृथक्कारी पदार्थ के रूप में अपेक्षाकृत उच्च दाब पर स्थित एक ऐसा गैस होग, जिसकी विद्युचालकता कम होगी और पारवैद्युत दृढ़ता बहुत अधिक होगी। इस प्रकार का गैस है सल्फर हेक्साफलोराइड (SF_6)। तकनीक में इसका उपयोग शुरू हो गया है; वैद्युत तकनीशियन इसे एलेगैस कहते हैं। तारपथ के विकास की दूसरी दिशा विद्युत-संचार के तथाकथित शीतजनी (क्रियोजेनिक; क्रियो–अत्यधिक ठंड) और अतिवाही तार-पथों का निर्माण करना। शीतजनी तारपथों की धारणा इस तथ्य पर आधारित है कि धातुओं (विशेषकर शुद्ध धातुओं) का वैद्युत प्रतिरोध उनका तापक्रम कम होने पर घटता जाता है। उदाहरणर्थ, यदि शुद्ध अलुमीनियम

99.99Al को 20k (-253^0C–द्रव हाइड्रोजन के तापक्रम) तक ठंडा किया जाये, तो उसका वैद्युत प्रतिरोध करीब 500 गुना कम हो जायेगा।

अतिवाही पथों के निर्माण का आधार अतिचालकता की संवृत्ति है। इस संवृत्ति के व्यावहारिक उपयोग के साथ आज तकनीकी प्रगति की अनेक दिशाएं संबंद्ध हैं और इसका सार है कि किसी नियत निम्न तापक्रम पर पहुँच कर शुद्ध धातु अधिक अतिवाही हो जाते हैं, अर्थात् उनका वैद्युत प्रतिरोध शून्य के बराबर हो जाता है। जिस तापक्रम पर यह घटना घटती है, उसे चरम तापक्रम कहते हैं। पर कठिनाई यह है कि अतिचालकता के लिए चालक को हीलियमी तापक्रम (द्रव हीलियम के तापक्रम 4.2K= -268.8^0C) तक ठंडा करना पड़ता है।

विज्ञान (कम से कम आज का!) ऐसे अतिवाही द्रव्य के अस्तित्व की संभावना का विरोध नहीं करता, जिसके लिए चरम तापक्रम ऊँचा हो। कल्पना करें कि ऐसे अतिवाही द्रव्य की खोज कितनी बड़ी उपलब्धि होगी, जिसके लिए चरम तापक्रम कमरे के तापक्रम के निकट होगा! पर अभी तक ऐसा द्रव्य भी नहीं मिल सका है, जिसके अतिवाही गुण कम से कम द्रव नाइट्रोन के तापक्रम (-196^0C) पर प्रकट होते हों। इस दिशा में खोज जारी है।

अतिवाही केबुल की संरचना निम्न प्रकार की हो सकती है। अतिवाही तार एक नली में रख सकते हैं, जिसमें द्रव हीलियम भरा हो। बाहर से नली को अच्छी तरह से ताप-वियुक्त (ताप के लिए अपारगम) होना चाहिए। अतिवाही के रूप में, उदाहरणार्थ, नियोबियम, टिटेनियम और जिर्कोनियम का संगलन प्रयुक्त हो सकता है, जिसके लिए चरम तापक्रम 9.7K(-263.3^0C) होता है।

इस प्रकार, अतिवाही तारपथ के लाभ स्पष्ट है : इसमें विद्युत-ऊर्जा का क्षेप नहीं होता है और जिस धातु से तार बनता है, उसका मितव्यय होता है। यह सच है कि अतिवाही द्रव्य का मूल्य काफी ऊँचा होता है, पर उम्मीद की जा सकती है कि उसका उत्पादन बढ़ने पर उसके मूल्य में भी कमी होगी। इसके अतिरिक्त, अतिचालक और शीतजनी उपस्करों का तापक्रम निम्न बनाये रखने में भी काफी खर्च होगा।

विद्युत-संचार के शीतजनी पथ के बारे में कह सकते हैं कि इसके लाभ-हानि सिद्धांततः वैसे ही हैं, जैसे अतिवाही पथ के।

ऊर्जा-परिवहन की समस्याओं के बारे में बात खत्म करते-करते ऊर्जा-संचार के एक और साधन के बारे में थोड़ा सा बता दें, जिसका भविष्य संभवतः कुछ कम नहीं है। यहाँ 'संभवतः' शब्द का प्रयोग किया जा रहा है, क्योंकि इसके पीछे जो धारणाएं है, वे इतनी असाधारण और नयी है कि अभी उसके कार्यान्वयन की संभावनाओं का भी मूल्यांकन करना कठिन है।

बात शक्तिशाली परमाणुक या सौर विद्युकेंद्रों की है, जिसे परिवेश–रक्षा के उद्देश्य से पृथ्वी के निकटवर्ती अंतरिक्षी व्योम में बनाया जायेगा। इस स्थिति में इन केंद्रों द्वारा उत्पादित विद्युत-ऊर्जा को पृथ्वी पर अत्युच्च आवृत्ति वाले परास के विद्युचुंबकीय विकिरण के रूप में भेजा जायेगा। इस तरह का विकिरण संकीर्ण दिष्ट पुंज के रूप में भेजा जा सकता है, क्योंकि वह प्रकाश-किरणों की तरह ही संकेद्रित किया जा सकता है।

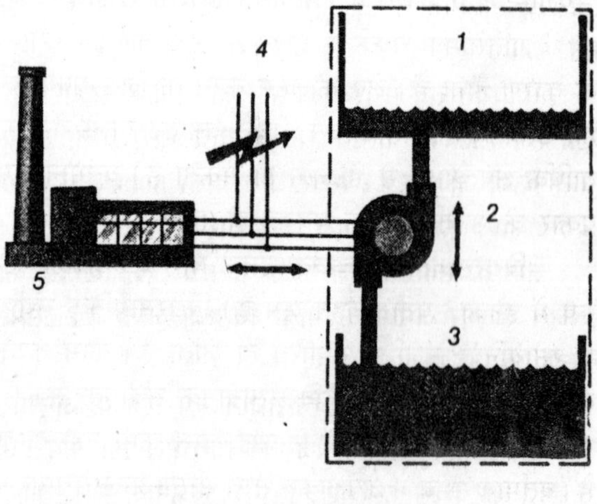

जलसंचायक विद्युकेंद्र का आरेख।

1. ऊपरी जलाशयः 2. पंप–चर्खीः 3. निचला जलाशयः 4. उपभोक्ता की ओरः 5. जल विद्युकेंद्र

ऊर्जा का संचयन–ऊर्जा-संचायकों के कई प्रकार है। हम सिर्फ उनका वर्णन करेंगे, जो सबसे अधिक दिचस्प है।

यांत्रिक संचायन–चित्र में (पीछे) जलसंचायक विद्युकेंद्र (जसविक) का आरेख दिखाया गया है। मांग घटने पर बची हुई विद्युत-ऊर्जा जसविक में पानी को निचले कुंड से ऊपरी कुंड में पंपित करने के काम आती है। इस प्रकार 'बची हुई' विद्युत-ऊर्जा यांत्रिक (स्थितिज) ऊर्जा में परिणत हो जाती है। मांग अधिक बढ़ने पर पानी को ऊपरी कुंड से निचले कुंड में जलचर्खी–जनित्र से होकर बहाया जाता है, जिससे अतिरिक्त वैद्युत ऊर्जा उत्पादित होती है।

चित्र में जलविद्युकेंद्र, ऊपरी व निचला कुंड और कुंडों को जोड़ने वाला नलपथ दिखाया गया है। पंपचर्खी–संयंत्र पंप की तरह भी काम कर सकता है और जलचर्खी की तरह भी। वह जनित्र–मोटर से संबद्ध होता है, जो पंप चलाने के लिए वैद्युत मोटर का काम कर सकता है और साथ ही विद्युत-जनित्र का भी काम कर सकता है।

वर्तमान समय में जसविक विद्युकेंद्र के लिए एक उत्तम संचायक उपकरण है। उसकी बनावट सरल है और काम में भी वह विश्वसनीय है। उसे चालू करने में भी बहुत कम समय लगता है–सिर्फ कुछ मिनट भर, और आवश्यकता पड़ने पर–एक मिनट के अंदर ही।

जसविक के निर्माण का मूल्य काफी ऊंचा है। लेकिन वह काफी कम हो जाता है, यदि जमीन की आकृति ही ऐसी होती है, जिससे दो विभिन्न स्तरों पर कुंड बनाना सरल होता है। जसविक की दूसरी कमी है उसका अपेक्षाकृत कम दक्षता-गुणांक यह करीब 70% है। इसका अर्थ है कि जसविक पर प्रयुक्त विद्युत-ऊर्जा का सिर्फ 70% अंश उपभोक्ताओं तक पहुंच पाता है। पर पहुँता है ऐन मौके पर!

दूसरे प्रकार का भी एक **यांत्रिक संचायक** है, जो यातायात के साधनों में प्रयुक्त होता है। इसका कार्य-सिद्धांत आश्चर्यजनक रूप से सरल है। यह संचायक एक बहुत बड़े द्रव्यमान के गतिसामक चक्के से बना होता है, जिसे बहुत बड़ी आवृत्ति का घूर्णन दिया जाता है। चक्के द्वारा संचित ऊर्जा और कुछ नहीं, उसकी गतिज ऊर्जा ही है। इसे और बढ़ाने के लिए गतिसामक चक्के का द्रव्यमान और उसके घूर्णन की संख्या बढ़ानी पड़ती है। ऐसे गतिसामक चक्के के लिए, जिसका द्रव्यमान दसियों किलोग्राम तक होता है और जिसकी घूर्णनावृत्ति 200 हजार चक्कर/मिनट तक पहुँचती है, पूरे उपकरण में सबसे मजबूत निर्माणसामग्रियों–इस्पात और काँचप्लास्टिक–का उपयोग करना चाहिए (काँच-प्लास्टिक. –प्लास्टिक में काँच के रेशों के अंतर्वेशन से बना द्रव्य, जो अधिक मजबूत होता है)।

गतिसामक चक्के के घूर्णन में ऊर्जा का क्षेप (हानि) चक्के की सतह व हवा के बीच घर्षण और बेयरिंग में घर्षण के कारण होता हैं। क्षेप को कम करने के लिए चक्के को एक खोल में बंदकर देते हैं और उसमें से हवा निकाल लेते हैं। इसके अतिरिक्त, सबसे अच्छी बनावट वाली बेयरिंग का उपयोग किया जाता है। इन परिस्थितियों में चक्के का वार्षिक क्षेप 20% से भी कम हो सकता है। वर्तमान समय में यात्री-बसों के प्रयोगाधीन नमूने बन चुके है, जिनमें इस प्रकार के ऊर्जा-संचायक प्रयुक्त हो रहे है।

विद्युरसायनिक संचायक–इनके बारे में हम बहुत संक्षेप में बताएँगे, क्योंकि वर्तमान समय में मुख्य ऊर्जा-स्रोत के रूप में इनका उपयोग बहुत कम है। विद्युरसायनिक संचायक का पोषण (आवेशन) वैद्युत ऊर्जा से होता है, जो संचायक में रसायनिक ऊर्जा में रूपांरित हो जाता है। काम करते वक्त वह रसायनिक ऊर्जा को पुनः विद्युत-ऊर्जा में परिणत करके देता है। आधुनिक विद्युरसायनिक संचायक सैकड़ों और यहाँ तक कि हजारों बार आवेशित-निरावेशित किए जा सकते है, उनकी क्वालीटी में कोई खास कमी नहीं आती। इनका उपयोग मुख्यतः अंतर्दाही इंजन चालू करने में होता है। वर्तमान समय में अपेक्षाकृत सस्ते सीसा-अम्ल संचायक काम में आते है, रजत-कैडमियम संचायकों के लंछांक (सूचकांक) अधिक अच्छे है, पर वे अधिक महंगे है।

विद्युरसायनिक संचायकों की मुख्य कमी है कि उनमें संचित ऊर्जा का विशिष्ट मान (विशिष्ट ऊर्जा–संचायक के 1kg भार पर संचित ऊर्जा का मान) बहुत कम होता है। यदि अधिक शक्तिशाली संचायक बनाना हो, जिससे उदाहरणार्थ,

कार का मोटर चालू किया जा सके और कार में कुछेक सौ किलोमीटर तक घूमा भी जा सके, तो संचायक इतना बड़ा होगा कि कार उसके अतिरिक्त और कुछ नहीं ढो सकेगी। सीसा-अम्ल संचायक की विशिष्ट ऊर्जा करीब 100kJ/kg होती है, रजत- कैडमियम की--करीब 400 kJ/kg होती है, तुलना करें कि पेटोल की तापोत्पादक क्षमता करीब 400kJ/lit है। यही कारण है कि बिजली गाडियों और विद्युरसायनिक संचायकों का उपयोग बहुत कम है, उदाहरणतया, सिर्फ उन्हीं स्थितियों में, जब रास्ता छोटा हो और कई बार रुकना पड़ता हो (जैसे डाक या दूध पहुँचाने के लिए गाड़ियों में)।

ताप-संचायक--इन संचायकों के प्रति दिलचस्पी साल ब साल बढ़ती जा रही। पिछले समय से गर्म करने के लिए सौर ऊर्जा का प्रयोग दुनिया के अनेक क्षेत्रों में हो रहा है। पर पार्थिव परिस्थितियों में सूरज ऊर्जा का कोई स्थायी स्रोत नहीं हैः दिन में सौर विकिरण है और रात में नहीं इसीलिए सौर ऊर्जा से घर गर्म रखना सिर्फ ताप-संचायकों की सहायता से संभव हैः दिन में वह सौर विकिरण से प्राप्त ताप संचित करता है और रात में उसे खर्च करता है।

ताप-संचायकों के दो मुख्य प्रकार है : एक में संचायक का काजकर पिंड गर्म होने से ताप का संचय होता है (इसमें काजकर पिंड का तापक्रम बढ़ जाता है) और दूसरे में काजकर पिंड एक संकुली अवस्था से दूसरी में (ज्यादातर ठोस से द्रव में) आकर ताप संचित करता है : इस स्थिति में काजकर पिंड का तापक्रम नहीं बढ़ता, या बहुत कम बढ़ता है।

प्रथम प्रकार के संचायक से उपभोक्ता को ताप काजकर पिंड के ठंडा होने से और उसका तापक्रम कम होने से मिलता है, जबकि दूसरे प्रकार के संचायक से--काजकर पिंड के आरंभिक संकुली अवस्था में लौटने (जमने) से।

ताप-संचायक की बनावट चाहे कैसी भी हो, एक मुख्य सिद्धांत का पालन जरूरी होता है : काजकर पिंड का तापक्रम यथासंभव ऊँचा रखना चाहिए, यदि हो सके, तो जिस ताप-स्रोत से संचायक "आवेशित" किया जा रहा है, उस ताप स्रोत के तापक्रम के निकट तक। ताप-स्रोत का तापक्रम जितना ही अधिक होगा, उसमें संचित ताप उतना ही मूल्यवान होगा। आखिरकार, यदि ताप के स्रोत का तापक्रम परिवेश के तापक्रम जितना होता, तो ऐसे स्रोत और उसमें संचित ऊर्जा का कोई मूल्य ही नहीं रहता, उनकी किसी को जरूरत ही नहीं पड़ती। इसके अतिरिक्त काजकर पिंड को परिवेश से अच्छी तरह तापवियुक्त होना चाहिए, ताकि ऊर्जा के अवश्यंभावी क्षेप को न्यूनतम किया जा सके और पिंड का अधिक ऊँजा तापक्रम सुरक्षित रखा जा सके।

ताप-संचायक के आकार का भी बहुत बड़ा महत्त्व है (नाभिकीय इंधन के लिए चरम द्रव्यमान का स्मरण करें)। उसके काजकर पिंड का आयतन जितना ही अधिक होगा, उसकी सतह और उसके आयतन का अनुपात उतना ही कम होगा और इसीलिये ऊर्जा के सापेक्षिक (विशिष्ट) क्षेप (जैसे इकाई संचित ताप पर क्षेप या काजकर पिंड के इकाई द्रव्यमान पर क्षेप) भी कम होंगे।

विद्युत-संचायक--हम लोग वर्तमान समय में प्रयुक्त होने वाले ऊर्जा-संचायकों के कुछ प्रकार देख चुके हैं। अब ऐसे संचायकों के बारे में बात करें, जो विद्युत-ऊर्जा को जमा करने से पहले उसे किसी दूसरे रूप में परिणत नहीं करते, उसे सीधे जमा कर लेते हैं।

इस क्षेत्र में भी रोचक विचार हैं, पर ऐसा संचायक अभी तक बना नहीं है। कब बनेगा, यह कहना भी मुश्किल है। फिर भी यह प्रश्न ध्यानाकर्षित

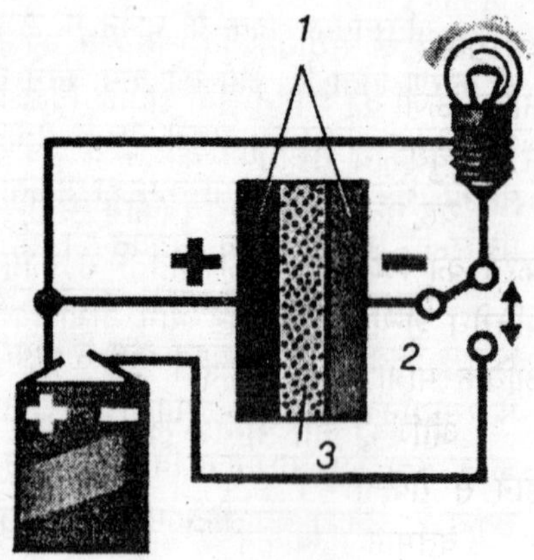

संघनित्र का आरेख।

1. विद्युद (अस्तर);
2. स्विच; 3. पारविद्युक।

किये बिना नहीं रह सकता।

पहले इस तरह का एक वैद्युत संचायक देखें, जिसमें ऊर्जा वैद्युत क्षेत्र के रूप में संचित रहती है। सच पूछें, तो यह और कुछ नहीं, वैद्युत संघनित्र है, जिसमें दो विद्युद (एलेक्ट्रोड) होते हैं—एक ऊपर और एक नीचे (दे. चित्र पृ. 60 पर)। इन्हें पत्तर कहते हैं। पत्तरों के बीच पारविद्युक होते हैं (पार-विद्युक—ऐसा पदार्थ, जिससे विद्युत-क्षेत्र आर-पार निकल सकता है, पर वह विद्युत का चालन नहीं करता, इसीलिये पृथक्कारी की तरह प्रयुक्त हो सकता है)। (दे.पृ. 62 का चित्र) संघनित्रों के नाम—काँचपोर्सलीन, अबरक, कागजी, झिल्लीदार, विद्युविश्लेषकी, अर्धचालकी आदि—उनमें प्रयुक्त पारविद्युक को इंगित करते हैं।

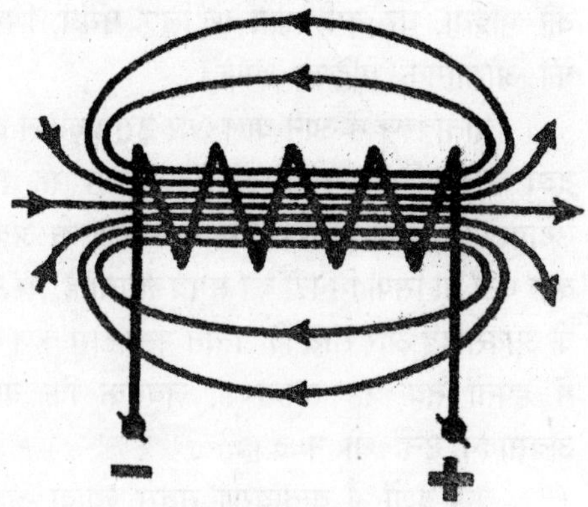

नलिज का आरेख

पत्तरों और पारविद्युक के तंत्र की अपनी विद्युत-धारिता होती है। जब संघनित्र के पत्तर धारा-स्रोत से (दे. चित्र में बाएँ) जुड़े रहते हैं, तब संघनित्र का आवेशन होता है। आविष्ट संघनित्र में ऊर्जा पारविद्युक के वैद्युत क्षेत्र की ऊर्जा के रूप में जमा रहती है। यदि स्विच को बिल्कुल दाएँ रखा जाये और वैद्युत परिपथ को उपभोक्ता (बल्ब) के साथ जोड़ दिया जाये, तो संघनित्र का निरावेशन होने लगता है।

संघनित्र में संचित विशिष्ट ऊर्जा कुछ ज्यादा नहीं होती (व्यवहारतः 10 से 400J/kg तक ही)। क्षेप के कारण ऊर्जा को लंबे समय तक संचित नहीं रखा जा सकता। इस तरह का ऊर्जा-संचायक सिर्फ ऐसी परिस्थितियों में प्रयुक्त होता है, जब ऊर्जा को कम समय तक संचित रख कर बहुत अल्पकाल में खर्च कर देना पड़ता है।

वैद्युत ऊर्जा को सीधे संचित करने वाले संघनित्र का एक प्रकार है—नलिज। यह पृथक्कृत तार से लपेटी गयी कुंडली है (दे. चित्र पृ. 62 पर)। नलिज की लपेटनों में स्थिर धारा प्रवाहित करने पर, जैसा कि चित्र में दिखाया गया है, चुंबकीय क्षेत्र उत्पन्न होता है। इस स्थिति में वैद्युत ऊर्जा चुंबकीय क्षेत्र की ऊर्जा के रूप में संचित होती है। इसीलिये इस प्रकार के संचायक विद्युचुंबकीय कहलाते हैं। इनका उपयोग ऐसी परिस्थितियों में नहीं होता, जब बड़ी मात्रा में संचित ऊर्जा को पर्याप्त लंबी अवधि (कुछ घंटों या दिनों) तक खर्च या संचित करने की आवश्यकता होती है। वास्तविकता में विद्युचुंबकीय संचायकों की ऊर्जा सेकेंड़ों में तो क्या, सेकेंड के कुछ अंशों में ही खर्च हो जाती है।

यह बता दें कि विद्युचुंबकीय ऊर्जा-संचायकों के मुख्य सूचकांकों को सुधारने और उनके उपयोग की सीमा विस्तृत करने की दिशा में काफी तीव्रता से काम चल रहे हैं। अतिचालकी नलिजों के निर्माण से, जिनकी कुंडली का वैद्युत प्रतिरोध शून्य हों, बड़े-बड़े मान वाली विद्युत-धाराओं का उपयोग संभव हो सकेगा और इसीलिये ऊर्जा का संचय भी अधिक मात्रा में हो सकेगा।

और्जिकी और परिवेश-रक्षा—वर्तमान समय में परिवेश-रक्षा का मुख्य उद्देश्य अपने ग्रह की हवा और जल को दूषित होने से रोकना है।

वर्तमान मूल्यांकन के अनुसार जैव इंधन जलाने से पार्थिव वातावरण में प्रति वर्ष करीब 15 करोड़ टन राख, 10 करोड़ टन गंधक आक्साइड, 6 करोड़ टन नाइट्रोजन के आक्साइड, 30 करोड़ टन कार्बन मोनोक्साडड (CO) मिश्रित होता है। वातावरण दूषित करने वाले इन द्रव्यों का अधिकांश भाग तापीय विद्युकेंद्रों से आता है, जिनमें विशाल मात्राओं में जैव इंधनों का दहन होता है। जल-स्रोतों (जलमंडल) की अवस्था को अधिकतर जल-विद्युकेंद्र प्रभावित करते हैं। परमाणुक विद्युकेंद्र भी हवा और पानी के दूषण के लिए कम खतरनाक नहीं हैं, उस हालत में भी, जब इस बात पर

पूरा नियंत्रण रखा जाता है कि रश्मिसक्रिय विकिरण निर्धारित मानकों से ज्यादा न हो जाये।

पृथ्वी के वातावरण के मुख्य प्रदूषक सभी प्रकार के संयंत्र हैं, जो जैव इंधन जलाते हैं—औटोमोबील, ताविक की भट्ठियां, घर गर्म रखने के लिए संयंत्र, भिन्न प्रकार की औद्योगिक भट्ठियां, आदि।

वातावरण में आने वाले और उसे प्रदूषित करने वाले द्रव्य उसमें भिन्न अवधियों तक स्थित रह सकते हैं। उदाहरणार्थ, राख के बड़े और ठोस कण के अवसादन में कुछ घंटों या सिर्फ मिनटों का समय लगता है, पर नाइट्रोजन के आक्साइड और साथ ही अत्यंत नन्हे ठोस कण वातावरण में हफ्तों तक रह सकते हैं, जबतक कि वर्षा आदि अवसादन उन्हें धो न दें।

कई देशों में वातावरण सबसे ज्यादा औटोमोबील गाड़ियों से गंदा होता है। घरों को गर्म रखने वाले संयंत्र भी (शीतप्रधान देशों में) वातावरण का प्रदूषण करते हैं। जहाँ तक ताविक का प्रश्न है, अधिकतर भट्ठियों में सुव्यवस्थित दहन-प्रक्रिया (व्यवहारतः इंधन के पूर्ण दहन) के कारण दहन-उत्पादों में निहित CO और कालिख का अनुपात ज्यादा नहीं होता। भट्ठियों में ऐश-कैचर (राख रोकने वाले) लगे होते हें, जिनका दक्षता-गुणांक बहुत ऊँचा होता है। इसके कारण भी ताविक के दहन-उत्पादों में राख का अनुपात अपेक्षाकृत निम्न होता है। नाइट्रोजन और विशेषकर गंधक के आक्साइडों से सघर्ष कहीं अधिक कठिन है। नाइट्रोजन के आक्साइड उच्च तापक्रमी परास में इंधन जलाने से बनते हैं। वर्तमान समय में ऐसी विधियां विकसित की जा रही हैं, जिनमें इन आक्साइडों का बनना कई गुना कम हो जायेगा।

सोवियत संघ में प्रदूषण से वातावरण की रक्षा को राज्य-स्तर पर महत्व दिया जाता है। हानिकर विक्षेपों को कम करने के लिए कदम उठाये जा रहे हैं। रहने के घरों को गर्म करने के लिए ताविक या विशाल क्वथित्रों का उपयोग होता है। इससे भी हानिकार विक्षेप कम हो जाते हैं।

पिछले समय से वातावरण के तथाकथित तापीय प्रदूषण (अर्थात उसके तपन) पर विशेष ध्यान दिया जा रहा है। मानवीय कार्य-कलापों से वातावरण का तपन मुख्यतः दो कारणों से होता है : ऊर्जा-उत्पादन में अविराम बढ़ोत्तरी और पार्थिव वातावरण में CO_2 के अनुपात में वृद्धि। आदमी द्वारा उत्पादित सारी ऊर्जा अंततोगत्वा ताप में ही परिणत होती है; यह हमारी इच्छा-अनिच्छा पर निर्भर नहीं करता (तापीय ऊर्जा की विशेषताओं और ताप-प्रवेगिकी के दूसरे नियम को स्मरण करें)। वर्तमान समय में पृथ्वी के ऊर्जीय संतुलन में आदमी द्वारा उत्पादित ऊर्जा का अंश करीब 0.01% है (ऊर्जा की अधिकांश मात्रा पृथ्वी पर सौर विकिरण से आती है)। बहुत-से विशेषज्ञ मानते हैं कि आदमी द्वारा उत्पादित ऊर्जा का अंश 1% (अर्थात सौ गुना ज्यादा) हो जाने पर धरातल का तापक्रम 0.5-1^{0}C तक ऊँचा हो जायेगा। इसके परिणाम आगे चलकर क्या होंगे, यह ठीक-ठीक कहना कठिन है, पर एक खतरा है कि पृथ्वी के ऊर्जीय

संतुलन में आदमी के हस्तक्षेप के कारण तापक्रम में इतने कम परिवर्तन से भी पृथ्वी की जलवायु में परिवर्तन हो जा सकता है और इसके अनेक सारे अवांछनीय परिणाम हो सकते हैं। पृथ्वी का वातावरण तापोद्यानी गुण रखता है : वह अपने से हो कर लघु तरंगी सौर विकिरण को गुजरने देता है, पर पृथ्वी के दीर्घ तरंगी विकिरण को रोक कर रख लेता है (शीतप्रधान देशों में सब्जी और फूल उगाने के लिए शीशे या प्लास्टिक की पारदर्शक झिल्ली से बंद उद्यान बनाये जाते हैं, जिसे भीतर से कृत्रिम तौर पर गर्म रखा जाता है; तापोद्यान इन्हीं को कहते हैं)। पता चला कि वातावरण में कार्बन डायक्साइड का अंश बढ़ने पर उसके तापोद्यानी गुण में वृद्धि हो जाती है और इसीलिये धरातल का तापक्रम ऊँचा हो जाता है।

मानवीय कार्य-कलापों से धरातल के गर्म होने की समस्या का अभी सर्वांगीन अध्ययन नहीं हो पाया है, इसलिये इस क्षेत्र में खोज-कार्य आगे बढ़ाना चाहिए।

पृथ्वी के जल-स्रोतों (जल-मंडल) को प्रदूषण से बचाना मानव परिवेश की रक्षा के मार्ग में एक प्रमुख समस्या भी है, जिसे हल किया जा रहा है।

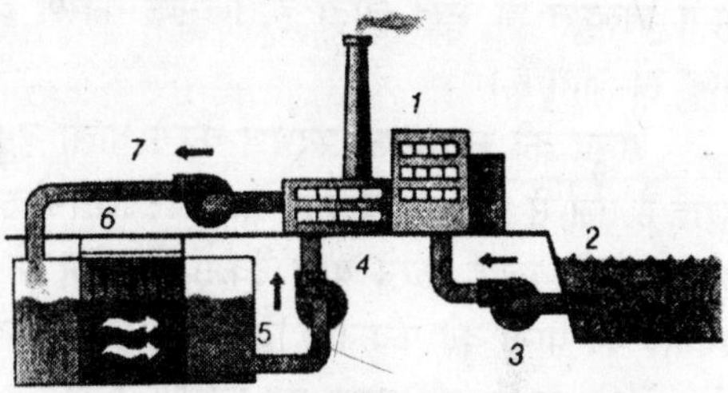

संवृत आकृति में जल के उपयोग का आरेख।

1. उद्यम-केंद्र; 2. स्वच्छ जल का स्रोत; 3. जल-हानि का पूरण; 4. साफ किया हुआ जल; 5. सफाई-संयंत्र; 6. छन्ना; 7. पानी (साफ होने के लिये)।

जल-मंडल के लिए अनेक औद्योगिक कारखाने बहुत खतरनाक सिद्ध हो रहे हैं (खासकर रसायनिक, तेलरसायनिक, सेलुलोजकागज और धातु-उद्योग के कारखाने)। कारखानों में विक्षेपित जल साफ करने के लिए बहुत महंगे फिल्टर लगाये जाते हैं, जो यांत्रिक, रसायनिक या जैविक हो सकते हैं, पर अच्छे से अच्छे फिल्टर भी इस समस्या को समूल दूर नहीं कर सकते। उत्पादन की प्रविधि में ही ऐसे परिवर्तन (सुधार) लाने चाहिएँ, जिनसे साफ किया गया पानी पुनः उत्पादन में प्रयुक्त हो सके। इस से जलाशय प्रदूषण से बचे रहेंगे और उनमें उपस्थित उपयोगी व मूल्यवान द्रव्यों (विशेषकर कच्चा माल) की हानि यदि बिल्कुल नहीं रुकेगी, तो कम से कम तेजी से घट जायेगी। इस तरह की प्रविधि को संवृत या अनपशिष्ट कहेंगे।

जल-मंडल के लिए एक बहुत बड़ा खतरा है दैनंदिन जीवन में काम आने से गंदा हुए पानी को बिना अच्छी तरह साफ किये, या बिल्कुल ही बिना साफ किये वापस जल-स्रोतों (नदी आदि) में फेंकना। शहर और बड़ी आबादी वाले दूसरे स्थान इस समस्या को दिन ब दिन बढ़ाते जा रहे हैं। कृषि-उत्पादन में प्रयुक्त पानी भी बिना साफ किये नहीं फेंकना चाहिए।

ताविक, परविक और जविक जल-मंडल के लिए खतरा उत्पन्न करने वाले द्रव्यों से दूषित पानी कुछ ज्यादा नहीं फेंकते, फिर भी जल-स्रोतों को क्षति पहुँचाते हैं : ताविक और परविक बहुत बड़ी-बड़ी मात्रा में गर्म पानी फेंक कर (जो संघनित्र को ठंडा करने से प्राप्त होता है)। और जविक-मुख्यतः बड़ी संख्या में छिछले जलाशय बना कर।

नदियों में पानी के तापक्रम की वृद्धि, (उदाहरण के तौर पर, सिर्फ $1^{0}C$ की वृद्धि) उसमें जीवों द्वारा आक्सजीन का उपयोग 10-20% तक बढ़ा सकती है। इससे पानी में आक्सीजन की कमी हो जा सकती है और फिर इसके अपने अवांछनीय परिणाम हो सकते हैं। इस समस्या का सर्वांगीन अध्ययन होना चाहिए, विशेषकर इसलिये कि गर्म पानी के विक्षेपन में और भी वृद्धि होगी (परविकों के निर्माण में तीव्रता के कारण, जो परिवेश को और खास कर पानी को ताविक की तुलना में करीब 1.5 गुना अधिक निम्न तापक्रम वाला ताप देते हैं)।

ध्यातव्य है कि समशीतोष्ण कटिबंध और शीतप्रधान अक्षांशों पर स्थित संवृत जलाशयों (पोखर, झील आदि) में गर्म पानी फेंकने से हानि की बजाय लाभ ही होता है। इस प्रकार के तापित जलाशयों में उच्च कारगरता के साथ मत्स्य-पालन

का उद्योग संगठित किया जा सकता है।

मैदानी नदियों पर जविक के निर्माण के कारण एक बहुत बड़ा क्षेत्र बाढ़ से ग्रस्त हो जाया करता है। बने हुए जलागारों का अधिकांश क्षेत्र छिछला होता है। गर्मियों में सौर विकिरण के कारण उनमें जलीय वनस्पति तेजी के साथ पनपने लगते हैं और पानी सेवाल से हरा हो जाता है। पानी के स्तर में गिरावट होने से छिछले स्थानों पर पानी बिल्कुल ही सूख जाता है, जिसके कारण वनस्पति नष्ट हो जाते हैं।

समुद्र की सतह का प्रदूषण करने वाली बहुत बड़ी बुराई है तल से प्राप्त किये जाने वाले पेट्रोलियम का बहना और उसकी ढुलाई करने वाले टैकरों से बोझ के रूप में प्रयुक्त गंदे पानी को फेंकना। बिना विस्तार में गये इतना बता दें कि समुद्र की सतह का प्रदूषण रोका जा सकता है या बहुत तेजी से कम किया जा सकता है; इसके लिए तकनीकी और व्यवस्था संबंधी कुछ सरल कदम भर उठाने पड़ते हैं।

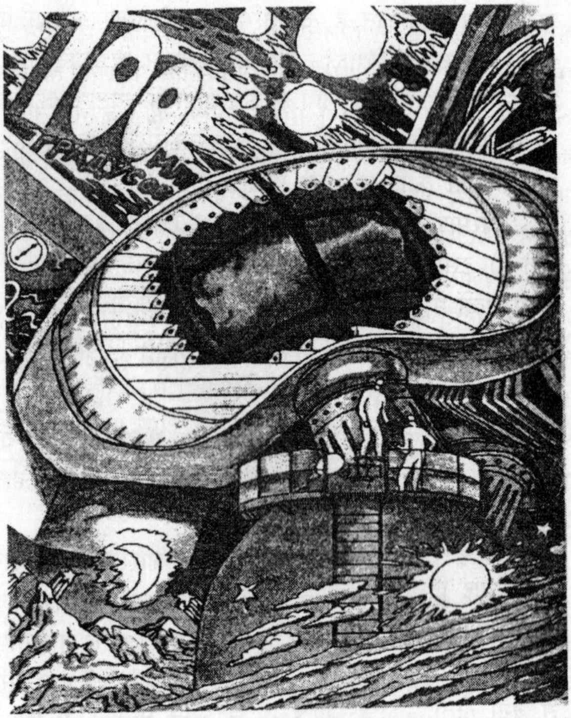

और्जिकी : कल

इस पुस्तक के पृष्ठों पर हम क्षिप्र न्यूट्रोनों से चलित परमाणुक रिएक्टर के उपयोग, ऊर्जा के परिवहन व संचयन, और्जिकी व परिवेशरक्षा आदि से संबंधित समस्याओं को प्रस्तुत कर चुके हैं। ये समस्याएँ और्जिकी के भविष्य की दृष्टि से बहुत रोचक हैं। अब इस अध्याय में तापनाभिकीय और्जिकी, ऊर्जा के प्रत्यादानी (पुनर्भर) स्रोतों, ऊर्जा के प्रत्यक्ष रूपांतरण की विधियों, और कृत्रिम द्रव इंधन के बारे में बताएँगे।

तापनाभिकीय और्जिकी–तापनाभिकीय रिएक्टर, जिसके निर्माण में दुनिया के अनेक देशों के भौतिकविद् लगे हुए हैं, कार्य-सिद्धांत के अनुसार साधारण परमाणुक रिएक्टर जैसा ही होता है। दोनों ही में मुख्य भूमिका नाभिकीय प्रतिक्रिया की है; दोनों ही में प्रतिक्रिया के पहले द्रव्य का द्रव्यमान नाभिकीय प्रतिक्रिया के उत्पादों के द्रव्यमान से कुछ अधिक होता है। अन्य शब्दों में, दोनों ही जगह द्रव्यमान-त्रुटि प्रेक्षित होती है, जिसके फलस्वरूप विशाल ऊजरिचन होता है। तापनाभिकीय प्रतिक्रिया के लिए 1kg आरंभिक द्रव्य 10 हजार टबइ के समतुल्य है। यदि अन्य शब्दों में कहें, तो इस द्रव्य की 1g मात्रा ऊर्जा की दृष्टि से 10 टबइ के बराबर है। इस प्रकार, तापनाभिकीय प्रतिक्रिया में आरंभिक द्रव्य के प्रति इकाई द्रव्यमान से तापरेचन 4 गुना अधिक होता है। बनिस्बत कि ^{235}U के विभाजन की नाभिकीय प्रतिक्रिया में।

अंतर सिर्फ इस बात का है कि इसमें तापनाभिकीय प्रतिक्रिया नाभिक के विभाजन की नहीं, बल्कि उसके संयोजन (संश्लेषण) की प्रतिक्रिया है। नाभिक-विभाजन की प्रतिक्रिया, जो विशाल मात्रा में ऊर्जा देती है, उच्च परमाणु-भार वाले भारी तत्त्वों के साथ होती है। विशाल मात्रा में ऊर्जा देने वाली जिन नाभिकीय प्रतिक्रियाओं में कम परमाणुक भार वाले

हल्के तत्त्व भाग लेते हैं, वे नाभिकीय संश्लेषण की प्रतिक्रियाएं हैं।

नाभिक के विभाजन की प्रतिक्रिया में विभाजनशील द्रव्य (युरेनियम, प्लुटोनियम), जैसा कि भौतिकी में कहते हैं, निशाने का काम करते हैं। सक्रिय भूमिका न्युट्रोनों की होती है, जो नाभिकीय प्रतिक्रिया को शुरू करते हैं। नाभिक के संश्लेषण की प्रतिक्रिया तभी चल सकती है, जब परमाणुओं के नाभिक एक-दूसरे से पर्याप्त निकट–करीब 10^{-13}cm या $10^{-9}\mu m$ कोटि की दूरी पर होंगे।

परमाणुओं को निकट आने से रोकते हैं विद्युस्थैतिक विकर्षण-बल (परमाणुओं के नाभिकों पर समान धन आवेश होते हैं), इसलिये उनके परस्पर निकट आने के लिए जरूरी है कि व्यतिकारी कण बहुत बड़ी मात्रा में गतिज ऊर्जा रखें। अन्य शब्दों में, नाभिकीय विभाजन की प्रतिक्रिया के विपरीत, यहाँ द्रव्य को बहुत अधिक तापक्रम पर होना चाहिए–सैकड़ों लाख डिग्री तापक्रम तक। इसी कारण से नाभिकीय संश्लेषण की प्रतिक्रिया को तापनाभिकीय कहते हैं। इतने ऊँचे तापक्रम पर द्रव्य प्लाज्मा की अवस्था में आ जाता है। प्लाज्मा और साधारण गैस में अंतर यह है कि प्लाज्मा अणुओं व परमाणुओं से नहीं, बल्कि परमाणुओं के नाभिकों और स्वतंत्र एलेक्ट्रोनों से बनी होती है : करीब 10 हजार डिग्री तापक्रम पर किसी भी द्रव्य के परमाणु अपना एलेक्ट्रोनी अभ्र खो बैठते हैं।

जिन कणों से प्लाज्मा बनती है, उन पर विद्युत के आवेश होते हैं। एलेक्ट्रोन पर ऋणावेश होता है और परमाणु के नाभिक पर–धनावेश। पाठक शीघ्र ही देखेंगे कि यह बात बहुत ही महत्त्वपूर्ण है।

याद दिला दें कि हाइड्रोजन के तीन समस्थ हैं : प्रोटियम (H)–साधारण हाइड्रोजन, जिसके परमाणु का नाभिक प्रोटोन होता है; ड्युटेरियम (D) अधिक भारी हाइड्रोजन, जिसके परमाणु का नाभिक एक प्रोटोन और एक न्युट्रोन से बना होता है; ट्रीटियम (T)–और भी अधिक भारी हाइड्रोजन, जिसके परमाणु का नाभिक एक प्रोटोन और दो न्युट्रोनों से बना होता है। हाइड्रोजन के उपरोक्त तीनों समस्थों (H,D,T) के परमाणुभार 1:2:3 के अनुपात में होते हैं।

आधुनिक वैज्ञानिक धारणा के अनुसार सितारों की ऊर्जा का स्रोत (हमारा सूर्य भी एक सितारा ही है) तापनाभिकीय प्रतिक्रिया है, जिसके परिणामस्वरूप हाइड्रोजन हीलियम में परिणत होता है और विशाल मात्रा में ऊर्जा उत्सर्जित होती है। इस तरह की प्रतिक्रिया सितारों की गहराई में चलती रहती है, पर पार्थिव परिस्थितियों में ऐसी प्रतिक्रिया को अस्तित्व देना संभव नहीं है। पर ड्युटेरियम और ट्रीटियम के नाभिकों के बीच प्रतिक्रिया कराना कहीं अधिक सरल है। इसके फलस्वरूप हीलियम के नाभिक व न्युट्रोन बनते हैं और साथ ही विशाल मात्रा में ऊर्जा भी उत्सर्जित होती है।

हाइड्रोजन के भारी समस्थों–डयुटेरियम और ट्रीटिम–के रूप में आरंभिक द्रव्य वाली तापनाभिकीय प्रतिक्रिया को पार्थिव परिस्थितियों में साकार करने की संभावना सिद्ध की जा चुकी है। तापनाभिकीय (हाइड्रोजन) बम में यही प्रतिक्रिया चलती है, पर उसमें यह अनियंत्रणीय, अल्पकालिक और एक शक्तिशाली विस्फोट के रूप में होती है, जिसका परिणाम सिर्फ ध्वंस होता है, शांतिपूर्ण उद्देश्यों में तापनाभिकीय प्रतिक्रिया का उपयोग करने के लिए उसे नियंत्रण में रखना और शांतिपूर्ण ढंग से बहने को बाध्य करना सीखना होगा।

इस बात पर ध्यान देना चाहिए कि हाइड्रोजन का भारी समस्थ–ट्रीटियम–एक रश्मिसक्रिय द्रव्य है और इसका अर्धक्षयकाल करीब 12 वर्ष है। इसीलिए पृथ्वी पर ट्रीटियम व्यवहारतः अनुपस्थित है। पर इससे निराश होने की कोई बात नहीं है। स्मरण करें कि प्लुटोनिम ^{239}Pu भी पृथ्वी पर नहीं था, लेकिन अब ^{239}Pu परमाणुक रिएक्टरों के लिए सबसे अधिक प्रचलित नाभिकीय इंधन है। पता चला है कि ट्रीटियम को क्षारीय धातु लीथियम (Li) से उसके परमाणु-नाभिकों पर क्षिप्र न्युट्रोनों की बमबारी से प्राप्त कर सकते हैं; ये न्युट्रोन नाभिकों D व T के संयोजन की प्रतिक्रिया के फलस्वरूप भी बन सकते हैं। ट्रीटियम की जगह तापनाभिकीय रिएक्टर में ''ट्रीटियम का कच्चा माल''–लीथियम–भी रख सकते हैं। रिएक्टर के काम के दौरान ट्रीटियम आवश्यक मात्रा में लीथियम से बन जाया करेगा।

जहाँ तक तापनाभिकीय ड्युटेरियम-ट्रीटियमी प्रतिक्रिया (या D+T प्रतिक्रिया) के लिए नाभिकीय इंधन के स्रोत

का प्रश्न है, तो वह अंततोगत्वा लीथियम के भंडार का प्रश्न बन कर रह जाता है। ड्यूटेरियम का भंडार पृथ्वी पर सचमुच ही बहुत बड़ा है। यदि समुद्रों और महासागरों के पानी में निहित ड्यूटेरियम का उपयोग किया जाये (पानी से ड्यूटेरियम निकालना सरल भी है और अर्थसंगत भी) तो उसका भंडार ऊर्जा की दृष्टि से सभी प्रकार के जैव इंधनों के सम्मिलित भंडार से भी करोड़ों गुना अधिक है।

जहाँ तक लीथियम का संबंध है, तो इसके बावजूद भी कि ट्रीटियम सिर्फ लीथियम ^{6}Li से बनता है, जो प्राकृतिक लीथियम में सिर्फ 7.4% होता है, हम कह सकते हैं कि उसका भंडार पृथ्वी पर पर्याप्त बड़ा है। विशेषज्ञ मानते हैं कि ऊर्जा की दृष्टि से लीथियम का भंडार युरेनियम के जितना ही है।

यदि D+T=प्रतिक्रिया की जगह D+D=प्रतिक्रिया का उपयोग संभव हो जायेगा, तो ऊर्जा का स्रोत व्यावहारिकतः असीम मान लिया जायेगा।

इसीलिए, यदि तापनाभिकीय प्रतिक्रिया का शांतिपूर्ण उद्देश्यों में लोगों के लाभ के लिए उपयोग करना है, तो इसके लिए ऐसा तापनाभिकीय रिएक्टर बनाना होगा, जिसमें D+T प्रतिक्रिया शांतिपूर्ण व नियंत्रणीय ढंग से चल सके। इस समस्या का हल बहुत कठिन है। पहले तो ड्यूटेरियम-ट्रीटियम मिश्रण को प्लाज्मा रूप देने के लिए उसे करीब 10 करोड़ डिग्री तक गर्म करना होगा और उसे प्लाज्मा की अवस्था में लंबे समय तक रोक कर रखना होगा (मिश्रण पचास प्रतिशत वाला होता है : आधा ड्यूटेरियम लेते हैं और आधा ट्रीटियम)।

कुर्छातोव परमाणु ऊर्जा संस्थान में लि. आर्त्सिमोविच के नेतृत्व में चुक्षे-छक के प्रकार का एक संयंत्र विकसित किया गया। चुक्षे-छक 'चुंबकीय क्षेत्र वाला छल्लजी कक्ष' का संक्षेपण है। इस संयंत्र में प्लाज्मा को गर्म करने के लिए इतना ऊँचा तापक्रम संयंत्र से हो कर लाखों ऐंपियर की शक्ति वाली विद्युत-धारा को प्रवाहित करने से प्राप्त होता है। इतनी बड़ी धारा बाह्य प्रेरक द्वारा उत्पन्न होती है। प्लाज्मा के वैद्युत प्रतिरोध के कारण 'जूलियन' ताप उत्पन्न होता है, जिससे प्लाज्मा गर्म होती है।

इससे कहीं जटिल समस्या है प्लाज्मा को गर्म अवस्था में रोक कर रखना। प्लाज्मा दीवार को स्पर्श करे, इसके बारे में तो बात ही नहीं की जा सकती–दुनिया में ऐसी कोई निर्माण-सामग्री नहीं है, जो इस स्पर्श के बाद भी बची रहे, वाष्पित न हो जाये। चुक्षे-छक के संयंत्र में प्लाज्मा को चुंबकीय क्षेत्र की सहायता से रोक कर रखा जाता है। यह सिर्फ इसलिये संभव होता है कि प्लाज्मा विद्युताविष्ट कणों–एलेक्ट्रोनों और परमाणु-नाभिकों–से बनी होती है, जिसको चुंबकीय क्षेत्र से प्रभावित किया जा सकता है।

उच्च तापक्रम वाली प्लाज्मा को चुक्षे-छक में एक ऐसे बरतन में रखा जाता है, जिसका आकार खोखले कंगन

की तरह होता है (जहाजों में प्रयुक्त लाइफ-बेल्ट का रूप स्मरण करें)। इस तरह की ज्यामितिक पिंड छल्ला (या वलय) कहलाता है। छल्ले के बाहर स्थित चुंबक-तंत्र की सहायता से एक शक्तिशाली चुंबकीय क्षेत्र बनाया जाता है, जिसकी तीव्रता छल्ले में गोल नली के अनुतीरी अक्ष से दूर जाने के साथ-साथ बढ़ती जाती है। इसीलिए प्लाज्मा छल्ले के भीतर अनुतीरी अक्ष की ओर सिमटी रहती है और छल्ले की दीवारों को नहीं छूती है। चुक्षे-छक के पीछे यही सरल-सा विचार है, पर इससे परिचय होने पर इसकी प्रशंसा किये बिना नहीं रहा जा सकता।

तापनाभिकीय प्रतिक्रिया के दौरान विशाल मात्रा में ऊर्जा उत्सर्जित हो सके, इसके लिए जरूरी है कि इकाई आयतन में ड्युटेरियम और ट्रीटियम के नाभिकों की एक नियत सांद्रता (अर्थात प्लाज्मा का एक नियत घनत्व) हो और साथ ही प्लाज्मा पर्याप्त समय तक बनी रहे। ये दो राशियां परस्पर संबद्ध हैं : परमाणुओं की सांद्रता जितनी ही अधिक होगी, प्लाज्मा को रोके रखने के लिए आवश्यक समय उतना ही कम होगा, और इसका प्रतीप। सांख्यिक रूप से यह निर्भरता जोन लावसन द्वारा स्थापित निकष (कसौटी) द्वारा व्यक्त होती है : प्रत्येक तापनाभिकीय प्रतिक्रिया और प्लाज्मा-तापक्रम के लिए नाभिकों की सांद्रता और प्लाज्मा को रोक कर रखने के समय का गुणनफल एक स्थिर मान होता है। D+T प्रतिक्रिया और 10 करोड़ डिग्री तापक्रम के लिए लावसन-निकष 3.10^{14} के बराबर होता है। इसका मतलब है कि परमाणुनाभिकों की सांद्रता $10^{14} 1/cm^3$ होने पर प्लाज्मा रोक कर रखने का समय 1s से किसी भी हालत में कम नहीं होना चाहिए।

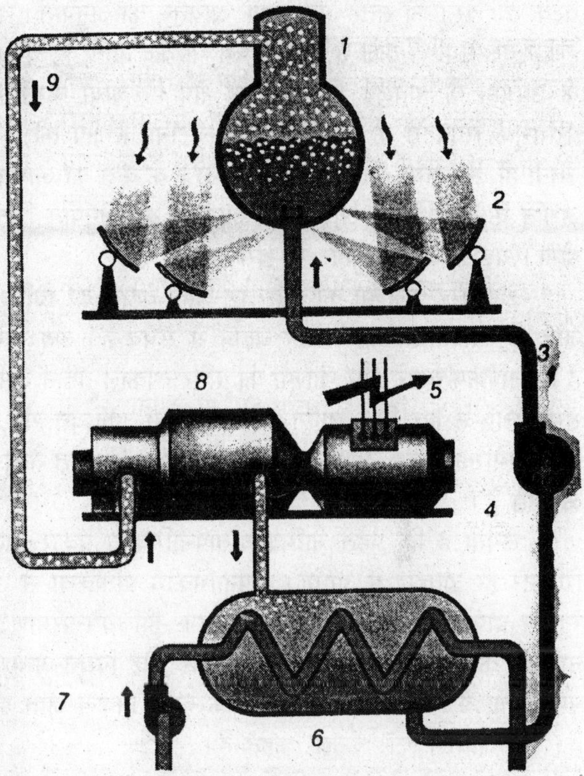

सौर वाष्पविद्युत संयंत्र का सैद्धांतिक आरेख।
1. वाष्पित्र; 2. सौर संकेंद्रक; 3. जल;
4. जल-पंप; 5. विद्युजनित्र;
6. वाष्प-संघनित्र; 7. शीतकारी-जलपंप;
8. वाष्प-चर्खी; 9. वाष्प।

वर्तमान समय में प्लाज्मा के तापक्रम, परमाणुनाभिकों की सांद्रता और प्लाज्मा रोक कर रखने के समय के आवश्कय मान कहाँ तक पहुँच पाये हैं?

D+T प्रतिक्रिया के लिए आवश्यक तापक्रम—10 करोड़ डिग्री—अभी तक नहीं प्राप्त हो सका है। वैसे, इसके काफी निकट पहुँच चुके हैं। संभव है कि आवश्यक तापक्रम प्राप्त करने के लिए प्लाज्मा में त्वरित्र द्वारा उच्च ऊर्जा वाले त्वरित प्राथमिक कणों की फुहार छोड़ना लाभदायक होगा।

D+T प्रतिक्रिया के लिए लावसन-निकष के अनुसार प्लाज्मा के अब तक उपलब्ध घनत्व $3.10^{14} 1/cm$ और अब तक अनुपलब्ध तापक्रम (10 करोड़ डिग्री) पर प्लाज्मा को एक सेकेंड से ज्यादा रुकना चाहिए। पर अभी तक प्लाज्मा को सेकेंड के दशांश से कम समय तक ही रोका जा सका है।

आवश्यक तापक्रम और प्लाज्मा का आवश्यक प्रतिरक्षणकाल प्राप्त करना रिएक्टरों के आकार पर अधिक निर्भर करता है। यहाँ एक बार फिर से ज्यामितिक घटक सामने आता है (और कितनी बार आ भी चुका है!)। यह ज्यामितिक

घटक है : वस्तु की सतह और उसके आयतन का अनुपात। ज्ञात होता है कि चुक्षे-छक के कक्ष से, जिसमें प्लाज्मा कैद रहती है, चुंबकीय क्षेत्र के उपयोग के बावजूद भी कणों का क्षेप हो जाया करता है—ठीक परमाणुक रिएक्टरों के सक्रिय क्षेत्र से न्युट्रोनों के क्षेप की तरह। क्षेप उतना ही कम होगा, जितना ज्यादा चुक्षे-छक के कक्ष का आयतन होगा, अर्थात् कक्ष की सतह और उसके आयतन का अनुपात जितना कम होगा। यह निष्कर्ष व्यवहार में खरा उतरता है।

इस तरह, प्लाज्मा का प्रतिरक्षण-काल बढ़ाने की विधि ज्ञात हो जाती है! यह संयंत्र का आकार बढ़ाने से संभव है। अब मान सकते हैं कि तापक्रम बढ़ाने और प्लाज्मा का प्रतिरक्षणकाल बढ़ाने जैसी कठिन समस्याओं के हल मिल जाएँगे। इस दिशा में सोवियत संघ, संयुक्त राज्य अमेरिका, फ्रांस, जापान तथा अन्य देशों के विशेषज्ञ तेजी से काम कर रहे हैं।

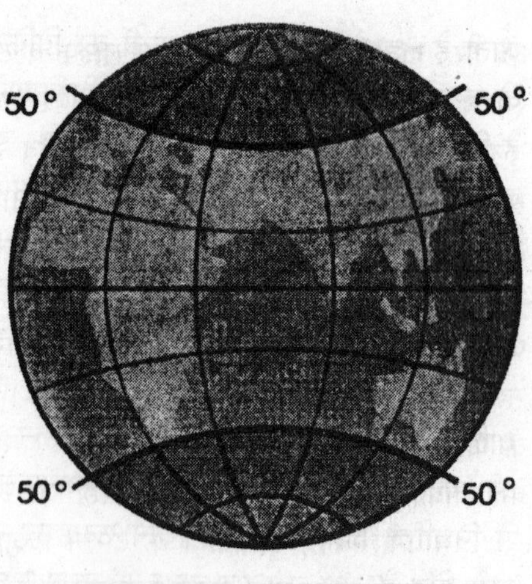

अधिकतम लाभ के साथ सौर ऊर्जा का उपयोग करने वाले कटिबंध

लगता है कि पहले नाभिकीय-तापनाभिकीय प्रकार वाले संकर रिएक्टर ही व्यवहार में आएँगे। तापनाभिकीय प्रतिक्रिया से उत्पन्न ऊर्जा का करीब 80% अंश प्रतिक्रिया से नवोदित न्युट्रोन प्राप्त कर लेते हैं और 20% भाग—हीलियम-परमाणुओं के नाभिक (α-कण), जो ड्युटेरियम और ट्रीटियम के नाभिकों के संगम से बनते हैं। न्युट्रोनों पर कोई विद्युत-आवेश नहीं होता, इसलिये उन पर विद्युचुंबकीय क्षेत्र का असर नहीं होता; वे निर्बाध रूप से प्लाज्मा के बाहर निकल आते हैं और प्लाज्मा को घेर रखने वाले एक आवरण पर रुकते हैं। इस आवरण को 'कंबल' कहते हैं।

संकर नाभिकीय-तापनाभिकीय रिएक्टर का कंबल आरंभिक नाभिकीय इंधन ("परमाणुक कच्चा माल")—^{238}U या ^{232}Th से बना होना चाहिए; प्लाज्मा से विकिरणित क्षिप्र न्युट्रोनों के प्रभाव से ये ^{239}Pu या ^{233}U में रूपांतरित हो जाते हैं; जिनके परमाणु-नाभिक स्वतःस्फूर्त विभाजन का गुण रखते हैं। कबल में नलियाँ भी लगी रहनी चाहिए, जिनमें कोई ताप-वाहक द्रव्य संचार करता रहता है; प्लुटोनियम ^{239}Pu या ^{233}U युरेनियम के नाभिकों के विभाजन से उत्पन्न ताप यह तापवाहक द्रव्य ही अपने साथ ले जाता है। तापवाहक का ताप वाष्पवैद्युत संयंत्र में, उदाहरण के लिए, विद्युत ऊर्जा के उत्पादन के लिए प्रयुक्त होता है।

इस प्रकार, संकर नाभिकीय-तापनाभिकीय रिएक्टर में तापनाभिकीय D+T प्रतिक्रिया का उपयोग न्युट्रोनों के स्रोत के रूप में होता है और खुद रिएक्टर क्षिप्र न्युट्रोनों वाले परमाणुक रिएक्टर (प्रजनक-रिएक्टर) का काम करता है। अन्य शब्दों में, संकर रिएक्टर की सहायता से विद्यु-ऊर्जा का उत्पादन भी होगा और नाभिकीय इंधन ^{239}Pu या ^{233}U भी उत्पन्न किया जायेगा। विशेषज्ञों के अनुसार संकर रिएक्टर में प्रयुक्त तापनाभिकीय प्रतिक्रिया के परामितकों को कुछ 'छूट' दी जा सकती है। उदाहरणार्थ, लावसन-निकष (दो राशियों—प्लाज्मा के परमाणुनाभिकों की सांद्रता और प्लाज्मा के प्रतिरक्षण-काल—गुणन) बहुत कम भी हो सकता है।

चुंबकीय क्षेत्र की सहायता से उच्च तापक्रमी प्लाज्मा के प्रतिरक्षण की विधि (चुक्षे-छक की विधि) वर्तमान समय में सबसे अधिक विकसित की जा चुकी है, पर यह एकमात्र विधि नहीं है। बहुत से वैज्ञानिक यह मानते हैं कि नियंत्रणीय तापनाभिकीय प्रतिक्रिया के लिए सूक्ष्म विस्फोट की विधि का भविष्य बहुत अच्छा है।

ड्युटेरियम और ट्रीटियम के मिश्रण से नन्हीं-नन्हीं ठोस गोलियां बनायी जाती हैं, जिनका व्यास करीब 1-2mm होता है। इस तरह की गोली एक ही साथ विभिन्न पक्षों से शक्तिशाली लेसर या एलेक्ट्रोनी किरण से विकिरणित की

जाती है। ड्यूटेरियम-ट्रीटियम गोली का विकिरण-काल बहुत छोटा होना चाहिए, करीब एक सेकेंड के एक अरबवें अंश के बराबर। गोली पर उच्च ऊर्जा वाली किरणों के क्रिया-काल में गोली को पूर्णयता 'वाष्पित' नहीं होना चाहिए। जरूरी है कि सिर्फ वाहय ऊपरी परत वाष्पित हो। इस स्थिति में बनी ड्यूटेरियम-ट्रीटियम की प्लाज्मा भिन्न दिशाओं में सिर्फ उड़ेगी ही नहीं गोली के केंद्रीय भाग को संपीडित भी करेगी। गोली के केंद्रीय भाग सैकड़ों या यहाँ तक कि हजारों बार संपीडित होता है और साथ ही गर्म भी हो जाता है, जिसके फलस्वरूप तापनाभिकीय प्रतिक्रिया उत्पन्न होती है। यदि गोली का विकिरण-काल अधिक होगा, तो गोली, जिसे अक्सर निशाना कहते हैं, पूर्णतया वाष्पित हो जायेगी और तापनाभिकीय प्रतिक्रिया उत्पन्न नहीं होगी।

स्पष्ट है कि तापनाभिकीय प्रतिक्रिया के उत्पन्न होने के लिए भी लावसन-निकष द्वारा निर्धारित शर्त्त पूरी होनी चाहिए। इसलिए D+T प्रतिक्रिया शुरू होने के लिए प्लाज्मा के घनत्व (ड्युटेरियम और ट्रीटियम के परमाणु-नाभिकों की सांद्रता) और प्रतिरक्षण-काल का गुणनफल एक नियत मान से कम नही होना चाहिए, जो तापक्रम व लावसन-निकष से निर्धारित होता है। विचाराधीन उदाहरण में प्लाज्मा का घनत्व चुक्षे-छक की अपेक्षा कही अधिक होता है (निशाना ठोस पिंड है और उस पर बाहर से बहुत ऊँचा दाब लगाता है), और प्रतिरक्षण-काल बहुत अल्प होता है (निशाना का विकिरण-काल एक सेकेंड का अरबवां अंश है)।

इस प्रकार, दी हुई स्थिति में तापनाभिकीय प्रतिक्रिया अविरामतः ड्युटेरियम-ट्रीटियम की गोली (निशाना) के एक के बाद एक होने वाले विस्फोटों के रूप में चलती रहती है। इसीलिए उपरोक्त विधि को सूक्ष्म विस्फोटों की विधि (या स्पंदी विधि) कहते हैं। स्पंदी विधि में प्लाज्मा को चुंबकीय क्षेत्र के सहारे पृथक करने की आवश्यकता नहीं रहती; तापनाभिकीय प्रतिक्रिया के जारी रहने का अंतराल इतना छोटा होता है कि प्लाज्मा के ठंडा होने के पहले ही प्रतिक्रिया पूरी हो जाती है।

नियंत्रणीय तापनाभिकीय प्रतिक्रिया को साकार करने के लिए सूक्ष्म विस्फोटों की विधि के उपयोग में भी बहुत जटिल समस्याओं का सामना करना पड़ता है और उनका हल ढूंढ़ना जरूरी है। इनमें से कुछ समस्याओं को देखें। चूंकि 1-2mm व्यास वाली ड्युटेरियम-ट्रीटियम गोली के अत्यल्प काल गें सब ओर से समरूपता के साथ विकिरणित करना पड़ता है, इसलिए गोली की ओर निर्दिष्ट लेसर या एलेक्ट्रोनी किरणों की संख्या संभवत 8 से कम नहीं होनी चाहिए। किरणों को एक ही साथ निकालना चाहिए और गोली पर उन्हें सेकेंड के कुछेक अरबवें अंशों से अधिक समय तक नहीं पड़ना चाहिए। कलन से ज्ञात होता है कि गोली (निशाना) पर एक साथ क्रियाशील किरणों द्वारा प्रदत्त कुल ऊर्जा 100kJ से कम नहीं होनी चाहिए। क्रिया-काल अत्यल्प है--सेकेंड का अरबवां अंश, या नानोसेकेंड। इसका मतलब यह है कि आवश्यक (सिर्फ कुछेक नानोसेकेंड के दरमियान) शक्ति करीब 1 खरब kW होनी चाहिए। संख्या बहुत बड़ी है। इस तरह का ऊर्जा-संचायक बनाना, जो अत्यल्प काल में इतनी बड़ी शक्ति प्रदान कर सके, बहुत कठिन है। क्योंकि यह भी जरूरी है कि निशानों को एक के बाद एक लगातार विकिरणित किया जाये। अन्य जटिल समस्याएँ भी हैं, लेकिन उन पर हम रुकेंगे नहीं।

और्जिकी में नियंत्रणीय तापनाभिकीय प्रतिक्रिया का उपयोग बहुत महत्त्वपूर्ण है और अर्थ-व्यवस्था के लिए आवयक भी है। पर समस्याएँ अभी तक पूर्णतया हल नहीं हुई हैं और इस दिशा में काम जारी रखना जरूरी है।

सौर ऊर्जा--प्रत्यादानी (या पुनर्भर) ऊर्जा-स्रोत, अर्थात् ऐसे स्रोत जिनका भंडार मानवीय कार्य-कलापों से कम नहीं होता, निम्न हैं : सौर ऊर्जा, जल-ऊर्जा, पवन-ऊर्जा, समुद्री ज्वार और तरंगों की ऊर्जा। ये सभी सौर मूल की हैं (लेकिन समुद्री ज्वार केवल सूर्य ही नहीं, चांद के गुरुत्वाकर्षण से भी उत्पन्न होता है)। प्रत्यादानी ऊर्जा-स्रोतों में अक्सर पृथ्वी की गहराई में पाये जाने वाले ताप--ज्यातापीय (या भूतापीय) ऊर्जा--को भी शामिल किया जाता है। विज्ञान इसकी उत्पत्ति की व्याख्या पृथ्वी के भीतर रश्मिसक्रिय तत्त्वों के क्षय, रसायनिक प्रतिक्रियाओं और कुछ अन्य प्रक्रियाओं से

उत्सर्जित ताप द्वारा करता है। सौर विकिरण पृथ्वी में बहुत कम गहराई तक प्रविष्ट होता है। ज्यातापीय ऊर्जा को अक्सर प्रत्यादानी स्रोत मानते हैं, शायद इसलिए कि इसका भंडार बहुत बड़ा है और व्यावहारिकतः अक्षय है। हम लोग भी इसी परंपरा का अनुसरण करेंगे।

प्रत्यादानी ऊर्जा का सबसे बड़ा स्रोत सौर विकिरण है। सूर्य के विकिरण की कुल शक्ति विराट संख्या द्वारा व्यक्त होती है—4.10^{26}W या 4.10^{14} अरब kW। यह संख्या इतनी बड़ी है कि तुलना के लिए दैनंदिन जीवन से पार्थिव पैमाने की कोई राशि नहीं चुनी जा सकती। यहाँ तक कि पृथ्वी के निकट, अर्थात सूर्य से करीब 15 करोड़ km की दूरी पर सूर्य-किरणों के अभिलंब स्थित सतह के प्रत्येक वर्ग मीटर पर 1.4 kW किरणी (किरणरूपी) ऊर्जा आती है।

पृथ्वी का अनुप्रस्थ काट लगभग $127.6.10^{6}km^2$ है (पृथ्वी की औसत त्रिज्या 6370km है)। इस आंकड़े की मदद से पृथ्वी पर आने वाले सौर विकिरण की कुल शक्ति कलित कर सकते हैं : करीब $178.6.10^{12}$kW । अतः पूरे वर्ष के दौरान पृथ्वी को किरणी ऊर्जा के रूप में करीब $1.256.10^{18}$kW/h शक्ति प्राप्त होती है।

रूसी छात्रोपयोगी वैज्ञानिक पत्रिका 'क्वांट' (1981, No.4) में वि. लांगे और ते. लांगे का "आदमी और सूरज की विशिष्ट शक्तियों की तुलना' नामक एक निबंध छपा था। इस निबंध में कुछ आश्चर्यजनक निष्कर्ष दिये गये थे। लेखकों ने आदमी की शक्ति 140W आँकी थी। सूरज की शक्ति अभी-अभी निर्धारित की गयी थी : 4.10^{23}kW । अतः सूरज की शक्ति आदमी की शक्ति की तुलना में 3.10^{24} गुनी अधिक है। पर यदि आदमी और सूरज की विशिष्ट शक्तियों की तुलना की जाये, तो बिल्कुल दूसरा परिणाम मिलेगा (विशिष्ट शक्ति इकाई द्रव्यमान से प्राप्त शक्ति है)। सूर्य का द्रव्यमान 2.10^{30}kg के करीब माना जाता है; आदमी का द्रव्यमान 80kg रख लेते हैं। तब सूर्य की विशिष्ट शक्ति 4.10^{3}kW : 2.10^{30}kg = 2.10^{7}kW/kg होगी और आदमी की—0.14kW : 80kg = $1.7.5.10^{-3}$kW/kg। ज्ञात होता है कि आदमी की विशिष्ट शक्ति सूरज की विशिष्ट शक्ति से करीब 10 हजार गुनी अधिक है। यह निष्कर्ष कुछ असंगत सा लगता है, जिसका कारण है फिर वही ज्यामितिक घटक : पिंड की सतह और उसके आयतन का अनुपात।

पृथ्वी के निकट सूर्य की किरणों के साथ लंब स्थित $1m^2$ समतल सतह पर करीब 1.4kW सौर विकिरण आता है, लेकिन पृथ्वी की $1m^2$ सतह पर औसतन इस मान का सिर्फ चौथाई अंश, अर्थात 0.35kW ही आता है। इसकाब कारण यह है कि पृथ्वी एक वर्तुल (गोला) है और इसीलिए उसके अनुप्रस्थ काट के क्षेत्रफल πR^2 और उसकी वर्तुली सतह के क्षेत्रफल $4\pi R^2$ का अनुपात 0.25 होता है।

यहाँ इस बात पर भी ध्यान देना चाहिए कि सौर विकिरण की ऊर्जा का आधे से अधिक भाग पृथ्वी की सतह (जल और थल) तक सीधा पहुँचता भी नहीं है, उसके वातावरण से परावितर्त हो जाता है। माना जाता है कि पृथ्वी की सतह (जल और थल) के $1m^2$ क्षेत्रफल पर औसतन सिर्फ 0.16 kW के करीब सौर विकिरण आता है। पर यह भी कम नहीं है। पृथ्वी की पूरी सतह के लिए इसका मान करीब 10^{14}kW अर्थात् एक नील या दस हजार अरब kw है। मानव के लिए इतनी शक्ति तो क्या, इसका हजारवां भाग भी बहुत होगा।

वर्तमान समय में सौर ऊर्जा को कैसे काम से लाया जा रहा है?

सौर ऊर्जा का दो तरह से उपयोग संभव है और दोनों में अंतर है : सौर ऊर्जा से विद्युत-ऊर्जा का उत्पादन अलग बात है और उससे ताप की प्राप्ति (खासकर घरों को गर्म रखना)—अलग बात है। पहली स्थिति में कोई विशेष सफलता नहीं मिली है। काम मुख्यतः दो दिशाओं में हो रहा हैः किरणी ऊर्जा को सीधे वैद्युत ऊर्जा में परिणत करने वाले अर्धचालकीय प्रकाश-वैद्युत रूपांतरकों (प्रवैरू) के उपयोग की दिशा में और वाष्प-वैद्युत संयंत्रों के निर्माण की दिशा में अंतिम में (उदाहरणार्थ) कोयले से काम करने वाले वाष्पित्र की जगह सौर वाष्पित्र प्रयुक्त होता है।

सौर ऊर्जा को विद्युत-ऊर्जा में परिणत करने की दोनों ही विधियों में मुख्य बाधाएँ हैं—पृथ्वी पर सौर ऊर्जा का अत्यधिक प्रकीर्णन, धरातल पर सौर विकिरण के पहुँचने में दिन भर के दरमियान अनियमितता, और इस तरह के विद्युत-संयंत्र

बनाने में बहुत ऊँचा हिसाबी खर्च। प्रवैरू का उपयोग करने पर 1kW निर्धारित शक्ति का मूल्य (पूंजी-निवेश की राशि) वर्तमान समय करीब 10 हजार रूबल या इससे कुछ ज्यादा ही पड़ता है। स्मरण करें कि परमाणुक विद्युकेंद्रों के लिए 1kW निर्धारित शक्ति का मूल्य औसत 370 रूबल होता है, जल-विद्युकेंद्रों के लिए—350 रूबल, और ताप-विद्युकेंद्रों के लिए—200 रूबल। जैव और नाभिकीय इंधन की उद्योगशाखा में इकाई शक्ति के मूल्य में आवश्यक पूंजी-निवेश को ध्यान में नहीं रखा जाता।

प्रवैरू का उपयोग करने वाले सौर ऊर्जा-संयंत्रों के इतना अधिक मूल्य का कारण यह है कि अर्धचालकीय प्रकाशवैद्युत रूपांतरिक अभी तक बहुत महंगे हैं; उन्हें बनाने के लिए शुद्ध सिलिकन या जर्मेनियम की आवश्कयता पड़ती है। इस तरह मुख्य समस्या, जिसे हल करना है, ऊर्जा के प्रकाशवैद्युत रूपांतरक के मूल्य को करीब 20 गुना कम करना है। इसके बाद ही सौर विद्युकेंद्रों का विस्तुत उपयोग संभव होगा। मौसम के अनुसार दिन भर और वर्ष भर में सौर विकिरण की अनियमितता के प्रभाव से बचने के लिए भी कुछ करना होगा।

प्रवैरू का मूल्य इतना ऊँचा होने के बावजूद भी इस प्रकार के सौर संयंत्रों का विद्युत-ऊर्जा के स्रोत के रूप में अंतरिक्षी उपकरणों में सफलतापूर्वक विस्तृत उपयोग हो रहा है। चूँकि इन स्थितियों में अधिक शक्ति की आवश्यकता नहीं पड़ती, इसलिए प्रवैरू के मूल्य का अधिक महत्त्व नहीं होता। लेकिन ऐसे सौर संयंत्रों के काम की विश्वसनीयता और उनके छोटे आकार पूरी तरह से स्वीकार्य हैं।

अब सौर विकिरण की ऊर्जा को 'क्लासिकल' विधि से विद्युत-ऊर्जा में परिणत करने के लिए प्रयुक्त सौर संयंत्रों को देखें। क्लासिकल विधि से तात्पर्य है वाष्पित्र (इस स्थिति में—सौर वाष्पित्र) चर्खीजनित्र, संघनित्र और जल-पंप का उपयोग।

चित्र में (पृ. 78 पर) सौर वाष्पवैद्युत संयंत्र का सैद्धांतिक आरेख दिखाया गया है। सौर किरणों को संकेंद्रित करने के लिए तथाकथित सौरसंकेंद्रक प्रयुक्त होता है, जो दर्पणों और लेंसों से बनाया जाता है। इसका काम है सूरज की किरणों को संकेद्रित (जमा) करना, जिससे सौर विकिरण का घनत्व और गर्म की जाने वाली वस्तु का तापक्रम बढ़ जाता है। इस तरह की संवृत्ति का प्रेक्षण आप भी कर सकते हैं लेंस पर आपतित सौर किरणें उसकी नाभि पर रखे सलाई के सिरे को प्रज्वलित कर देती हैं। दिलचस्प बात यह है कि आप बर्फ (ठोस सिल्ली वाली) से भी लेंस बना सकते हैं; वह पिघलेगा नहीं। यह विद्युचुंबकीय तरंगी प्रकृति वाले विकिरण द्वारा ताप-वहन के विशेष गुण का सूचक है।

पर लेंसों और किरणों की सहायता से किसी भी सौर के लिए सौर तल के तापक्रम-करीब 5800K[1] —से अधिक तापक्रम नहीं प्राप्त किया जा सकता। इसका कारण यह है कि गर्म की जाने वाली वस्तु विकिरण सिर्फ ग्रहण ही नहीं करती, बल्कि स्वयं भी विकिरण करती हे। जितना ही अधिक उसका ताप बढ़ता है, उतना ही अधिक वह विकिरण करती है। यदि उसका तापक्रम सूर्य की सतह के तापक्रम जितना हो जायेगा, तो उसे और आगे गर्म करना असंभव हो जायेगाः वस्तु जितना ताप प्राप्त करेगी, उतनी ही अधिक विकिरणित भी करेगी।

विकिरण-स्रोत के तापक्रम से अधिक तापक्रम तक पिंड का गर्म होना तापप्रवेगिकी के द्वितीय नियम का उल्लंघन है और इसीलिए यह असंभव है।

सौर वाष्पवैद्युत संयंत्र का सैद्धांतिक आरेख ताविक के आरेख से (दे चित्र पृ. 20 पर) निम्न बातों में भिन्न है : इसके वाष्पित्र की बनावट कुछ अलग है और इसमें एक अतिरिक्त अंग है—सौर संकेंद्रक। सौर वाष्पवैद्युत संयंत्र का निर्माण अधिक कठिन नहीं है, पर इस प्रकार के संयंत्रों के विस्तृत उपयोग में मुख्य बाधा इनके निर्माण का मूल्य है,

---

1. सौर तल का तापक्रम काफी कम होता है, बनिस्बत कि उसमें गहराई पर स्थित परतों के तापक्रम से, 100-150 लाख K तक पहुँचता है।

जो काफी महंगा पड़ता है (यदि मोटा-मोटी देखें, तो प्रकाशवैद्युत रूपांतरक वाले सौर विद्युतकेंद्रों से करीब 5 गुना सस्ता है, पर ताविक से अब भी 5-10 गुना महंगा पड़ता है)। इसीलिये विद्युत-ऊर्जा के उत्पादन में सौर ऊर्जा का कारगर ढंग से विस्तृत उपयोग करने के लिए, अर्थात् सौर विद्युकेंद्रों के निर्माण के लिए, सबसे पहले विशिष्ट निवेश को कम करना जरूरी है।

जहां तक ताप की प्राप्ति के लिए सौर ऊर्जा के उपयोग का प्रश्न है, तो अब तक उपलब्ध तकनीकी और आर्थिक सूचकांक इस प्रकार के सौर संयंत्रों का विस्तृत पैमाने पर (विशेष कर अच्छे सौर विकिरण वाले क्षेत्रों में) निर्माण करने की संभावना प्रदान करते हैं। विशेषज्ञों के अनुसार ताप की प्राप्ति के लिए सौर संयंत्र 50^0 दक्षिणी अक्षांश से 50^0 उत्तरी अक्षांश के क्षेत्र में आर्थिक दृष्टि से अभी ही लाभकर सिद्ध हो चुके हैं (दे. चित्र पृ. 80 पर)।

ताप की प्राप्ति के लिए सौर संयंत्र सौर ऊर्जा के संकेंद्रकों के साथ बनाये जा सकते हैं, या इसके बिना भी। संकेंद्रक के उपयोग से तापवाहक (या किसी भी गर्म की जाने वाली वस्तु) का तापक्रम कहीं अधिक ऊँचा किया जा सकता है। पर इससे संयंत्र महंगा हो जायेगा। बिना संकेंद्रक के अधिकांशतः घर गर्म रखने वाले संयंत्रों, खारा पानी को मीठा करने के लिए सौर-मृदुकारियों, घरेलू कामों के लिए उपकरणों, फल सुखाने वाले संयंत्रों आदि का निर्माण किया जाता है।

उदाहरण के रूप में सौर जल-मृदुकारी संयंत्र देखें (पृ. 81)। मृदुकारी का काय ऊपर से काँच से बंद है। यह काँच स्पेक्ट्रम के दृश्य भाग वाली सूर्य-किरणों के लिए पारदर्शी है; वह उन्हें नहीं रोकता है। पर मृदुकारी, जो उल्टा विकिरण करता है (स्पेक्ट्रम के अवरक्त क्षेत्र में), उसके लिए यह काँच अपारदर्शी होता है। इस प्रकार, काँच मृदुकारी को सौर किरणों के लिए 'चूहेदानी' में परिणत कर देता है। बरतन में अत्यधिक लवण वाला (खारा) पानी ढालते हैं, जिसे मीठा करना है। सौर विकिरण से प्राप्त ताप के कारण पानी वाष्प में परिणत होता है, जो फिर काँच की निचली (आंतरिक) सतह पर संघनित होता है (निचली सतह का तापक्रम परिवेशी तापक्रम के निकट होता है,–बर्फ से बने लेंस को स्मरण करें)। चूँकि काँच नत (ढालू) होता है, इसलिए लवणमुक्त संघनित जल छेद के सहारे निचले बरतन में जमा होता है, जहाँ से उसे एक नली की सहायता से प्राप्त किया जा सकता है।

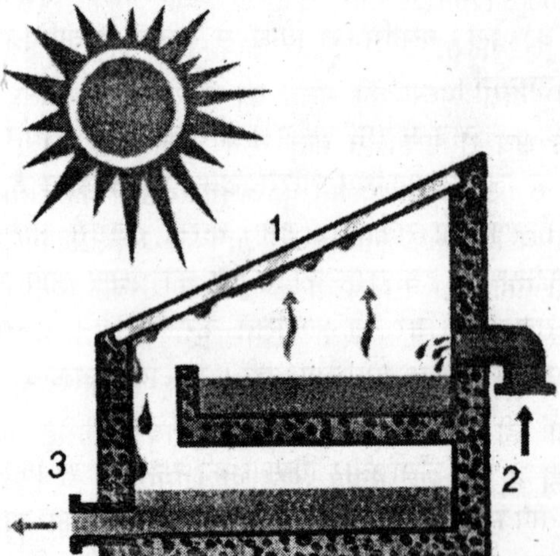

सौर जल-निखारक।
1. काँच; 2. खारा पानी; 3. मीठा पानी।

यह नहीं भूलना चाहिए कि दिन भर के दरमियान सौर विकिरण स्थिर नहीं रहता; और इसीलिए घर गर्म रखने वाले तथा कुछ अन्य प्रकार के सौर संयंत्रों में ताप-संचायक भी जोड़ना पड़ता है। इसकी भूमिका पानी का टब निभा सकता है, जो सूरज के विकिरण से गर्म होता है। पर घर गर्म रखने वाले सामान्य संयंत्रों को ऐसा सौर संयंत्र पूरी तरह विस्थापित नहीं कर सकता। फिर भी, इस उद्देश्य के लिए सौर संयंत्रों का उपयोग लाभदायक ही है, क्योंकि ये 50-60% इंधन की बचत करते हैं।

अधिक ऊँचा तापक्रम प्राप्त करने के लिए प्रयुक्त कुछ सौर संयंत्रों में सौर विकिरण के संकेंद्रक लगाये जाते हैं। ऐसे संयंत्र धातु पिघलाने वाली भट्टियों में होते हैं (जब बिल्कुल शुद्ध धातु प्राप्त करने की आवश्यकता होती है)। इसके संकेंद्रकों की नाभि पर तापक्रम इतना ऊँचा हो जाता है कि उसकी तुलना सूर्य की सतह के तापक्रम के साथ की जा

सकती है (उदाहरणतया, फ्रांस में, पेरिनी के पर्वत पर बनी एक सौर भट्ठी से 3000^{0}C से अधिक तापक्रम प्राप्त होता है)।

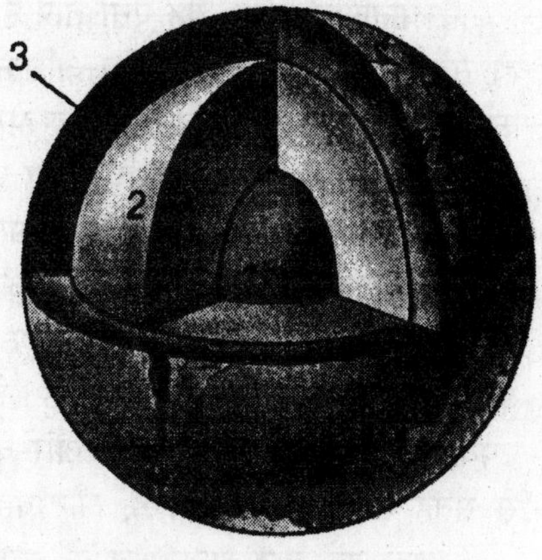

पृथ्वी का 'ठोस' वर्तुल।
1. नाभिक; 2. चोगा; 3. पर्पट।

ज्यातापीय ऊर्जा–आधुनिक विज्ञान के अनुसार पृथ्वी की गहराइयों में स्थित परतें बहुत अधिक गर्म होती हैं (पृथ्वी के नाभिक का तापक्रम संभवत5 5000^{0}C तक है) और इसीलिये उनका 'ठोसपन' (ठोस अवस्था) सापेक्षिक है। पृथ्वी का ठोस वर्तुल, जिसे अक्सर 'ठोस पृथ्वी' भी कहते हैं, तीन मंडलों से बना होता है : पर्पटी, जिसकी मुटाई 7 से 130km तक (सागर के नीचे) होती है; चोगा करीब 2900km की गहराई तक होता है; पृथ्वी का नाभिक (दे. चित्र पृ. 83 पर)। पृथ्वी के 'ठोस' वर्तुल की त्रिज्या करीब 6371km है।

निर्धारित किया गया है कि पृथ्वी की परतों का तापक्रम गहराई के साथ-साथ बढ़ता है। यथा, 50km की गहराई पर तापक्रम 700-800^{0}C के करीब होता है, 500km की गहराई पर–करीब 1500-2000^{0}C, 1000km की गहराई पर–करीब 1700-2500^{0}C, 2900km की गहराई पर (नाभिक और चोगा की सीमा के पास)–लगभग 2000-4700^{0}C, और, अंततः, पृथ्वी के केंद्र पर, अर्थात् 6371km की गहराई पर–करीब 2200–5000^{0}C

गहराई के साथ-साथ तापक्रम में वृद्धि तापीय प्रवाह की विद्यमानता से समझायी जा सकती है, जो पृथ्वी के नाभिक से 'ठोस' पृथ्वी की सतह की ओर अग्रसर होता रहता है। इस प्रवाह का कारण पृथ्वी में निहित रश्मिसक्रिय तत्त्वों के क्षय से उत्सर्जित होते रहने वाला ताप है।

आधुनिक विज्ञान के अनुसार पृथ्वी का इतिहास निम्न है। पृथ्वी उल्कापिंडों के समूह से बनी थी। पृथ्वी के बनते समय ही उसके नाभिक का तापक्रम 700-2000^{0}C हो गया था। उम्मीद की जाती है कि पृथ्वी पिघले हुए रूप में कभी भी नहीं थी। वैसे, पृथ्वी के नाभिक के बारे में सभी वैज्ञानिकों के मत एक जैसे नहीं हैं। इसके बाद पृथ्वी की गहराइयों पर स्थित परतें मुख्यतः रश्मिसक्रिय तत्वों के क्षय के कारण गर्म होने लगी। 'ठोस' पृथ्वी के नाभिक से उसकी सतह की दिशा में ताप-प्रवाह उत्पन्न हुआ। माना जाता है कि पृथ्वी की गहराई में स्थित परतें अभी भी धीरे-धीरे गर्म होती जा रही हैं और उनका तापक्रम करीब 1 करोड़ वर्ष में कुछेक डिग्री ऊँचा हो जाता है। पृथ्वी की सतह ठंडी होता जा रही है, पर यह क्रिया और भी धीमी है।

पृथ्वी के केंद्र से परिसर की दिशा में अग्रसर ताप-प्रवाह की शक्ति पृथ्वी पर आने वाले सौर विकिरण की शक्ति से करीब 4000 गुनी कम है, पर दुनिया के सभी विद्युकेंद्रों की कुल शक्ति से लगभग 30 गुनी अधिक है। पृथ्वी के क्रोड़ से सतह तक आने वाला ताप प्रकीर्णित होता है (औसतन $0.05W/m^2$) और पृथ्वी के जलवायु पर कोई प्रभाव नहीं डालता। पृथ्वी के नाभिक और चोगा में बहुत अधिक ताप संचित है और इसीलिए उसे उपयोग में लाने का विचार अस्वाभाविक नहीं माना जा सकता। पर ज्यातापीय ऊर्जा का भंडार कितना बड़ा है? यहाँ हमारा तात्पर्य ताप की उस मात्रा से है, जो 5-10 km की गहराई पर स्थित परतों को धरातल के तापक्रम तक ठंडा करने से प्राप्त हो सकती है। इसमें कोई शक नहीं है कि इस विधि से निर्धारित ज्यातापीय ऊर्जा-भंडार का मान महज औपचारिक होगा।

यदि चरम गहराई को 5 km तक सीमित रखा जाये, तो ज्यातापीय ऊर्जा का भंडार करीब 4.10^{18} kJ या 1. 4.10^{14} टबइ होगा। ज्यातापीय ऊर्जा के भंडार का यह कलित मान पृथ्वी पर सभी प्रकार के जैव इंधनों के कुल भंडार जितना है। पर यह भी याद रखें कि ज्यातापीय ऊर्जा का हमारे द्वारा कलित भंडार व्यवहारतः पुनर्भर है। अब प्रश्न उठता है कि वर्तमान समय में ज्यातापीय ऊर्जा का किस प्रकार से उपयोग हो रहा है।

ज्यातापीय ऊर्जा–यह ऐसा ताप है, जो भूगत गर्म पानी और जलवाष्प में निहित है या गर्म शुष्क पर्पटों से प्राप्त हो सकता है। पानी का तापक्रम अधिकांश स्थितियों में बहुत ऊँचा नहीं होता–100^0C से भी कम, और गर्म स्रोतों का तापक्रम, जैसा कि पाठकों का याद होगा, एक महत्त्वपूर्ण सूचकांक है, जिसके आधार पर उसके उपयोग की वांछनीयता और कारगरता के बारे में निर्णय लिया जाता है। इसके अतिरिक्त, गर्म पानी और साथ ही वाष्प के भंडार बहुत बड़े नहीं हैं। ज्यातापीय ऊर्जा का अधिकांश भाग शुष्क पर्पटों में संकेंद्रित है। इसके अतिरिक्त, तप्त पानी या वाष्प पृथ्वी की सतह पर अपेक्षाकृत कम ही निकलते हैं और जब निकलते हैं, तो उष्णोत्स या गर्म कुंड (स्रोत) के रूप में। अधिकांश स्थितियों में उन्हें बाहर निकालने के लिए जमीन में छेद करना पड़ता है। लेकिन इसके बावजूद भी ज्यातापीय ऊर्जा का उपयोग अब तक सिर्फ गर्म पानी और वाष्प के रूप मे हो रहा है, जो स्वतःस्फूर्त रूप से सतह फोड़ कर निकलते है; और वह भी सिर्फ गर्म करने के लिए।

पवन-संयंत्र

जहाँ तक तप्त शुष्क शैल के ताप का प्रश्न है, तो उसकी प्राप्ति के लिए अब तक कोई व्यावहारिक काम नहीं संपन्न किया गया है। कारण सिर्फ कठिनाइयां हैं। ऐसी विधि, जिसे सचमुच में कार्यन्वित किया जा सकता है, अभी सिर्फ एक है : एक-दूसरे से पर्याप्त दूरी पर पृथ्वी में गहरे छेद बनाये जाएँ; एक में ठंडा पानी डाला जाये और दूसरे उसे गर्म रूप में निकाल लिया जाय। तात्पर्य यह है कि पानी एक छेद से दूसरे छेद के बीच गर्म पर्पट से निस्यंदित हो जाता है।

लेकिन तप्त शैल को ऐसी रूप-रेखा कैसे दी जाये कि उससे गुजरने वाली कम व्यास वाली बहुसंख्यी नलियों से बहता हुआ पानी आवश्यक निम्नतम तापक्रम तक गर्म हो जाये (नलियों का व्यास कम ही होना चाहिए, अन्यथा तापविनिमायक सतह कम पड़ेगी और पानी बहुत कम गर्म होगा)? इस तरह का काम पूरा करने में अंदाजन कितना खर्च बैठेगा? इन जैसे जटिल प्रश्नों का कोई निश्चित उत्तर अभी तक नहीं है।

इस प्रकार, ताप-उपभोक्ताओं की मांग पूरी करने के लिए ज्यातापीय ऊर्जा के उपयोग की समस्या अद्यतन और ज्वलंत है।

इस क्षेत्र में जिस वैज्ञानिक व तकनीकी स्तर तक हम आज पहुँच चुके हैं, उसके आधार पर हम घरों को गर्म रखने के लिए पृथ्वी की सतह पर स्वतःस्फूर्त निकलने वाले गर्म पानी और वाष्प के ताप का विस्तृत उपयोग कर सकते हैं।

ज्यातापीय ऊर्जा के उपयोग से संबंधित अन्य महत्त्वपूर्ण प्रश्न (गर्म पानी और भाप निकालने के लिए जमीन में छेद करना, गहराई में स्थित शुष्क तप्त शैलों का ताप काम में लाना, विद्युत-ऊर्जा प्राप्त करना) तभी हल हो सकते हैं, जब इस दिशा में विभिन्न खोज-कार्य संपन्न होंगे, तकनीकी व आर्थिक कदम उठाये जाएँगे।

पवन और अन्य पुनर्भर ऊर्जा-स्रोत–भौतिकी में एक अवधारणा है परम कृष्ण पिंड। यह ऐसे पिंड को कहते हैं, जो अपने पर आपतित सारे विकिरण को अवशोषित कर लेता है। लेकिन वास्तविकता में ऐसा कोई पिंड नहीं होता; हम इस काल्पनिक परम कृष्ण पिंड के साथ वास्तविक पिंडों (भूरे या धूसर पिंडों) की तुलना के लिए कृष्णता-गुणांक प्राप्त करते हैं, जो तुलनीय पिंड और परम कृष्ण पिंड की अवशोषण-क्षमताओं का अनुपात है। कुछ वास्तविक पिंड (जैसे कालिख) अपने गुणों के अनुसार परम कृष्ण पिंड के निकट होते हैं।

पृथ्वी-तल के भिन्न क्षेत्रों के कृष्णता-गुणांक भिन्न होते हैं और इसीलिए सौर विकिरण उन्हें भिन्न तापक्रमों तक गर्म करता है। वातावरण की निचली परतें भी समान रूप से गर्म नहीं होतीं। इसके फलस्वरूप समान ऊँचाई पर वातदाब

समान नहीं रह जाता—क्षैतिज तल पर दाबों का (असमान) वितरण मिलता है, जो वृहत वायु-पिंडों को स्थानांतरित करता है, पवन-धाराएं उत्पन्न करता है।

पवन का वेग और उसकी दिशा भी असमान रहते हैं। 5-8m/s वेग वाला पवन शांत समीर कहलाता है, 14m/s से अधिक वेग वाला—तेज हवा, 20-25m/s वेग वाला—आँधी और 30m/s से अधिक वेग वाला—झंझा। कुछ परिस्थितियों में पवन-वेग 100m/s तक पहुँच सकता है।

पृथ्वी पर आगत सौर विकिरण का करीब 2% अंश पवन-ऊर्जा में परिणत हो जाता है। पवन ऊर्जा का बहुत बड़ा पुनर्भर भंडार है। उसकी ऊर्जा का पृथ्वी के किसी भी क्षेत्र में उपयोग किया जा सककता है। कठिनाई सिर्फ इस बात की है कि हवा में ऊर्जा बहुत प्रकीर्णित रूप से विद्यमान रहती है और पवनवेग स्थिर नहीं रहता।

सोवियत संघ में और्जिकी के बहुत से विशेषज्ञ यह मानते हैं कि पवन-ऊर्जा का उपयोग भविष्य के दृष्टिकोण से लाभदायक है। दो दिशाओं में काम चल रहे हैं : अपेक्षाकृत छोटे (15kW शक्ति वाले, और अधिकांशतः इससे भी कम शक्ति वाले) संयंत्रों का निर्माण, जिनका उपयोग मुख्यतः पानी पंपित करने और वैद्युत संचायकों को निराविष्ट करने में होता हैः; विद्युत-ऊर्जा के उत्पादन के लिए अधिक शक्तिशाली पवन-चलित्रों का निर्माण तथा विकास।

सोवियत संघ की उद्योग-शाखाएँ पवन-संयंत्र सर्वप्रथम दूरस्थ कृषि उत्पादन केंद्रों के लिए बनाया करती हैं; वर्तमान समय में 10 हजार से अधिक ऐसे संयंत्र काम कर रहे हैं। विद्युत-ऊर्जा के उत्पादन के लिए शक्तिशाली पवनोर्जी संयंत्र, जो सोवियत संघ, संयुक्त राज्य अमेरिका, फ्रांस, पश्चिमी जर्मनी तथा कुछ अन्य देशों में बनाये जा रहे हैं, अभी प्रयोगाधीन है।

पुनर्भर ऊर्जा-स्रोतों में समुद्र के ज्वार और उसकी तरंगों की ऊर्जा भी आती है। समुद्री ज्वार-भाटा, जैसा कि हम जानते हैं, चांद (मुख्यतः) और सूरज के गुरुत्वाकर्षण-बल से उत्पन्न होने वाला सागर-तल का आवर्ती दोलन है।

न्यूटन के नियमानुसार चांद के गुरुत्वाकर्षण-बल के प्रभाव से जल-मंडल की सतह वर्तुलाकार से दीर्घवृत्तज रूप में आ जाती है, जिसका वृहत अक्ष चांद की ओर उन्मुख होता है (दे. चित्र) है। यह स्मरण दिला दें कि न्यूटन ने सरलता के लिए यह मान लिया था कि पृथ्वी की सारी सतह पानी में डूबी हुई है। अपनी धुरी के गिर्द पृथ्वी के घूर्णन के कारण ज्वार की प्रकृति आवर्ती होती है—24 घंटों के दरमियान दो बार ज्वार होता है और दो बार भाटा। सागर-तल का महत्तम दोलन न्यूटन के अनुसार सिर्फ 1m (आवर्ती परिवर्तन) है।

पर वास्तविकता में सागर सारी पृथ्वी को आच्छादित नहीं करते और तट-रेखा अनियमित आकृतियों की होती है, इसलिये ज्वार की विशालता और उसकी प्रकृति सिर्फ चाँद, सूरज और पृथ्वी की पारस्परिक स्थितियों पर ही नहीं, बल्कि भौगोलिक अक्षांश, समुद्र की गहराई और तट-रेखाओं पर भी निर्भर करती हैं। कुछ स्थलों पर तटवर्ती सागर-तल में 10-15m तक या इससे अधिक का अंतर आ जाता है। उदाहरणार्थ ला-मांचा (इंग्लिश चैनल) की तट-रेखाओं पर कहीं-कहीं ज्वार का मान 15 मीटर तक पहुँच जाता है, ओखात्सक सागर की पेंज उपखाड़ी पर—13m और श्वेत सागर के तट के कुछ बिंदुओं पर 10m तक। कनाडा के अतलांतिक महासागर के तट पर

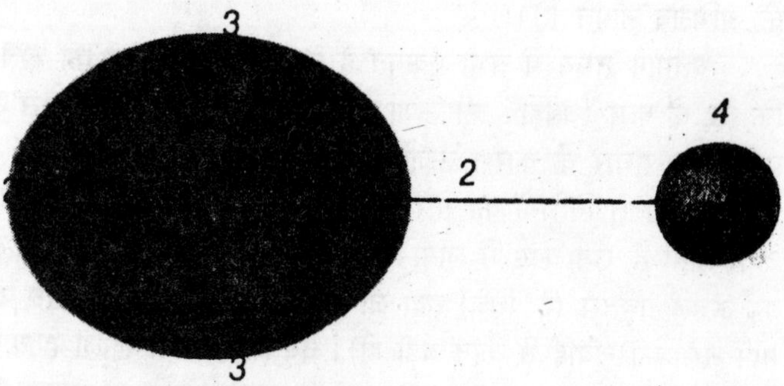

ज्वार-भाटा की उत्पत्ति।

1. पृथ्वी; 2. ज्वार; 3. भाटा; 4. चांद।

कहीं-कहीं ज्वार का मान 18m तक भी पहुँचता है।

अब तक सिर्फ दो ज्वार-विद्युकेंद्र (ज्वारविक) बने हैं, जो अपेक्षाकृत बड़े हैं इनमें से एक 1966 में फ्रांस की रांस नदी पर बनाया गया था और दूसरा–1968 में सोवियत संघ में बारेंत्स समुद्र के तट पर मूरमंस्क शहर के पास, किस्लागूब का ज्वारविक। इसकी शक्ति 800kW है।

ज्वाररिक की संरचना सिद्धांततः सरल है (दे. चित्र)। पहले ऐसी जगह चुनी जाती है, जहाँ बहुत बड़े ज्वार उत्पन्न होते हैं। चित्र में ऊँचाई h, ज्वार और भाटा के समय सागर तलों का अंतर है। बाँध के निर्माण से ही जलाशय भी बन जाता है। संयंत्र 'उत्क्रमणीय' होना चाहिए, ताकि वह जलचर्खी-चलित्र के रूप में ज्वार और भाटा दोनों ही के समय दोनों ही दिशाओं में काम कर सके (चित्र में भाटा के समय की स्थिति दिखायी गयी है)। समझना कठिन नहीं है कि जलचर्खी-चलित्र व्यवहारतः कभी भी पूर्ण दबाव (शक्ति) पर काम नहीं करता।

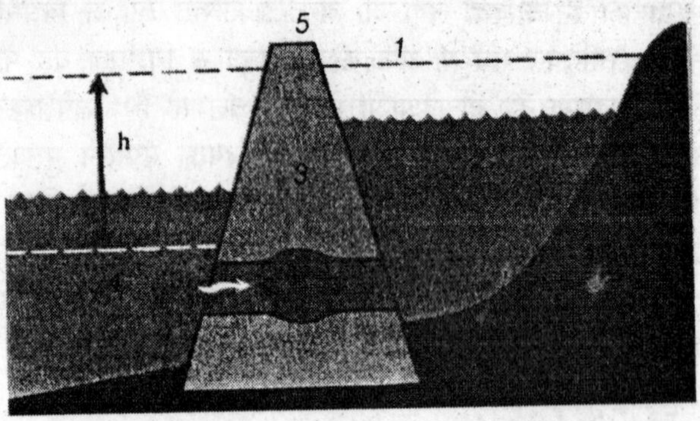

ज्वार-विद्युकेंद्र का सरलीकृत आरेख
1. पानी का उच्चतम स्तर; 2. जलाशय; 3. उत्क्रमणीय जलचर्खीजनित्र; 4. पानी का निम्नतम स्तर; 5. बांध

पृथ्वी के सभी सागरों और महासागरों की कुल क्षमता 3 अरब kW में आँकी गयी है। यह बहुत बड़ी मात्रा है। पर हमारे विचार में विस्तृत पैमाने पर ज्वारविकों के निर्माण का भविष्य संदेहजनक है। बात यह है कि जिन स्थानों पर ज्वारविकों का निर्माण अर्थसंगत हो सकता है, उनकी संख्या 30 से अधिक नहीं हैं और उनकी कुल क्षमता 10 करोड़ kW से अधिक नहीं होगी। इसके अतिरिक्त, नामत शक्ति पर ज्वारविकों के काम करने के घंटों की कलित संख्या (साल भर के दौरान) बहुत कम है, जबकि उनके निर्माण का मूल्य जविक्र से बहुत अधिक है।

एक और पुनर्भर ऊर्जा-स्रोत को संक्षेप में देखते हैं। यह है—सागर-तरंगे। ये पवन से उत्पन्न होती हैं और उनकी ऊर्जा समुद्री सतह की अवस्था द्वारा निर्धारित होती है। सागर-तरंगों की औसत वार्षिक शक्ति पर्याप्त बड़ी है, अधिकांश स्थितियों में वह तरंग की 1m लंबाई के लिए दसियों किलोवाट के बराबर है (तरंग की लम्बाई उसकी गति की दिशा के अभिलंब नापते हैं)।

वर्तमान समय में सभी एकमत हैं कि तरंगों की ऊर्जा का खुले समुद्र में उपयोग करना अधिक अर्थसंगत है, न कि तट के पास (थपेड़ों की ऊर्जा का उपयोग करना), क्योंकि इस अंतिम स्थिति में घर्षण और तरंगी गति के सापेक्ष प्रतीप जल-संचार के कारण ऊर्जा कम हो जाती है।

प्रस्तावित विधियों का सार एक ही हैं : तरंग-शिखर और अंतरातरंगी स्थान (गर्त) पर पानी की ऊँचाइयों में जो अंतर होता है, उसे काम में लाना। इसके लिए, उदाहरणार्थ, सागर-तल पर नीचे की ओर से खुले औंधे डब्बे के आकार का अचल चबूतरा (दे. चित्र) रखा जा सकता है, जो तरंगों के साथ दोलन न करे (यह जरूरी है कि चबूतरे की रैखिक मापें तरंग की लंबाई से बहुत बड़ी हों)। चबूतरा नीचे से खाली है व हवा से भरा है। ये स्थान बाड़ों (दीवारों) से खंडों में विभक्त हैं, जिससे वह वायु-चलित्र के लिए खोखले बेलनों का काम करता है। तरंगें चबूतरे के नीचे से गुजरते समय खंडों में स्थित हवा को बारी-बारी से दबाती जाती हैं। जब कोई खंड तरंग-शिखर के ऊपर होता है, तब उसमें स्थित हवा का आयतन घट जाता है, हवा संपीडित होती है और उसका दाब बढ़ जाता है। जब खंड दो तरंगों के बीच के

स्थान के ऊपर होता है, तब उसमें हवा का दाब घट जाता है। तरंगे पिस्टन का काम करती हैं। इसके कारण तरंगों के गुजरने के साथ-साथ खंड में दाब बारी-बारी से घटता-बढ़ता रहता है। अब यदि अधिक दाब वाले खंड से कम दाब वाले खंड में हवा के प्रवाहित होने की व्यवस्था कर दी जाये (हवा के प्रवाह की दिशा भी खंडों में दाब के बढ़ने-घटने के साथ-साथ आवर्ती ढंग से बदलती रहेगी), और हवा के मार्ग में विद्युत-चलित्र से जुड़ी पवन-चर्खियाँ लगा दी जाएँ तो संयंत्र समुद्री तरंगों की ऊर्जा को विद्युत-ऊर्जा में परिणत करने लगेगा। निस्संदेह समुद्र की स्तब्ध (शांत) अवस्था में यह संयंत्र काम नहीं करेगा। उपरोक्त कार्य-सिद्धांत वाले संयंत्र जापान में प्रयुक्त हो रहे हैं; इनसे प्लव (प्रकाश-संकेत देने वाले पानी पर तैरते हुए पीपे) को विद्युत-ऊर्जा मिलती है।

सागर-तरंगों की ऊर्जा का उपयोग करने वाले हवाई चलित्र का आरेख।
1. हवाई चर्खियां; 2. चबूतरा; 3. सागर-तरंगों की गति की दिशा।

ऐसे भी संयंत्र हैं, जिनमें समुद्री तरंगों की ऊर्जा का विद्युत ऊर्जा में रूपांतरण जल-चर्खियों की सहायता से होता है। पर यह सब अभी शुरूआत ही है।

प्रत्यक्ष ऊर्जा-रूपांतरण की विधियां–ये तापीय ऊर्जा से विद्युत-ऊर्जा के उत्पादन की विधियाँ हैं, जिनमें ऊर्जारूपांतरण के मध्यवर्ती चरणों की संख्या कम कर दी जाती है और विद्युत-ऊर्जा प्राप्त करने की प्रक्रिया सरल हो जाती है। अक्सर तापीय ऊर्जा की यांत्रिक ऊर्जा में परिणति वाले मध्यवर्ती चरण का उन्मूलन किया जाता है। यदि प्रत्यक्ष ऊर्जा-रूपांतरण की विधियों को अधिक व्यापक अर्थ में लिया जाये, तो इनसे विद्युत-ऊर्जा को सिर्फ तापीय ऊर्जा से ही नहीं, बल्कि रसायनिक ऊर्जा से (इंधनी बैटरियों में) और विद्युचुंबकीय विकिरण की ऊर्जा से भी (प्रकाशवैद्युत रूपांतरकों में) प्राप्त किया जा सकता है।

चुंबजप्र-जनित्र में ऊर्जा का रूपांतरण

हम चुंबकीय जलप्रवेगिक (चुजप्र) विधि के साथ आपका परिचय कराते हैं। बड़ी मात्रा में विद्युत-ऊर्जा प्राप्त करने की यह सबसे अधिक विकसित विधि है। तापीय ऊर्जा को विद्युत-ऊर्जा में परिणत करने की चुजप्र विधि का सार निम्न है। जैव इंधन (जैसे प्राकृतिक गैस) जलाने से दहन-उत्पाद बनते हैं। यह जरूरी है कि उनका तापक्रम 2500^0C से कम नहीं हो। इस तापक्रम पर गैस विद्युचाली हो जाती है, प्लाज्मा की अवस्था में आ जाती है। इसका अर्थ है कि गैस का आयनन होने लगता है, उसके अणुओं से एलेक्ट्रोन अलग होने लगते हैं। 2500^0C से अधिक मान वाले इस अपेक्षाकृत कम तापक्रम पर प्लाज्मा का केवल आंशिक

आयनन होता है : उसमें सिर्फ आयनन के उत्पाद—विद्युताविष्ट स्वतंत्र एलेक्ट्रोन और आयन (अणुओं के एलेक्ट्रोन खोने से बने धनाविष्ट कण)—ही नहीं होते, पूर्णतया सुरक्षित अनायनित अणु भी होते हैं।

जितना ऊँचा तापक्रम होगा, गैस का आयनन भी उतना ही अधिक होगा और फलस्वरूप उसकी विद्युचालकता भी बढ़ेगी। करीब 10 हजार डिग्री तापक्रम पर कोई भी गैस पूर्णतया आयनित हो जाती है, उसमें सिर्फ स्वतंत्र एलेक्ट्रोन और परमाणु-नाभिक रह जाते हैं।

तापनाभिकीय प्रतिक्रियाओं का वर्णन करते वक्त हमने उच्च तापक्रमी प्लाज्मा के बारे में बताया था, जिसका तापक्रम दसियों लाख डिग्री में नापा जाता है। चुजप्र-जनित्रों में प्रयुक्त प्लाज्मा को निम्न तापक्रमी प्लाज्मा कहते हैं, क्योंकि इसका तापक्रम कम होता है, कुछ हजार डिग्रियों में नापा जाता है।

दहन-उत्पादों की निम्न तापक्रमी प्लाज्मा को करीब 2500^0C तापक्रम पर पर्याप्त विद्युचालकता प्रदान करने के लिए उसमें सरलतापूर्वक आयनित होने वाला कोई द्रव्य (सोडियम, पोटाशियम या सीजियम) मिला देते हैं। द्रव्यों के वाष्प कम तापक्रम पर ही आयनित हो जाते हैं।

प्लाज्मा सरलतापूर्वक आयनित होने वाले द्रव्य के साथ 2600^0C तापक्रम पर (मान लें) चुजप्र-जनित्र की नाल में प्रविष्ट होती है (दे. चित्र), और तापीय ऊर्जा कम होने के कारण ध्वनि के निकटवर्ती या इससे भी अधिक वेग तक त्वरित होती है। नाल में बहते वक्त प्लाज्मा विशेष रूप से सर्जित विशाल प्रेरणा वाले चुंबकीय क्षेत्र की बल-रेखाओं को काटती हुई गुजरती है। यदि प्रवाह की दिशा चुंबकीय क्षेत्र की बल-रेखाओं के साथ लंब हो और प्लाम की विद्युचालकता, प्रवाह का वेग तथा चुंबकीय क्षेत्र का प्रेरण पर्याप्त बड़े हों, तो विद्युप्रवेगिकी के नियमानुसार प्रवाह की दिशा व चुंबकीय क्षेत्र की बल-रेखाओं के अभिलंब नाल में एक दीवार से दूसरी दीवार की ओर विद्युत-धारा उत्पन्न होती है, जो प्लाज्मा से गुजरती है।

इसके लिए नाल के आमनेसामने की दीवारों पर वाह्य परिपथ से जुड़े हुए विद्युद (एलेक्ट्रोड) होने चाहिए।

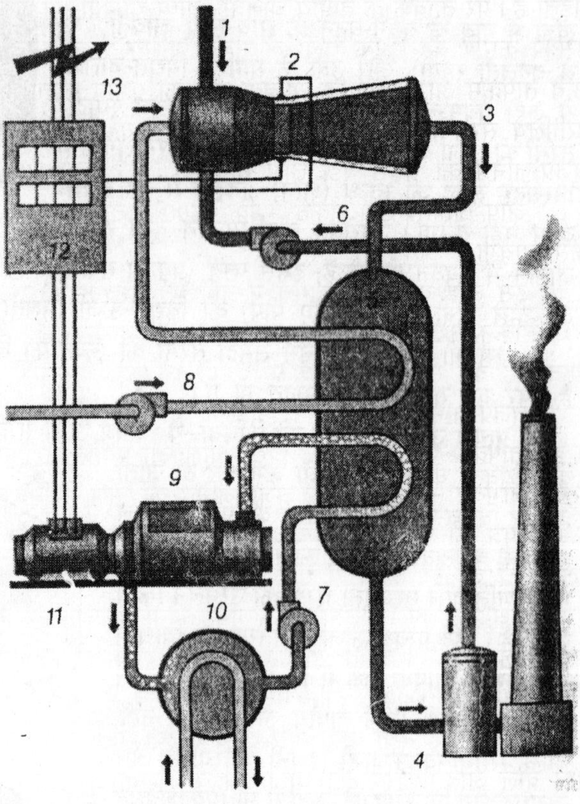

विवृत चक्र वाले चुंबजप्र-विद्युकेंद्र का आरेख।
1. इंधन; 2. चुंबजप्र-जनित्र; 3. दहनोत्पाद;
4. मिश्रक-पुनर्जनित्र; 5. तापविनिमायक-वाष्पजनित्र; 6. मिश्रक;
7. पोषक-पंप; 8. ठंडी हवा; 9. वाष्प-चर्खी;
10. वाष्प-संघनित्र; 11. विद्युजनित्र;
12. उत्क्रामक-उपकेंद्र; 13. गर्म हवा।

हम देखते हैं कि चुजप्र-जनित्र का कार्य-सिद्धांत साधारण यांत्रिक विद्युजनित्र के कार्य-सिद्धांत से भिन्न नहीं है। दोनों में विद्युचालक चुंबकीय क्षेत्र की बल-रेखाओं को काटते हुए गुजरते हैं, जिसके फलस्वरूप विद्युवाहक बल उत्पन्न होता है। यांत्रिक विद्युजनित्र में चालक का काम रोटर में विद्युचालक धातु करता है और चुजप्र-जनित्र में—विद्युचालक प्लाज्मा का प्रवाह।

प्लाज्मा से गुजरने वाली विद्युत-धारा की चुंबकीय प्रवाह के साथ व्यतिक्रिया ऐसा बल उत्पन्न करती है, जो नाल में प्लाज्मा की गति को मंद करता है। इसी से प्लाज्मा के प्रवाह की गतिज ऊर्जा विद्युत-ऊर्जा में परिणत होती है।

चुजप्र-जनित्र में क्या बात हमें आकर्षित करती है?

जैसा कि हम जानते हैं, तापीय चलित्र का दक्षता-गुणांक बढ़ाने के लिए काजकर पिंड का आरंभिक ताप बढ़ाना पड़ता है। पर ताविक के तापीय चलित्रों—वाष्प-चर्खियों—में जलवाष्प का आरंभिक तापक्रम 540^0C से अधिक नहीं होता। इसका कारण यह है कि चर्खी के सबसे अधिक उत्तरदायित्व निभाने वाले अंगों (विशेषकर पंखुड़ों) पर एक ही साथ ऊँचे तापक्रम और अत्यधिक यांत्रिक भार का प्रभाव पड़ता है। चुजप्र की नाल में कोई गतिशील अंग है ही नहीं, और इसीलिये संरचना के सर्वाधिक उत्तरदायी अंगों के निर्माण में प्रयुक्त धातु पर यांत्रिक जोर कुछ अधिक नहीं पड़ता। चुजप्र-जनित्र का सबसे बड़ा लाभ यही है।

आप आपत्ति उठा सकते हैं कि 2600^0C तापक्रम सहन करने वाला कोई द्रव्य नहीं है। फिर चुजप्र-जनित्र बना कैसे जायेगा?

इस तरह का द्रव्य सचमुच में नहीं है। संरचना के उच्च तापक्रमी अंगों को ठंडा करना पड़ता है (अक्सर पानी से)। लेकिन संरचना के अचल अंगों को, जैसे चुजप्र-जनित्र में, ठंडा करना एक बात है और घूर्णनरत (और वह भी बहुत बड़े वेग से, जैसे चर्खियों में) अंगों को ठंडा करना बिल्कुल दूसरी बात है।

चुजप्र-जनित्र की नाल से निकलने के बाद भी दहन-उत्पादों का तापक्रम बहुत ऊँचा रहता है, करीब 2000^0C । इस तापक्रम पर प्लाज्मा की विद्युत-चालकता पर्याप्त नहीं रह जाती, और इसीलिये चुजप्र-जनित्र में प्रक्रिया को जारी रखना लाभकर नहीं होता। पर चुजप्र-जनित्र की नाल से निकलते वक्त दहन-उत्पादों का तापक्रम अत्यधिक ऊँचा होता है (वाष्पित्र की भट्ठी से भी ज्यादा) और उनकी तापीय ऊर्जा को निस्संदेह उपयोग में लाना चाहिए। इस समस्या का हल संयंत्र को दो चरणों में बाँट देने से हो सकता है (दे. चित्र)।

कक्ष में इंधन, सरलता से आयनित होने वाला द्रव्य और तप्त आक्सीकारक (सामान्यतया आक्सीजन से सांद्रित हवा) डाले जाते हैं। करीब 2600^0C तापक्रम पर स्थित दहन-उत्पाद टोंटी द्वारा चुजप्र-जनित्र की नाल[1] में आते हैं और नाल से (करीब 2000^0C तापक्रम पर) वाष्जनित्र में आते हैं। यहाँ निकासरत गैसों द्वारा प्रदत्त ताप से पानी गर्म होता है, वाष्प बनता है तथा वाष्प और अधिक तप्त होता है। वाष्पजनित्र या किसी अलग वायुताप संयंत्र में कक्ष की ओर जाने वाले आक्सीकारक को थोड़ा गर्म कर लिया जाता है। सरलता से आयनित होने वाले द्रव्य को वाष्प-जनित्र से अलग ले जाया जाता है और दुबारा उपयोग में लाया जाता है। चित्र में दर्शित आरेख का वाष्पवैद्युत भाग ताविक और परविक के आरेखों से सिद्धांततः भिन्न नहीं है।

चुजप्र-विद्युकेंद्रों का मुख्य लाभ यह है कि उनका दक्षता-गुणांक बहुत अधिक हो सकता है, संभवतः 50-60% तक[2]। सबसे अच्छे ताविक में यह सिर्फ 40% होता है। अधिकतर कार्यतर और निर्माणाधीन चुजप्र-संयंत्र (जो सिर्फ प्रायोगिक हैं या उद्योग में प्रयोगाधीन हैं) गैसीय इंधन से चलने वाले हैं। पर आगे चल कर अन्य ताविकों की तरह इनमें भी कायेले का उपयोग अधिक लाभकर सिद्ध होगा। चुजप्र-विद्युकेंद्रों का एक अन्य महत्त्वपूर्ण लाभ भी है—इसको चलाना बहुत सुगम है क्योंकि चुजप्र-चरण पर इसका काम पूर्णतया रोका जा सकता है।

चुजप्र-विद्युकेंद्र का चित्र में दर्शित आरेख विवृत (खुला) आरेख कहलाता है, क्योंकि उस स्थिति में चुजप्र-जनित्र का काजकर पिंड दहन-उत्पाद है, जो नाल और वाष्प-जनित्र से गुजरने के बाद वातावरण में विक्षिप्त हो जाते हैं।

शक्तिशाली चुजप्र-जनित्र बनाते वक्त जटिल वैज्ञानिक व तकनीकी समस्याओं का सामना करना पड़ता है। इनमें से एक है चुजप्र-नाल के लिए सामग्री, जिनसे तप्त दीवारें और विद्युद बन सकें। निस्संदेह, तीव्र शींतन के सहारे दीवारों और विद्युदों का तापक्रम वांछनीय बिंदु तक कम किया जा सकता है, ताकि संयंत्र दीर्घकाल तक काम कर सकें। लेकिन

इससे शीतकारी जल के साथ ताप का बहुत बड़ी मात्रा में क्षेप होगा, चुजप्र-जनित्र का दक्षता-गुणंक घट जायेगा और साथ ही दीवार व विद्युद के पास स्थित प्लाज्मा की परतें ठंडी होने लगेगी, उनकी विद्युचालकता कम हो जायेगी, जनित्र अच्छी तरह से काम नहीं करेगा।

समस्या यह है कि ऐसी निर्माण-सामग्री का आविष्कार किया जाये, जिससे बनी दीवारें और विद्युद अधिक तापक्रम पर दीर्घकाल तक विश्वसनीय रूप से काम कर सकें। विद्युद के लिए निर्माण-सामग्री के रूप में जिर्कोनियम डायक्साइड से बहुत आशा है और तप्त दीवारों के लिए धातुओं के आक्साइड, विशेषकर मैग्नीशियम आक्साइड से बहुत कुछ अपेक्षा की जाती है।

चुंबक-तंत्र बनाना भी कोई सरल काम नहीं है, विशेषतः ऐसी स्थिति में, जब प्रेरण 5-6T (50-60 हजार गौस) के बराबर होना चाहिए और नाल की लंबाई करीब 20m होनी चाहिए। सबसे ज्यादा लाभदायक अतिचाली चुंबक-तंत्र माना जाता है, जो द्रव हीलियम से ठंडा होता रहता है।

अन्य जटिल समस्याएं भी हैं, जिनका हल जरूरी है। विशेष तौर पर वैद्युत उत्क्रामक बनाना जरूरी है, जो स्थिर धारा को परिवर्ती धारा में बदल सके। चुजप्र- जनित्र स्थिर धारा प्राप्त होती है)। सरलता से आयनित होने वाले द्रव्य को अलग ले जाने के लिए प्रयुक्ति और विशेष प्रकार के वाष्प-जनित्र का निर्माण भी आवश्यक है।

इतनी कठिनाइयों के बावजूद भी सोवियत संघ में ऊर्जा के चुजप्र-रूपांतरण के क्षेत्र में काफी विकास हुआ है, इतना कि 500MW शक्ति का एक औद्योगिक चुजप्र-संयंत्र भी बनाया जा चुका है। उम्मीद है कि भविष्य में अधिक शक्तिशाली चुजप्र-संयंत्र परविकों में प्रयुक्त होने लगेंगे। इस स्थिति में दहन-कक्ष का काम परमाणुक रिएक्टर करेगा और दहन-उत्पादों की जगह सरलता से आयनित होने वाली गैस, जैसे हीलियम, प्रयुक्त होगी। स्वाभाविक है कि हीलियम संवृत परिपथ में संचार करेगा (चुजप्र-विद्युकेंद्र का ऐसा आरेख संवृत कहलाता है), इसलिये सरलता से आयनित होने वाले द्रव्य के रूप में सीजियम नामक धातु प्रयुक्त हो सकेगा। यह महंगा होगा, पर इससे प्लाज्मा की विद्युचालकता बहुत बढ़ जायेगी। इसका मतलब है कि हीलियम सीजियम के प्लाज्मा का तापक्रम और भी कम हो सकता है : करीब 1500^0C (विवृत आरेख जैसा 2600^0C नहीं)। अतः परमाणुक रिएक्टर में हीलियम को 1500^0C से कम नहीं गर्म होना चाहिए। इतना उच्च तापक्रमी परमाणुक रिएक्टर अभी तक नहीं है। पर उम्मीद की जा सकती है कि इसके लिए सिर्फ कुछ समय की आवश्यकता है।

ऊर्जा के प्रत्यक्ष रूपांतरण की अन्य विधियों में अधिक दिलचस्प हैं–प्रकाशवैद्युत रूपांतरक (इनके बारे में 'सौर ऊर्जा' नामक अनुच्छेद में कुछ बताया जा चुका है), तापवैद्युत जनित्र, तापीय-उत्सर्जी रूपांतरक और इंधनी बैटरियों का उपयोग। पर अधिक ऊर्जा-उत्पादन के लिए इन विधियों का भविष्य कहाँ तक उज्ज्वल है, यह अभी स्पष्ट नहीं है। इसीलिये इन्हें बहुत संक्षेप में देखेंगे।

तापवैद्युत जनित्र का कार्य जेएबेक-प्रभाव पर आधारित है, जिसे भौतिकी में लोग अच्छी तरह से जानते हैं। इसका सार यह है कि जब विद्युत-परिपथ के भिन्न अवयवों की संधियों पर तापक्रम भिन्न होता है, तब परिपथ में विद्युवाहक बल उत्पन्न होता है। चित्र में इस प्रकार का एक परिपथ दिखाया गया है। इसमें दो तार हैं–एक तांबे का और दूसरा कंसटांटेन (तांबे और निकेल के धातुमिश्र) का। यह परिपथ तापक्रम नापने में प्रयुक्त होता है। तारों की एक संधि नापे जाने वाले तापक्रम (t_1) पर रखा जाता है। दूसरा जोड़ स्थायी तापक्रम (t_0) पर रहता है, जैसे पानी और बर्फ के मिश्रण में, जिसका तापक्रम व्यावहारिकतः अपरिवर्तित रहता है। विद्युवाहक बल का मान गैल्वेनोमीटर से ज्ञात करते हैं, जिसके आधार पर (t_1) बहुत अधिक परिशुद्धता से ज्ञात किया जा सकता है।

यदि विभिन्न द्रव्यों (सामान्यतया अर्धचालकों) को शृंखल क्रम में जोड़कर विद्युत-परिचथ बनाया जाए, या अन्य शब्दों में, यदि विभिन्न तापसंधियों से विद्युत-परिपथ बनाया जाए, तो तापविद्युत-जनित्र प्राप्त होगा। इस तापवैद्युत जनित्र

से उत्पन्न विद्युवाहक बल तापविद्युत-जनित्र (ताविज) में लगी तापसंधियों की संख्या का समानुपाती होता है।

तापसंधि चुजप्र-जनित्रों की तरह ही तापीय ऊर्जा को वैद्युत ऊर्जा में रूपांतरित करती है। इसलिये तापसंधि का दक्षता-गुणांक तापप्रवेगिकी के दूसरे नियम द्वारा नियंत्रित होता है।

खेद की बात है कि तापवैद्युत जनित्र अभी भी बहुत महंगे हैं और उनका दक्षता-गुणांक कुछ ज्यादा नहीं है। इसीलिए उनका उपयोग नियमतः छोटे और स्वतंत्र ऊर्जा-स्रोतों के रूप में होता है।

यदि कोई ठोस पिंड (धातु, अर्धचालक) निर्वात में रखा जाए, तो इस पिंड के एलेक्ट्रोन एक नियत संख्या में निर्वात में आ जाएँगे।[1] इस संवृत्ति को तापवैद्युत उत्सर्जन कहते हैं और ऐलेक्ट्रोन उत्सर्जित करने वाले ठोस पिंड को उत्सर्जक कहते हैं। उत्सर्जक का तापक्रम जितना अधिक होगा, एलेक्ट्रोनों का उत्सर्जन भी उतना ही अधिक होगा। एलेक्ट्रोनों के उत्सर्जन की प्रक्रिया में उत्सर्जक ठंडा होता है। एलेक्ट्रोनोत्सर्जन के शुरू होने के कुछ समय बाद (पिंड को निर्वात में रखने के कुछ समय बाद) संतुलन स्थापित होता है : इकाई समय में जितने एलेक्ट्रोन उत्सर्जित होते हैं, उतने ही पिंड पर वापस आ जाते हैं (इसे एलेक्ट्रोनों का संघनन कहते हैं)। संतुलन की स्थिति में आने के बाद ठोस पिंड और ठंडा नहीं होता।

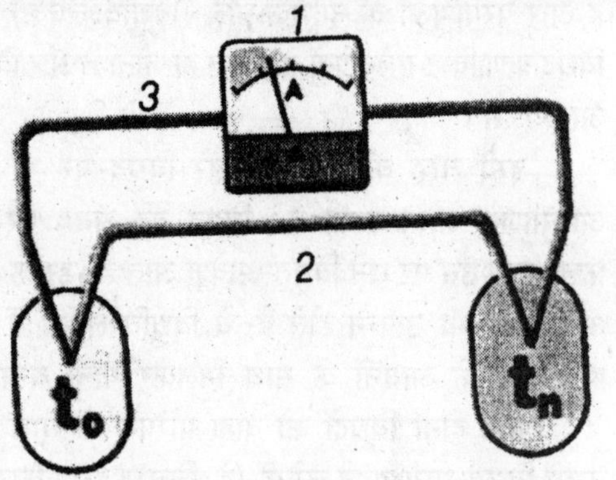

तापबैटरी।
1. गैल्वेनोमापी; 2. कंसटैंटन; 3. तांबा।

पर यह सब कुछ दूसरी तरह से भी किया जा सकता है : निर्वात में दो पिंड (दो विद्युद) रखते हैं और एक को (उत्सर्जक विद्युद को) गर्म करते हुए अधिक उच्च तापक्रम पर रखते हैं; दूसरे पिंड (समाहर्ता विद्युद) से ताप को दूर करते रहते हैं, ताकि उसका तापक्रम अधिक निम्न बना रहे। यदि अब उत्सर्जक और समाहर्ता को वाह्यक विद्युत-परिपथ के साथ जोड़ दिया जाए, तो उसमें धारा बहने लगेगी, इस प्रकार की प्रयुक्ति धारा-स्रोत होगी, जिसे ताप-उत्सर्जनी रूपांतरक (ताउरू) कहते हैं। ताउरू (ताविज की तरह ही) तापीय ऊर्जा को यांत्रिक ऊर्जा में परिणत किए बगैर ही उसे विद्युत-ऊर्जा में परिणत करता है, इसलिए ताउरू की भी वे ही सीमाएं हैं, जिन्हें तापप्रवेगिकी का दूसरा नियम निर्धारित करता है।

यदि ताउरू से बड़ी मात्रा में विद्युत-ऊर्जा प्राप्त हो सकती और उसके मुख्य तकनीकी व आर्थिक सूचकांक (मूल्य और दक्षता-गुणांक) अच्छे होते, तो ताउरू के रूप में और्जिकी के पास प्रत्यक्ष ऊर्जा-रूपांतरण के सिद्धांत पर काम करनेवाला एक अच्छा विद्युत-जनित्र होता।

वर्तमान समय में ताउरू के तकनीकी-आर्थिक सूचकांक उस सीमा तक नहीं पहुँचे हैं, जो और्जिकी को संतुष्ट कर सके। इसीलिए तापविद्युत-जनित्र की तरह ताउरू भी सिर्फ उन्हीं परिस्थितियों में प्रयुक्त होता है, जब अपेक्षाकृत लघु शक्ति की जरूरत पड़ती है। पर ताउरू के सूचकांकों में सुधार के लिए काफी तेजी से काम किया जा रहा है।

इंधनी बैटरी में रासायनिक ऊर्जा को सीधा विद्युत-ऊर्जा में परिणत किया जाता है। इंधनी बैटरी का कार्यसिद्धांत क्या है और उसकी बनावट कैसी होती है ?

हाइड्रोजन को ऑक्सीजन के परिवेश में जलाया जा सकता है। परिणामस्वरूप पानी बनेगा और ताप विलगित होगा, जिसे तापवैद्युत चलित्र में उपयोग कर सकते हैं। इंधनी बैटरी में एक दूसरा रास्ता अपनाया जाता है : हाइड्रोजन-दाह की प्रतिक्रिया को दो चरणों में बाँटा जाता है; प्रथम चरण में सिर्फ हाइड्रोजन भाग लेता है और दूसरे चरण में—ऑक्सीजन।

इंधनी बैटरी का आरेख चित्र में दिखाया गया है। बैटरी में विद्युविश्लेषक और दो विद्युद होते हैं (एक पर हाइड्रोजन आता रहता है दूसरे पर—ऑक्सीजन)। इंधनी बैटरी और विद्युत-संचायक में मुख्य अंतर यह है कि इंधनी बैटरी में इंधन

और आक्सीकारक (दी हुई स्थिति में हाइड्रोजन और ऑक्सीजन) अविराम भरते रहते हैं।

हाइड्रोजन धातुई विद्युद पर आते वक्त तीन प्रावस्थाओं—ठोस विद्युद, विद्युविश्लेषक और गैसीय प्रावस्था—की सीमा पर होता है, इसलिए वह परमाणुक अवस्था में संक्रमण करने लगता है (उसके अणु परमाणुओं में टूटने लगते हैं) और उसके परमाणु मुक्त एलेक्ट्रोनों और परमाणुक नाभिकों (आयनों) में विभक्त होने लगते हैं। एलेक्ट्रोन धातु में चले जाते हैं और परमाणुओं के नाभिक-घोल (विद्युविश्लेषक) में। इसके फलस्वरूप विद्युद ऋणाविष्ट एलेक्ट्रोनों से संतृप्त हो जाता है और विद्युविश्लेषक-धनाविष्ट आयनों से।

इसी तरह की प्रक्रिया दूसरे विद्युद पर भी चलती है, जिस पर ऑक्सीजन आता रहता है। विद्युद की सतह पर चालू प्रक्रियाओं के फलस्वरूप उस पर धन विद्युत-आवेश आते हैं। इसके अतिरिक्त, ऋणाविष्ट आयनOH भी उत्पन्न होते हैं; ये विद्युविश्लेषक में ही रह जाते हैं और हाइड्रोजन के आयनों के साथ मिलकर पानी बनाते हैं।

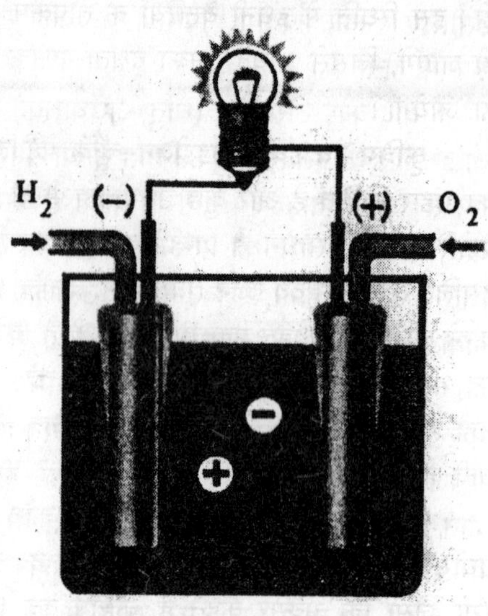

इंधन-बैटरी का आरेख।
1. विद्युविश्लेषक

यदि दोनों विद्युदों को वाह्य परिपथ के साथ जोड़ दिया जाए, तो उसमें विद्युत-धारा बहने लगेगी (दे. चित्र)। इस प्रकार से रासायनिक ऊर्जा विद्युतऊर्जा में परिणत होती है। चूँकि इंधनी बैटरी में रासायनिक ऊर्जा के तापीय ऊर्जा में रूपांतरण का मध्यवर्ती चरण अनुपस्थित होता है, इसलिए उसका दक्षता-गुणांक उन बंधनों से मुक्त होता है, जो तापीय चलित्रों पर लागू होते हैं। हाइड्रोजन-ऑक्सीजनी इंधनी बैटरी कम तापक्रम पर काम करती है और उसका दक्षता-गुणांक सरलतापूर्वक 65-70% तक पहुँच सकता है।

यह न सोचें कि इंधनी बैटरी बनाना आसान है। इंधनी बैटरी के विचार का प्रादुर्भाव 19वीं शती के मध्य में ही हो गया था, पर उसके विस्तृत उपयोग के लिए अभी तक कोई ढंग की बनावट नहीं मिली है।

इंधनी बैटरी के निर्माण में कई कठिनाइयाँ हैं : सभी प्रक्रियाओं को बड़े वेग से कार्यान्वित करना (वृहत परम व विशिष्ट शक्ति प्राप्त करने के लिए आवश्यक शर्त्त); निर्माण-सामग्रियों का चयन और उच्च कोटि के विद्युदों का निर्माण; उच्च कारगरता वाले विद्युविश्लेषक की खोज (विद्युविश्लेषक ठोस भी हो सकता है और दव्र भी; यह इंधनी बैटरी के प्रकार पर निर्भर करता है); सस्ते इंधन से काम चलाने की संभावना।

हमारा युग इंधनी बैटरियों के उपयोग का आरंभिक चरण है। जब वृहत शक्ति की आवश्यकता नहीं पड़ती, तभी इनका उपयोग होता है, और वह भी सिर्फ स्वतंत्र ऊर्जा-स्रोत के रूप में। विद्युरसायन-क्षेत्र के बहुत बड़े विशेषज्ञ अकादमीशियन फ्रूमकिन की मान्यता थी कि इंधनी बैटरियों का पहला उपयोग अंतरिक्षी उपकरणों में होगा, जिनको कम शक्ति वाले धारा-स्रोतों की जरूरत होती है, तथा औटोगाड़ियों (यदि और सही कहें, तो विद्युगाड़ियों) में होगा। अंतरिक्षी उपकरणों में इंधनी (हाइड्रोजन-आक्सीजनी) में होगा। अंतरिक्षी उपकरणों में इंधनी (हाइड्रोजन-आक्सीजनी) बैटरियों का उपयोग अब होने ही लगा है, पर जहाँ तक विद्युगाड़ियों का सवाल है, फिलहाल सिर्फ प्रयोगाधीन नमूने ही बनाये गये हैं। ध्यान देने योग्य है कि इंधनी बैटरियों की विशिष्ट शक्ति वैद्युत संचायकों से कई गुनी अधिक है, पर पेट्रौल वाले चलित्र से करीब 3 गुनी कम है।

अंदाज लगाया जाता है कि आगे चल कर इंधनी बैटरियों का उपयोग वृहत शक्ति की प्राप्ति के लिए भी होगा, लेकिन अभी इसके बारे में कोई भविष्यवाणी नहीं की जा सकती। हर हालत में पहले यह समस्या हल होनी चाहिए

कि हाइड्रोजन व आक्सीजन का उपयोग न हो (यह महंगा पड़ता है), इनकी जगह सस्ते इंधन और आक्सीकारक, जैसे इंधनी गैस (प्राकृतिक गैस या कोयले के गैसीकरण के उत्पाद) और हवा, का उपयोग हो। इस स्थिति में इंधनी बैटरियों के तापक्रम ऊँचे हो जाएँगे, जिससे शायद उनका दक्षता-गुणांक कम हो जायेगा।

कृत्रिम द्रव इंधन–हाइड्रोजन–चूँकि पेट्रोलियम का भंडार सीमित है और कुछ उपभोक्ताओं के लिए पेट्रोलियम के संसाधन से प्राप्त द्रव इंधन जरूरी है, इसलिये कोयले से द्रव इंधन (किरासीन, बेंजोल) प्राप्त करने की समस्या बहुत महत्त्वपूर्ण हो गयी है (कोयले का भंडार कहीं ज्यादा बड़ा है)। समस्या कोई नयी नहीं है, लेकिन इसमें दिलचस्पी पिछले दशक से ही बढ़ी है।

वर्तमान समय में कई देशों में शोध-कार्य और प्रयोग चल रहे हैं, जिनका उद्देश्य कोयले से द्रव इंधन (या, जैसा कि अक्सर कहते हैं, कृत्रिम द्रव इंधन) प्राप्त करने की ऐसी विधि विकसित करना है, जिसके उपयोग से द्रव इंधन का मूल व्यय स्विकार्य हो। यह समस्या अभी तक हल नहीं हुई है।

वर्तमान समय में कोयले को द्रव इंधन में परिणत करने की चार मुख्य विधियाँ हैं : संलेषण, जिसमें दाब के प्रभाव से कोयले को इंधनी गैसों में परिणत किया जाता है (प्रक्रिया का प्रथम चरण) और साथ-साथ जल-वाष्प, हवा या आक्सीजन का उपयोग होता है; विलयन, अर्थात् कोयले का तापीय विलयन जिसमें घोलक के रूप में ऐसे द्रव्य लिए जो हैं, जाते कोयले को आगे संसाधित करते वक्त भी काम आये; हाइड्रोजनीकरण–इस विधि में कोयले को हाइड्रोजन से संतृप्त कराया जाता है, कोयले की हाइड्रोजन युक्त द्रव्यों के साथ उच्च दाब व तापक्रम पर व्यतिक्रिया करायी जाती है; तापविश्लेषण–आक्सीकारक के बिना ही कोयले को गर्म करना। इनमें से किसी भी विधि को बाकी की तुलना में अच्छा कहना कठिन है। प्रत्येक का और आगे विकास करना चाहिए, तब शायद पता चल सके कि किस विधि को (या किन विधियों को) विशेष अच्छा माना जाये।

कोयले का गैसीकरण भी बहुत दिलचस्प माना जाये। कोयले से द्रव इंधन नहीं, गैसीय इंधन प्राप्त की जाती है। बात यह है कि कुछ प्राविधिक प्रक्रियाओं में कोयले का उपयोग कठिन होता है, गैस का उपयोग अधिक लाभदायक होता है। इसके अतिरिक्त (जो कम महत्त्वपूर्ण नहीं है), कोयले से गैस प्राप्त करने से इंधन का परिवहन-व्यय कम करने की संभावना उत्पन्न होती है (गैस का परिवहन कम खर्चीला है)। इंधनी गैस निस्संदेह कोयले के खान के पास प्राप्त करना अधिक लाभदायक है। पर कोयले और गैस के खान अक्सर भिन्न स्थानों पर, एक दूसरे से बहुत दूर होते हैं। इसीलिए कोयले के गैसीकरण से कोयले के खान के समीपवर्ती क्षेत्रों तक प्राकृतिक गैस लाने की आवश्यकता नहीं

रह जायेगी।

आखिरी प्रश्न, जिस पर हम विचार करना चाहेंगे, इंधन के रूप में हाइड्रोजन के उपयोग के बारे में है। हाइड्रोजन उच्च ऊष्मा वाली गैस है, जिसका उपयोग विमानन में तथा अन्य उपभोक्ताओं के यहाँ द्रव इंधन की जगह हो सकता है। हाइड्रोजन से बहुत बड़ा लाभ यह है कि उसके दहन से सिर्फ जल-वाष्प बनता है, जिससे वातावरण के दूषित होने का भय नहीं रहता। एक और महत्त्वपूर्ण बात है : पृथ्वी पर हाइड्रोजन इतनी अधिक है कि उसके भंडार को अक्षय मान सकते हैं।

वर्तमान समय में पानी के विद्युविश्लेषण से हाइड्रोजन प्राप्त करने और कम भंडार वाले द्रव इंधन की जगह उसे काम में लाने का प्रश्न विशेष रूप से रोचक है। यदि ऊपर-ऊपर से देखा जाये, तो उपरोक्त बातों का बिल्कुल कोई भविष्य नहीं है। पानी के विद्युविश्लेषण के लिए आवश्यक विद्युत-ऊर्जा प्राथमिक कच्चा माल से 35% अधिक दक्षता-गुणांक के साथ नहीं प्राप्त हो सकती (यहाँ विद्युपरिपथ में ऊर्जा के क्षेप को भी ध्यान में रखा गया है)। मान लें कि पानी के विद्युविश्लेषण से हाइड्रोजन की प्राप्ति का दक्षता-गुणांक 80% है और, अंत में, हाइड्रोजनी इंधन से काम करने वाले चलित्र का दक्षता-गुणांक 40% है। दक्षता-गुणांक के इन तीन मानों (अर्थात् 0.35, 0.8 और 0.4) को आपस में गुणा करने पर 0.11 या 11% प्राप्त होता है। अतः हाइड्रोजन प्राप्त करने और उसे तापीय चलित्र में उपयोग करने की पूरी प्रक्रिया का दक्षता-गुणांक कुछ ज्यादा नहीं है (सिर्फ 11% है)।

लेकिन यह समस्या का सिर्फ एक पक्ष है। यह न भूलें कि कोयले से द्रव इंधन प्राप्त करने में भी बहुत ऊर्जा व्यय होती है और इस प्रक्रिया का दक्षता-गुणांक भी ज्यादा नहीं है। महत्त्वपूर्ण बात यह है कि पानी का विद्युविश्लेषण ऐसे समय में किया जा सकता है, जब विद्युत-ऊर्जा की मांग अपेक्षाकृत कम हो, अर्थात् रात में, दिन में काम से छुट्टी के वक्त; शनिवार, रविवार और त्योहारों के दिन। विद्युत-ऊर्जा की मांग में दिन या सप्ताह के दरमियान तेजी से उतार-चढ़ाव अर्थ-व्यवस्था में विद्युत-ऊर्जा के आपूर्ति-तंत्र के लिए लाभकर नहीं होता। कारण यह है कि अधिकतर ताविक और परविक रह-रह कर अपनी क्षमता कम नहीं कर सकते। इससे उपस्कर जल्दी घिस-पिट जाते हैं और बहुत ज्यादा नुकान होता है। इसीलिये पानी का विद्युविश्लेषण करने और हाइड्रोजन प्राप्त करने की प्रक्रिया यद्यपि बहुत खर्चीली है, फिर भी आर्थिक दृष्टिकोण से स्विकार्य हो सकती है।

इसके अलावा, हाइड्रोजन उन रासायनिक प्रतिक्रियाओं से भी प्राप्त हो सकता है, जिनमें हाइड्रोजन-युक्त प्रतिकर्मक तथा उत्प्रेरक भाग लेते हैं। और्जिकी में हाइड्रोजन के उपयोग का भविष्य अच्छा है और इस पर बहुत ध्यान देना चाहिए।

इस प्रकार, और्जिकी और इसके विकास की दिशाओं के बारे में वार्त्ता समाप्त होती है। आशा है कि आधुनिक समाज के जीवन के लिए इतने महत्त्वपूर्ण वैज्ञानिक व तकनीकी क्षेत्र के साथ आपका परिचय लाभदायक सिद्ध हो सकेगा।

ऊर्जा का नया रूप : सौर ऊर्जा

प्रस्तावना

भारत जैसे विशाल देश में ऊर्जा-संरक्षण का कार्य व्यावसायिक ऊर्जा के स्रोतों से ही नहीं हो सकता है। ऊर्जा के ग़ैर-व्यावसायिक स्रोतों की भूमिका भी इसमें उतनी ही महत्त्वपूर्ण है। भारत में उपयोग में आने वाली ऊर्जा का 45 प्रतिशत भाग ग़ैर-व्यावसायिक स्रोतों से प्राप्त होता है। देश के ग्रामांचल पर यह बात विशेष रूप से लागू होती है।

ऊर्जा का अनंत स्रोत सूर्य है। आज सौर ऊर्जा के विकास के लिए अंतर्राष्ट्रीय प्रयास किए जा रहे हैं। अमरीका, सोवियत संघ, पश्चिमी जर्मनी तथा फ्रांस में काफ़ी अनुसंधान कार्य हो चुके हैं। इज़राइल में इस दिशा में तेज़ी से प्रगति हुई हैं। भारत को भी इस दिशा में पिछले 5 वर्षों में कई महत्त्वपूर्ण उपलब्धियाँ हुई हैं। आज देश में सौर उर्जा के क्षेत्र में अनुसंधान और विकास के कार्य को सर्वाधिक प्राथमिकता दी जा रही है।

देश में आज सूर्य-ऊर्जा के उपयोग के लिए जो प्रयोग हो रहे हैं, उन्होंने यह सिद्ध कर दिया है कि सूर्य-शक्ति का उपयोग करके गाँव-गाँव में बिजली पैदा की जा सकती है। यदि प्रकृति के इस प्रदूषणरहित एवं सस्ते शक्ति-स्रोत का उपयोग ठीक प्रकार से किया गया, तो यह न केवल अन्य प्रकार की ऊर्जाओं से सस्ता पड़ेगा, वरन् गाँवों के आर्थिक विकास और औद्योगीकरण के लिए सबसे अधिक उपयुक्त सिद्ध हो सकेगा।

इस पुस्तक की रचना का उद्देश्य सौर ऊर्जा जैसे गंभीर विषय को सरल एवं बोधगम्य तथा रोचक भाषा में जनसाधारण तक पहुँचना है। पुस्तक में उन सभी महत्त्वपूर्ण विषयों के संबंध में चर्चा की गई है, जिनसे हमारा जीवन बँधा हुआ है।

मैं उन सभी पत्र-पत्रिकाओं एवं लेखकों का आभारी हूँ, जिनकी रचनाओं से मुझे सहायता मिली। विशेष रूप से मैं राष्ट्रीय भौतिक प्रयोगशाला का आभारी हूँ जिनके सौजन्य से विभिन्न रेखाचित्र एवं चित्र उपलब्ध हो सके हैं। उनके सहयोग के अभाव में शायद इस पुस्तक की रचना करना संभव न होता।

इस पुस्तक की रचना में मेरी स्नेहिल बेटियाँ सुनंदिता एवं निवेदिता ने प्रारम्भ से ही मेरे मानसिक बल को बनाए रखने में सहायता दी तथा मेरी पत्नी मीनादास ने, वैज्ञानिक एवं भाषा के दृष्टिकोण से पांडुलिपि को अधिक उपयोगी बनाने में सदा हाथ बँटाया। ये सभी मेरे हार्दिक स्नेह के पात्र हैं।

परिचय

वर्तमान समय में दिन-प्रतिदिन काम में आने वाली ऊर्जाओं की अनिश्चित भयंकर स्थिति के कारण विश्व के सभी देशों में सौर ऊर्जा को जनसाधारण के उपयोग में लाने के संबंध में गंभीरता से शोध-कार्य चल रहा है। मानव एवं अन्य जीव-जंतुओं तथा पौधों के जीवन के लिए सौर ऊर्जा प्रमुख आधार है। यह कभी न समाप्त होने वाला ऊर्जा का अपार स्रोत है।

देश-विदेश में आजकल धूप की ऊर्जा को काम में लाने के लिए जो प्रयोग चल रहे हैं, उन्होंने यह सिद्ध कर दिया है कि सूर्य-शक्ति का उपयोग करके गाँव-गाँव में बिजली तैयार की जा सकती है। सूर्य से प्रतिदिन प्राप्त होने वाली ऊर्जा से हम मानव-कल्याण के विभिन्न कार्य कर सकते हैं। यदि वैज्ञानिक सूर्य से मिलने वाली ऊर्जा के केवल 0.01 प्रतिशत को उपयोगी ऊर्जा में बदल सके तो मानव मात्र का भला हो सकता हैं इस ऊर्जा की मात्रा से मानव की ऊर्जा संबंधी सभी आवश्यकताएँ पूरी हो सकती है। सौर ऊर्जा ही विश्व के ऊर्जा-संकट को दूर कर सकता है।

सैकड़ों वर्ष पहले ही वैज्ञानिकों ने सूर्य के अपार ऊर्जा-भंडार का पता लगा लिया था। सन् 1615 में फ्रांस के एक इंजीनियर ने सौर पंप का आविष्कार किया था। उन्नीसवीं शताब्दी के प्रारम्भ में फ्रांस के इंजीनियरों ने भाप से चलने वाले कई प्रकार के इंजनों का आविष्कार किया था। परन्तु बीसवीं शताब्दी के प्रारम्भ में ही सौर ऊर्जा के उपयोग की ओर पूरा ध्यान दिया गया। इस दिशा में प्रगति इसलिए न हो सकी, क्योंकि सस्ते और पर्याप्त मात्रा में उपलब्ध तेल, गैस और कोयले का उपयोग विश्व-भर में तेजी से होने लगा था।

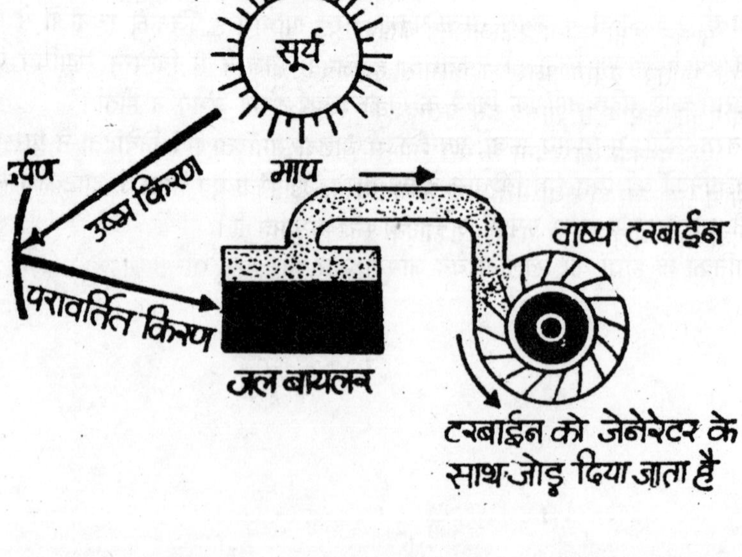

अब तक प्रयोग में आने वाली ऊर्जाओं का उपयोग इस तेज़ी से हो रहा है कि इसका भंडार निकट भविष्य में ही समाप्त हो जाने की संभावना बढ़ गई है। अतएव विश्व के बड़े औद्योगिक एवं प्रगतिशील देश यह अनुभव करने लगे हैं कि सस्ते प्रचलित ईंधन का युग अब समाप्त होने वाला है। पहले यह विश्वास किया जाता था कि शायद न्यूक्लीयर ऊर्जा ही भविष्य के लिए लाभप्रद ऊर्जा का स्थान लेगी, परन्तु इसके प्रदूषण का भय मानवमात्र

के लिए इतना भयंकर सिद्ध हो रहा है कि वैज्ञानिक इस ऊर्जा के उपयोग से भयभीत हो उठे हैं।

सौर ऊर्जा के व्यावहारिक उपयोग का रास्ता अब मानवमात्र के लिए खुल गया है। चूँकि यह विश्व के सभी भागों में पर्याप्त रूप से उपलब्ध है, अतएव इसका उपयोग प्रत्येक परिवार विश्व के प्रत्येक भाग में कर सकता है। साथ ही, चूँकि सौर ऊर्जा प्रदूषण-रहित है, अतएव जीवन को इसके उपयोग से कोई ख़तरा भी नहीं है।

साधारण यंत्रों से हम सौर ऊर्जा का लाभकारी उपयोग पानी गर्म करने, खाना बनाने, पानी शुद्ध करने, बिजली पैदा करने, खेतों में पानी पंप के जरिये भेजने, अन्न सुखाने तथा अन्य कामों में कर सकते हैं।

सौर ऊर्जा को मानव के कल्याण के लिए मूल रूप से दो प्रकार से काम में लाया जा सकता है। पहले प्रकार में सूर्य से मिलने वाली तापीय ऊर्जा का उपयोग भाप और उच्च दाबीय वाष्प में परिवर्तित करके मोटर एवं इंजन को चलाना। इस तापीय ऊर्जा का उपयोग अन्न को सुखाने, घरों में बिजली पहुँचाने तथा अन्य कामों में किया जा सकता है। सही बात तो यह है कि सूर्य की तापीय ऊर्जा का उपयोग करने के लिए किसी विश्वविद्यालय की डिग्री की आवश्यकता नहीं है। परन्तु इसके प्रयोग में काफ़ी वैज्ञानिक एवं औद्योगिक अनुसंधान की आवश्यकता है।

दूसरे प्रकार में सेमी कंडक्टर सौर फोटोवोल्टिक सेल तथा सौर फोटोवोल्टिक पैनलों से सीधे बिजली पैदा करना। इस तरीक़े से रेडियो, टी. वी., बिजली, पंखा तथा पानी के पंप आसानी से चलाए जा सकते हैं।

कुछ समय पहले राष्ट्रीय भौतिक प्रयोगशाला द्वारा लगाई गई सौर प्रदर्शनी में गर्म हवा देने वाला सौर तापीय पैनल, गर्म पानी तथा उच्च दाबीय भाप देने वाली मशीनों को दिखाया गया था। साथ ही प्रदर्शनी में घरों को गर्म रखने वाले सौर ताप कलेक्टर, सौर चूल्हा, सौर कूकर, घरों में पानी गर्म करने की मशीन, सौर ऊर्जा से अन्न सुखाने की मशीन को भी दिखाया गया था।

हमारे देश में जहाँ साल के अधिकतर दिनों में आकाश साफ़ रहता है, सूर्य-शक्ति के उपयोग की संभावनाएँ बहुत अधिक हैं। भारत जैसे देश में ऊर्जा-संरक्षण का कार्य केवल व्यावसायिक ऊर्जा-स्रोतों से ही नहीं हो सकता। ऊर्जा के गैर-व्यावसायिक स्रोतों की भूमिका भी इसमें उतनी ही महत्त्वपूर्ण है।

भारत में उपयोग में आने वाली ऊर्जा का 45% भाग ग़ैर-व्यावसायिक स्रोतों से प्राप्त होता है। भारत के ग्रामांचल पर यह बात और भी अधिक लागू होती है। सौर ऊर्जा के विकास के लिए अंतर्राष्ट्रीय प्रयास किए जा रहे हैं। प्रगतिशील देशों में इस क्षेत्र में बहुत काम हुआ है। इस दिशा में भारत को भी कई महत्त्वपूर्ण उपलब्धियाँ हुई हैं।

यदि प्रकृति के इस अपार शक्ति-स्रोत का ठीक प्रकार से उपयोग किया जा सके, तो यह भारत में उपयोग में आने वाली अन्य ऊर्जाओं से न केवल सस्ता पड़ेगा, वरन् गाँवों के आर्थिक विकास एवं औद्योगीकरण के लिए सबसे अधिक उपयुक्त एवं महत्त्वपूर्ण सिद्ध हो सकता है।

इसमें कोई संदेह नहीं कि विश्व के विकट ऊर्जा-संकट को दूर करने का एकमात्र समाधान सौर ऊर्जा का उपयोग ही है। तरंग-ऊर्जा, भू-तापीय ऊर्जा, पवन-ऊर्जा, जल-ऊर्जा, एवं मिथेन गैस भी भविष्य में ऊर्जा की कमी को पूरा करेंगे। परन्तु वैज्ञानिकों का ऐसा ध्रुव विश्वास है कि सौर ऊर्जा ही एक ऐसी अपार ऊर्जा है जो विश्व के सभी देशों को आसानी से, सस्ते और प्रदूषण-रहित रूप में अनंत काल तक प्राप्त होती रहेगी। वह दिन दूर नहीं जब सर्वशक्तिमान सूर्य धरती पर वैज्ञानिकों के हाथों का खिलौना बन जाएगा और सौर ऊर्जा जनसाधारण के लिए सस्ते दामों में उपलब्ध हो सकेगी।

अध्याय-1

शक्ति का उपयोग

ऐसा लगता है, मानव ने शक्ति का उपयोग करना उस दिन सीखा, जब उसको भूख की आवश्यकता हुई होगी। उस दिन मानव ने अपनी ही शारीरिक शक्ति का उपयोग करके फल-फूल या घास अपनी भूख मिटाने के लिए खाई होगी। धीरे-धीरे मानव सभ्य होने लगा और उसने आग, पानी तथा जानवरों की शक्ति का उपयोग करना भी सीख लिया। इन शक्तियों के उपयोग के साथ-साथ मानव ने समाज में मिल-जुलकर रहने के लाभ, खेती करना आदि भी सीखा। धीरे-धीरे मानव को ज़मीन के अंदर छिपे शक्ति के साधनों का पता चला। ये शक्ति के साधन हैं—कोयला, तेल और गैस। इनका पता लगते ही मानव ने नए-नए उद्योगों को जन्म दिया और इस प्रकार हमारी पृथ्वी पर औद्योगिक क्रांति का जन्म हुआ। इस औद्योगिक क्रांति में जो देश आगे निकल गए, उनको आज विकसित देश कहा जाता है। इन देशों में अमेरिका, फ्रांस, ब्रिटेन, जापान तथा कनाडा सबसे आगे हैं। इन देशों ने सैकड़ों साल पहले नई शक्तियों से काम करना सीख लिया था। परन्तु कुछ देश आज भी ऐसे हैं, जहाँ शारीरिक तथा पशु-शक्ति से काम लिए जाते हैं। शारीरिक अथवा पशु-शक्ति से काम लेने को आज के युग में ग़रीबी तथा पिछड़ेपन की निशानी समझा जाता है। ऊर्जा शक्ति की खपत में विभिन्न देशों की स्थिति से पता लगता है कि भारत का स्थान बहुत नीचा है। अमेरिका से अगर हम अपने देश की तुलना करें तो पता चलेगा कि जहाँ हम 100 किलोवॉट घंटा ख़र्च करते हैं तो अमेरिका 5000 किलोवॉट घंटा। विद्वानों का मत है कि जब तक हमारा देश अथवा पिछड़े देश शारीरिक या पशु-शक्ति से काम करते रहेंगे, वे विकास नहीं कर सकते।

औद्योगिक क्रांति से दुनिया में ऊर्जा-शक्ति की खपत बहुत बढ़ गई। आज ऊर्जा के बिना कल-कारख़ानों के बंद हो जाने का डर सदा बना रहता है। औद्योगिक क्रांति से हमारा रहन-सहन तो सुधरा, परन्तु हम ऊर्जा-शक्तियों के गुलाम बन गए। आज के सारे औद्योगिक केन्द्र उर्जा से चलने वाले केंद्र बन गए हैं, जिससे हमारे ऊर्जा-भंडार बड़ी तेजी से ख़ाली होने लगे हैं। पिछली शताब्दी के मध्य तक सारी दुनिया में करीब 8 क्यू. ऊर्जा (1क्यू॰=2.98×10^{14}किलोवॉट घंटा) की खपत हुई। पिछली शती में करीब 4 क्यू0 ऊर्जा उपयोग में लाई गई। वैज्ञानिकों का अनुमान है कि अगली शताब्दी में करीब 100 क्यू0 ऊर्जा की ज़रूरत पड़ेगी। इससे पता चलता है कि हम ऊर्जा-भंडारों का कितनी तेज़ी से उपयोग कर रहे हैं। यह ऊर्जा कोयले, तेल अथवा गैस से मुख्य रूप से प्राप्त की जाती हैं। इन्हें जलने वाला ईंधन भी कहा जाता है।

सारी दुनिया में जलने वाले ईंधनों के भंडार को करीब 23 क्यू0 के बराबर मापा गया है। अगर ऐसे शक्ति के भंडारों को भी शामिल किया जाए जिनकी खोज अभी नहीं हुई, तो ऐसा अनुमान लगाया गया है कि ये भंडार 50 क्यू॰ से ज्यादा नहीं हो सकते। ऐसा अनुमान है कि इनमें करीब 30 क्यू0 कोयला है, 6 क्यू0 तेल तथा 5 क्यू0 गैस होगी। यूरोनियम का भंडार करीब 2 क्यू0 के बराबर है, यह न्यूक्लियर ऊर्जा का स्रोत है। इस प्रकार हम इस नतीजे पर पहुँचते हैं कि जिस तेजी से जलने वाले ऊर्जा-भंडारों को काम में लाया जा रहा है, यदि इसी प्रकार आगे भी ख़र्च होता रहा तो करीब 30-40

वर्ष के बाद दुनिया के सारे जलने वाले ईंधनों के भंडार ख़ाली हो जाएँगे। जलने वाले ईंधनों के अधिक उपयोग से दुनिया के वातावरण पर बहुत बुरा प्रभाव पड़ा है। दुनिया के वायुमंडल में प्रदूषण फैल गया है। औद्योगीकरण से सारा वातावरण दूषित हो गया है। बड़े-बड़े शहरों में तो कभी-कभी शाम के समय साँस लेना भी मुश्किल हो जाता है। न्यूक्लियर ऊर्जा के उपयोग से रेडियोधर्मी कचरे को फेंकने की कठिनाई सामने आ रही है, क्योंकि इस रेडियोधर्मी कचरे से जान भी जा सकती है। इन्हीं कारणों से आज का मानव जलने वाले ईंधन को बचाना चाहता है जिससे आने वाले समय के लिए भी उसके पास कुछ ऊर्जा-स्रोत बचे रहें तथा वातावरण भी मनुष्य के रहने योग्य बना रहे।

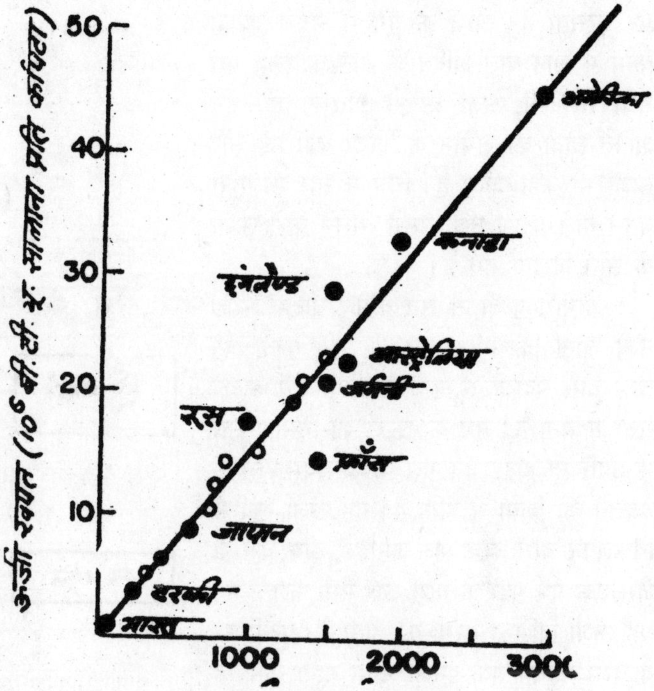

विश्व में ऊर्जा की खपत

पिछले कुछ वर्षों से दुनिया के सभी देश एक ऐसे शक्ति के भंडार की खोज में लगे हैं जिससे पृथ्वी के वातावरण में गंदगी भी न फैले तथा जो बिना किसी कठिनाई के सब को आसानी से मिल सके। न्यूक्लियर ऊर्जा के उपयोग से मानव को यह शक होने लगा है कि शायद यह ऊर्जा हमारे ऊर्जा-संकट का समाधान नहीं है। वैज्ञानिकों का ऐसा कहना है कि ऊर्जा-संकट से छुटकारा पाने के लिए सौर शक्ति (ऊजा) का उपयोग ही एकमात्र उपाय है। सौर ऊर्जा सारी दुनिया में उपलब्ध है। ख़ासकर पूर्व के ग़रीब देशों में इसकी मात्रा पश्चिम के अमीर देशों से ज़्यादा उपलब्ध है।

सौर ऊर्जा

आज के वैज्ञानिक युग में शक्ति के दो रूप माने गए हैं। एक रूप को पदार्थ तथा दूसरे रूप को रेडियेशन (प्रकाश) कहते हैं। महान् वैज्ञानिक आइंस्टीन से पहले वैज्ञानिकों का मत था कि दुनिया के पदार्थों का शक्ति के रूप में विनाश हो रहा है। इसलिए एक दिन सारे विश्व का अन्त हो जाएगा। परन्तु आइंस्टीन ने यह सिद्ध किया कि शक्ति के इन रूपों को दूसरे में बदला जा सकता है। इस प्रकार शक्ति को पदार्थों में बदला जा सकता है। पदार्थ शक्ति का मिला-जुला (Associative) रूप तथा रेडियेशन एक प्रकार का विघटित (Dissociative) रूप हैं। उदाहरण के लिए आकाश में चमकने वाले सूर्य तथा तारों को ही लीजिए–ये हमारी पृथ्वी को रोशनी देते हैं। सूर्य पृथ्वी के सबसे नज़दीक होने के कारण हमें सूर्य की रोशनी सबसे अधिक मिलती है। यही सौर ऊर्जा या शक्ति हमारी पृथ्वी पर जीवन देने वाली है। सौर ऊर्जा से पेड़-पौधों में फोटोसिंथेसिस की क्रिया होती है तथा संसार में कार्बनिक परमाणु बनते हैं। इन्हीं कार्बनिक परमाणुओं से आप-हम सबके शरीर की रचना होती है। इन्हीं सौर किरणों की वजह से समुद्र के पानी से बादल बनता है और फिर वर्षा के रूप में पृथ्वी

पर बरसता है। आज के युग में सबसे ज़्यादा काम में आने वाले शक्ति के स्रोत कोयला, गैस तथा तेल भी ऊर्जा के ही प्रतिरूप हैं। इन शक्ति-स्रोतों को ज़मीन के अन्दर दबी हुई सौर ऊर्जा भी कहा जाता है। चित्र में सौर ऊर्जा से बनने वाले पदार्थ तथा उससे मिलने वाले ऊर्जा के स्रोत दिखाए गए हैं।

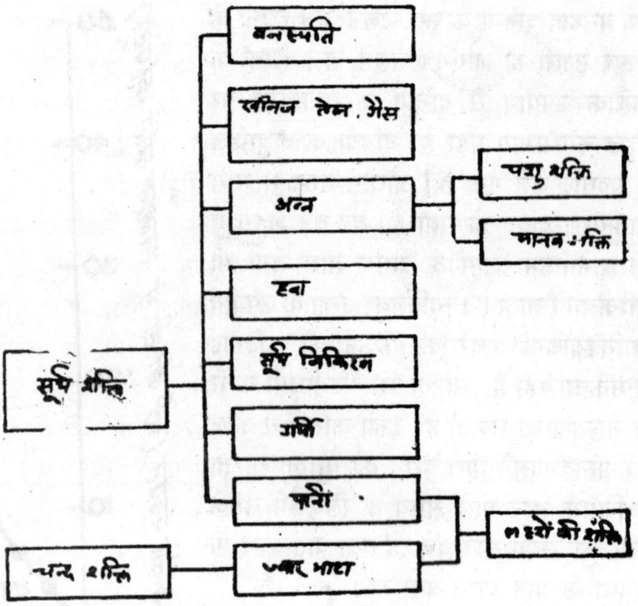

जीवन और सूर्य

हमारी पृथ्वी से सूर्य करीब चौदह करोड़ नब्बे लाख किलोमीटर दूर हैं। सूर्य पृथ्वी की तरह ठोस पदार्थों से नहीं बना है। सूर्य हल्की गैसों से बना है। सूर्य की ऊर्जा का निर्माण सूर्य में उपस्थित हाइड्रोजन गैस के हीलियम गैस में बदलने की क्रिया से होता है। यह ऊर्जा सूर्य से निकलकर चारों तरफ़ फैल जाती है, ठीक वैसे ही जैसे एक गर्म भट्टी के चारों ओर गर्मी फैलती है। यह ऊर्जा विभिन्न तरंगों की होती है। पृथ्वी पर ये तरंगें पहुँचने तक इनकी मात्रा बहुत कम रह जाती है, परन्तु इतनी कम मात्रा भी हमें जीवित रखने के लिए काफ़ी है।

सूर्य से मिलने वाली ऊर्जा का स्वभाव इलैक्ट्रॉमेगनेटिक है तथा किसी पदार्थ को 60000 तापमान तक गर्म करने पर मिलने वाली ऊर्जा के समान है। हमारी पृथ्वी के वातावरण के बाहरी खोल पर मिलने वाली सौर ऊर्जा की माप करीब 1.36 किलोवॉट प्रति वर्ग मीटर है। पृथ्वी के वातावरण से गुज़रने पर यह शक्ति कम हो जाती है तथा पृथ्वी के धरातल पर पहुँचने पर इसका ज़्यादा से ज़्यादा माप 1.2 किलोवॉट प्रति वर्गमीटर रह जाता है। पृथ्वी के वातावरण में ऑक्सीजन तथा ओज़ोन गैसें हमेशा रहती हैं। इसकी वजह से 0.33 माइक्रोन से नीचे की तरंगें ऊपरी वातावरण में ही रह जाती हैं। इसके अतिरिक्त वातावरण में वाष्प कण तथा अन्य गैसें होती हैं। जो करीब 0.7 माईक्रोन से ऊपर की तरंगों को सोख लेती हैं। इन गैसों की वजह से सूर्य से मिलने वाली इनफ्रारेड (गर्मी देने वाली) तरंगों की मात्रा कम हो जाती है और हमारी पृथ्वी पर सबसे ज़्यादा मात्रा में दिखाई देने वाली रोशनी की किरणें ही पहुँच पाती हैं। ऊर्जा के हिसाब से पृथ्वी पर करीब 48 प्रतिशत दिखाई देने वाली सूर्य-किरणों की ऊर्जा, 51 प्रतिशत गर्मी देने वाली सूर्य-किरणों की ऊर्जा तथा 1 प्रतिशत अन्य किरणों की ऊर्जा पहुँचती है।

पृथ्वी पर पहुँचने वाली सौर ऊर्जा की मात्रा स्थान-विशेष के वातावरण पर भी निर्भर करती है। आकाश में छाए बादल, हवा में धूल के कणों की उपस्थिति, पृथ्वी तक पहुँचने वाली हवा में धूल के कणों की उपस्थिति, पृथ्वी तक पहुँचने वाली सौर ऊर्जा की मात्रा को कम करती हैं। अगर आकाश साफ़ न हो तथा हवा में धूल हो तो सूर्य से सीधे आने वाली ऊर्जा दो भागों में बँट जाती है। प्रथम ऊर्जा सीधे धरती तक पहुँचती है तथा दूसरी किरणों के धूल-कणों से टकराने के बाद अपना रास्ता बदलकर धरती तक पहुँच पाती है। दूसरी ऊर्जा को छितरा कर आने वाली ऊर्जा कहते हैं। धूल भरे मौसम में पृथ्वी पर छितराकर आने वाली सौर ऊर्जा का प्रतिशत ज़्यादा बढ़ जाता है।

धरती पर आने वाली सौर ऊर्जा की मात्रा वातावरण के अलावा सूर्य की स्थिति पर भी निर्भर करती है। गर्मियों में

सूर्य भूमध्य रेखा के ऊपर रहता है। इसलिए सौर किरणें करीब-करीब उत्तरी गोलार्ध में सीधे धरती पर पड़ती हैं। जाड़ों में सूर्य उत्तर की ओर चला जाता है इसलिए जाड़ों में ये किरणें उत्तरी गोलार्ध में तिरछी हो जाती हैं। इसलिए धरती पर आने वाली सौर ऊर्जा की मात्रा कम हो जाती हैं। इसके अलावा जाड़ों में दिन छोटे होते हैं और रातें बड़ी होती हैं। पूरे हिंदुस्तान की धरती पर पड़ने वाली सौर ऊर्जा का औसत करीब 6×10^{17} किलोवॉट घंटा प्रति वर्ष है।

साधारण कामों में लाई जाने वाली ऊर्जा, विद्युत शक्ति, न्यक्लियर ऊर्जा तथा इलैक्ट्रॉमैगनेटिक ऊर्जा आती हैं। वैज्ञानिकों ने इस बात की खोज की है कि एक तरह की ऊर्जा को किसी ख़ास माध्यम से दूसरी ऊर्जाओं में बदला जा सकता है। इस वैज्ञानिक युग में सबसे ज़्यादा माँग विद्युत-शक्ति की है। चाहे घर के काम के लिए हो, आवागमन के साधनों के लिए या औद्योगिक कारख़ानों को चलाने के लिए सभी जगह विद्युत शक्ति का उपयोग किया जाता है। सौर वैज्ञानिकों ने यह खोज निकाला है कि सौर ऊर्जा इलैक्ट्रॉमैग्नेटिक स्वभाव की होती है। इसे भी किसी अन्य ऊर्जा में बदला जा सकता है।

इस प्रकार ऊर्जा को किसी भी माध्यम की सहायता से विद्युत शक्ति में बदला जा सकता है। यह वैज्ञानिक खोज ही हमारे देश के भविष्य को बनाने वाली है। ऊर्जाओं के विभिन्न भंडारों का बड़ी तेज़ी से उपयोग किया जा रहा है। यदि ऊर्जाओं के सारे भंडार खाली हो गए तो भविष्य में आने वाली पीढ़ी उन्नति में पिछड़ जाएगी और तब सौर ऊर्जा ही एक ऐसी उर्जा होगी जिससे हम अन्य ऊर्जा प्राप्त कर सकेंगे। इसलिए इस पर अभी से खोज हो रही है।

अध्याय-2

दैनिक जीवन में सौर ऊर्जा

हमारे दैनिक जीवन में ऊर्जा को तरह-तरह से काम में लाया जाता है। इनमें मुख्य हैं : विद्युत-शक्ति, गर्मी तथा रासायनिक ऊर्जा आदि। आज वैज्ञानिक सौर ऊर्जा को काम में लाने के लिए दो प्रमुख प्रकार से काम कर रहे हैं—

(1) सूर्य की ऊर्जा (रोशनी) को गर्मी में बदलकर उसको काम में लाना;

(2) सौर ऊर्जा को सीधे विद्युत में बदलकर उसको काम में लाना।

इसके अतिरिक्त फ्यूल सेल तथा बायोगैस आदि पैदा करने की कोशिश भी की जा रही है। सौर ऊर्जा से पानी के रासायनिक तत्त्वों को अलग करके हाइड्रोजन बनाने की विधि की दिशा में भी काम हो रहा हैं ऊर्जा-समस्या का भयंकर रूप आज उन्नत अथवा उन्नतिशील देशों के सामने है। सौर वैज्ञानिकों की कड़ी मेहनत से अभी तब सौर ऊर्जा को काम में आने वाली ऊर्जाओं में बदलने के दो तरीके सबसे ज्यादा सफल रहे हैं। सौर ऊर्जा से सीधे विद्युत बनाने वाले यंत्र तो पिछले कई वर्षों से काम में लाए जा रहे हैं। आकाश में छोड़े गए उपग्रहों में ऊर्जा इन्हीं यंत्रों की सहायता से प्राप्त की जाती है। सौर ऊर्जा से गर्मी पैदा करने वाले यंत्र भी अब काम में लाए जाने लगे हैं। आशा की जाती है कि इन यंत्रों के उपयोग में जलाने वाले ईंधनों की बचत होगी तथा हमारा वातावरण दूषित होने से बचा रहेगा।

कुछ लोगों का ऐसा कहना है कि सौर सेलों के ऊपर ही भविष्य में मिलने वाली ऊर्जा निर्भर करती हैं। उनका ऐसा सोचना सही है या गलत, यह तो समय ही बताएगा, क्योंकि अभी तक बने सौर सेलों की कीमत इतनी ज़्यादा है कि हम उनका उपयोग दैनिक जीवन में नहीं कर सकते। अभी सौर सेलों से मिलने वाली ऊर्जा की कीमत कम से कम 15 डालर प्रतिवॉट है। ये सेल सिलिकॉन से बनाए जाते हैं। सेलों की कीमत को कम करने की दिशा में सारी दुनिया के सौर वैज्ञानिक जुटे हुए हैं। अभी हाल ही में पता चला है कि इसराइल ने ऐसे सौर सेल बना लिए हैं जिनसे मिलने वाली ऊर्जा की कीमत 4 डालर प्रतिवॉट से भी कम है।

सूर्य-शक्ति से बिजली

वैज्ञानिकों ने यह पता लगा लिया है कि सौर ऊर्जा को गर्मी, बिजली तथा रासायनिक आदि ऊर्जाओं में बदला जा सकता है। सूर्य की रोशनी को गर्मी में बदलने वाले यंत्र को सौर कलक्टर कहते हैं। सौर ऊर्जा की गर्मी से चलने वाले सभी यंत्रों का हृदय सौर कलक्टर होता है। इसका काम सूर्य की रोशनी को गर्मी अर्थात् इनफ्रारेड ऊर्जा में बदलना होता है। सौर वैज्ञानिकों ने सौर कलक्टरों की सहायता से हज़ारों डिग्री तक तापमान बढ़ाने में सफलता प्राप्त की है।

अब प्रश्न यह उठता है कि सूर्य से मिलने वाली रोशनी को गर्मी में कैसे बदला जाए। इस के लिए काले रंग की एक बहुत ही उपयोगी वस्तु का इस्तेमाल किया जाता है। काले रंग का गुण है कि वह सूर्य की रोशनी को अपने अंदर सोखकर उसको तापीय ऊर्जा में बदल देता है। एक काले रंग से रंगा धातु सौर कलक्टर का सबसे महत्त्वपूर्ण अंग होता है। यह धातु की चादर अथवा नालियों के रूप में हो सकता है। इस प्रकार जिस धातु की चादर का तापमान बिना काला किए धूप में रखने पर 20° के करीब होता है, उसको यदि काला करके धूप में रखा जाए तो उसका तापमान 6°-7°तक हो जाता है। तापमान को इसके ऊपर भी बढ़ाया जा सकता है। इसके लिए काली वस्तु से होने वाली ऊर्जा-क्षति को रोकना होगा। किसी भी गर्म वस्तु से ऊर्जा-क्षति तीन प्रकार से होती है। ये हैं–

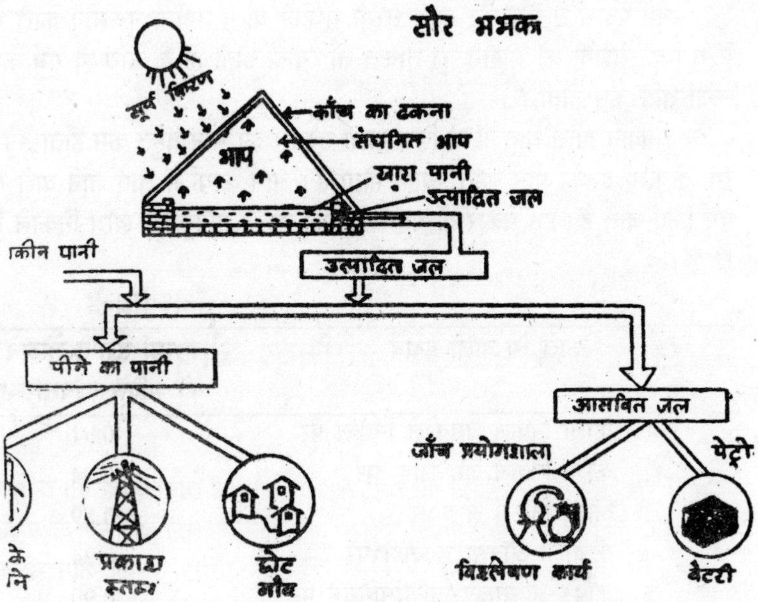

1. गर्म वस्तु से कंडक्शन द्वारा।

2. गर्म वस्तु तथा ठंडे वातावरण के बीच चलने वाली तरंगों से । इस क्षति को कनवेक्टिव क्षति कहते हैं तथा यह वातावरण (हवा या गैस) की बजह से होती है।

3. गर्म वस्तु से निकलने वाली तापीय तरंगों से।

ऊपर बताई गई तापीय क्षतियों में प्रथम दो क्षतियों को कम करने के लिए गर्म की जाने वाली धातु की चादर अथवा नालियों को एक ऐसे संदूक में जिसके सूर्य के तरफ के भाग को काँच की पतली चादर से बन्द कर दिया जाता है। काँच की चादर पतली तथा पारदर्शक होनी चाहिए। अगर काँच में रंग हुआ तो सूर्य की रोशनी को सोख लेगा तथा काली धातु के ऊपर गिरने वाली सौर ऊर्जा की मात्रा उसी अनुपात में कम हो जाएगी। काली धातु के पीछे का हिस्सा ऐसे पदार्थ का बना होता है जिसके आर-पार गर्मी आसानी से नहीं जा सकती है। ऐसे पदार्थों को गर्मी-रोधक पदार्थ कहते हैं। काँच की रुई इस काम के लिए सबसे अच्छी है। कभी-कभी काँच की चादर दो तहों में भी लगाई जाती है। यह हवा के वेग पर निर्भर करता है। अगर हवाएँ तेज़ चलती हों तो दो काँच की चादरों का लगाना ज़रूरी हो जाता है। इस बात का ध्यान रखना ज़रूरी होता है कि काँच की चादरें समतल हों। अन्यथा काँच से टकराने वाली सौर किरणें वापस हो सकती हैं जिसकी बजह से ऊर्जा क्षति बढ़ जाएगी तथा शक्ति कम पैदा हो पाएगी।

कभी-कभी काली धातु की चादर अथवा नालियों को काँच की बड़ी नाली के अंदर भी रखते हैं। इसके बाद उसके अंदर की हवा को निकाल देते हैं। इससे ऊर्जा की क्षति में काफ़ी कमी हो जाती है। समतल कलक्टरों के साथ ऐसा करना मुश्किल होता है क्योंकि ऐसे कलक्टरों में काँच की बड़ी-बड़ी चादरें लगी होती हैं, जिनके अंदर से हवा निकालने पर काँच टूटने का डर रहता है।

गर्म पदार्थ से निकलने वाली तरंगों से होने वाला तापीय नुकसान काले रंग के गुणों पर निर्भर करता है। काले रंग में सूर्य की रोशनी को सोखने की ताकत तो ज़्यादा होती ही है, साथ ही गर्म करने पर ऊर्जा उद्‌गार भी कम होता है और ऊर्जा-क्षति कम होती है।

चमकने वाली धातुओं के लिए ऊर्जा उद्‌गार का मान बहुत कम होता है। परन्तु आम कार्यों में लाए जाने वाले काले रंगों के लिए इनका मान बहुत ज़्यादा होता है। आम कार्यों में लाए जाने वाले सौर कलक्टर 1000°से नीचे तापमानों तक गर्म किए जाते हैं। इस प्रकार के बहुत-से काले रंग वैज्ञानिकों ने खोज निकाले हैं। ऐसे कुछ पदार्थों के नाम नीचे दिए जा रहे हैं।

काले रंग वाला पदार्थ	सूर्य-रोशनी सोखने की शक्ति (एबसारब्शन)	गर्म करने पर निकलने वाली ऊर्जा
1. काला निकल चमकीले निकल पर	0.91	0.11
2. काला निकल जी. आइ. पर	0.94	0.12
3. काला निकल लोहे पर	0.89	0.07
4. कोबाल्ट ऑक्साइड चाँदी पर	0.94	0.27
5. कॉपर ऑक्साइड अल्यूमिनियम पर	0.90	0.11
6. कॉपर ऑक्साइड निकल पर	0.93	0.17
7. कॉपर ऑक्साइड कॉपर पर	0.81	0.17
8. लैड सल्फॉइड अल्यूमिनियम पर	0.89	0.20
9. क्रोमियम ऑक्साइड	0.81	-
10. अल्यूमिनियम पर	0.96	0.10

भौतिक विज्ञान के अनुसार ऐसे पदार्थ जिनके लिए ऊर्जा उद्‌गार का मान कम हो, दो तरह के हो सकते हैं–

1. वे पदार्थ जो इंफ्रारेड किरणों को पूरा या ज़्यादा से ज़्यादा प्रतिबिंबित कर दें।
2. वे पदार्थ जो पूरा या ज़्यादा से ज़्यादा मात्रा में इंफ्रारेड तरंगों को आर-पार जाने दें।

इन दोनों प्रकार के काले रंगों के लिए सूर्य की रोशनी को सोखने का मान ज़्यादा से ज़्यादा होना जरूरी है। जैसा कि ऊपर से पता चलता है, ऐसे पदार्थ ज़्यादातर धातु के ऑक्सीकरण से बनते हैं। वैज्ञानिक अनुसंधानों से पता चला है कि यह क्रोमियम धातु ऑक्साइड का आवरण चढ़ा होता है। इसके अतिरिक्त यह भी पता चला है कि इनका आकार बहुत छोटा होता है। दो कणों के बीच दूरी कम होती है। यह दूरी सोखी जाने वाली तरंग लम्बाई के बहुत पास होती है। इनका आकार भी खास तरह का होता है। काले क्रोमियम को ताँबे अथवा अल्यूमिनियम के ऊपर इलैक्ट्रॉप्लेटिंग विधि से लगाया जाता है।

ऊपर दिए गए काले पदार्थों के अलावा और भी काले पदार्थ खोजे जा रहे हैं। इनमें MgO : Au, MgF_2 : Sn आदि मुख्य हैं। इसके अतिरिक्त दो दिशाओं वाले ग्रिड बनाकर ऊर्जा सोखने की शक्ति को बढ़ाकर तापीय ऊर्जा क्षति को कम करने की भी कोशिशें की जा रही हैं। गर्म होने वाली काली धातु से निकलने वाली तरंगों को वापस गर्म सतह पर फिर से भेजने वाले पदार्थों का भी पता चल गया है। कुछ पदार्थ जैसे टिन ऑक्साइड जब काँच की सतह पर लगाए जाते हैं तो सूर्य की किरणें तो काँच के पार हो सकती हैं, परन्तु तापीय किरणें प्रतिबिंबित हो जाती है। इस प्रकार गर्म वस्तु से होने वाली तापीय क्षति को कम किया जाता है। इस तरह के पदार्थों की एक पतली सतह काँच की चादर या नलियों के

अंदर की तरफ़ भी लगा दी जाती है जिससे गर्म धातु से निकलने वाली गर्म तरंगें वापस प्रतिबिंबित हो सकें।

गर्म सतह के कंडक्शन तथा रेडियेशन द्वारा होने वाली क्षति, गर्म सतह तथा काँच की चादर के तापमान के अंतर के बराबर होता है।

एक समतल सौर कलक्टर तापमान को बढ़ाता है, यह तर्क उस हालत में सही होगा, जब सूर्य की किरणें सीधे काली धातु की चादर पर पड़ रही हों। अगर तिरछी पड़ती हों तो प्रतिबिंबित होने वाली ऊर्जा की क्षति बढ़ जाएगी और कुल सोखी गई तापीय ऊर्जा का मान कम हो जाएगा। यह तो सभी जानते हैं कि सूर्य की किरणें धरती पर हर समय सीधी नहीं पड़ती हैं। धरती तथा सूर्य की किरणों के बीच का कोण अलग-अलग जगहों के लिए भिन्न-भिन्न होता है और यह उस जगह के अक्षांश पर निर्भर करता है। इसको अतिरिक्त सूर्य की दैनिक चाल से भी किरणें एक कोण पर धरती पर सदा नहीं पड़ती। हर समय यह कोण बदलता है, इसके हर घंटे बदलने वाला कोण कहा जाता है। इस प्रकार किसी भी कलक्टर से ज़्यादा से ज़्यादा ऊर्जा लेने के लिए उसको धरती के साथ कोण बनाते हुए रखा जाता है। यह आवश्यक है कि सौर कलक्टर को हमेशा सूर्य की तरफ़ रखना चाहिए। इसके लिए उत्तरी गोलार्ध में सौर कलक्टर को दक्षिण दिशा की ओर रखा जाए क्योंकि आम कार्यों में आने वाले समतल कलक्टर बहुत भारी होते हैं इसलिए ऐसे कलक्टरों को एक ही कोण पर खड़ा किया जाता है। एसे कलक्टरों का तापमान दोपहर के समय सबसे ज़्यादा होता है तथा उसी समय इससे गर्मी भी ज़्यादा पैदा होती है।

आम कार्यों में लाए जाने वाले कलक्टर समतल होते हैं। ये सूर्य से सीधे अथवा छितरा कर आने वाली सौर ऊर्जा का ही उपयोग करते हैं। इनमें ऊर्जा को अन्य दिशाओं से एकत्रित करके काली धातु पर नहीं डाला जाता है। इन कलक्टरों का तापमान ज़्यादा से ज़्यादा 300° तक बढ़ाया जा सकता है। इससे ऊँचे तापमान की आवश्यकता होने पर सूर्य-ऊर्जा को एकत्रित करने वाले कलक्टरों का उपयोग किया जाता है। इससे तापमान 2000° तक भी बढ़ाया जा सकता है।

अध्याय-3

सौर ऊर्जा का उपयोग

दो प्रकार से ऊर्जा को इकट्ठा करने वाले कलक्टर सौर ऊर्जा उत्पन्न करने के लिए उपयोग में लाये जाते हैं : (1) फ्रेनल लेंस तथा (2) कोनकेव दर्पण। इन्हें चक्राकार तथा बेलनाकार आकारों में बनाया जा सकता है। फ्रेनल लेंस का उपयोग ज़्यादातर सौर सेलों के साथ होता है।

कोनकेव दर्पण दो तरह के होते हैं। प्रथम रोशनी को प्रतिबिबिंत करके एक रेखा में इकट्ठा करते हैं। इनको रेखा में ऊर्जा को एकत्रित करने वाला दर्पण भी कहा जाता है। इनको चक्राकार कलक्टर भी कहा जा सकता है। सौर किरणों को सोखने वाली धातु की काली चादर अथवा नालियाँ उस जगह पर रखी जाती हैं जहाँ प्रतिबिंबित होने के बाद रोशनी इकट्टी होती है। इस प्रकार धातु की चादर का तापमान समतल कलक्टर से मिलने वाले तापमान से ज़्यादा हो जाता है। तापमान उस जगह पर एकत्रित होने वाली ऊर्जा के मान पर निर्भर करता है। इनके उपयोग का एक ख़ास फ़ायदा यह है कि काली धातु की चादर अथवा नालियों को काँच की एक बड़ी नाली के अंदर रखकर काँच की नाली से हवा निकाल सकते हैं। इस तरह कंडक्शन तथा कनवैक्शन से होने वाली ऊर्जा-क्षति काफ़ी कम हो जाती है, क्योंकि इनमें ऊपर बताई गई क्षति को बहुत ही कम कर दिया जाता है।

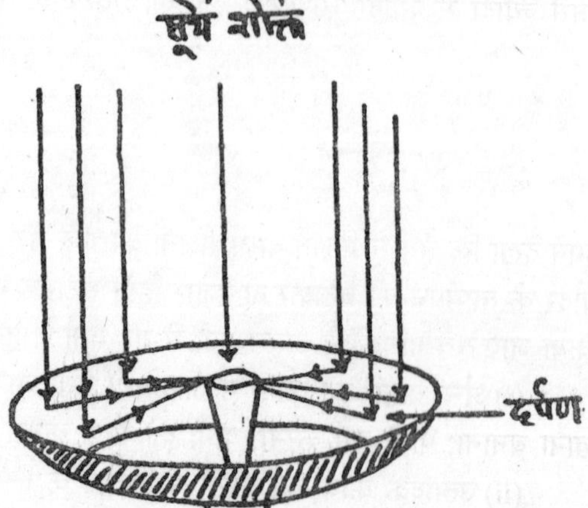

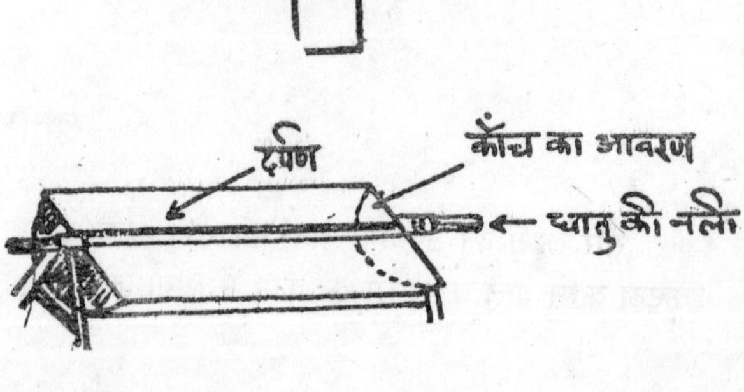

जैसा कि पहले कहा जा चुका है, सूर्य की रोशनी को सोखने और ऊर्जा उद्‌गार का मान जितना ज़्यादा होगा, उतना ही ज़्यादा धातु का मान भी होगा। यहाँ यह आवश्यक है कि धातु को काला करने के लिए ऐसे पदार्थों का प्रयोग करना होगा जो ऊँचे तापमान को सहन कर सकते हों।

सोखी गई ऊर्जा को उपयोग में लाने की कुशलता किसी भी कलक्टर का ख़ास गुण माना जाता है। तापमान का ऊँचा होना ही ज़रूरी नहीं है, उसकी

कुशलता का सही होना भी ज़रूरी है।

कोनकेव दर्पण, धातु की चादर को अथवा काँच की चादर को मोड़कर बनाये जाते हैं। धातु के बने कोनकेव दर्पणों की रोशनी को प्रतिबिंबित करने की शक्ति काँच के बने दर्पणों से कम होती है, परन्तु काँच की चादर को मोड़कर कोनकेव दर्पण बनाना काफ़ी कठिन काम है। कुछ ही समय पहले राष्ट्रीय भौतिक प्रयोगशाला के वैज्ञानिकों ने इस तरह के कोनकेव दर्पण बनाकर सौर ऊर्जा के क्षेत्र में एक नया अध्याय शुरू किया है। इन दर्पणों से ऊँचा तापमान बड़ी आसानी से बढ़ाया जा सकता है।

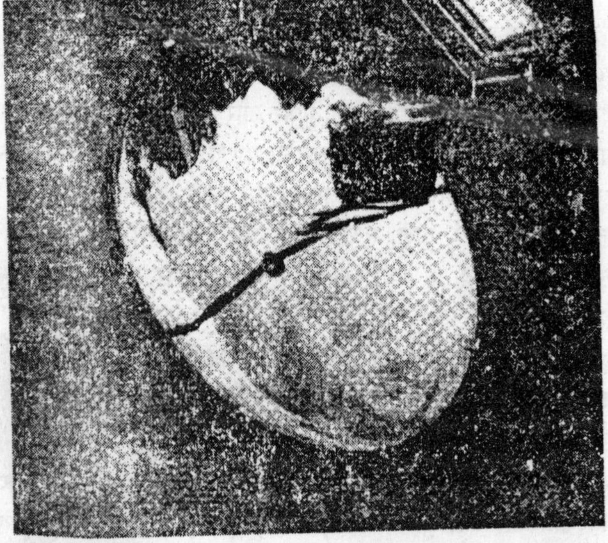

जिन सौर कलक्टरों के बारे में ऊपर बताया गया, उनको हमेशा सूर्य की तरफ़ रखना पड़ता है। ये कलक्टर समतल कलक्टरों की तरह अचल नहीं हैं इसलिए इनको चलाने के लिए स्वचालित यंत्र बनाना पड़ता है जो इनकी हमेशा सूर्य की तरफ़ ही रखता है। कुछ ऐसे भी ऊर्जा को एकत्रित करने वाले कलक्टर बनाए गए हैं जिनको हमेशा घुमाने की ज़रूरत नहीं पड़ती है। इनमें विनस्टन द्वारा बनाया गया कलक्टर प्रसिद्ध है। इस कलक्टर द्वारा इकट्ठा की गई ऊर्जा, बेलनाकार कोनकेव दर्पणों की तरह एक रेखा में इकट्ठा होती है। इसको अन्य कलक्टरों की तरह उत्तर-दक्षिण दिशा में न रखकर पूरब-पश्चिम दिशा में रखा जाता है। इससे ज़्यादा से ज़्यादा 10 गुना ऊर्जा को एक दायरे में प्रतिबिंबित किया जा सकता है।

ऊर्जा का उपयोग

हमने देखा कि सूर्य से मिलने वाली रोशनी को गर्मी में बदलकर उससे धातु की चादर आदि को गर्म किया जाता है। धातु की चादर के तापमान को बढ़ाकर दो हज़ार डिग्री सेंटीग्रेड तक भी बढ़ाया जा सकता है। प्रश्न है कि इस गर्मी का उपयोग कैसे किया जाए? वैज्ञानिकों ने अनुसंधानों से यह पता लगाया है कि इस गर्मी का उपयोग निम्न कार्यों में किया जा सकता है—

(i) **अन्य कार्य**–इन कामों में आदमियों तथा जानवरों को पीने का पानी उपलब्ध करना, कमरों को ठंडा/गर्म करना, खाना बनाना, पानी गर्म करना, पानी को साफ़ करना, घर तथा अन्य कामों के लिए विद्युत शक्ति उत्पन्न करना आदि।

(ii) **उत्पादक कार्य**–इन कामों में सिंचाई के लिए पानी देना, ख़राब होने वाली खाने की चीज़ों को बचाने के लिए ठंडे स्टोरेज बनाना, औद्योगिक केंद्रों को बिजली देना, खेती की चीज़ों को सुखाकर रखना, आदि।

खाना पकाना

सौर ऊर्जा का उपयोग खाना पकाने के लिए भी किया जा सकता है। इस काम को करने के लिए सौर ऊर्जा को इकट्ठा करने वाले कलक्टरों को काम में लाया जाता है। सौर कुकर में सौर ऊर्जा को खाना बनाने वाले बर्तन के निचले

हिस्से में इकट्ठा किया जाता है। बर्तन बाहर से काला होना चाहिए जिससे उस पर पड़ने वाली सूर्य की रोशनी बर्तन की सतह द्वारा सोख ली जाए। इसके अतिरिक्त वैज्ञानिकों ने सौर कुकर के और भी नमूने बनाए हैं जिनमें सौर ऊर्जा द्वारा बनी भाप से खाना पकाने वाले कुकर और गर्म संदूक की तरह के कुकर आदि हैं। सौर ऊर्जा से खाना बनाते समय खाना बनाने वाले को बाहर ही खाना बनाना पड़ता है। यदि रसोईघर के नज़दीक सौर कुकर रखने की जगह हो तो भाप से खाना रसोई के अंदर बनाया जा सकता है। गर्म संदूक की तरह के खाना बनाने वाले कुकरों में रोटी नहीं बनाई जा सकती। अन्य खानों जैसे चावल, दाल, सब्ज़ी, केक आदि आसानी से बनाए जा सकते हैं। ऐसे पकाए जाने वाले वस्तुओं को बर्तन में रखकर उसे संदूक के अंदर रख दिया जाता है और संदूक को धूप में रख देते हैं। कुछ देर बाद खाना अपने आप पक जाता है।

रात में खाना बनाने के लिए इन कुकरों का उपयोग नहीं किया जा सकता है। लेकिन खाना बनाने के लिए गर्मी को इकट्ठा करने की दिशा में भी काम किया जा रहा है। वैज्ञानिकों का ऐसा कहना है कि जल्दी ही ऐसे कुकरों का आविष्कार कर लिया जाएगा।

एक सामान्य परिवार में एक समय का खाना बनाने के लिए एक घंटे में लगभग 2 किलोवॉट ऊर्जा की खपत होती है। इसलिए ऊपर बताए गए खाना बनाने के साधनों के लिए करीब 3 वर्गमीटर वाले सौर कलक्टर की आवश्यकता पड़ेगी। खाना बनाने के लिए करीब 130° सेंटीग्रेड तापमान की ज़रूरत पड़ती है। इसलिए सामान्य समतल कलक्टर इस काम के लिए ठीक नहीं हो सकते।

शुद्ध पानी

सौर ऊर्जा में पानी को शुद्ध करने के लिए काफ़ी सालों से वैज्ञानिक अनुसंधान में लगे हैं और कई देशों में ऐसे यंत्र काम भी कर रहे हैं। अशुद्ध जल को दो प्रकार से शुद्ध करके पीने लायक बनाया जाता है–

पहली विधि में खारे जल को शुद्ध करके उपयोग में लाया जाता है। दूसरी विधि का उपयोग जीवाणुओं वाले पानी को शुद्ध करने में किया जाता है। इस प्रकार सौर ऊर्जा से दूषित जल को भी पीने लायक बनाया जा सकता है।

खारे पानी को शुद्ध करने में काम के लाए जाने वाले सौर यंत्र साधारण होते हैं। इनमें एक धातु की थाली को ऊपर से काला कर दिया जाता है और उसके ऊपर आर-पार दिखाई देने वाली काँच की पतली चादरें लगा दी जाती हैं। थाली के ऊपरी किनारों पर एक छोटी नाली बनी होती है जिसका निकास बाहर की ओर होता है। थाली को अशुद्ध जल से भरकर धूप में रख दिया जाता है। धूप लगने के कारण थाली की काली सतह गर्म होने लगती है और पानी का तापमान बढ़ जाता है। तापमान के बढ़ने से पानी भाप में बदलते लगता है। चूँकि काँच की चादरों का तापमान कम होता है।

इसलिए भाप-कण काँच से टकराने पर पानी में बदल जाते हैं। यह पानी थाली के किनारों पर बनी नाली से साफ़ बर्तन में इकट्ठा कर लिया जाता है। इस तरह के यंत्र से 5 लिटर प्रति वर्गमीटर तक शुद्ध जल रोज़ मिल सकता है।

ऊपर बताए गए यंत्र की क्षमता ज़्यादा नहीं होती है क्योंकि इसमें साधारण समतल कलक्टर लगा होता है। इस यंत्र की क्षमता बढ़ाने के लिए एक नया यंत्र बनाया गया है। इस यंत्र में सौर किरणों को छोटे दायरे में इकट्ठा करके तापमान बढ़ाया जाता है जिससे तेल अथवा पानी उबल जाए। गर्म तेल अथवा ऊँचे तापमान वाली भाप से अशुद्ध जल को गर्म किया जाता है। जिससे उसमें भरे पानी को भाप का तापमान करीब 105° 115° या 120° सेंटीग्रेड हो जाए। इस तरह एक टंकी से निकलने वाली भाप दूसरी टंकी के पानी को गर्म करती है और ऊर्जा-क्षति कम हो जाती है। ऐसे यंत्र से 15 लिटर शुद्ध जल प्रति वर्गमीटर रोज़ मिल सकता है।

खारे पानी को शुद्ध करने के लिए पानी का तापमान वाष्पीकरण बिंदु (evaporization point) तक बढ़ाना जरूरी है। परन्तु कीटाणु वाले पानी को शुद्ध करने के लिए उसको शुद्ध किए गए पानी की गर्मी से अशुद्ध जल को गर्म करने के उपयोग में लाकर ठंडा जल प्राप्त किया जाता है। इस प्रकार गर्मी का उचित उपयोग भी हो जाता है। पानी की टंकी को चारों तरफ़ से काँच की रुई की कम से कम 10 सेंटीमीटर मोटी तह से ढकना ज़रूरी है अन्यथा ऊर्जा-क्षति ज़्यादा होगी और यंत्र काम नहीं करेगा। इस तरह 120 लिटर प्रति वर्ग मीटर प्रति दिन तक कीटाणु वाले पानी को शुद्ध किया जा सकता है।

पानी गर्म करना

सौर ऊर्जा की गर्मी से पानी गर्म करने के लिए समतल सौर कलक्टरों का इस्तेमाल किया जाता है। समतल कलक्टर से पानी गर्म करने के लिए काली धातु की चादर के ऊपर पानी ले जाने के लिए छोटी-छोटी नालियाँ बनी होती हैं। जब इन नालियों में नीचे से ऊपर को पानी जाता है तो ऊपर से निकलने वाला पानी गर्म होता है। गर्म चादर से पानी कितनी गर्मी ले सकता है, यह नालियों के डिज़ाइन, आकार तथा दो नालियों के बीच की दूरी आदि पर निर्भर करता है। नालियाँ दो तरह से बनाई जा सकती है। पहले में नालियाँ बनाने के लिए धातु की नालियों को धातु की चादर के साथ अच्छी प्रकार से जोड़ दिया जाता है। दूसरे में दो चादरों को साथ मिलाकर नालियाँ बनाई जाती हैं। इन दोनों में गर्मी सोखने की शक्ति दूसरे प्रकार के कलक्टर से ज़्यादा होती है, क्योंकि इसमें पानी सीधे धातु की सतह से होता हुआ निकलता है। पहले तरीके में सबसे पहले धातु की चादर गर्म होती है और उसकी गर्मी धातु की नालियों से होते हुए पानी तक पहुँचती है। दूसरे तरह के सौर कलक्टर की चादर को बांडक्ट चौखट कहा जाता है। इन चौखटों में नालियों का डिजाइन तथा आकार आवश्यकतानुसार बनाया

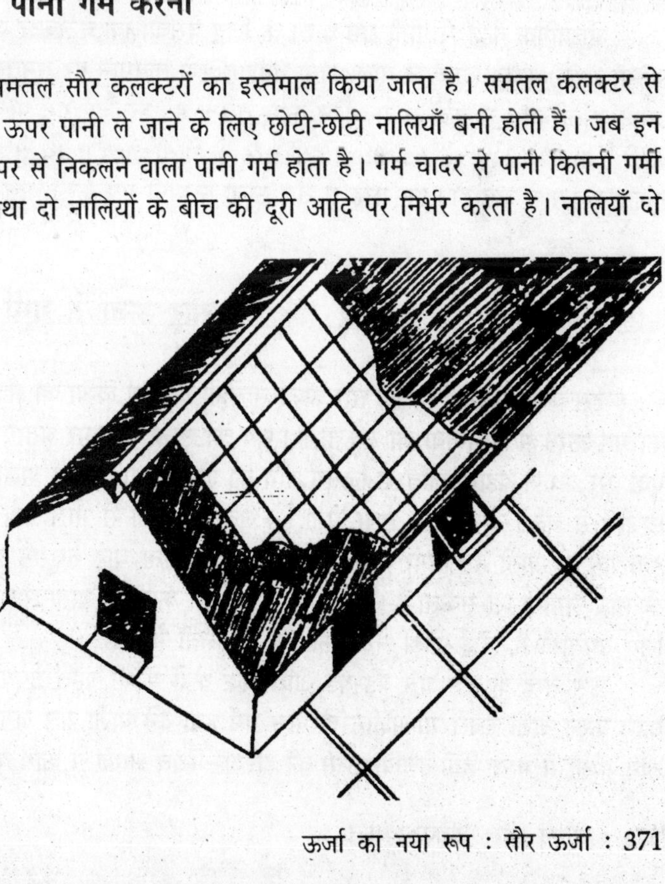

जाता है। इनको बनाने के लिए ऊँचे तापमान तथा दबाव की आवश्यकता होती है। अभी तक इस तरह के चौखट अल्युमिनियम की चादरों को जोड़कर बनाए जा रहे हैं।

सौर ऊर्जा से परिदार के काम के लिए पानी गर्म करने के दो मुख्य तरीके अपनाए गए हैं। पहली विधि के अनुसार एक पानी की टंकी को सौर कलक्टर के साथ जोड़ दिया जाता है। कलक्टर तथा टंकी दोनों को बाहर छत पर रखा जाता है। जब कलक्टर की नालियों में पानी गर्म होता है तो वह ऊपर की ओर चढ़ने लगता है। इस तरह गर्म पानी टंकी की ऊपरी सतह तक पहुँच जाता है। टंकी के नीचे से ठंडा पानी कलक्टर के निचले हिस्से में जाता है। इस प्रकार जब तक सूर्य की रोशनी मिलती रहती है, गर्म पानी टंकी में इकट्ठा होता रहता है। इस विधि से पानी गर्म करने के तरीके को थरमोसाफन कहते हैं। इसमें एक वर्ग मीटर कलक्टर से एक दिन में करीब 50 लिटर पानी 60° सेंटीग्रेट तक गर्म किया जा सकता है।

दूसरे तरीके में एक छोटे पंप से पानी को कलक्टर तथा टंकी के बीच चलाया जाता है। इस यंत्र में टंकी को स्नानघर अथवा रसोई घर में भी रखा जा सकता है, क्योंकि इसमें पानी पंप से चलाया जाता है इसलिए इसमें पानी गर्म करने की ताकत पहले तरीके से अधिक होती है। इस तरीके से 75 लिटर पानी को 60° तक गर्म कर सकते हैं।

गर्म पानी की आवश्यकता बड़े-बड़े औद्योगिक केंद्रों जैसे कपड़ा बनाने वाली मिलों, चीनी की मिलों, होटलों आदि में भी होती है। होटलों आदि में सौर ऊर्जा से गर्म किया गया, पानी नहाने, कपड़े तथा बर्तन धोने, नहाने के तालाबों को गर्म करने, कमरों को वातानुकूलित करने आदि के काम में लाया जाता है। ऐसा ही एक सौर ऊजा से पानी गर्म करने वाला यंत्र दिल्ली के एक बड़े होटल 'मौर्य' में लगाया गया है। इसमें जाड़ों में नहाने के तालाब के पानी को गर्म करने का प्रबंध भी है।

औद्योगिक केंद्रों में पानी गर्म करने के लिए पैरॉबोलिक कलक्टर ज़्यादा उपयोगी होते हैं क्योंकि इन केन्द्रों में पानी 80° या इससे अधिक तापमान वाला होना चाहिए। इस तापमान पर समतल कलक्टरों की तापीय शक्ति बहुत कम होती है। इसके अतिरिक्त ऐसे केंद्रों में रात-दिन काम चलता है। इसलिए गर्म पानी को गर्म रखने के लिए बड़ी-बड़ी टंकियाँ बनाई जाती हैं जिनको काँच की रुई अथवा इसी तरह के किसी अन्य पदार्थ से चारों तरफ से ढक दिया जाता है। जिससे गर्मी का नुकसान कम से कम हो। इस तरह से सौर ऊर्जा से पानी गर्म करने वाले यंत्र ऊर्जा बचाने में काफ़ी सहायक हो सकते हैं।

सौर ऊर्जा से गर्मी

इस प्रकार हमने देखा कि सौर ऊर्जा से पानी को गर्म किया जा सकता है। इस गर्म पानी का उपयोग जाड़ों में कमरों को गर्म करने में भी किया जा सकता है। धूप की ऊर्जा से ऊपर बताए गए तरीके से पानी गर्म करके इस गर्म पानी को एक ऐसे यंत्र से बहाया जाता है जिसमें ताँबे की छोटी-छोटी पत्तियों वाली नालियाँ लगी होती हैं और उनके पीछे एक छोटा बिजली से चलने वाला पंखा लगा होता है। जब गर्म पानी से भारी नालियों के ऊपर पंखे की हवा पड़ती है तो बाहर की हवा गर्म हो जाती है। अगर बिजली का पंखा न लगाना चाहें तो गर्म पानी ले जाने वाली नालियों को कमरे की दीवारों के साथ लगाया जा सकता है। नालियाँ गर्म होने से कमरे के वातावरण का तापमान बढ़ जाएगा। यह यंत्र ठंडे प्रदेशों के लिए उपयोगी है, जहाँ जाड़ों में काफ़ी धूप निकलती है।

इस तरह के सौर यंत्र बड़े-बड़े औद्योगिक केंद्रों में भी बहुत उपयोगी सिद्ध हो सकते हैं। ऐसे औद्योगिक स्थानों में काम करने वाली टेबल या मशीन के पास गर्म हवा देने वाला यंत्र लगाया जा सकता है। ऐसा ही एक सौर यंत्र पिछले तीन सालों से भारत हैवी इलैक्ट्रिकल्स की हरिद्वार-स्थित शाखा में काम कर रहा है। इसमें समतल कलक्टरों के साथ ज़मीन

के अंदर दो टंकियाँ बनी हैं जिनमें करीब 2400 लिटर पानी रहता है। दिन के समय इस पानी को सौर ऊर्जा से 60° तक गर्म किया जाता है तथा रात को काम करने वाले लोगों को इस गर्म पानी की सहायता से गर्म हवा मिलती है।

ठंडा करने की मशीन

सौर ऊर्जा की गर्मी से ठंडा करने वाली मशीन भी चलाई जा सकती है। ठंडा करने वाली मशीनों का उपयोग कमरों को ठंडा करने, पीने के पानी को ठंडा करने, बर्फ़ बनाने, खाने की चीज़ों को ख़राब होने से बचाने के लिए किया जा सकता है। इस काम को करने के लिए दो प्रकार की विधियाँ काम में लाई जाती हैं–(I) गर्मी को बिजली में बदल कर ठंडा करने वाली मशीनों को चलाना। (2) सोखने वाले पदार्थों का उपयोग करके गर्मी से उस पदार्थ को गर्म करके ठंडा करना। इस कार्य में अमोनिया-पानी, लीथियम ब्रोमाइड आदि पदार्थ काम में लाए जाते हैं। पहले तरीके से ठंडा करने वाली मशीनों की ताकत काफ़ी कम होती है। लीथियम ब्रोमाइड तथा अमोनिया पानी के घोल वाले तरीके काफ़ी समय से काम में लाए जा रहे हैं।

अनाज आदि सुखाना

ऐसा देखा गया है कि किसानों या अन्य लोगों द्वारा अनाज को सुखाने के जो तरीके उपयोग में लाए जाते हैं, वे ठीक नहीं है। इन तरीकों से अन्न का बहुत नुकसान होता है तथा काफ़ी चीज़ें गंदी हो जाती हैं। वैज्ञानिकों ने सौर ऊर्जा से अन्न आदि सुखाने के जिस तरीके को खोज निकाला है, उसका उपयोग करने से इन परेशानियों से बचा जा सकता है। यह यंत्र पानी गर्म करने वाले सौर कलक्टर की तरह ही काम करता है। इस में पानी के बदले नालियों में हवा चलाई जाती है। हवा नालियों से निकालने पर गर्म हो जाती है। इस गर्म हवा से अन्न, फल, साग-सब्ज़ी आदि बड़ी आसानी से सुखाए जा सकते हैं। हवा का तापमान 60°-70° तक बढ़ाया जा सकता है। खुली हवा में सुखाने पर तापमान ज़्यादा से ज़्यादा 35°-40° तक होता है। इसलिए नए तरीके के उपयोग से समय की काफ़ी बचत हो जाती है। इस यंत्र से कपड़े सुखाने की मशीन का काम भी बड़ी आसानी से लिया जा सकता है।

इस यंत्र में एक पंखे की सहायता से कलक्टर के अंदर हवा डाली जाती है। गर्म हवा को नली की सहायता से एक कमरे के अंदर ले जाया जाता है। जहाँ सुखाने वाली चीज़ें रखी होती हैं। सुखाने वाली चीज़ों से जब गर्म हवा टकराती है तो वे सूखने लगती हैं। पंखे की चाल को कम अथवा ज़्यादा करके कमरे के अंदर के तापमान को कम या ज्यादा किया जा सकता है।

पंप तथा जेनरेटर

सौर ऊर्जा की गर्मी को गति ऊर्जा में बदलकर, पानी खींचने तथा बिजली के जेनरेटर को चलाने के संबंध में पिछले कुछ सालों से अनुसंधान-कार्य चल रहा है। इस तरह की ऊर्जा को गति ऊर्जा में बदलने के लिए तीन विधियों को काम में लाया जा सकता है। ये हैं–

(1) रेनकिन चक्र–सभी भाप से चलने वाले टरबाइन इसी चक्र के अनुसार चलते हैं।

(2) ब्रायटन चक्र–जेट इंजनों से चलने वाले हवाई जहाज़ इसी चक्र के अनुसार चलते हैं।

(3) स्टलिंग चक्र–इस चक्र से चलने वाले इंजनों में बाहरी ऊर्जा की ज़रूरत पड़ती है। अगर काम करने वाले माध्यम का तापमान 300° से कम हो तो इस चक्र की कुशलता बहुत कम हो जाती है इसीलिए इसका उपयोग ज़्यादा नहीं किया गया है।

अभी तक जितने भी इंजन सौर ऊर्जा की गर्मी से चलाये जा रहे हैं वे रेनकिन चक्र का ही अनुकरण करते हैं इस यंत्र में चार मुख्य हिस्से होते हैं। ये हैं–(1) पानी अथवा किसी तरल पदार्थ को गर्म करने वाली भट्ठी; (2) गर्म पदार्थ के भाप के दबाव से घूमने वाला हिस्सा, जिसको एक्सपेन्डर भी कहते हैं; (3) काम करने के बाद बची भाप को ठंडा करके फिर से तरल बनाने वाला कन्डेन्सर; तथा (4) ठंडे किए गए तरल पदार्थ को फिर से भट्ठी तक पहुँचाने वाला पंप।

साधारण कार्यों में लाए जाने वाले टरबाइनों को सौर ऊर्जा की गर्मी से चलाना बड़ा कठिन है। इसका कारण यह है कि सौर ऊर्जा से मिलने वाली गर्मी हमेशा एक तापमान पर नहीं रहती है। इसीलिए सौर ऊर्जा से टरबाइनों को न चलाकर उसी तरह के अन्य इंजनों को चलाया जाता है ताकि ऊर्जा में होने वाले परिवर्तनों से इंजन पर बुरा प्रभाव न पड़े। अगर टरबाइन ही चलाना हो तो किसी भी पिघलने वाले लवणों को सौर ऊर्जा से गर्म करके उस ऊर्जा से भाप बनाई जा सकती है जिससे मिलने वाली तापीय ऊर्जा को हमेशा एक तापमान पर रखा जा सकता है।

सौर ऊर्जा से चलने वाला अभिमन्यु पंप

किसी भी इंजन की कुशलता निम्न बातों पर निर्भर करती है– (1) काम में लाए जा रहे चक्र की कुशलता, (2) गैस अथवा भाप के दबाव को काम करने वाले एक्सपेंडर की कुशलता, (3) गैस को ठंडा करने वाले यंत्र की कुशलता, तथा (4) तरल पदार्थ को भट्ठी में भेजने वाले पंप की कुशलता।

इंजन की कुशलता को ठीक करने के लिए कलक्टर की कुशलता का भी अच्छा होना ज़रूरी है। प्रयोग से यह पता चला है कि कलक्टर का तापमान बढ़ाने से उसकी कुशलता तो कम होती ही है परन्तु इंजन की कुशलता बढ़ती है। इसीलिए दोनों के बीच एक ऐसा साम्य रखना पड़ता है ताकि सारी पद्धति की कुशलता ज़्यादा से ज़्यादा हो।

सौर ऊर्जा से चलाए जाने वाले इंजन के काम करने का तरीका बहुत सरल है। इसमें समतल और कलक्टरों से पानी का तापमान 80°-90° तक बढ़ाया जाता है। इस गर्म पानी से फ्रियान को गर्म किया जाता है। गर्म होने पर यह गैस बन जाती है। 80°-90° पर इस गैस का दबाव बहुत ज़्यादा हो जाता है। इस गैस को जब इंजन के ऊपर डाला जाता है तो इंजन

घूमने लगता है। इंजन के साथ पानी के पंप अथवा बिजली के जेनरेटर को जोड़ देने पर वह भी चलने लगता है। इस प्रकार कुएँ से पानी आसानी से निकाला जा सकता है। इंजन घुमाने के बाद गैस को ठंडा करके तरल फ्रियान बनाई जाती है जिसको फिर से गर्म होने के लिए वापस भेज दिया जाता है। इस प्रकार यह सिलसिला चलता रहता है।

समतल कलक्टरों की जगह अगर पानी के भाप देने वाले कलक्टरों को जोड़ दिया जाए तो इंजन को सीधे भाप से ही चलाया जा सकता है।

सौर ऊर्जा की गर्मी को यंत्र चलाने वाली ऊर्जा में बदलकर बिजली पैदा करने, पानी खींचने के पंप आदि यंत्रों को चलाने की दिशा में पिछले कई सालों से अमेरिका, रूस, फ्रांस इसराइल, इटली आदि देशों में काम हो रहा है। इस दिशा में फ्रांस, अमेरिका तथा इसराइल ने अच्छा काम किया है। फ्रांस ने दो अश्वशक्ति के कई सौर पंप बनाकर अफ्रीका आदि देशों को बेचे भी हैं। इन पंपों में समतल और कलक्टरों का उपयोग किया गया है। अभी कुछ महीने पहले अमेरिका में करीब 50 अश्वशक्ति का पंप बनाया गया जो 10,000 गैलन पानी प्रति मिनट ज़मीन से अंदर से खींच सकता है। इसी प्रकार 10 किलोवॉट तक विद्युत पैदा करने वाले केंद्र बनाए गए हैं।

भारत ने भी पिछले तीन-चार सालों में इस दिशा में काफ़ी अच्छा काम किया है। नये-नये इंजनों से चलने वाले सौर पंप बनाने की कोशिश की जा रही है। राष्ट्रीय भौतिक प्रयोगशाला ने एक नई मशीन बनाई है। इसको पानी की भाप अथवा फ्रियान गैस से चलाया जा सकता है। इसकी चाल साधारण काम में आने वाले टरबाइनों से काफ़ी कम होने के कारण इसको बनाना आसान है। यह दो भागों में बँटा होता है। जब एक चक्र को दूसरे चक्र के ऊपर रखा जाता है तो अंदर छोटे-छोटे पॉकिट बन जाते हैं। एक चक्र के बीच में छेद होता है जिससे ऊँची दबाव वाली गैस या भाप अंदर भेजी जाती है। यह भाप या गैस पॉकिटों में जाने पर फैलने की कोशिश करते हैं। इस क्रिया में फैलने वाले पदार्थ की ऊर्जा कम होती है। इस ऊर्जा से दूसरा चक्र घूमने लगता है। घूमने वाले चक्र के साथ पंप अथवा जेनरेटर को जोड़ देने से वह भी चलने लगता है। घूमने वाला हिस्सा चक्राकार होने के कारण इस पंप को अभिमन्यु पंप कहते हैं।

सौर ऊर्जा की गर्मी से बिजली पैदा करने की दिशा में भी काम हो रहा है, परन्तु अभी तक कोई विद्युत केंद्र भारत में नहीं लगाया गया है। मद्रास की आई. आई. टी. में जर्मन सरकार की सहायता से एक 10 किलोवॉट शक्ति का सौर ऊर्जा केंद्र लगाया जा रहा है। इसमें समतल कलक्टरों से पानी गर्म किया जाएगा तथा फ्रियान गैस से घूमने वाले हिस्से को घुमाया जाएगा। इसमें स्क्रू की तरह का घूमने वाला हिस्सा होगा जिसको जर्मनी ने देने का वादा किया है।

सौर ऊर्जा की गर्मी से विद्युत पैदा करने का एक और तरीका भी है। इसमें समतल दर्पणों की सहायता से एक ऊँचे क़िलेनुमा भवन की छत पर सौर ऊर्जा को इकट्ठा किया जाता है। इस तरह तापमान हज़ार डिग्री या ऊपर तक बढ़ाया जाता है। उस तापमान पर पानी से भाप बनाई जाती है जिससे टरबाइन चल सकते हैं। इस तरह की एक सौर भट्टी फ्रांस में पिछले कई सालों से काम में लाई जा रही है। इस भट्टी का उपयोग ऊँचे तापमान पर पिघलने वाले पदार्थों के बारे में खोज तथा उनके उपयोग आदि में भी किया जा रहा है।

अध्याय-4

भारत में सौर ऊर्जा

हमारे देश में सौर ऊर्जा के भविष्य के बारे में विचार करने से पहले हमें यह जान लेना चाहिए कि हम आज ऊर्जा का उपयोग किन कामों में, कैसे और कितना करते हैं तथा ऊर्जा की सबसे ज़्यादा आवश्यकता कहाँ है। हमारा देश कृषि-प्रधान है। 70 प्रतिशत जनता गाँवों में रहती है और 70 प्रतिशत आमदनी खेती से ही प्राप्त होती है। ऐसे गाँव सारे देश में फैले हुए हैं। गाँव छोटे-बड़े दोनों प्रकार के हैं। नीचे गाँवों की संख्या एवं उनकी जनसंख्या को दिखाया गया है–

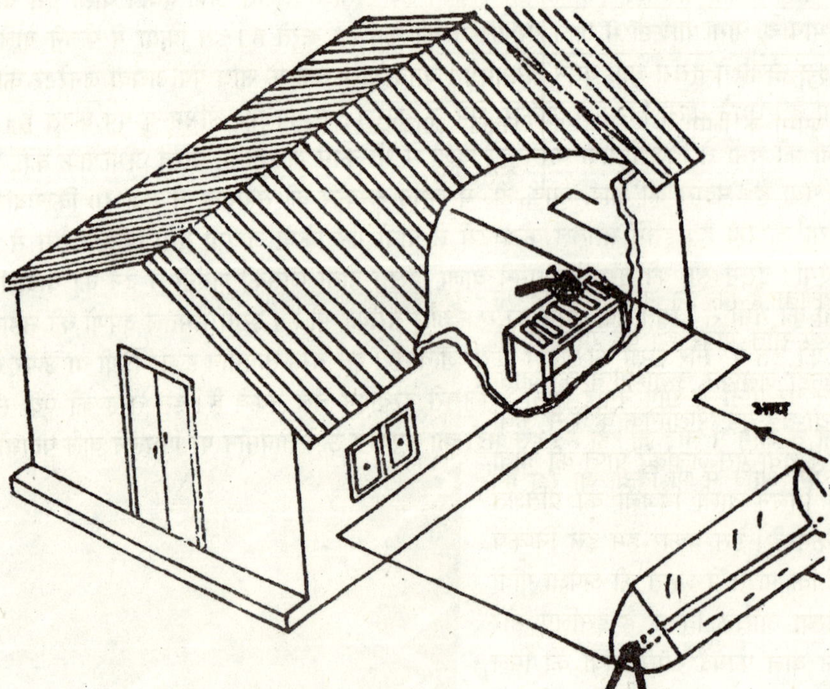

भाप से खाना पकाने वाली मशीन

गाँवों की संख्या तथा उन गाँवों में रहने वालों की जनसंख्या

गाँवों की जनसंख्या	गाँवों की संख्या
0—499	349995
500—999	118602
1000—1999	65101
2000—4999	26400
5000—9999	3404
10000—ऊपर	774

हमने देखा कि छोटे-छोटे गाँवों की संख्या, जिनमें रहने वाले 500 या इससे कम हैं, सबसे ज़्यादा है। ऐसे गाँवों में होने वाली ऊर्जा की खपत आगे दी गई है–

500 आदमियों की जनसंख्या वाले गाँवों में ऊर्जा-खपत

1.	खाना बनाने, पानी गर्म करने में	गोबर, लकड़ी आदि जलाकर	200 किलोवॉट घंटा
2.	पानी खींचने के लिए	जानवर, आदमी या डीज़ल का उपयोग करके	200 किलोवॉट घंटा
3.	अन्य कामों के लिए	लकड़ी आदि जला कर	100 किलोवॉट घंटा
		कुल योग	**500 किलोवॉट घंटा**

इससे पता चलता है कि इन गाँवों में आज भी ऊर्जा का मुख्य स्रोत गोबर है। बड़े गाँवों में भी गोबर या लकड़ी जलाकर ऊर्जा प्राप्त की जाती है। शहरों तथा बड़े-बड़े औद्योगिक केंद्रों में ऊर्जा कोयला, तेल अथवा गैस जलाकर प्राप्त की जाती है। पानी से मिलने वाली बिजली का प्रतिशत अभी बहुत कम है। इस प्रकार हम इस निष्कर्ष पर पहुँचते हैं कि भारत में शहरों की अपेक्षा गाँवों में ऊर्जा-समस्या अधिक विकट है इसलिए सौर ऊर्जा से होने वाले फ़ायदे अगर गाँवों को मिल सकें तो गाँवों में उत्पादन बढ़ेगा और सारे देश की उन्नति हो सकेगी। गाँधी जी का सपना पूरा हो सकेगा।

खाना बनाने में सौर ऊर्जा का प्रयोग

हमने देखा कि भारत के गाँवों में गोबर जलाकर ऊर्जा प्राप्त की जाती है। एक 500 आबादी वाले गाँवों में 200 किलोवॉट घंटा ऊर्जा खाना बनाने के काम में लाई जाती है। इस ऊर्जा को प्राप्त करने के लिए करीब 20 प्रतिशत गोबर का उपयोग होता है जो 40 किलोवॉट घंटा प्रतिदिन अथवा 50 किलोग्राम गोबर जलाने के बराबर है। यह गोबर 250 किलोग्राम (नाइट्रोजन) खाद प्रति साल दे सकता है। बची हुई 160 किलोवॉट घंटा ऊर्जा लकड़ी जलाकर मिलती है जो 0.25 हेक्टर जंगल काटने के बराबर है। इस प्रकार हम अपनी बहुमूल्य संपत्ति को जला रहे हैं। अगर इन कामों के लिए सौर ऊर्जा का उपयोग किया जाए तो इस बहुमूल्य संपत्ति की बचत हो सकती है तथा हमारे ग़रीब किसान उस खाद से अधिक अन्न का उत्पादन कर सकते हैं। 250 किलोग्राम खाद से करीब 1.20 टन अधिक अन्न का उत्पादन हो सकता है।

गाँव में शुद्ध जल

किसी भी देश की उन्नति के लिए उस देश की जनता का स्वास्थ्य अच्छा होना ज़रूरी है। स्वास्थ्य अच्छा तभी रह सकता है जब खाने-पीने की वस्तुएँ स्वच्छ हों। हमारे देश में पीने के पानी की हालत अच्छी नहीं है। गाँवों में रहने वाले लोगों की बीमारी का एक सबसे बड़ा कारण अशुद्ध जल का प्रयोग है। अगर नए तरीकों का सही ढंग से उपयोग किया जाए तो सौर ऊर्जा गाँवों के लिए एक वरदान सिद्ध हो सकती है। एक छोटे से गाँव के लिए 10 किलोवॉट या इससे छोटे यंत्र काफ़ी होगा। इसके अतिरिक्त मोटर पंपों, अस्पतालों, स्कूलों आदि जगहों में भी डिस्टिल्ड पानी की आवश्यकता पड़ती है। सौर ऊर्जा से डिस्टिल्ड पानी प्राप्त करके ऊर्जा की बचत की जा सकती है। समुद्र किनारे-जहाँ खारा पानी मिलता है अथवा लाइट-हाउसों में सौर ऊर्जा द्वारा शुद्ध किया गया गया पानी पीने के काम में लाया जा सकता है।

औद्योगिक शहरों में गर्म पानी

हमारे देश के गाँवों में गर्म पानी की खपत शहरों तथा औद्योगिक केंद्रों की अपेक्षा कम होती है। सौर ऊर्जा से भाप बनाने वाले यंत्र बन चुके हैं। इन यंत्रों का प्रयोग औद्योगिक क्षेत्रों में बड़ा लाभदायक सिद्ध होगा। ऐसे औद्योगिक केंद्रों में जहाँ तेल अथवा गैस जलाकर भाप बनाई जाती है, सौर ऊर्जा के उपयोग से लाखों टन ईंधन की बचत की जा सकती है।

अनाज सुखाना

भारत एक कृषि-प्रधान देश है इसलिए इस देश में ऐसे यंत्रों की आवश्यकता अधिक है जो कृषि के काम में लाए जा सकें। खाद्यान्नों को ठीक समय पर सुखाकर उनको ख़राब होने से बचाने वाले यंत्रों की आवश्यकता है। सूर्य-शक्ति से ऐसे यंत्र आसानी से चलाए जा सकते हैं। उचित साधनों के आभाव में आज हमारे देश में अन्न, सब्जी, फलों का नुकसान काफ़ी होता है। यदि इन चीज़ों को समय पर ठीक ढंग से सुखा कर सुरक्षित रखा जा सके तो हमारे देश में अन्न आदि की जो कमी है, वह किसी हद तक पूरी की जा सकती है।

ठंडा रखने वाली मशीन

कृषि-प्रधान देश होते हुए भी खाने-पीने की वस्तुओं का देश में अभाव होना एक पहेली है। इसके कई कारण हो सकते हैं। एक तो हमारे देश की उपज आवश्यकता से कम है। दूसरा कारण है, जो अन्न पैदा किया जाता है, उसको ठीक तरह से रख नहीं पाते। कुछ वस्तुएँ ऐसी होती हैं जिन्हें ऊँचे तापमान पर ज़्यादा देर तक नहीं रखा जा सकता। इसलिए ऐसी वस्तुएँ जल्दी ख़राब हो जाती हैं। परन्तु अगर इन्हीं वस्तुओं को कम तापमान पर रखा जाए तो वे वस्तुएँ सालों तक भी ठीक रखी जा सकती है। सौर ऊर्जा से ऐसी वस्तुओं को ख़राब होने से आसानी से बचाया जा सकता है। सौर ऊर्जा की गर्मी से ठंडा करने की मशीनें देश में बन चुकी हैं। अब उनका उपयोग करना देश के लिए हितकारी है।

सौर पंप

भारत के गाँवों में सदियों से पानी की समस्या बनी हुई है। पीने तथा खेती के काम के लिए पानी हर किसान को मिलना ज़रूरी है। देश की सारी उन्नति खेती पर निर्भर करती है। इस बात को ध्यान में रखते हुए यूनीसेफ ने भारत के हज़ारों गाँवों में पानी खींचने वाले पंप लगाए हैं। परन्तु समय पर बिजली न मिलने तथा अन्य कठिनाइयों के कारण 70 प्रतिशत से अधिक पंप काम नहीं करते। देश में करीब 35 प्रतिशत सिंचाई कुएँ के पानी से की जाती है। इनको जानवरों की सहायता से खींचा जाता है।

इसके अतिरिक्त डीज़ल आदि से चलने वाले पंप को साधारण ग़रीब किसान ख़रीदने में असमर्थ होता है। ऐसी हालत में सामुदायिक पंप जिनको बहुत सारे किसान मिलकर उपयोग में ला सकते हैं, ज़्यादा उपयोगी सिद्ध हो सकते हैं। गाँव सारे देश में बिखरे हैं जिसके कारण डीज़ल को गाँवों तक पहुँचाना काफ़ी महँगा भी पड़ता है। सौर ऊर्जा सब जगह बिना कीमत के प्राप्त है। भारत जैसे गरीब कृषि-प्रधान देश के लिए सौर पंप का उपयोग अति आवश्यक है। सौर ऊर्जा के साथ एक ख़ास बात यह है कि जब पानी की आवश्यकता देश में ज़्यादा होती है, उस ऋतु में सौर ऊर्जा भी ज़्यादा प्राप्त होती है।

विद्युत शक्ति का स्रोत

देश की उन्नति गाँवों तथा छोटे-छोटे उद्योगों की उन्नति पर निर्भर करती है। ऊर्जा के अभाव के कारण अब तक ये दोनों विकास-कार्य अपना योगदान देने में असमर्थ रहे हैं इसलिए अगर देश को आगे बढ़ाना है तो देश के हर किसान को तथा हर छोटे-बड़े औद्योगिक केंद्र को ऊर्जा देना ज़रूरी है। सौर ऊजा से विद्युत शक्ति की कमी बड़ी आसानी से पूरी की जा सकती है। 10 किलोवॉट क्षमता वाले और विद्युत केंद्र अन्य देशों ने बना लिए हैं और आशा की जाती है कि ऐसे केंद्र गाँवों की कायापलट करने में अपना पूर्ण योगदान दे सकेंगे।

आज हमारे देश में ही नहीं वरन् सारे संसार में सौर ऊर्जा को काम में आने वाली ऊर्जा में बदलने की दिशा में काम हो रहा है। हमारे वैज्ञानिक भी इस दिशा में तेज़ी से काम कर रहे हैं। आशा की जाती है कि इस अपार ऊर्जा-स्रोत का ठीक ढंग से उपयोग हमारे दैनिक जीवन में जल्द ही होने लगेगा। आज देश के सारे वैज्ञानिक केंद्र और ऊर्जा के उपयोग पर कार्य कर रहे हैं। सौर ऊर्जा से चलने वाले बहुत सारे यंत्र बना लिए गए हैं। छोटे-छोटे उपकरण जैसे घर के काम में आने वाले पानी गर्म करने के यंत्र, खाने बनाने का कुकर, कमरों को गर्म करने की मशीन, अन्न आदि सुखाने की मशीन को उपयोग में जल्दी ही लाया जा सकता है। परन्तु इनको घर-घर तक पहुँचाने के लिए वैज्ञानिकों तथा सरकार को पूरी चेष्टा करनी होगी। आशा की जाती है कि निकट भविष्य में सौर ऊर्जा से चलने वाले यंत्र बहुत सस्ती कीमतों पर मिल सकेंगे। देश का सुनहरा भविष्य सौर ऊर्जा पर ही निर्भर करता है। यह शक्ति का अनन्त स्रोत है।

गति और चालिकी की कहानी

चालिकी क्या है?

20वीं शती के उत्तरार्ध में आदमी के सामने एक जटिल समस्या उत्पन्न हुई—अपनी बौद्धिक शक्ति को और प्रबल कैसे बनाये जाए? इस समयास्या का हल सिर्फ मानसिक श्रम के स्वचलकरण से संभव है, जिसमें एलेक्ट्रोनी कलनकों की सहायता ली जाती है। एलेक्ट्रोनी कलनक नवोदित विज्ञान—चालिकी—का तकीनीकी आधार है।

संचालक तंत्र

संचालक तंत्र* आधुनिक विज्ञान की एक महत्त्वपूर्ण अवधारणा है। तकनीक, वनस्पतिजगत, जीवजगत, और मानव-समाज में हम नाना प्रकार के संचालक तंत्र देख सकते हैं।

तकनीकी संचालक तंत्र का एक सरल उदाहरण है—जल-स्तर का प्लावी नियामक (चित्र पृ. 8 पर) इसका काम द्रव-स्तर को स्थिर बनाऐ रखना है। ऐसे नियामक सरलतम वाष्पित्रों में लगे होते हैं।

इस नियामक में संचालक तंत्र एक तरंड, एक उत्तोलक और एक डाट से बना होता है। इस सरल तंत्र में जटिल से जटिल संचालक तंत्रों के भी सभी गुण मौजूद है। यथा, हर संचालक तंत्र में एक **संवेदी अंग** या **ग्राहक प्रयुक्ति** होती है। (हमारे नियामक में यह तरंड है), जिसकी सहायता से वह संचाल्य वस्तु (पानी के बर्तन) की अवस्था (पानी के स्तर) के बारे में जानकारी या, जैसा कि अक्सर कहते हैं, सूचना ग्रहण करता है।

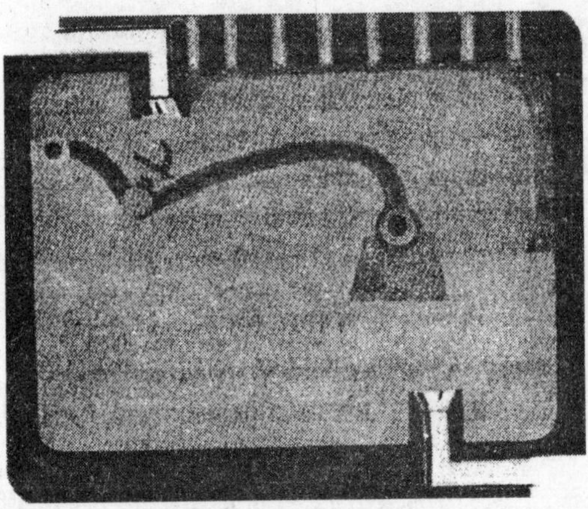

जल-स्तर का प्लावी नियंत्रक

संचालक तंत्र में एक ऐसी प्रयुक्ति भी होना चाहिए, जो संवेदी अंग द्वारा संचाल्य (वस्तु) से प्राप्त सूचना का रूपांतरण कर सके। हमारे उदाहरण में **सूचना का** ऐसा **रूपांतरक** उत्तोलक है।

और अंत में संचालक तंत्र में ऐसा कोई उपकरण होना चाहिए, जिसकी सहायता से वह संचाल्य पर अभिक्रिया कर सके। ऐसे उपकरण को कार्यकारी यंत्र (दाता-प्रयुक्ति) कहते हैं। हमारे उदाहरण में कार्यकारी यंत्र नली के मुँह के बंद करने वाला डाट है।

आधुनिक तकनीक में जल-स्तर के नियमक तंत्र से कहीं ज्यादा जटिल स्वचल तंत्र प्रयुक्त होते हैं। जैव संचालक तंत्र और भी जटिल होते हैं और इनमें भी मनुष्य का तंत्रिका-तंत्र, उसका

* तंत्र सोपानिक अधीनता के सिद्धांत पर परस्पर संबद्ध और परस्पर क्रियाशील उपादानों से बने समुच्चय को कहते हैं—अन.

शिरोमस्तिष्क जटिलतम संचालक तंत्र है। तकनीकी संचालक तंत्रों की तरह आदमी के तंत्रिका-तंत्र में भी संवेदी अंग (ज्ञानेंद्रियों में तंत्रिकाओं के सिरे) होते हैं, कार्यकारी यंत्र (पेशियों का संचालन करने वाले तंत्रिकाओं के सिरे) होते हैं और सूचना का रूपांतरण (स्वयं तंत्रिका-तंत्र) होता है।

और मानव-समाज में संचालक तंत्र किस तरह से बने हैं ? अर्थ-संचालन को लेते हैं। इस तंत्र का संवेदी अंग प्राथमिक गणन का विभाग है, जो आर्थिक स्थिति के बारे में विभिन्न सूचनाएँ जमा करता है। एकत्रित सूचनाओं का रूपांतरण, निर्णय लेने का कार्य योजना-विभागों मंत्रालयों, आदि, में होता है। उद्यमशालाओं में विशेष कार्यकारी उपकरण होता हे, जो इन निर्णयों का कार्यांवित करता है।

उपरोक्त उदाहरण दिखाते हैं कि संचालक तंत्रों में मौलिक भिन्नताएँ होने के बाद भी उनमें कुछ सार्वता उपस्थित रहती है। जिन सार्वनियमों के आधार पर संचालक तंत्र काम करते हैं, उनका अध्ययन एक विशेष विज्ञान—**चालिकी**—में होता है। शब्द 'चालिकी' साइबेरनेटिक्स (किबेरनेटिक्स) का अनुवाद है। (प्राचीन ग्रीक शब्द 'किबेरनाओ'—'मैं चलाता हूँ,' 'किबेरनेटेस'—'चलाने वाला, चालक', जिसके हाथ में संचालन के लिए रास, बागडोर, स्टीयरिंग, आदि, होता है; 'किबेरनेटिके'—'चालन-कला')। शब्द 'चालिकी; हमें याद दिलाता है कि विज्ञान 'चालिकी' से संबंध संचालन में है। यदि और शुद्ध रूप में कहा जाए, तो **चालिकी चूना-रूपांतरणों और संचालक तंत्रों के व्यापक नियमों का अध्ययन करती है।**

प्राचीन ग्रीक विद्वानों के बाद पहले-पहल इन शब्दों का प्रयोग 1834 में फ्रांसीसी भौतिकविद आंद्रे मारी आंपेर (ऐंपियर Ampere 1775-1836) ने किया। उन्होंने 'चालिकी' नाम समाज-संचालन के विज्ञान को दिया था, जो उस समय अस्तित्व में नहीं आया था। 1948 में शब्द 'चालिकी' से संचालन के सामान्य विज्ञान को द्योतित किया गया, जो बाद में चल कर एक स्वतंत्र वैज्ञानिक विषय बना। चालिकी का जन्म विज्ञान और तकनीक के अब से पूर्ववर्ती विकास का परिणाम है। चालिकी की आधारशिला आधुनिक गणित और इसके द्रुत विकासशील क्षेत्र, जैसे अलजबरा, गणितीय तर्क, सूचना-सिद्धांत, अलरितम-सिद्धांत, स्वचलता-सिद्धान्त, बाहुल्यसेवा-सिद्धान्त, श्रेष्ठ निर्णय का सिद्धान्त संक्रिया-अन्वीक्षण, आदि है।

वर्तमान समय में चालिकी स्वचलकरण (और मुख्यतया अनेक प्रकार के बौद्धिक कार्यो के स्वचलकरण) का सैद्धांतिक आधार है।

तकनीकी तथा जैव तंत्रों और साथ ही इन दोनों तथा मानव-समाज में कार्यरत संचालक तंत्रों के बीच गहन गुणात्मक अंतर है--इसमें कोई शक नहीं है। इसीलिए चालिकी के साथ-साथ विज्ञान की ऐसी भी शाखाएँ हैं, जो विभिन्न प्रकार के संचालक तंत्रों की विशेषताओं का अध्ययन करती है। इनमें तकनीकी स्वचालिकी, उच्च स्नायविक क्रियालोचन और सामाजिक विज्ञानों के एक बहुत बड़े समूह की गणना होती है।

चालिकी की अनुयुक्त प्रकृति इस तथ्य से व्यक्त होती है कि इसका उपयोग यथार्थ दुनिया की बिल्कुल भिन्न वस्तुओं के अध्ययन में होता है। यथा, अर्थिक चालिकी का काम आर्थिकी में संचालक तंत्रों के व्यापक नियमों का प्रयोग करना है; जीव-चालिकी सजीव अंगधारियों तथा मानवीय चिंतन का अध्ययन करती है, बुद्धि या प्रज्ञा का प्रतिरूप बनाने के प्रयत्न करती है; तकनीकी चालिकी कलनक मशीनों और सूचनात्मक तंत्रों, आदि जैसे जटिल तंत्रों का प्रेरेखण करती है।

चालिकी के व्यावहारिक उपयोग की प्रक्रिया में नये-नये सैद्धांतिक प्रश्न उठते रहते हैं, जिनका अध्ययन सैद्धांतिक चालिकी करती है।

सूचना और कोडन

चालिकी का महत्वपूर्ण अंग है–**सूचना-सिद्धांत।** यह सूचना की प्रस्तुति और प्रेषण के विभिन्न रूपों का अध्ययन करता है; ये रूप विविक्त (एब्स्ट्रेक्ट, नैसर्गिक जन्म-परिस्थितियों तथा संबंधों से अलग किए हुए) भी हो सकते हैं और संभूत (नैसर्गिक जन्म-परिस्थितियों तथा संबंधों के साथ) भी हो सकते हैं–संभूत संचालक तंत्रों में प्रयुक्त हो सकते हैं।

सूचना दो रूपों में प्रस्तुत की जा सकती है : **संतत** रूप में और **छिन्न** रूप में।

प्रथम स्थिति में सूचना किसी ऐसी राशि के रूप में प्रस्तुत की जाती है, जिसके मान संतत रूप में बदलते हैं, छलाँगों में नहीं। उदाहरणार्थ, रेडियो या टेलीफोन द्वारा शब्दों को प्रेषित करने के लिए ध्वनि को समरूपता से अपना मान बदलने वाली राशियों–धाराबल या बोल्टता (विभवांतर)–के रूप में प्रस्तुत करते हैं। उन्हीं शब्दों को कागज पर लिखने में या मोर्स की वर्णमाला द्वारा प्रेषित करने में प्रस्तुति की प्रकृति बदल जाती है, सूचना थोड़े-थोड़े अंशों या अलग-अलग 'पुटलियों'–बिंदु और डैस–में बाँट दी जाती है। (मोर्स की वर्णमाला में सिर्फ दो वर्ण हैं–बिंदु और डैस); एक पुटली से दूसरी पुटली में संक्रमण चौकड़ियों या छलाँगों में होता है। यहाँ सूचना की प्रस्तुति छिन्न रूप में होती है।

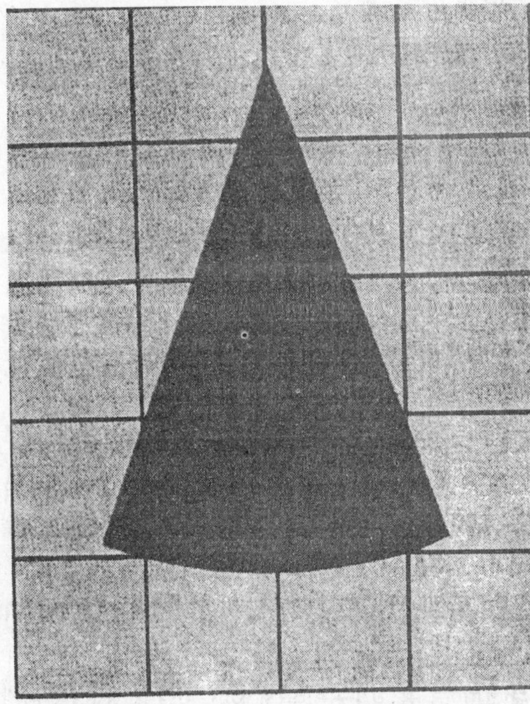

शंकु का चित्र विविक्त वर्णमाला में कोडित करना है।

वर्तमान चालिकी छिन्न रूप में सूचना की प्रस्तुति को विशेष महत्त्व देती है, क्योंकि संतत रूप में दी गई सूचना को छिन्न रूप में किसी भी प्रत्त (प्रदत्त) शुद्धता के रूप प्रस्तुत किया जा सकता है। यही नहीं, सूचना की अलग-अलग पुटलियों का काम किसी भी संख्या में चुने गए प्रतीक (सार्वकृत वर्ण) कर सकते हैं, जिन्हें अक्सर **विविक्त वर्णमाला** कहते हैं। सिर्फ इतना जरूरी है कि इस वर्णमाला में एक से अधिक सार्वकृत वर्ण हों। किसी सूचना को विविक्त वर्णमाला के वर्णों की क्रमबद्ध स्थिति के रूप में प्रस्तुत करने की क्रिया को कोडन कहते हैं।

उदाहरण के लिए पृष्ठ 16 के चित्र में निहित सूचना के कोडन की विधि देखते हैं (विविक्त वर्णमाला के रूप में दो अंक–0 और 1 ले सकते हैं)। चित्र को वर्गों (या आयतों) में बाँट देते हैं। इनका आकार उस शुद्धता-कोटि

पर निर्भर करता है, जिससे हमें सूचना प्रस्तुत करना है।

तय कर लेते हैं कि वर्ग में यदि आकृति आधी से कम जगह छेंकती है, तो उस वर्ग को शून्य से द्योतित करेंगे, यदि आधी या आधी से अधिक जगह छेंकती है, तो उस वर्ग को ईकाई से द्योतित करेंगे। ऊपर से नीचे तक हर पंक्ति के वर्गों को बाएँ से दाईं और चलते हुए तदनुसार द्योतित करने पर हमें छिन्न कोड प्राप्त होगा : 0000000001100-1100000। जाहिर है कि यह प्रस्तुति, चित्र का बहुत कम शुद्धता से वर्णन करती है। पर यदि चित्र और छोटे-छोटे वर्गों (या आयतों) में विभक्त कर दिया जाए, अर्थात् वर्गों की संख्या पर्याप्त बड़ी कर दी जाए, तो अधिक उच्च कोटि की शुद्धता से वर्णन प्राप्त हो सकेगा।

प्राप्त कोड के आधार पर आरंभिक चित्र ज्ञात करने की विपरीत क्रिया, अर्थात आरंभिक सूचना को उसके छिन्न कोड के सहारे प्राप्त करने की क्रिया, को **डिकोडन** कहते हैं।

सूचना-सिद्धांत में विभिन्न खबरों को कोडित करने की ही नहीं, उनमें निहित सूचना का मात्रात्मक मूल्यांकन करने की विधियाँ भी निर्धारित की गई हैं।

यह घरौंदा भी कोडित तथा डिकोडित किया जा सकता है।

स्वचलता-सिद्धांत

कोडन और डिकोडन की समस्याएँ मुख्यतः संचालक तंत्रों की ग्राहक और दाता प्रयुक्ति बनाते समय उठती हैं। सूचना की रूपांतरकारी प्रयुक्तियों का सैद्धांतिक आधार आधुनिक चालिकी का एक **स्वचलता-सिद्धांत** नामक अध्याय है।

इस सिद्धांत की विषय-वस्तु मुख्यतः स्वचल मशीन, उसके गुण, उसकी बनावट, उसका प्रेरखन और साथ ही उसकी सहायता से सूचना के रूपांतरण की विधियाँ हैं।

स्वचलता-सिद्धांत और अलरितम-सिद्धांत के बीच बहुत घनिष्ठ संबंध हैं, स्वयं 'स्वचलता' की अवधारणा अलरितम की गणितीय अवधारणा पर आधारित है। अलरितम नियमों के सांत (अंतयुक्त) तंत्र को कहते हैं, जिसके सहारे छिन्न सूचना का रूपांतरण होता है।* अलरितम की अवधारणा से आप दरअसल स्कूलों में ही परिचय पा लेते हैं। उदाहरणतया, बीजगणित से वर्ग-समीकरण और रैखिक समीकरणों के तंत्रों के हल, वर्णिक व्यंजनों के समरूप पदों के जोड़-घटाव

* मध्य एशिया के विद्वान मुहम्मद बेन मूसा (करीब 787-850) के उपनाम अलखोरेज्मी का लातीनी आत्मसातन अलगोरिज्म (-इज्म=-वाद) और तदनंतर फ्रांसीसी आत्मसातन अलगोरिथ्म (ग्रीक : अरिथ्मोस=संख्या) हुआ था। अलगोरिथ्म शब्द से प्रश्न को यंत्रवत हल करने की विधि (आवश्यक संक्रियाओं के क्रम) को सूचित किया जाता था। हिंदी में इसे अलरितम के रूप में आत्मसात करने की कोशिश हुई है, संस्कृत 'ऋतम्' (स्थिर और निश्चित नियम) से।—अनु

और विकोष्ठन के अलरितम सभी जानते होंगे। लेकिन अलरितम का प्रयोग गणित की सीमा के बाहर भी प्रचलित है। यदि उन सभी नियमों को सूत्रबद्ध किया जाए, जिनका प्रयोग अंग्रेजी से रुसी का अनुभवी अनुवादक करता है, तो अंग्रेजी-रूसी अनुवाद का अलरितम प्राप्त होगा।

शतरंज के प्राथमिक नियमों के साथ यदि सामरिक नियमों को भी मिला दिया जाए, जिनकी सहायता से हर स्थिति में प्रत्त नियमों की दृष्टि से एकमात्र उत्तम चाल ढूँढी जा सके, तो शतरंज के खेल का अलरितम प्राप्त होगा।

सिद्धांततः किसी भी मानवीय बौद्धिक कार्य को एक अलरितम पालन के रूप में प्रस्तुत किया जा सकता है। लेकिन इन अलरितमों के लिए नियम ढूँढ़ना वस्तुतः अत्यंत कठिन और जटिल कार्य है।

अलरितमी तंत्र में सूचना व्यक्त करने की विधि, प्राथमिक संक्रियाओं (जैसे गणित में जोड़-घटाव आदि) का समूह और प्राथमिक अलरितमों से जटिल अलरितम प्राप्त करने के नियम आते हैं।

अलरितम-सिद्धांत से प्राप्त दो परिणाम चालिकी के लिए अत्यंत महत्त्वपूर्ण हैं। पहला है—**अलरितमी तंत्रों की सार्वता;** इसका अर्थ है कि प्रत्त अलरितमी तंत्र में कोई भी अलरितम लिखा जा सकता है। जिस प्रकार परमाणुओं के मिलने से विभिन्न द्रव्यों के अणु बनते हैं या एक ही जैसे वर्णों के विभिन्न मेल से बिल्कुल भिन्न अर्थ वाले शब्द बनते हैं, उसी प्रकार प्राथमिक अलरितमी संक्रियाओं के आवश्यक मेल से कोई भी अन्य अलरितम प्राप्त किया जा सकता है।

दूसर महत्त्वपूर्ण परिणाम यह है कि **अलरितमी हलातीत प्रश्न** भी अस्तित्त्व रखते हैं। से ऐसे प्रश्न हैं, जिनके हल के लिए अनन्त संख्या में विभिन्न चालों (संक्रियाओं) की आवश्यकता पड़ती है। लेकिन कोई भी अलरितम चालों की सिर्फ सांत संख्या से बन सकता है, यद्यपि यह संख्या बहुत बड़ी भी हो सकती है।

उदाहरण के लिए, ऐसा अलरितम बनाया जा सकता है, जिसके सहारे सरल ज्यामिति का कोई भी प्रमेय सिद्ध किया जा सके (सीमा की अवधारणा का प्रयोग किए बगैर)। लेकिन यह भी सिद्ध किया जा चुका है कि संख्या-सिद्धांत के लिए (जो पूर्ण संख्याओं के गुणों का अध्ययन करता है) ऐसा अलरितम बनाना संभव नहीं है, वह अस्तित्त्व ही नहीं रखता।

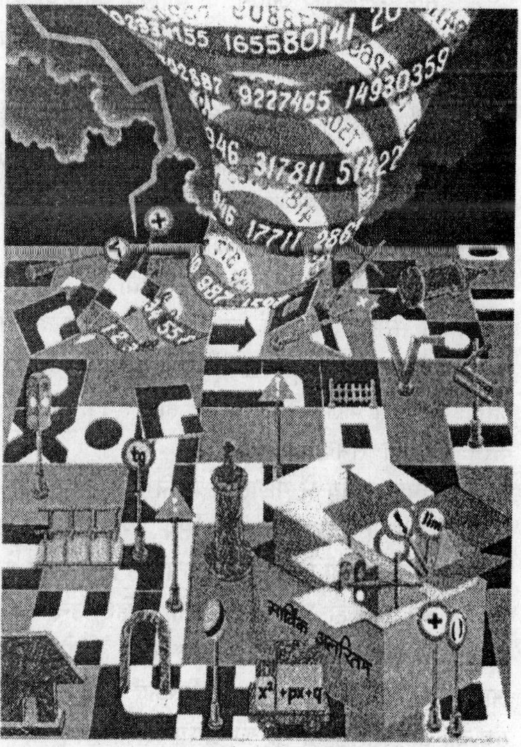

सरल ज्यामितिक गुणों को सिद्ध करने के लिए सार्विक अलरितम बनाये जा सकते हैं, लेकिन पूर्ण संख्याओं के गुणों के लिए नहीं। यह असंभव कार्य है।

स्वचलता-सिद्धांत की मुख्य समस्या है—प्रत्त अलरितम के

कार्यांवयन के लिए सूचना-रूपांतरक बनाने की विधियाँ निर्धारित करना। विभिन्न उद्यम-शाखाओं में उत्पादन-प्रक्रियाओं के नियंत्रण और संचालन के लिए मशीनें, एक भाषा से दूसरी में अनुवाद करने वाली मशीनें—ये सूचना-रूपांतरक हैं, जो किसी न किसी अलरितम का पालन करते हैं।

यदि सार्विक अलरितमी तंत्र अस्तित्त्व रखते हैं, तो सिद्धांततः **सार्विक सूचना-रूपांतरक** भी बनाए जा सकते हैं जो किसी भी अलरितम को कार्यांवित कर सकते हैं, उसका पालन कर सकते हैं। इस तरह के सार्विक सूचना-रूपांतरक बनाए जा चुके हैं और सफलतापूर्वक काम भी कर रहे हैं। ये तथाकथित **सार्विक एलेक्ट्रोनी आंकिक कलित्र** (एलाक) हैं। इन मशीनों को आंकिक कहते हैं, क्योंकि शुरु-शुरु में इनका उपयोग **कलनक अलरितमों** को संपन्न करने के लिए हुआ था। जिन सूचनाओं के साथ इनका वास्ता पड़ता था, वे भी **आंकिक,** अर्थात संख्याओं के समूह, ही थे। इन मशीनों में तथाकथित **स्मर्नक प्रयुक्ति** (स्मृति, सूचनागार) भी होती है, जिसकी सहायता से वे संसाध्य सूचना और साथ ही अपना **कार्यक्रम** 'याद' रखती हैं, अर्थात् नियत संकेतों (कोड) की सहायता से वे उस अलरितम को लिख लेती हैं, जिसे उन्हें पूरा करना होता है।

कार्यक्रम बदलने के लिए पूरी मशीन में परिवर्तन की आवश्यकता नहीं होती; ग्राहक में यथास्थान **छेद किया हुआ कार्ड या फीता** (छेदित कार्ड या छेदित फीता) डाल देना पर्याप्त होता है। इस प्रकार मशीन में नया कार्यक्रम डाला जाता है और उसे नये प्रकार के काम के लिए तैयार किया जाता है।

इसके फलस्वरूप आदमी के बौद्धिक कार्य के स्वचलकरण के लिए विस्तृत संभावनाएँ उत्पन्न होती हैं—सिर्फ इतना ही रह जाता है कि विचाराधीन कार्य का वर्णन करने वाला अलरितम बना लिया जाए, उसे कार्यक्रम में रूपांतरित किया जाए और मशीन में डाल दिया जाए।

सार्विक मशीन में कोई भी अलरितम कार्यक्रम के रूप में डाला जा सकता है, और चूँकि मशीन आदमी की तुलना में अधिक शीघ्रता और शुद्धता से काम करती है, इसलिए वह अलरितम भी उसकी तुलना में अधिक अच्छी तरह से संपन्न करती है। इससे स्पष्ट हो जाता है कि जिन बौद्धिक कार्यों में आदमी यथासमय सूचना का संसाध्य करने में समर्थ नहीं होता, उनके स्वचलकरण में चालिकी का कितना व्यावहारिक महत्त्व है। अनेक वैज्ञानिक और इंजीनियरी कलन इतने जटिल होते हैं कि आदमी उन्हें पूरा करने में बहुत समय लगा देता है।

वर्तमान समय में गणित तथा निगमन तर्कशास्त्र का प्रयोग करने वाले अन्य विज्ञानों के लिए सिर्फ सरल सूचना-निदर्शक तंत्र ही काफी नहीं हैं, जो सिर्फ इतना बताते हैं कि गणित के तदनुरूप क्षेत्र के बारे में कहाँ और क्या पढ़ना चाहिए; उन्हें स्वयंसिद्धि के मशीनी अलरितम वाले तंत्रों की आवश्यकता है, जो तथ्य-संकुलों के आधार पर स्वयं सरल तर्कसंगत निष्कर्ष निकाल सकते हैं। इन सब की सहायता से गणित की आधारशिला रचने की समस्या को नये सिरे से हल किया जा सकता है।

अर्थव्यवस्था में कलनक तकनीक

परमाणु-भौतिकी तथा रॉकेटी तकनीक जैसे आधुनिक विज्ञान-क्षेत्रों में अरबों अंकगणितीय संक्रिया वाले कलनों की आवश्यकता पड़ती है। बटन वाले कलनक उपकरणों की सहायता से भी आदमी बहुअंकी संख्याओं के साथ एक मिनट में औसतन दो से अधिक अंगणितीय संक्रियाएँ नहीं संपन्न कर सकता। एक अरब संक्रियाएँ संपन्न करने के लिए उसे हजार वर्ष तक अविराम, बिना खाऐ-पिए, काम करना पड़ता; पर आधुनिक एलेक्ट्रोनी आंकिक मशीन (जैसे BESM-6) प्रति सेकेंड 10 लाख अंकगणितीय संक्रियाओं की दर से कोई चौथाई घंटे में एक अरब संक्रियाएँ संपन्न कर सकती है। श्रम की ऐसी उत्पादनशीलता के कारण अब अनेक जटिल प्रश्न हल हो सकते हैं, जिनके बारे में पहले आदमी सोच भी नहीं सकता था।

कलन के स्वचलकरण की आवश्यकता विज्ञान और तकनीक के नवीनम क्षेत्रों को ही नहीं है। उदाहरणतया, मौसम विज्ञान में स्वचलकरण की सहायता से जटिल कलन भी यथासमय संपन्न हो जाते हैं, जो मौसम की भविष्यवाणी के लिए आवश्यक होते हैं।

जीवविज्ञान और चिकित्सा-विज्ञान के क्षेत्र में भी कई प्रक्रियाएँ स्वचलकृत हो रही हैं। चालिकी जीववैज्ञानिकों को अन्वीक्षण की नई विधियाँ प्रदान करती है। सार्विक एलेक्ट्रोनी आंकिक मशीनें जीवों के विकास और नैसर्गिक चयन का प्रतिरूप बनाने, लक्षणों के आधार पर रोग निर्धारण की प्रक्रिया को स्वचल बनाने और सोपाधिक परिस्थितिज प्रतिवर्त उत्पन्न होने तथा जानवर व यहाँ तक की आदमी के मस्तिष्क के अन्य कार्यों के प्रतिरूप बनाने में सहायक होती हैं।

चिकित्सा-विज्ञान के क्षेत्र में रोग का अन्वीक्षक या चिकित्सक एलाक-सज्जित चिकित्सा-केंद्र से रोगी की अवस्था के बारे में सूचनाएँ, रोग के इतिहास के बारे में गिने-चुने तथ्य, समान रोगियों के बड़े समूह पर प्रयुक्त चिकित्सा-संकुल की कारगरता संबंधी सूचनाएँ, आदि, प्राप्त कर सकता है। इस तरह के केंद्र हमारे देश के अनेक नगरों में निर्मित होंगे।

दूसरी ओर जीवविज्ञान चालिकी को नए-नए विचार प्रदान करता है जिनकी सहायता से बनी मशीनें मस्तिष्क की प्रकृति के काफी निकट हो जाएँगी, बनिस्बत अभी की मशीनों के।

तकनीकी प्रेरेखन में स्वचलकरण की सहयता से सभी अच्छे पर्यायों में से जो सर्वोत्तम होता है। (तथाकथित श्रेष्ठ प्रेरेख), उसे चुना जा सकता है। स्वचलकरण की अनुपस्थिति में अपेक्षाकृत बहुत कम पर्यायों का निरीक्षण संभव होता है।

काम पर मुस्तैद हों !

उदाहरण के लिए प्रत्त रूट पर रेलवे (दिये हुए स्थानों से गुज़रने वाले रेलपथों) का सर्वोत्तम प्रेरेख चुनने की समस्या को देखते हैं। कल्पना में रूट के अनुतीर जमीन का उदग्र काट प्राप्त करने पर दिए हुए स्थान का चढ़ाव-उतार दिखाने वाला वक्र मिलेगा। ऐसे स्थान पर रेलवे लाइनें नहीं बिछाई जा सकती है। क्योंकि इंजन को ऐसे मार्ग पर कभी वेग कम करना होगा, कभी बहुत अधिक शक्ति से ऊपर खींचना होगा। विशेष ऊँचाई पर चढ़ने के लिए एक से अधिक इंजन की भी आवश्यकता पड़ सकती है।

इसलिए स्थान को पहले थोड़ा समतल बनाना जरूरी है। इसके लिए कुछेक बिंदु चुनते हैं, जिनसे होकर जमीन बराबर की जाती है। हमारे उदाहरण में 5 बिन्दु लिए गए हैं। (A, B, C, D, E)। सिरे के बिंदुओं A और E को छोड़ कर बाकी में से हर बिंदु नियत ऊँचाइयों पर सौ भिन्न स्थितियों में चुना जा सकता है। इस तरह सभी बिंदुओं की पारस्परिक स्थितियाँ 100^3=1000000 होंगी; इनमें से किसी एक के सहारे जमीन बराबर की जा सकती है; कौन-सा प्रेरेख सबसे अच्छा होगा ?

यदि एक मिनट में दो पर्यायों का निरीक्षण संभव है, तो कुल निरीक्षण में पूरा साल बीत जाएगा। यदि बिंदुओं की संख्या 100 तक बढ़ा दी जाए, तो पर्यायों की संख्या ईकाई पर 196 शून्यों के बराबर हो जाएगी और इन सब का निरीक्षण करने में ईकाई पर 190 शून्य जितने वर्ष लगेंगे। इस स्थिति में आदमी तो क्या, एलैक्ट्रोनी कलनक मशीन भी सारे पर्यायों का निरीक्षण नहीं कर सकती।

इसीलिए ऐसी विधियाँ प्राप्त करना बहुत आवश्यक है, जिनकी सहायता से विचाराधीन पर्यायों की संख्या तेजी से कम की जा सके; यह शुरु में ही निर्धारित किया जा सके कि अमुक प्रकार के पर्याय अच्छे नहीं होंगे, और इस प्रकार के पर्यायों का समूह शुरू में ही छोड़ा जा सके।

ऐसी विधियाँ प्राप्त करने के लिए काम का चालिकी के एक विशेष अनुच्छेद–**श्रेष्ठकरण-सिद्धांत और श्रेष्ठनिर्णय-सिद्धांत**–में अध्ययन किया जाता है।

वर्तमान समय में श्रेष्ठ प्रेरेखन, आयोजन और संचालन की समस्याओं के हल की गई विधियाँ प्राप्त की जा चुकी है। मार्गों, बिजली की लाइनों, आदि, के श्रेष्ठ प्रेरेखन की समस्या हल करने के लिए **पर्यायों के क्रमिक विश्लेषण की**

विधि सुविधाजनक है। इस विधि की सहायता से साधारण क्षिप्रता वाली (एक सेकेंड में 10-12 हजार संक्रियाएँ संपन्न करने वाली) कलनक मशीनें कुछेक सौ किलोमीटर लंबे रेलपथ के लिए जमीन चौरस करने के प्रेरखों का श्रेष्ठ पर्याय कोई 2-3 घंटे में दे सकती हैं।

तकनीक के कई क्षेत्रों में अलरितमों के ऐसे तंत्र विकसित किए जा रहे हैं, जिनकी सहायता से अनेक जटिल वस्तुओं के निर्माण की प्रेरखन क्रिया स्वचलकृत हो सकती है।

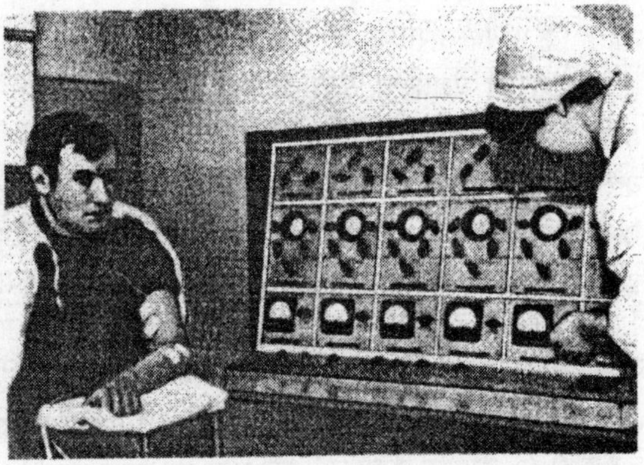

रोग-निर्धारक की भूमिका में एलाक

अर्थ-व्यवस्था के श्रेष्ठ नियोजन और संचालन का महत्त्व कुछ कम नहीं है। इससे संबंधित प्रश्नों का चालिकी की एक विशेष शाखा—**आर्थिक चालिकी**—में अध्ययन किया जाता है। सोवियत संघ में उत्पादन का पैमाना इतना बड़ा है और अर्थिक विकास की दर इतनी ऊँची है कि नियोजन की साधारण, अस्वचलकृत, विधियाँ हमें संतुष्ट नहीं कर सकतीं। किसी योजना का श्रेष्ठ पर्याय ढूँढ़ना आज एलेक्ट्रोनी आंकिक मशीनों के बिना संभव नहीं है।

एलेक्ट्रोनी आंकिक मशीनें फिलहाल आर्थिक नियोजन के सिर्फ विशेष (असार्व) प्रश्नों के हल में प्रयुक्त होती हैं। तथाकथित यातायात संबंधी प्रश्न (कई जगहों के बीच माल के अल्पतम खर्चे से परिवहन वाली योजना ढूँढ़ने संबंधी प्रश्न) **रैखिक कार्यक्रमन** की विधि से विशेष सफलता के साथ हल होते हैं, कारखाने में किसी मशीन के उत्तम कार्य-भरण का प्रश्न भी इसी विधि से हल होता है। ऐसे स्वचलकरण से औसतन 10-15% की बचत होती है और अलग-अलग स्थितियों में 50-60% तक की बचत होती है।

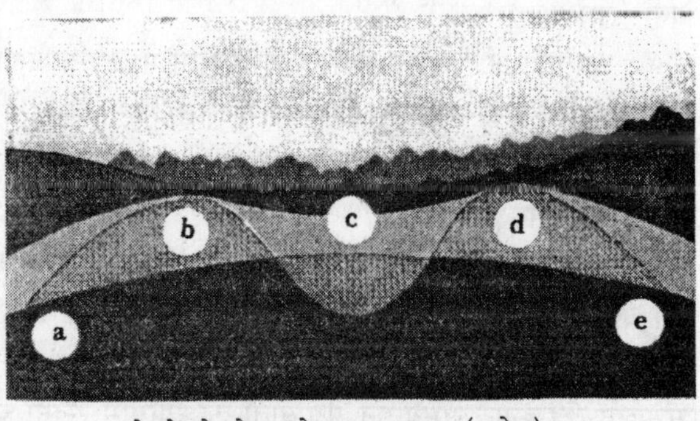

रेलवे के श्रेष्ठ प्रेरख का चुनाव (आरेख)

आज के दिन सिर्फ नियोजन और संचालन की ही नहीं, आवश्यक प्राथमिक सूचना के संग्रह, गणन, निदर्शन और सांख्यिकीय कार्यों के भी पूर्ण स्वचलकरण की समस्या ज्वलंत हो रही है। इस उद्देश्य से विशेष कलनक केंद्र बनाए जाते हैं, जिनकी संरचनात्मक इकाइयाँ पदानुकूल स्थान रखती हैं। (पदबद्ध रचना); वहाँ शक्तिशाली एलेक्ट्रोनी आंकिक मशीनें होती हैं, जो आपस में और उत्पादन-केंद्रों के साथ आधुनिकतम संचार-साधनों से संबंधित होती हैं। इससे आवश्यक सूचना का संचार शीघ्रता के साथ संपन्न होता है।

अधीनस्थ एलाक से संचार-नाल द्वारा उच्च स्तर वाली कलनक मशीनों तक जाने वाली सूचनाएँ दसेक मिनटों से संसाधित हो जाएँगी; अभी इस काम में वर्षों लग जाते हैं। संसाधित परिणाम सर्वोच्च संगठन (जनतंत्रों की योजना-समितियों और वहाँ से सोवियत संघ की योजना समिति) तक पहुँच जाएँगे। यदि भविष्य में कोई नई आर्थिक समस्या हल करने के लिए प्रत्त आँकड़ों की आवश्यकता होगी, तो अपनी-अपनी जगहों पर स्थित एलाकों में सुरक्षित सारी सूचना मशीन-तंत्रों और संचार-तंत्रों के सहारे प्राप्त हो जाएगी।

श्रेष्ठ अर्थ-संचालन की समस्या के साथ उत्पादन-प्रक्रिया के श्रेष्ठ संचालन की समस्या भी जुड़ी है। अभी जटिल प्रक्रियाओं का संचालन एक या कई प्रेषणकर्मी (डिसपैचर) करते हैं, पर वे यह काम श्रेष्ठ ढंग से नहीं कर पाते। बात

यह है कि मानव-मस्तिष्क आवश्यक सूचना की बहुत बड़ी मात्रा को यथाशीघ्र संसाधित करने में असमर्थ होता है। यहाँ उसकी सहायता सिर्फ स्वचलकृत तंत्र कर सकते हैं, जिनके आधार में संचालन के लिए अनुकूलित सार्विक एलेक्ट्रोनी आंकिक मशीनें हैं। इन्हें अक्सर **सार्विक संचालन-मशीनें** कहते हैं।

एलाक 'द्नेप्र-2'

इन मशीनों में विशेष दाता तथा ग्राहक प्रयुक्तियाँ लगी होती हैं, जो उत्पादन के संचालन के लिए आवश्यक सूचनाएँ स्वचल रूप में बटोरती और प्रदान करती हैं।

सार्विक संचालन-मशीन 'द्नेप्र' विभिन्न उद्योग-शाखाओं में उत्पादन-प्रक्रियाओं के नियंत्रण और संचालन के काम आती है। इस्पात गलाने, धातु काटने वाली मशीनों, रसायनिक और पेट्रोलियम उत्पादों के उत्पादन, रेलगाड़ियों की आवाजाही, आदि, अनेक प्रक्रियाओं का संचालन यह मशीन सफलतापूर्वक संपन्न करती है। इस मशीन का उपयोग वैज्ञानिक और इंजीनियरी अन्वीक्षणों, प्रायोगिक परिणामों के आँकड़ों के संग्रह और संसाधन, आदि, क्रियाओं के स्वचलकरण में भी होता है।

यथा, 'मिखाइल लोमोनोसोव' नामक वैज्ञानिक अन्वीक्षण-जहाज पर मशीन 'द्नेप्र' ने जलभौतिकीय अन्वीक्षणों के परिणाम यात्रा-काल में ही प्रस्तुत कर दिए; इसके बगैर इस काम में यात्रा समाप्त होने पर महीनों, और यहाँ तक की वर्षों, लग जा सकते हैं।

चालिकी अब मानव-ज्ञान के सभी क्षेत्रों में अपनी जड़ मजबूती से जमा चुकी है। इसने आदमी के कलनक तकनीक पर आधारित नयी संचालन-विधियों से लैस किया है।

आधुनिक उत्पादन के जटिल होने के कारण उत्पादन का संचालन एलेक्ट्रोनी कलनक मशीनों के बिना, चालिकी के बिना, संभव नहीं है।

संचालन के हर स्तर पर उत्पादन के संचालन का अर्थ अलग-अलग उत्पादन इकाइयों के बीच संबंधों का संचालन है। कारखाने की एक कर्मशाला दूसरी के साथ किस तरह से व्यतिक्रिया करती है, कारखाने एक-दूसरे के साथ कैसे संबंधित हैं, उद्योग की अन्य शाखाओं के साथ उनकी क्या व्यतिक्रिया है—एलेक्ट्रोनी कलनक मशीनों पर आधारित स्वचलकृत संचालन-तंत्र बनाते समय इन सब बातों को ध्यान में रखना चाहिए। अलग-अलग उत्पादन-केंद्रों के आपसी संबंध वैज्ञानिक तकनीकी क्रांति के कारण विशेष रूप से जटिल हो गए हैं। उदाहरण के लिए यदि पुतिलोव का कारखाना लिया जाए, तो 20वीं शती के आरम्भ में उसके लिए आवश्यक सामग्रियों और मशीनों की आपूर्ति का काम कुछ जटिल नहीं था कारखाना ऐसी मशीनें बनाता था, जिनके लिए आवश्यक धातू पूरी तरह उसी कारखाने में उत्पादित होती थी; आपूर्ति करने वाले अन्य कारखानों की संख्या बहुत सीमित थी। पुराने पुतिलोव कारखाने से ही पनपा हुआ आधुनिक किरोव कारखाना जटिल एलेक्ट्रोनी प्रयुक्तियों का उत्पादन करता है। इसके लिए कारखाने को दसियों हजार छोटे-बड़े कल-पुर्जों की आवश्यकता होती है, जो सैकड़ों पूर्तिकर्ताओं से प्राप्त होते हैं। एक भी सामग्री के यथा समय नहीं मिलने पर कारखाने का काम ठप पड़ जा सकता है, या इसे अपनी योजना में परितर्वन करना पड़ सकता है। ऐसे जटिल औद्योगिक केंद्रों के लिए ही विशेषज्ञ और वैज्ञानिकगण स्वचलकृत संचालक तंत्र बनाने की समस्या हल करने में जुटे हैं।

कियेव के चालिकीविद मुख्यतः मशीन-निर्माण और उपकरण-निर्माण के लिए स्वचलकृत संचालक तंत्र बनाने में लगे हैं। इन कारखानों की रचना निम्न आरेख के अनुसार होती हैं : एक स्थान होता है, जहाँ पुर्जे जोड़ कर पूरी मशीन

तैयार करते हैं। (जुड़ाई-घर); इसके साथ-साथ कई सहायक-घर (गोदाम आदि) और बनाई-घर होते हैं, जहाँ पुर्जे बनते हैं। (ये यांत्रिक कर्मशाला, ढलाई-घर, गैल्वेनी-घर, आदि होते हैं)। पहली दृष्टि से कारखाने का नियोजन और संचालन इतना जटिल नहीं लगता। मान लीजिए कि किसी वस्तु के दिन-प्रति-दिन उत्पादन की मात्रा निर्धारित हो चुकी है। यदि उत्पादन का पैमाना बहुत बड़ा है, तो सिर्फ यह निर्दिष्ट किया जाता है कि एक महीने, एक त्रिमास में कितना उत्पादन करना है, विभिन्न कर्मशालाओं (सहायक घर, बनाई-घर, आदि) से कितने पहले फरमाइश करनी चाहिए। इसके बाद यह निर्धारित करना रह जाता है कि वस्तुएँ निर्देशानुसार कैसे बनाई जाएँ। लगता है कि यह सब बिल्कुल आसान है। पर इस नियोजन-विधि से अलग-अलग उत्पादन रेखाओं के बीच दैनिक या घंटे-घंटे की योजनाओं के बीच असमन्वय उत्पन्न हो सकता है। पूरे देश के पैमाने पर ऐसे असमंवय से हमारे उद्योग को बहुत बड़ी हानि उठानी पड़ सकती है।

यह प्रक्रिया लगभग निम्न प्रकार से होती है। मान ले कि ढलाई-घर को विभिन्न प्रकार के 200 पुर्जे ढालने हैं। ढलाई-घर का अध्यक्ष पुर्जे बनाने का क्रम या तो उत्पादन की तैयारी के अनुसार निर्धारित करता है या धनराशि की दृष्टि से, ताकि तदनुरूप कारीगरों को कमाई मिल सके। लेकिन यांत्रिक कर्मशाला, जहाँ ढलाई के बाद पुर्जों का परिष्कार होता है, किसी और ही दृष्टि से अपनी योजना निर्धारित करती है। नतीजा अक्सर यह होता है कि जिस पुर्जे की ढलाई त्रिमास के अंत में नियोजित है, यांत्रिक कर्मशाला उसका परिष्कार त्रिमास के आरंभ में शुरु कर देती है। यदि पिछले त्रिमास से पुर्जे बचे हुए हैं, तो कर्मशाला का काम कुछ दिनों तक आराम से चल जाता है। बाद में उसे कठिनाई होने लगती है। बात निदेशक तक पहुँचती है, मुख्य इंजीनियर तक पहुँचती है। तरह-तरह के कदम उठाने पड़ते हैं।

एक रास्ता है : हर पुर्जे का इतना बड़ा भंडार बना लिया जाए कि यांत्रिक कर्मशाला को कभी भी ढलाई-घर का मुँह न देखना पड़े। लेकिन इससे दूसरे नुकसान हैं। अलग-अलग पुर्जों के भंडार से अनिश्चित समय के लिए 'बेकार पुर्जों' का कुल भंडार बहुत बड़ा हो जाता है; इसके अपने खर्चे हैं। इसके अलावा, यह एक प्रकार से तकनीकी प्रगति में बाधक भी है। यदि कारखाने को अगले दस वर्ष तक हूबहू एक ही प्रकार की वस्तुएँ बनानी हैं, तो बड़े भंडार से कोई खतरा नहीं है। पर मशीन और उपकरण बनाने वाले आधुनिक कारखाने में एक हफ्ते के दरम्यान एक वस्तु की बनावट में कई-कई बार सुधार हो जाते हैं। इस स्थिति में कारखाने का प्रशासन क्या करेगा ? सुधार के कारण वस्तु का गुण अधिक अच्छा हो जाता है, लेकिन पुराने प्रकार के पुर्जे उसके काम नहीं आ सकते और फेंके भी नहीं जा सकते; उनके भंडार का मूल्य लाखों रूबल है। निष्कर्ष सिर्फ एक हो सकता है—बड़ी अवधि के लिए पुर्जों को जमा करना इस समस्या का कोई उचित समाधान नहीं है।

इस प्रकार, भंडारों के आकार का संचालन एक जटिल समस्या है जिसका हल कारखाने में स्वलकृत संचालक तंत्र को ढूँढना होता।

एलाक 'मिन्स्क-22'

कारखाने के संचालक तंत्र का एक उदाहरण है ल्वोव टेलीविजन कारखाने का संचालक तंत्र, जिसे उक्रइनी अकादमी के चालिकी-संस्थान के सहकर्मियों ने कारखाने के विशेषज्ञों के साथ मिल कर बनाया है।

स्वचलकृत तंत्र 'ल्वोव' का तकनीकी आधार 'मिंस्क-22' जैसी दो एलेक्ट्रोनी कलनक मशीनों का संकुल है। मशीनों में अतिरिक्त प्रयुक्तियाँ लगी हैं, जिनके कारण उनका उपयोग अधिक सुविधाजनक हो गया है और कारगरता भी बढ़ गई है।

मशीन उत्पादन के सभी अंगों के लिए श्रेष्ठ कार्यक्रम बनाती है और उपस्करों की हर संरचनात्मक इकाई के एक-एक

मिनट का कार्य-काल योजनाबद्ध करती है, प्राविधिक नियमों के पालन और उत्पादनक्रम पर नजर रखती है, आवश्यकता पड़ने पर उपस्करों के नियत संकुल को चालू करती है और इसके लिए यांत्रिक कर्मशाला, ढलाई-घर, आदि, में पुर्जा बनाने की आवश्यक सामग्रियों की यथासमय माँग करना भी नहीं भूलती, इत्यादि। कारखाने के विभागों के कार्य से संबंधित सर्वांगीण सूचनाएँ किसी भी क्षण प्राप्त की जा सकती है।

एलाक 'प्रोमीन-2'

इन बातों से कारखाने की लाभदायकता का स्तर ऊंचा हो जाता है। स्वचलकृत तंत्र 'ल्वोव' अपनाने से श्रम की उत्पादनशीलता और उपस्करों की कारगरता बढ़ जाती है।

एलेक्ट्रोनी आंकिक मशीनों का उपयोग किसी दूरस्थ नगर में चल रही उत्पादन-प्रक्रियाओं के संचालन में भी हो सकता है।

संचालक मशीनों के निर्माण से उत्पादन-प्रक्रियाओं के स्वचलकृत संचालन की समस्या सिर्फ आधी हल होती है। उत्पादन-प्रक्रियाओं के संचालन के लिए कारगर अलरितम ढूँढ़ना भी कम महत्वपूर्ण नहीं है।

तकनीकी (उत्पादक) इकाइयों के संचालन के सार्वसिद्धांत का **तकनीकी चालिकी** में अध्ययन किया जाता है।

समझदार मशीनः वैज्ञानिक की विश्वस्त सहायक

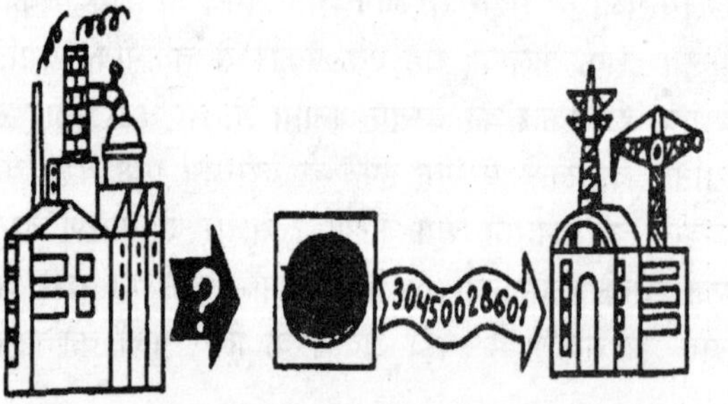

उत्पादन-प्रक्रियाओं का अलरितमन बहुत ही मेहनत का काम है और प्राविधि में निरंतर सुधार होते रहने से संचालन के अलरितमों में भी सुधार करते रहने की आवश्यकता होती है। इसलिए ऐसे तंत्रों के उपयोग की कोशिश होती है, जो आवश्यकतानुसार **स्वयं अपने में सुधार कर लें** (विकासरत तंत्र)।

चालिकी की सबसे मोहक शाखा है—मानवीय मस्तिष्क में चलने वाली प्रक्रियाओं का प्रतिरूप बनाने की समस्या का अध्ययन। इसमें विकासरत तंत्रों का विशेष महत्त्व है। मानव-मस्तिष्क एक अत्यंत जटिल और सुसंगठित विकासशील तंत्र है। मस्तिष्क की क्षमता निम्न उदाहरण से दिखाई जा सकती है।

यदि किसी आदमी को पाँच-मंजिला मकान का चित्र दिखाया जाए (इसके पहले उसने सिर्फ एक-मंजिले मकान देखे हैं), तो वह विभिन्न प्रकार के बहु-मंजिले मकानों को देखकर मंजिलों की संख्या के अनुसार उसका वर्गीकरण कर सकता है। और इसका मतलब है कि किसी एक बहु-मंजिले मकान का चित्र देख कर वह बहु-मंजिले मकानों की सही सार्विक अवधारणा प्राप्त कर ले सकता है। अन्यतः, आदमी का मस्तिष्क चित्र की वस्तु का सार्वरूप पहचानने के लिए आसानी से अनुकूलित हो जाता है।

मस्तिष्क की इस क्षमता का प्रतिरूप प्राप्त करने के लिए चालिकी में अनेक अलरितम बनाए गए और प्रयोग में भी लाए गए। ये दृश्यबिंबों और मानवीय संवाद को पहचानने की प्रक्रिया को स्वचल बनाने की व्यावहारिक समस्याओं को हल करने में कई बार सहायक सिद्ध हुए हैं। वैसे संवाद पहचानने की क्रिया के स्वचलकरण की दिशा में अभी सिर्फ पहले कदम ही उठाए गए हैं : मशीन अब तक दसेक शब्द ही पहचान पाती है, जिन्हें निश्चित परिस्थितियों के अंतर्गत विभिन्न स्वरों में उच्चरित किया जाता है।

मशीन को दृश्य तथा अन्य बिंब पहचानने की योग्यता से लैस करना--यह चिंतन-प्रक्रिया के प्रतिरूपण की दिशा में प्रथम और अपेक्षाकृत सरल समस्या है। तार्किक चिंतन का प्रतिरूपण, मशीन को भाषा सिखाना, सृजनात्मक प्रक्रियाओं का प्रतिरूपण—ये कहीं अधिक जटिल कार्य हैं।

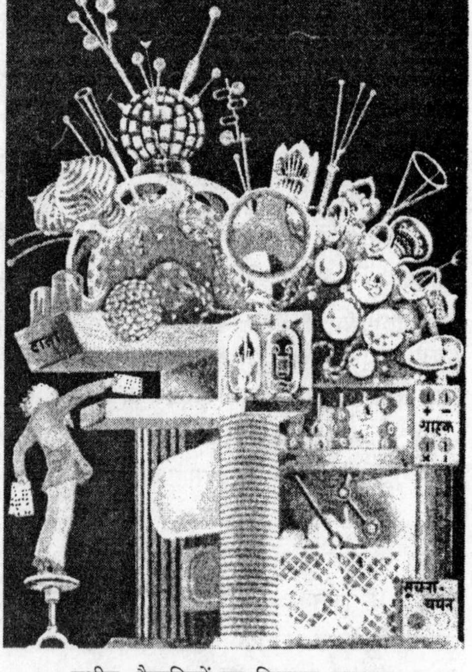

मशीन—वैज्ञानिकों का विश्वस्त सहायक

तर्कसंगत चिंतन के क्षेत्र में सबसे पहले विभिन्न प्रकार के ऐसे तंत्र प्रतिरूपित किए जाते हैं जिनकी सहायता से गणित के कई क्षेत्रों में प्रमेयों के स्वचल स्वचल प्रमाण प्राप्त किये जाते हैं। यहाँ सिर्फ उन प्रमेयों को रूप से प्रमाणित करने की बात नहीं चल रही है, जो पाठ्य-पुस्तकों में दिए जाते हैं, बल्कि आदमी के लिए अब तक अज्ञात प्रमेयों के स्वचलकृत प्रमाणन की भी बात चल रही है। इस तरह के स्वचल-कारण का महत्त्व बहुत अधिक है : अभी के अपेक्षाकृत कम उत्कृष्ट व्यापक एलेक्ट्रोनी आँकिक मशीनों के वेग और त्रुटिहीन कार्य का भी उपयोग करके निकटतम भविष्य में ही ऐसे जटिल प्रमेय सिद्ध किए जा सकते हैं, जिन्हें आदमी की बुद्धि बिना मशीन की सहायता से प्रमाणित नहीं कर सकती।

यहाँ खुद विज्ञान के विकास में स्वचलकरण के उपयोग का प्रश्न उठता है। भविष्य में नए प्रमेयों को सिद्ध करने में ही नहीं, प्रेक्षण के परिणामों की व्यापकीकरण में, नए भौतिकीय तथा अन्य सिद्धांतों को रचने में भी चालिकीय मशीनें आदमी की अपरिहार्य सहायक सिद्ध होंगी। अभी ही जटिल कलन और प्रयोगदत्त आँकड़ों के संसाधन के अतिरिक्त मशीनों का उपयोग सूचना-निदर्शन के स्वचलकरण में होने लगा है; पहले इस कार्य में वैज्ञानिकों का बहुत अधिक समय नष्ट होता था। सिद्धांत के अनुसार वैज्ञानिक सूचनाओं को सिर्फ पुस्तकालयों में ही नहीं, बल्कि विशेष सूचना-केंद्रों में चालिकीय मशीनों की एलेक्ट्रोनी याददाश्त में भी सुरक्षित रखा जा सकता है। इन केंद्रों से आवश्यक सूचनाएँ, किसी वैज्ञानिक निबंध का संक्षिप्त या पूर्ण अन्तर्य, आदि, सरलतापूर्वक प्राप्त किए जा सकेंगे।

वैज्ञानिक सृजनात्मक कार्यों में एक भाषा से दूसरी में अनुवाद, निबंधों के संक्षेपण, आदि, क्रियाओं के स्वचलकरण को भी महत्त्वपूर्ण स्थान प्राप्त होगा। इसके लिए मशीनों में मानवीय भाषा का कोई न कोई ज्ञान-तंत्र भी भरना होगा।

अभी प्रारंभ में इस तंत्र में सिर्फ आवश्यक शब्दकोश और व्याकरणिक नियम ही समाविष्ट किए गए हैं। लेकिन सिद्धांततः मशीन को उसमें भरे गए वाक्य का अर्थ समझने का काम सिखाना भी संभव है।

इस तरह के प्रयोग उक्राइनी अकादमी में किए गए थे। सार्विक एलेक्ट्रोनी आंकिक मशीन को तथाकथित 'सीखने की अवस्था' में 100 आकस्मिक शब्दों से बने सार्थक और निरर्थक वाक्यों

में अंतर करना सिखाया गया। मशीन अपने 'गुरु' द्वारा उसमें भरे गए वाक्यों को 'कंठस्थ' ही नहीं करती थी, नई अवधारणाएँ भी रचती थी। वह 'गुरु' से प्रश्न भी करती थी, और 'परीक्षा की अवस्था' में, सिर्फ उसे पहले से बताए गए वाक्यों के अर्थ में ही नहीं, बिल्कुल नए वाक्यों के अर्थ में भी भेद करती थी।

एक ज्वलंत प्रश्न उठता है : क्या बौद्धिक सृजनात्मक कार्यों का स्वचलकरण संभव है ? वैज्ञानिक सर्जना की बात ऊपर चली थी। सिर्फ यह निर्धारित करना आवश्यक होता है कि कार्यक्रमक को कार्यक्रम बनाने में कार्यक्रम का प्रश्न हल करने से कहीं अधिक समय तो नहीं लगेगा ?

एक सरल उदाहरण देखें। मान लें कि कार्यक्रमक को वर्ग-समीकरण हल करना नहीं आता, लेकिन वह यह परख सकता है कि अमुक संख्या प्रत्त समीकरण का मूल है या नहीं। इस स्थिति में वह बिना किसी कठिनाई के कार्यक्रम रच सकता है, जिसके अनुसार मशीन एक के बाद एक सरल से जटिलतर सूत्रों का उपयोग करती हुई समीकरण हल करती जाएगी और उत्तर की जाँच भी करती जाएगी। हर प्रश्न की जाँच, प्रत्त समीकरण में विचाराधीन सूत्र से प्राप्त उत्तर बैठा कर की जाएगी। (प्रत्त समीकरण एक से अधिक भी हो सकता है)। असफल होने पर मशीन अगला सूत्र बनाती है और उसकी जाँच करती है। यह क्रम तब तक चलता रहेगा, जब तक कि सफलता हाथ नहीं आती। कार्य बहुत फुर्ती से करने के कारण, मशीन जल्दी ही इष्ट सूत्र ढूँढ़ लेगी।

अधिक जटिल समस्या के हल में एक-एक सूत्र की जाँच की विधि में सफलता नहीं मिलेगी। पर नियमतः अत्यधिक क्षिप्रता के कारण मशीन तदनुरूप समस्याएँ अपेक्षाकृत अधिक सरल विधियों से हल कर सकती है, बनिस्बत कि ऐसी विधियों के जिनका उपयोग आदमी को करना पड़ता है। इसलिए सृजनात्मक प्रकृति की इक्की-दुक्की समस्याओं के हल के लिये भी कार्यक्रम तैयार करना, समस्या के सीधे हल से अधिक सरल हो सकता है। वास्तव में स्थिति और भी आसान होती है क्योंकि रचा गया कार्यक्रम समान प्रकार की सभी समस्याओं के हल में प्रयुक्त होता है।

आदमी और मशीन

सृजनात्मक प्रक्रियाओं के स्वचलकरण की समस्या चालिकी की सबसे रोचक समस्याओं में से एक है।

वर्तमान समय में ऐसे वस्तुगत आँकड़े मौजूद हैं, जिनकी सहायता से सृजनात्मक प्रक्रियाओं के स्वचलकरण की समस्या हल करने के लिए व्यावहारिक कदम उठाए जा सकते हैं।

प्रथम घटक है—विश्व पैमाने पर कलनक तकनीक के क्षेत्र में पिछले वर्षों की एक महत्त्वपूर्ण सफलताः मशीन के साथ आदमी के संवाद की सुविधाएँ।

दूसरा घटक—एलेक्ट्रोनी कलनक मशीनों (कंप्यूटरों) की 'प्रज्ञा' में वृद्धि।

इन घटकों से तात्पर्य क्या है ?

प्रथमतः, ऐसे तंत्र विकसित किए गए हैं, जिनसे मशीन का संपर्क एक ही समय में कई उपयोगकर्ताओं के साथ हो सकता है। (तथाकथित कॉलबांट-तंत्र)।

सचमुच में आज के कंप्यूटर एक ही समय कई उपयोगकर्ताओं की सेवा कर सकते हैं। वर्तमान समय में उपयोगकर्ताओं की संख्या कुछेक सौ तक हो सकती है। उपयोगकर्ता कंप्यूटर के साथ विशेष पीठक द्वारा संपर्क पथ से होकर जुड़ सकते हैं। पीठक का काम वह टाइप-राइटर कर सकता है जिस पर मशीन के लिए कार्यक्रम छापते हैं, वे विभिन्न पर्दे (स्क्रीन कर सकते हैं जिन पर आंकिक या ग्राफिक सूचना चित्रित होती है और आदमी प्रकाश-पेंसिल की सहायता से कंप्यूटर के लिए प्रश्न में परिवर्तन या सुधार ला सकता है।

लोग कलनक केंद्र से सैकड़ों किलोमीटर दूर रह कर भी केंद्र में स्थित कंप्यूटर से बिना किसी रोक-टोक के उत्तर पा सकते हैं। कलनक केंद्र की मशीनें भी सोपानिक अधीनता के सिद्धांत पर मिल-जुल कर एक समुच्चय बनाती हैं।

यदि निम्न श्रेणी का कंप्यूटर अपनी क्षिप्रता, अपनी स्मृति और प्रश्न की जटिलता की मात्रा के अनुसार उसे हल कर सकता है, तो स्वयं हल कर लेता है। यदि उसे किसी परामितक (किसी तंत्र की विशेषतावाचक राशि) की कमी पड़ रही है या प्रश्न उसके लिए ज्यादा जटिल है, तो वह प्रश्न को अधिक ऊँची श्रेणी कंप्यूटर के पास भेज दे सकता है।

अंतर्राष्ट्रीय सूचना-संसाधन संगठन के चौथे अधिवेशन (एडेनबुर्ग, 1968) में हाल के 15-20 वर्षों में कलनक तंत्रों के विकास की संभावनाओं पर मत व्यक्त किए गए थे। नारा उठाया गया था : चालिकीय पीठक—हर परिवार में !

भविष्य में व्यक्तिगत सूचना पथों का ऐसा जाल बनाया जा सकेगा, जिससे उपयोगकर्ता सारी मानवता द्वारा संचित ज्ञान को सरलतापूर्वक प्राप्त कर सकेंगे। इसके लिए हर घर में सूचना-कलनक-केंद्र से जुड़ा हुआ एक-एक पीठक लगा देना काफी रहेगा। विश्व-कोष के प्रकार की कोई भी सूचना तुरंत प्राप्त हो जाया करेगी।

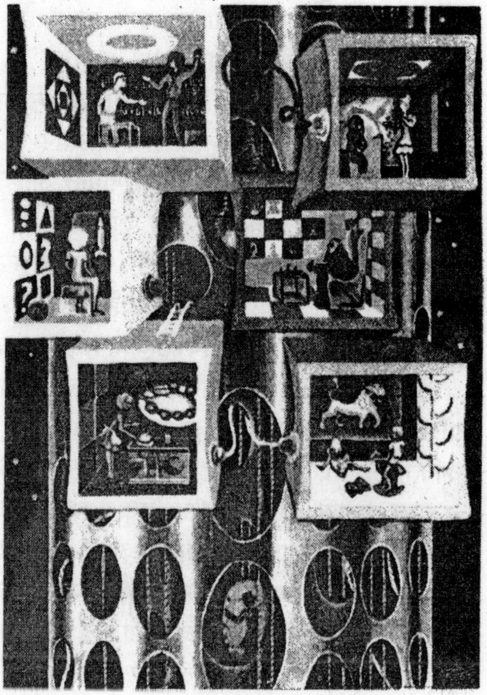

हर घर में चालिकीय पुल्ट होगा !

इस तरह से राज्य की सबसे छोटी इकाई—परिवार—का शैक्षणिक तथा सांस्कृतिक स्तर पूर्णतया सूचना-तंत्रों के उपयोग से संबद्ध रहेगा जिनके आधार में दूरस्थ पीठकों वाली एलेक्ट्रोनी कलनक मशीनों का कार्य-सिद्धांत होगा। लगभग हर परिवार में किसी न किसी उम्र का पढ़ने वाला आदमी जरूर होता है। पढ़ाई का काम और भी आसान तथा कारगर हो जाएगा। यदि पढ़ने वाला अपनी शंका का समाधान पीठक की सहायता से घर बैठे कर लिया करेगा।

यदि इस तरह के पीठक का किराया टेलीविजन की कीमत से अधिक नहीं होगा, तो हर घर में इसे रखने का विचार कार्यांवित हो सकता है।

इससे निष्कर्ष निकाला जा सकता है कि लोगों द्वारा एलेक्ट्रोनी कलनक तकनीक के प्रत्यक्ष उपयोग के क्षेत्र में विकास कितनी दूर तक किया जा सकता है।

मशीन के साथ आदमी का संबंध सरल करने के लिए ऐसी दाता व ग्राहक प्रयुक्तियों का विस्तृत रूप से विकास किया जा रहा है, जिनकी सहायता से आदमी मशीन के साथ सूचना का आदान-प्रदान उन रूपों में कर सकता है, जिनका वह आदी है। वर्तमान समय में, पढ़ने वाली विभिन्न स्वचल मशीनें बनाई जा चुकी हैं। जो छपे हुए शब्द समझने में समर्थ हैं।

मशीन में सीधा टाइप-राइटर से छपा पाठ आरोपित करने की समस्या हल हो चुकी है। अब सिर्फ आर्थिक कठिनाई रह गई है : इस तरह की प्रयुक्ति की कीमत इतनी अधिक है कि इसका प्रयोग बड़े पैमाने पर नहीं हो सकता।

मशीन के साथ आदमी का 'संवाद' उस भाषा के विकास से भी संभव है, जिस भाषा में आदमी मशीन को संबोधित करता है।

अभी, उदाहरण के लिए, कंप्यूटर (जैसे 'मीर-1') को जिस भाषा में प्रश्न दिए जाते हैं, वह एक गणितज्ञ की भाषा से सर्वाधिक निकट है जो सरल और उच्च गणित की सहायता से प्रश्न हल किया करता है।

वैज्ञानिक और इंजीनियर कंप्यूटरों की 'बौद्धिक क्षमता' अधिकतम ऊँची करने के लिए प्रयत्नशील हैं; अर्थात वे

उनमें थोड़ी-बहुत समझ भी भर देना चाहते हैं। ताकि उन्हें छोटी-छोटी बातें न समझानी पड़ें (जैसे, किसी राशि की ज्या ज्ञात करने की संक्रिया मशीन में पहले से भरी होनी चाहिए।)

उक्रइन अकादमी के चालिकी-संस्थान में बनाई गई मशीन 'मीर-2' इंजीनियरों द्वारा उसमें भरे गए गणितीय ज्ञान के स्तर के अनुसार, उच्च तकनीकी संस्थान के किसी अच्छे छात्र से कम नहीं।

मशीन को बीजगणित, त्रिकोणमिति और गणितीय विश्लेषण के 200 से अधिक सूत्र 'याद' हैं।

नई मशीन में एक स्क्रीन भी है जिस पर पर 1 हजार तक चिन्हों वाले सूत्र निगमित किए जा सकते हैं। प्रकाश-पेंसिल द्वारा उनमें सुधार लाए जा सकते हैं, पंक्तियाँ मिटाई जा सकती हैं, आदि। आदमी का मशीन के साथ काम कुछ दूसरी तरह से संगठित किया गया है। मशीन इतनी 'समझदार' है कि बहुत सी बातें उसे समझाने की जरूरत नहीं पड़ती। वह स्वयं आवश्यक गणितीय संक्रियाएँ संपन्न कर लेती है।

तकनीकी आधार सचमुच में विश्वस्त है। वर्ष-प्रति-वर्ष विकसित होता जा रहा है। इसलिए सृजनात्मक (कलात्मक) प्रक्रियाओं के स्वचलकरण का प्रश्न अब उठाया जा सकता है; यह मात्र कल्पना की बात नहीं होगी। प्रथम चरण में कविता, संगीत, आदि, जैसे क्षेत्रों की समस्याएँ हल की जाती हैं। प्रथम प्रयत्नों ने अच्छे परिणाम दिए हैं। ऐलक्ट्रोनी कलनक मशीनों के लिए बनाए गए कार्यक्रम का 'बौद्धिक स्तर' पर्याप्त ऊँचा था। फिर भी, मशीनी सृजन की तुलना मेधावी कवि, कलाकार, संगीतज्ञ, आदि, की रचनाओं से नहीं की जा सकती।

वर्तमान समय में, सृजनात्मक प्रक्रियाओं के स्वलकरण से सृजनात्मक समस्याओं का हल आदमी और मशीन मिल कर ढूँढ़ते हैं। (एक नया तंत्र कार्यशील हो जाता है : आदमी-मशीन)। ऐसे तंत्र में आदमी की भूमिका प्रमुख होती है। पूरी सत्ता और पूरा उत्तरदायित्व मशीन को सौंपने का प्रश्न ही नहीं उठता। आदमी की अंतर्दृष्टि, उसके अनुभव—ये उपादान अभी मशीन को प्राप्त नहीं हो सके हैं। लेकिन मशीन कलन-प्रक्रियाओं को जबर्दस्त क्षिप्रता से संपन्न करती हैं। आधुनिक एलेक्ट्रोनी कलनक मशीन प्रति सेकेंड दसियों लाख अंक-गणितीय संक्रियाएँ संपन्न करती है, लेकिन उसमें अंतर्दृष्टि, से उत्पन्न होने वाला नमनीय चिंतन नहीं होता। जो बात आदमी सरलतापूर्वक समझ जाता है, वह मशीन के लिए कठिन होती है। और इसका उल्टा, मशीन के लिए सरल बात आदमी के लिए कठिन होती है।

यदि, उदाहरण के लिए, प्रेरेखण-कार्य के स्वचलकरण का प्रश्न देखा जाए, तो इसमें प्रेरेखक की भूमिका स्पष्ट है। मान लीजिए कि रहने के लिए या किसी यात्री-जहाज का प्रेरेख बनाना है। मशीन जहाज के केबिन के लिए जगह या घर के कमरों की पारस्परिक स्थिति, आदमी की तुलना में कहीं अधिक अच्छी तरह से निर्धारित कर सकती है ; लेकिन वह कोई मामूली-सी गलती कर जा सकती है। (जैसे दरवाजे के खुलने के लिए जगह नहीं है), क्योंकि कार्यक्रम भरते समय इस छोटी सी बात पर ध्यान नहीं दिया गया था। प्रेरेखक (आदमी) ऐसी गलतियाँ तुरंत देख ले सकता है, उसका मूल्यांकन कर सकता है और उन्हें दूर भी कर सकता है।

स्वचलकृत तंत्रों में मशीन के साथ प्रेरेखक (आदमी) के प्रतिप्रेरक संबंध (जवाबी संबंध) को भी स्थान दिया जाता है। उदाहरणतया, घर का नक्शा स्क्रीन पर उभरता है, जिसे देख कर प्रेरेखक उसका मूल्यांकन कर सकता है। मान लें कि वह किसी दीवार को 1 m दाएँ खिसकाना आवश्यक समझता है। वह इसकी सूचना मशीन को देता है : प्रकाश-पेंसिल से वह 'गलत' दीवार को काट देता है और तीर द्वारा दिखाता है कि उसे किस ओर, और कितना, खिसकाना चाहिए। उसके सामने तुरंत नया नक्शा उभरता है। प्रेरेखक पुनः मूल्यांकन करता है और मशीन को पुनः सुधार-कार्य के लिए प्रेरित करता है। इस प्रकार, आदमी मशीन को हर समय खोज की दिशा प्रदान करता रहता है। मशीन आदमी को कई-कई पर्याय दिखाती है, लेकिन अंतिम निर्णय आदमी ही लेता है। दूसरी ओर से, इस प्रक्रिया में आदमी पर्यायों को देखने में काफी समय लगाता है। अच्छा होता कि स्वचलकृत प्रेरेखक मशीन घटिया प्रेरखों को स्वयं छोड़ दिया करे। लेकिन इसके लिए मशीन को कुछ हद तक अंतर्दृष्टि प्रदान करनी होगी।

आदमी के साथ मशीन का वैसा ही संबंध होता है जैसे नेता और अनुयायिओं का। नेता विचार प्रस्तुत करता है और अनुयायी उसे कार्यांवित करते हैं।

कला और साहित्य के क्षेत्र में एलाक

भाषा और साहित्य के क्षेत्र में प्रक्रियाओं का स्वचलकरण एक महत्त्वपूर्ण कार्य है।

मान लें कि भाषावैज्ञानिक शेक्सपीयर की कृतियों की भाषागत विशेषताओं का अध्ययन करना चाहते हैं। मशीन में शेक्सपीयर की सारी कृतियाँ पहले से 'संभरित हैं, मशीन को वे 'याद' हैं। वैज्ञानिक मशीन से पूछता है : शेक्सपीयर की कृतियों में अमुक क्रिया अमुक अर्थ में कितनी बार प्रयुक्त हुई है ? मशीन बताती है कि वह क्रिया शेक्सपीयर की कृतियों में 277 बार प्रयुक्त हुई हैं; मशीन पृष्ठ भी निर्दिष्ट करती है, जहाँ यह क्रिया प्रयुक्त हुई है। वैज्ञानिक शेक्सपीयर की कृतियों की भाषा के बारे में कोई भी परिकल्पना प्रस्तुत कर सकता है। मशीन फौरन उसकी जाँच करके बता देती है कि वह सही है या गलत।

निस्संदेह, इससे भाषावैज्ञानिकों का कार्य बहुत जल्द संपन्न होता है क्योंकि अधिक समय और श्रम की खपत वाले काम (शब्दों की आवृत्ति निर्धारित करने जैसे काम), एलेक्ट्रोनी कलनक मशीन पर छोड़ दिये जाते हैं।

हाल में एक रोचक काम संपन्न किया गया : 'इलियाड' और 'ओडीसी' के रचनाकार अलग-अलग व्यक्ति थे, या कोई एक आदमी था, या ये लोक-रचनाएँ थीं—यह निर्धारित करने का काम एलाक को सौंपा गया। उसमें तदनुरूप शब्द भरे गए, उनके प्रयोग की आवृत्तियों का विश्लेषण हुआ, क्योंकि हर रचनाकार शब्दों का प्रयोग अपनी तरह से करता है, हर शब्द की उसकी कृतियों में अपनी आवृत्ति होती है, आदि। पहले 'इलियाड' के प्रथम भाग के मुहावरों का विश्लेषण किया गया, तदुगरांत इसके तथा 'ओडीसी' के अन्य अध्यायों का ऐसा ही विश्लेषण हुआ। तुलनात्मक अध्ययन से ही स्पष्ट हो गया कि दोनों कृतियाँ एक ही व्यक्ति द्वारा रची गई थीं।

आदमी-मशीन तंत्र, कला के क्षेत्र में भी कारगर हो सकता है। एडिनबुर्ग के अधिवेशन में इस समस्या पर एक अलग से परिचर्चा संगठित की गई थी।

उदाहरण के लिए, मशीन का उपयोग कार्टूनी चलचित्र बनाने में किया जाता है। चित्रकार आदमी की कुछेक आकृतियाँ बना लेता है। जिनमें सर का घुमाव अलग-अलग होता है, कुछेक घरों, पेड़ों, आदि, की भी आकृतियाँ बना लेता है।

मशीन को काम दिया जाता है कि वह चित्र में बाएँ कोने में दो वृक्ष रख दें, दाएँ कोने में घर की आकृति लगा दे। पर्दे पर यह दृश्य तुरंत ही उभर आता है। चित्रकार उसका मूल्यांकन करता है, अपनी पसंद के अनुसार कुछ हेरफेर करता है। इसके बाद मशीन को शुरू और अंत तक दृश्य दिया जाता है (जैसे शुरू में आदमी वृक्षों के पास है, अंत में वह घर के दरवाजे के पास होता है)। बीच का (आदमी के दौड़ने या चलने का) दृश्य मशीन खुद तैयार कर लेती है। इस प्रकार श्रम की उत्पादनशीलता दसियों गुना बढ़ जाती है।

स्थिर चित्र बनाने वाले चित्रकारों के लिए भी यह मशीन सहायक होती है, लेकिन कुछ कम। आदमी की विभिन्न मुद्राओं को प्रस्तुत करके मशीन रेखाकृतियाँ बनाने में सहायता करती है। चित्रकार सिर्फ उनका मूल्यांकन करता जाता है, क्योंकि वह लोगों से मिलते-जुलते रहने का कारण कलात्मक रुचि के विकास की दिशा को अधिक सूक्ष्मता से महसूस करता है।

सजावटी कला के लिए 'मशीनी चित्र' अधिक रोचक हो सकते हैं। यदि मशीन को तदनुरूप ढंग से कार्यक्रमित कर दिया जाए, तो वह सजावटी चित्र रचने के लिए रेखाओं, रंगों और उनकी आभाओं के अनेकानेक मेल प्रस्तुत कर सकती हैं। एलेक्ट्रोनी कलनक मशीन का सजीव पर्दा, आदमी के किसी भी कलात्मक विचार को प्रतिबिंबित कर सकता है। नई कलाकृतियों की रचना में प्रमुख भूमिका आदमी की ही रहेगी। वह अपनी प्रतिभा, अपनी पसंद और वास्तविकता

की अपनी व्यक्तिगत समझ के अनुसार ही चित्र में सुधार किया करेगा।

कागज, कपड़ा या पेरिस का प्लास्टर ये सब चीजें कलाकृति की विश्वस्त वाहक नहीं हैं, ये कलांतर में या दुर्घटना से खराब हो जा सकती हैं। फ्लोरेंस की बाढ़ ने यह पूरी तरह सिद्ध कर दिया था। लेकिन सुरक्षित से सुरक्षित स्थान भी कला को काल की चपेट से नहीं बचा सकते। यथा, जानकर लोगों का कहना है कि कुइंजी के 'दूनेप्र पर रात' नामक चित्र के रंग धूमिल हो चले हैं। लेकिन आदमी की याददाश्त का भी कोई विश्वास किया जा सकता है ? और चित्र की नकल उतारते वक्त हर चित्रकार उसमें अपनी ओर से भी कुछ न कुछ जोड़ दिया करता है। लेकिन अब वह समय आ गया है, जब किसी भी चित्र का सूचनात्मक प्रतिरूप, उसका मानदंड तैयार करना कोई कठिन कार्य नहीं रह गया है। इसके लिए, चित्र को टेलीविजन के पर्दे पर अंकित चित्र की तरह बिंदु सदृश अनेक वर्गों में विभक्त करके, मशीन की स्मृति में रंगों का क्रम लाइन-ब-लाइन कोडित करना पड़ेगा। इसके बाद चित्र को हजारों वर्ष बाद भी बिल्कुल आरंभिक रूप में प्राप्त किया जा सकेगा।

कला के क्षेत्र में भी कुछ प्रक्रियाएं स्वचलकृत हो सकती हैं—इससे कलाकार सृजन-कार्य के लिए समय बचा सकता है।

संगीत-कला के क्षेत्र में भी, एलेक्ट्रोनी कलनक मशीन तकनीकी कार्य अपने ऊपर ले सकती है। वर्तमान समय में एलेक्ट्रोनी कलनक मशीन के लिए मुख्यतः दो तरह के कार्यक्रम हैं : संगीत-रचना के सभी ज्ञात नियमों के अनुसार संगीत की रचना करना, और किसी खास संगीतकार की शैली के अनुसार उसके द्वारा पहले रची धुनों की नकल करना। उदाहरणार्थ, श्त्राउस की रचनाओं के अनुरूप धुनें रची जाती हैं, जिन्हें श्त्राउस ने नहीं रचा था।

ऐसे प्रयोग भी किए गए थे : संगीतज्ञ-आलोचकों के सामने किसी संगीतकार की धुनें सुनाई गईं, फिर एलेक्ट्रोनी मशीन द्वारा उस संगीतकार की धुनों की नकल सुनाई गई।

संगीत-विशेषज्ञ पूरे विश्वास के साथ नहीं कह सके कि इस तरह की धुन उक्त संगीतकार की ही है या नहीं। मशीन ने संगीतकार की सभी विशेषताओं को बहुत खूबी के साथ ध्यान में रखा। आर्केस्ट्रा के लिए धुनें लिखने में, मशीन संगीतकार की विशेष सहायता कर सकती है। आकेस्ट्रा के नियम कठोर होते हैं और मशीन उनका सरलतापूर्वक पालन कर सकती हैं।

सूचना-संसाधन के अंतर्राष्ट्रीय संगठन के 1968 वाले अधिवेशन में संगीतज्ञों और संगीत-आलोचकों के काम का एक निबंध, संगीतशास्त्र में एलेक्ट्रोनी कलनक मशीन के उपयोग के बारे में भी था। आजकल कार्यक्रमक गणितज्ञों और संगीतज्ञों के सहयोग से, संगीत का मशीनी लेखागार बन चुका है। मान लें कि संगीतज्ञ स्पेन के सोलहवीं शती के संगीत का इतिहास लिख रहा है, उसकी विशेषताओं, धाराओं का अध्ययन कर रहा है। अपने निष्कर्षों को वह तभी सही मान सकेगा, जब वह मशीनी लेखागार की विराट स्मृति का उपयोग करेगा, उससे सकारात्मक उत्तर प्राप्त करेगा

कि उसके निष्कर्ष सही हैं। सोलहवीं शती की संगीतकला के अनुरूप हैं।

कविता के क्षेत्र में मशीन आदमी को हर तरह की तुकबंदियों के मेल दिखा सकती है और उसके सृजनात्मक कार्य को सरल बना सकती है।

निस्संदेह, जब कलात्मक सृजन के स्वचलकरण की बात चलती है तो आदमी की प्रतिभा, उसकी सृजनात्मक संभावनाओं को ही प्रधानता दी जाती है। प्रतिभाहीन व्यक्ति, जो कला या विज्ञान में अनायास ही उतर पड़ा है, एलेक्ट्रोनी मशीनों की सहायता से भी कोई बहुमूल्य रचना नहीं दे सकता।

एक सवाल उठ सकता है कि यदि स्वचलकृत तंत्र इतने लाभदायक और सुविधाजनक हैं, तो कला और साहित्य की सृजनात्मक प्रक्रियाओं को तीव्र करने के लिए इनका उपयोग 'बड़े पैमाने' पर कब शुरू किया जा सकता है ?

यह प्रश्न एक महत्वपूर्ण समस्या के हल के साथ जुड़ा है : पहले तो ऐसे स्वचलकृत तंत्रों के व्यावहारिक लाभ पर ध्यान देना होगा, क्योंकि इनकी कीमत अभी ही बहुत ऊँची है। और, आज की अर्थ-व्यवस्था में यह कोई कम महत्वपूर्ण घटना नहीं है।

स्वचलकृत तंत्रों की आवश्यकता सबसे पहले अर्थ-व्यवस्था को है– उत्पादन-प्रक्रियाओं के विरचन और संचालन के क्षेत्र में। इन क्षेत्रों में स्वचलकृत तंत्रों की सहायता के बिना तकनीकी प्रगति की उच्च्च दर की कोई कल्पना तक नहीं की जा सकती। इसीलिए सबसे पहले आर्थिक क्षेत्र में ही ऐसे तंत्रों के उपयोग के लिए साधनों को खर्च किया जायेगा। और, कोई शक नहीं कि इससे परिणाम अच्छे निकलेंगे।

चालिकी और शिक्षा

चालिकी का संबंध शिक्षा से भी है।

एलेक्ट्रोनी कलनक मशीनें शिक्षक की भी सहायता कर सकती हैं। व्यक्तिगत पाठ और अलग-अलग विद्यार्थियों के ज्ञान की जाँच से लेकर पूरी जनशिक्षा-प्रणाली के नियोजन तथा संचालन तक शिक्षा के हर स्तर पर इनका उपयोग किया जा सकता है।

शिक्षण-प्रक्रिया में एलेक्ट्रोनी कलनक मशीनों को अपनाने से शिक्षक और शिक्षार्थी के श्रम की उपादेयता बढ़ती है, पाठ और उसकी प्रस्तुति में विद्यार्थी की आत्मनिर्भरता और सृजनात्मक क्षमता के पूर्ण विकास की संभावनाएँ उपलब्ध होती हैं। आवश्यक सूचनाएँ भी शीघ्र प्राप्त होती हैं। शिक्षा में काम आने वाली प्रयुक्तियों के अनेक प्रकार बताए जा सकते हैं—सरलतम् से लेकर जटिल एलेक्ट्रोनी आंकिक कलनक मशीनों तक। हमारे देश के कुछ उच्च्च शिक्षा-संस्थानों में स्वचलकृत कक्षाओं का आयोजन हैं : प्राध्यापक और हर विद्यार्थी के सामने बटनों से लैस एक-एक पटिया (पीठक) होती है। इनकी सहायता से हर विद्यार्थी के साथ दुतरफा संपर्क रहता है।

पाठ्य-सामग्री थोड़े-थोड़े अंशों ('कदमों') में दी जाती है। हर 'कदम' या कुछेक 'कदमों' के बाद (यह शिक्षक पर निर्भर करता है), इस बात की जाँच होती है कि छात्रों ने सामग्री को कहाँ तक आत्मसात किया है। इसके लिए विद्यार्थी को छोटे-छोटे प्रश्न दिए जाते हैं। वह अपने उत्तर पटिया पर लगे बटनों की सहायता से मशीन में समाविष्ट कराता है। उत्तर सही होने पर उसे सामग्री का अगला अंश दिया जाता है। यदि उत्तर सही नहीं है, तो मशीन उसे गलती और उसका कारण बताती है; आवश्यक सलाह भी देती है। डेस्क पर एक बटन 'सहायता' कहलाता है। यदि

विद्यार्थी मशीन के प्रश्न का उत्तर देने में असमर्थ होता है, तो वह इस बटन को दबाता है। इससे मशीन उसे कुछ अतिरिक्त सूचनाएँ प्रदान करती है, या मार्ग-प्रदर्शक प्रश्न पूछना शुरू करती है।

पाठ समाप्त होने पर मशीन विद्यार्थी के ज्ञान का मूल्यांकन करती है। अंक विद्यार्थी के कार्य की कोटि का संकेत देता है, उसमें मशीन के साथ काम करने की रुचि उत्पन्न करता है। इसीलिए अंग वापसी संपर्क के संकेत हैं।

पढ़ाई की पूरी प्रक्रिया मशीन में अभिलिखित होती है, जिससे शिक्षक भी विद्यार्थी की सफलताओं का मूल्यांकन करने में समर्थ होता है।

पढ़ाई की प्रक्रिया किस हद तक स्वचलकृत होनी चाहिए ? सबसे पहले तो शिक्षक का दसियों (और आगे चल कर सैकड़ों) विद्यार्थियों के साथ कारगर दुतरफा संपर्क होना चाहिए। इसमें एलेक्ट्रोनी कलनक मशीन सहायक हो सकती है। पठन-पाठन में प्रयुक्त अन्य तकनीकी साधनों (सिनेमा, टेलीविजन, टेप-रिकार्डर, आदि) की तुलना में पढ़ाने वाली एलेक्ट्रोनी मशीनों की विशेषता यह है कि इनमें विद्यार्थी के साथ वापसी संपर्क भी बनाए रखा जाता है। वापसी संपर्क वाली सरलतम चालिकीय मशीनों से भी पठन-पाठन की कारगरता बहुत ऊँची हो जाती है और शिक्षक एक ही साथ अलग-अलग विद्यार्थियों की, और पूरी कक्षा की भी, देखभाल कर सकता है।

यह सही है कि शिक्षण-कार्य की सभी छोटी-बड़ी बातों को और विद्यार्थी-शिक्षक संबंध की सभी आभाओं को मशीन में कार्यक्रमित नहीं किया जा सकता। इसलिए यहाँ यह याद दिलाना अच्छा रहेगा कि शिक्षक और पढ़ाने वाली मशीन के बीच काम का सही-सही बंटवारा होना चाहिए। मशीन शिक्षक को तकनीकी कामों से मुक्त करती हैं, शिक्षकों को कापियाँ देखना, आदि, जैसे काम नहीं करने पड़ते। शिक्षक का काम वैज्ञानिक तथा सृजनात्मक रह जाता है।

शिक्षण-प्रक्रिया में एलेक्ट्रोनी कलनक मशीनों के विस्तृत उपयोग से शिक्षक की भूमिका कम नहीं होती, सिर्फ उसकी प्रकृति बदलती है। क्योंकि शिक्षक के सभी कार्यों में से मुख्य भार पढ़ाने के काम पर नहीं, उसके लिए तैयारी करने के काम पर पड़ता है।

सामूहिक पढ़ाई की परिस्थितियों में एलेक्ट्रोनी कलनक मशीनें हर विद्यार्थी की व्यक्तिगत विशेषताओं पर ध्यान देने में सहायक होंगी। इसमें मुख्य बात यह है कि पढ़ाई को सचमुच में व्यक्तिगत स्तर तक उतारने के लिए हर विद्यार्थी की सभी विशेषताओं के बारे में पूरी जानकारी होनी चाहिए। ये विशेषताएँ हैं—चिंतन, ध्यान, स्मरण की शक्ति, किस विधि से पाठ्य-सामग्री जल्दी आत्मसात होती है, आदि। इनसे संबंधित आँकड़ें और पूरे सत्र के दौरान इनमें होने वाले परिवर्तन एलेक्ट्रोनी कलनक मशीनें सिर्फ अपनी याद में सुरक्षित ही नहीं रखेंगी, उनका व्यावहारिक उपयोग भी करेंगी—पढ़ाई के हर घंटे में पाठ्य-क्रम के गठन में। इस प्रकार, पढ़ाई की प्रक्रिया में हर विद्यार्थी की विशेषताओं को सिर्फ ध्यान में ही नहीं रखा जाएगा, उनका सर्वतोमुखी विकास भी संभव हो सकेगा। हर विद्यार्थी की बौद्धिक परिपक्वता महत्तम रूप से उद्देश्यपूर्ण हो जाएगी, जिसके कारण हर विद्यार्थी अपनी क्षमता को गहराई के साथ महसूस कर सकेगा और अपने लिए दिलचस्प उद्यम चुन सकेगा।

एलेक्ट्रोनी कलनक मशीनों के विस्तृत उपयोग से, फेल होकर एक कक्षा में दो साल पढ़ने की समस्या दूर हो

जाएगी। कारण यह है कि विषय का कोई भी अनुच्छेद अनजाना नहीं रह सकता है : जब तक उसका अच्छी तरह ज्ञान नहीं हो जाता, अगले अनुच्छेद की सामग्री विद्यार्थी को दी ही नहीं जाएगी। पर यहाँ भी इसी बात पर ध्यान देना जरूरी है कि मशीन शिक्षक के शैक्षणिक दृष्टिकोण के अधीन ही काम करेगी, उस पर हावी नहीं होगी। मशीन संकेत देती है कि अमुक विद्यार्थी को सहायता की आवश्यकता है, जिससे सहायता ठीक समय पर मिल पाती है।

कार्यक्रमित पाठ्य-पुस्तकों का विस्तृत उपयोग होने लगेगा। ऐसी पाठ्य-पुस्तकों के गुण हमारी परिचित पाठ्य-पुस्तकों में भी देखने को मिल सकते हैं; इनमें हर पाठ के बाद अभ्यास और जाँच के लिए प्रश्न दिए रहते हैं।

इसके अतिरिक्त, परंपरागत पाठ्य-पुस्तकों में अभी से ही बेमशीनी कार्यक्रमन के अनुभव का उपयोग शुरू हो गया है। पाठ्य-पुस्तकों में कार्यक्रमित अनुच्छेद लिखे जाने लगे हैं। ये सीखने और सक्रियता के साथ पाठ पूरा करने में सहायता पहुँचाते हैं, जिससे सामग्री इतनी अच्छी तरह से आत्मसात हो जाती है कि गृह-कार्य देने की आवश्यकता ही नहीं रह जाती। कार्यक्रमित पाठ्य-पुस्तकें शिक्षक और शिक्षार्थी दोनों की सहायता के लिए दी जा सकती है। इनमें इनके उपयोग का विस्तृत और ठीक-ठीक विवरण दिया जाना चाहिए। कार्यक्रमित पाठ्य-पुस्तक में जाँच के लिए दिए गए प्रश्नों के हल में विद्यार्थियों द्वारा की जाने वाली सभी लंछक गलतियों पर ध्यान दिया जाता है। साथ ही, इस बात के निर्देश भी दिए जाते हैं कि प्रश्न हल करने के लिए किन अनुच्छेदों का ज्ञान आवश्यक है और कौन से अभ्यास पूरे किए जाने चाहिए। ऐसी पाठ्य-पुस्तक में ज्ञान का मूल्यांकन करने की विधि भी ठीक-ठीक दी जाती है, जिससे यह पता लगता है कि किस स्थिति में अंक स्वयं ही कितना कम हो जाता है। परंपरागत और कार्यक्रमित अध्यापन-कार्यों के तुलनात्मक अध्ययन के लिए प्रयोग भी किए गए हैं। परिणामों ने दिखाया है कि कार्यक्रमित पठन-पाठन वाली कक्षा का ज्ञान अधिक गहन और टिकाऊ है, बनिस्बत कि परंपरागत कक्षा के।

एलेक्ट्रोनी कलनक मशीन परीक्षा की प्रकृति में भी परिवर्तन लाती है। उच्च शिक्षा-संस्थान में प्रवेश हेतु परीक्षा देने वालों को लगता है कि उनका भाग्य बहुत कुछ संयोग पर भी निर्भर करता है। दूसरी ओर से, कोई भी परीक्षक परीक्षा के दरम्यान छोटी-सी बातचीत से पूरी गारंटी के साथ यह स्पष्ट नहीं कर सकता कि प्रवेशार्थी इस विषय के लायक है भी या नहीं, इसका अच्छा विशेषज्ञ बनेगा भी या नहीं।

उच्च शिक्षा-संस्थान के प्रवेशार्थी का वस्तुगत मूल्यांकन एलेक्ट्रोनी कलनक मशीन की सहायता से संभव है, जिसकी याददाश्त में प्रवेशार्थी के स्कूली जीवन का विवरण, उसके ज्ञान, उसकी क्षमताओं और व्यक्तिगत विशेषताओं का विवरण मौजूद रहता है। इस प्रकार, परीक्षकों के आत्मगत मूल्यांकन से प्रतियोगिता पूर्णतया मुक्त रहेगी और उच्च शिक्षा-संस्थान में वे ही प्रवेश पाएँगे जो स्कूल खत्म करने वालों में सबसे अधिक योग्य होंगे।

एलेक्ट्रोनी कलनक मशीनें स्वयं शिक्षाशास्त्र के विकास में भी सहायक होती हैं। इनका उपयोग मनोवैज्ञानिक तथा शैक्षणिक प्रयोगों से प्राप्त आँकड़ों के चयन तथा स्वचल संसाधन में होता है। जहाँ तक कार्यक्रमित अध्यापन का प्रश्न

है, तो कई प्रकार के एलेक्ट्रोनी कलनक मशीनों के आधार पर बनाए गए शक्तिशाली कलनक संकुलों के उपयोग से पढ़ाई के कार्यक्रम और पाठ्यक्रम विकसित किए जा सकते हैं। शुद्ध विज्ञानों (अलजेबरा, भौतिकी, आदि) तथा विदेशी भाषाओं के अध्ययन के लिए कार्यक्रमित पाठ्य-पुस्तकें अधिक कारगर सिद्ध हुई हैं। एलेक्ट्रोनी कलनक मशीन के उपयोग के बिना भी कार्यक्रमित पाठ्य-पुस्तक विद्यार्थी के स्वाध्याय संबंधी सभी प्रकार के कार्यों में लाभदायक होती है, जो घर बैठे शिक्षा का एक महत्वपूर्ण अंग है।

कार्यक्रमित पाठ्य-पुस्तकों की कोटि ऊँची होनी चाहिए, क्योंकि अध्यापी मशीनों का कार्य इन्हीं पर निर्भर करता है, उनमें इन्हीं का भरण होता है। इसलिए कार्यक्रमित पाठ्य-पुस्तक रचने वाले को विषय का गहन ज्ञान होना चाहिए, उसे शैक्षणिक कला में निपुण होना चाहिए, तथा उसे विद्यार्थियों के साथ व्यावहारिक कार्य का अनुभव होना चाहिए। ऐसी पाठ्य-पुस्तकों की रचना और साथ ही अध्यापी मशीनों के निर्माण का लागत-खर्च शिक्षा के क्षेत्र में एलेक्ट्रोनी कलनक मशीनों के विस्तृत उपयोग से जल्द ही वापस हो जाता है, क्योंकि आगे के अध्यापन-कार्य में इतने ढेर सारे लोगों की आवश्यकता नहीं रह जाती, जितनी अभी होती है; इसके अतिरिक्त, शिक्षा की विधियों का वैज्ञानिक स्तर भी बहुत ऊँचा हो जाता है।

एलेक्ट्रोनी कलनक मशीन के आधार पर जनशिक्षा-संचालन का नया तंत्र रचने और अध्यापन-क्रिया को स्वचल बनाने के लिए चालिकी के कई क्षेत्रों में अभी जटिल वैज्ञानिक कार्य करने हैं।

एलाक की क्षमता

चालिकी अपने तकनीकी आधार को निरंतर विकसित करती रहती है। कम अविश्वसनीय बल्बों वाली बड़ी-बड़ी मशीनों की जगह अर्ध-चालक और चुंबकीय बैटरियाँ प्रयुक्त होने लगी हैं। आधुनिक भौतिकी की उपलब्धियों की सहायता से बहुत नन्हें पुर्जों का प्रयोग भी संभव हैं, जिनमें पतली झिल्लियों, ठोस आरेखों, आदि, का उपयोग होता है। चौथी संतति की मशीनें तथाकथित वृहत समेकी आरेखों के अनुसार बनाई जाएँगी। ऐसे आरेख के एक घन सेंटीमीटर का आयतन, प्रथम संतति की मशीन के पूरी आलमारी जैसे ब्लौक के समतुल्य होगा। मशीनें बहुत विश्वस्त, छोटी, अपेक्षाकृत सस्ती और उपयोग में सरल हो जाएँगी। एलाक के तकनीकी आधार के विकास से उसके तार्किक संगठन में मौलिक परिवर्तन आ गए हैं। मशीन शक्तिशाली सूचना प्रवाह को ग्रहण करती है और द्रुत गति से उसका संसाधन करती है, जिससे हजारों वर्ष के मानवीय श्रम की बचत होती है। मशीन के साथ बहुकार्यक्रमन का कार्य व्यवहार में आने लगा है ; इससे मशीन एक ही साथ कई प्रश्न हल करने में समर्थ होती है, जिससे उपस्कर पूरे-पूरे इस्तेमाल में आ जाते हैं। मशीन की तार्किक संरचना निरंतर विकसित होती रहती है; उसकी क्षिप्रता, उसकी याद के आयतन में वृद्धि होती रहती है। नयी मशीनें बनाने की विधियाँ भी विकसित की जा रही हैं, जो सिर्फ फलन (कार्यों) का ही अनुकरण नहीं करेंगी, बल्कि मानव मस्तिष्क के कुछ तत्त्वों की भी नकल कर सकेंगी।

कलनक मशीनों की सैद्धांतिक तथा व्यावहारिक क्षमताओं का प्रश्न भी उठता है।

मशीन की क्षमता का ज्ञान विश्व की एकमात्र बौद्धिक शक्ति—मानव- मस्तिष्क—के साथ उसकी तुलना के द्वारा ही होता है।

अक्सर पूछते है—मशीन सोचती है या नहीं, कहीं वह आदमी से अधिक 'समझदार' हो सकती है ? स्पष्ट है कि चिंतन-प्रक्रिया के स्वचलकरण के लिए मशीन बनाने का कोई तुक नहीं रह जाता—यदि वह ऐसा ही काम आदमी की तुलना में कहीं धीमी गति से संपन्न करती हैं।

प्रश्न को कुछ दूसरी तरह से रखते हैं : प्रमेय सिद्ध करते वक्त विद्यार्थी सोचता है या नहीं ? यदि हाँ, तो मशीन को चिंतनशील क्यों नहीं माना जाए, जो यही काम आदमी की तुलना में सैकड़ों गुना जल्दी पूरा करती है ? अमरीकी गणितज्ञ खाओ वांग की सूचना के अनुसार एक कलनक मशीन 'आई. बी. एम.—704' ने गणित पर मौलिक कृति के 220 आरंभिक प्रमेय तीन मिनटों में सिद्ध कर दिए और अगले 8.5 मिनटों में उसी कृति के 130 अधिक जटिल प्रमेय सिद्ध कर दिए। पर यहाँ नए तथ्य की खोज नहीं हुई है। वर्ग-समीकरण हल करने की सार्विक विधि आज स्कूल का बच्चा भी जानता है, पर मानव-जाति को इसे ज्ञात करने में कुछेक शताब्दियाँ लगी थीं। आधुनिक एलेक्ट्रोनी कलनक मशीन यह काम कुछेक मिनटों में संपन्न कर सकती है। इसके लिए जरूरी है कि उसे अपनी प्राथमिक गणितीय संक्रियाओं के विभिन्न क्रमों का परीक्षण करने, उत्तर को प्रदत्त समीकरण में रख कर हल की शुद्धता की स्वचल रूप से जाँच करने और सही उत्तर देने वाले सक्रियाक्रम को अभिलिखित करने के लिए विवश करना होगा।

लगता है कि मशीन सिर्फ पर्यायों का परीक्षण करती है। पर वास्तविकता यह है कि वह प्रश्न हल करने के लिए अपने को कार्यक्रमित करती है। कोई भी अन्वीक्षक यही तरीका अपनाता है—वह एक हल को गलत सिद्ध करके दूसरा हल ढूँढ़ता है। इसमें वर्ष पर वर्ष बीत जा सकते हैं। ऐसी भी समस्याएँ हैं जिनके हल की तैयारी में सैकड़ों वर्षों की आवश्यकता है। ऐसी स्थिति में एलेक्ट्रोनी कलनक मशीनों के बिना काम नहीं चल सकता। विज्ञान में गुणात्मक रूप से एक नयी एकता उत्पन्न होती है—'आदमी और कलनक मशीन'।

सिद्धांतकार वैज्ञानिक की समस्या की तुलना पिरामिड से की जा सकती है। जिसके शीर्ष पर लक्ष्य प्रमेय, वैज्ञानिक सिद्धांत, आदि—होता है। पिरामिड का आधार आरंभिक अवधारणाएँ हैं, जिनके सहारे सिद्धांत की रचना होती है। पिरामिड की ऊँचाई तार्किक बनावटों को लांछित करती है, जो आरंभिक घटकों से अंत्य परिणामों तक पहुँचाती हैं। आज या कल ऐसा क्षण आएगा ही, जब ऐसे पिरामिड का आयतन इतना बढ़ जाएगा कि समस्या का हल 'निहत्थे' आदमी के वश की बात नहीं रह जाएगी। उसे स्वचल सहायकों की आवश्यकता पड़ेगी।

एलेक्ट्रोनी कलनक मशीन के कार्य की शीघ्रता कभी-कभी यह भ्रम उत्पन्न करती है कि सभी समस्याएँ खेल की तरह—पर्यायों के परीक्षण से—हल हो सकती है। अनेक आर्थिक प्रश्न क्रीड़ा-सिद्धांत से ही संबंधित हैं। यथा, एलेक्ट्रोनी कलनक मशीन मछलियों की प्रवास-यात्रा के सभी संभव पथों का विश्लेषण करके मछुवों को 'सलाह' दे सकती है कि किन क्षेत्रों में कितने समय तक शिकार श्रेष्ठ रहेगा। इस काम में मशीन 'मछली—प्रकृति—आदमी' के खेल से गणितीय प्रतिरूप का अवलंबन लेती है। इसकी साम्यता बहुत कुछ शतरंज के खेल से है। पर मशीन 'आँख बंद कर' सिर्फ पर्यायों का परीक्षण ही नहीं करती जाती—इस काम में चालिकीय मशीन को भी 10^{247} वर्ष लगेंगे। इसका मतलब है कि मशीन में मर्यादाओं का भी भरण करना होगा, जिनके आधार पर मशीन बेकार के अनेक पर्यायों को यूँ ही छोड़ देगी। ये मर्यादाएँ ऐसे नियम हैं, जिनका उपयोग आदमी खुद करता है। मशीन को परिस्थिति के अनुसार आकृति का मूल्यांकन करना सिखाना होगा, अर्थात् उसे औपचारिक कार्य करना ही नहीं, बिना सभी पर्यायों का परीक्षण किए प्रदत्त परिस्थितियों में 'दिमागी' विधि से रास्ता निकालना भी सिखाना होगा।

आदमी की दुनिया सूचनाओं से भरी है*। ये सूचनाएँ किताबों के पन्नों पर हैं, आदमी द्वारा कही गई बातों में

---

* यहाँ 'सूचना' शब्द अपने व्यापक अर्थ में प्रयुक्त हुआ है। विश्व की हर वस्तु सभी अन्य वस्तुओं पर अभिक्रिया करती रहती है, उन पर अपना प्रभाव डालती रहती है। इस अभिक्रिया का, इस प्रभाव का, चिन्ह रह जाता है। यह चिन्ह ही सूचना का अंतर्य होता है, जो उक्त अभिक्रिया को उद्घाटित करता है, उसे प्रतिबिंबित करता रहता है। सूचना का रूप (बाह्य, स्थूल रूप) संकेत कहलाता है।—अनु.

है, चाँद की सतह की बनावट में हैं, पत्तियों के हरे रंग में हैं, समुद्री ज्वार और भाटा में हैं, पवन की दिशा और शक्ति में हैं। वे वस्तुगत रूप में उपस्थित रहती हैं—तब भी जब हम उनके बारे में सोचते तक नहीं।

आदमी की ज्ञानेंद्रियाँ—आँखें, कान, त्वचा, आदि—सूचनाओं के सागर के लिए एक तरह से खुले हुए दरवाजे हैं। कलनक मशीन दुनिया के साथ सिर्फ अंकों और वर्णों के रूप में सूचनाओं का आदान-प्रदान करती है। वैसे, अब ऐसी एलेक्ट्रोनी कलनक मशीनें भी बन चुकी हैं, जिनमें कोई भी अनियमित आकृति बोध करने की क्षमता होती है।

इस बात पर ध्यान देना आवश्यक है कि सूचना जिन मार्गों से विश्लेषक-प्रयुक्ति में पहुँचती है, चाहे वह मानव-मस्तिष्क हो या कोई विशेष कृत्रिम उपकरण, वे भी महत्त्वपूर्ण हैं; पर उनका महत्त्व निर्णायक नहीं हैं दृष्टिहीन या बधिर व्यक्ति भी इन कमियों की क्षतिपूर्ति, अन्य ज्ञानेंद्रियों की सहायता से, कर लेता है। मशीन के उपयोग में आगत सूचना का रूप इतना महत्त्वपूर्ण नहीं है, जितना उसका अंतर्य और आयतन है।

आदमी की दुनिया रंगीन है, भांति-भांति की अनुभूतियों का स्रोत है। मशीन कुछ भी अनुभव नहीं करती, अंधेरे में जीती है, सिर्फ संख्याएं सुनती और देखती है।

सूचना का रूपांतरण

चालिकी में एक महत्वपूर्ण अवधारणा है—सूचना का रूपांतरक। यह ऐसा तंत्र है, जो परिवेश से सूचना ग्रहण करता है और उसे रूपांतरित करके इस परिवेश पर अभिक्रिया करने के लिए उसे वापस कर देता है।

अभी मशीन को दृष्टि, वाक् और श्रवण की 'इंद्रियाँ' प्रदान करने पर प्रयोग चल रहे हैं। उदाहरणार्थ, वैज्ञानिकों द्वारा बनाई गई पढ़ाकू स्वचल मशीनें भिन्न-भिन्न आकार की छपाई के लिए अनुकूलित की जा सकती हैं; ये एक सेकेंड में 200 अक्षर या अंक पढ़ सकती हैं, अर्थात ये आदमी से 20 गुना अधिक तेजी से पढ़ सकती हैं। यह कोई अंतिम सीमा नहीं है।

आदमी लगातार हर समय सूचनाओं का विश्लेषण करने में नहीं लगा रह सकता है। पर ऐसे अनेक क्षेत्र हैं, जैसे ब्रह्मांड के सुदूर कोनों से हम तक आते रहने वाले रेडियो-संकेत, जहाँ सूचनाओं का अविराम विश्लेषण अत्यावश्यक होता है।

भविष्य में वैज्ञानिक तथा इंजीनियर एलेक्ट्रोनी कलनक मशीनों को सीधे किताबों से या परिवेश से सूचनाएँ एकत्र

करना, उनका विश्लेषण करना तथा उन्हें संसाधित करना सिखाने में समर्थ होंगे। कलनक मशीन में अनेक मापी रूपांतरक* लगाए जा सकते हैं, जिससे वह एक साथ उन सैकड़ों घटकों पर भी ध्यान दे सकेगी जिनका सामान्यतया हमें बोध नहीं हो पाता। एसी मशीन हमारे ग्रह की मौसमी परिस्थितियों में परिवर्तन जैसे जटिल प्रक्रियाओं का भी विश्लेषण करने में समर्थ होगी।

जाहिर है कि मानव-मस्तिष्क आधुनिक कलनक मशीनों से कहीं अधिक उत्कृष्ट हैं। उसकी विश्वसनीयता बहुत ऊँची है, मस्तिष्क के वल्कुत का एक ही अंश एक साथ कई विभिन्न प्रकार्य कर सकता है। इसीलिए कलनक तकनीक के विकास की एक मुख्य दिशा है–अवधारणा के उस रूप और सूचना-संसाधन की उन विधियों का उपयोग करना, जो हमारे मस्तिष्क में प्रयुक्त होती है।

लेकिन वे लोग भी सही नहीं हैं, जो प्रकृति को तकनीक के लिए अलभ्य सीमा मान कर हर बात में उसकी नकल उतारने को कहते हैं। बहुत-सी चीजों की 'कल्पना' प्रकृति भी नहीं कर पाई। उदाहरण के लिए, प्रकृति में चक्का नहीं है। मस्तिष्क की बनावट की प्रशंसा करने के साथ-साथ उसके प्रति आलोचनात्मक दृष्टिकोण भी रखना चाहिए, कलनक मशीन बनाने में उसकी नकल नहीं उतारनी चाहिए। यह मान्यता भी शायद ही सही है कि भविष्य की कलनक मशीनें सिर्फ जीवरूप में होंगी। एक और विचार है–स्वसंगठन* की साहसपूर्ण धारणा का सैद्धांतिक विरोध करना। इसे भी ज्यादती ही मानना चाहिए। लेकिन मस्तिष्क जैसी मशीन बनाने में अनेक तकनीकी कठिनाइयाँ हैं।

एलेक्ट्रोनी कलनक मशीनों की क्षमता का अध्ययन करते समय वैज्ञानिकों ने एक आश्चर्यजनक परिणाम प्राप्त किया। पता चला कि सूचना की दृष्टि से मानव-चिंतन का कोई भी रूप कृत्रिम चालिकीय तंत्रों में प्रतिरूपित किया जा सकता है। यही नहीं, यह आज की व्यापक आंकिक मशीनों में भी संभव है। लेकिन इनकी स्मर्नक प्रयुक्तियों का आयतन बहुत ज्यादा नहीं है। टेप पर अभिलिखित करके बाह्य स्मर्नक प्रयुक्ति द्वारा यह आयतन बढ़ाया जा सकता है, पर इससे मशीन की क्षिप्रता में कमी आ जाएगी। लेकिन यह तकनीकी समस्या है।

मशीन में जीवन के विकास की प्रमुख नियमसंगतियों का–जैसे आनुवांशिकता, उत्परिवर्तन, नैसर्गिक चयन, तथा साथ ही जीवन की उत्पत्ति के समय से पृथ्वी पर होने वाली भौतिक प्रक्रियाओं के बारे में सूचनाओं का–भरण किया जा सकता है। मशीन को विकास के सभी चरणों से गुजारा जा सकता है–प्राथमिक प्रोटोप्लाज्म से लेकर मानव-मस्तिष्क तक (जाहिर है कि सिर्फ सूचना-संसाधन की दृष्टि से)। यह काम मंगल, शुक्र, आदि, किसी भी ग्रह के लिए किया जा सकता है। लेकिन यह तभी कार्यांवित किया जा सकता है, जब लोग जीवविज्ञान, भौतिकी तथा अन्य विज्ञानों को अधिक गहराई से जानने लगेंगे।

नीवनतम चालिकीय तंत्रों तथा प्रयुक्तियों के आधार पर मनुष्य के विभिन्न बौद्धिक
प्रकार्यों के स्वचलकरण का तेजी से विकास हो रहा है। यह स्वचलकरण निरंतर
नये-नये क्षेत्रों पर छाता जा रहा है, इसकी क्षमता असीम है।

चालिकी मानव-समाज की भौतिक, मानसिक तथा बौद्धिक शक्तियों के विकास का आधार है।

●●●

---

* मापाधीन भौतिक राशि (जैसे दाब, स्थानांतरण, वोल्टता, तापक्रम, आदि) को प्रेषण, संग्रह और संसाधन के लायक किसी सुविधाजनक संकेत (अक्सर वैद्युत संकेत) में रूपांतरित करने वाला कोई मापक उपकरण।–अनु.

* स्वसंगठनकारी तंत्र नयी परिस्थितियों के अनुसार अपने को अनूकूलित करने की प्रक्रिया में अपनी संरचना स्वयं परिवर्तित करते रहते हैं; इनका यह कार्य स्वसंगठन कहलाता है।–अनु.